談美

朱光潛 著

漓江出版社

图书在版编目(CIP)数据

谈美/朱光潜 著.—桂林:漓江出版社, 2012.3(2018.5重印)
ISBN 978-7-5407-5209-5

Ⅰ.①谈… Ⅱ.①朱… Ⅲ.①美学 Ⅳ.①B83

中国版本图书馆CIP数据核字(2011)第131250号

责任编辑:郑纳新
封面设计:李 佳

出版人:刘迪才
漓江出版社有限公司出版发行
广西桂林市南环路22号 邮政编码:541002
网址:http://www.lijiangbook.com
全国新华书店经销
销售热线:0773-2583322

山东德州新华印务有限责任公司印刷
(山东省德州市经济开发区晶华大道2306号 邮政编码:253000)
开本:650mm×960mm 1/16
印张:7.25 字数:62千字
2012年3月第2版 2018年5月第11次印刷
定价:18.00元

序

朱自清

新文化运动以来,文艺理论的介绍各新杂志上常常看见;就中自以关于文学的为主,别的偶然一现而已。同时各杂志的插图却不断地复印西洋名画,不分时代,不论派别,大都凭编辑人或他们朋友的嗜好。也有选印雕像的,但比较少。他们有时给这些名作来一点儿说明,但不说明的时候多。青年们往往将杂志当水火,当饭菜;他们从这里得着美学的知识,正如从这里得着许多别的知识一样。他们也往往应用这点知识去欣赏,去批评别人的作品,去创造自己的。不少的诗文和绘画就如此形成。但这种东鳞西爪积累起来的知识只是"杂拌儿";——还赶不上"杂拌儿",因为"杂拌儿"总算应有尽有,而这种知识不然。应用起来自然是够苦的,够张罗的。

从这种凌乱的知识里,得不着清清楚楚的美感观念。徘徊于美感与快感之间,考据、批评与欣赏之间,自然美与艺术美之间,常时自己冲突,自己烦恼,而不知道怎样去解那连环。又如写实主义与理想主义就像是难分难解的一对冤家,公说公有理，婆说婆有理，各有一套天花乱坠的话。你有时乐意听这一造的，有时乐意听那一造的，好教你左右做人难！还有近年来习用的“主观的”、“客观的”两个名字，也不只一回“缠夹二先生”。因此许多青年腻味了，索性一切不管，只抱着一条道理，“有文艺的嗜好就可以谈文艺”。这是“以不了了之”，究竟“谈”不出什么来。留心文艺的青年，除这等难处外，怕更有一个切身的问题等着解决的。新文化是“外国的影响”，自然不错；但说一般青年不留余地地鄙弃旧的文学艺术，却非真理。他们觉得单是旧的“注”、“话”、“评”、“品”等不够透彻，必须放在新的眼光里看才行。但他们的力量不够应用新知识到旧材料上去，于是只好搁浅，并非他们愿意如此。

这部小书便是帮助你走出这些迷路的。它让你将那些杂牌军队改编为正式军队；裁汰冗弱，补充械弹，所谓“兵在精而不在多”。其次指给你一简捷不绕弯的道路让你走上前去，不至于彷徨在大野里，也不至于彷徨在牛角尖里。其次它告诉你怎样在咱们的旧环境中应用新战术；它自然只能给你一两个例子看，让你可以举一反三。它矫正你的错误，针砭你的缺失，鼓励你走向前去。作者是你的熟人，他曾写给你十二封信；他态度的亲切和谈话的风趣，你是不会忘记的。在这书里他的希望是很大的，他说：

> 悠悠的过去只是一片漆黑的天空，我们所以还能认识出来这漆黑的天空者，全赖思想家和艺术家所散布的几点星光。朋友，让我们珍重这几点星光！让我

们也努力散布几点星光去照耀和那过去一般漆黑的未来。

（第一章）

这却不是大而无当、远不可及的例话；他散布希望在每一个心里，让你相信你所能做的比你想你所能做的多。他告诉你美并不是天上掉下来的；它一半在物，一半在你，在你的手里，"一首诗的生命不是做者一个人所能维持住，也要读者帮忙才行。读者的想象和情感是生生不息的，一首诗的生命也就是生生不息的，它并非是一成不变的。"（第九章）"情感是生生不息的，意象也是生生不息的。……即景可以生情，因情也可以生景。所以诗是做不尽的。……诗是生命的表现。说诗已经做穷了，就不啻说生命已到了末日。"（第十一章）这便是"欣赏之中都寓有创造，创造之中也都寓有欣赏"（第九章）；是精粹的理解，同时结结实实地鼓励你。

孟实先生还写了一部大书——《文艺心理学》。但这本小册子并非节略；它自成一个完整的有机体；有些处是那部大书所不详的；有些是那里面没有的。——"人生的艺术化"一章是著明的例子；这是孟实先生自己最重要的理论。他分人生为广狭两义：艺术虽与"实际人生"有距离，与"整个人生"却并无隔阂；"因为艺术是情趣的表现，而情趣的根源就在人生。反之，离开艺术也便无所谓人生；因为凡是创造和欣赏都是艺术的活动。"他说："生活上的艺术家也不但能认真而且能摆脱。在认真时见出他的严肃，在摆脱时见出他的豁达。"又引西方哲人之说："至高的善在无所为而为的玩索"，以为这"还是一种美"。又说："一切哲学系统也都只能当作艺术作品去看。"又说："真理在离开实用而成为情趣中心时，就已经是美感的对象……所以科学的活动也还是一种艺术的活动。"这样真善美便成了三位一体了。孟实先生引读者由艺术走入人生，又将人生纳入艺术之中。这种"宏远的眼界和豁达的胸襟"，值得学者深思。文艺理论当有以观其会通；局于一方一隅，是不会有真知灼见的。

1932 年 4 月，伦敦

目　录

开场话

朋友：

从写十二封信给你之后，我已经歇三年没有和你通消息了。你也许怪我疏懒，也许忘记几年前的一位老友了，但是我仍是时时挂念你。在这几年之内，国内经过许多不幸的事变，刺耳痛心的新闻不断地传到我这里来。听说我的青年朋友之中，有些人已遭惨死，有些人已因天灾人祸而废学，有些人已经拥有高官厚禄或是正在"忙"高官厚禄。这些消息使我比听到日本出兵东三省和轰炸淞沪时更伤心。在这种时候，我总是提心吊胆地念着你。你还是在惨死者之列呢？还是已经由党而官、奔走于大人先生之门而洋洋自得呢？

在这些提心吊胆的时候，我常想写点什么寄慰你。我本有许多话要说而终于缄默到现在者，也并非完全由于疏懒。在我的脑际盘旋的实际问题都很复杂错乱，它们所引起的感想也因而复杂错乱。现在青年不应该再有复杂错乱的心境了。他们所需要的不是一盆八宝饭而是一帖清凉散。想来想去，我决定来和你谈美。

谈美！这话太突如其来了！在这个危急存亡的年头，我还有心肝来“谈风月”么？是的，我现在谈美，正因为时机实在是太紧迫了。朋友，你知道，我是一个旧时代的人，流落在这纷纭扰攘的新时代里面，虽然也出过一番力来领略新时代的思想和情趣，仍然不免抱有许多旧时代的信仰。我坚信中国社会闹得如此之糟，不完全是制度的问题，是大半由于人心太坏。我坚信情感比理智重要，要洗刷人心，并非几句道德家言所可了事，一定要从“怡情养性”做起，一定要于饱食暖衣，高官厚禄等等之外，别有较高尚、较纯洁的企求。要求人心净化，先要求人生美化。

人要有出世的精神才可以做入世的事业。现世只是一个密密无缝的利害网，一般人不能跳脱这个圈套，所以转来转去，仍是被利害两个大字系住。在利害关系方面，人已最不容易调协，人人都把自己放在首位，欺诈、凌虐、劫夺种种罪孽都种根于此。美感的世界纯粹是意象世界，超乎利害关系而独立。在创造或是欣赏艺术时，人都是从有利害关系的实用世界搬家到绝无利害关系的理想世界里去。艺术的活动是“无所为而为”的。我以为无论是讲学问或是做事业的人都要抱有一副“无所为而为”的精神，把自己所做的学问事业当作一件艺术品看待，只求满足理想和情趣，不斤斤于利害得失，才可以有一番真正的成就。伟大的事业都出于宏远的眼界和豁达的胸襟。如果这两层不讲究，社会上多一个讲政治经济的人，便是多一个借党忙官的人；这种人愈多，社会愈趋于腐浊。现在一般借党忙官的政治学者和经济学者以及冒牌的哲学家和科学家所给人的印象只要一句话就说尽了——“俗不可耐”。

人心之坏，由于“未能免俗”。什么叫做“俗”？这无非是像蛆钻粪似地求温饱，不能以“无所为而为”的精神作高尚纯洁的企求；总而言之，“俗”无非是缺乏美感的修养。

在这封信里我只有一个很单纯的目的，就是研究如何“免俗”。这事本来关系各人的性分，不易以言语晓谕，我自己也还是一个“未能免俗”的人，但是我时常领略到能免俗的趣味，这大半是在玩味一首诗、一幅画或是一片自然风景的时候。我能领略到这种趣味，自信颇得力于美学的研究。在这封信里我就想把这一点心得介绍给你。假若你看过之后，看到一首诗、一幅画或是一片自然风景的时候，比较从前感觉到较浓厚的趣味，懂得像什么样的经验才是美感的，然后再以美感的态度推到人生世相方面去，我的心愿就算达到了。

在写这封信之前，我曾经费过一年的光阴写了一部《文艺心理学》。这里所说的话大半在那里已经说过，我何必又多此一举呢？在那部书里我向专门研究美学的人说话，免不了引经据典，带有几分掉书囊的气味；在这里我只是向一位亲密的朋友随便谈谈，竭力求明白晓畅。在写《文艺心理学》时，我要先看几十部书才敢下笔写一章；在写这封信时，我和平时写信给我的弟弟妹妹一样，面前一张纸，手里一管笔，想到什么便写什么，什么书也不去翻看，我所说的话都是你所能了解的，但是我不敢勉强要你全盘接收。这是一条思路，你应该趁着这条路自己去想。一切事物都有几种看法，我所说的只是一种看法，你不妨有你自己的看法。我希望你把你自己所想到的写一封回信给我。

我们对于一棵古松的三种态度

——实用的、科学的、美感的

我刚才说,一切事物都有几种看法。你说一件事物是美的或是丑的,这也只是一种看法。换一个看法,你说它是真的或是假的;再换一种看法,你说它是善的或是恶的。同是一件事物,看法有多种,所看出来的现象也就有多种。

比如园里那一棵古松,无论是你是我或是任何人一看到它,都说它是古松。但是你从正面看,我从侧面看,你以幼年人的心境去看,我以中年人的心境去看,这些情境和性格的差异都能影响到所看到的古松的面目。古松虽只是一件事物,你所看到的和我所看到的古松却是两件事。假如你和我各把所得的古松的印象画成一幅画或是写成一首诗,我们俩艺术手腕尽管不分上下,你的诗和画与我的诗和画相比较,却有许多重要的异点。这是什么缘故呢?这就由于知觉不完全是客观的,各人所见到的物的形象都带有几分主观的色彩。

假如你是一位木商,我是一位植物学家,另外一位朋友是画家,三人同时来看这棵古松。我们三人可以说同时都"知觉"

到这一棵树，可是三人所“知觉”到的却是三种不同的东西。你脱离不了你的木商的心习，你所知觉到的只是一棵做某事用值几多钱的木料。我也脱离不了我的植物学家的心习，我所知觉到的只是一棵叶为针状、果为球状、四季常青的显花植物。我们的朋友——画家——什么事都不管，只管审美，他所知觉到的只是一棵苍翠劲拔的古树。我们三人的反应态度也不一致。你心里盘算它是宜于架屋或是制器，思量怎样去买它，砍它，运它。我把它归到某类某科里去，注意它和其他松树的异点，思量它何以活得这样老。我们的朋友却不这样东想西想，他只在聚精会神地观赏它的苍翠的颜色，它的盘曲如龙蛇的线纹以及它的昂然高举、不受屈挠的气概。

从此可知这棵古松并不是一件固定的东西，它的形象随观者的性格和情趣而变化。各人所见到的古松的形象都是各人自己性格和情趣的返照。古松的形象一半是天生的，一半也是人为的。极平常的知觉都带有几分创造性；极客观的东西之中都有几分主观的成分。

美也是如此。有审美的眼睛才能见到美。这棵古松对于我们的画画的朋友是美的，因为他去看它时就抱了美感的态度。你和我如果也想见到它的美，你须得把你那种木商的实用的态度丢开，我须得把植物学家的科学的态度丢开，专持美感的态度去看它。

这三种态度有什么分别呢？

先说实用的态度。做人的第一件大事就是维持生活。既要生活，就要讲究如何利用环境。“环境”包含我自己以外的一切人和物在内，这些人和物有些对于我的生活有益，有些对于我的生活有害，有些对于我不关痛痒。我对于他们于是有爱恶的情感，有趋就或逃避的意志和活动。这就是实用的态度。实用的态度起于实用的知觉，实用的知觉起于经验。小孩子初出世，第一次遇见火就伸手去抓，被它烧痛了，以后他再遇见火，便认识它是什么东西，便明了它是烧痛手指的，火对于他于是有意义。事物本来都是很混乱的，人为便利实用起见，才像被火烧过的小孩子根据经验把四周事物分类立名，说天天吃的东西叫做“饭”，天天穿的东西叫做“衣”，某种人是朋友，某种人是仇敌，于是事物才有所谓“意义”。意义大半都起于实用。在许多人看，衣除了是穿的，饭除了是吃的，女人除了是生小孩的一类意义之外，便寻不出其他意义。所谓“知觉”，就是感官接触某种人或物时心里明了他的意义。明了他的意义起初都只是明了他的实用。明了实用之后，才可以对他起反应动作，或是爱他，或是恶他，或是求他，或是拒他，木商看古松的态度便是如此。

科学的态度则不然。它纯粹是客观的，理论的。所谓客观的态度就是把自己的成见和情感完全丢开，专以“无所为而为”的精神去探求真理。理论是和实用相对的。理论本来可以见诸实用，但是科学家的直接目的却不在于实用。科学家见到一个美人，不说我要去向她求婚，她可以替我生儿子，只说我看她这人很有趣味，我要来研究她的生理构造，分析她的心理组织。科学家见到一堆粪，不说它的气味太坏，我要掩鼻走开，只说这堆粪是一个病人排泄的，我要分析它的化学成分，看看有没有病菌在里面。科学家自然也有见到美人就求婚，见到粪就掩鼻走开的时候,但是那时候他已经由科学家还到实际人的地位了。科学的态度之中很少有情感和意志,它的最重要的心理活动是抽象的思考。科学家要在这个混乱的世界中寻出事物的关系和条理,纳个物于概念,从原理演个例,分出某者为因,某者为果,某者为特征,某者为偶然性。植物学家看古松的态度便是如此。

木商由古松而想到架屋、制器、赚钱等等,植物学家由古松而想到根茎花叶、日光水分等等,他们的意识都不能停止在古松本身上面。不过把古松当作一块踏脚石,由它跳到和它有关系的种种事物上面去。所以在实用的态度中和科学的态度中,所得到的事物的意象都不是独立的、绝缘的,观者的注意力都不是专注在所观事物本身上面的。注意力的集中,意象的孤立绝缘,便是美感的态度的最大特点。比如我们的画画的朋友看古松,他把全副精神都注在松的本身上面,古松对于他便成了一个独立自足的世界。他忘记他的妻子在家里等柴烧饭,他忘记松树在植物教科书里叫做显花植物,总而言之,古松完全占领住他的意识,古松以外的世界他都视而不见、听而不闻了。他只把古松摆在心眼面前当作一幅画去玩味。他不计较实用,所以心中没有意志和欲念;他不推求关系、条理、因果等等,所以不用抽象的思考。这种脱净了意志和抽象思考的心理活动叫做"直觉",直觉所见到的孤立绝缘的意象叫做"形象"。美感经验就是形象的直觉,美就是事物呈现形象于直觉时的特质。

实用的态度以善为最高目的,科学的态度以真为最高目的,美感的态度以美为最高目的。在实用态度中,我们的注意力偏在事物对于人的利害,心理活动偏重意志;在科学的态度中,我们的注意力偏在事物间的互相关系,心理活动偏重抽象的思考;在美感的态度中,我们的注意力专在事物本身的形象,心理活动偏重直觉。真善美都是人所定的价值,不是事物所本有的特质。离开人的观点而言,事物都浑然无别,善恶、真伪、美丑就漫无意义。真善美都含有若干主观的成分。

就"用"字的狭义说,美是最没有用处的。科学家的目的虽只在辨别真伪,他所得的结果却可效用于人类社会。美的事物如诗文、图画、雕刻、音乐等等都是寒不可以为衣,饥不可以为食的。从实用的观点看,许多艺术家都是太不切实用的人物。然则我们又何必来讲美呢?人性本来是多方的,需要也是多方的。真善美三者俱备才可以算是完全的人。人性中本有饮食欲,渴而无所饮,饥而无所食,固然是一种缺乏;人性中本有求知欲而没有科学的活动,本有美的嗜好而没有美感的活动,也未始不是一种缺乏。真和美的需要也是人生中的一种饥渴——精神上的饥渴。疾病衰老的身体才没有口腹的饥渴。同理,你遇到一个没有精神上的饥渴的人或民族,你可以断定他的心灵已到了疾病衰老的状态。

人所以异于其他动物的就是于饮食男女之外还有更高尚的企求,美就是其中之一。是壶就可以贮茶,何必又求它形式、花样、颜色都要好看呢?吃饱了饭就可以睡觉,何必又呕心血去做诗、画画、奏乐呢?"生命"是与"活动"同义的,活动愈自由生命也就愈有意义。人的实用的活动全是有所为而为,是受环境需要限制的;人的美感的活动全是无所为而为,是环境不需要他活动而他自己愿意去活动的。在有所为而为的活动中，人是环境需要的奴隶；在无所为而为的活动中，人是自己心灵的主宰。这是单就人说，就物说呢，在实用的和科学的世界中，事物都借着和其他事物发生关系而得到意义，到了孤立绝缘时就都没有意义；但是在美感世界中它却能孤立绝缘，却能在本身现出价值。照这样看，我们可以说，美是事物的最有价值的一面，美感的经验是人生中最有价值的一面。

许多轰轰烈烈的英雄和美人都过去了，许多轰轰烈烈的成功和失败也都过去了，只有艺术作品真正是不朽的。数千年前的《采采卷耳》和《孔雀东南飞》的作者还能在我们心里点燃很强烈的火焰，虽然在当时他们不过是大皇帝脚下的不知名的小百姓。秦始皇并吞六国，统一车书，曹孟德带八十万人马下江东，舳舻千里，旌旗蔽空，这些惊心动魄的成败对于你有什么意义？对于我有什么意义？但是长城和《短歌行》对于我们还是很亲切的，还可以使我们心领神会这些骸骨不存的精神气魄。这几段墙在，这几句诗在，他们永远对于人是亲切的。由此类推，在几千年或是几万年以后看现在纷纷扰扰的“帝国主义”、“反帝国主义”、“主席”、“代表”、“电影明星”之类对于人有什么意义？我们这个时代是否也有类似长城和《短歌行》的纪念坊留给后人，让他们觉得我们也还是很亲切的么？悠悠的过去只是一片漆黑的天空，我们所以还能认识出来这漆黑的天空者，全赖思想家和艺术家所散布的几点星光。朋友，让我们珍重这几点星光！让我们也努力散布几点星光去照耀那和过去一般漆黑的未来！

“当局者迷，旁观者清”

——艺术和实际人生的距离

有几件事实我觉得很有趣味，不知道你有同感没有？

我的寓所后面有一条小河通莱茵河。我在晚间常到那里散步一次，走成了习惯，总是沿东岸去，过桥沿西岸回来。走东岸时我觉得西岸的景物比东岸的美；走西岸时适得其反，东岸的景物又比西岸的美。对岸的草木房屋固然比较这边的美，但是它们又不如河里的倒影。同是一棵树，看它的正身本极平凡，看它的倒影却带有几分另一世界的色彩。我平时又欢喜看烟雾朦胧的远树，大雪笼盖的世界和更深夜静的月景。本来是习见不以为奇的东西，让雾、雪、月盖上一层白纱，便见得很美丽。

北方人初看到西湖，平原人初看到峨眉，虽然审美力薄弱的村夫，也惊讶于它们的奇景；但在生长在西湖或峨眉的人除了以居近名胜自豪以外，心里往往觉得西湖和峨眉实在不过如此。新奇的地方都比熟悉的地方美，东方人初到西方，或是西方人初到东方，都往往觉得面前景物件件值得玩味。本地人自以为不合时尚的服装和举动,在外方人看,却往往有一种美的意味。

古董癖也是很奇怪的。一个周朝的铜鼎或是一个汉朝的瓦瓶在当时也不过是盛酒盛肉的日常用具,在现在却变成很稀有的艺术品。固然有些好古董的人是贪它值钱,但是觉得古董实在可玩味的人却不少。我到外国人家去时,主人常欢喜拿一点中国东西给我看。这总不外瓷罗汉、蟒袍、渔樵耕读图之类的装饰品,我看到每每觉得羞涩,而主人却诚心诚意地夸奖它们好看。

种田人常羡慕读书人,读书人也常羡慕种田人。竹篱瓜架旁的黄粱浊酒和朱门大厦中的山珍海鲜,在旁观者所看出来的滋味都比当局者亲口尝出来的好。读陶渊明的诗,我们常觉到农人的生活真是理想的生活,可是农人自己在烈日寒风之中耕作时所尝到的况味,绝不似陶渊明所描写的那样闲逸。

人常是不满意自己的境遇而羡慕他人的境遇,所以俗话说:“家花不比野花香。”人对于现在和过去的态度也有同样的分别。本来是很酸辛的遭遇到后来往往变成很甜美的回忆。我小时在乡下住,早晨看到的是那几座茅屋,几畦田,几排青山,晚上看到的也还是那几座茅屋,几畦田,几排青山,觉得它们真是单调无味,现在回忆起来,却不免有些留恋。

这些经验你一定也注意到的。它们是什么缘故呢?

这全是观点和态度的差别。看倒影,看过去,看旁人的境遇,看稀奇的景物,都好比站在陆地上远看海雾,不受实际的切身的利害牵绊,能安闲自在地玩味目前美妙的景致。看正身,看现在，看自己的境遇，看习见的景物，都好比乘海船遇着海雾，只知它妨碍呼吸，只嫌它耽误程期，预兆危险，没有心思去玩味它的美妙。持实用的态度看事物，它们都只是实际生活的工具或障碍物，都只能引起欲念或嫌恶。要见出事物本身的美，我们一定要从实用世界跳开，以“无所为而为”的精神欣赏它们本身的形象。总而言之，美和实际人生有一个距离，要见出事物本身的美，须把它摆在适当的距离之外去看。

再就上面的实例说，树的倒影何以比正身美呢？它的正身是实用世界中的一片段，它和人发生过许多实用的关系。人一看见它，不免想到它在实用上的意义，发生许多实际生活的联想。它是避风息凉的或是架屋烧火的东西。在散步时我们没有这些需要，所以就觉得它没有趣味。倒影是隔着一个世界的，是幻境的，是与实际人生无直接关联的。我们一看到它，就立刻注意到它的轮廓线纹和颜色，好比看一幅图画一样。这是形象的直觉，所以是美感的经验。总而言之，正身和实际人生没有距离，倒影和实际人生有距离，美的差别即起于此。

同理，游历新境时最容易见出事物的美。习见的环境都已变成实用的工具。比如我久住在一个城市里面，出门看见一条街就想到朝某方向走是某家酒店，朝某方向走是某家银行；看见了一座房子就想到它是某个朋友的住宅，或是某个总长的衙门。这样的“由盘而之钟”，我的注意力就迁到旁的事物上去，不能专心致志地看这条街或是这座房子究竟像个什么样子。在崭新的环境中，我还没有认识事物的实用的意义，事物还没有变成实用的工具，一条街还只是一条街而不是到某银行或某酒店的指路标，一座房子还只是某颜色某线形的组合而不是私家住宅或是总长衙门，所以我能见出它们本身的美。

一件本来惹人嫌恶的事情，如果你把它推远一点看，往往可以成为很美的意象。卓文君不守寡，私奔司马相如，陪他当垆卖酒。我们现在把这段情史传为佳话。我们读李长吉的“长卿怀茂陵，绿草垂石井，弹琴看文君，春风吹鬓影”几句诗，觉得它是多么幽美的一幅画！但是在当时人看，卓文君失节却是一件秽行丑迹。袁子才尝刻一方“钱塘苏小是乡亲”的印，看他的口吻是多么自豪！但是钱塘苏小究竟是怎样的一个伟人？她原来不过是南朝的一个妓女。和这个妓女同时的人谁肯攀她做“乡亲”呢？当时的人受实际问题的牵绊，不能把这些人物的行为从极繁复的社会信仰和利害观念的圈套中划出来，当作美丽的意象来观赏。我们在时过境迁之后，不受当时的实际问题的牵绊，所以能把它们当作有趣的故事来谈。它们在当时和实际人生的距离太近，到现在则和实际人生距离较远了，好比经过一些年代的老酒，已失去它的原来的辣性，只留下纯淡的滋味。

一般人迫于实际生活的需要，都把利害认得太真，不能站在适当的距离之外去看人生世相，于是这丰富华严的世界，除了可效用于饮食男女的营求之外，便无其他意义。他们一看到瓜就想它是可以摘来吃的，一看到漂亮的女子就起性欲的冲动。他们完全是占有欲的奴隶。花长在园里何尝不可以供欣赏？他们却欢喜把它摘下来挂在自己的襟上或是插在自己的瓶里。一个海边的农夫逢人称赞他的门前海景时，便很羞涩的回过头来指着屋后一园菜说:“门前虽没有什么可看的,屋后这一园菜却还不差。”许多人如果不知道周鼎汉瓶是很值钱的古董,我相信他们宁愿要一个不易打烂的铁锅或瓷罐,不愿要那些不能煮饭藏菜的破铜破铁。这些人都是不能在艺术品或自然美和实际人生之中维持一种适当的距离。

艺术家和审美者的本领就在能不让屋后的一园菜压倒门前的海景,不拿盛酒盛菜的标准去估定周鼎汉瓶的价值,不把一条街当作到某酒店和某银行去的指路标。他们能跳开利害的圈套,只聚精会神地观赏事物本身的形象。他们知道在美的事物和实际人生之中维持一种适当的距离。

我说“距离”时总不忘冠上“适当的”三个字,这是要注意的。“距离”可以太过,可以不及。艺术一方面要能使人从实际生活牵绊中解放出来,一方面也要使人能了解,能欣赏,“距离”不及,容易使人回到实用世界,距离太远,又容易使人无法了解欣赏。这个道理可以拿一个浅例来说明。

王渔洋的《秋柳诗》中有两句说:“相逢南雁皆愁侣,好语西乌莫夜飞。”在不知这诗的历史的人看来,这两句诗是漫无意义的,这就是说,它的距离太远,读者不能了解它,所以无法欣赏它。《秋柳诗》原来是悼明亡的,“南雁”是指国亡无所依附的故旧大臣,“西乌”是指有意屈节降清的人物。假使读这两句诗的人自己也是一个“遗老”,他对于这两句诗的情感一定比旁人较能了解。但是他不一定能取欣赏的态度,因为他容易看这两句诗而自伤身世,想到种种实际人生问题上面去,不能把注意力专注在诗的意象上面,这就是说,《秋柳诗》对于他的实际生活距离太近了,容易把他由美感的世界引回到实用的世界。

许多人欢喜从道德的观点来谈文艺,从韩昌黎的"文以载道"说起,一直到现代"革命文学"以文学为宣传的工具止,都是把艺术硬拉回到实用的世界里去。一个乡下人看戏,看见演曹操的角色扮老奸巨猾的样子惟妙惟肖,不觉义愤填胸,提刀跳上舞台,把他杀了。从道德的观点评艺术的人们都有些类似这位杀曹操的乡下佬,义气虽然是义气,无奈是不得其时,不得其地。他们不知道道德是实际人生的规范,而艺术是与实际人生有距离的。

艺术须与实际人生有距离,所以艺术与极端的写实主义不相容。写实主义的理想在妙肖人生和自然,但是艺术如果真正做到妙肖人生和自然的境界,总不免把观者引回到实际人生,使他的注意力旁迁于种种无关美感的问题,不能专心致志地欣赏形象本身的美,比如裸体女子的照片常不免容易刺激性欲,而裸体雕像如《密罗斯爱神》,裸体画像如法国安格尔的《汲泉女》,都只能令人肃然起敬。这是什么缘故呢?这就是因为照片太逼肖自然,容易像实物一样引起人的实用的态度;雕刻和图画都带有若干形式化和理想化,都有几分不自然,所以不易被人误认为实际人生中的一片段。

艺术上有许多地方,乍看起来,似乎不近情理。古希腊和中国旧戏的角色往往戴面具,穿高底鞋,表演时用歌唱的声调,不像平常说话。埃及雕刻对于人体加以抽象化,往往千篇一律。波斯图案画把人物的肢体加以不自然的扭曲,中世纪"哥特式"诸大教寺的雕像把人物的肢体加以不自然的延长。中国和西方古代的画都不用远近阴影。这种艺术上的形式化往往遭浅人唾骂,它固然时有流弊,其实也含有至理。这些风格的创始者都未尝不知道它不自然,但是他们的目的正在使艺术和自然之中有一种距离。说话不押韵,不论平仄,做诗却要押韵,要论平仄,道理也是如此。艺术本来是弥补人生和自然缺陷的。如果艺术的最高目的仅在妙肖人生和自然,我们既已有人生和自然了,又何取乎艺术呢?

艺术都是主观的,都是作者情感的流露,但是它一定要经过几分客观化。艺术都要有情感,但是只有情感不一定就是艺术。许多人本来是笨伯而自信是可能的诗人或艺术家。他们常埋怨道:“可惜我不是一个文学家,否则我的生平可以写成一部很好的小说。”富于艺术材料的生活何以不能产生艺术呢?艺术所用的情感并不是生糙的而是经过反省的。蔡琰在丢开亲生子回国时绝写不出《悲愤诗》,杜甫在“入门闻号咷,幼子饥已卒”时绝写不出《自京赴奉先县咏怀五百字》。这两首诗都是“痛定思痛”的结果。艺术家在写切身的情感时,都不能同时在这种情感中过活,必定把它加以客观化,必定由站在主位的尝受者退为站在客位的观赏者。一般人不能把切身的经验放在一种距离以外去看,所以情感尽管深刻,经验尽管丰富,终不能创造艺术。

“子非鱼，安知鱼之乐？”

——宇宙的人情化

庄子与惠子游于濠梁之上。

庄子曰：“儵鱼出游从容，是鱼乐也！”

惠子曰：“子非鱼，安知鱼之乐？”

庄子曰：“子非我，安知我不知鱼之乐？”

这是《庄子·秋水》篇里的一段故事，是你平时所欢喜玩味的。我现在借这段故事来说明美感经验中的一个极有趣味的道理。

我们通常都有“以己度人”的脾气，因为有这个脾气，对于自己以外的人和物才能了解。严格地说，各个人都只能直接地了解他自己，都只能知道自己处某种境地，有某种知觉，生某种情感。至于知道旁人旁物处某种境地、有某种知觉、生某种情感时，则是凭自己的经验推测出来的。比如我知道自己在笑时心里欢喜，在哭时心里悲痛，看到旁人笑也就以为他心里欢喜，看见旁人哭也以为他心里悲痛。我知道旁人旁物的知觉和情感如何，都是拿自己的知觉和情感来比拟的。我只知道自己，我知道旁人旁物时是把旁人旁物看成自己，或是把自己推到旁人旁物的地位。庄子看到鯈鱼“出游从容”便觉得它乐，因为他自己对于“出游从容”的滋味是有经验的。人与人，人与物，都有共同之点，所以他们都有互相感通之点。假如庄子不是鱼就无从知鱼之乐，每个人就要各成孤立世界，和其他人物都隔着一层密不通风的墙壁，人与人以及人与物之间便无心灵交通的可能了。

这种“推己及物”、“设身处地”的心理活动不尽是有意的，出于理智的，所以它往往发生幻觉。鱼没有反省的意识，是否能够像人一样“乐”，这种问题大概在庄子时代的动物心理学也还没有解决，而庄子硬拿“乐”字来形容鱼的心境，其实不过把他自己的“乐”的心境外射到鱼的身上罢了，他的话未必有科学的谨严与精确。我们知觉外物，常把自己所得的感觉外射到物的本身上去，把它误认为物所固有的属性，于是本来在我的就变成在物的了。比如我们说“花是红的”时，是把红看作花所固有的属性，好像是以为纵使没有人去知觉它，它也还是在那里。其实花本身只有使人觉到红的可能性，至于红却是视觉的结果。红是长度为若干的光波射到眼球网膜上所生的印象。如果光波长一点或是短一点，眼球网膜的构造换一个样子，红的色觉便不会发生。患色盲的人根本就不能辨别红色，就是眼睛健全的人在薄暮光线暗淡时也不能把红色和绿色分得清楚，从此可知严格地说，我们只能说“我觉得花是红的”。我们通常都把“我觉得”三字略去而直说“花是红的”，于是在我的感觉遂被误认为在物的属性了。日常对于外物的知觉都可作如是观。“天气冷”其实只是“我觉得天气冷”,鱼也许和我不一致;“石头太沉重”其实只是“我觉得它太沉重”,大力士或许还嫌它太轻。

云何尝能飞?泉何尝能跃?我们却常说云飞泉跃;山何尝能鸣?谷何尝能应?我们却常说山鸣谷应。在说云飞泉跃、山鸣谷应时,我们比说花红石头重,又更进一层了。原来我们只把在我的感觉误认为在物的属性,现在我们却把无生气的东西看成有生气的东西,把它们看作我们的侪辈,觉得它们也有性格,也有情感,也能活动。这两种说话的方法虽不同,道理却是一样,都是根据自己的经验来了解外物。这种心理活动通常叫做“移情作用”。

“移情作用”是把自己的情感移到外物身上去,仿佛觉得外物也有同样的情感。这是一个极普遍的经验。自己在欢喜时,大地山河都在扬眉带笑;自己在悲伤时,风云花鸟都在叹气凝愁。惜别时蜡烛可以垂泪,兴到时青山亦觉点头。柳絮有时“轻狂”,晚峰有时“清苦”。陶渊明何以爱菊呢?因为他在傲霜残枝中见出孤臣的劲节;林和靖何以爱梅呢?因为他在暗香疏影中见出隐者的高标。

从这几个实例看,我们可以看出移情作用是和美感经验有密切关系的。移情作用不一定就是美感经验,而美感经验却常含有移情作用。美感经验中的移情作用不单是由我及物的,同时也是由物及我的;它不仅把我的性格和情感移注于物,同时也把物的姿态吸收于我。所谓美感经验,其实不过是在聚精会神之中,我的情趣和物的情趣往复回流而已。

姑先说欣赏自然美。比如我在观赏一棵古松,我的心境是什么样状态呢?我的注意力完全集中在古松本身的形象上,我的意识之中除了古松的意象之外,一无所有。在这个时候,我的实用的意志和科学的思考都完全失其作用,我没有心思去分别我是我而古松是古松。古松的形象引起清风亮节的类似联想,我心中便隐约觉到清风亮节所常伴着的情感。因为我忘记古松和我是两件事,我就于无意之中把这种清风亮节的气概移置到古松上面去,仿佛古松原来就有这种性格。同时我又不知不觉地受古松的这种性格影响,自己也振作起来,模仿它那一副苍老劲拔的姿态。所以古松俨然变成一个人,人也俨然变成一棵古松。真正的美感经验都是如此,都要达到物我同一的境界,在物我同一的境界中,移情作用最容易发生,因为我们根本就不分辨所生的情感到底是属于我还是属于物的。

再说欣赏艺术美,比如说听音乐。我们常觉得某种乐调快活,某种乐调悲伤。乐调自身本来只有高低、长短、急缓、宏纤的分别,而不能有快乐和悲伤的分别。换句话说,乐调只能有物理而不能有人情。我们何以觉得这本来只有物理的东西居然有人情呢?这也是由于移情作用。这里的移情作用是如何起来的呢?音乐的命脉在节奏。节奏就是长短、高低、急缓、宏纤相继承的关系。这些关系前后不同,听者所费的心力和所用的心的活动也不一致。因此听者心中自起一种节奏和音乐的节奏相平行。听一曲高而缓的调子,心力也随之作一种高而缓的活动;听一曲低而急的调子,心力也随之作一种低而急的活动。这种高而缓或是低而急的心力活动,常蔓延浸润到全部心境,使它变成和高而缓的活动或是低而急的活动相同调,于是听者心中遂感觉一种欢欣鼓舞或是抑郁凄恻的情调。这种情调本来属于听者,在聚精会神之中,他把这种情调外射出去,于是音乐也就有快乐和悲伤的分别了。

再比如说书法。书法在中国向来自成艺术,和图画有同等的身份,近来才有人怀疑它是否可以列于艺术,这般人大概是看到西方艺术史中向来不留位置给书法,所以觉得中国人看重书法有些离奇。其实书法可列于艺术,是无可置疑的。它可以表现性格和情趣。颜鲁公的字就像颜鲁公,赵孟頫的字就像赵孟頫。所以字也可以说是抒情的,不但是抒情的,而且是可以引起移情作用的。横直钩点等等笔画原来是墨涂的痕迹,它们不是高人雅士,原来没有什么"骨力"、"姿态"、"神韵"和"气魄"。但是在名家书法中我们常觉到"骨力"、"姿态","神韵"和"气魄"。我们说柳公权的字"劲拔",赵孟頫的字"秀媚",这都是把墨涂的痕迹看作有生气有性格的东西,都是把字在心中所引起的意象移到字的本身上面去。

移情作用往往带有无意的模仿。我在看颜鲁公的字时,仿佛对着巍峨的高峰,不知不觉地耸肩聚眉,全身的筋肉都紧张起来,模仿它的严肃;我在看赵孟頫的字时,仿佛对着临风荡漾的柳条,不知不觉地展颐摆腰,全身的筋肉都松懈起来,模仿它的秀媚。从心理学看,这本来不是奇事。凡是观念都有实现于运动的倾向。念到跳舞时脚往往不自主地跳动,念到"山"字时口舌往往不由自主地说出"山"字。通常观念往往不能实现于动作者，由于同时有反对的观念阻止它。同时念到打球又念到泅水，则既不能打球，又不能泅水。如果心中只有一个观念，没有旁的观念和它对敌，则它常自动地现于运动。聚精会神看赛跑时，自己也往往不知不觉地弯起胳膊动起脚来，便是一个好例。在美感经验之中，注意力都是集中在一个意象上面，所以极容易起模仿的运动。

移情的现象可以称之为“宇宙的人情化”，因为有移情作用然后本来只有物理的东西可具人情，本来无生气的东西可有生气。从理智观点看，移情作用是一种错觉，是一种迷信。但是如果把它勾销，不但艺术无由产生，即宗教也无由出现。艺术和宗教都是把宇宙加以生气化和人情化，把人和物的距离以及人和神的距离都缩小。它们都带有若干神秘主义的色彩。所谓神秘主义其实并没有什么神秘，不过是在寻常事物之中见出不寻常的意义。这仍然是移情作用。从一草一木之中见出生气和人情以至于极玄奥的泛神主义，深浅程度虽有不同，道理却是一样。

美感经验既是人的情趣和物的姿态的往复回流，我们可以从这个前提中抽出两个结论来：

一、物的形象是人的情趣的返照。物的意蕴深浅和人的性分密切相关。深人所见于物者亦深，浅人所见于物者亦浅。比如一朵含露的花，在这个人看来只是一朵平常的花，在那个人看或以为它含泪凝愁，在另一个人看或以为它能象征人生和宇宙的妙谛。一朵花如此，一切事物也是如此。因我把自己的意蕴和情趣移于物，物才能呈现我所见到的形象。我们可以说，各人的世界都由各人的自我伸张而成。欣赏中都含有几分创造性。

二、人不但移情于物，还要吸收物的姿态于自我，还要不知不觉地模仿物的形象。所以美感经验的直接目的虽不在陶冶性情，而却有陶冶性情的功效。心里印着美的意象，常受美的意象浸润，自然也可以少存些浊念。苏东坡诗说："宁可食无肉，不可居无竹；无肉令人瘦，无竹令人俗。"竹不过是美的形象之一种，一切美的事物都有不令人俗的功效。

希腊女神的雕像和血色鲜丽的英国姑娘

——美感与快感

我在以上三章所说的话都是回答“美感是什么”这个问题。我们说过，美感起于形象的直觉。它有两个要素：

一、目前意象和实际人生之中有一种适当的距离。我们只观赏这种孤立绝缘的意象，一不问它和其他事物的关系如何，二不问它对于人的效用如何。思考和欲念都暂时失其作用。

二、在观赏这种意象时，我们处于聚精会神以至于物我两忘的境界，所以于无意之中以我的情趣移注于物，以物的姿态移注于我。这是一种极自由的（因为是不受实用目的牵绊的）活动，说它是欣赏也可，说它是创造也可，美就是这种活动的产品，不是天生现成的。

这是我们的立脚点。在这个立脚点上站稳，我们可以打倒许多关于美感的误解。在以下两三章里我要说明美感不是许多人所想象的那么一回事。

我们第一步先打倒享乐主义的美学。

“美”字是不要本钱的，喝一杯滋味好的酒，你称赞它

“美”，看见一朵颜色很鲜明的花，你称赞它“美”，碰见一位年轻姑娘，你称赞她“美”，读一首诗或是看一座雕像，你也还是称赞它“美”。这些经验显然不尽是一致的。究竟怎样才算“美”呢？一般人虽然不知道什么叫做“美”，但是都知道什么样就是愉快。拿一幅画给一个小孩子或是未受艺术教育的人看，征求他的意见，他总是说“很好看”。如果追问他“它何以好看？”他不外是回答说：“我欢喜看它，看了它就觉得很愉快。”通常人所谓“美”大半就是指“好看”，指“愉快”。

不仅普通人如此，许多声名煊赫的文艺批评家也把美感和快感混为一件事。英国十九世纪有一位学者叫做罗斯金，他著过几十册书谈建筑和图画，就曾经很坦白地告诉人说：“我从来没有看见过一座希腊女神雕像，有一位血色鲜丽的英国姑娘的一半美。”从愉快的标准看，血色鲜丽的姑娘引诱力自然是比女神雕像的大；但是你觉得一位姑娘“美”和你觉得一座女神雕像“美”时是否相同呢？《红楼梦》里的刘姥姥想来不一定有什么风韵，虽然不能邀罗斯金的青眼，在艺术上却仍不失其为美。一个很漂亮的姑娘同时做许多画家的“模特儿”，可是她的画像在一百张之中不一定有一张比得上伦勃朗（荷兰人物画家）的“老太婆”。英国姑娘的“美”和希腊女神雕像的“美”显然是两件事，一个是只能引起快感的，一个是只能引起美感的。罗斯金的错误在把英国姑娘的引诱性做“美”的标准，去测量艺术作品。艺术是另一世界里的东西，对于实际人生没有引诱性，所以他以为比不上血色鲜丽的英国姑娘。

美感和快感究竟有什么分别呢？有些人见到快感不尽是

美感,替它们勉强定一个分别来,却又往往不符事实。英国有一派主张“享乐主义”的美学家就是如此。他们所见到的分别彼此又不一致。有人说耳、目是“高等感官”,其余鼻、舌、皮肤、筋肉等等都是“低等感官”,只有“高等感官”可以尝到美感而“低等感官”则只能尝到快感。有人说引起美感的东西可以同时引起许多人的美感,引起快感的东西则对于这个人引起快感,对于那个人或引起不快感。美感有普遍性,快感没有普遍性。这些学说在历史上都发生过影响,如果分析起来,都是一钱不值。拿什么标准说耳、目是“高等感官”?耳、目得来的有些是美感,有些也只是快感,我们如何去分别?“客去茶香余舌本”,“冰肌玉骨,自清凉无汗”等名句是否与“低等感官”不能得美感之说相容?至于普遍不普遍的话更不足为凭。口腹有同嗜而艺术趣味却往往随人而异。陈年花雕是吃酒的人大半都称赞它美的,一般人却不能欣赏后期印象派的图画。我曾经听过一位很时髦的英国老太婆说道:“我从来没有见过比金字塔再拙劣的东西。”

从我们的立脚点看,美感和快感是很容易分别的。美感与实用活动无关,而快感则起于实际要求的满足。口渴时要喝水,喝了水就得到快感;腹饥时要吃饭,吃了饭也就得到快感。喝美酒所得的快感由于味感得到所需要的刺激,和饱食暖衣的快感同为实用的,并不是起于“无所为而为”的形象的观赏。至于看血色鲜丽的姑娘,可以生美感也可以不生美感。如果你觉得她是可爱的,给你做妻子你还不讨厌她,你所谓“美”就只是指合于满足性欲需要的条件,“美人”就只是指对于异性有引诱力的女子。如果你见了她不起性欲的冲动，只把她当作线纹匀称的形象看，那就和欣赏雕像或画像一样了。美感的态度不带意志，所以不带占有欲。在实际上性欲本能是一种最强烈的本能，看见血色鲜丽的姑娘而能"心如古井"地不动，只一味欣赏曲线美，是一般人所难能的。所以就美感说，罗斯金所称赞的血色鲜丽的英国姑娘对于实际人生距离太近，不一定比希腊女神雕像的价值高。

谈到这里，我们可以顺便地说一说弗洛伊德派心理学在文艺上的应用。大家都知道，弗洛伊德把文艺认为是性欲的表现。性欲是最原始最强烈的本能，在文明社会里，它受道德、法律种种社会的牵制，不能得充分的满足，于是被压抑到"隐意识"里去成为"情意综"。但是这种被压抑的欲望还是要偷空子化装求满足。文艺和梦一样，都是带着假面具逃开意识检察的欲望。举一个例来说。男子通常都特别爱母亲，女子通常都特别爱父亲。依弗洛伊德看，这就是性爱。这种性爱是反乎道德法律的，所以被压抑下去，在男子则成"俄狄浦斯情意综"，在女子则成"厄勒克特拉情意综"。这两个奇怪的名词是怎样讲呢？俄狄浦斯原来是古希腊的一个王子，曾于无意中弑父娶母，所以他可以象征子对于母的性爱，厄勒克特拉是古希腊的一个公主。她的母亲爱了一个男子把丈夫杀了，她怂恿她的兄弟把母亲杀了，替父亲报仇，所以她可以象征女对于父的性爱。在许多民族的神话里面，伟大的人物都有母而无父，耶稣和孔子就是著例，耶稣是上帝授胎的，孔子之母祷于尼丘而生孔子。在弗洛伊德派学者看，这都是"俄狄浦斯情意综"的表现。许多文艺作品都可以用这种眼光来看，都是被压抑的性欲因化装而得满足。

依这番话看，弗洛伊德的文艺观还是要纳到享乐主义里去，他自己就常欢喜用“快感原则”这个名词。在我们看，他的毛病也在把快感和美感混淆，把艺术的需要和实际人生的需要混淆。美感经验的特点在“无所为而为”地观赏形象。在创造或欣赏的一刹那中，我们不能仍然在所表现的情感里过活，一定要站在客位把这种情感当一幅意象去观赏。如果作者写性爱小说，读者看性爱小说，都是为着满足自己的性欲，那就无异于为着饥而吃饭，为着冷而穿衣，只是实用的活动而不是美感的活动了。文艺的内容尽管有关性欲，可是我们在创造或欣赏时却不能同时受性欲冲动的驱遣，须站在客位把它当作形象看。世间自然也有许多人欢喜看淫秽的小说去刺激性欲或是满足性欲，但是他们所得的并不是美感。弗洛伊德派的学者的错处不在主张文艺常是满足性欲的工具，而在把这种满足认为美感。

美感经验是直觉的而不是反省的。在聚精会神之中我们既忘去自我，自然不能觉得我是否欢喜所观赏的形象，或是反省这形象所引起的是不是快感。我们对于一件艺术作品欣赏的浓度愈大，就愈不觉得自己是在欣赏它，愈不觉得所生的感觉是愉快的。如果自己觉得快感，我便是由直觉变而为反省，好比提灯寻影，灯到影灭，美感的态度便已失去了。美感所伴的快感，在当时都不觉得，到过后才回忆起来。比如读一首诗或是看一幕戏，当时我们只是心领神会，无暇他及，后来回想，才觉得这一番经验很愉快。

这个道理一经说破,本来很容易了解。但是许多人因为不明白这个很浅显的道理,遂走上迷路。近来德国和美国有许多研究“实验美学”的人就是如此。他们拿一些颜色、线形或是音调来请受验者比较,问他们欢喜哪一种,讨厌哪一种,然后作出统计来,说某种颜色是最美的,某种线形是最丑的。独立的颜色和画中的颜色本来不可相提并论。在艺术上部分之和并不等于全体,而且最易引起快感的东西也不一定就美。他们的错误是很显然的。

"记得绿罗裙，处处怜芳草"

美感与快感之外，还有一个更易惹误解的纠纷问题，就是美感与联想。

什么叫做联想呢？联想就是见到甲而想到乙。甲唤起乙的联想通常不外起于两种原因：或是甲和乙在性质上相类似，例如看到春光想起少年，看到菊花想到节士；或是甲和乙在经验上曾相接近，例如看到扇子想起萤火虫，走到赤壁想起曹孟德或苏东坡。类似联想和接近联想有时混在一起，牛希济的"记得绿罗裙，处处怜芳草'两句词就是好例。词中主人何以"记得绿罗裙"呢？因为罗裙和他的欢爱者相接近；他何以"处处怜芳草"呢？因为芳草和罗裙的颜色相类似。

意识在活动就是联想在进行，所以我们差不多时时刻刻都在起联想。听到声音知道说话的是谁，见到一个词知道它的意义，都是起于联想作用。联想是以旧经验诠释新经验，如果没有它，知觉、记忆和想象都不能发生，因为它们都得根据过去的经验。从此可知联想为用之广。

联想有时可用意志控制，作文构思时或追忆一时记不起的过去经验时，都是勉强把联想挤到一条路上去走。但是在大多数情境之中，联想是自由的，无意的，飘忽不定的。听课读书时本想专心，而打球、散步、吃饭、邻家的猫儿种种意象总是不由你自主地闯进脑里来，失眠时越怕胡思乱想，越禁止不住胡思乱想。这种自由联想好比水流湿，火就燥，稍有勾搭，即被牵绊，未登九天，已入黄泉。比如我现在从“火”字出发，就想到红、石榴、家里的天井、浮山、雷鲤的诗、鲤鱼、孔夫子的儿子等等，这个联想线索前后相承，虽有关系可寻，但是这些关系都是偶然的。我的“火”字的联想线索如此，换一个人或是我自己在另一时境，“火”字的联想线索却另是一样。从此可知联想的散漫飘忽。

联想的性质如此。多数人觉得一件事物美时，都是因为它能唤起甜美的联想。

在“记得绿罗裙，处处怜芳草”的人看，芳草是很美的。颜色心理学中有许多同类的事实。许多人对于颜色都有所偏好，有人偏好红色，有人偏好青色，有人偏好白色。据一派心理学家说，这都是由于联想作用。例如红是火的颜色，所以看到红色可以使人觉得温暖；青是田园草木的颜色，所以看到青色可以使人想到乡村生活的安闲。许多小孩子和乡下人看画，都只是欢喜它的花红柳绿的颜色。有些人看画，欢喜它里面的故事，乡下人欢喜把孟姜女、薛仁贵，桃园三结义的图糊在壁上做装饰，并不是因为那些木板雕刻的图好看，是因为它们可以提起许多有趣故事的联想。这种脾气并不只是乡下人才有。我每次陪朋友们到画馆里去看画，见到他们所特别注意的第一是几张有声名的画，第二是有历史性的作品如耶稣临刑图、拿破仑结婚图之类，像伦勃朗所画的老太公、老太婆，和后期印象派的山水风景之类的作品，他们却不屑一顾。此外又有些人看画（和看一切其他艺术作品一样），偏重它所含的道德教训。道学先生看到裸体雕像或画像，都不免起若干嫌恶。记得詹姆斯在他的某一部书里说过有一次见过一位老修道妇，站在一幅耶稣临刑图面前合掌仰视，悠然神往。旁边人问她那幅画何如，她回答说："美极了，你看上帝是多么仁慈，让自己的儿子去牺牲，来赎人类的罪孽！"

在音乐方面，联想的势力更大。多数人在听音乐时，除了联想到许多美丽的意象之外，便别无所得。他们欢喜这个调子，因为它使他们想起清风明月；不欢喜那个调子，因为它唤醒他们以往的悲痛的记忆。钟子期何以负知音的雅名？因他听伯牙弹琴时，惊叹说："善哉！峨峨兮若泰山，洋洋兮若江河。"李颀在胡笳声中听到什么？他听到的是"空山百鸟散还合，万里浮云阴且晴"。白乐天在琵琶声中听到什么？他听到的是"银瓶乍破水浆迸，铁骑突出刀枪鸣"。苏东坡怎样形容洞箫？他说："其声呜呜然，如怨如慕，如泣如诉。余音袅袅，不绝如缕。舞幽谷之潜蛟，泣孤舟之嫠妇。"这些数不尽的例子都可以证明多数人欣赏音乐，都是欣赏它所唤起的联想。

联想所伴的快感是不是美感呢？

历来学者对于这个问题可分两派，一派的答案是肯定的，一派的答案是否定的。这个争辩就是在文艺思潮史中闹得很凶的形式和内容的争辩。依内容派说，文艺是表现情思的，所以文艺的价值要看它的情思内容如何而决定。第一流文艺作品都必有高深的思想和真挚的情感。这句话本来是不可辩驳的。但是侧重内容的人往往从这个基本原理抽出两个其他的结论,第一个结论是题材的重要。所谓题材就是情节。他们以为有些情节能唤起美丽堂皇的联想,有些情节只能唤起丑陋凡庸的联想。比如做史诗和悲剧,只应采取英雄为主角,不应采取愚夫愚妇。第二个结论就是文艺应含有道德的教训。读者所生的联想既随作品内容为转移,则作者应设法把读者引到正经路上去,不要用淫秽卑鄙的情节摇动他的邪思。这些学说发源较早,它们的影响到现在还是很大。从前人所谓"思无邪"、"言之有物"、"文以载道",现在人所谓"哲理诗"、"宗教艺术"、"革命文学"等等,都是侧重文艺的内容和文艺的无关美感的功效。

这种主张在近代颇受形式派的攻击,形式派的标语是"为艺术而艺术"。他们说,两个画家同用一个模特儿,所成的画价值有高低;两个文学家同用一个故事,所成的诗文意蕴有深浅。许多大学问家、大道德家都没有成为艺术家,许多艺术家并不是大学问家、大道德家。从此可知艺术之所以为艺术,不在内容而在形式。如果你不是艺术家,纵有极好的内容,也不能产生好作品出来;反之,如果你是艺术家,极平庸的东西经过灵心妙运点铁成金之后,也可以成为极好的作品。印象派大师如莫奈、凡·高诸人不是往往在一张椅子或是几间破屋之中表现一个情深意永的世界出来么?这一派学说到近代才逐渐占势力。在文学方面的浪漫主义,在图画方面的印象主义,尤其是后期印象主义，在音乐方面的形式主义，都是看轻内容的。单拿图画来说，一般人看画，都先问里面画的是什么，是怎样的人物或是怎样的故事。这些东西在术语上叫做“表意的成分”。近代有许多画家就根本反对画中有任何“表意的成分”。看到一幅画，他们只注意它的颜色、线纹和阴影，不问它里面有什么意义或是什么故事。假如你看到这派的作品，你起初只望见许多颜色凑合在一起，须费过一番审视和猜度，才知道所画的是房子或是崖石。这一派人是最反对杂联想于美感的。

这两派的学说都持之有故，言之成理，我们究竟何去何从呢？我们否认艺术的内容和形式可以分开来讲（这个道理以后还要谈到），不过关于美感与联想这个问题，我们赞成形式派的主张。

就广义说，联想是知觉和想象的基础，艺术不能离开知觉和想象，就不能离开联想。但是我们通常所谓联想，是指由甲而乙，由乙而丙，辗转不止的乱想。就这个普通的意义说，联想是妨碍美感的。美感起于直觉，不带思考，联想却不免带有思考。在美感经验中我们聚精会神于一个孤立绝缘的意象上面，联想则最易使精神涣散，注意力不专一，使心思由美感的意象旁迁到许多无关美感的事物上面去。在审美时我看到芳草就一心一意地领略芳草的情趣；在联想时我看到芳草就想到罗裙，又想到穿罗裙的美人，既想到穿罗裙的美人，心思就已不复在芳草了。

联想大半是偶然的。比如说，一幅画的内容是“西湖秋月”，如果观者不聚精会神于画的本身而信任联想，则甲可以联想到雷峰塔，乙可以联想到往日同游西湖的美人，这些联想纵然有时能提高观者对于这幅画的好感，画本身的美却未必因此而增加，而画所引起的美感则反因精神涣散而减少。

知道这番道理，我们就可以知道许多通常被认为美感的经验其实并非美感了。假如你是武昌人，你也许特别欢喜崔颢的《黄鹤楼》诗；假如你是陶渊明的后裔，你也许特别欢喜《陶渊明集》；假如你是道德家，你也许特别欢喜《打鼓骂曹》的戏或是韩退之的《原道》；假如你是古董贩，你也许特别欢喜河南新出土的龟甲文或是敦煌石窟里面的壁画；假如你知道达·芬奇的声名大，你也许特别欢喜他的《蒙娜丽莎》。这都是自然的倾向，但是这都不是美感，都是持实际人的态度，在艺术本身以外求它的价值。

"灵魂在杰作中的冒险"

——考证、批评与欣赏

把快感认为美感,把联想认为美感,是一般人的误解,此外还有一种误解是学者们所特有的,就是把考证和批评认为欣赏。

在这里我不妨稍说说自己的经验。我自幼就很爱好文学。在我所谓"爱好文学",就是欢喜哼哼有趣味的诗词和文章。后来到外国大学读书,就顺本来的偏好,决定研究文学。在我当初所谓"研究文学",原来不过是多哼哼有趣味的诗词和文章。我以为那些外国大学的名教授可以告诉我哪些作品有趣味,并且向我解释它们何以有趣味的道理。我当时隐隐约约地觉得这门学问叫做"文学批评",所以在大学里就偏重"文学批评"方面的功课。哪知道我费过五六年的功夫,所领教的几乎完全不是我原来所想望的。

比如拿莎士比亚这门功课来说,教授在讲堂上讲些什么呢?现在英国的学者最重"版本的批评"。他们整年地讲莎士比亚的某部剧本在某一年印第一次"四折本",某一年印第一次

“对折本”,“四折本”和“对折本”有几次翻印,某一个字在第一次“四折本”怎样写,后来在“对折本”里又改成什么样,某一段在某版本里为阙文,某一个字是后来某个编辑者校改的。在我只略举几点已经就够使你看得不耐烦了,试想他们费毕生的精力做这种勾当!

自然他们不仅讲这一样,他们也很重视“来源”的研究。研究“来源”的问些什么问题呢?莎士比亚大概读过些什么书?他是否懂得希腊文?他的《哈姆雷特》一部戏是根据哪些书?这些书他读时是用原文还是用译本?他的剧中情节和史实有哪几点不符?为了要解决这些问题,学者们个个在埋头于灰封虫咬的向来没有人过问的旧书堆中,寻求他们的所谓“证据”。

此外他们也很重视“作者的生平”。莎士比亚生前操什么职业?几岁到伦敦当戏子?他少年偷鹿的谣传是否确实?他的十四行诗里所说的“黑姑娘”究竟是谁?“哈姆雷特”是否是莎士比亚现身说法?当时伦敦有几家戏院?他和这些戏院和同行戏子的关系如何?他死时的遗嘱能否见出他和他的妻子的情感?为了这些问题,学者跑到法庭里翻几百年前的文案,跑到官书局里查几百年前的书籍登记簿,甚至于跑到几座古老的学校去看看墙壁上和板凳上有没有或许是莎士比亚划的简笔姓名。他们如果寻到片纸只字,就以为是至宝。

这三种功夫合在一块讲,就是中国人所说的“考据学”。我的讲莎士比亚的教师除了这种考据学以外,自己不做其他的功夫,对于我们学生们也只讲他所研究的那一套,至于剧本本身,他只让我们凭我们自己的能力去读,能欣赏也好,不能欣赏也好，他是不过问的，像他这一类的学者在中国向来就很多，近来似乎更时髦。许多人是把“研究文学”和“整理国故”当作一回事。从美学观点来说，我们对于这种考据的工作应该发生何种感想呢？

考据所得的是历史的知识。历史的知识可以帮助欣赏却不是欣赏本身。欣赏之前要有了解。了解是欣赏的预备，欣赏是了解的成熟。只就欣赏说，版本、来源以及作者的生平都是题外事，因为美感经验全在欣赏形象本身，注意到这些问题，就是离开形象本身。但是就了解说，这些历史的知识却非常重要。例如要了解曹子建的《洛神赋》，就不能不知道他和甄后的关系；要欣赏陶渊明的《饮酒》诗，就不能不先考定原本中到底是“悠然望南山”还是“悠然见南山”。

了解和欣赏是互相补充的。未了解决不足以言欣赏，所以考据学是基本的功夫。但是只了解而不能欣赏，则只是做到史学的功夫，却没有走进文艺的领域。一般富于考据癖的学者通常都不免犯两种错误。第一种错误就是穿凿附会。他们以为作者一字一画都有来历，于是拉史实来附会它。他们不知道艺术是创造的，虽然可以受史实的影响，却不必完全受史实的支配。《红楼梦》一部书有多少“考证”和“索隐”？它的主人究竟是纳兰成德，是清朝某个皇帝，还是曹雪芹自己？“红学”家大半都忘记艺术生于创造的想象，不必实有其事。考据家的第二种错误在因考据而忘欣赏。他们既然把作品的史实考证出来之后，便以为能事已尽。而不进一步去玩味玩味。他们好比食品化学专家，把一席菜的来源、成分以及烹调方法研究得有条有理之后,便袖手旁观,不肯染指。就我个人说呢,我是一个饕餮汉,对于这般考据家的苦心孤诣虽是十二分的敬佩和感激,我自己却不肯学他们那样“斯文”,我以为最要紧的事还是伸箸把菜取到口里来咀嚼,领略领略它的滋味。

在考据学者们自己看,考据就是一种批评。但是一般人所谓批评,意义实不仅如此。所以我当初想望研究文学批评,而教师却只对我讲版本来源种种问题,我很惊讶,很失望。普通意义的批评究竟是什么呢?这也并没有定准,向来批评学者有派别的不同,所认识的批评的意义也不一致。我们把他们区分起来,可以得四大类。

第一类批评学者自居“导师”的地位。他们对于各种艺术先抱有一种理想而自己却无能力把它实现于创作,于是拿这个理想来期望旁人。他们欢喜向创作家发号施令,说小说应该怎样做,说诗要用音韵或是不要用音韵,说悲剧应该用伟大人物的材料,说文艺要含有道德的教训,如此等类的教条不一而足。他们以为创作家只要遵守这些教条,就可以做出好作品来。坊间所流行的《诗学法程》、《小说作法》、《作文法》等等书籍的作者都属于这一类。

第二类批评学者自居“法官”地位。“法官”要有“法”,所谓“法”便是“纪律”。这班人心中预存几条纪律,然后以这些纪律来衡量一切作品,和它们相符合的就是美,违背它们的就是丑。这种“法官”式的批评家和上文所说的“导师”式的批评家常合在一起。他们最好的代表是欧洲假古典主义的批评家。“古典”是指古希腊和罗马的名著,“古典主义”就是这些名著所表现的特殊风格,“假古典主义”就是要把这种特殊风格定为“纪律”让创作家来模仿。处“导师”的地位,这派批评家向创作家发号施令说:“从古人的作品中我们抽绎出这几条纪律,你要谨遵无违,才有成功的希望!”处“法官”的地位,他们向创作家下批语说:“亚理斯多德明明说过坏人不能做悲剧主角,你莎士比亚何以要用一个杀皇帝的麦克白?做诗用字忌俚俗,你在麦克白的独白中用‘刀’字,刀是屠户和厨夫的用具,拿来杀皇帝,岂不太损尊严,不合纪律?”(“刀”字的批评出诸约翰逊,不是我的杜撰。)这种批评的价值是很小的。文艺是创造的,谁能拿死纪律来范围活作品?谁读《诗歌作法》如法炮制而做成好诗歌?

第三类批评学者自居“舌人”的地位。“舌人”的功用在把外乡话翻译为本地话,叫人能够懂得。站在“舌人”的地位的批评家说:“我不敢发号施令,我也不敢判断是非,我只把作者的性格、时代和环境以及作品的意义解剖出来,让欣赏者看到易于明了。”这一类批评家又可细分为两种。一种如法国的圣伯夫,以自然科学的方法去研究作者的心理,看他的作品与个性、时代和环境有什么关系。一种为注疏家和上文所说的考据家,专以追溯来源、考订字句和解释意义为职务。这两种批评家的功用在帮助了解,他们的价值我们在上文已经说过。

第四类就是近代在法国闹得很久的印象主义的批评。属于这类的学者所居的地位可以说是“饕餮者”的地位。“饕餮者”只贪美味,尝到美味便把它的印象描写出来。他们的领袖是法朗士,他曾经说过:“依我看来,批评和哲学与历史一样,只是一种给深思好奇者看的小说;一切小说,精密地说起来,都是一种自传。凡是真批评家都只叙述他的灵魂在杰作中的冒险。"这是印象派批评家的信条。他们反对"法官"式的批评,因为"法官"式的批评相信美丑有普遍的标准,印象派则主张各人应以自己的嗜好为标准,我自己觉得一个作品好就说它好,否则它虽然是人人所公认为杰作的荷马史诗,我也只把它和许多我所不欢喜的无名小卒一样看待。他们也反对"舌人"式的批评,因为"舌人"式的批评是科学的、客观的,印象派则以为批评应该是艺术的、主观的,它不应像餐馆的使女只捧菜给人吃,应该亲自尝菜的味道。

一般讨论读书方法的书籍往往劝读者持"批评的态度"。这所谓"批评"究竟取哪一个意义呢?它大半是指"判断是非"。所谓持"批评态度"去读书,就是说不要"尽信书",要自己去分判书中何者为真,何者为伪,何者为美,何者为丑。这其实就是"法官"式的批评。这种"批评的态度"和"欣赏的态度"(就是美感的态度)是相反的。批评的态度是冷静的,不杂情感的,其实就是我们在开头时所说的"科学的态度";欣赏的态度则注重我的情感和物的姿态的交流。批评的态度须用反省的理解,欣赏的态度则全凭直觉。批评的态度预存有一种美丑的标准,把我放在作品之外去评判它的美丑;欣赏的态度则忌杂有任何成见,把我放在作品里面去分享它的生命。遇到文艺作品如果始终持批评的态度,则我是我而作品是作品,我不能沉醉在作品里面,永远得不到真正的美感的经验。

印象派的批评可以说就是"欣赏的批评"。就我个人说,我是倾向这一派的，不过我也明白它的缺点。印象派往往把快感误认为美感。在文艺方面，各人的趣味本来有高低。比如看一幅画，"内行"有"内行"的印象，"外行"有"外行"的印象，这两种印象的价值是否相同呢？我小时候欢喜读《花月痕》和《吕东莱博议》一类的东西，现在回想起来不禁赧颜，究竟是我从前对还是现在对呢？文艺虽无普遍的纪律，而美丑的好恶却有一个道理。遇见一个作品，我们只说"我觉得它好"还不够，我们还应说出我何以觉得它好的道理。说出道理就是一般人所谓批评的态度了。

总而言之，考据不是欣赏，批评也不是欣赏，但是欣赏却不可无考据与批评。从前老先生们太看重考据和批评的功夫，现在一般青年又太不肯做脚踏实地的功夫，以为有文艺的嗜好就可以谈文艺，这都是很大的错误。

“情人眼底出西施”

——美与自然

我们关于美感的讨论，到这里可以告一段落了，现在最好把上文所说的话回顾一番，看我们已经占住了多少领土。美感是什么呢？从积极方面说，我们已经明白美感起于形象的直觉，而这种形象是孤立自足的，和实际人生有一种距离；我们已经见出美感经验中我和物的关系，知道我的情趣和物的姿态交感共鸣，才见出美的形象。从消极方面说，我们已经明白美感一不带意志欲念，有异于实用态度，二不带抽象思考，有异于科学态度；我们已经知道一般人把寻常快感、联想以及考据与批评认为美感的经验是一种大误解。

美生于美感经验，我们既然明白美感经验的性质，就可以进一步讨论美的本身了。

什么叫做美呢？

在一般人看，美是物所固有的。有些人物生来就美，有些人物生来就丑。比如称赞一个美人，你说她像一朵鲜花，像一颗明星，像一只轻燕，你决不说她像一个布袋，像一条犀牛或是像一只癞蛤蟆。这就分明承认鲜花、明星和轻燕一类事物原来是美的，布袋、犀牛和癞蛤蟆一类事物原来是丑的。说美人是美的，也犹如说她是高是矮是肥是瘦一样，她的高矮肥瘦是她的星宿定的，是她从娘胎带来的，她的美也是如此，和你看者无关。这种见解并不限于一般人，许多哲学家和科学家也是如此想。所以他们费许多心力去实验最美的颜色是红色还是蓝色，最美的形体是曲线还是直线，最美的音调是 G 调还是 F 调。

但是这种普遍的见解显然有很大的难点，如果美本来是物的属性，则凡是长眼睛的人们应该都可以看到，应该都承认它美，好比一个人的高矮，有尺可量，是高大家就要都说高，是矮大家就要都说矮。但是美的估定就没有一个公认的标准。假如你说一个人美，我说她不美，你用什么方法可以说服我呢？有些人欢喜辛稼轩而讨厌温飞卿，有些人欢喜温飞卿而讨厌辛稼轩，这究竟谁是谁非呢？同是一个对象，有人说美，有人说丑，从此可知美本在物之说有些不妥了。

因此，有一派哲学家说美是心的产品。美如何是心的产品，他们的说法却不一致。康德以为美感判断是主观的而却有普遍性，因为人心的构造彼此相同。黑格尔以为美是在个别事物上见出“概念”或理想。比如你觉得峨眉山美，由于它表现“庄严”、“厚重”的概念。你觉得《孔雀东南飞》美，由于它表现“爱”与“孝”两种理想的冲突。托尔斯泰以为美的事物都含有宗教和道德的教训。此外还有许多其他的说法。说法既不一致，就只有都是错误的可能而没有都是不错的可能，好比一个数学题生出许多不同的答数一样。大约哲学家们都犯过信理智的毛病，艺术的欣赏大半是情感的而不是理智的。在觉得一件事物美时，我们纯凭直觉，并不是在下判断，如康德所说的，也不是在从个别事物中见出普遍原理，如黑格尔、托尔斯泰一般人所说的；因为这些都是科学的或实用的活动，而美感并不是科学的或实用的活动。还不仅此，美虽不完全在物却亦非与物无关，你看到峨眉山才觉得庄严、厚重，看到一个小土墩却不能觉得庄严、厚重。从此可知物须先有使人觉得美的可能性，人不能完全凭心灵创造出美来。

依我们看，美不完全在外物，也不完全在人心，它是心物婚媾后所产生的婴儿。美感起于形象的直觉。形象属物而却不完全属于物，因为无我即无由见出形象；直觉属我却又不完全属于我，因为无物则直觉无从活动。美之中要有人情也要有物理，二者缺一都不能见出美。再拿欣赏古松的例子来说，松的苍翠劲直是物理，松的清风亮节是人情。从“我”的方面说，古松的形象并非天生自在的，同是一棵古松，千万人所见到的形象就有千万不同，所以每个形象都是每个人凭着人情创造出来的，每个人所见到的古松的形象就是每个人所创造的艺术品，它有艺术品通常所具的个性，它能表现各个人的性分和情趣。从“物”的方面说，创造都要有创造者和所创造物，所创造物并非从无中生有，也要有若干材料，这材料也要有创造成美的可能性。松所生的意象和柳所生的意象不同，和癞蛤蟆所生的意象更不同。所以松的形象这一个艺术品的成功，一半是我的贡献，一半是松的贡献。

这里我们要进一步研究我与物如何相关了。何以有些事物使我觉得美，有些事物使我觉得丑呢？我们最好用一个浅例来说明这个道理。比如我们看下列六条垂直线，往往把它们看成三个柱子，觉得这三个柱子所围的空间（即A与B、C与D和E与F所围的空间）离我们较近，而B与C以及D与E所围的空间则看成背景，离我们较远。还不仅此。我们把这六条垂直线摆在一块看，它们仿佛自成一个谐和的整体；至于G与H两条没有规律的线则仿佛是这整体以外的东西，如果勉强把它搭上前面的六条线一块看，就觉得它不和谐。

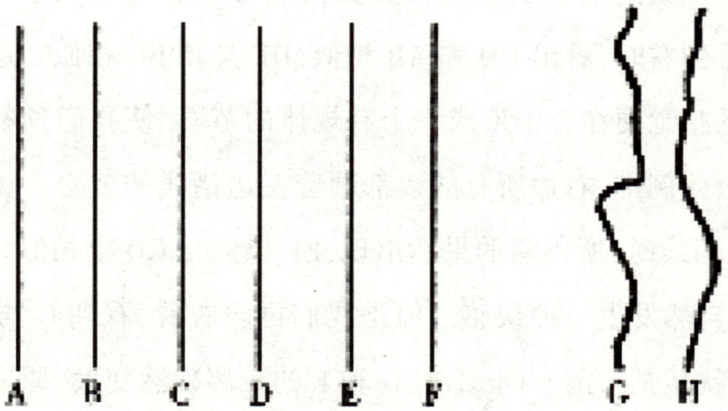

(1)A与B、C与D、E与F距离都相等。

(2)B与C、D与E距离相等，略大于A与B的距离。

(3)F与G的距离较B与C的距离大。

(4)A、B、C、D、E、F为六条平行垂直线，G与H为两条没有规律的线。

从这个有趣的事实，我们可以看出两个很重要的道理：

一、最简单的形象的直觉都带有创造性。把六条垂直线看成三个柱子，就是直觉到一种形象。它们本来同是垂直线，我们把 A 和 B 选在一块看,却不把 B 和 C 选在一块看;同是直线所围的空间,本来没有远近的分别,我们却把 A、B 中空间看得近,把 B、C 中空间看得远。从此可知在外物者原来是散漫混乱,经过知觉的综合作用,才现出形象来。形象是心灵从混乱的自然中所创造成的整体。

二、心灵把混乱的事物综合成整体的倾向却有一个限制,事物也要本来就有可综合为整体的可能性。A 至 F 六条线可以看成一个整体,G 与 H 两条线何以不能纳入这个整体里面去呢?这里我们很可以见出在觉美觉丑时心和物的关系。我们从左看到右时,看出 CD 和 AB 相似,DE 又和 BC 相似。这两种相似的感觉便在心中形成一个有规律的节奏,使我们预料此后都可由此例推,右边所有的线都顺着左边诸线的节奏。视线移到 EF 两线时,所预料的果然出现,EF 果然与 CD 也相似。预料而中,自然发生一种快感。但是我们再向右看,看到 G 与 H 两线时,就猛觉与前不同,不但 G 和 F 的距离猛然变大,原来是像柱子的平行垂直线,现在却是两条毫无规律的线。这是预料不中,所以引起不快感。因此 G 与 H 两线不但在物理方面和其他六条线不同,在情感上也和它们不能谐和,所以被摈于整体之外。

这里所谓“预料”自然不是有意的,好比深夜下楼一样,步步都踏着一步梯,就无意中预料以下都是如此,倘若猛然遇到较大的距离,或是踏到平地,才觉得这是出于意料。许多艺术都应用规律和节奏,而规律和节奏所生的心理影响都以这种无意的预料为基础。

懂得这两层道理,我们就可以进一步来研究美与自然的关系了。一般人常欢喜说“自然美”,好像以为自然中已有美,纵使没有人去领略它,美也还是在那里。这种见解就是我们在上文已经驳过的美本在物的说法。其实“自然美”三个字,从美学观点看,是自相矛盾的,是“美”就不“自然”,只是“自然”就还没有成为“美”。说“自然美”就好比说上文六条垂直线已有三个柱子的形象一样。如果你觉得自然美,自然就已经过艺术化,成为你的作品,不复是生糙的自然了。比如你欣赏一棵古松、一座高山,或是一湾清水,你所见到的形象已经不是松、山、水的本色,而是经过人情化的。各人的情趣不同,所以各人所得于松,山、水的也不一致。

流行语中有一句话说得极好:“情人眼底出西施。”美的欣赏极似“柏拉图式的恋爱”。你在初尝恋爱的滋味时,本来也是寻常血肉做的女子却变成你的仙子。你所理想的女子的美点她都应有尽有。在这个时候,你眼中的她也不复是她自己原身而是经你理想化过的变形。你在理想中先酝酿成一个尽美尽善的女子,然后把她外射到你的爱人身上去,所以你的爱人其实不过是寄托精灵的躯骸。你只见到精灵,所以觉得无瑕可指;旁人冷眼旁观,只见到躯骸,所以往往诧异道:“他爱上她,真是有些奇怪。”一言以蔽之,恋爱中的对象是已经艺术化过的自然。

美的欣赏也是如此,也是把自然加以艺术化。所谓艺术化,就是人情化和理想化。不过美的欣赏和寻常恋爱有一个重要的异点。寻常恋爱都带有很强烈的占有欲,你既恋爱一个女子,就有意无意地存有“欲得之而甘心”的态度。美感的态度则丝毫不带占有欲。一朵花无论是生在邻家的园子里或是插在你自己的瓶子里,你只要能欣赏,它都是一样美。老子所说的“为而不有,功成而不居”,可以说是美感态度的定义。古董商和书画金石收藏家大半都抱有“奇货可居”的态度,很少有能真正欣赏艺术的。我在上文说过,美的欣赏极似“柏拉图式的恋爱”,所谓“柏拉图式的恋爱”对于所爱者也只是无所为而为的欣赏,不带占有欲。这种恋爱是否可能,颇有人质疑,但是历史上有多少著例,凡是到极浓度的初恋者也往往可以达到胸无纤尘的境界。

“依样画葫芦”

——写实主义和理想主义的错误

从美学观点看，“自然美”虽是一个自相矛盾的名词，但是通常说“自然美”时所用的“美”字却另有一种意义，和说“艺术美”时所用的“美”字不应该混为一事，这个分别非常重要，我们须把它剖析清楚。

自然本来混整无别，许多分别都是从人的观点看出来的。离开人的观点而言，自然本无所谓真伪，真伪是科学家所分别出来以便利思想的；自然本无所谓善恶，善恶是伦理学家所分别出来以规范人类生活的。同理，离开人的观点而言，自然也本无所谓美丑，美丑是观赏者凭自己的性分和情趣见出来的。自然界唯一无二的固有的分别，只是常态与变态的分别。通常所谓“自然美”就是指事物的常态，所谓“自然丑”就是指事物的变态。

举个例来说，比如我们说某人的鼻子生得美，它大概应该像什么样子呢？太大的、太小的、太高的、太低的、太肥的、太瘦的鼻子都不能算得美。美的鼻子一定大小肥瘦高低件件都合式。我们说它不太高，说它件件都合式，这就是承认鼻子的大小高低等等原来有一个标准。这个标准是如何定出来的呢？你如果仔细研究，就可以发现它是取决多数，像选举投票一样。如果一百人之中有过半数的鼻子是一寸高，一寸就成了鼻高的标准。不及一寸高的鼻子就使人嫌它太低，超过一寸高的鼻子就使人嫌它太高。鼻子通常都是从上面逐渐高到下面来，所以称赞生得美的鼻子，我们往往说它“如悬胆”。如果鼻子上下都是一样粗细，像腊肠一样，或是鼻孔朝天露出，那就太稀奇古怪了，稀奇古怪便是变态。通常人说一件事丑，其实不过是因为它稀奇古怪。

照这样说，世间美鼻子应该多于丑鼻子，何以实际上不然呢？自然美的难，难在件件都合式。高低合式的大小或不合式，大小合式的肥瘦或不合式。所谓“式”就是标准，就是常态，就是最普遍的性质。自然美为许多最普遍的性质之总和。就每个独立的性质说，它是最普遍的；但是就总和说，它却不可多得，所以成为理想，为人称美。

一切自然事物的美丑都可以作如是观。宋玉形容一个美人说：

> 天下之佳人莫若楚国，楚国之丽者莫若臣里，臣里之美者莫若臣东家之子。东家之子增之一分则太长，减之一分则太短，著粉则太白，施朱则太赤。

照这样说，美人的美就在安不上“太”字，一安上“太”字就不免有些丑了。“太”就是超过常态，就是稀奇古怪。

人物都以常态为美。健全是人体的常态，耳聋、口吃、面麻、颈肿、背驼、足跛，都不是常态，所以都使人觉得丑。一般生物的常态是生气蓬勃，活泼灵巧。所以就自然美而论，猪不如狗，龟不如蛇，樗不如柳，老年人不如少年人。非生物也是如此。山的常态是巍峨，所以巍峨最易显出山的美；水的常态是浩荡明媚，所以浩荡明媚最易显出水的美。同理，花宜清香，月宜皎洁，春风宜温和，秋雨宜凄厉。

通常所谓“自然美”和“自然丑”，分析起来，意义不过如此。艺术上所谓美丑，意义是否相同呢？

一般人大半以为自然美和艺术美的对象和成因虽不同，而其为美则一。自然丑和艺术丑也是如此。这个普遍的误解酿成艺术史上两种表面相反而实在都是错误主张，一是写实主义，一是理想主义。

写实主义是自然主义的后裔。自然主义起于法人卢梭。他以为上帝经手创造的东西，本来都是尽美尽善，人伸手进去搅扰，于是它们才被弄糟。人工造作，无论如何精巧，终比不上自然。自然既本来就美，艺术家最聪明的办法就是模仿它。在英人罗斯金看，艺术原来就是从模仿自然起来的。人类本来住在露天的树林中，后来他们建筑房屋，仍然是以树林和天空为模型。建筑如此，其他艺术亦然。人工不敌自然，所以用人工去模仿自然时，最忌讳凭己意选择去取。罗斯金说：

纯粹主义者拣选精粉，感官主义者杂取秕糠，至于自然主义则兼容并包,是粉就拿来制饼,是草就取来塞床。

这段话后来变成写实派的信条。写实主义最盛于十九世纪后半叶的法国,尤其是在小说方面。左拉是大家公认的代表。所谓写实主义就是完全照实在描写,愈像愈妙。比如描写一个酒店就要活像一个酒店,描写一个妓女就要活像一个妓女。既然是要像,就不能不详尽精确,所以写实派作者欢喜到实地搜集"凭据",把它们很仔细地写在笔记簿上,然后把它们整理一番,就成了作品。他们写一间房屋时至少也要用三五页的篇幅,才肯放松它。

这种艺术观的难点甚多,最显著的有两端。第一,艺术的最高目的既然只在模仿自然,自然本身既已美了,又何必有艺术呢?如果妙肖自然,是艺术家的唯一能事,则寻常照相家的本领都比吴道子、唐六如高明了。第二,美丑是相对的名词,有丑然后才显得出美。如果你以为自然全体都是美,你看自然时便没有美丑的标准,便否认有美丑的比较,连"自然美"这个名词也没有意义了。

理想主义有见于此。依它说,自然中有美有丑,艺术只模仿自然的美,丑的东西应丢开。美的东西之中又有些性质是重要的,有些性质是琐屑的,艺术家只选择重要的,琐屑的应丢开。这种理想主义和古典主义通常携手并行。古典主义最重"类型",所谓"类型"就是全类事物的模子。一件事物可以代表一切其他同类事物时就可以说是类型。比如说画马,你不应该画得只像这匹马或是只像那匹马,你该画得像一切马,使每个人见到你的画都觉得他所知道的马恰是像那种模样。要画得像一切马,就须把马的特征,马的普遍性画出来,至于这匹马或那匹马所特有的个性则“琐屑”不足道。假如你选择某一匹马来做模型,它一定也要富于代表性。这就是古典派的类型主义。从此可知类型就是我们在上文所说的事物的常态,就是一般人的“自然美”。

这种理想主义似乎很能邀信任常识者的同情,但是它和近代艺术思潮颇多冲突。艺术不像哲学,它的生命全在具体的形象,最忌讳的是抽象化。凡是一个模样能套上一切人物时就不能适合于任何人,好比衣帽一样。古典派的类型有如几何学中的公理,虽然应用范围很广泛,却不能引起观者的切身的情趣。许多人所公有的性质,在古典派看,虽是精深,而在近代人看,却极平凡,粗浅。近代艺术所搜求的不是类型而是个性,不是彰明较著的色彩而是毫厘之差的阴影。直鼻子、横眼睛是古典派所谓类型。如果画家只能够把鼻子画直,眼睛画横,结果就难免千篇一律,毫无趣味。他应该能够把这个直鼻子所以异于其他直鼻子的,这个横眼睛所以异于其他横眼睛的地方表现出来,才算是有独到的功夫。

在表面上看,理想主义和写实主义似乎相反,其实它们的基本主张是相同的,它们都承认自然中本来就有所谓美,它们都以为艺术的任务在模仿,艺术美就是从自然美模仿得来的。它们的艺术主张都可以称为“依样画葫芦”的主义。它们所不同者,写实派以为美在自然全体,只要是葫芦,都可以拿来作画的模型;理想派则以为美在类型,画家应该选择一个最富于代表性的葫芦。严格地说,理想主义只是一种精炼的写实主义,以理想派攻击写实派,不过是以五十步笑百步罢了。

艺术对于自然,是否应该持“依样画葫芦”的态度呢?艺术美是否从模仿自然美得来的呢?要回答这个问题,我们应该注意到两件事实:

一、自然美可以化为艺术丑。长在藤子上的葫芦本来很好看,如果你的手艺不高明,画在纸上的葫芦就不很雅观。许多香烟牌和月份牌上面的美人画就是如此,以人而论,面孔倒还端正,眉目倒还清秀;以画而论,则往往恶劣不堪。毛延寿有心要害王昭君,才把她画丑。世间有多少王昭君都被有善意而无艺术手腕的毛延寿糟蹋了。

二、自然丑也可以化为艺术美。本来是一个很丑的葫芦,经过大画家点铁成金的手腕,往往可以成为杰作。大醉大饱之后睡在床上放屁的乡下老太婆未必有什么风韵,但是我们谁不高兴看醉卧怡红院的刘姥姥?从前艺术家大半都怕用丑材料,近来艺术家才知道融自然丑于艺术美,可以使美者更见其美。荷兰画家伦勃朗欢喜画老朽人物,法国文学家波德莱尔欢喜拿死尸一类的事物做诗题,雕刻家罗丹和爱朴斯丹也常用在自然中为丑的人物,都是最显著的例子。

这两件事实所证明的是什么呢?

一、艺术的美丑和自然的美丑是两件事。

二、艺术的美不是从模仿自然美得来的。

从这两点看,写实主义和理想主义都是一样错误,它们的主张恰与这两层道理相反。要明白艺术的真性质，先要推翻它们的“依样画葫芦”的办法，无论这个葫芦是经过选择，或是没有经过选择。

我们说“艺术美”时，“美”字只有一个意义，就是事物现形象于直觉的一个特点。事物如果要能现形象于直觉，它的外形和实质必须融化成一气，它的姿态必可以和人的情趣交感共鸣。这种“美”都是创造出来的，不是天生自在俯拾即是的，它都是“抒情的表现”。我们说“自然美”时，“美”字有两种意义。第一种意义的“美”就是上文所说的常态，例如背通常是直的，直背美于驼背。第二种意义的“美”其实就是艺术美。我们在欣赏一片山水而觉其美时，就已经把自己的情趣外射到山水里去，就已把自然加以人情化和艺术化了。所以有人说：“一片自然风景就是一种心境。”一般人的错误在只知道第一种意义的自然美，以为艺术美和第二种意义的自然美原来也不过如此。

法国画家德拉库瓦说得好：“自然只是一部字典而不是一部书。”人人尽管都有一部字典在手边，可是用这部字典中的字来做出诗文，则全凭各人的情趣和才学。做得好诗文的人都不能说是模仿字典，说自然本来就美（“美”字用“艺术美”的意义）者也犹如说字典中原来就有《陶渊明集》和《红楼梦》一类作品在内。这显然是很荒谬的。

“大人者不失其赤子之心”

——艺术与游戏

一直到现在，我们所讨论的都偏重欣赏。现在我们可以换一个方向来讨论创造了。

既然明白了欣赏的道理，进一步来研究创造，便没有什么困难，因为欣赏和创造的距离并不像一般人所想象的那么远。欣赏之中都寓有创造，创造之中也都寓有欣赏。创造和欣赏都是要见出一种意境，造出一种形象，都要根据想象与情感。比如说姜白石的“数峰清苦，商略黄昏雨”一句词含有一个受情感饱和的意境。姜白石在做这句词时，先须从自然中见出这种意境，然后拿这九个字把它翻译出来。在见到意境的一刹那中，他是在创造也是在欣赏。我在读这句词时，这九个字对于我只是一种符号，我要能认识这种符号，要凭想象与情感从这种符号中领略出姜白石原来所见到的意境，须把他的译文翻回到原文。我在见到他的意境一刹那中，我是在欣赏也是在创造，倘若我丝毫无所创造，他所用的九个字对于我就漫无意义了。一首诗做成之后，不是就变成个个读者的产业，使他可以坐享其成。它也好比一片自然风景,观赏者要拿自己的想象和情趣来交接它,才能有所得。他所得深浅和他自己的想象与情趣成比例。读诗就是再做诗,一首诗的生命不是作者一个人所能维持住,也要读者帮忙才行。读者的想象和情感是生生不息的,一首诗的生命也就是生生不息的,它并非是一成不变的。一切艺术作品都是如此,没有创造就不能有欣赏。

创造之中都寓有欣赏,但是创造却不全是欣赏。欣赏只要能见出一种意境,而创造却须再进一步,把这种意境外射出来,成为具体的作品。这种外射也不是易事,它要有相当的天才和人力,我们到以后还要详论它,现在只就艺术的雏形来研究欣赏和创造的关系。

艺术的雏形就是游戏。游戏之中就含有创造和欣赏的心理活动。人们不都是艺术家,但每一个人都做过儿童,对于游戏都有几分经验。所以要了解艺术的创造和欣赏,最好是先研究游戏。

骑马的游戏是很普遍的,我们就把它做例来说。儿童在玩骑马的把戏时,他的心理活动可以用这么一段话说出来:“父亲天天骑马在街上走,看他是多么好玩!多么有趣!我们也骑来试试看。他的那匹大马自然不让我们骑。小弟弟,你弯下腰来,让我骑!特!特!走快些!你没有气力了吗?我去换一匹马罢。”于是厨房里的竹帚夹在胯下又变成一匹马了。

从这个普遍的游戏中间,我们可以看出几个游戏和艺术的类似点。

一、像艺术一样,游戏把所欣赏的意象加以客观化,使它成为一个具体的情境。小孩子心里先印上一个骑马的意象,这个意象变成他的情趣的集中点(这就是欣赏)。情趣集中时意象大半孤立,所以本着单独观念实现于运动的普遍倾向,从心里外射出来,变成一个具体的情境(这就是创造),于是有骑马的游戏。骑马的意象原来是心镜从外物界所摄来的影子。在骑马时儿童仍然把这个影子交还给外物界。不过这个影子在摄来时已顺着情感的需要而有所选择去取,在脑里打一个翻转之后,又经过一番意匠经营,所以不复是生糙的自然。一个人可以当马骑,一个竹帚也可以当马骑。换句话说,儿童的游戏不完全是模仿自然,它也带有几分创造性。他不仅作骑马的游戏,有时还拣一支粉笔或土块在地上画一个骑马的人。他在一个圆圈里画两点一直一横就成了一个面孔,在下面再安上两条线就成了两只腿。他原来看人物时只注意到这些最刺眼的运动的部分,他是一个印象派的作者。

二、像艺术一样,游戏是一种“想当然耳”的勾当。儿童在拿竹帚当马骑时,心里完全为骑马这个有趣的意象占住,丝毫不注意到他所骑的是竹帚而不是马。他聚精会神到极点,虽是在游戏而却不自觉是在游戏。本来是幻想的世界,却被他看成实在的世界了。他在幻想世界中仍然持着郑重其事的态度。全局尽管荒唐,而各部分却仍须合理。有两位小姊妹正在玩做买卖的把戏,她们的母亲从外面走进来向扮店主的姐姐亲了个嘴,扮顾客的妹妹便抗议说:“妈妈,你为什么同开店的人亲嘴?”从这个实例看,我们可以知道儿戏很类似写剧本或是写小说,在不近情理之中仍须不背乎情理,要有批评家所说的“诗的真实”。成人们往往嗤不郑重的事为儿戏，其实成人自己很少像儿童在游戏时那么郑重，那么专心，那么认真。

三、像艺术一样，游戏带有移情作用，把死板的宇宙看成活跃的生灵。我们成人把人和物的界线分得很清楚，把想象的和实在的分得很清楚。在儿童心中这种分别是很模糊的。他把物视同自己一样，以为它们也有生命，也能痛能痒。他拿竹帚当马骑时，你如果在竹帚上扯去一条竹枝，那就是在他的马身上扯去一根毛，在骂你一场之后，他还要向竹帚说几句温言好语。他看见星说是天眨眼，看见露说是花垂泪。这就是我们在前面说过的“宇宙的人情化”。人情化可以说是儿童所特有的体物的方法。人越老就越不能起移情作用，我和物的距离就日见其大，实在的和想象的隔阂就日见其深，于是这个世界也就越没有趣味了。

四、像艺术一样，游戏是在现实世界之外另造一个理想世界来安慰情感。骑竹马的小孩子一方面觉得骑马的有趣，一方面又苦于骑马的不可能，骑马的游戏是他弥补现实缺陷的一种方法。近代有许多学者说游戏起于精力的过剩，有力没处用，才去玩把戏。这话虽然未可尽信，却含有若干真理。人生来就好动，生而不能动，便是苦恼。疾病、老朽、幽囚都是人所最厌恶的，就是它们夺去动的可能。动愈自由即愈使人快意，所以人常厌恶有限而追求无限。现实界是有限制的，不能容人尽量自由活动。人不安于此，于是有种种苦闷厌倦。要消遣这种苦闷厌倦，人于是自架空中楼阁。苦闷起于人生对于“有限”的不满，幻想就是人生对于“无限”的寻求，游戏和文艺就是幻想的结果。它们的功用都在帮助人摆脱实在的世界的缰锁,跳出到可能的世界中去避风息凉。人愈到闲散时愈觉单调生活不可耐,愈想在呆板平凡的世界中寻出一点出乎常轨的偶然的波浪,来排忧解闷。所以游戏和艺术的需要在闲散时愈紧迫。就这个意义说,它们确实是一种“消遣”。

儿童在游戏时意造空中楼阁,大概都现出这几个特点。他们的想象力还没有受经验和理智束缚死,还能去来无碍。只要有一点实事实物触动他们的思路,他们立刻就生出一种意境,在一弹指间就把这种意境渲染成五光十彩。念头一动,随便什么事物都变成他们的玩具,你给他们一个世界,他们立刻就可以造出许多变化离奇的世界来交还你。他们就是艺术家。一般艺术家都是所谓“大人者不失其赤子之心”。

艺术家虽然“不失其赤子之心”,但是他究竟是“大人”,有赤子所没有的老练和严肃。游戏究竟只是雏形的艺术而不就是艺术。它和艺术有三个重要的异点。

一、艺术都带有社会性,而游戏却不带社会性。儿童在游戏时只图自己高兴,并没有意思要拿游戏来博得旁观者的同情和赞赏。在表面看,这似乎是偏于唯我主义,但是这实在由于自我观念不发达。他们根本就没有把物和我分得很清楚,所以说不到求人同情于我的意思。艺术的创造则必有欣赏者。艺术家见到一种意境或是感到一种情趣,自得其乐还不甘心,他还要旁人也能见到这种意境,感到这种情趣。他固然不迎合社会心理去沽名钓誉,但是他是一个热情者,总不免希望世有知音同情。因此艺术不像克罗齐派美学家所说的,只达到“表现”

就可以了事，它还要能“传达”。在原始时期，艺术的作者就是全民众，后来艺术家虽自成一阶级，他们的作品仍然是全民众的公有物。艺术好比一棵花，社会好比土壤，土壤比较肥沃，花也自然比较茂盛。艺术的风尚一半是作者造成的，一半也是社会造成的。

二、游戏没有社会性，只顾把所欣赏的意象“表现”出来；艺术有社会性，还要进一步把这种意象传达于天下后世，所以游戏不必有作品而艺术则必有作品。游戏只是逢场作戏，比如儿童堆砂为屋，还未堆成，即已推倒，既已尽兴，便无留恋。艺术家对于得意的作品常加意珍护，像慈母待婴儿一般。音乐家贝多芬常言生存是一大痛苦，如果他不是心中有未尽之蕴要谱于乐曲，他久已自杀。司马迁也是因为要做《史记》，所以隐忍受腐刑的羞辱。从这些实例看，可知艺术家对于艺术比一切都看重。他们自己知道珍贵美的形象，也希望旁人能同样地珍贵它。他自己见到一种精灵，并且想使这种精灵在人间永存不朽。

三、艺术家既然要借作品“传达”他的情思给旁人，使旁人也能同赏共乐，便不能不研究“传达”所必需的技巧。他第一要研究他所借以传达的媒介，第二要研究应用这种媒介如何可以造成美形式出来。比如说做诗文，语言就是媒介。这种媒介要恰能传出情思，不可任意乱用。相传欧阳修《昼锦堂记》首两句本是“仕宦至将相，富贵归故乡”，送稿的使者已走过几百里路了，他还要打发人骑快马去添两个“而”字。文人用字不苟且，通常如此。儿童在游戏时对于所用的媒介决不这样谨慎选择。

他戏骑马时遇着竹帚就用竹帚，遇着板凳就用板凳，反正这不过是一种代替意象的符号，只要他自己以为那是马就行了，至于旁人看见时是否也恰能想到马的意象，他却丝毫不介意。倘若画家意在马而画一个竹帚出来，谁人能了解他的原意呢？艺术的内容和形式都要恰能融合一气，这种融合就是美。

总而言之，艺术虽伏根于游戏本能，但是因为同时带有社会性，须留有作品传达情思于观者，不能不顾到媒介的选择和技巧的锻炼。它逐渐发达到现在，已经在游戏前面走得很远，令游戏望尘莫及了。

空中楼阁

——创造的想象

艺术和游戏都是意造空中楼阁来慰情遣兴。现在我们来研究这种楼阁是如何建筑起来的,这就是说,看看诗人在做诗或是画家在作画时的心理活动到底像什么样。

为说话易于明了起见,我们最好拿一个艺术作品做实例来讲。本来各种艺术都可以供给这种实例,但是能拿真迹摆在我们面前的只有短诗。所以我们姑且选一首短诗,不过心里要记得其他艺术作品的道理也是一样。比如王渔洋所推许为唐人七绝“压卷”作的王昌龄的《长信怨》:

奉帚平明金殿开,暂将团扇共徘徊。

玉颜不及寒鸦色,犹带昭阳日影来。

大家都知道,这首诗的主人是班婕妤。她从失宠于汉成帝之后,谪居长信宫奉侍太后。昭阳殿是汉成帝和赵飞燕住的地方。这首诗是一个具体的艺术作品。王昌龄不曾留下记载来,告诉我们他做诗时心理历程如何，他也许并没有留意到这种问题。但是我们用心理学的帮助来从文字上分析，也可以想见大概。他做这首诗时有哪些心理的活动呢？

一、他必定使用想象。

什么叫做想象呢？它就是在心里唤起意象。比如看到寒鸦，心中就印下一个寒鸦的影子，知道它像什么样，这种心镜从外物摄来的影子就是"意象"。意象在脑中留有痕迹，我眼睛看不见寒鸦时仍然可以想到寒鸦像什么样，甚至于你从来没有见过寒鸦，别人描写给你听，说它像什么样，你也可以凑合已有意象推知大概。这种回想或凑合以往意象的心理活动叫做"想象"。

想象有再现的，有创造的。一般的想象大半是再现的。原来从知觉得来的意象如此，回想起来的意象仍然是如此，比如我昨天看见一只鸦，今天回想它的形状，丝毫不用自己的意思去改变它，就是只用再现的想象。艺术作品不能不用再现的想象。比如这首诗里"奉帚"、"金殿"、"玉颜"、"寒鸦"、"日影"、"团扇"、"徘徊"等等，在独立时都只是再现的想象。"团扇"一个意象尤其如此。班婕妤自己在《怨歌行》里已经用过秋天丢开的扇子自比，王昌龄不过是借用这个典故。诗做出来总须旁人能懂得，"懂得"这是能够唤起以往的经验来印证。用以往的经验来印证新经验大半凭借再现的想象。

但是只有再现的想象决不能创造艺术。艺术既是创造的，就要用创造的想象。创造的想象也并非从无中生有，它仍用已有意象，不过把它们加以新配合。王昌龄的《长信怨》精彩全在后两句，这后两句就是用创造的想象做成的。个个人都见过“寒鸦”和“日影”，从来却没有人想到班婕妤的“怨”可以见于带昭阳日影的寒鸦。但是这话一经王昌龄说出，我们就觉得它实在是至情至理。从这个实例看，创造的定义就是：平常的旧材料之不平常的新综合。

王昌龄的题目是《长信怨》。“怨”字是一个抽象的字，他的诗却画出一个如在目前的具体的情境，不言怨而怨自见。艺术不同哲学，它最忌讳抽象。抽象的概念在艺术家的脑里都要先翻译成具体的意象，然后才表现于作品。具体的意象才能引起深切的情感。比如说“贫富不均”一句话入耳时只是一笔冷冰冰的总账，杜工部的“朱门酒肉臭，路有冻死骨”才是一幅惊心动魄的图画。思想家往往不是艺术家，就因为不能把抽象的概念翻译为具体的意象。

从理智方面看，创造的想象可以分析为两种心理作用：一是分想作用，一是联想作用。

我们所有的意象都不是独立的，都是嵌在整个经验里面的，都是和许多其他意象固结在一起的。比如我昨天在树林里看见一只鸦，同时还看见许多其他事物，如树林、天空、行人等等。如果这些记忆都全盘复现于意识，我就无法单提鸦的意象来应用。好比你只要用一根丝，它裹在一团丝里，要单抽出它而其他的丝也连带地抽出来一样。“分想作用”就是把某一个意象（比如说鸦）和与它相关的许多意象分开而单提出它来。这种分想作用是选择的基础。许多人不能创造艺术就因为没有这副本领。他们常常说：“一部十七史从何处说起？”他们一想到某一个意象，其余许多平时虽有关系而与本题却不相干的意象都一齐涌上心头来，叫他们无法脱围。小孩子读死书，往往要从头背诵到尾，才想起一篇文章中某一句话来，也就是吃不能“分想”的苦。

有分想作用而后有选择，只是选择有时就已经是创造。雕刻家在一块顽石中雕出一座爱神来，画家在一片荒林中描出一幅风景画来，都是在混乱的情境中把用得着的成分单提出来，把用不着的成分丢开，来造成一个完美的形象。诗有时也只要有分想作用就可以作成。例如“采菊东篱下，悠然见南山”，“寒波澹澹起，白鸟悠悠下”，“风吹草低见牛羊”诸名句都是从混乱的自然中划出美的意象来，全无机杼的痕迹。

不过创造大半是旧意象的新综合，综合大半借“联想作用”。我们在上文谈美感与联想时已经说过错乱的联想妨碍美感的道理，但是我们却保留过一条重要的原则：“联想是知觉和想象的基础。艺术不能离开知觉和想象，就不能离开联想。”现在我们可以详论这番话的意义了。

我们曾经把联想分为“接近”和“类似”两类。比如这首诗里所用的“团扇”这个意象，在班婕妤自己第一次用它时，是起于类似联想，因为她见到自己色衰失宠类似秋天的弃扇；在王昌龄用它时则起于接近联想，因为他读过班婕妤的《怨歌行》，提起班婕妤就因经验接近而想到团扇的典故。不过他自然也可以想到她和团扇的类似。

“怀古”、“忆旧”的作品大半起于接近联想，例如看到赤壁就想起曹操和苏东坡，看到遗衣挂壁就想到已故的妻子。类似联想在艺术上尤其重要。《诗经》中“比”、“兴”两体都是根据类似联想。比如《关关雎鸠》章就是拿雎鸠的挚爱比夫妇的情谊。《长信怨》里的“玉颜”在现在已成滥调,但是第一次用这两个字的人却费了一番想象。“玉”和“颜”本来是风马牛不相及,只因为在色泽肤理上相类似,就嵌合在一起了。语言文字的引申义大半都是这样起来的。例如“云破月来花弄影”一句词中三个动词都是起于类似联想的引申义。

因为类似联想的结果,物固然可以变成人,人也可变成物。物变成人通常叫做“拟人”。《长信怨》的“寒鸦”是实例。鸦是否能寒,我们不能直接感觉到,我们觉得它寒,便是设身处地地想。不但如此,寒鸦在这里是班婕妤所羡慕而又妒忌的受恩承宠者,它也许是隐喻赵飞燕。一切移情作用都起类似联想,都是“拟人”的实例。例如“感时花溅泪,恨别鸟惊心”和“水是眼波横,山是眉峰聚”一类的诗句都是以物拟人。

人变成物通常叫做“托物”。班婕妤自比“团扇”,就是托物的实例。“托物”者大半不愿直言心事,故婉转以隐语出之。曹子建被迫于乃兄,在走七步路的时间中做成一首诗说:

煮豆燃豆萁,豆在釜中泣。本是同根生,相煎何太急!

清朝有一位诗人不敢直骂爱新觉罗氏以胡人夺了明朝的江山,乃在咏《紫牡丹》诗里寄意说:

夺朱非正色，异种亦称王。

这都是托物的实例。最普通的托物是“寓言”，寓言大半拿动植物的故事来隐射人类的是非善恶。托物是中国文人最喜欢的玩意儿。庄周、屈原首开端倪。但是后世注疏家对于古人诗文往往穿凿附会太过，黄山谷说得好：

彼喜穿凿者弃其大旨，取其发兴，于所遇林泉人物草木鱼虫，以为物物皆有所托，如世间商度隐语者，则诗委地矣！

“拟人”和“托物”都属于象征。所谓“象征”，就是以甲为乙的符号。甲可以做乙的符号，大半起于类似联想。象征最大的用处就是以具体的事物来代替抽象的概念。我们在上文说过，艺术最怕抽象和空泛，象征就是免除抽象和空泛的无二法门。象征的定义可以说是：“寓理于象”。梅圣俞《续金针诗格》里有一段话很可以发挥这个定义：

诗有内外意，内意欲尽其理，外意欲尽其象。内外意含蓄，方入诗格。

上面诗里的“昭阳日影”便是象征皇帝的恩宠。“皇帝的恩宠”是“内意”，是“理”，是一个空泛的抽象概念，所以王昌龄拿“昭阳日影”这个具体的意象来代替它，“昭阳日影”便是“象”，便是“外意”。不过这种象征是若隐若现的。诗人用“昭阳日影”时，原来因为“皇帝的恩宠”一类的字样不足以尽其意蕴，如果我们一定要把它明白指为“皇帝的恩宠”的象征，这又未免剪云为裳，以迹象绳玄渺了。诗有可以解说出来的地方，也有不可以解说出来的地方。不可以言传的全赖读者意会。在微妙的境界我们尤其不可拘虚绳墨。

“超以象外，得其环中”

——创造与情感

二、诗人于想象之外又必有情感。

分想作用和联想作用只能解释某意象的发生如何可能，不能解释作者在许多可能的意象之中何以独抉择该意象。再就上文所引的王昌龄的《长信怨》来说，长信宫四围的事物甚多，他何以单择寒鸦？和寒鸦可发生联想的事物甚多，他何以单择昭阳日影？联想并不是偶然的，有几条路可走时而联想只走某一条路，这就由于情感的阴驱潜率。在长信宫四围的许多事物之中只有带昭阳日影的寒鸦可以和弃妇的情怀相照映，只有它可以显出一种“怨”的情境。在艺术作品中人情和物理要融成一气，才能产生一个完整的境界。

这个道理可以再用一个实例来说明，比如王昌龄的《闺怨》：

闺中少妇不知愁，春日凝妆上翠楼。
忽见陌头杨柳色，悔教夫婿觅封侯！

杨柳本来可以引起无数的联想,桓温因杨柳而想到“树犹如此,人何以堪!”萧道成因杨柳而想起“此柳风流可爱,似张绪当年!”韩君平因杨柳而想起“昔日青青今在否”的章台妓女,何以这首诗的主人独懊悔当初劝丈夫出去谋官呢?因为“夫婿”的意象对于“春日凝妆上翠楼”的闺中少妇是一种受情感饱和的意象,而杨柳的浓绿又最易惹起春意,所以经它一触动,“夫婿”的意象就立刻浮上她的心头了。情感是生生不息的,意象也是生生不息的。换一种情感就是换一种意象,换一种意象就是换一种境界。即景可以生情,因情也可以生景。所以诗是做不尽的。有人说,风花雪月等等都已经被前人说滥了,所有的诗都被前人做尽了,诗是没有未来的了。这般人不但不知诗为何物,也不知生命为何物。诗是生命的表现。生命像柏格森所说的,时时在变化中即时时在创造中。说诗已经做穷了,就不啻说生命已到了末日。

王昌龄既不是班婕妤,又不是“闺中少妇”,何以能感到她们的情感呢?这又要回到“子非鱼,安知鱼之乐”的老问题了。诗人和艺术家都有“设身处地”和“体物入微”的本领。他们在描写一个人时,就要钻进那个人的心孔,在霎时间就要变成那个人,亲自享受他的生命,领略他的情感。所以我们读他们的作品时,觉得它深中情理。在这种心灵感通中我们可以见出宇宙生命的联贯。诗人和艺术家的心就是一个小宇宙。

一般批评家常欢喜把文艺作品分为“主观的”和“客观的”两类,以为写自己经验的作品是主观的,写旁人的作品是客观

的。这种分别其实非常肤浅。凡是主观的作品都必同时是客观的,凡是客观的作品亦必同时是主观的。比如说班婕妤的《怨歌行》:

> 新裂齐纨素,皎洁如霜雪,裁为合欢扇,团团似明月。出入君怀袖,动摇随风发。常恐秋节至,凉飙夺炎热,弃捐箧笥中,恩情中道绝。

她拿团扇自喻,可以说是主观的文学。但是班婕妤在做这首诗时就不能同时在怨的情感中过活,她须暂时跳开切身的情境,看看它像什么样子,才能发现它像团扇。这就是说,她在做《怨歌行》时须退处客观的地位,把自己的遭遇当作一幅画来看。在这一刹那中,她就已经由弃妇变而为歌咏弃妇的诗人了,就已经在实际人生和艺术之中辟出一种距离来了。

再比如说王昌龄的《长信怨》。他以一位唐朝的男子来写一位汉朝的女子,他的诗可以说是客观的文学。但是他在做这首诗时一定要设身处地地想象班婕妤谪居长信宫的情况如何。像班婕妤自己一样,他也是拿弃妇的遭遇当作一幅画来欣赏。在想象到聚精会神时,他达到我们在前面所说的物我同一的境界,霎时之间,他的心境就变成班婕妤的心境了,他已经由客观的观赏者变而为主观的享受者了。总之,主观的艺术家在创造时也要能"超以象外",客观的艺术家在创造时也要能"得其环中",像司空图所说的。

文艺作品都必具有完整性。它是旧经验的新综合,它的精彩就全在这综合上面见出。在未综合之前，意象是散漫零乱的；在既综合之后，意象是谐和整一的。这种综合的原动力就是情感。凡是文艺作品都不能拆开来看，说某一笔平凡，某一句警辟，因为完整的全体中各部分都是相依为命的。人的美往往在眼睛上现出，但是也要全体健旺，眼中精神才饱满，不能把眼睛单拆开来，说这是造化的“警句”。严沧浪说过：“汉魏古诗，气象混沌，难以句摘；晋以还始有佳句。”这话本是见道语而实际上又不尽然。晋以还始有佳句，但是晋以还的好诗像任何时代的好诗一样，仍然“难以句摘”。比如《长信怨》的头两句：“奉帚平明金殿开，暂将团扇共徘徊”，拆开来单看，本很平凡。但是如果没有这两句所描写的荣华冷落的情境，便显不出后两句的精彩。功夫虽从点睛见出，却从画龙做起。凡是欣赏或创造文艺作品，都要先注意到总印象，不可离开总印象而细论枝节。比如古诗《江南》：

江南可采莲，莲叶何田田！鱼戏莲叶间，鱼戏莲叶东，鱼戏莲叶南，鱼戏莲叶西，鱼戏莲叶北。

单看起来，每句都无特色，合看起来，生篇却是一幅极幽美的意境。这不仅是汉魏古诗是如此，晋以后的作品如陈子昂的《登幽州台》：

前不见古人，后不见来者。
念天地之悠悠，独怆然而涕下。

也是要在总印象上玩味，决不能字斟句酌。晋以后的诗和晋以后的词大半都是细节胜于总印象，聪明气和斧凿痕迹都露在外面，这的确是艺术的衰落现象。

情感是综合的要素，许多本来不相关的意象如果在情感上能调协，便可形成完整的有机体，比如李太白的《长相思》收尾两句说：

相思黄叶落，白露点青苔。

钱起的《湘灵鼓瑟》收尾两句说：

曲终人不见，江上数峰青。

温飞卿的《菩萨蛮》前阕说：

水晶帘里颇黎枕，暖香惹梦鸳鸯锦。江上柳如烟，雁飞残月天。

秦少游的《踏莎行》前阕说：

雾失楼台，月迷津渡，桃源望断无寻处。可堪孤馆闭春寒，杜鹃声里斜阳暮。

这里加圈的字句所传出的意象都是物景，而这些诗词全体原来都是着重人事。我们仔细玩味这些诗词时，并不觉得人事之中猛然插入物景为不伦不类，反而觉得它们天生成的联络在一起，互相烘托，益见其美。这就由于它们在感情上是谐和的。单拿“曲终人不见，江上数峰青”两句诗来说，曲终人杳虽然与江上峰青绝不相干，但是这两个意象都可以传出一种凄清冷静的情感，所以它们可以调和。如果只说“曲终人不见”而无“江上数峰青”，或是只说“江上数峰青”而无“曲终人不见”，意味便索然了。从这个例子看，我们可以见出创造如何是平常的意象的不平常的综合，诗如何要论总印象，以及情感如何使意象整一种种道理了。

因为有情感的综合，原来似散漫的意象可以变成不散漫，原来似重复的意象也可以变成不重复。《诗经》里面的诗大半每篇都有数章，而数章所说的话往往无大差别。例如《王风·黍离》：

彼黍离离，彼稷之苗。行迈靡靡，中心摇摇。知我者谓我心忧，不知我者谓我何求！悠悠苍天，此何人哉？

彼黍离离，彼稷之穗。行迈靡靡，中心如醉。知我者谓我心忧，不知我者谓我何求！悠悠苍天，此何人哉？

彼黍离离，彼稷之实。行迈靡靡，中心如噎。知我者谓我心忧，不知我者谓我何求！悠悠苍天，此何人哉?

这三章诗每章都只更换两三个字,只有“苗”、“穗”、“实”三字指示时间的变迁,其余“醉”、“噎”两字只是为押韵而更换的;在意义上并不十分必要。三章诗合在一块不过是说:“我一年四季心里都在忧愁。”诗人何必把它说一遍又说一遍呢?因为情感原是往复低回、缠绵不尽的。这三章诗在意义上确似重复而在情感上则不重复。

总之,艺术的任务是在创造意象,但是这种意象必定是受情感饱和的。情感或出于己,或出于人,诗人对于出于己者须跳出来视察,对于出于人者须钻进去体验。情感最易感通,所以“诗可以群”。

“从心所欲，不逾矩”

——创造与格律

在艺术方面，受情感饱和的意象是嵌在一种格律里面的。

我们再拿王昌龄的《长信怨》来说，在上文我们已经从想象和情感两个观点研究过它，话虽然已经说得不少，但是如果到此为止，我们就不免抹杀了这首诗的一个极重要的成分。《长信怨》不仅是一种受情感饱和的意象，而这个意象又是嵌在调声押韵的“七绝”体里面的。“七绝”是一种格律。《长信怨》的意象是王昌龄的特创，这种格律却不是他的特创。他以前有许多诗人用它，他以后也有许多诗人用它。它是诗人们父传子、子传孙的一套家当。其他如五古、七古、五律、七律以及词的谱调等等也都是如此。

格律的起源都是归纳的，格律的应用都是演绎的。它本来是自然律，后来才变为规范律。

专就诗来说，我们来看格律如何本来是自然的。

诗和散文不同。散文叙事说理，事理是直截了当、一往无余的，所以它忌讳迂回往复，贵能直率流畅。诗遣兴表情，兴与情都是低回往复，缠绵不尽的，所以它忌讳直率，贵有一唱三叹之音，使情溢于辞。粗略地说，散文大半用叙述语气，诗大半用惊叹语气。

拿一个实例来说，比如看见一位年轻的姑娘，你如果把这段经验当作“事”来叙，你只须说：“我看见一位年轻姑娘”；如果把它当作“理”来说，你只须说：“她年纪轻所以漂亮。”事既叙过了，理既说明了，你就不必再说什么，听者就可以完全明白你的意思。但是如果你一见就爱了她，你只说“我爱她”还不能了事，因为这句话只是叙述一桩事而不是传达一种情感，你是否真心爱她，旁人在这句话本身中还无从见出。如果你真心爱她，你此刻念她，过些时候还是念她。你的情感来而复去，去而复来。它是一个最不爽快的搅扰者。这种缠绵不尽的神情就要一种缠绵不尽的音节才表现得出。这个道理随便拿一首恋爱诗来看就会明白。比如古诗《华山畿》：

奈何许！天下人何限？慊慊只为汝！

这本来是一首极简短的诗，不是讲音节的好例，但是在这极短的篇幅中我们已经可以领略到一种缠绵不尽的情感，就因为它的音节虽短促却不直率。它的起句用“许”字落脚，第二句虽然用一个和“许”字不协韵的“限”字，末句却仍回到和“许”字协韵的“汝”字落脚。这种音节是往而复返的。（由“许”到“限”是往，由“限”到“汝”是返。）它所以往而复返者，就因为情感也是往而复返的。这种道理在较长的诗里更易见出，你把《诗经》中《卷耳》或是上文所引过的《黍离》玩味一番，就可以明白。

韵只是音节中一个成分。音节除韵以外，在章句长短和平仄交错中也可以见出。章句长短和平仄交错的存在理由也和韵一样，都是顺着情感的自然需要。分析到究竟，情感是心感于物的激动，和脉搏、呼吸诸生理机能都密切相关。这些生理机能的节奏都是抑扬相间，往而复返，长短轻重成规律的。情感的节奏见于脉搏、呼吸的节奏，脉搏、呼吸的节奏影响语言的节奏。诗本来就是一种语言，所以它的节奏也随情感的节奏于往复中见规律。

最初的诗人都无意于规律而自合于规律，后人研究他们的作品，才把潜在的规律寻绎出来。这种规律起初都只是一种总结账，一种统计，例如“诗大半用韵”，“某字大半与某字协韵”，“章句长短大半有规律”，“平声和仄声的交错次第大半如此如此”之类。这本来是一种自然律。后来做诗的看见前人做法如此，也就如法炮制。从前诗人多用五言或七言；他们于是也用五言或七言，从前诗人五言起句用仄仄平平仄，次句往往用平平仄仄平，于是他们调声也用同样的次第。这样一来，自然律就变成规范律了。诗的声韵如此，其他艺术的格律也是如此，都是把前规看成定例。

艺术上的通行的做法是否可以定成格律，以便后人如法炮制呢？

这是一个很难的问题，绝对的肯定答复和绝对的否定答复都不免有流弊。从历史看，艺术的前规大半是先由自然律变而为规范律,再由规范律变而为死板的形式。一种作风在初盛时,自身大半都有不可磨灭的优点。后来闻风响应者得其形似而失其精神,有如东施学西施捧心,在彼为美者在此反适增其丑。流弊渐深,反动随起,于是文艺上有所谓"革命运动"。文艺革命的首领本来要把文艺从格律中解放出来,但是他们的闻风响应者又把他们的主张定为新格律。这种新格律后来又因经形式化而引起反动。一波未平,一波又起。一部艺术史全是这些推陈翻新、翻新为陈的轨迹。王静安在《人间词话》里所以说:

> 四言敝而有《楚辞》,《楚辞》敝而有五言,五言敝而有七言,古诗敝而有律绝,律绝敝而有词。盖文体通行既久,染指遂多,自成习套,豪杰之士亦难于其中自出新意,故遁而作他体以自解脱。一切文体所以始盛终衰者皆由于此。

在西方文艺中,古典主义、浪漫主义、写实主义和象征主义相代谢的痕迹也是如此。各派有各派的格律,各派的格律都有因成习套而"敝"的时候。

格律既可"敝",又何取乎格律呢?格律都有形式化的倾向,形式化的格律都有束缚艺术的倾向。我们知道这个道理,就应该知道提倡要格律的危险。但是提倡不要格律也是一桩很危险的事。我们固然应该记得格律可以变为死板的形式,但是我们也不要忘记第一流艺术家大半都是从格律中做出来的。

比如陶渊明的五古，李太白的七古，王摩诘的五律以及温飞卿、周美成诸人所用的词调，都不是出自作者心裁。

提倡格律和提倡不要格律都有危险，这岂不是一个矛盾么？这并不是矛盾。创造不能无格律，但是只做到遵守格律的地步也决不足与言创造。我们现在把这个道理解剖出来。

诗和其他艺术都是情感的流露。情感是心理中极原始的一种要素。人在理智未发达之前先已有情感；在理智既发达之后，情感仍然是理智的驱遣者。情感是心感于物所起的激动，其中有许多人所共同的成分，也有某个人特有的成分。这就是说，情感一方面有群性，一方面也有个性，群性是得诸遗传的，是永恒的，不易变化的；个性是成于环境的，是随环境而变化的。所谓“心感于物”，就是以得诸遗传的本能的倾向对付随人而异、随时而异的环境。环境随人随时而异，所以人类的情感时时在变化；遗传的倾向为多数人所共同，所以情感在变化之中有不变化者存在。

这个心理学的结论与本题有什么关系呢？艺术是情感的返照，它也有群性和个性的分别，它在变化之中也要有不变化者存在。比如单拿诗来说，四言、五言、七言、古、律、绝、词的交替是变化，而音节的需要则为变化中的不变化者。变化就是创造，不变化就是因袭。把不变化者归纳成为原则，就是自然律。这种自然律可以用为规范律，因为它本来是人类共同的情感的需要。但是只有群性而无个性，只有整齐而无变化，只有因袭而无创造，也就不能产生艺术。末流忘记这个道理，所以往往把格律变成死板的形式。

格律在经过形式化之后往往使人受拘束,这是事实,但是这绝不是格律本身的罪过,我们不能因噎废食。格律不能束缚天才,也不能把庸手提拔到艺术家的地位。如果真是诗人,格律会受他奴使;如果不是诗人,有格律他的诗固然腐滥,无格律它也还是腐滥。

古今大艺术家大半都从格律入手。艺术须寓整齐于变化。一味齐整,如钟摆摇动声,固然是单调;一味变化,如市场嘈杂声,也还是单调。由整齐到变化易,由变化到整齐难。从整齐入手,创造的本能和特别情境的需要会使作者在整齐之中求变化以避免单调。从变化入手,则变化之上不能再有变化,本来是求新奇而结果却仍还于单调。

古今大艺术家大半后来都做到脱化格律的境界。他们都从束缚中挣扎得自由,从整齐中酝酿出变化。格律是死方法,全赖人能活用。善用格律者好比打网球,打到娴熟时虽无心于球规而自合于球规,在不识球规者看,球手好像纵横如意,略无迁就规范的痕迹;在识球规者看,他却处处循规蹈矩。姜白石说得好:"文以文而工,不以文而妙。"工在格律而妙则在神髓风骨。

孔夫子自道修养经验说:"七十而从心所欲,不逾矩。"这是道德家的极境,也是艺术家的极境。"从心所欲,不逾矩",艺术的创造活动尽于这七个字了。"从心所欲"者往往"逾矩","不逾矩"者又往往不能"从心所欲"。凡是艺术家都要能打破这个矛盾。孔夫子到快要死的时候才做到这种境界。可见循格律而能脱化格律,大非易事了。

“不似则失其所以为诗，似则失其所以为我”

——创造与模仿

创造与格律的问题之外，还有一个和它密切相关的问题，就是创造与模仿。因袭格律本来就已经是一种模仿，不过艺术上的模仿并不限于格律，最重要的是技巧。

技巧可以分为两项说，一项是关于传达的方法；一项是关于媒介的知识。

先说传达的方法。我们在上文见过，凡是创造之中都有欣赏，但是创造却不仅是欣赏。创造和欣赏都要见到一种意境。欣赏见到意境就止步，创造却要再进一步，把这种意境外射到具体的作品上去。见到一种意境是一件事，把这种意境传达出来让旁人领略又是一件事。

比如我此刻想象到一个很美的夜景，其中园亭、花木、湖山、风月，件件都了然于心，可是我不能把它画出来。我何以不能把它画出来呢？因为我不能动手，不能像支配筋肉一样任意活动。我如果勉强动手，我所画出来的全不像我所想出来的，我本来要画一条直线，画出来的线却是七弯八扭，我的手不能听我的心指使。穷究到底,艺术的创造不过是手能从心,不过是能任所欣赏的意象支配筋肉的活动,使筋肉所变的动作恰能把意象画在纸上或是刻在石上。

这种筋肉活动不是天生自在的,它须费一番工夫才学得来。我想到一只虎不能画出一只虎来,但是我想到“虎”字却能信手写一个“虎”字出来。我写“虎”字毫不费事,但是不识字的农夫看我写“虎”字,正犹如我看画家画虎一样可惊羡。一只虎和一个“虎”字在心中时都不过是一种意象,何以“虎”字的意象能供我的手腕作写“虎”字的活动,而虎的意象却不能使我的手腕作画虎的活动呢?这个分别全在有练习与没有练习。我练习过写字,却没有练习过作画。我的手腕筋肉只有写“虎”字的习惯,没有画虎的习惯。筋肉活动成了习惯以后就非常纯熟,可以从心所欲,意到笔随;但是在最初养成这种习惯时,好比小孩子学走路,大人初学游水,都要跌几跤或是喝几次水,才可以学会。

各种艺术都各有它的特殊的筋肉的技巧。例如写字、作画、弹琴等等要有手腕筋肉的技巧,唱歌、吹箫要有喉舌唇齿诸筋肉的技巧,跳舞要有全身筋肉的技巧(严格地说,各种艺术都要有全身筋肉的技巧)。要想学一门艺术,就要先学它的特殊的筋肉的技巧。

学一门艺术的特殊的筋肉技巧,要用什么方法呢?起初都要模仿。“模仿”和“学习”本来不是两件事。姑且拿写字做例来说。小儿学写字,最初是描红,其次是写印本,再其次是临帖。这些方法都是借旁人所写的字做榜样,逐渐养成手腕筋肉的习惯。但是就我自己的经验来说,学写字最得益的方法是站在书家的身旁,看他如何提笔,如何运用手腕,如何使全身筋肉力量贯注在手腕上。他的筋肉习惯已养成了,在实地观察他的筋肉如何动作时,我可以讨一点诀窍来,免得自己去暗中摸索,尤其重要的是免得自己养成不良的筋肉习惯。

推广一点说,一切艺术上的模仿都可以作如是观。比如说做诗作文,似乎没有什么筋肉的技巧,其实也是一理。诗文都要有情感和思想。情感都见于筋肉的活动,我们在前面已经说过。思想离不开语言,语言离不开喉舌的动作。比如想到“虎”字时,喉舌间都不免起若干说出“虎”字的筋肉动作。这是行为派心理学的创见,现在已逐渐为一般心理学家所公认。诗人和文人常欢喜说“思路”,所谓“思路”并无若何玄妙,也不过是筋肉活动所走的特殊方向而已。

诗文上的筋肉活动是否可以模仿呢?它也并不是例外。中国诗人和文人向来着重“气”字,我们现在来把这个“气”字研究一番,就可以知道模仿筋肉活动的道理。曾国藩在《家训》里说过一段话,很可以值得我们注意:

> 凡做诗最宜讲究声调,须熟读古人佳篇,先之以高声朗诵,以昌其气;继之以密咏恬吟,以玩其味。二者并进,使古人之声调拂拂然若与我喉舌相习,则下笔时必有句调奔赴腕下,诗成自读之,亦自觉琅琅可诵,引出一种兴会来。

从这段话看,可知"气"与声调有关,而声调又与喉舌运动有关。韩昌黎也说过:"气盛则言之短长与声之高下皆宜。"声本于气,所以想得古人之气,不得不求之于声。求之于声,即不能不朗诵。朱晦庵曾经说过:"韩昌黎、苏明允作文,敝一生之精力,皆从古人声响学。"所以从前古文家教人作文最重朗诵。

姚姬传与陈硕士书说:"大抵学古文者,必须放声疾读,又缓读,只久之自悟。若但能默看,即终身作外行也。"朗诵既久,则古人之声就可以在我的喉舌筋肉上留下痕迹,"拂拂然若与我之喉舌相习",到我自己下笔时,喉舌也自然顺这个痕迹而活动,所谓"必有句调奔赴腕下"。要看自己的诗文的气是否顺畅,也要吟哦才行,因为吟哦时喉舌间所习得的习惯动作就可以再现出来。从此可知从前人所谓"气"也就是一种筋肉技巧了。

关于传达的技巧大要如此,现在再讲关于媒介的知识。

什么叫做"媒介"?它就是艺术传达所用的工具。比如颜色、线形是图画的媒介,金石是雕刻的媒介,文字语言是文学的媒介。艺术家对于他所用的媒介也要有一番研究。比如达·芬奇的《最后的晚餐》是文艺复兴时代最大的杰作。但是他的原迹是用一种不耐潮湿的油彩画在一个易受潮湿的墙壁上,所以没过多少时候就剥落消失去了。这就是对于媒介欠研究。再比如建筑,它的媒介是泥石,它要把泥石砌成一个美的形象。建筑家都要有几何学和力学的知识,才能运用泥石;他还要明白他的媒介对于观者所生的影响,才不至于乱用材料。希腊建筑家往往把石柱的腰部雕得比上下都粗壮些,但是看起来它的粗细却和上下一律，因为腰部是受压时最易折断的地方，容易引起它比上下较细弱的错觉，把腰部雕粗些，才可以弥补这种错觉。

在各门艺术之中都有如此等类的关于媒介的专门知识，文学方面尤其显著。诗文都以语言文字为媒介。做诗文的人一要懂得字义，二要懂得字音，三要懂得字句的排列法，四要懂得某字某句的音义对于读者所生的影响。这四样都是专门的学问。前人对于这些学问已逐渐蓄积起许多经验和成绩，而不是任何人只手空拳、毫无凭借地在一生之内所可得到的。自己既不能件件去发明，就不得不利用前人的经验和成绩。文学家对于语言文字是如此，一切其他艺术家对于他的特殊的媒介也莫不然。各种艺术都同时是一种学问，都有无数年代所积成的技巧。学一门艺术，就要学该门艺术所特有的学问和技巧。这种学习就是利用过去经验，就是吸收已有文化，也就是模仿的一端。

古今大艺术家在少年时所做的功夫大半都偏在模仿。米开朗琪罗费过半生的功夫研究希腊罗马的雕刻，莎士比亚也费过半生的功夫模仿和改作前人的剧本，这是最显著的例。中国诗人中最不像用过功夫的莫过于李太白，但是他的集中模拟古人的作品极多，只略看看他的诗题就可以见出。杜工部说过："李侯有佳句，往往似阴铿"，他自己也说过："解道长江静如练，令人长忆谢玄晖。"他对于过去诗人的关系可以想见了。

艺术家从模仿入手，正如小儿学语言，打网球者学姿势，跳舞者学步法一样，并没有什么玄妙，也并没有什么荒唐。不过这步功夫只是创造的始基。没有做到这步功夫和做到这步功夫就止步，都不足以言创造。我们在前面说过，创造是旧经验的新综合。旧经验大半得诸模仿，新综合则必自出心裁。

像格律一样，模仿也有流弊，但是这也不是模仿本身的罪过. 从前学者有人提倡模仿，也有人唾骂模仿，往往都各有各的道理，其实并不冲突。顾亭林的《日知录》里有一条说：

> 诗文之所以代变，有不得不然者。一代之文，沿袭已久，不容人人皆道此语。今且千数百年矣，而犹取古人之陈言一一而模仿之，以是为诗可乎？故不似则失其所以为诗，似则失其所以为我。

这是一段极有意味的话，但是他的结论是突如其来的。“不似则失其所以为诗”一句和上文所举的理由恰相反。他一方面见到模仿古人不足以为诗，一方面又见到不似古人则失其所以为诗。这不是一个矛盾么？

这其实并不是矛盾。诗和其他艺术一样，须从模仿入手，所以不能不似古人，不似则失其所以为诗；但是它须归于创造，所以又不能全似古人，全似古人则失其所以为我。创造不能无模仿，但是只有模仿也不能算是创造。

凡是艺术家都须有一半是诗人，一半是匠人。他要有诗人的妙悟，要有匠人的手腕，只有匠人的手腕而没有诗人的妙悟，固不能有创作；只有诗人的妙悟而没有匠人的手腕，即创作亦难尽善尽美。妙悟来自性灵，手腕则可得于模仿。匠人虽比诗人身份低，但亦绝不可少。青年作家往往忽略这一点。

“读书破万卷，下笔如有神”

——天才与灵感

知道格律和模仿对于创造的关系，我们就可以知道天才和人力的关系了。

生来死去的人何只恒河沙数？真正的大诗人和大艺术家是在一口气里就可以数得完的。何以同是人，有的能创造，有的不能创造呢？在一般人看，这全是由于天才的厚薄。他们以为艺术全是天才的表现，于是天才成为懒人的借口。聪明人说，我有天才，有天才何事不可为？用不着去下工夫。迟钝人说，我没有艺术的天才，就是下工夫也无益。于是艺术方面就无学问可谈了。

“天才”究竟是怎么一回事呢？

它自然有一部分得诸遗传。有许多学者常欢喜替大创造家和大发明家理家谱，说莫扎特有几代祖宗会音乐，达尔文的祖父也是生物学家，曹操一家出了几个诗人。这种证据固然有相当的价值，但是它决不能完全解释天才。同父母的兄弟贤愚往往相差很远。曹操的祖宗有什么大成就呢？曹操的后裔又有什么大成就呢?

天才自然也有一部分成于环境。假令莫扎特生在音阶简单、乐器拙陋的蒙昧民族中,也决不能作出许多复音的交响曲。“社会的遗产”是不可蔑视的。文艺批评家常欢喜说,伟大的人物都是他们的时代的骄子,艺术是时代和环境的产品。这话也有不尽然。同是一个时代而成就却往往不同。英国在产生莎士比亚的时代和西班牙是一般隆盛,而当时西班牙并没有产生伟大的作者。伟大的时代不一定能产生伟大的艺术。美国的独立,法国的大革命在近代都是极重大的事件,而当时艺术却卑卑不足高论。伟大的艺术也不必有伟大的时代做背景,席勒和歌德的时代,德国还是一个没有统一的纷乱的国家。

我承认遗传和环境的影响非常重大,但是我相信它们都不能完全解释天才。在固定的遗传和环境之下,个人还有努力的余地。遗传和环境对于人只是一个机会,一种本钱,至于能否利用这个机会,能否拿这笔本钱去做出生意来,则所谓“神而明之,存乎其人”。有些人天资颇高而成就则平凡,他们好比有大本钱而没有做出大生意;也有些人天资并不特异而成就则斐然可观,他们好比拿小本钱而做出大生意。这中间的差别就在努力与不努力了。牛顿可以说是科学家中一个天才了,他常常说:“天才只是长久的耐苦。”这话虽似稍嫌过火,却含有很深的真理。只有死功夫固然不尽能发明或创造,但是能发明创造者却大半是下过死功夫来的。哲学中的康德、科学中的牛顿、雕刻图画中的米开朗琪罗、音乐中的贝多芬、书法中的王羲之、诗中的杜工部,这些实例已经够证明人力的重要,又何必多举呢?

最容易显出天才的地方是灵感。我们只须就灵感研究一番,就可以见出天才的完成不可无人力了。

杜工部尝自道经验说:“读书破万卷,下笔如有神。”所谓“灵感”就是杜工部所说的“神”,“读书破万卷”是功夫,“下笔如有神”是灵感。据杜工部的经验看,灵感是从功夫出来的。如果我们借心理学的帮助来分析灵感,也可以得到同样的结论。

灵感有三个特征:

一、它是突如其来的,出于作者自己意料之外的。根据灵感的作品大半来得极快。从表面看,我们寻不出预备的痕迹。作者丝毫不费心血,意象涌上心头时,他只要信笔疾书。有时作品已经创造成功了,他自己才知道无意中又成了一件作品。歌德著《少年维特之烦恼》的经过,便是如此。据他自己说,他有一天听到一位少年失恋自杀的消息,突然间仿佛见到一道光在眼前闪过,立刻就想出全书的框架。他费两个星期的工夫一口气把它写成。在复看原稿时,他自己很惊讶,没有费力就写成一本书,告诉人说:“这部小册子好像是一个患睡行症者在梦中做成的。”

二、它是不由自主的,有时苦心搜索而不能得的偶然在无意之中涌上心头。希望它来时它偏不来,不希望它来时它却蓦然出现。法国音乐家柏辽兹有一次替一首诗作乐谱,全诗都谱成了,只有收尾一句(“可怜的兵士,我终于要再见法兰西!”)无法可谱。他再三思索,不能想出一段乐调来传达这句诗的情思,终于把它搁起。两年之后,他到罗马去玩,失足落水,爬起来时口里所唱的乐调,恰是两年前所再三思索而不能得的。

三、它也是突如其去的,练习作诗文的人大半都知道"败兴"的味道。"兴"也就是灵感。诗文和一切艺术一样都宜于乘兴会来时下手。兴会一来,思致自然滔滔不绝。没有兴会时写一句极平常的话倒比写什么还难。兴会来时最忌外扰。本来文思正在源源而来,外面狗叫一声,或是墨水猛然打倒了,便会把思路打断。断了之后就想尽方法也接不上来。谢无逸问潘大临近来做诗没有,潘大临回答说:"秋来日日是诗思。昨日捉笔得'满城风雨近重阳'之句,忽催租人至,令人意败。辄以此一句奉寄。"这是"败兴"的最好的例子。

灵感既然是突如其来,突然而去,不由自主,那不就无法可以用人力来解释么?从前人大半以为灵感非人力,以为它是神灵的感动和启示。在灵感之中,仿佛有神灵凭附作者的躯体,暗中驱遣他的手腕,他只是坐享其成。但是从近代心理学发现潜意识活动之后,这种神秘的解释就不能成立了。

什么叫做"潜意识"呢?我们的心理活动不尽是自己所能觉到的。自己的意识所不能察觉到的心理活动就属于潜意识。意识既不能察觉到,我们何以知道它存在呢?变态心理中有许多事实可以为凭。比如说催眠,受催眠者可以谈话、做事、写文章、做数学题,但是醒过来后对于催眠状态中所说的话和所做的事往往完全不知道。此外还有许多精神病人现出"两重人格"。例如一个人乘火车在半途跌下,把原来的经验完全忘记,换过姓名在附近镇市上做了几个月的买卖。有一天他忽然醒过来,发现身边事物都是不认识的,才自疑何以走到这么一个地方。旁人告诉他说他在那里开过几个月的店，他绝对不肯相信。心理学家根据许多类似事实，断定人于意识之外又有潜意识，在潜意识中也可以运用意志、思想，受催眠者和精神病人便是如此。在通常健全心理中，意识压倒潜意识，只让它在暗中活动。在变态心理中，意识和潜意识交替来去。它们完全分裂开来，意识活动时潜意识便沉下去，潜意识涌现时，便把意识淹没。

灵感就是在潜意识中酝酿成的情思猛然涌现于意识。它好比伏兵，在未开火之前，只是鸦雀无声地准备，号令一发，它乘其不备地发动总攻击，一鼓而下敌。在没有侦探清楚的敌人（意识）看，它好比周亚夫将兵从天而至一样。这个道理我们可以拿一件浅近的事实来说明。我们在初练习写字时，天天觉得自己在进步，过几个月之后，进步就猛然停顿起来，觉得字越写越坏。但是再过些时候，自己又猛然觉得进步。进步之后又停顿，停顿之后又进步，如此辗转几次，字才写得好。学别的技艺也是如此。据心理学家的实验，在进步停顿时，你如果索性不练习，把它丢开去做旁的事，过些时候再起手来写，字仍然比停顿以前较进步。这是什么道理呢？就因为在意识中思索的东西应该让它在潜意识中酝酿一些时候才会成熟。功夫没有错用的，你自己以为劳而不获，但是你在潜意识中实在仍然于无形中收效果。所以心理学家有“夏天学溜冰，冬天学泅水”的说法。溜冰本来是在前一个冬天练习的，今年夏天你虽然是在做旁的事，没有想到溜冰，但是溜冰的筋肉技巧却恰在这个不溜冰的时节暗里培养成功。一切脑的工作也是如此。

灵感是潜意识中的工作在意识中的收获。它虽是突如其来,却不是毫无准备。法国大数学家潘嘉赉常说他的关于数学的发明大半是在街头闲逛时无意中得来的。但是我们从来没有听过有一个人向来没有在数学上用功夫,猛然在街头闲逛时发明数学上的重要原则。在罗马落水的如果不是素习音乐的柏辽兹,跳出水时也决不会随口唱出一曲乐调。他的乐调是费过两年的潜意识酝酿的。

从此我们可以知道"读书破万卷,下笔如有神"两句诗是至理名言了。不过灵感的培养正不必限于读书。人只要留心,处处都是学问,艺术家往往在他的艺术范围之外下工夫,在别种艺术之中玩索得一种意象,让它沉在潜意识里去酝酿一番,然后再用他的本行艺术的媒介把它翻译出来。吴道子生平得意的作品为洛阳天宫寺的神鬼,他在下笔之前,先请斐旻舞剑一回给他看,在剑法中得着笔意。张旭是唐朝的草书大家,他尝自道经验说:"始吾见公主担夫争路,而得笔法之意;后见公孙氏舞剑器,而得其神。"王羲之的书法相传是从看鹅掌拨水得来的。法国大雕刻家罗丹也说道:"你问我在什么地方学来的雕刻?在深林里看树,在路上看云,在雕刻室里研究模型学来的。我在到处学,只是不在学校里。"

从这些实例看,我们可知各门艺术的意象都可触类旁通。书画家可以从剑的飞舞或鹅掌的拨动之中得到一种特殊的筋肉感觉来助笔力,可以得到一种特殊的胸襟来增进书画的神韵和气势。推广一点说,凡是艺术家都不宜只在本行小范围之内用功夫,须处处留心玩索,才有深厚的修养。鱼跃鸢飞,风起水涌,以至于一尘之微,当其接触感官时我们虽常不自觉其在心灵中可生若何影响,但是到挥毫运斤时,他们都会涌到手腕上来,在无形中驱遣它,左右它。在作品的外表上我们虽不必看出这些意象的痕迹,但是一笔一画之中都潜寓它们的神韵和气魄。这样意象的蕴蓄便是灵感的培养。它们在潜意识中好比桑叶到了蚕腹,经过一番咀嚼组织而成丝,丝虽然已不是桑叶而却是从桑叶变来的。

“慢慢走，欣赏啊！”

——人生的艺术化

一直到现在，我们都是讨论艺术的创造与欣赏。在收尾这一节中，我提议约略说明艺术和人生的关系。

我在开章明义时就着重美感态度和实用态度的分别，以及艺术和实际人生之间所应有的距离，如果话说到这里为止，你也许误解我把艺术和人生看成漠不相关的两件事。我的意思并不如此。

人生是多方面而却相互和谐的整体，把它分析开来看，我们说某部分是实用的活动，某部分是科学的活动，某部分是美感的活动，为正名析理起见，原应有此分别；但是我们不要忘记，完满的人生见于这三种活动的平均发展，它们虽是可分别的而却不是互相冲突的。“实际人生”比整个人生的意义较为窄狭。一般人的错误在把它们认为相等，以为艺术对于“实际人生”既是隔着一层，它在整个人生中也就没有什么价值。有些人为维护艺术的地位，又想把它硬纳到“实际人生”的小范围里去。这般人不但是误解艺术，而且也没有认识人生。我们把实际生活看作整个人生之中的一片段，所以在肯定艺术与实际人生的距离时，并非肯定艺术与整个人生的隔阂。严格地说，离开人生便无所谓艺术，因为艺术是情趣的表现，而情趣的根源就在人生；反之，离开艺术也便无所谓人生，因为凡是创造和欣赏都是艺术的活动，无创造、无欣赏的人生是一个自相矛盾的名词。

人生本来就是一种较广义的艺术。每个人的生命史就是他自己的作品。这种作品可以是艺术的，也可以不是艺术的，正犹如同是一种顽石，这个人能把它雕成一座伟大的雕像，而另一个人却不能使它“成器”，分别全在性分与修养。知道生活的人就是艺术家，他的生活就是艺术作品。

过一世生活好比做一篇文章。完美的生活都有上品文章所应有的美点。

第一，一篇好文章一定是一个完整的有机体，其中全体与部分都息息相关，不能稍有移动或增减。一字一句之中都可以见出全篇精神的贯注。比如陶渊明的《饮酒》诗本来是“采菊东篱下，悠然见南山”，后人把“见”字误印为“望”字，原文的自然与物相遇相得的神情便完全丧失。这种艺术的完整性在生活中叫做“人格”。凡是完美的生活都是人格的表现。大而进退取与，小而声音笑貌，都没有一件和全人格相冲突。不肯为五斗米折腰向乡里小儿，是陶渊明的生命史中所应有的一段文章，如果他错过这一个小节，便失其为陶渊明。下狱不肯脱逃，临刑时还叮咛嘱咐还邻人一只鸡的债，是苏格拉底的生命史中所应有的一段文章，否则他便失其为苏格拉底。这种生命史才可以使人把它当作一幅图画去惊赞,它就是一种艺术的杰作。

其次,“修辞立其诚”是文章的要诀,一首诗或是一篇美文一定是至性深情的流露,存于中然后形于外,不容有丝毫假借。情趣本来是物我交感共鸣的结果。景物变动不居,情趣亦自生生不息。我有我的个性,物也有物的个性,这种个性又随时地变迁而生长发展。每人在某一时会所见到的景物,和每种景物在某一时会所引起的情趣,都有它的特殊性,断不容与另一人在另一时会所见到的景物,和另一景物在另一时会所引起的情趣完全相同。毫厘之差,微妙所在。在这种生生不息的情趣中我们可以见出生命的造化。把这种生命流露于语言文字,就是好文章;把它流露于言行风采,就是美满的生命史。

文章忌俗滥,生活也忌俗滥。俗滥就是自己没有本色而蹈袭别人的成规旧矩。西施患心病,常捧心颦眉,这是自然的流露,所以愈增其美。东施没有心病,强学捧心颦眉的姿态,只能引人嫌恶。在西施是创作,在东施便是滥调。滥调起于生命的干枯,也就是虚伪的表现。“虚伪的表现”就是“丑”,克罗齐已经说过。“风行水上,自然成纹”,文章的妙处如此,生活的妙处也是如此。在什么地位,是怎样的人,感到怎样情趣,便现出怎样言行风采,叫人一见就觉其谐和完整,这才是艺术的生活。

俗语说得好:“唯大英雄能本色”,所谓艺术的生活就是本色的生活。世间有两种人的生活最不艺术,一种是俗人,一种是伪君子。“俗人”根本就缺乏本色,“伪君子”则竭力遮盖本色。朱晦庵有一首诗说:“半亩方塘一鉴开,天光云影共徘徊,问渠那得清如许?为有源头活水来。”艺术的生活就是有“源头活水"的生活。俗人迷于名利,与世浮沉,心里没有"天光云影",就因为没有源头活水。他们的大病是生命的干枯。"伪君子"则于这种"俗人"的资格之上,又加上"沐猴而冠"的伎俩。他们的特点不仅见于道德上的虚伪,一言一笑、一举一动,都叫人起不美之感。谁知道风流名士的架子之中掩藏了几多行尸走肉?无论是"俗人"或是"伪君子",他们都是生活中的"苟且者",都缺乏艺术家在创造时所应有的良心。像柏格森所说的,他们都是"生命的机械化",只能作喜剧中的角色。生活落到喜剧里去的人大半都是不艺术的。

艺术的创造之中都必寓有欣赏,生活也是如此。一般人对于一种言行常欢喜说它"好看"、"不好看",这已有几分是拿艺术欣赏的标准去估量它。但是一般人大半不能彻底,不能拿一言一笑、一举一动纳在全部生命史里去看,他们的"人格"观念太淡薄,所谓"好看"、"不好看"往往只是"敷衍面子"。善于生活者则彻底认真,不让一尘一芥妨碍整个生命的和谐。一般人常以为艺术家是一班最随便的人,其实在艺术范围之内,艺术家是最严肃不过的。在锻炼作品时常呕心呕肝,一笔一画也不肯苟且。王荆公作"春风又绿江南岸"一句诗时,原来"绿"字是"到"字,后来由"到"字改为"过"字,由"过"字改为"入"字,由"入"字改为"满"字,改了十几次之后才定为"绿"字。即此一端可以想见艺术家的严肃了。善于生活者对于生活也是这样认真。曾子临死时记得床上的席子是季路的,一定叫门人把它换过才瞑目。吴季札心里已经暗许赠剑给徐君,没有实行徐君就已死去,他很郑重地把剑挂在徐君墓旁树上,以见"中心契合死生不渝”的风义。像这一类的言行看来虽似小节，而善于生活者却不肯轻易放过，正犹如诗人不肯轻易放过一字一句一样。小节如此，大节更不消说。董狐宁愿断头不肯掩盖史实，夷齐饿死不愿降周，这种风度是道德的也是艺术的。我们主张人生的艺术化，就是主张对于人生的严肃主义。

艺术家估定事物的价值，全以它能否纳入和谐的整体为标准，往往出于一般人意料之外。他能看重一般人所看轻的，也能看轻一般人所看重的。在看重一件事物时，他知道执著；在看轻一件事物时，他也知道摆脱。艺术的能事不仅见于知所取，尤其见于知所舍。苏东坡论文，谓如水行山谷中，行于其所不得不行，止于其所不得不止。这就是取舍恰到好处，艺术化的人生也是如此。善于生活者对于世间一切，也拿艺术的口胃去评判它，合于艺术口胃者毫毛可以变成泰山，不合于艺术口胃者泰山也可以变成毫毛。他不但能认真，而且能摆脱。在认真时见出他的严肃，在摆脱时见出他的豁达。孟敏堕甑，不顾而去，郭林宗见到以为奇怪。他说：“甑已碎，顾之何益？”哲学家斯宾诺莎宁愿靠磨镜过活，不愿当大学教授，怕妨碍他的自由。王徽之居山阴，有一天夜雪初霁，月色清朗，忽然想起他的朋友戴逵，便乘小舟到剡溪去访他，刚到门口便把船划回去。他说：“乘兴而来，兴尽而返。”这几件事彼此相差很远，却都可以见出艺术家的豁达。伟大的人生和伟大的艺术都要同时并有严肃与豁达之胜。晋代清流大半只知道豁达而不知道严肃，宋朝理学又大半只知道严肃而不知道豁达。陶渊明和杜子美庶几算得恰到好处。

一篇生命史就是一种作品，从伦理的观点看，它有善恶的分别，从艺术的观点看，它有美丑的分别。善恶与美丑的关系究竟如何呢？

就狭义说，伦理的价值是实用的，美感的价值是超实用的；伦理的活动都是有所为而为，美感的活动则是无所为而为。比如仁义忠信等等都是善，问它们何以为善，我们不能不着眼到人群的幸福。美之所以为美，则全在美的形象本身，不在它对于人群的效用（这并不是说它对于人群没有效用）。假如世界上只有一个人，他就不能有道德的活动，因为有父子才有慈孝可言，有朋友才有信义可言。但是这个想象的孤零零的人还可以有艺术的活动，他还可以欣赏他所居的世界，他还可以创造作品。善有所赖而美无所赖，善的价值是“外在的”，美的价值是“内在的”。

不过这种分别究竟是狭义的。就广义说，善就是一种美，恶就是一种丑。因为伦理的活动也可以引起美感上的欣赏与嫌恶。希腊大哲学家柏拉图和亚理斯多德讨论伦理问题时都以为善有等级，一般的善虽只有外在的价值，而“至高的善”则有内在的价值。这所谓“至高的善”究竟是什么呢？柏拉图和亚理斯多德本来是一走理想主义的极端，一走经验主义的极端，但是对于这个问题，意见却一致。他们都以为“至高的善”在“无所为而为的玩索”（disinterested contemplation）。这种见解在西方哲学思潮上影响极大，斯宾诺莎、黑格尔、叔本华的学说都可以参证。从此可知西方哲人心目中的“至高的善”还是一种美，最高的伦理的活动还是一种艺术的活动了。

“无所为而为的玩索”何以看成“至高的善”呢？这个问题涉及西方哲人对于神的观念。从耶稣教盛行之后，神才是一个大慈大悲的道德家。在希腊哲人以及近代莱布尼兹、尼采、叔本华诸人的心目中，神却是一个大艺术家，他创造这个宇宙出来，全是为着自己要创造，要欣赏。其实这种见解也并不减低神的身份。耶稣教的神只是一班穷叫花子中的一个肯施舍的财主佬，而一般哲人心中的神，则是以宇宙为乐曲而要在这种乐曲之中见出和谐的音乐家。这两种观念究竟是哪一个伟大呢？在西方哲人想，神只是一片精灵，他的活动绝对自由而不受限制，至于人则为肉体的需要所限制而不能绝对自由。人愈能脱肉体需求的限制而作自由活动，则离神亦愈近。“无所为而为的玩索”是唯一的自由活动，所以成为最上的理想。

这番话似乎有些玄渺，在这里本来不应说及。不过无论你相信不相信，有许多思想却值得当作一个意象悬在心眼前来玩味玩味。我自己在闲暇时也欢喜看看哲学书籍。老实说，我对于许多哲学家的话都很怀疑，但是我觉得他们有趣。我以为穷到究竟，一切哲学系统也都只能当作艺术作品去看。哲学和科学穷到极境，都是要满足求知的欲望。每个哲学家和科学家对于他自己所见到的一点真理（无论它究竟是不是真理）都觉得有趣味，都用一股热忱去欣赏它。真理在离开实用而成为情趣中心时就已经是美感的对象了。“地球绕日运行”，“勾方加股方等于弦方”一类的科学事实，和《密罗斯爱神》或《第九交响曲》一样可以摄魂震魄。科学家去寻求这一类的事实，穷到究竟，也正因为它们可以摄魂震魄。所以科学的活动也还是一种艺术的活动,不但善与美是一体,真与美也并没有隔阂。

艺术是情趣的活动,艺术的生活也就是情趣丰富的生活。人可以分为两种,一种是情趣丰富的,对于许多事物都觉得有趣味,而且到处寻求享受这种趣味。一种是情趣干枯的,对于许多事物都觉得没有趣味,也不去寻求趣味,只终日拼命和蝇蛆在一块争温饱。后者是俗人,前者就是艺术家。情趣愈丰富,生活也愈美满,所谓人生的艺术化就是人生的情趣化。

"觉得有趣味"就是欣赏。你是否知道生活,就看你对于许多事物能否欣赏。欣赏也就是"无所为而为的玩索"。在欣赏时人和神仙一样自由,一样有福。

阿尔卑斯山谷中有一条大汽车路,两旁景物极美,路上插着一个标语牌劝告游人说:"慢慢走,欣赏啊!"许多人在这车如流水马如龙的世界过活,恰如在阿尔卑斯山谷中乘汽车兜风,匆匆忙忙地急驰而过,无暇一回首流连风景,于是这丰富华丽的世界便成为一个了无生趣的囚牢。这是一件多么可惋惜的事啊!

朋友,在告别之前,我采用阿尔卑斯山路上的标语,在中国人告别习用语之下加上三个字奉赠:

"慢慢走,欣赏啊!"

光潜

1932 年夏,莱茵河畔

后记

这部稿子承朱自清、萧石君、奚今吾三位朋友替我仔细校改过。我每在印成的文章上发见到自己不小心的地方就觉得头痛,所以对他们特别感谢。

光潜

談修養

朱光潛 著

漓江出版社

图书在版编目(CIP)数据

谈修养/朱光潜 著.—桂林:漓江出版社, 2012.4(2018.5 重印)
ISBN 978-7-5407-5208-8

Ⅰ.①谈… Ⅱ.①朱… Ⅲ.①个人-修养-研究 Ⅳ.①B825

中国版本图书馆 CIP 数据核字(2011)第 131249 号

责任编辑:郑纳新
封面设计:李 佳

出版人:刘迪才
漓江出版社出版发行
广西桂林市南环路 22 号 邮政编码:541002
网址:http://www.lijiangbook.com
全国新华书店经销
销售热线:0773-2583322

山东德州新华印务有限责任公司印刷
(山东省德州市经济开发区晶华大道 2306 号 邮政编码:253000)
开本:650mm×960mm 1/16
印张:10.25 字数:100 千字
2012 年 4 月第 2 版 2018 年 5 月第 3 次印刷
定价:23.80 元

自 序

十年前我替开明书店写了一本小册子，叫做《给青年的十二封信》。那时候我还在欧洲读书，自己还是一个青年，就个人在做人读书各方面所得的感触，写成书信寄回给国内青年朋友们，与其说存心教训，毋宁说是谈心。我原来没有希望它能发生多大的影响，不料印行之后，它成为一种销路最广的书，里面一部分文章被采入国文课本，许多中小学校把它列入课外读物。上海广州都发现这本书的盗印本，还有一位作者用"朱光潸"的名字印行一本《给青年十三封信》，前三四年在成都的书店里还可以看到。我于是以《给青年的十二封信》的作者见知于世，知我者固多，罪我者亦复不少。这一切，我刚才说，都出乎我的意料之外。坦白地说，这样乘其不意地被人注视，我心里很有些不愉快。那是一本不成熟的处女作，不能表现我的成年的面目，而且掩盖了后来我比较用心写成的作品。尤其使我懊恼的是被人看作一个欢喜教训人的人。我一向没有自己能教训人的错觉，不过我对于实际人生问题爱思想，爱体验，同时，我怕寂寞，我需要同情心，所以心里有所感触，便希望拿来和朋友谈，以便彼此印证。我仿佛向一个伙伴说："关于这一点，我是这样想,你呢?”我希望看他点一个头,或是指出另一个看法。假如我口齿俐朗,加上身边常有可谈的朋友,我就宁愿对面倾心畅谈,决不愿写文章。无如我生来口齿钝,可谈的朋友又不常在身边,情感和思想需要发泄,于是就请读者做想象的朋友,和他作笔谈。我用“谈”字毫不苟且,既是“谈”就要诚恳亲切。假如我的早年那本小册子略有可取处,大概也就在此。

这是十年前的话。过去几年中很有几家书店和杂志为着贪图销路,要求我再写给青年信那一类的文章,我心里未尝不想说话,却极力拒绝这些引诱,因为做冯妇向来不是一件惬意的事。于今我毕竟为《中央周刊》破戒,也有一个缘故。从前在那部处女作里所说的话很有些青年人的稚气,写时不免为一时热情所驱遣,有失检点,现在回想,颇有些羞愧。于今多吃了十年饭,多读了几部书,多接触了一些人情世故,也多用了一些思考体验,觉得旧话虽不必重提,漏洞却须填补。因此,《中央周刊》约我写稿,我就利用这个机会,陆续写成这部小册子中的二十来篇文章,其中也有几篇是替旁的刊物写的或没有发表的,因为性质类似,也就把它们集在一起。

读者有人写信问我:这些文章有没有一个系统?有没有一个中心思想?我回答说:在写时我只随便闲谈,不曾想把它写成一部教科书,并没有预定的系统或中心思想。

不过它不能说是完全没有系统。这些年来我在学校里教书任职,和青年人接触的机会多,关于修养的许多实际问题引起在这本小册子里所发表的一些感想。问题自身有些联络,我的感想也随之有些联络。万变不离宗,谈来谈去,都归结到做人的道理。

它也不能说是完全没有中心思想。我的先天的资禀与后天的陶冶所组成的人格是一个完整的有机体,我的每篇文章都是这有机体所放射的花花絮絮。我的个性就是这些文章的中心。如果向旁人检讨自己不是一桩罪过,我可以说:我大体上欢喜冷静、沉着、稳重、刚毅,以出世精神做入世事业,尊崇理性和意志,却也不菲薄情感和想象。我的思想就抱着这个中心旋转,我不另找玄学或形而上学的基础。我信赖我的四十余年的积蓄,不向主义铸造者举债。

这些文章大半是在匆迫中写成的。我每天要到校办公、上课、开会、和同事同学们搬唇舌、写信、预备功课。到晚来精疲力竭走回来,和妻子、女孩、女仆挤在一间卧室兼书房里,谈笑了一阵后,已是八九点钟,家人都去睡了,我才开始做我的工作,看书或是作文。这些文章就是这样在深夜里听着妻女打呼鼾写成的。因为体质素弱,精力不济,每夜至多只能写两小时,所以每篇文章随断随续,要两三夜才写成,运思的工夫还不在内。我虽然相当用心,文字终不免有些懈怠和草率。关于这一点,我对自己颇不满,同时也羡慕有闲暇著述的人们的幸福。

目前许多作者写书,尝自认想对建国万年大业有所贡献,摇一支笔杆,开一代宗风。我没有这种学问,也没有这种野心或错觉。这本小册子,我知道,像一朵浮云,片时出现,片时消失。但是我希望它在这片时间能借读者的晶莹的心灵,如同浮云借晶莹的潭水一般,呈现一片灿烂的光影。精神不灭,这影响尽管微细,也可以蔓延无穷。

民国三十一年冬在嘉定脱稿

目　录

一番语重心长的话

——给现代中国青年

我在大学里教书，前后恰已十年，年年看见大批的学生进来，大批的学生出去。这大批学生中平庸的固居多数，英俊有为者亦复不少。我们辛辛苦苦地把一批又一批的训练出来，到毕业之后，他们变成什样的人，做出什样的事呢？他们大半被一个共同的命运注定。有官做官，无官教书。就了职业就困于职业，正当的工作消磨了二三分光阴，人事的应付消磨了七八分光阴。他们所学的原来就不很坚实，能力不够，自然做不出什么真正事业来。时间和环境又不容许他们继续研究，不久他们原有的那一点浅薄学问也就逐渐荒疏，终身只在忙"糊口"。这样一来，他们的个人生命就平平凡凡地溜过去，国家的文化学术和一切事业也就无从发展。还有一部分人因为生活的压迫和恶势力的引诱，由很可有为的青年腐化为土绅劣豪或贪官污吏，把原来读书人的一副面孔完全换过，为非作歹，恬不知耻，使社会上颓风恶习一天深似一天，教育的功用究竟在哪里呢？

想到这点，我感觉到很烦闷。就个人设想，像我这样教书的人把生命断送在粉笔屑中，眼巴巴地希望造就几个人才出来，得一点精神上的安慰，而年复一年地见到出学校门的学生们都朝一条平凡而暗淡的路径走，毫无补于文化的进展和社会的改善。这种生活有何意义？岂不是自误误人？其次，就国家民族的设想，在这严重的关头，性格已固定的一辈人似已无大希望，可希望的只有少年英俊，国家耗费了许多人力和财力来培养成千成万的青年，也正是希望他们将来能担负国家民族的重任，而结果他们仍随着前一辈人的覆辙走，前途岂不很暗淡？

青年们常欢喜把社会一切毛病归咎于站在台上的人们，其实在台上的人们也还是受过同样的教育，经过同样的青年阶段，他们也曾同样地埋怨过前一辈人。由此类推，到我们这一辈青年们上台时，很可能地仍为下一辈青年们不满。今日有理想的青年到明日往往变成屈服于事实而抛弃理想的堕落者。章宗祥领导过留日青年，打过媚敌辱国的蔡钧，而这位章宗祥后来做了外交部长，签订了二十一条卖国条约。汪精卫投过炸弹，坐过牢，做过几十年的革命工作，而这位汪精卫现在做了敌人的傀儡，汉奸的领袖。许多青年们虽然没有走到这个极端，但投身社会之后，投降于恶势力的实比比皆是。这是一个很可伤心的现象。社会变来变去，而组成社会的人变相没有变质，社会就不会彻底地变好。这五六十年来我们天天在讲教育，教育对于人的质料似乎没有发生很好的影响。这一辈人睁着眼睛蹈前一辈人的覆辙，下一辈人仍然睁着眼睛蹈这一辈人的覆辙，如此循环辗转，一报还一报，“长夜漫漫何时旦”呢？

社会所属望最殷的青年们，这事实和问题是值得郑重考虑的！

时光向前疾驶，毫不留情去等待人，一转眼青年便变成中年老年，一不留意便陷到许多中年人和老年人的厄运。这厄运是一部悲惨的三部曲。第一部是悬一个很高的理想，要改造社会；第二部是发现理想与事实的冲突，意志与社会恶势力相持不下；第三部便是理想消灭，意志向事实投降，没有改革社会，反被社会腐化。给它们一个简题，这是“追求”、“彷徨”和“堕落”。

青年们，这是一条死路。在你们的天真烂漫的头脑里，它的危险性也许还没有得到深切的了解，你们或许以为自己决不会走上这条路。但是我相信：如果你们没有彻底的觉悟，不拿出强毅的意志力，不下坚苦卓绝的功夫，不作脚踏实地的准备，你们是不成问题地仍走上这条路。数十年之后，你们的生命和理想都毁灭了，社会腐败依然如故，又换了一批像你们一样的青年来，仍是改革不了社会。朋友们，我是过来人，这条路的可怕我并没有夸张，那是绝对不能再走的啊！

耶稣宣传他的福音，说只要普天众生转一个念头，把心地洗干净，一以仁爱为怀，人世就可立成天国。这理想简单到不能再简单，可是也深刻到不能再深刻。极简单的往往是正途大道，因为易为人所忽略，也往往最不易实现。本来是很容易的事而变成最难实现的，这全由于人的愚蠢、怯懦和懒惰。世间事之难就难在人们不知道或是不能够转一个念头，或是转了念头而没有力量坚持到底。幸福的世界里决没有愚蠢者、怯懦者和懒惰者的地位。你要合理地生存，你就要有觉悟、有决心、有奋斗的精神和能力。

“知难行易”，这觉悟一个起点是我们青年所最缺乏的。大家都似在鼓里过日子，闭着眼睛醉生梦死，放弃人类最珍贵的清醒的理性，降落到猪豚一般随人饲养，随人宰割。世间宁有这样痛心的事！青年们，目前只有一桩大事——觉悟——彻底的觉悟！你们正在做梦，需要一个晴天霹雳把你们震醒，把“觉悟”两字震到你们的耳里去。

“条条大路通罗马”，实现人生和改良社会都不必只有一条路径可走。每个人所走的路应该由他自己审度自然条件和环境需要，逐渐摸索出来，只要肯走，迟早总可以走到目的地。无论你走哪一条路，你都必定立定志向要做人；做现代的中国人，你必须有几个基本的认识。

一、时代的认识——人类社会进化逃不掉自然律。关于进化的自然律，科学家们有不同的看法。依达尔文派学者，生物常在生存竞争中，最适者生存，不适者即归淘汰。依克鲁泡特金，社会的维持和发展全靠各分子能分工互助，互助也是本于天性。这两种相反的主张产生了两种不同的国际政治理想。一种理想是拥护战争，生存既是一种竞争，而在竞争中又只有最适者可生存，则造就最适者与维持最适者都必靠战争，战争是文化进展的最强烈的刺激剂。另一种理想是拥护和平，战争只是破坏，在战争中人类尽量发挥残酷的兽性，愈残酷愈贪摧毁，愈不易团结，愈不易共存共荣；要文化发展，我们需要建设，建设需要互助，需要仁爱，也需要和平。这两种理想各有片面的真理，相反适以相成，不能偏废。我们的时代是竞争最激烈的时代，也是最需要互助的时代。竞争是事实而互助是理想。无论你竞争或是互助，你都要拿副本领来。在竞争中只有最适者才能生存，在互助中最不适者也不见得能坐享他人之成。所谓“最适”就是最有本领，近代的本领是学术思想，是技术，是组织力。无论是个人在国家社会中，或是民族在国际社会中，有了这些本领，才能和人竞争，也才能和人互助，否则你纵想苟且偷生，也必终归淘汰，自然铁律是毫不留情的。

二、国家民族现在地位的认识——我国数千年来闭关自守，固有的文化可以自给自足，而且四围诸国家民族的文化学术水准都比我们的低，不曾感到很严重的外来的威胁。从十九世纪以来，海禁大开，中国变成国际集团中的一分子，局面就陡然大变。我们现在遇到两重极严重的难关。第一，我们固有的文化学术不够应付现时代的环境。我们起初慑于西方科学与物质文明的威力，把固有的文化看得一文不值，主张全盘接收欧化；到现在所接收的还只是皮毛，毫不济事，情境不同，移植的树常不能开花结果，而且从两次大战与社会不安的状况看来，物质文明的误用也很危险，于是又有些人提倡固有文化，以为我们原来固有的全是对的。比较合理的大概是兼收并蓄，就中西两方成就截长补短，建设一种新的文化学术。但是文化学术须有长期的培养，不是像酵母菌可以一朝一夕制造出来的。我们从事于文化学术的人们能力都还太幼稚薄弱，还不配说建设。总之，我们旧的已去，新的未来，在这青黄不接的时候，我们和其他民族竞争或互助，几乎没有一套武器或工具在手里。这是一个极严重的局势。其次，我们现在以全副精力抗战建国。这两重工作中抗战是急需，是临时的；建国是根本，是长久的。多谢贤明领袖的指导与英勇将士的努力，多谢国际局面的转变，我们的抗战已逼近最后的胜利。这是我们的空前的一个好机会，从此我们可以在国际社会中做一个光荣的分子，从此我们可以在历史上开一个新局面。但是这“可以”只是“可能”而不是“必然”，由“可能”变为“必然”，还需要比抗战更坚苦的努力。抗战后还有成千成万的问题亟待解决，有许多恶习积弊要洗清，有许多文化事业和生产事业要建设。我们试问，我们的人才准备能否很有效率地担负这些重大的工作呢？要不然，我们的好机会将一纵即逝，我们的许多光明希望将终成泡影。我们的青年对此须有清晰的认识，须急起直追，抓住好时机不放过。

三、个人对于国家民族的关系的认识——世界处在这个剧烈竞争的时代，国家民族处在这个一发千钧的关头，我们青年人所处的地位何如呢？有两个重要的前提我们必须认识清楚：

第一，国家民族如果没有出路，个人就决不会有出路；要替个人谋出路，必须先替国家民族谋出路。

第二，个人在社会中如果不能成为有力的分子，则个人无出路，国家民族也无出路。要个人在社会中成为有力的分子，必须有德有学有才，而德行学问才具都须经过坚苦的努力才可以得到。

以往我们青年的错误就在对这两个前提毫无认识。大家都只为个人打计算，全不替国家民族着想。我们忙着贪图个人生活的安定和舒适，不下功夫培养造福社会的能力，不能把自己所应该做的事做好，一味苟且敷衍，甚至用种种不正当的手段去求个人安富尊荣，攒营、欺诈、贪污，无所不至，这样一来，把社会弄得日渐腐败，国家弄得日渐贫弱。这是一条不能再走的死路，我已一再警告过。我们必须痛改前非，把一切自私的动机痛痛快快地斩除干净，好好地在国家民族的大前提上做功夫。我们须知道，我们事事不如人，归根究竟，还是我们的人不如人。现在要抬高国家民族的地位，我们每个人必须培养健全的身体、优良的品格、高深的学术和熟练的技能，把自己造成社会中一个有力的分子。

这是三个最基本认识。我们必须有这些认识，再加以坚苦卓绝的精神去循序实行，到死不懈，我们个人，我们国家民族，才能踏上光明的大道。最后，我还须着重地说，我们需要彻底的觉悟。

谈立志

抗战以前与抗战以来的青年心理有一个很显然的分别:抗战以前,普通青年的心理变态是烦闷,抗战以来,普通青年的心理变态是消沉。烦闷大半起于理想与事实的冲突。在抗战以前,青年对于自己前途有一个理想,要有一个很好的环境求学,再有一个很好的职业做事;对于国家民族也有一个理想,要把侵略的外力打倒,建设一个新的社会秩序。这两种理想在当时都似很不容易实现,于是他们急躁不耐烦,失望,以至于苦闷。抗战发生时,我们民族毅然决然地拼全副力量来抵挡侵略的敌人,青年们都兴奋了一阵,积压许久的郁闷为之一畅。但是这种兴奋到现在似已逐渐冷静下去,国家民族的前途比从前光明,个人求学就业也比从前容易,虽然大家都硬着脖子在吃苦,可是振作的精神似乎很缺乏。在学校的学生们对功课很敷衍,出了学校就职业的人们对事业也很敷衍,对于国家大事和世界政局没有像从前那样关切。这是一个很可忧虑的现象,因为横在我们面前的还有比抗敌更艰难的局面,需要更坚决更沉着的努力来应付,而我们青年现在所表现的精神显然不足以应付这种艰难的局面。

如果换个方式来说,从前的青年人病在志气太大,目前的青年人病在志气太小,甚至于无志气。志气太大,理想过高,事实迎不上头来,结果自然是失望烦闷;志气太小,因循苟且,麻木消沉,结果就必至于堕落。所以我们宁愿青年烦闷,不愿青年消沉。烦闷至少是对于现实的欠缺还有敏感,还可以激起努力;消沉对于现实的欠缺就根本麻木不仁,决不会引起改善的企图。但是说到究竟,烦闷之于消沉也不过是此胜于彼,烦闷的结果往往是消沉,犹如消沉的结果往往是堕落。目前青年的消沉与前五六年青年的烦闷似不无关系。烦闷是耗费心力的,心力耗费完了,连烦闷也不曾有,那便是消沉。

一个人不会生来就烦闷或消沉的,因为人都有生气,而生气需要发扬,需要活动。有生气而不能发扬,或是活动遇到阻碍,才会烦闷和消沉。烦闷是感觉到困难,消沉是无力征服困难而自甘失败。这两种心理病态都是挫折以后的反应。一个人如果经得起挫折,就不会起这种心理变态。所谓经不起挫折,就是没有决心和勇气,就是意志薄弱。意志薄弱经不起挫折的人往往有一套自宽自解的话,就是把所有的过错都推诿到环境。明明是自己无能,而埋怨环境不允许我显本领,明明是自己甘心做坏人,而埋怨环境不允许我做好人。这其实是懦夫的心理,对于自己全不肯负责任。环境永远不会美满的,万一它生来就美满,人的成就也就无甚价值。人所以可贵,就在他不像猪豚,被饲而肥,他能够不安于污浊的环境,拿力量来改变它,征服它。

普通人的毛病在责人太严责己太宽。埋怨环境还由于缺乏自省自责的习惯。自己的责任必须自己担当起,成功是我的成功,失败也是我的失败。每个人是他自己的造化主,环境不足畏,犹如命运不足信。我们的民族需要自力更生,我们每个人也是如此。我们的青年必须先有这种觉悟,个人和国家民族的前途才有希望。能责备自己,信赖自己,然后自己才会打出一个江山来。

我们有一句老话:"有志者事竟成。"这话说得很好,古今中外在任何方面经过艰苦奋斗而成功的英雄豪杰都可以做例证。志之成就是理想的实现。人为的事实都必基于理想,没有理想决不能成为人为的事实。譬如登山,先须存念头去登,然后一步一步地走上去,最后才会达到目的地。如果根本不起登的念头,登的事实自无从发生。这是浅例。世间许多行尸走肉浪费了他们的生命,就因为他们对于自己应该做的事不起念头。许多以教育为事业的人根本不起念头去研究,许多以政治为事业的人根本不起念头为国民谋幸福。我们的文化落后,社会紊乱,不就由于这个极简单的原因么?这就是上文所谓"消沉","无志气"。"有志者事竟成",无志者事就不成。

不过"有志者事竟成"一句话也很容易发生误解,"志"字有几种意义:一是念头或愿望(wish),一是起一个动作时所存的目的(purpose),一是达到目的的决心(will, determination)。譬如登山,先起登的念头,次要一步一步地走,而这走必步步以登为目的,路也许长,障碍也许多,须抱定决心,不达目的不止,然后登的愿望才可以实现,登的目的才可以达到。"有志者事竟成"的"志",须包含这三种意义在内:第一要起念头,其次要认清目的和达到目的之方法,第三是抱必达目的之决心。很显然的,要事之成,其难不在起念头,而在目的之认识与达到目的之决心。

有些人误解立志只是起念头。一个小孩子说他将来要做大总统，一个乞丐说他成了大阔佬要砍他的仇人的脑袋，所谓“癞蛤蟆想吃天鹅肉”，完全不思量达到这种目的所必有的方法或步骤，更不抱定循这方法步骤去达到目的之决心，这只是狂妄，不能算是立志。世间有许多人不肯学乘除加减而想将来做算学的发明家，不学军事学当兵打仗而想将来做大元帅东征西讨，不切实培养学问技术而想将来做革命家改造社会，都是犯这种狂妄的毛病。

如果以起念头为立志，则有志者事竟不成之例甚多。愚公尽可移山，精卫尽可填海，而世间却实有不可能的事情。我们必须承认“不可能”的真实性。所谓“不可能”，就是俗语所谓“没有办法”，没有一个方法和步骤去达到所悬想的目的。没有认清方法和步骤而想达到那个目的，那只是痴想而不是立志，志就是理想，而理想的理想必定是可实现的理想。理想普通有两种意义，一是“可望而不可攀，可幻想而不可实现的完美”，比如许多宗教都以长生不老为人生理想，它成为理想，就因为事实上没有人长生不老。理想的另一意义是“一个问题的最完美的答案”，或是“可能范围以内的最圆满的解决困难的办法”。比如长生不老虽非人力所能达到，而强健却是人力所能达到的，就人的能力范围来说，强健是一个合理的理想。这两种意义的分别在一个蔑视事实条件，一个顾到事实条件，一个渺茫无稽，一个有方法步骤可循。严格地说，前一种是幻想痴想而不是理想，是理想都必顾到事实。在理想与事实起冲突时，错处不在事实而在理想。我们必须接受事实，理想与事实背驰时，我们应该改变理想。坚持一种不合理的理想而至死不变只是匹夫之勇，只是“猪武”。我特别着重这一点，因为有些道德家在盲目地说坚持理想，许多人在盲目地听。

我们固然要立志，同时也要度德量力。卢梭在他的教育名著《爱弥儿》里有一段很透辟的话，大意是说人生幸福起于愿望与能力的平衡。一个人应该从幼时就学会在自己能力范围以内起愿望，想做自己所能做的事，也能做自己所想做的事。这番话出诸浪漫色彩很深的卢梭尤其值得我们玩味。卢梭自己有时想入非非，因此吃过不少的苦头，这番话实在是经验之谈。许多烦闷，许多失败，都起于想做自己所不能做的事，或是不能做自己所想做的事。

志气成就了许多人，志气也毁坏了许多人。既是志，实现必不在目前而在将来。许多人拿立志远大作借口，把目前应做的事延宕贻误。尤其是青年们欢喜在遥远的未来摆一个黄金时代，把希望全寄托在那上面，终日沉醉在迷梦里，让目前宝贵的时光与机会错过，徒贻后日无穷之悔。我自己从前有机会学希腊文和意大利文时，没有下手，买了许多文法读本，心想到四十岁左右时当有闲暇岁月，许我从容自在地自修这些重要的文字，现在四十过了几年了，看来这一生似不能与希腊文和意大利文有缘分了，那箱书籍也恐怕只有摆在那里霉烂了。这只是一例，我生平有许多事叫我追悔，大半都像这样“志在将来”而转眼即空空过去。“延”与“误”永是连在一起，而所谓“志”往往叫我们由“延”而“误”。所谓真正立志，不仅要接受现在的事实，尤其要抓住现在的机会。如果立志要做一件事，那件事的成功尽管在很远的将来，而那件事的发动必须就在目前一顷刻。想到应该做，马上就做，不然，就不必发下一个空头愿。发空头愿成了一个习惯，一个人就会永远在幻想中过活，成就不了任何事业，听说抽鸦片烟的人想头最多，意志力也最薄弱。老是在幻想中过活的人在精神方面颇类似烟鬼。

我在很早的一篇文章里提出我个人做人的信条，现在想起，觉得其中仍有可取之处，现在不妨趁此再提出供读者参考。我把我的信条叫做“三此主义”，就是此身，此时，此地。一、此身应该做而且能够做的事，就得由此身担当起，不推诿给旁人。二、此时应该做而且能够做的事，就得在此时做，不拖延到未来。三、此地（我的地位，我的环境）应该做而且能够做的事，就得在此地做，不推诿到想象中的另一地位去做。

这是一个极现实的主义。本分人做本分事，脚踏实地，丝毫不带一点浪漫情调。我相信如果我们能够彻底地照着做，不至于很误事。西谚说得好：“手中的一只鸟，值得林中的两只鸟。”许多“有大志”者往往为着觊觎林中的两只鸟，让手中的一只鸟安然逃脱。

朝抵抗力最大的路径走

我提出这个题目来谈，是根据一点亲身的经验。有一个时候，我学过做诗填词。往往一时兴到，我信笔直书，心里想到什么，就写什么，写成了自己读读看，觉得很高兴，自以为还写得不坏，后来我把这些处女作拿给一位精于诗词的朋友看，请他批评，他仔细看了一遍后，很坦白地告诉我说："你的诗词未尝不能做，只是你现在所做的还要不得。"我就问他："毛病在哪里呢？"他说："你的诗词都来得太容易，你没有下过力，你欢喜取巧，显小聪明。"听了这话，我捏了一把冷汗，起初还有些不服，后来对于前人作品多费过一点心思，才恍然大悟那位朋友批评我的话真是一语破的。我的毛病确是在没有下过力。我过于相信自然流露，没有知道第一次浮上心头的意思往往不是最好的意思，第一次浮上心头的词句也往往不是最好的词句。意境要经过洗炼，表现意境的词句也要经过推敲，才能脱去渣滓，达到精妙境界。洗炼推敲要吃苦费力，要朝抵抗力最大的路径走。福楼拜自述写作的辛苦说："写作要超人的意志，而我却只是一个人！"我也有同样感觉，我缺乏超人的意志，不能拼死力往里钻，只朝抵抗力最低的路径走。

这一点切身的经验使我受到很深的感触。它是一种失败，然而从这种失败中我得到一个很好的教训。我觉得不但在文艺方面，就在立身处世的任何方面，贪懒取巧都不会有大成就，要有大成就，必定朝抵抗力最大的路径走。

"抵抗力"是物理学上的一个术语。凡物在静止时都本其固有"惰性"而继续静止，要使它动，必须在它身上加"动力"，动力愈大，动愈速愈远。动的路径上不能无抵抗力，凡物的动都朝抵抗力最低的方向。如果抵抗力大于动力，动就会停止，抵抗力纵是低，聚集起来也可以使动力逐渐减少以至于消灭，所以物不能永动，静止后要它续动，必须加以新动力。这是物理学上一个很简单的原理，也可以应用到人生上面。人像一般物质一样，也有惰性，要想他动，也必须有动力。人的动力就是他自己的意志力。意志力愈强，动愈易成功；意志力愈弱，动愈易失败。不过人和一般物质有一个重要的分别：一般物质的动都是被动，使它动的动力是外来的；人的动有时可以是主动，使他动的意志力是自生自发自给自足的。在物的方面，动不能自动地随抵抗力之增加而增加；在人的方面，意志力可以自动地随抵抗力之增加而增加，所以物质永远是朝抵抗力最低的路径走，而人可以朝抵抗力最大的路径走。物的动必终为抵抗力所阻止，而人的动可以不为抵抗力所阻止。

照这样看，人之所以为人，就在能不为最大的抵抗力所压服。我们如果要测量一个人有多少人性，最好的标准就是他对于抵抗力所拿出的抵抗力，换句话说，就是他对于环境困难所表现的意志力。我在上文说过，人可以朝抵抗力最大的路径走，人的动可以不为抵抗力所阻。我说"可以"不说"必定"，因为世间大多数人仍是惰性大于意志力，欢喜朝抵抗力最低的路径走，抵抗力稍大，他就要缴械投降。这种人在事实上失去最高生命的特征，堕落到无生命的物质的水平线上，和死尸一样东推东倒，西推西倒。他们在道德学问事功各方面都决不会有成就，万一以庸庸得厚福，也是叨天之幸。

人生来是精神所附丽的物质，免不掉物质所常有的惰性。抵抗力最低的路径常是一种引诱，我们还可以说，凡是引诱所以能成为引诱，都因为它是抵抗力最低的路径，最能迎合人的惰性。惰性是我们的仇敌，要克服惰性，我们必须动员坚强的意志力，不怕朝抵抗力最大的路径走。走通了，抵抗力就算被征服，要做的事也就算成功。举一个极简单的例子。在冬天早晨，你睡在热被窝里很舒适，心里虽知道这应该是起床的时候而你总舍不得起来。你不起来，是顺着惰性，朝抵抗力最低的路径走。被窝的暖和舒适，外面的空气寒冷，多躺一会儿的种种借口，对于起床的动作都是很大的抵抗力，使你觉得起床是一件天大的难事。但是你如果下一个决心，说非起来不可，一耸身你也就起来了。这一起来事情虽小，却表示你对于最大抵抗力的征服，你的企图的成功。

这是一个琐屑的事例，其实世间一切事情都可作如此看法。历史上许多伟大人物所以能有伟大成就者，大半都靠有极坚强的意志力，肯向抵抗力最大的路径走。例如孔子，他是当时一个大学者，门徒很多，如果他贪图个人的舒适，大可以坐在曲阜过他安静的学者的生活。但是他毕生东奔西走，席不暇暖，在陈绝过粮，在匡遇过生命的危险，他那副奔波劳碌凄凄惶惶的样子颇受当时隐者的嗤笑。他为什么要这样呢？就因为他有改革世界的抱负，非达到理想，他不肯甘休。《论语》长沮桀溺章最足见出他的心事。长沮桀溺二人隐在乡下耕田，孔子叫子路去向他们问路，他们听说是孔子，就告诉子路说："滔滔者天下皆是也，而谁以易之！"意思是说，于今世道到处都是一般糟，谁去理会它，改革它呢？孔子听到这话叹气说："鸟兽不可与同群，吾非斯人之徒与而谁与？天下有道，丘不与易也。"意思是说，我们既是人就应做人所应该做的事；如果世道不糟，我自然就用不着费气力去改革它。孔子平生所说的话，我觉得这几句最沉痛，最伟大。长沮桀溺看天下无道，就退隐躬耕，是朝抵抗力最低的路径走，孔子看天下无道，就牺牲一切要拼命去改革它，是朝抵抗力最大的路径走。他说得很干脆："天下有道，丘不与易也。"

再如耶稣，从《新约》中四部《福音》看，他的一生都是朝抵抗力最大的路径走。他抛弃父母兄弟，反抗当时旧犹太宗教，攻击当时的社会组织，要在慈爱上建筑一个理想的天国，受尽种种困难艰苦，到最后牺牲了性命，都不肯放弃了他的理想。在他的生命史中有一段是一发千钧的危机。他下决心要宣传天国福音后，跑到沙漠里苦修了四十昼夜。据他的门徒的记载，这四十昼夜中他不断地受恶魔引诱。恶魔引诱他去争尘世的威权，去背叛上帝，崇拜恶魔自己。耶稣经过四十昼夜的挣扎，终于拒绝恶魔的引诱，坚定了对于天国的信念。从我们非教徒的观点看，这段恶魔引诱的故事是一个寓言，表示耶稣自己内心的冲突。横在他面前的有两路：一是上帝的路，一是恶魔的路。走上帝的路要牺牲自己，走恶魔的路他可以握住政权，享受尘世的安富尊荣。经过了四十昼夜的挣扎，他决定了走抵抗力最大的路——上帝的路。

我特别在耶稣生命中提出恶魔引诱的一段故事，因为它很可以说明宋明理学家所说的天理与人欲的冲突。我们一般人尽善尽恶的不多见，性格中往往是天理与人欲杂糅，有上帝也有恶魔，我们的生命史常是一部理与欲，上帝与恶魔的斗争史。我们常在歧途徘徊，理性告诉我们向东，欲念却引诱我们向西。在这种时候，上帝的势力与恶魔的势力好像摆在天平的两端，见不出谁轻谁重。这是“一发千钧”的时候，“一失足即成千古恨”，一挣扎立即可成圣贤豪杰。如果要上帝的那一端天平沉重一点，我们必须在上面加一点重量，这重量就是拒绝引诱，克服抵抗力的意志力。有些人在这紧要关头拿不出一点意志力，听惰性摆布，轻轻易易地堕落下去，或是所拿的意志力不够坚决，经过一番冲突之后，仍然向恶魔缴械投降。例如洪承畴本是明末一个名臣，原来也很想效忠明朝，恢复河山，清兵入关后，大家都预料他以死殉国，清兵百计劝诱他投降，他原也很想不投降，但是到最后终于抵不住生命的执著与禄位的诱惑，做了明朝的汉奸。再举一个眼前的例子，汪精卫前半生对于民族革命很努力，当这次抗战开始时，他广播演说也很慷慨激昂。谁料到他的利禄熏心，一经敌人引诱，就起了卖国叛党的坏心事。依陶希圣的记载，他在上海时似仍感到良心上的痛苦，如果他拿出一点意志力，即早回头，或以一死谢国人，也还不失为知过能改的好汉。但是他拿不出一点意志力，就认错就错，甘心认贼作父。世间许多人失节败行，都像汪精卫洪承畴之流，在紧要关头，不肯争一口气，就马马虎虎地朝抵抗力最低的路径走。

这是比较显著的例，其实我们涉身处世，随时随地目前都横着两条路径，一是抵抗力最低的，一是抵抗力最大的。比如当学生，不死心踏地去做学问，只敷衍功课，混分数文凭；毕业后不拿出本领去替社会服务，只奔走巴结，夤缘幸进，以不才而在高位；做事时又不把事当事做，只一味因循苟且，敷衍公事，甚至于贪污淫逸，遇钱即抓，不管它来路正当不正当——这都是放弃抵抗力最大的路径而走抵抗力最低的路径。这种心理如充类至尽，就可以逐渐使一个人堕落。我当穷究目前中国社会腐败的根源，以为一切都由于懒。懒，所以苟且因循敷衍，做事不认真；懒，所以贪小便宜，以不正当的方法解决个人的生计；懒，所以随俗浮沉，一味圆滑，不敢为正义公道奋斗；懒，所以遇引诱即堕落，个人生活无纪律，社会生活无秩序。知识阶级懒，所以文化学术无进展；官吏懒，所以政治不上轨道；一般人都懒，所以整个社会都"吊儿郎当"暮气沉沉。懒是百恶之源，也就是朝抵抗力最低的路径走。如果要改造中国社会，第一件心理的破坏工作是除懒，第一件心理的建设工作是提倡奋斗精神。

生命就是一种奋斗，不能奋斗，就失去生命的意义与价值；能奋斗，则世间很少不能征服的困难。古话说得好，"有志者事竟成"。希腊最大的演说家是德摩斯梯尼，他生来口吃，一句话也说不清楚，但他抱定决心要成为一个大演说家，他天天一个人走到海边，向着大海练习演说，到后来居然达到了他的志愿。这个实例阿德勒派心理学家常喜援引。依他们说，人自觉有缺陷，就起"卑劣意识"，自耻不如人，于是心中就起一种"男性的抗议"，自己说我也是人，我不该不如人，我必用我的意志力来弥补天然的缺陷。阿德勒派学者用这原则解释许多伟大人物的非常成就，例如聋子成为大音乐家，瞎子成为大诗人之类。我觉得一个人的紧要关头在起

"卑劣意识"的时候。起"卑劣意识"是知耻,孔子说得好,"知耻近乎勇"。但知耻虽近乎勇而却不就是勇。能勇必定有阿德勒派所说的"男性的抗议"。"男性的抗议"就是认清了一条路径上抵抗力最大而仍然勇往直前,百折不挠。许多人虽天天在"卑劣意识"中过活,却永不能发"男性的抗议",只知怨天尤人,甚至于自己不长进,希望旁人也跟着他不长进,看旁人长进,只怀满肚子醋意。这种人是由知耻回到无耻,注定地要堕落到十八层地狱,永不超生。

能朝抵抗力最大的路径走,是人的特点。人在能尽量发挥这特点时,就足见出他有富裕的生活力。一个人在少年时常是朝气勃勃,有志气,肯干,觉得世间无不可为之事,天大的困难也不放在眼里。到了年事渐长,受过了一些磨折,他就逐渐变成暮气沉沉,意懒心灰,遇事都苟且因循,得过且过,不肯出一点力去奋斗。一个人到了这时候,生活力就已经枯竭,虽是活着,也等于行尸走肉,不能有所作为了。所以一个人如果想奋发有为,最好是趁少年血气方刚的时候,少年时如果能努力,养成一种勇往直前百折不挠的精神,老而益壮,也还是可能的。

一个人的生活力之强弱,以能否朝抵抗力最大的路径为准,一个国家或是一个民族也是如此。这个原则有整个的世界史证明。姑举几个显著的例,西方古代最强悍的民族莫如罗马人,我们现在说到能吃苦肯干,重纪律,好冒险,仍说是"罗马精神"。因其有这种精神,所以罗马人东征西讨,终于统一了欧洲,建立一个庞大的殖民帝国。后来他们从殖民地获得丰富的资源,一般罗马公民都可以坐在家里不动而享受富裕的生活,于是变成骄奢淫逸,无恶不为,一到新兴的"野蛮"民族从欧洲东北角向南侵略,罗马人就毫无抵抗而分崩瓦解。再如满清，他们在入关以前过的是骑猎生活，民性最强悍，很富于吃苦冒险的精神，所以到明末张李之乱社会腐败紊乱时，他们以区区数十万人之力就能入主中夏。可是他们做了皇帝之后，一切皇亲国戚都坐着不动吃皇粮，享大位，过舒服生活，不到三百年，一个新兴民族就变成腐败不堪，辛亥革命起，我们就轻轻易易地把他们推翻了。我们如果要明白一个民族能够堕落到什么地步，最好去看看北平的旗人。

我们中华民族在历史上经过许多波折，从周秦到现在，没有哪一个时代我们不遇到很严重的内忧，也没有哪一个时代我们没有和邻近的民族挣扎，我们爬起来蹶倒，蹶倒了又爬起，如此者已不知若干次。从这简单的史实看，我们民族的生活力确是很强旺，它经过不断的奋斗才维持住它的生存权。这一点祖传的力量是值得我们尊重的。

于今我们又临到严重的关头了。横在我们面前的只有两条路，一是汪精卫和一班汉奸所走的，抵抗力最低的，屈服；一是我们全民族在蒋委员长领导之下所走的，抵抗力最大的，抗战。我相信我们民族的雄厚的生活力能使我们克服一切困难。不过我们也要明白，我们的前途困难还很多，抗战胜利只解决困难的一部分，还有政治、经济、文化、教育各方面的建设工作还需要更大的努力。一直到现在，我们所拿出来的奋斗精神还是不够。因循、苟且、敷衍，种种病象在社会上还是很流行。我们还是有些老朽，我们应该趁早还童。

孟子说："天将降大任于斯人也，必先苦其心志，劳其筋骨，饿其体肤，空乏其身，行拂乱其所为，所以动心忍性，增益其所不能。"

于今我们的时代是“天将降大任于斯人”的时代了,孟子所说的种种磨折,我们正在亲领身受。我希望每个中国人,尤其是青年们,要明白我们的责任,本着大无畏的精神,不顾一切困难,向前迈进。

谈青年的心理病态

这题目是一位青年读者提议要我谈的。他的这个提议似显示青年们自己感觉到他们在心理上有毛病。这毛病究竟何在，是怎样酝酿成的，最好由青年们自己作一个虚心的检讨。我是一个中年人，和青年人已隔着一层，现时代和我当青年的时代也迥然有别，不能全据私人追忆到的经验，刻舟求剑似的去臆测目前的事实。我现在所谈的大半根据在教书任职时的观察，观察有时不尽可据，而且我的观察范围限于大学生。我希望青年读者们拿这旁观者的分析和他们自己的自我检讨比较，并让我知道比较的结果。这于他们自己有益，于我更有益。

一个人的性格形成，大半固靠自己的努力，环境的影响也不可一笔抹杀。“豪杰之士虽无文王犹兴”，但是多数人并非豪杰之士，就不能不有所凭借。很显然地，现时一般青年所可凭借的实太薄弱。他们所走的并非玫瑰之路。

先说家庭。多数青年一入学校，便与家庭隔绝，尤其是来自沦陷区域的。在情感上他们得不到家庭的温慰。抗战期中一般人都感受经济的压迫，衣食且成问题，何况资遣子弟受教育。在经济上他们得不到家庭的援助。父兄既远隔，又各各为生计所迫，终日奔波劳碌，既送子弟入学校，就把一切委托给学校，自己全不去管。在学业品行上他们得不到家庭的督导。这些还只是消极的，有些人能受到家庭影响的，所受的往往是恶影响。父兄把教育子弟当作一种投资，让他们混资格去谋衣食，子弟有时顺承这个意旨，只把学校当作进身之阶，此其一。父兄有时是贪官污吏或土豪劣绅，自己有许多恶习，让子弟也染着这些恶习，此其二。中国家庭向来是多纠纷，而这种纠纷对于青年人常是隐痛，易形成心理的变态，此其三。

次说社会国家。中国社会正当新旧交替之际，过去封建时代的许多积弊恶习还没有涤除净尽，贪污腐败欺诈凌虐的事情处处都有。青年人心理单纯，对于复杂的社会不能了解。他们凭自己的单纯心理，建造一种难于立即实现的社会理想，而事实却往往与这理想背驰，他们处处感觉到碰壁，于是失望、惊疑、悲观等情绪源源而来。其次，青年人富于感受性，少定见，好言是非而却不真能辨别是非，常轻随流俗转移，有如素丝，染于青则青，染于黄则黄。社会既腐浊，他们就不知不觉地跟着它腐浊。总之，目前环境对于纯洁的青年是一种恶性刺激，对于意志薄弱的青年是一种恶性引诱。加以国家处在危难的局面，青年人心里抱着极大的希望，也怀着极深的忧惧。他们缺乏冷静的自信，任一股热情鼓荡，容易提升到高天，也容易降落到深渊。一个人迭次经过这种疟疾式的暖冷夹攻，自然容易变成虚弱，在身体方面如此，在精神方面也如此。

再次说学校。教育必以发展全人为宗旨，德育、智育、美育、群育、体育五项应同时注重。就目前实际状况说，德育在一般学校等于具文，师生的精力都集中于上课，专图授受知识，对于做人的道理全不讲究。优秀青年感觉到这方面的缺乏而彷徨，顽劣青年则放纵恣肆，毫无拘束。即退一步言智育，途径亦多错误，灌输多于启发，浅尝多于深入，模仿多于创造，揣摩风气多于效忠学术。在抗战期中，师资与设备多因陋就简，研究的空气尤不易提高。向学心切者感觉饥荒，凡庸者敷衍混资格。美育的重要不但在事实上被忽略，即在理论上亦未被充分了解。我国先民在文艺上造就本极优越，而子孙数典忘祖，有极珍贵的文艺作品而不知欣赏，从事艺术创作者更寥寥。大家都迷于浅狭的功利主义，对文艺不下功夫，结果乃有情操驳杂、趣味卑劣、生活干枯、心灵无寄托等种种现象。群育是吾国人向来缺乏的，现代学校教育对此亦毫无补救。一般学校都没有社会生活，教师与学生相视如路人，同学彼此也相视如路人。世间大概没有比中国大学教授与学生更孤僻更寂寞的一群动物了。体育的忽略也不自今日始，有些学生还在鄙视运动，黄皮刮瘦几乎是知识阶级的标志。抗战中忽略运动之外又添上缺乏营养。我常去参观学生吃饭，七八人一席只有一两碗无油的蔬菜，有时甚至只有白饭。吃苦本是好事，亏损虚弱却不是好事。青年人正当发育时期，日复一日年复一年地缺乏最低限度的营养，结果只有亏损虚弱，甚至于疾病死亡。心理的毛病往往起于生理的毛病，生理的损耗必酿成心理的损耗。这问题有关于民族的生命力，凡是远见的教育家政治家都不应忽视。

家庭、社会、国家和学校对于青年人的影响如上所述。在这种情形之下，青年人在心理方面发生下列几种不健康的感觉。

第一是压迫感觉。青年人当生气旺盛的时候，有如春日的草木萌芽,需要伸展与生长,而伸展与生长需要自由的园地与丰富的滋养。如果他们像墙角生出来的草木,上面有沉重的砖石压着,得不着阳光与空气,他们只得黄瘦萎谢,纵然偶尔能费力支撑,破石罅而出,也必变成臃肿拳曲,不中绳墨。不幸得很,现代许多青年都恰在这种状况之下出死力支撑层层重压。家庭对于子弟上进的企图有时作不合理的阻挠,社会对于勤劳的报酬不尽有保障,国家为着政策有时须限制思想与言论的自由,学校不能使天赋的聪明与精力得充分发展,国家前途与世界政局常纠缠不清,强权常歪曲公理。这一切对于青年人都是沉重的压迫,此外又加上经济的艰窘、课程的繁重、营养的缺乏所酿成的体质羸弱,真所谓"双肩上公仇私仇,满腔儿家忧国忧"。一个人究竟有几多力量,能支撑这层层重压呢?撑不起,却也推不翻,于是都积成一个重载,压在心头。

其次是寂寞感觉。人是富于情感的动物,人也是群居的动物,所以人需要同类的同情心最为剧烈。哲学家和宗教家抓住这一点,所以都以仁爱立教。他们知道人类只有在仁爱中才能得到真正幸福。青年人血气方刚,同情的需要比中年人与老年人更为迫切。我们已经说过,现代中国青年不常能得到家庭的温慰,在学校里又缺乏社会生活,他们终日独行踽踽,举目无亲,人生最强烈的要求不能得到最低限度的满足,他们心里如何快乐得起来呢?这里所谓"同情心"包含异性的爱在内。男女中间除着人类同情心的普遍需要之外,又加上性爱的成分,所以情谊一日投合,便特别坚强。这是一个极自然的现象,不容教育家们闭着眼睛否认或推翻。我们所应该留意的是施以适当教育,因势利导,纳于正轨,不使其泛滥横流。这些年来我们都在采男女同学制,而对于男女同学所有的问题未加精密研究，更未予以正确指导。结果男女中间不是毫无来往，便是偷偷摸摸地来往。毫无来往的似居多数，彼此摆在面前，徒增一种刺激。许多青年人的寂寞感觉，细经分析起来，大半起于异性中缺乏合理而又合体的交际。

第三是空虚感觉。“自然厌恶空虚”，这个古老的自然律可应用于物质，也可应用于心灵。空虚的反面是充实，是丰富。人生要充实丰富，必须有多方的兴趣与多方的活动。一个在道德、学问、艺术或事业方面有浓厚兴趣的人，自然能在其中发现至乐，决不会感觉到人生的空虚。宋儒教人心地常有“源头活水”，此心须常是“活泼泼的”。又教人玩味颜子在箪食瓢饮的情况之下“所乐何事”，用意都在使内心生活充实丰富。据近代一般心理学家的见解，艺术对于充实内心生活的功用尤大，因为它帮助人在事事物物中都可发现乐趣。观照就是欣赏，而欣赏就是快乐。现在一般青年人对学术既无浓厚兴趣，对艺术及其他活动更漠不置意，生活异常干枯贫乏，所以常感到人生空虚。此外又加上述的压迫与寂寞，使他们追问到人生究竟，而他们的单纯头脑所能想出的回答就是“空虚”。他们由自己个人的生活空虚推论到一般人生的空虚，犯着逻辑学家所谓“以偏概全”的错误。个人生活的空虚往往是事实，至于一般人生是否空虚则大有问题，至少历史上许多伟大人物不是这么想。

以上所说的三种不健康的感觉都有几分是心病，但是它们所产生的后果更为严重。在感觉压迫、寂寞和空虚中，青年人始而彷徨，身临难关而找不着出路，踌躇不知所措；继而烦闷，仿佛以为家庭、社会、国家、学校以至于造物主，都有意在和他们为难，不让他们有一件顺心事，于是对一切生厌恶，动辄忧郁、烦躁、苦闷；继而颓唐麻木，经不起一再挫折，逐渐失去辨别是非的敏感与向上的意志，随世俗苟且敷衍，以“世故”为智慧，视腐浊为人情之常。彷徨犹可抉择正路，烦闷犹可力求正路，到了颓唐麻木，就势必至于堕落，无可救药了。我不敢说现在多数青年都已到了颓唐麻木的阶段，但是我相信他们都在彷徨烦闷，如果不及早振作，离颓唐麻木也就不远了。总之，我感觉到现在青年人大半缺乏青年人所应有的朝气，对一切缺乏真正的兴趣和浓厚的热情。他们的志向大半很小，在学校只求敷衍毕业，以后找一个比较优裕的差缺，姑求饱暖舒适，就混过这一生。自然也偶尔遇着少数的例外，但少数例外优秀的青年军势孤力薄，不能造成一种风气。现时代的青年，就他所表现的精神而论，决不能担当起现时代的艰巨任务。这是有心人不能不为之犹惧的。

这种现状究竟如何救济呢？照以上的分析，病的成因远在家庭社会国家与学校所给的不良的影响，近在青年人自己承受这影响而起的几种不健康的感觉。治本的办法当然是改良环境的影响，尤其是学校教育。这要牵涉到许多问题，非本文所能详谈。这里我只向青年人说话，说的话限于在我想是他们可以受用的，就是他们如何医治自己，拯救自己。

第一，青年人对于自己应有勇气负起责任。我们旁观者分析青年人的心理性格，把环境影响当作一个重要的成因，是科学家所应有的平正态度。但是我们也必须补充一句，环境影响并非唯一的决定因素，世间有许多人所受的环境影响几完全相同而成就却有天渊之别，这就是证明个人的努力可以胜过环境的影响。青年们自己不应该把自己的失败完全推诿到环境影响，如果这样办，那就是对自己不负责任，为自己不努力去找借口。我们旁观者固不能以豪杰之士期待一切青年，但是每一个青年自己却不应只以庸碌人自期待。旁人在同样环境之下所能达到的成就，他如果达不到，他就应自引以为耻。对自己没有勇气负责的人在任何优越环境之下，都不会有大成就。对自己负责任，是一切向上心的出发点。

其次，青年人应知实事求是，接受当前事实而谋应付，不假想在另一环境中自己如何可以显大本领，也不把自己现在不能显本领的过失推诿到现实环境。自己所处的是甲境，应付不好，聊自宽解说："如果在乙境，我必能应付好。"这是"文不对题"，仍是变态心理的表现。举个具体的例，问一位青年人为什么不努力做学问，他回答说："教员不好，图书不够，饭没有吃饱。"这样一来，他就把责任推诿得干干净净了。他应该知道，教员不好，图书不够，饭没有吃饱，这些都是事实；他须接受这些事实去应付。如果能设法把教员换好，图书买够，饭吃饱，那固然再好没有；如果这些一时为事实所不允许，他就得在教员不好，图书不够，饭没有吃饱的事实条件之下，研究一个办法，看如何仍可读书做学问。他如果以为这样的事实条件不让他能读书做学问，那就是承认自己的失败；如果只假想在另一套事实条件之下才读书做学问，那就是逃避事实而又逃避责任。

第三，青年人应明了自己的心病须靠自己努力去医治。法国有一位心理学家——库维——发明一种自治疗术，叫做"自暗示"。依这个方法，一个人如果有什么毛病，只要自己常专心存着自己必定好的念头，天天只朝好处想，绝不能朝坏处想，不久他自会痊愈。他实验过许多病人，无论所患的是生理方面的或是心理方面的病，都特著奇效。他的实验可证明自信对于一个人的心理影响非常之大。自信是一个不幸的人，就随时随地碰着不幸事，自信是一个勇敢的人，世间便无不可征服的困难。许多青年人所缺乏的正在自信心。没有自信心就没有勇气，困难还没有临头就自认失败。

比如上文所说的三种不健康的感觉，都并非绝对不可避免的。如果能接受事实，有勇气对自己负责任，尽其在我，不计成败，则压迫感觉不至发生。每个人都需要同情，如果每个人都肯拿一点同情出来对付四周的人，则大家互有群居之乐，寂寞感觉不至发生。人生来需要多方活动，精力可发泄，心灵有寄托，兴趣到处泉涌，则生活自丰富，空虚感觉不至发生。这些事都不难做到，一般青年人所以不能做到者，原因就在没有自信，缺乏勇气，不肯努力。

个人本位与社会本位的伦理观

社会由个人集合而成,而个人亦必生存于社会。由前一点说,个人是主体,社会是扩充;由后一点说,社会是主体,个人是附庸。粗略地说,中国传统的伦理思想偏重前一个看法,西方传统的伦理思想偏重后一个看法。

中国思想界最占势力的是道家与儒家。道家思想有两个基本原则:一是极端的自然主义,一是极端的个人主义。惟其偏重自然主义,所以蔑视制度文为。一切都应任其自然,无为而治,凡是制度文为都是不必要的纷扰,我们必须把它们丢开,回到"自然状态"中的浑朴真纯,才能达到太平安乐景象。惟其侧重个人主义,所以蔑视社会。虽说"大患在于有身",而身究竟贵于天下一切,尊生贵己,长生久视,是道家极重视的一套功夫。"民至老死不相往来",自然说不到个人转移社会,更说不到社会影响个人。老子所谓"我无为而民自化,我无事而民自富,我无欲而民自朴",其实并非有所作为,不过人人各安其所,把文化与生活需要降到极低限度,互不侵犯,"共存共荣"而已。道家反对社会,所以反对适用于社会的一切美德如仁义礼智之类,他们的理想是"遗世独立","超然物表"。

儒家与道家彻底不同的地方在淑世心切，极重有为，要把世界由“自然状态”提升到“文化状态”。但是儒家虽不倡个人主义，而论道德，说仁义，却全从个人本位出发。修身诚意，克己复礼，是基本功夫，齐家治国平天下不过是修身以后的效用。政治只是一种教育，而教育又只是人格感化。季康子问政，孔子回答说：“政者正也，子帅以正，孰敢不正？”己立立人，己达达人；达固可兼善天下，穷仍可独善其身。儒家所提倡的美德大半含有社会性，但是他们所着重的却不在它的社会性而在它对于个人修养的重要。比如说仁与敬是儒家所极重视的，仁必有对象，敬亦必有对象，但儒家并不着重仁与敬对于人（社会）的效用，而着重它们在个人内心是美德。儒家颇鄙视功利主义，很有“为道德而道德”的精神。

西方思想界最占势力的是希腊人所传下来的哲学系统和从希伯来所吸收过来的基督教。哲学支流虽多，谈伦理大半从社会本位出发。最显著的是柏拉图和黑格尔，他们都以为国家高于一切，个人幸福应以社会幸福为本。卢梭本是菲薄社会者，也说民约既成，个人意志即须受制于公众意志。近代西方人所提倡的自由似稍替个人主义助声势，但是他们的理想的自由，如穆勒所标榜的，是“最多数人的最大量的幸福”，仍不脱社会本位的看法。至于基督教本是被压迫民族所酝酿成的一种宗教，在欧洲社会开始崩溃时流传到西方，其要义为平等博爱，实针对当时欧洲社会的病象，含有很浓厚的社会革命意味。耶稣被认为救世主，他的受刑是为全人类赎罪。耶稣教徒的理想是天国的实现而不是个人的享乐。耶稣教所以深入人心的原因，除着提出与现实黑暗世界相对照的一个光明灿烂的天国以外，还有同教门中的极强烈的“弟兄感”。

总之，耶稣教之成功，正因其是从社会本位出发的宗教。哲学与宗教在西方所以走到侧重社会的方向，原因大概在西方国小，个人与社会的关系易于感觉到，“道德”(morality)一词在西文原义本为“习俗”。近代西方伦理学家以为道德起于人与人的关系，离开社会便无道德可言，甚至有人以为行为之为善为恶，就看他对于社会有益或有害；社会学家以为道德只是社会习俗所逐渐演成的，变其所已然为其所当然，所以伦理学应由规范科学变为自然科学；政治经济学家以为人的好坏大半由于社会环境，说到究竟，个人的道德责任应由社会担负起，要改善个人，先要改善社会。

这两种不同的看法形成中西文化思想的两种不同的类型，中国人侧重个人本位，所以道德的观念特别浓厚，政治法律思想多从伦理思想出发，伦理学与政治学法律学有一个一贯的条理。西方人侧重社会本位，所以法的观念特别浓厚，伦理思想常为政治法律思想所左右，在大哲学家的系统中，政治法律伦理虽亦彼此呼应，而普通伦理学所讲的是一回事，政治学和法律学所讲的又另是一回事，彼此很少关联。

人是社会的动物，他是一个人，也是社会一分子，我们的基本问题有两个：一、离开社会一分子的地位，一个人在人的地位有无道德修养可言呢？二、一个人在社会一分子的地位所表现的道德修养，是否要根据他在人的地位所表现的道德修养呢？中国传统思想对于这两个问题向来予以很肯定的答复。西方思想或是忽略这两个思想，或是根本否认它们有何意义。这两种思想类型各有其环境背景，我们不必武断地加以评价；而且说到类型，都不免普泛粗略，中国人也未尝不偶有从社会本位出发，西方人也未尝不偶有从个人本位出发。不过就大体说，中国人以为一个人须先是自己是一个好人，对社会才会是好人，个人好，社会才能好；西方人以为一个人对于社会是好人，才算得是好人，社会好，个人就容易好。他们同以人好与社会好为理想，不过着重点不同，我们可以借用物理学的术语说，中国人的伦理观是"离心的"，由内而外的；西方人的伦理观是"向心的"，由外而内的。

这两种看法也可以说不只是中西的分别，而是新旧的分别。很显然地，在西方偏重社会本位的看法到现代更加彰明较著，中国人近来受西方思想的影响，也逐渐倾向社会本位的看法，这也是自然的趋势。文化愈前进，社会组织愈繁复而严密，社会的势力日渐大，个人的力量也就日渐小，在现代情况之下，以个人转移社会较难，以社会转移个人则甚易。我们的问题是：在现代情况之下，假如一个社会坏到不易收拾的地步，有什么原动力可以收拾它，改善它呢？依中国传统的看法，人存则政举，转移风化必赖贤哲，在一个坏的社会中，如果有少数个人敦品励行，标出一个好榜样，使多数人逐渐受感化，造成一个新风气，然后那个社会自然会变好。依一部分西方学者的看法，社会自身本其固有的力量逐渐转变，它所潜藏的弱点就是它向另一方向转变的萌芽，正反相成，新陈代谢，否极自然泰来。比如封建社会到走不通时，自然会转变到近代国家社会；农业社会到走不通时，自然会转变到工业社会；私产社会走不通时，自然会转变到企业公营社会。每阶段的社会有它的特殊理想和道德观念。照这个看法，社会是能以自力更生的有机体，所谓"自力"就是物质条件，物质条件的大势所趋有如排山倒海，人力（至少是个人的力量）是无可如之何的。

总之，社会转变不出两种方式，或由自变，或由人变。这两种方式也并不必彼此冲突。我们承认社会本身有一个常趋转变的大势，同时，我们也不能否认少数人的努力也往往可以促成、延滞，或移转这个大势。“时势造英雄，英雄亦造时势”，这句老话究竟不错。极端的唯物史观不能使我们满意，就因为它多少是一种定命论，它剥夺了人的意志自由，也就取消了人的道德责任和努力的价值。我们必须承认人力可以改造社会，然后我们遇着环境的困难才不会绝望，而我们的努力也才有意义与价值，我们也才能够说：把这世界安排得较合理想一点，是我们每个人的责任。

我特别提出这个问题来谈，用意是在解答目前一般人所最焦虑的一个问题：中国社会如何可以变好呢？多数青年着眼到社会的黑暗一方面，在这问题前面彷徨、苦闷，以至于绝望。在他们看，这社会积弊太深，积重难返，对于每个人是一种推不翻的重压，纵然有少数人的努力也是独木难支大厦，这种心理是必须彻底消除的。我从前曾写过一段话，现在还觉得不错：“社会愈恶愈需要有少数特立独行的人们去转移风气。一个学校里学生纵然十人有九人奢侈，一个俭朴的学生至少可以显出奢侈与俭朴的分别；一个机关的官吏纵然十人有九人贪污，一个清严的官吏至少可以显出贪污与清严的分别。好坏是非都由相形之下见出。一个社会到了腐败的时候，大家都跟旁人向坏处走，没有一个人反抗潮流，势必走到一般人完全失去是非好坏分别的意识，而世间便无所谓羞耻事了。所以全社会都坏时，如果有一个好人存在，他的意义与价值是不可测量的。”世间事有因就必有果，种下善因，迟早必得善果。物理的力不灭，精神的力更不灭，它能够由一人而感发十人百人以至无数人。所谓“风气”就是这样培养成的。

要复兴中国民族，我们必须在青年心理中养成对于个人努力的信任。道理原来很简单，分子不健全，团体决不会健全，我们的环境日渐其难，不努力决不能侥幸成功。现在许多人仍妄存侥幸的心理，以为我们在竞存的世界中，纵然没有能力，还可以卖老招牌，充空心大老倌，或是以为我们自己纵然无能，旁人也许会慷慨好施，助我们立国。这种心理最荒唐也最危险。将来我们的生存权必寄托于全民族每个分子的努力，这是确无疑义的天经地义。借自己的努力，艰苦卓绝地奋斗到底，以求征服一切环境困难，达到我们所追求的理想，这是我们所应崇奉的英雄主义。依照这种英雄主义，我们必须尊敬而且维护社会上一切环境困难而能挺身奋斗者，必须鄙弃而且消灭社会上一切侥幸苟安者夤缘幸进者和颓废因循者。社会像生物一样，寄生虫愈多，也就愈易枯朽。无功受禄者与不才而在高位者都是社会的寄生虫，他们日蛀蚀，夜蛀蚀，终久会将社会蛀蚀成枯壳。关于这一点，我觉得政教当局须特别注意，为着自树声势而多引用或扶助一个无品学的青年，便是多奖励一分苟且侥幸的心理，多打消一分艰苦奋斗的精神。这种办法可危及国家命脉，我们当知警惕。

我个人深切地感觉到中国社会所以腐浊，实由我们人的质料太差，学问、品格、才力，件件都经不起衡量。要把中国社会变好，第一须先把人的质料变好。我并不敢菲薄现代青年，我总觉得现代青年大半仍在鼓里过日子，没有明白自己的责任，更不肯出死力去尽自己的责任，多数人徒以学校为进身干禄之阶，品格固不砥砺，学问也止于浅尝肤受。这种风气必须改变过，中国才真正有希望。改变风气是教育的事,但是教育却不仅是学校的事。学问固然应该多给青年们以良好的影响,而学校以外的政教当局与整个社会也应该少给青年们以不良的影响。在过去,学校与社会都显然没有充分地尽他们的责任,应该自惭的地方甚多,彼此都需要严厉的自省与自责。

我近来读了两部基督教会史,心里颇多感触。耶稣和他的十二门徒与早期神父,除着圣保罗以外,大半出身下层社会,没有什么学问。他们处境又非常困难,内受犹太同胞的倾轧,外受罗马政权的凌虐。然而在三四百年间,他们的势力遍于全欧,五六百年间,他们的传教士远达于中国长安,使耶稣教成为世界文化中一个主要的因素,没有一个更好的实例可以使我们明白少数人的努力能造成弥漫一世的风气。可是我们也要记着早期基督教的神父的努力是如何坚苦卓绝!为着传布他们的信仰,他们赴汤蹈火,居隧道,饱猛兽,前仆后起,以牺牲性命为光荣。无论我们是否相信基督教,他们的精神确可令人闻风兴起。

我们不必需要宗教,但必须有宗教家布道的精神。十几个犹太平民居然调动了全世界,难道十几个有为有守的中国人就不能把中国社会改善么?我们需要救世主,这救世主必定是少数人而不是全社会,而少数人却必有替人类担荷罪孽不惜牺牲身家性命的决心。亚门!

谈处群(上)

——我们不善处群的病征

我们民族性的优点很多,只是不善处群。“一个和尚挑水吃,两个和尚抬水吃,三个和尚没水吃”,这个流行的谚语把我们民族性的弱点表现得最深刻。在私人企业方面,我们的聪明、耐性、刚毅力并不让人,一遇到公众事业,我们便处处暴露自私、孤僻散漫和推诿责任。这是我们的致命伤,要民族复兴,政治家和教育家首先应锐意改革的就在此点。因为民治就是群治,以不善处群的民族采行民治,必定是有躯壳而无生命,不会成功的。本文拟先分析不善处群的病征,次探病源,然后再求对症下药:

我们不善处群,可于以下数点见出:

一、社会组织力的薄弱。乌合之众不能成群,群必为有机体,其中部分与部分,部分与全体,都必有密切联络,息息相关,牵其一即动其余。社会成为有机体,有时由自然演变,也有时由人力造作。如果纯任自然,一个一盘散沙的民众可以永远保持散漫的状态。要他团结,不能不借人力。用人力来使一个群众团结,便是组织。群众全体同时自动地把自己团结起来,也是一件不易想象的事。大众尽管同时都感觉到组织团体的必要，而使组织团体成为事实，第一须先有少数人为首领导，其次须有多数人协力赞助。我们缺乏组织力，分析起来，就不外这两种条件的缺乏。社会上有许多应兴之利与应革之弊，为多数人所迫切地感觉到，可是尽管天天听到表示不满的呼声，却从没有一个人挺身而出，领导同表示不满的人们做建设或破坏的工作。比如公路上有一个缺口，许多人在那里跌过跤，翻过车，虽只须一块石头或一挑土可以填起，而走路行车的人们终不肯费一举手之劳。社会上许多事业不能举办，原因一例如此简单。"是非只因多开口，烦恼皆由强出头"，这是我们的传统的处世哲学。事实也确是如此。尽管是大家共同希望的事，你如果先出头去做，旁人会对你加以种种猜疑、非难和阻碍。你显然顾到大众利益，却没有顾到某一部分人的自私心或自尊心，他们自己不能或不肯做领袖，却也不甘心让你做领袖。因此聪明人"不为物先"，只袖手旁观，说说风凉话，而许多应做的事也就搁起。

二、社会德操的堕落。德原无分公私，是德行就必须影响到社会福利，这里所谓社会德操是指社会组织所赖以维持的德操。社会德操不能枚举，最重要的有三种：第一是公私分明。一个受公众信托的人有他的职权，他的责任在行使公众所付与的职权，为公众谋利益。他自然也还可以谋私人的特殊利益，可是不能利用公众所付与的职权。在我国常例，一个人做了官，就可以用公家的职位安插自己的亲戚朋友，拿公家的财产做私人的人情，营私人的生意，填私人的欲壑。这样假公济私，贪污作弊，便是公私不分。此外一个人的私人地位与社会地位应该有分别。比如父亲属政府党,儿子属反对党,在政治上尽管是对立,而在家庭骨肉的分际上仍可父慈子孝。古人大义灭亲,举贤不避亲,同是看清公私界限。现在许多人把私人的恩怨和政治上的是非夹杂不清。是我的朋友我就赞助他在政治上的主张和行动,是我的仇敌我就攻击他在政治上的主张和行动,至于那主张和行动本身为好为坏则漠不置问。我们的政治上许多“人事”的困难都由此而起,这也还是犯公私不分的毛病。第二个重要的社会德操是守法执礼的精神。许多人聚集成为一个团体,就有许多繁复的关系和繁复的活动。繁复就容易凌乱,凌乱就容易冲突。要在繁复之中见出秩序,必定有纪律,使易于凌乱者有条理,易于冲突者各守分相安。无纪律则社会不能存在,无尊重纪律的精神则社会不能维持。所谓纪律就是团体生活的合理的规范,它包含两大因素,一是国家(或其他集团)所制定的法,一是传统习惯所逐渐形成而经验证为适宜的礼。普通所谓“文化”在西文为 civilization,照字原说,就是“公民化”或“群化”。“群化”其实就是“法化”与“礼化”。一个民族能守法执礼,才能算是“开化的民族”,否则尽管他的物质条件如何优厚,仍不脱“未开化”的状态。目前我们大多数人似太缺乏守法执礼的精神。比如到车站买票,依先来后到的次序,事本轻而易举,可是一般买票者踊跃争先,十分钟可了的事往往要弄到几点钟才了,三言两语可了的事往往要弄到摩拳擦掌,头破血流才了,结果仍是不公平,并且十人坐的车要挤上三四十人,不管车子出事不出事。这虽是小事,但是这种不守秩序的精神处处可以看见,许多事之糟,就糟于此。第三个重要的社会德操是勇于表示意见,而且乐于服从多数议决案的精神,这可以说是理想的议会精神。民主政治的精义在每个公民有议政的权利。人愈多,意见就愈分歧。议政制度的长处就在让分歧的意见尽量地表现,然后经过充分的商酌,彼此逐渐接近融洽,产生一个比较合理比较可使多数人满意的办法。一个理想的公民在有机会参与议论时,应尽量地发表自己的意见,旁人错误时,我应有理由说服他,旁人有理由说服我时,我也承认自己的错误。经过仔细讨论之后,成立了议决案,我无论本来曾否同意,都应竭诚拥护到底。公民如果没有服从多数而打消自己的成见的习惯,民主政治决不会成功,因为全体公民对于任何要事都有一致意见,是一件不容易的事。我们多数人很缺乏这种政治修养。在开会讨论一件事时,大家都噤若寒蝉,有时虽心不谓然而口却不肯说,到了议决案成立之后,才议论纷纷,埋怨旁人不该那样做,甚至别标一帜,任意捣乱。许多公众事业不易举办,这也是一个重要的原因。

三、社会制裁力的薄弱。任何复杂社会都不免有恶劣分子在内。坏人的破坏力常大于善人的建设力。在一个群众之中,尽管善人多而坏人少,多数善人成之而不足的事往往经少数坏人败之而有余。要加强善人的力量和减少坏人的力量,必须有强厚的社会制裁力。一个社会里不怕有坏人,而怕没有公是公非,让坏人横行无忌。社会制裁力可分三种:第一是道德风纪。每民族都有他的特殊历史环境所造成的行为理想与规范,成为一种洪炉烈焰,一个人投身其中,不由自主地受它熔化,一个民族的道德风纪就是他的共同目标,共同理想。这共同理想的势力愈坚强,那个民族的团结力就愈紧密,而其中各分子越轨害群的可能性也就愈小。这是最积极最深厚的社会制裁力。其次是法律。每民族对于最普遍的关系和最重要的活动都有明文或习惯规定，某事应该这样做，不应该那样做，是不容人以私意决定的。法有定准，则民知所率从。明知而故犯，法律也有惩处的措置。一般人本大半可与为善，可与为恶，而事实上多数人不敢为恶者，就因为有法律的制裁。中国儒家素来尊德而轻法，其实为一般社会说法，法律是秩序的根据，绝不可少。第三是舆论。舆论就是公是公非。一个人做了好事会受舆论褒扬，做了坏事也免不掉舆论的指摘。人本是社会的动物，要见好于社会是人类天性。羞恶之心和西方人所谓"荣誉意识"是许多德行的出发点，其实仍是起于个人对于社会舆论的顾虑。舆论自然也根据道德与法律，但是它的影响更较广泛，尤其是在近代交通发达报纸流行的情况之下。在目前我国社会里，这三种社会制裁力却很薄弱。第一，我们当思想剧变之际，青黄不接，旧有道德信条多被动摇，而新的道德信条又还没有树立。行为既没有确定的标准，多数人遂恣意横行。在从前，至少在理论上，道德是人生要义；在现在，道德似成为迂腐的东西，不但行的人少，连谈的人也少。其次，法的精神贵贯彻，有一人破法，或有一事破法，法的威权便降落。我们民族对于法的精神素较缺乏，近来因社会变动繁复，许多事未上轨道，有力者往往挟其力以乱法，狡黠者往往逞其狡黠以玩法，法遂有只为一部分愚弱乡民而设之倾向。我们明知道社会中有许多不合法的事，但是无可如何。第三，舆论的制裁须有两个重要条件。首先人民知识与品格须达到相当的水准，然后所发出的舆论才能真算公是公非。其次政府须给舆论以相当的自由。目前我们人民的程度还没有达到可造成健全舆论的程度。加以舆论本与道德法律有密切关系，道德与法律的制裁力弱，舆论也自然失其凭依。我们的社会中虽不是绝对没有公是公非,而距理想却仍甚远。一个坏人在功利的观点看,往往是成功的人,社会徒惊羡他的成功而抹杀他的坏。"老实"义为"无用","恭谨"看成"迂腐",这是危险现象,看惯了,人也就不觉它奇怪。至于舆论自由问题,目前事实也还远不如理想。舆论本身未健全自然是一个原因,抗战时期的国策也把教导舆论比解放舆论看得更重要。

以上所举三点是我们不善处群的最重要病征。三点自然也彼此相关,而此外相关的病征也还不少。但是如果能够把这三种病征除去,这就是说,如果我们富于社会组织力,具有很优美的社会德操,而同时又有强有力的社会制裁,我相信我们处群的能力一定会加强,而民治的基础也更较稳固。

谈处群(中)

——我们不善处群的病因

近代社会心理学家讨论群的成因,大半着重群的分子具有共同性。第一是种族语言的同一,其次则为文化传统,如学术宗教政治及社会组织等,没有重要的分歧。有了这些条件,一个群众就会有共同理想,共同情感,共同意志,就容易变为共同行动,如果在这上面再加上英明的领袖与严密的制度,群的基础就很坚固了。拿共同性一个标准来说,我们中华民族似乎没有什么欠缺可指。世界上没有另一个民族在种族语言上比我们更较纯一些,也没有另一个民族比我们有更悠久的一贯的文化传统。然而我们中华民族至今还不能算是一个团结紧密而坚强的群,原因在哪里呢? 说起来很复杂。历史环境居一半,教育修养也要居一半。

浅而易见的原因是地广民众。上文列举群的共同性,有一点没有提及,就是共同意识。同属于一群的人必须每个人都意识到自己所属的群确实是一个群而不是一班乌合之众,并且对于这个群有很明了的认识,和它能发生极亲切的交感共鸣。群的精神贯注到他自己的精神,他自己的精神也就表现群的精神。大我与小我仿佛打成一片，群才坚固结实。所以群的质与量几成反比。群愈大，愈难使它的分子对它有明确的意识，群的力量也就越微；群愈小，愈易使它的分子对它有明确的意识，群的力量也就越强。群的意识在欧洲比较分明，就因为欧洲各国大半地窄民寡。近代欧洲国家的雏形是希腊和罗马的“城邦”。城邦的疆域常仅数十里，人口常常不出数千人，有公众集会，全体国民可以出席，可以参与国家大政；他们常在一起过共同的生活。在这种情形之下，群的意识自然容易发达。我们中国从周秦以后，疆域就很广大，人口就很众多。在全体国民一个大群之下，有依次递降的小群。一般人民对于下层小群的意识也很清楚，只是对于最大群的意识都很模糊。孟子谈他的社会理想说：“死徒无出乡，乡田同井，出入相友，守望相助，疾病相扶持。”这是一个很理想的群，但也是一个很小的群，它的存在条件是“死徒无出乡，乡田同井”。一直到现在，我们的乡民还维持着这种原始的群；他们为这种小群的意识所囿，不能放开眼界来认识大群。我们在过去历史上全民族受过几次的威胁而不能用全民族的力量来应付，但是在极大骚动之后，社会基层还很稳定，原因也就在此。可幸者这种情形已在好转中，交通日渐方便，地理的隔阂愈渐减少，而全民族分子中间的接触也就愈渐多。辛亥革命、五四运动和这次的抗战都可以证明我们现在已开始有全民族的意识和全民族的活动。在历史上我们还不曾有过同样的事例。

在地广民众的情形之下，群的组织虽不容易，却也并非绝对不可能。它所以不容易的原因在人民难于聚集在一起作共同的活动，如果有一个共同理想把众多而散处的人民摄引来朝一个目标走，他们仍可成为很有力的群。中世纪欧洲各国割据纷争，政权既不统一，民族与语言又很分歧，论理似不易成群，但是回教徒占领耶路撒冷以后，欧洲人为着要恢复耶稣教的圣地，几度如醉如狂地结队东征。十字军虽不算成功，但可证明地广民众不一定可以妨碍群的团结，只要大家有共同理想，共同意志与共同活动。这次签约反抗轴心侵略的二十六个国家站在一条阵线上成为一个群，也就因为这个道理。从这些事例，我们可以见出要使广大的民众团结成群，首先要他们有共同理想，要尽量给他们参加共同活动的机会。共同活动就是广义的政治活动。所以政治愈公开，人民参加政治活动的机会愈多，群的意识愈易发达，而处群的能力也愈加强。因为这个道理，民主国家人民易成群，而专制国家人民则不易成群。我国过去数千年政体一贯专制，国家的事都由在上者一手包办，人民用不着操劳。在上者是治人者，主动者，人民是治于人者，被动者。在承平时，人民坐享其成，“同焉皆得而不知其所以得”；在混乱时，人民有时被迫而成群自卫，亦迹近反抗，为在上者所不容，横加摧残压迫。在我国历史上，无群见盛世太平，有群即为纷争攘乱。在这种情形之下，群的意识不发达，群的德操不健全，都是当然的事。

政体既为专制，而社会的基础又建筑于家庭制度。谋国既无机缘，于是人民都集中精力去谋家。在伦理信条上，我们的先哲固亦提倡先国后家，公而忘私，于忠孝不能两全时必先忠而后孝；但在事实上，家的观念却比国的观念浓厚。读书人的最高理想是做官，做官的最大目的不在为国家做事，而在扬名声，显父母。一个人做了官，内亲和外戚都跟着飞黄腾达。你细看中国过去的历史，国家政治常是宫廷政治，一切纷争扰乱也就从皇亲国戚酿起。至于一般小百姓眼睛里看不见国，自然就只注视着家，拼全力为一家谋福利，家与家有时不免有利害冲突，要造成保卫家的势力，于是同姓成为部落，兄弟尽可阋于墙，而外必御其侮。部落主义是家庭主义的伸张，在中国社会里，小群的活动特别踊跃，而大群非常散漫，意见偶有分歧倾轧冲突便乘之而起，都是因为部落主义在作祟。就表面看，同乡会、同学会、哥老会之类的组织颇可证明中国人能群，但是就事实看，许多不必有的隔阂和斗争，甚至于许多罪恶的行为，都起于这类小组织。小组织的精神与大群实不相容，因为大群须化除界限，而小组织多立界限；大群必扩然大公，而小组织是结党营私。我们中国人难于成立大群，就误在小组织的精神太强烈。

一般人结党多为营私，所以“孤高自赏”的人对于结党都存着很坏的观感。“狐群狗党”是中国字汇中所特有的成语，很充分表现中国人对于群与党的鄙视。狐狗成群结党，洁身自好者不肯同流合污，甚至以结党为忌。这是一个极不幸的现象。善人既持高超态度，遇事不肯出头，纵出头也无能为力，于是公众事业都落在宵小的手里，愈弄愈糟。成群结党本身并非一件坏事，尤其在近代社会，个人的力量极有限，要做一番有价值的事业，必须有群众的势力。结党的目的在造成群众的势力，我们所当问的不是这种势力应否存在，而是它如何应用。恶人有党，善人没有党就不能抵御他们。这个道理很浅，而我国知识分子常不了解，多少是受了已往道家隐士思想的影响，道家隐士思想起源于周秦社会混乱的时代，是老于世故者逃避世故的一套想法。他们眼见许多建设作为徒滋纷扰，遂怀疑到社会与文化，主张归真返朴，人各独善其身。长沮桀溺向子路讥诮富于事业心的孔子说：“滔滔者天下皆是也，而谁以易之？且尔与其从避人之士也，岂若从避世之士哉？”他们不但要“避人”，还要“避世”。庄子寓言中有许多让天下和高蹈的故事。后来士流受这一类思想的影响很深，往往以“超然物表”“遗世独立”相高尚，仿佛以为涉身仕途便玷污清白。齐梁时有一个周颙，少年时隐居一个茅屋里读书学道，预备媲美巢父务光。后来他改变志向，应征做官，他的朋友孔稚珪便以为这是一个大耻辱，假周颐所居的北山的口吻，做了一篇“移文”和他绝交，骂他“诱我松桂，欺我云壑，虽假容于江皋，乃缨情于好爵”。这件事很可表现中国士流鄙视政治活动的态度。这种心理分析起来，很有些近代心理学家所说的“卑鄙意识”在内。人人都想抬高自己的身份，觉得社会卑鄙，不屑为伍，所以跳出来站在一边，表示自己不与人同。现在许多人鄙视群众与政治活动，骨子里都有“卑鄙意识”在作祟。据近代社会心理学家说，群众的活动多起于模仿。一种情绪或思想能为一般人所接受的必须很简单平凡，否则曲高和寡。所以群众所表现的智慧与德操大半很低，易于成群的人也必须易于接受很低的智慧与德操。我们中华民族似比较富于独立性，不肯轻易随人而好立异为高。宗教情操淡薄由此，群不易组织也由此。

传统的观念与相沿的习惯错误，而流行教育实未能改正这种错误。我始终坚信苏格拉底的一句老话：“知识即德行。”凡是德行缺陷，必定由于知识不彻底。群的组织的最大障碍是自私心。存自私心的人多抱着“各人自扫门前雪，不管他人瓦上霜”的念头，他们以为损群可以利己，或以为轻群可以重己；其中寡廉鲜耻者玷污责任，假公济私，洁身自好者逃避责任，遗世鸣高。其实社会存在是铁一般的事实，个人靠着社会存在也是铁一般的事实。我们必须接受这些事实，才能生存。社会的福利是集团的福利，个人既为集团一分子，自亦可蒙集团的福利。社会的一切活动最终的目的当然仍在谋各个分子的福利，所以各个分子对于社会的努力最后仍是为自己。有人说："利他主义是彻底的利己主义。"这话实在千真万确。如果全从自己着想而不顾整个社会，像汉奸们为着几个卖身钱作敌人的走狗，实在是短见，没有把算盘打得清楚。他们忘记"皮之不存，毛将焉附"一句话的道理。他们的顽恶由于他们的愚昧，他们的愚昧由于他们所受的教育不够或错误。汉奸如此，一切贪官污吏以及逃避社会责任的人也是如此。"种瓜得瓜，种豆得豆。"掌教育的人们看到社会上许多害群之马，应该有一番严厉的自省！

谈处群(下)

——处群的训练

极浅显而正当的道理常易被人忽略。一个民族的性格和一个社会的状况大半是由教育和政治形成的。倘若一个民族的性格不健全,或是一个社会的状况不稳定,那唯一的结论就是教育和政治有毛病。这本是老生常谈,但是在现时中国,从事教育者未必肯承认国民风纪到了现有状态是他们的罪过,从事政治者未必肯承认社会秩序到了现有的状态是他们的罪过。大家都觉得事情弄得很糟,可是都把一切罪过推诿到旁人,不肯自省自疚。没有彻底的觉悟,自然也没有彻底的悔改。这是极危险的现象。讳疾忌医,病就会无从挽救。我们需要一番严厉的自我检讨,然后才能有一番勇猛的振作。

先说教育。我们在过去虽然也曾特标群育为教育主旨之一,试问一般学校里群育工作究竟做到如何程度?从前北京大学常有同班同斋舍同学们从入学到毕业,三四年之中朝夕相见而始终不曾交谈过一句话。他们自己认为这是北京大学的校风,引为值得夸耀的一件事。一直到现在,还有许多学校里同学们相视,不但如路人，甚至为仇雠，偶遇些小龃龉，便摩拳擦掌，挥戈动武。受教育者所受的教育如此，何能望其善处群？更何能希望其为社会组织的领导？我们的教育所产生的人才不能担当未来的艰巨责任，此其一端。

我们的根本错误在把教育狭义化到知识贩卖。学校的全部工作几限于上课应付考试。每期课程多至十数种，每周上课钟点多至三四十小时。教员力疲于讲，学生力疲于听，于是做人的道理全不讲求。就退一步谈知识，也只是一味灌输死板材料，把脑筋看成垃圾箱，尽量地装，尽量地挤塞，全不管它能否消化启发。从前人说读书能变化气质，于今人书读得越多，气质越硬顽不化，这种教育只能产出一些以些许知识技能博衣饭碗的人，决不能培养领导社会的真才。

近来颇有人感觉到这种毛病，提倡导师制，要导师于教书之外指点做人的道理，用意本来很善，但是实施起来也并未见功效。这也并不足怪。换汤必须换药，教育止于传授知识这一错误观念不改正，导师仍然是教书匠。导师制起于英国牛津剑桥两大学，这两校的教育宗旨是彰明较著的不重读书，而重养成“君子人”。在这两校里教员和学生上课钟点都很少，社交活动却很多，导师和学生有经常接触的可能。导师对于学生在学业和行为两方面同时负有责任，每位导师所负责指导的学生也不过数人。现在我们的学校把学业和操行分作两件事，学业仍取“集体生产”式整天上班，操行则由权限不甚划分，责任不甚专一，叠床架屋式的导师、训导员、生活指导员和军事教官去敷衍公事。这种办法行不通，因为导师制的真精神不存在，导师制的必需条件不存在。

要改良现状，我们必须把教育的着重点由上课读书移到学习做人方面去，许多庞杂的课程须经快刀斩乱麻的手段裁去，学生至少有一半时间过真正的团体生活，作团体的活动。教师也必须把过去的错误的观念和习惯完全改过，认定自己是在“造人”，不只是在“教书”。每个教师对于所负责造的人须当作一件艺术品看待，须求他对自己可以慰怀，对旁人也可以看得过去。每个学生对于教师须当作自己的造化主，与父母生育有同样的恩惠，知道心悦诚服。这样一来，教师与学生就有家人父子的情感，而学校也就有家庭的和乐的空气了。

这一层做到了，第二步便须尽量增加团体合作的活动。团体合作的活动种类甚多，有几个最重要的值得特别提出。

第一是操业合作。现行教育有一个大毛病，就是许多课程的对象都是个人而不是团体。学生们尽管成群结队，实际上各人一心，每人独自上课，独自学习，独自完成学业，无形中养成个人主义的心习。其实学问像其他事业一样，需要分工合作的地方甚多。材料的收集和整理，问题的商讨，实验的配置，贻误的检举，都必须群策群力。学校对于可分工合作的工作应尽量分配给学生们去合作，团体合作训练的效益是无穷的。一个人如果常有团体合作的训练，在学问上可以免偏陋，在性情上也可以免孤僻；他会有很浓厚而愉快的群的意识，他会深切地感觉到：能尽量发挥群的力量，才能尽量发挥个人的力量。

有几种课程特别宜于团体合作。最显著的是音乐。在我们古代教育中，乐是一个极重要的节目。它的感动力最深，它的最大功用在和。在一个团体里，无论分子在地位年龄教育上如何复杂，乐声一作，男女尊卑长幼都一齐肃容静听，皆大欢喜，把一切界限分别都化除净尽，彼此蔼然一团和气。爱好音乐的人很少是孤僻的人。所以音乐是群育最好的工具。其次是运动。运动相当于中国古代教育中的射。它不但能强健身体，尤其能培养尊秩序纪律的精神。条顿民族如英美德诸国都特好运动，在运动场上他们培养战斗的技术和政治的风度。他们说一个公正的人有“运动家气派”（sportsmanship）。柏拉图在“理想国”里谈教育，二十岁以前的人就只要音乐和运动两种功课。这两种课程应该在各级学校中普遍设立。近来音乐课程仅限于中小学，运动则各校虽有若无，它们的重要性似还没有为教育家们完全了解。音乐和运动是一个民族的生气的表现，不单是群育的必由之径。除非它们在课程中占重要位置，我们的教育不会有真正的改良。

操业合作之外，第二个重要的处群训练便是团体组织。有健全的团体组织，学生们才有多参加团体活动的机会，才能养成热心公益的习惯。一般学校当局常怕学生有团结，以致滋扰生事，所以对于团体组织与活动常设法阻止，以为这就可以息事宁人，也有些学校在名义上各种团体具备，而实际上没有一个团体是健全的组织。多数学生为错误的教育理想所误，只管埋头死读书，认为参加团体活动是浪费时光，甚至于多惹是非，对一切团体活动遂袖手坐观。于是所谓团体便为少数人所操纵，假借团体名义，作种种并非公意所赞同的活动。政治上许多强奸民意假公济私的恶习惯就由此养成。学校里学生自治会应该是一种雏形的民主政府，每个分子都应有参议表决的权利，同时也都应有不弃权的责任。凡关于学生全体利益的事应由学生们自己商讨处理，如起居、饮食、清洁卫生、公共秩序、公众娱乐诸项都无须教职员包办。自治会须有它的法律，有它的风纪，有它的社会制裁力。比如说，有一位同学盗用公物，侮谩师友或是考试舞弊，通常的办法是由学校记过惩处，但是理想的办法是由自治会公审公判，学生团体中须有公是公非，而这种公是公非应有奖励或裁制的力量。民主国家所托命的守法精神必须如此养成。

人群接触，意见难免有分歧，利害难免有冲突，如果各执己见，势必至于无路可通。要分歧和冲突化除，必须彼此和平静气地讨论，在种种可能的结论中寻一个最妥善的结论。民主政治可以说就是基于讨论的政治。学问也贵讨论，因为学问的目的在辨别是非真伪，而这种辨别的功夫在个人为思想，在团体为讨论，讨论可以说是集团的思想。一个理想的学校必须充满着欢喜讨论的空气。每种课程都可以用讨论方式去学习，每种实际问题都可以在辩论会中解决。在欧美各著名大学里，师生们大部分工夫都费于学术讨论会与辩论会，在这中间他们成就他们的学业，养成他们的政治习惯。在学校里是一个辩论家，出学校就是一个良好的议员或社会领袖。我们的一般学生以遇事沉默为美德，遇公众集会不肯表示意见，到公众有决定时，又不肯服从。这是一个必须医治的毛病，而医治必从学校教育下手。

处群训练一半靠教育，一半也要靠政治。社会仍是一种学校，政治对于公民仍是一种教育。政治愈修明，公民的处群训练也就愈坚实。政治体制有多种，最合理想的是民主。民主政治实施于小国家，较易收实效，因为全体人民可以直接参与会议表决，像瑞士的全体公决制。国大民众，民主政治即不能不采取代议方式。

代议制的弊病在代议人不一定能代表公众意志，易流于寡头政治的变相。要补救这种弊病，必须力求下层政治组织健全，因为一般人民虽不必尽能直接参加国政，至少可以直接参加和他们最接近的下层行政区域的政治。我国最下层的行政区域是保甲，逐层递升为乡为县为区为省。保甲在历史上向来是自治的单位，它的组织向来带有几分民主精神。我们要奠定民主基础，必须从保甲着手。保甲政治办好，逐层递升，乡、县、区、省以至于国的政治，自然会一步一步地跟着好。英国政治是一个很好的先例。英国民主政治的成功不仅在国会健全，尤其在国会之下的区议会与市议会同样健全。市议会已具国会的雏形，公民在市议会所得的政治训练可逐渐推用于区议会和国会。一般人民因小见大，知道国会和市议会是一样，市民与市政府的关系也和国民与国政府的关系一样，知道国政与市政和己身同样有切身的利害，不容漠视，更不容胡乱处理。

健全下层政治组织自然也不是一件容易事。我们一方面须推广教育，提高人民知识和道德的水准，一方面也要彻底革除积弊，使人民逐渐养成良好的政治习惯。所谓良好的政治习惯是指一方面热心参与政治活动，一方面不作腐败的政治活动。我国一般人民正缺乏这两种政治的习惯，他们不是不肯参加政治活动，就是作腐败的政治活动。比如我们的政府近来何尝不感觉到健全下层政治组织的重要？保甲制正在推行，县政正在实验，下级干部人员经常在受训练。但是积重难返，实施距理想仍甚远。根本的毛病在没有抓住民治精神。民治精神在公事公议公决。而现在保甲政治则由少数公务员包办。一般保甲长和联保主任仍是变相的土豪劣绅,敲诈乡愚,比从前专制时代反更烈。一般人民没有参与会议表决的机会,还是处在被统治者的地位。下情无由上达,他们只在含冤叫苦。一件事须得做时,就须做得名副其实,否则滋扰生事,不如不做为妙。县政实施本是为奠定民治基础,如果仍采土豪劣绅包办制,则结果适足破坏民治基础。这件事关系我国民治前途极大,我们的政治家不能不有深切的警戒。

民主政治与包办制如水火不相容。消极地说,废除包办制;积极地说,就是政治公开。这要从最下层做起,奠定稳固的基础,然后逐渐推行到最上层。政治公开有两个要义,一是政权委托于贤能,一是民意须能影响政治。先就第一点说,我国历代抡才,不外由考试与选举。考试是最合于民治精神的一种制度,是我国传统政治的一特色。一个人只要有真才实学,无论出身如何微贱,可以逐级擢升,以至于掌国家大政。因此政权可由平民凭能力去自由竞争,不致为某一特殊阶级所把持乱用。中国过去政权向来在相而不在君,而相大半起家于考试,所以中国传统政体表面上为君主,而实为民主。后来科举专以时文诗赋取士,颇为议者诟病。这只是办法不良,并非考试在原则上有毛病。总理制定建国方略,考试特设专院,实有鉴于考试是中国传统政治中值得发挥光大的一点,用意本至深。但是我们并未能秉承总理遗教,各级公务员大部分未经考试出身,考试中选者也未尽录用,真才埋没与不才而在高位的情形都不能说没有。这种不公平的待遇不能奖励贫士的努力而徒增长宵小夤缘幸进的恶习,政治上的腐浊多于此种因。要想政得其人,人尽其职,必须彻底革除这种种积弊而尽量推广考试制。至于选举是一般民主国家抡才的常径。选举能否成功,视人民有无政治知识与政治道德。过去我国选举权操纵于各级官吏，名为选举，实为推荐，不像在西方由人民普选。这种办法能否成功，视主其事者能否公允；它的好处在提高选举者的资格，即所以增重选举的责任，提高被选举者的材质。在一般人民未受健全的政治教育以前，我们可以略采从前推荐而加以变通，限制选举者的资格而不必限于官吏，凡是教育健全而信用卓著者都可以联名推选有用人才。选举意在使贤任能，如不公允，由人民贿买或由政府包办，则适足破坏选举的信用与功能，我们必须严禁。民主政治能否成功，就要看选举这个难关能否打破，我们必须有彻底的觉悟。

考试与选举行之得法，一切行政权都由贤能行使，则政治公开的第一要义就算达到。政治公开的第二要义是民意能影响政治。这有两端:第一是议会，第二是舆论。先说议会，民主政治就是议会政治。在西方各国，人民信任议会，议会信任政府；政府对议会负责，议会对人民负责。政府措施不当，议会可以不信任；议会措施不当，人民可以另选。所以政府必须尊重民意，否则立即瓦解。我国从民主政体成立以来，因种种实际困难，正式民意机关至今还未成立。召集国民代表大会，总理遗教本有明文规定，而政府也正在准备促其实现，这还需要全国人民共同努力。最要紧的是要使选举名副其实，不要再有贿买包办的弊病。

我国传统政治本素重舆论。“天视自我民视，天听自我民听”两句话在古代即悬为政治格言。历代言事有专官，平民上诉隐曲，也特有设备，在野清议尤为朝廷所重视。过去君主政体没有很长期地陷于紊乱腐败状态，舆论是一个重要的力量。从前的暴君与现代的独裁政府怕舆论的裁制，常设法加以压迫或控制，结果总是失败。“防民之口，甚于防川”是一点不错的。思想与情感必须有正当的宣泄，愈受阻挠愈一决不可收拾。近代报章流行，舆论更易传播。言论出版自由问题颇引起种种争论。从历史、政治及群众心理各方面看，言论出版必须有合理的自由。舆论与人民程度密切相关，自然也有不健全的时候，我们所应努力的不在钳制舆论，而在教育舆论。是非自在人心，舆论的错误最好还是用舆论去纠正。

以上所述，陈义甚浅，我们的用意不在唱高调而望能实践。如果政治方面没有上述的改革，群的训练就无从谈起。人民必有群的活动，群的意识，必感觉到群的力量，受群的裁制，然后才能养成良好的处群的道德。这是我们施行民治的大工作中一个基本问题，值得政治家与教育家们仔细思量。

谈恻隐之心

罗素在《中国问题》里讨论我们民族的性格，指出三个弱点：贪污、怯懦和残忍。他把残忍放在第一位，所说的话最足令人深省："中国人的残忍不免打动每一个盎格鲁撒克逊人。人道的动机使我们尽一分力量来减除其余九十九分力量所做的过恶，这是他们所没有的。……我在中国时，成千成万的人在饥荒中待毙，人们为着几块钱出卖儿女，卖不出就弄死。白种人很尽了些力去赈荒，而中国人自己出的力却很少，连那很少的还是被贪污吞没。……如果一只狗被汽车压倒致重伤，过路人十个就有九个站下来笑那可怜的畜牲的哀号。一个普通中国人不会对受苦受难起同情的悲痛，实在他还像觉得它是一个颇愉快的景象。他们的历史和他们的辛亥革命前的刑律可见出他们免不掉故意虐害的冲动。"

我第一次看《中国问题》还在十几年以前，那时看到这段话心里甚不舒服；现在为大学生选英文读品，把这段话再看了一遍，心里仍是甚不舒服。我虽不是狭义的国家主义者，也觉得心里一点民族自尊心遭受打击，尤其使我怀惭的是没有办法来辩驳这段话。我们固然可以反诘罗素说："他们西方人究竟好得几多呢？"可是他似乎预料到这一着，在上一段话终结时，他补充了一句："话须得说清楚，故意虐害的事情各大国都在所不免，只是它到了什么程度被我们的伪善隐瞒起来了。"他言下似有怪我们竟明目张胆地施行虐害的意味。

罗素的这番话引起我的不安，也引起我由中国民族性的弱点想到普遍人性的弱点。残酷的倾向，似乎不是某一民族所特有的，它是像盲肠一样由原始时代遗留下来的劣根性，还没有被文化洗刷净尽。小孩们大半欢喜虐害昆虫和其他小动物，踏死一堆蚂蚁，满不在意。用生人做陪葬者或是祭典中的牺牲，似不仅限于野蛮民族。罗马人让人和兽相斗相杀，西班牙人让牛和牛相斗相杀，作为一种娱乐来看。中世纪审判异教徒所用的酷刑无奇不有。在战争中人们对于屠杀尤其狂热，杀死几百万生灵如同踏死一堆蚂蚁一样平常，报纸上轻描淡写地记一笔，造成这屠杀记录者且热烈地庆祝一场。就在和平时期，报纸上杀人、起火、翻船、离婚之类不幸的消息也给许多观众以极大的快慰。一位西方作家说过："揭开文明人的表皮，在里皮里你会发现野蛮人。"据说大哲学家斯宾诺莎的得意的消遣是捉蚊蝇摆在蛛网上看他们被吞食。近代心理学家研究变态心理所表现的种种奇怪的虐害动机如"撒地主义"(sadism)，尤足令人毛骨悚然。这类事实引起一部分哲学家，如中国的荀子和英国的霍布斯，推演出"性恶"这一结论。

有些学者对于幸灾乐祸的心理，不以性恶为最终解释而另求原因。最早的学说是自觉安全说。拉丁诗人卢克莱修说："狂风在起波浪时，站在岸上看别人在苦难中挣扎，是一件愉快的事。"这就是中国成语中的"隔岸观火"。卢克莱修以为使我们愉快的并非看见别人的灾祸，而是庆幸自己的安全。霍布斯的学说也很类似。他以为别人痛苦而自己安全，就足见自己比别人高一层，心中有一种光荣之感。苏格兰派哲学家如倍恩(Bain)之流以为幸灾乐祸的心理基于权力欲。能给苦痛让别人受，就足显出自己的权力。这几种学说都有一个共同点，就是都假定幸灾乐祸时有一种人我比较，比较之后见出我比人安全，比别人高一层，比别人有权力，所以高兴。

这种比较也许是有的，但是比较的结果也可以发生与幸灾乐祸相反的念头。比如我们在岸上看翻船，也可以忘却自己处在较幸运的地位，而假想到自己在船上碰着那些危险的境遇，心中是如何惶恐、焦急、绝望、悲痛。将己心比人心，人的痛苦就变成自己的痛苦。痛苦的程度也许随人而异，而心中总不免有一点不安，一点感动和一点援助的动机。有生之物都有一种同类情感。对于生命都想留恋和维护，凡遇到危害生命的事情都不免恻然感动，无论那生命是否属于自己。生命是整个的有机体，我们每个人是其中一肢一节，这一肢的痛痒引起那一肢的痛痒。这种痛痒相关是极原始的，自然的，普遍的。父母遇着儿女的苦痛，仿佛自身在苦痛。同类相感，不必都如此深切，却都可由此类推。这种同类的痛痒相关就是普通所谓"同情"，孟子所谓"恻隐之心"。孟子所用的比譬极亲切："今人乍见孺子将入于井，皆有怵惕恻隐之心。"他接着推求原因说："非所以内交于孺子之父母也，非所以要誉于乡党朋友也，非恶其声而然也。"他没有指出正面的原因，但是下结论说："由是观之，无恻隐之心非人也。"他的意思是说恻隐之心并非起于自私的动机，人有恻隐之心只因为人是人，它是组成人性的基本要素。

从此可知遇着旁人受苦难时，心中或是发生幸灾乐祸的心理，或是发生恻隐之心，全在一念之差。一念向此，或一念向彼，都很自然，但在动念的关头，差以毫厘便谬以千里。念头转向幸灾乐祸的一方面去，充类至尽，便欺诈凌虐，屠杀吞并，刀下不留情，睁眼看旁人受苦不伸手援助，甚至落井下石，这样一来，世界便变成冤气弥漫，黑暗无人道的场所；念头转向恻隐一方面去，充类至尽，则四海兄弟，一视同仁，守望相助，疾病相扶持，老有所养，幼有所归，鳏寡孤独者亦可各得其所，这样一来，世界变成一团和气，其乐融融的场所。野蛮与文化，恶与善，祸与福，死灭与生存的歧路全在这一转念上面，所以这一转念是不能苟且的。

这一转念关系如许重大，而转好转坏又全系在一个刀锋似的关头上，好转与坏转又同样地自然而容易，所以古今中外大思想家和大宗教家，都紧握住这个关头。各派伦理思想尽管在侧轻侧重上有差别，各派宗教尽管在信条仪式上互相悬殊，都着重一个基本德行。孔孟所谓“仁”，释氏所谓“慈悲”，耶稣所谓“爱”，都全从人类固有的一点恻隐之心出发。他们都看出在临到同类受苦受难的关头上，一着走错，全盘皆输，丢开那一点恻隐之心不去培养，一切道德都无基础，人类社会无法维持，而人也就丧失其所以为人的本性。这是人类智慧的一个极平凡而亦极伟大的发现，一切伦理思想，一切宗教，都基于这点发现。这也就是说，恻隐之心是人类文化的泉源。

如果幸灾乐祸的心理起于人我的比较，恻隐之心更是如此，虽然这种比较不必尽浮到意识里面来。儒家所谓“推己及物”，“举斯心加诸彼”,“己所不欲,勿施于人”,都是指这种比较。所以“仁”与“恕”是一贯的,不能恕决不能仁。恕须假定知己知彼,假定对于人性的了解。小孩虐待弱小动物,说他们残酷,不如说他们无知,他们根本没有动物能痛苦的观念。许多成人残酷,也大半由于感觉迟钝,想象平凡,心眼窄所以心肠硬。这固然要归咎于天性薄,风俗习惯的濡染和教育的熏陶也有关系。函人惟恐伤人,矢人惟恐不伤人,职业习惯的影响于此可见。希腊盛行奴隶制度,大哲学家如柏拉图、亚理斯多德(编者注:现一般译为亚里士多德,下同)都不以为非;在战争的狂热中,耶稣教徒祷祝上帝歼灭同奉耶教的敌国,风气的影响于此可见。善人为邦百年,才可以胜残去杀,习惯与风俗既成,要很大的教育力量,才可挽回转来。在近代生活竞争剧烈,战争为解决纠纷要径,而道德与宗教的势力日就衰颓的情况之下,恻隐之心被摧残比被培养的机会较多。人们如果不反省痛改,人类前途将日趋于黑暗,这是一个极可危惧的现象。

凡是事实,无论它如何不合理,往往都有一套理论替它辩护。有战争屠杀就有辩护战争屠杀的哲学。恻隐之心本是人道基本,在事实上摧残它的人固然很多,在理论上攻击它的人亦复不少。柏拉图在《理想国》里攻击戏剧,就因为它能引起哀怜的情绪,他以为对人起哀怜,就会对自己起哀怜,对自己起哀怜,就是缺乏丈夫气,容易流于怯懦和感伤。近代德国一派唯我主义的哲学家如斯蒂纳(Sterner)、尼采之流,更明目张胆地主张人应尽量扩张权力欲,专为自己不为旁人,恻隐仁慈只是弱者的德操。弱者应该灭亡,而且我们应促成他们灭亡。尼采痛恨无政府主义者和耶稣教徒,说他们都迷信恻隐仁慈,力求妨碍个人的进展。这种超人主义酿成近代德国的武力主义。在崇拜武力侵略者的心目中，恻隐之心只是妇人之仁，有了它心肠就会软弱，对弱者与不康健者（兼指物质的与精神的）持姑息态度，做不出英雄事业来。哲学上的超人主义在科学上的进化主义又得一个有力的助手。在达尔文一派生物学家看，这世界只是一个生存竞争的战场，优胜劣败，弱肉强食，就是这战场中的公理。这种物竞说充类至尽，自然也就不能容许恻隐之心的存在。因为生存需要斗争，而斗争即须拼到你死我活，能够叫旁人死而自己活着的就是“最适者”。老弱孤寡疲癃残疾以及其他一切灾祸的牺牲者照理应归淘汰。向他们表示同情，援助他们，便是让最不适者生存，违反自然的铁律。

恻隐之心还另有一点引起许多人的怀疑。它的最高度的发展是悲天悯人，对象不仅是某人某物，而是全体有生之伦。生命中苦痛多于快乐，罪恶多于善行，祸多于福，事实常追不上理想。这是事实，而这事实在一般敏感者的心中所生的反响是根本对于人生的悲悯。悲悯理应引起救济的动机，而事实上人力不尽能战胜自然，已成的可悲悯的局面不易一手推翻，于是悲悯者变成悲剧中的主角，于失败之余，往往被逼向两种不甚康健的路上去，一是感伤愤慨，遗世绝俗，如屈原一派人；一是看空一切，徒做未来世界或另一世界的幻梦，如一般厌世出家的和尚。这两种倾向有时自然可以合流。近代许多文学作品可以见出这些倾向。比如哈代（T. Hardy）的小说，豪斯曼（A. E. Housman）的诗，都带着极深的哀怜情绪，同时也带着极浓的悲观色彩。许多人不满意于恻隐之心，也许因为它有时发生这种不康健的影响。

恻隐之心有时使人软弱怯懦，也有时使人悲观厌世。这或许都是事实。但是恻隐之心并没有产生怯懦和悲观的必然性。波斯大帝泽克西斯(Xerxes)率百万大军西征希腊,站在桥头望台上看他的军队走过赫勒斯滂海峡,回头向他的叔父说:“想到人寿短促,百年之后,这大军之中没有一个人还活着,我心里突然感到一阵怜悯。”但是这一阵怜悯并没有打消他征服希腊的雄图。屠格涅夫在一首散文诗里写一只老麻雀牺牲性命去从猎犬口里救落巢的雏鸟。那首诗里充满着恻隐之心,同时也充满着极大的勇气,令人起雄伟之感。孔子说得好:“仁者必有勇。”古今伟大人物的生平大半都能证明真正敢作敢为的人往往是富于同类情感的。菩萨心肠与英雄气骨常有连带关系。最好的例是释迦。他未尝无人世空虚之感,但不因此打消救济人类世界的热望。“我不入地狱,谁入地狱!”这是何等的悲悯!同时,这是何等的勇气。孔子是另一个好例。他也明知“滔滔者天下皆是”,但是“知其不可为而为之”。“鸟兽不可与同群,吾非斯人之徒与而谁与?天下有道,丘不与易也。”这是何等的悲悯!同时,这是何等的勇气!世间勇于作淑世企图的人,无论是哲学家、宗教家或社会革命家,都有一片极深挚的悲悯心肠在驱遣他们,时时提起他们的勇气。

现在回到本文开始时所引的罗素的一段话。他说:“人道的动机使我们尽一分力量来灭除其余九十九分力量所做的过恶,这是他们(中国人)所没有的。”这话似无可辩驳。但是我以为我们缺乏恻隐之心,倒不仅在遇饥荒不赈济,穷来卖儿女作奴隶,看到颠沛无告的人掩鼻而过之类的事情,而尤在许多人看到整个社会日趋于险境,不肯做一点挽救的企图。教育家们睁着眼睛看青年堕落,政治家们睁着眼睛看社会秩序紊乱,富商大贾睁着眼睛看经济濒危,都满不在意,仍是各谋各的安富尊荣,有心人会问:“这是什么心肝?”如果我们回答说:“这心肝缺乏恻隐。”也许有人觉得这话离题太远。其实病原全在这上面。成语中有“麻木不仁”的字样,意义极好,麻木与不仁是连带的。许多人对于社会所露的险象都太麻木,我想这是不能否认的。他们麻木,由于他们不仁(用我们的词语来说,缺乏恻隐之心)。麻木不仁,于是一切都受支配于盲目的自私。这毛病如何救济,大是问题。说来易,做来难。一般人把一切性格上的难问题都推到教育,教育是否有这样万能,我很怀疑。在我想,大灾大乱也许可以催促一部分人的猛省,先哲伦理思想的彻底认识以及佛耶二教的基本精神的吸收,也许可造成一种力量。无论如何,在建国事业中的心理建设项下,培养恻隐之心必定是一个重要的节目。

谈羞恶之心

《新约》里《约翰福音》第八章记载这样一段故事：

耶稣在庙里布教，一大群人围着他听。刑名师和法利赛人带着一个行淫被拘的妇人来，把她放在群众当中，向耶稣说："这妇人是正在行淫时被拿着的。摩西在法律中吩咐过我们，像这样的人应用石头钉死，你说怎样办呢？"耶稣弯下身子来用指画地，好像没有听见他们。他们继续着问，耶稣于是抬起身子来向他们说："你们中间谁是没有罪的，就让谁先拿石头钉她。"说完又弯下身子用指画地。他们听到这话，各人心里都有内疚，一个一个地走出去，从最年老的到最后的，只剩下耶稣，那妇人仍站在当中。耶稣抬起身子来向她说："妇人，告你状的人到哪里去了呢？没有人定你的罪么？"她说："没有人，我主。"耶稣说："我也不定你的罪，去吧，以后不要再犯了。"

这段故事给我以极深的感动，也给我以不小的惶惑。耶稣的宽宥是恻隐之心的最高的表现，高到泯没羞恶之心的程度，这令人对于他的胸怀起伟大崇高之感。同时，我们也难免惶惑不安。如果这种宽宥的精神充类至尽，我们不就要姑息养奸，任世间一切罪孽过恶蔓延,简直不受惩罚或裁制么?

我们对于世间罪孽过恶原可以持种种不同的态度。是非善恶本是世间习用的分别,超出世间的看法,我们对于一切可作平等观。正觉烛照,五蕴皆空。瞋恚有碍正觉,有如"清冷云中,霹雳起火"。无论在人在我,消除过恶,都当以正觉净戒,不可起瞋恚。这是佛家的态度。其次,即就世间法而论,是非善恶之类道德观念起于"实用理性批判"。若超出实用的观点,我们可以拿实际人生中一切现象如同图画戏剧一样去欣赏,不作善恶判断,自不起道德上的爱恶,如尼采所主张的。这是美感的态度。再次,即就世间法的道德观点而论,人生来不能尽善尽美,我们彼此都有弱点,就不免彼此都有过错。这是人类共同的不幸。如果遇到弱点的表现,我们须了解这是人情所难免,加以哀矜与宽恕。"了解一切,就是宽恕一切。"这是耶稣教徒的态度。

这几种态度都各有很崇高的理想,值得我们景仰向往,而且有时值得我们努力追攀。不过在这不完全的世界中,理想永远是理想,我们不能希望一切人得佛家所谓正觉,对一切作平等观,不能而且也不应希望一切人在一切时境都如艺术家对于罪孽过恶纯取欣赏态度,也不能希望一切人都有耶稣的那样宽恕的态度,而且一切过恶都可受宽恕的感化。我们处在人的立场为人类谋幸福,必希望世间罪孽过恶减少到可能的最低限度。减少的方法甚多,积极的感化与消极的裁制似都不可少。我们不能人人有佛的正觉,也不能人人有耶稣的无边的爱,但是我们人人都有几分羞恶之心。世间许多法律制度和道德信条都是利用人类同有的羞恶之心作原动力。近代心理学更能证明羞恶之心对于人格形成的重要。基于羞恶之心的道德影响也许是比较下乘的,但同时也是比较实际的,近人情的。

“羞恶之心”一词出于孟子,他以为是“义之端”,这就是说,行为适宜或恰到好处,须从羞恶之心出发。朱子分羞恶为两事,以为“羞是羞己之恶,恶是恶人之恶”。其实只要是恶,在己者可羞亦可恶,在人者可恶亦可羞。只拿行为的恶作对象说,羞恶原是一事。不过从心理的差别说,羞恶确可分对己对人两种。就对己说,羞恶之心起于自尊情操。人生来有向上心,无论在学识、才能、道德或社会地位方面,总想达到甚至超过流行于所属社会的最高标准。如果达不到这标准,显得自己比人低下,就自引以为耻。耻便是羞恶之心,西方人所谓荣誉意识(sense of honour)的消极方面。有耻才能向上奋斗。这中间有一个人我比较,一方面自尊情操不容我居人下,一方面社会情操使我顾虑到社会的毁誉。所以知耻同时有自私的和泛爱的两个不同的动机。对于一般人,耻(即羞恶之心)可以说就是道德情操的基础。他们趋善避恶,与其说是出于良心或责任心,不如说是出于羞恶之心,一方面不甘居下流,一方面看重社会的同情。中国先儒认清此点,所以布政施教,特重明耻。管子甚至以耻与礼义廉并称为“国之四维”。

人须有所为,有所不为。羞恶之心最初是使人有所不为。孟子在讲羞恶之心时,只说是“义之端”,并未举例说明,在另一段文字里他说:“人能充无穿窬之心,而义不可胜用也,人能充无受尔汝之实,无所往而不为义也。”这里他似在举羞恶之心的实例,“无穿窬”(不做贼)和“无受尔汝之实”(不愿被人不恭敬地称呼),都偏于“有所不为”和“胁肩谄笑,病于夏畦”,“巧言令色足恭,左丘明耻之，丘亦耻之”之类心理相同。但孟子同时又说：“人皆有所不为，达之于其所为，义也。”这就是说，羞恶之心可使人耻为所不应为，扩充起来，也可以使人耻不为所应为。为所应为便是尽责任，所以“知耻近乎勇”。人到了无耻，便无所不为，也便不能有所为。有所不为便可以寡过。但绝对无过实非常人所能。儒家与耶教都不责人有过，只力劝人改过。知过能改，须有悔悟。悔悟仍是羞恶之心的表现。羞恶未然的过恶是耻，羞恶已然的过恶是悔。耻令人免过，悔令人改过。

孟子说：“不耻不若人，何若人有?”耻使人自尊自重，不自暴自弃。近代阿德勒(Adler)一派心理学说很可以引来说明这个道理。有羞恶之心先必发现自己的欠缺，发现了欠缺，自以为耻(阿德勒所谓“卑劣情意综”)，觉得非努力把它降伏下去，显出自己的尊严不可(阿德勒所谓“男性的抗议”)，于是设法来弥补欠缺，结果不但欠缺弥补起，而且所达到的成就还比平常更优越。德摩斯梯尼本来口吃，不甘受这欠缺的限制，发愤练习演说，于是成为希腊的最大演说家。贝多芬本有耳病，不甘受这欠缺的限制，发愤练习音乐，于是成为德国的最大音乐家。阿德勒举过许多同样的实例，证明许多历史上的伟大人物在身体资禀或环境方面都有缺陷，这缺陷所生的“卑劣情意综”激起他们的“男性的抗议”，于是他们拿出非常的力量，成就非常的事业。中国左丘明因失明而作《国语》，孙子因膑足而作《兵法》，司马迁因受宫刑而作《史记》，也是很好的例证。阿德勒偏就器官机能方面着眼，其实他的学说可以引申到道德范围。因卑劣意识而起男性抗议，是“知耻近乎勇”的一个很好的解释。诸葛孔明要邀孙权和刘备联合去打曹操，先假劝他向曹操投降，孙权问刘备何以不降，他回答说：“田横齐之壮士耳，犹守义不辱。况刘豫州王室之胄，英才盖世，安能复为之下乎？”孙权听到这话，便勃然宣布他的决心：“吾不能举全吴之地，十万之众，受制于人！”这就是先激动羞耻心，再激动勇气，由卑劣意识引到男性抗议。

孟子讲羞恶之心，似专就对己一方面说。朱子以为它还有对人一方面，想得更较周到。我们对人有羞恶之心，才能嫉恶如仇，才肯努力去消除世间罪孽过恶。孔子大圣人，胸襟本极冲和，但《论语》记载他恶人的表现特别多。冉有不能救季氏僭礼，宰我对鲁哀公说话近逢迎，子路说轻视读书的话，樊迟请学稼圃，孔子对他们所表示的态度都含有羞恶的意味。子贡问他：“君子亦有所恶乎？”他回答说：“有，恶称人之恶者，恶居下流而讪上者，恶勇而无礼者，恶果敢而窒者。”一口气就数上一大串。他尝以“吾未见好仁者恶不仁者”为欢。他最恶的是乡愿（现在所谓伪君子），因为这种人“暗然媚于世，非之无举，刺之无刺，居之似忠信，行之似廉洁，众皆悦之，自以为是而不可与入尧舜之道”。他一度为鲁相，第一件要政就是诛少正卯，一个十足的乡愿。我特别提出孔子来说，因为照我们的想象，孔予似不轻于恶人，而他竟恶得如此厉害，这最足证明凡道德情操深厚的人对于过恶必有极深的厌恶。世间许多人没有对象可五体投地地去钦佩，也没有对象可深入骨髓地去厌恶，只一味周旋随和，这种人表面上像是炉火纯青，实在是不明是非，缺乏正义感。社会上这种人愈多，恶人愈可横行无忌，不平的事件也愈可蔓延无碍，社会的混浊也就愈不易澄清。社会所借以维持的是公平（西方所谓 justice），一般人如果没有羞恶之心，任不公平的事件不受裁制，公平就无法存在。过去社会的游侠，和近代社会的革命者，都是迫于义愤，要“打抱不平”，虽非中行，究不失为狂狷，在社会腐浊的时候，仍是有他们的用处。

个人须有羞恶之心，集团也是如此。田横的五百义士不肯屈服于刘邦，全体从容赴义，历史传为佳话；古人谈兵，说明耻然后可以教战，因为明耻然后知道“所恶有甚于死者”，不会苟且偷生。我们民族这次英勇的抗战是最好的例证，大家牺牲安适、家庭、财产，以至于生命，就因为不甘做奴隶的那一点羞恶之心。大抵一个民族当承平的时候，羞恶之心表现于公是公非，人民都能受道德法律的裁制，使社会秩序井然。所谓“化行俗美”，“有耻且格”。到了混乱的时候，一般人廉耻道丧，全民族的羞恶之心只能借少数优秀分子保存，于是才有“气节”的风尚。东汉太学生郭泰李膺陈蕃诸人处外戚宦官专权恣肆之际，独持清议，一再遭钩党之祸而不稍屈服。明末魏阉执权乱国，士大夫多阿谀取容，其无耻之尤者至认阉作父，东林党人独仗义执言，对阉党声罪致讨，至粉身碎骨而不悔。这些党人的行径容或过于褊急，但在恶势力横行之际能不顾一切，挺身维持正气，对于民族精神所留的影响是不可磨灭的。

目前我们民族正遇着空前的大难，国耻一重一重地压来，抗战的英勇将士固可令人起敬，而此外卖国求荣，贪污误国和醉生梦死者还大有人在，原因正在羞恶之心的缺乏。我们应该记着“明耻教战”的古训，极力培养人皆有之的一点羞恶之心。我们须知道做奴隶可耻，自己睁着眼睛往做奴隶的路上走更可耻。罪过如果在自己，应该忏悔；如果在旁人，也应深恶痛绝，设法加以裁制。

谈冷静

德国哲学家尼采把人类精神分为两种，一是阿波罗的，一是狄俄倪索斯（编者注：现一般译为狄俄尼索斯，下同）的。这两个名称起源于希腊神话。阿波罗是日神，是光的来源，世间一切事物得着光才显现形相。希腊人想象阿波罗恋临奥林普斯（编者注：现一般译为奥林匹斯）高峰，雍容肃穆，转运他的奕奕生辉的巨眼，普照世间一切，妍丑悲欢，同供玩赏，风帆自动而此心不为之动，他永远是一个冷静的旁观者。狄俄倪索斯是酒神，是生命的来源，生命无常幻变，狄俄倪索斯要在生命幻变中忘却生命幻变所生的痛苦，纵饮狂歌，争取刹那间尽量的欢乐，时时随着生命的狂澜流转，如醉如痴，曾不停止一息来返观自然或是玩味事物的形象，他永远是生命剧场中一个热烈的扮演者。尼采以为人类精神原有这两种分别，一静一动，一冷一热，一旁观，一表演。艺术是精神的表现，也有这两种分别，例如图画雕刻等造型艺术是代表阿波罗精神的，音乐跳舞等非造型艺术是代表狄俄倪索斯精神的。依尼采看，古代希腊人本最富于狄俄倪索斯精神，体验生命的痛苦最深切，所以内心最悲苦，然而没有走上绝望自杀的路，就好在有阿波罗精神来营救，使他们由表演者的地位跳到旁观者的地位，由热烈而冷静，于是人生一切灾祸罪孽便变成庄严灿烂的意象，产生了希腊人的最高艺术——悲剧。

尼采的这番话乍看来未免离奇，实在含有至理。近代心理学区分性格的话和它暗合的很多，我们在这里不必繁引。尼采专就希腊艺术着眼，以为它的长处在以阿波罗精神化狄俄倪索斯精神。希腊艺术的作风在后来被称为“古典的”，和“浪漫的”相对立。所谓“古典的”作风特点就在冷静、有节制、有含蓄，全体必须和谐完美；所谓“浪漫的”作风特点就在热烈、自由流露、尽量表现、想象丰富、情感深至，而全体形式则偶不免有瑕疵。从此可知古典主义是偏于阿波罗精神的，浪漫主义是偏于狄俄倪索斯精神的。

“古典的”与“浪漫的”原只适用于文艺，后来常有人借用这两个形容词来谈人的性格，说冷静的、纯正的、情理调和的人是“古典的”；热烈的、好奇特的、偏重情感与幻想的人是“浪漫的”。人禀赋不同，生来各有偏向，教育与环境也常容易使人习染于某一方面，但就大体来说，青年人的性格常偏于“浪漫的”，老年人的性格常偏于“古典的”，一个民族也往往如此。这两种性格各有特长，在理论上我们似难作左右袒。不过我们可以说，无论在艺术或在为人方面，“浪漫的”都多少带着些稚气，而“古典的”则是成熟的境界。如果读者容许我说一点个人的经验，我的青年期已过去了，现在快走完中年的阶段，我曾经热烈地爱好过“浪漫的”文艺与性格，现在已开始逐渐发现“古典的”更可爱。我觉得一个人在任何方面想有真正伟大的成就，“古典的”“阿波罗的”冷静都绝不可少。

要明白冷静，先要明白我们通常所以不能冷静的原因。说浅一点，不能冷静是任情感、逞意气、易受欲望的冲动，处处显得粗心浮气；说深一点，不能冷静是整个性格修养上的欠缺，心境不够冲和豁达，头脑不够清醒，风度不够镇定安详。说到性格修养，困难在调和情与理。人是有生气的动物，不能无情感；人为万物之灵，不能无理智。情热而理冷，所以常相冲突。有一部分宗教家和哲学家见到任情纵欲的危险，主张抑情以存理。这未免是剥丧一部分人类天性，可以使人生了无生气，不能算是健康的人生观。中外大哲人如孔子、柏拉图诸人都主张以理智节制情欲，使情欲得其正而能与理智相调和。不过这不是一件易事。孔子自道经验说："七十而从心所欲，不逾矩。"这才算是情理融和的境界，以孔子那样圣哲，到七十岁才能做到，可见其难能可贵。大抵修养入手的功夫在多读书明理，自己时时检点自己，要使理智常是清醒的，不让情感与欲望恣意孤行，久而久之，自然胸襟澄然，矜平躁释，遇事都能保持冷静的态度。

学问是理智的事，所以没有冷静的态度不能做学问。在做学问方面，冷静的态度就是科学的态度。科学（一切求真理的活动都包含在内）的任务在根据事实推求原理，在紊乱中建立秩序，在繁复中寻求条理。要达到这种任务，科学必须尊重所有的事实，无论它是正面的或反面的，不能挟丝毫成见去抹杀事实或是歪曲事实；他根据人力所能发现的事实去推求结论，必须步步虚心谨慎，把所有的可能的解说都加以缜密考虑，仔细权衡得失，然后选定一个比较圆满的解说，留待未来事实的参证。所以科学的态度必须冷静，冷静才能客观、缜密、谨严。尝见学者立说，胸中先有一成见，把反面的事实抹杀，把相反的意见丢开，矜一曲之见为伟大发明，旁人稍加批评,便以怒目相加,横肆诋骂,批评者也以诋骂相报,此来彼去,如泼妇骂街,把原来的论点完全忘去。我们通常说这是动情感,凭意气。一个人愈易动情感,凭意气,在学问上愈难有成就。一个有学问的人必定是“清明在躬,志气如神”,换句话说,必定能冷静。

一般人欢喜拿文艺和科学对比,以为科学重理智而文艺重情感。其实文艺正因为表现情感的缘故,需要理智的控制反比科学更甚。英国诗人华兹华斯曾自道经验说:“诗起于沉静中所回味得来的情绪。”人人都能感受情绪,感受情绪而能在沉静中回味,才是文艺家的特殊修养。感受是能入,回味是能出。能入是主观的、热烈的;回味是客观的、冷静的。前者是尼采所谓狄俄倪索斯精神的表现,而后者则是阿波罗精神的表现,许多人以为生糙情感便是文艺材料,怪自己没有能力去表现,其实文艺须在这生糙情感之上加以冷静的回味、思索、安排,才能豁然贯通,见出形式。语言与情思都必经过洗刷炼裁,才能恰到好处。许多人在兴高采烈时完成一个作品,便自矜为绝作,过些时候自己再看一遍,就不免发现许多毛病。罗马批评家贺拉斯劝人在完成作品之后,放下几年才发表,也是有见于文艺创作与修改,须要冷静,过于信任一时热烈兴头是最易误事的。我们在前面已经说过,成熟的“古典的”文艺作品特色就在冷静。近代写实派不满意于浪漫派,原因在也主张文艺要冷静。一个人多在文艺方面下功夫,常容易养成冷静的态度。关于这一点,我在几年前写过一段自白,希望读者容许我引来参证:

“我应该感谢文艺的地方很多,尤其它教我学会一种观世法。一般人常以为只有科学的训练才可以养成冷静的客观的头脑。……我也学过科学,但是我的冷静的客观的头脑不是从科学而是从文艺得来的。凡是不能持冷静的客观的态度的人，毛病都在把‘我’看得太大。他们从‘我’这一副着色的望远镜里看世界，一切事物于是都失去它们的本来面目。所谓冷静的客观的态度就是丢开这副望远镜，让‘我’跳到圈子以外，不当作世界里有‘我’而去看世界，还是把‘我’与类似‘我’的一切东西同样看待。这是文艺的观世法，也是我所学得的观世法。”

我引这段话，一方面说明文艺的活动是冷静，一方面也趁便引出做人也要冷静的道理。我刚才提到丢开“我”去看世界，我们也应该丢开“我”去看“我”。“我”是一个最可宝贵也是最难对付的东西。一个人不能无“我”，无“我”便是无主见，无人格。一个人也不能执“我”，执“我”便是持成见，逞意气，做学问不易精进，做事业也不易成功。佛家主张“无我相”，老子劝告孔子“去子之骄气与多欲”，都是有见于“执我”的错误。“我”既不能无，又不能执，如何才可以调剂安排，恰到好处呢？这需要知识。我们必须彻底认清“我”，才会妥帖地处理“我”。

“知道你自己”，这句名言为一般哲学家公认为希腊人的最高智慧的结晶。世间事物最不容易知道的是你自己，因为要知道你自己，你必须能丢开“我”去看“我”，而事实上有了“我”就不易丢开“我”，许多人都时时为我见所蒙蔽而不自知，人不易自知，犹如有眼不能自见，有力不能自举。你本是一个凡人，你却容易把自己看成一个英雄；你的某一个念头，某一句话，某一种行为本是错误的，因为是你自己所想的、说的、做的，你的主观成见总使你自信它是对的。执迷不悟是人所常犯的过失。中国儒家要除去这个毛病，提倡“自省”的功夫。“自省”就是自己审问自己，丢开“我”去看“我”。一般人眼睛常是朝外看,自省就是把眼光转向里面看。一般能自省的人才能自知。自省所凭借的是理智,是冷静的客观的科学的头脑。能冷静自省,品格上许多亏缺都可以免除。比如你发愤时,经过一番冷静的自省,你的怒气自然消释;你起了一个不正当的欲念时,经过一番冷静的自省,那个欲念也就冷淡下去;你和人因持异见争执,盛气相凌,你如果能冷静地把所有的论证衡量一下,你自然会发现谁是谁非,如果你自己不对,你须自认错误,如果你自己对,你有理由可以说服人。

从这些例子看,“自省”含有“自制”的功夫在内。一个能自制的人才能自强。能自制便有极大的意志力,有极大的意志力才能认定目标,看清事物条理,征服一切环境的困难,百折不挠以抵于成功。古今英雄豪杰有大过人的地方都在有坚强的意志力,而他们的坚强的意志力的表现往往在自制方面。哲学家如苏格拉底,宗教家如耶稣、释迦牟尼,政治家如诸葛亮、谢安、李泌,都是显著的实例。许多人动辄发火生气,或放僻邪侈,横无忌惮,或暴戾刚愎,恣意孤行,这种人看来像是强悍勇猛,实在最软弱,他们做情感的奴隶,或是卑劣欲望的奴隶,自己尚且不能控制,怎能控制旁人或控制环境呢?这种人大半缺乏冷静,遇事鲁莽灭裂,终必至于偾事。如果军国大政落在这种人的手里,则国家民族变成野心或私欲的孤注,在一喜一怒之间轻轻被断送。今日的德意志和日本不惜涂炭千百万生灵,置全民族命脉于险境,实由于少数掌政权者缺乏冷静的头脑,聊图逞一时的意气与狂妄的野心,如悬崖纵马,一放而不可收拾。这是最好的殷鉴。人类许多不必要的灾祸罪孽都是这种人惹出来的。如果我们从这些事例上想一想,就可以见出一个人或一个民族在失去冷静的理智的态度时所冒的危险。

一个理想的人须是有德有学有才。德与学需要冷静，如上所述，才也不是例外。才是处事的能力。一件事常有许多错综复杂的关系，头脑不冷静的人处之，便如置身五里雾中，觉得需要处理的是一团乱丝，处处是纠纷困难。他不是束手无策，就是考虑不周到，布置不缜密，一个困难未解决，又横生枝节，把事情弄得更糟。冷静的人便能运用科学的眼光，把目前复杂情形全盘一看，看出其中关系条理与轻重要害，在种种可能的办法之中选择一个最合理的，于是一切纠纷困难便如庖丁解牛，迎刃而解。治个人私事如此，治军国大事也是如此，能冷静的人必能谋定后动，动无不成。

一个冷静的人常是立定脚跟，胸有成竹，所以临难遇险，能好整以暇，雍容部署，不至张皇失措。我们中国人对于这种风格向来当作一种美德来欣赏赞叹。孔子在陈过匡，视险若夷，汉高伤胸扪足，史传都传为美谈，后来《世说新语》所载的"雅量"事例尤多，现提举数条来说明本文所谈的冷静：

> 桓公伏甲设馔，广延朝士，因此欲诛谢安王坦之。王甚遽，问谢曰："当作何计？"谢神色不变，谓文度曰："晋阼存亡在此一行。"相与俱前，王之恐状转见于色，谢之宽容愈表于貌，望阶趋席，方作洛生咏讽，浩浩洪流。桓惮其旷远，乃趣解兵。王谢旧齐名，于此始判优劣。

> 谢太傅盘桓东山，时与孙兴公诸人汎海戏。风起浪涌，孙王诸人色并遽，便唱使还。太傅神情方王，吟啸不言。舟人以公貌闲意悦，犹去不止。既风转急浪猛，诸人

皆喧动不坐。公徐云:“如此将无归。”众人即承响而回,于是审其量足以镇定朝野。

王子猷子敬曾俱坐一室,上忽发火。子猷遽走避,不遑取屐,子敬神色恬然,徐唤左右扶凭而出,不异平常。世以此定二王神宇。

这些都是冷静态度的最好实例。这种“雅量”所以难能可贵,因为它是整个人格的表现,需要深厚的修养。有这种雅量的人才能担当大事,因为他豁达、清醒、沉着,不易受困难摇动,在危急中仍可想出办法。

冷静并不如庄子所说的“形如槁木,心如死灰”,但是像他所说的游鱼从容自乐。禅家最好做冷静的功夫,他们的胜境却不在坐禅而在禅机。这“机”字最妙。宇宙间许多至理妙谛,寄寓于极平常微细的事物中,往往被粗心浮气的人们忽略过,陈同甫所以有“恨芳菲世界,游人未赏,都付与莺和燕”的嗟叹。冷静的人才能静观,才能发现“万物皆自得”。孔子引《诗经》“鸢飞戾天,鱼跃于渊”二句而加以评释说:“言其上下察也。”这“察”字下得极好,能“察”便能处处发现生机,吸收生机,觉得人生有无穷乐趣。世间人的毛病只是习焉不察,所以生活枯燥,日流于卑鄙污浊。“察”就是“静观”,美学家所说的“观照”,它的唯一条件是冷静超脱。哲学家和科学家所做的功夫在这“察”字上,诗人和艺术家所做的功夫也还在这“察”字上。尼采所说的日神阿波罗也是时常在“察”。人在冷静时静观默察,处处触机生悟,便是“地行仙”。有这种修养的人才有极丰富的生机和极厚实的力量!

谈 学 问

这是一个大题目，不易谈；因为许多人对它有很大的误解，却又不能不谈。最大的误解在把学问和读书看成一件事。子弟进学校不说是“求学”而说是“读书”，学子向来叫做“读书人”，粗通外国文者在应该用“学习”（learn）或“治学”（study）等字时常用“阅读”（read）来代替。这种传统观念的错误影响到我国整个教育的倾向。各级学校大半把教育缩为知识传授，而知识传授的途径就只有读书，教员只是“教书人”。这种错误的观念如果不改正，教育和学问恐怕就没有走上正轨的希望。如果我们稍加思索，它也应该不难改正。学是学习，问是追问。世间可学习可追问的事理甚多，知识技能须学问，品格修养也还须学问；读书人须学问，农工商兵也还须学问，各行有各行的“行径”。学问是任何人对于任何事理，由不知求知，由不能求能的一套功夫。它的范围无限，人生一切活动，宇宙一切现象和真理，莫不包含在内。学问的方法甚多。人从堕地出世，没有一天不在学问。有些学问是由仿效得来的，也有些学问是由尝试、思索、体验和涵养得来的。读书不过是学问的方法之一种，它当然很重要，却并非唯一的。朱子教门徒，一再申说“读书乃学者第二事”。有许多读书人实在并非在做学问，也有许多实在做学问的人并不专靠读书，制造文字——书的要素——是一种绝大学问，而首先制造文字的人就根本无书可读。许多其他学问都可由此类推。子路的“何必读书然后为学”一句话本身并不错，孔子骂他，只是讨厌他说这话的动机在辩护让一个青年学子去做官，也并没有说它本身错。

一般人常埋怨现在青年对于学问没有浓厚的兴趣。就个人任教的经验说，我也有这样的观感。平心而论，这大半要归咎我们“教书人”。把学问看成“教书”“读书”这一错误的观念如果不全是我们养成的，至少我们未曾设法纠正。而且我们自己又没有好生学问，给青年学子树一个好榜样，可以激励他们的志气，提起他们的兴趣。此外，社会上一般人对于学问的性质和功用所存的误解也不无关系。近代西方学者常把纯理的学问和应用的学问分开，以为治应用的学问是有所为而为，治纯理的学问是无所为而为。他们怕学问全落到应用一条窄路上，尝设法替无所为而为的学问辩护，说它虽“无用”，却可满足人类的求知欲。这种用心很可佩服，而措辞却不甚正确。学问起于生活的需要，世间绝没有一种学问无用，不过“用”的意义有广狭之别。学得一种学问，就可以有一种技能，拿它来应用于实际事业，如学得数学几何三角就可以去算账、测量、建筑、制造机械，这是最正常的“用”字的狭义。学得一点知识技能，就混得一种资格，可以谋一个职业，解决饭碗问题，这是功利主义的“用”字的狭义。但是学问的功用并不仅如此，我们甚至可以说，学问的最大功用并不在此。心理学者研究智力，有普通智力与特殊智力的分别；古人和今人品题人物，都有通才与专才的分别。学问的功用也可以说有“通”有“专”。治数学即应用于计算数量,这是学问的专用;治数学而变成一个思想缜密、性格和谐、善于立身处世的人,这是学问的通用。学问在实际上确有这种通用。就智慧说,学问是训练思想的工具。一个真正有学问的人必定知识丰富,思想锐敏,洞达事理,处任何环境,知道把握纲要,分析条理,解决困难。就性格说,学问是道德修养的途径。苏格拉底说得好,“知识即德行”。世间许多罪恶都起于愚昧,如果真正彻底明了一件事是好的,另一件事是坏的,一个人决不会睁着眼睛向坏的方面走。中国儒家讲学问,素来全重立身行己的功夫,一个学者应该是一个圣贤,不仅如现在所谓“知识分子”。

现在所谓“知识分子”的毛病在只看到学的狭义的“用”,尤其是功利主义的“用”。学问只是一种干禄的工具。我曾听到一位教授在编成一部讲义之后,心满意足地说:“一生吃着不尽了!”我又曾听到一位朋友劝导他的亲戚不让刚在中学毕业的儿子去就小事说:“你这种办法简直是吃稻种!”许多升学的青年实在只为着要让稻种发生成大量谷子,预备“吃着不尽”。所以大学里“出路”最广的学系如经济系机械系之类常是拥挤不堪,而哲学系、数学系、生物学系诸“冷门”,就简直无人问津。治学问根本不是为学问本身,而是为着它的出路销场,在治学问时既是“醉翁之意不在酒”,得到出路销场后当然更是“得鱼忘筌”了。在这种情形之下的我们如何能期望青年学生对于学问有浓厚的兴趣呢?

这种对于学问功用的窄狭而错误的观念必须及早纠正。生活对于有生之伦是唯一的要务,学问是为生活。这两点本是天经地义。不过现代中国人的错误在把“生活”只看成口腹之养。“谋生活”与“谋衣食”在流行语中是同一意义。这实在是错误得可怜可笑。人有肉体，有心灵。肉体有它的生活，心灵也应有它的生活。肉体需要营养，心灵也不能“辟谷”。肉体缺乏营养，必酿成饥饿病死；心灵缺乏营养，自然也要干枯腐化。人为万物之灵，就在他有心灵或精神生活。所以测量人的成就并不在他能否谋温饱，而在他有无丰富的精神生活。一个人到了只顾衣食饱暖而对于真善美漫不感觉兴趣时，他就只能算是一种“行尸走肉”，一个民族到了只顾体肤需要而不珍视精神生活的价值时，它也就必定逐渐没落了。

学问是精神的食粮，它使我们的精神生活更加丰富。肚皮装得饱饱的，是一件乐事，心灵装得饱饱的，是一件更大的乐事。一个人在学问上如果有浓厚的兴趣，精深的造诣，他会发现万事万物各有一个妙理在内，他会发现自己的心涵蕴万象，澄明通达，时时有寄托，时时在生展，这种人的生活决不会干枯，他也决不会做出卑污下贱的事。《论语》记“颜子在陋巷，一箪食，一瓢饮，人不堪其忧，回也不改其乐”。孔子赞他“贤”，并不仅因为他能安贫，尤其因为他能乐道，换句话说，他有极丰富的精神生活。宋儒教人体会颜子所乐何在，也恰抓着紧要处，我们现在的人不但不能了解这种体会的重要，而且把它看成道学家的迂腐。这在民族文化上是一个极严重的病象，必须趁早设法医治。

中国语中“学”与“问”连在一起说，意义至为深妙，比西文中相当的译词如 learning，study，science 诸字都好得多。人生来有向上心，有求知欲，对于不知道的事物欢喜发疑问。对于一种事物发生疑问，就是对于它感觉兴趣。既有疑问，就想法解决它，几经摸索，终于得到一个答案，于是不知道的变为知道的，所谓“一旦豁然贯通”，这便是学有心得。学原来离不掉问，不会起疑问就不会有学。许多人对于一种学问不感觉兴趣，原因就在那种学问对于他们不成问题，没有什么逼得他们要求知道。但是学问的好处正在原来有问题的可以变成没有问题，原来没有问题的也可以变成有问题。前者是未知变成已知，后者是发现貌似已知究竟仍为未知。比如说逻辑学，一个中学生学过一年半载，看过一部普通教科书，觉得命题、推理、归纳、演绎之类都讲得妥妥帖帖，了无疑义。可是他如果进一步在逻辑学上面下一点研究功夫，便会发现他从前认为透懂的几乎没有一件不成为问题，没有一件不曾经许多学者辩论过。他如果再更进一步去讨探，他会自己发现许多有趣的问题，并且觉悟到他自己一辈子也不一定能把这些问题都解决得妥妥帖帖。逻辑学是一科比较不幼稚的学问，犹且如此，其他学问更可由此类推了。一个人对于一种学问如果肯钻进里面去，必须使有问题的变为没有问题（这便是问），疑问无穷，发现无穷，兴趣也就无穷。学问之难在此，学问之乐也就在此。一个人对于一种学问说是不感兴趣，那只能证明他不用心，不努力下功夫，没有钻进里面去。世间决没有自身无兴趣的学问，人感觉不到兴趣，只由于人的愚昧或懒惰。

学与问相连，所以学问不只是记忆而必是思想，不只是因袭而必是创造。凡是思想都是由已知推未知，创造都是旧材料的新综合，所以思想究竟须从记忆出发，创造究竟须从因袭出发。由记忆生思想，由因袭生创造，犹如吸收食物加以消化之后变为生命的动力。食而不化固然是无用，不食而求化也还是求无中生有。向来论学问的话没有比孔子的“学而不思则罔，思而不学则殆”两句更为精深透辟。学原有“效”义，研究儿童心理学者都知道学习大半基于因袭或模仿。这里所谓“学”是偏重吸收前人已有的知识和经验。思是自己运用脑筋，一方面求所学得的能融会贯通，井然有条，一方面由疑难启发新知识与新经验。一般学子有两种通弊。一种是聪明人所常犯着的，他们过于相信自己的思考力而忽略前人的成就。其实每种学问都有长久的历史，其中每一个问题都曾经许多人思虑过，讨论过，提出过种种不同的解答，你必须明白这些经过，才可以利用前人的收获，免得绕弯子甚至于走错路。比如说生物学上的遗传问题，从前雷马克、达尔文、魏意斯曼、孟德尔诸大家已经做过许多实验，得到许多观察，用过许多思考。假如你对于他们的工作茫无所知或是一笔抹杀，只凭你自己的聪明才力来解决遗传问题，这岂不是狂妄？世间这种“思而不学”的人正甚多，他们不知道这种凭空构造的“殆”。另外一种通弊是资质较钝而肯用功的人所常犯的。他们一味读死书，古人所说的无论正确不正确，都不分皂白地接受过来，吟咏赞叹，自己毫不用思考求融会贯通，更没有一点冒险的精神，自己去求新发现，这是学而不思，孔子对于这种办法所下的评语是“罔”，意思就是说无用。

学问全是自家的事。环境好、图书设备充足、有良师益友指导启发，当然有很大的帮助。但是这些条件具备不一定能保障一个人在学问上有成就，世间也有些在学问上有成就的人并不具这些条件。最重要的因素是个人自己的努力。学问是一件艰苦的事，许多人不能忍耐它所必经的艰苦。努力之外，第二个重要的因素是认清方向与门径。入手如果走错了路，愈努力则入迷愈深，离题愈远。比如学写字、诗文或图画，一走上庸俗恶劣的路，后来如果想把它丢开,比收覆水还更困难,习惯的力量比什么都较沉重,世上有许多人像在努力做学问,只是陷入“野狐禅”,高自期许而实荒谬绝伦,这个毛病只有良师益友可以挽救。学校教育,在我想,只有两个重要的功用:第一是启发兴趣,其次就是指点门径。现在一般学校不在这两方面努力,只尽量灌输死板的知识。这种教育对于学问不仅无裨益而且是障碍!

谈读书

十几年前我曾经写过一篇短文谈读书，这问题实在是谈不尽，而且这些年来我的见解也有些变迁，现在再就这问题谈一回，趁便把上次谈学问有未尽的话略加补充。

学问不只是读书，而读书究竟是学问的一个重要途径。因为学问不仅是个人的事而是全人类的事，每科学问到了现在的阶段，是全人类分途努力日积月累所得到的成就，而这成就还没有淹没，就全靠有书籍记载流传下来。书籍是过去人类的精神遗产的宝库，也可以说是人类文化学术前进轨迹上的记程碑。我们就现阶段的文化学术求前进，必定根据过去人类已得的成就做出发点。如果抹杀过去人类已得的成就，我们说不定要把出发点移回到几百年前甚至几千年前，纵然能前进，也还是开倒车落伍。读书是要清算过去人类成就的总账，把几千年的人类思想经验在短促的几十年内重温一遍，把过去无数亿万人辛苦获来的知识教训集中到读者一个人身上去受用。有了这种准备，一个人总能在学问途程上作万里长征，去发现新的世界。

历史愈前进，人类的精神遗产愈丰富，书籍愈浩繁，而读书也就愈不易。书籍固然可贵，却也是一种累赘，可以变成研究学问的障碍。它至少有两大流弊。第一，书多易使读者不专精。我国古代学者因书籍难得，皓首穷年才能治一经，书虽读得少，读一部却就是一部，口诵心惟，咀嚼得烂熟，透入身心，变成一种精神的原动力，一生受用不尽。现在书籍易得，一个青年学者就可夸口曾过目万卷，“过目”的虽多，“留心”的却少，譬如饮食，不消化的东西积得愈多，愈易酿成肠胃病，许多浮浅虚骄的习气都由耳食肤受所养成。其次，书多易使读者迷方向。任何一种学问的书籍现在都可装满一图书馆，其中真正绝对不可不读的基本著作往往不过数十部甚至于数部。许多初学者贪多而不务得，在无足轻重的书籍上浪费时间与精力，就不免把基本要籍耽搁了，比如学哲学者尽管看过无数种的哲学史和哲学概论，却没有看过一种柏拉图的《对话集》，学经济学者尽管读过无数种的教科书，却没有看过亚当·斯密的《原富》。做学问如作战，须攻坚挫锐，占住要塞。目标太多了，掩埋了坚锐所在，只东打一拳，西踏一脚，就成了“消耗战”。

读书并不在多，最重要的是选得精，读得彻底。与其读十部无关轻重的书，不如以读十部书的时间和精力去读一部真正值得读的书；与其十部书都只能泛览一遍，不如取一部书精读十遍。“好书不厌百回读，熟读深思子自知”，这两句诗值得每个读书人悬为座右铭。读书原为自己受用，多读不能算是荣誉，少读也不能算是羞耻。少读如果彻底，必能养成深思熟虑的习惯，涵泳优游，以至于变化气质；多读而不求甚解，则如驰骋十里洋场，虽珍奇满目，徒惹得心花意乱，空手而归。世间许多人读书只为装点门面，如暴发户炫耀家私，以多为贵。这在治学方面是自欺欺人，在做人方面是趣味低劣。

读的书当分种类，一种是为获得现世界公民所必需的常识，一种是为做专门学问。为获常识起见，目前一般中学和大学初年级的课程，如果认真学习，也就很够用。所谓认真学习，熟读讲义课本并不济事，每科必须精选要籍三五种来仔细玩索一番。常识课程总共不过十数种，每种选读要籍三五种，总计应读的书也不过五十部左右。这不能算是过奢的要求。一般读书人所读过的书大半不止此数，他们不能得实益，是因为他们没有选择，而阅读时又只潦草滑过。

常识不但是现世界公民所必需，就是专门学者也不能缺少它。近代科学分野严密，治一科学问者多故步自封，以专门为借口，对其他相关学问毫不过问。这对于分工研究或许是必要，而对于淹通深造却是牺牲。宇宙本为有机体，其中事理彼此息息相关，牵其一即动其余，所以研究事理的种种学问在表面上虽可分别，在实际上却不能割开。世间绝没有一科孤立绝缘的学问。比如政治学须牵涉到历史、经济、法律、哲学、心理学以至于外交、军事，等等，如果一个人对于这些相关学问未曾问津，入手就要专门习政治学，愈前进必愈感困难，如老鼠钻牛角，愈钻愈窄，寻不着出路。其他学问也大抵如此，不能通就不能专，不能博就不能约。先博学而后守约，这是治任何学问所必守的程序。我们只看学术史，凡是在某一科学问上有大成就的人，都必定于许多他科学问有深广的基础。目前我国一般青年学子动辄喜言专门，以至于许多专门学者对于极基本的学科毫无常识，这种风气也许是在国外大学作博士论文的先生们所酿成的。它影响到我们的大学课程，许多学系所设的科目“专”到不近情理，在外国大学研究院里也不一定有。这好像逼吃奶的小孩去嚼肉骨，岂不是误人子弟？

有些人读书，全凭自己的兴趣。今天遇到一部有趣的书就把预拟做的事丢开，用全副精力去读它；明天遇到另一部有趣的书，仍是如此办，虽然这两书在性质上毫不相关。一年之中可以时而习天文，时而研究蜜蜂，时而读莎士比亚。在旁人认为重要而自己不感兴味的书都一概置之不理。这种读法有如打游击，亦如蜜蜂采蜜。它的好处在使读书成为乐事，对于一时兴到的著作可以深入，久而久之，可以养成一种不平凡的思路与胸襟。它的坏处在使读者泛滥而无所归宿，缺乏专门研究所必需的“经院式”的系统训练，产生畸形的发展，对于某一方面知识过于重视，对于另一方面知识可以很蒙昧。我的朋友中有专门读冷僻书籍，对于正经正史从未过问的，他在文学上虽有造就，但不能算是专门学者。如果一个人有时间与精力允许他过享乐主义的生活，不把读书当作工作而只当作消遣，这种蜜蜂采蜜式的读书法原亦未尝不可采用。但是一个人如果抱有成就一种学问的志愿，他就不能不有预定计划与系统。对于他，读书不仅是追求兴趣，尤其是一种训练，一种准备。有些有趣的书他须得牺牲，也有些初看很干燥的书他必须咬定牙关去硬啃，啃久了他自然还可以啃出滋味来。

读书必须有一个中心去维持兴趣，或是科目，或是问题。以科目为中心时，就要精选那一科要籍，一部一部地从头读到尾，以求对于该科得到一个赅括的了解，作进一步高深研究的准备。读文学作品以作家为中心，读史学作品以时代为中心，也属于这一类。以问题为中心时，心中先须有一个待研究的问题，然后采关于这问题的书籍去读，用意在搜集材料和诸家对于这问题的意见，以供自己权衡去取，推求结论。重要的书仍须全看，其余的这里看一章，那里看一节，得到所要搜集的材料就可以丢手。这是一般做研究工作者所常用的方法，对于初学不相宜。不过初学者以科目为中心时，仍可约略采取以问题为中心的微意。一书作几遍看，每一遍只着重某一方面。苏东坡与王郎书曾谈到这个方法：

少年为学者，每一书皆作数次读之。当如入海百货皆有，人之精力不能并收尽取，但得其所欲求者耳。故愿学者每一次作一意求之，如欲求古今兴亡治乱圣贤作用，且只作此意求之，勿生余念；又别作一次求事迹文物之类，亦如之。他皆仿此。若学成，八面受敌，与慕涉猎者不可同日而语。

朱子尝劝他的门人采用这个方法。它是精读的一个要诀，可以养成仔细分析的习惯。举看小说为例，第一次但求故事结构，第二次但注意人物描写，第三次但求人物与故事的穿插，以至于对话、词藻、社会背景、人生态度等都可如此逐次研求。

读书要有中心，有中心才易有系统组织。比如看史书，假定注意的中心是教育与政治的关系，则全书中所有关于这问题的史实都被这中心联系起来，自成一个系统。以后读其他书籍如经子专集之类，自然也常遇着关于政教关系的事实与理论，它们也自然归到从前看史书时所形成的那个系统了。一个人心里可以同时有许多系统中心，如一部字典有许多“部首”，每得一条新知识，就会依物以类聚的原则，汇归到它的性质相近的系统里去，就如拈新字贴进字典里去，是人旁的字都归到人部，是水旁的字都归到水部。大凡零星片断的知识，不但易忘，而且无用。每次所得的新知识必须与旧有的知识联络贯串，这就是说，必须围绕一个中心归聚到一个系统里去，才会生根，才会开花结果。

记忆力有它的限度，要把读过的书所形成的知识系统，原本枝叶都放在脑里储藏起，在事实上往往不可能。如果不能储藏，过目即忘，则读亦等于不读。我们必须于脑以外另辟储藏室，把脑所储藏不尽的都移到那里去。这种储藏室在从前是笔记，在现代是卡片。记笔记和做卡片有如植物学家采集标本，须分门别类订成目录，采得一件就归入某一门某一类，时间过久了，采集的东西虽极多，却各有班位，条理井然。这是一个极合乎科学的办法，它不但可以节省脑力，储有用的材料，供将来的需要，还可以增强思想的条理化与系统化。预备做研究工作的人对于记笔记做卡片的训练，宜于早下功夫。

谈英雄崇拜

关于英雄崇拜有两种相反的看法,依一种看法,英雄造时势,人类文化各方面的发端与进展都靠着少数伟大人物去倡导推动,多数人只在随从附和。一个民族有无伟大成就,要看他有无伟大人物,也要看他中间多数民众对于伟大人物能否倾倒敬慕,闻风兴起。卡莱尔在他的名著《英雄崇拜》里大致持这种看法。“世界历史,”他说,“人类在这世界上所成就的事业的历史,骨子里就是在当中工作的几个伟大人物的历史。”“英雄崇拜就是对于伟大人物的极高度的爱慕。在人类胸中没有一种情操比这对于高于自己者的爱慕更为高贵。”尼采的超人主义其实也是一种英雄崇拜主义涂上了一层哲学的色彩。但依另一种看法,时势造英雄,历史的原动力是多数民众,民众的努力造成每时代政教文化各方面的“大势所趋”,而所谓英雄不过顺承这“大势所趋”而加以尖锐化,并没有什么神奇。这是托尔斯泰在《战争与和平》里所提出的主张。他说:“英雄只是贴在历史上的标签,他们的姓名只是历史事件的款识。”有些人根据这个主张而推论到英雄不必受崇拜。从史实看,自从古雅典城时代的群众领袖(demagogue)一直到现代极权国家的独裁者，有不少的事例可证明盲目的英雄崇拜往往酿成极大的灾祸。有些人根据这些事例而推论到英雄崇拜的危险。此外也还有些人以为崇拜英雄势必流于发展奴性，阻碍独立自由的企图，造成政治上的独裁与学术思想上的正统专制，与德谟克拉西精神根本不相容。

就大体说，反对英雄崇拜的理论在现代颇占优势，因为它很合一批不很英雄的人们的口胃。不过在事实上，英雄崇拜到现在还很普遍而且深固，无论带哪一种色彩的人心中都免不掉有几分。托尔斯泰不很看重英雄，而他自己却被许多人当作英雄去崇拜。这是一个很有趣而也很有意义的人生讽刺。社会靠着传统和反抗两种相反的势力演进。无论你站在哪一方壁垒，双方都各有它的理想的斗士，它的英雄；维拥传统者如此，反抗者也是如此。从有人类社会到现在，每时代每社会都有它的英雄，而英堆也都被人崇拜，这是铁一般的事实，没有人能否认的。我们在这里用不着替一个与历史俱久的事实辩护，我们只须研究它的涵义和在人生社会上的可能的功用。

什么叫做“英雄”。牛津字典所给 hero 的字义大要有四：第一是“具有超人的本领，为神灵所默佑者”；其次是“声名煊赫的战士，曾为国争战者”；第三是“其成就及高贵性格为人所景仰者”；最后是“诗和戏剧中的主角”。这四个意义显然是互相关联的。凡是英雄必定是非常人，得天独厚，能人之所难能，在艰危时代能为国家杀敌御侮，在承平时代他的事业和品学也能为民族的楷模，在任何重大事件中，他必是倡导推动者，如戏剧中的主角。他的名称有时不很一致，“圣贤”，“豪杰”，“至人”，所指的都大致相同。

一谈到英雄，大概没有不明了他是什么一种人；可是追问到究竟哪一个人才算是英雄，意见却很难一致。小孩子们看惯侠义小说，心目中的英雄是在峨眉山修炼得道的拳师剑侠；江湖帮客所知道的英雄是《水浒传》里所形容的梁山泊一群好汉和他们帮里的“柁把子”。读书人言必讲周孔，弄武艺的人拜关羽岳飞。古代和近代，中国和西方，所持的英雄标准也不完全一致。仔细研究起来，每种社会，每种阶级，甚至于每个人都各有各的英雄。所以这个意义似很明显的名称所指的究为何种人实在很难确定。

这也并不足为奇。英雄本是一种理想人物。一群人或一个人所崇拜的英雄其实就是他们的或他的人生理想的结晶。人生理想如忠孝节义智仁勇之类都是抽象概念，颇难捉摸，而人类心理习性常倾向于依附可捉摸的具体事例。英雄就是抽象的人生理想所实现的具体事例，他是一幅天然图画，大家都可以指着他向自己说：“像那样的人才是我们所应羡慕而仿效的！”说到英勇，一般人印象也许很模糊，但是一般人都知道崇拜秦皇汉武，或是亚历山大和拿破仑。人人尽管知道忠义为美德，但是要一般人为忠义所感动，千言万语也抵不上一篇岳飞或文天祥的叙传。每个人，每个社会，都有他的特殊的人生理想；很显然的，也就有他的特殊英雄。哲学家的英雄是孔子和苏格拉底，宗教家的英雄是释迦和耶稣，侵略者的英雄是拿破仑，而资本家的英雄则为煤油大王和钢铁大王。行行出状元，就是行行有英雄。

人们所崇拜的英雄尽管不同，而崇拜的心理则无二致。这心理分析起来也很复杂。每个英雄必有确足令人钦佩之点，经得起理智衡量，不仅能引起盲目的崇拜。但是“崇拜”是宗教上的术语，既云崇拜，就不免带有几分宗教的迷信，就不免有几分盲目。英雄尽管有不足崇拜处，可是我们既然崇拜他，就只看得见他的长处，看不见他的短处。“爱而知其恶”就不是崇拜，崇拜是无限制的敬慕，有时甚至失去理性。西谚说：“没有人是他的仆从的英雄。”因为亲信的仆从对主人看得太清楚。古代帝王要“深居简出”，实有一套秘诀在里面。在崇拜的心理中，情感的成分远过于理智的成分。英雄崇拜的缺点在此，因为它免不掉几分盲目的迷信；但是优点也正在此，因为它是敬贤向上心的表现。敬贤向上是人类心灵中最可宝贵的一点光焰，个人能上进，社会能改良，文化能进展，都全靠有它在烛照。英雄常在我们心中煽燃这一点光焰，常提醒我们人性尊严的意识，将我们提升到高贵境界。崇拜英雄就是崇拜他所特有的道德价值。世间只有几种人不能崇拜英雄：一是愚昧者，根本不能辨别好坏；一是骄矜妒忌者，自私的野心蒙蔽了一切，不愿看旁人比自己高一层；一是所谓“犬儒”（cynics），轻世玩物，视一切无足道；最后就是丧尽天良者，毫无人性，自然也就没有人性中最高贵的虔敬心。这几种人以外，任何人都多少可以崇拜英雄，一个人能崇拜英雄，他多少还有上进的希望，因为他还有道德方面的价值意识。

崇拜英雄的情操是道德的，同时也是超道德的。所谓“超道德的”，就是美感的。太史公在《孔子世家》里说：“高山仰止，景行行止，虽不能至，然心焉向往之。”这几句话写英雄崇拜的情绪最为精当。对着伟大人物，有如对着高山大海，使人起美学家所说的“崇高雄伟之感”（sense of the sublime）。依美学家的分析，起崇高雄伟感觉时，我们突然间发现对象无限伟大，无形中自觉此身渺小，不免肃然起敬，栗然生畏，惊奇赞叹，有如发呆；但惊心动魄之余，就继以心领神会，物我同一而生命起交流，我们于不知不觉中吸收融会那一种伟大的气魄，而自己也振作奋发起来，仿佛在模仿它，努力提升到同样伟大的境界。对高山大海如此，对暴风暴雨如此，对伟大英雄也如此。崇拜英雄是好善也是审美。在人生胜境，善与美常合而为一，此其一例。

这种所描写的自然只是极境，在实际上英雄崇拜有深有浅，不一定都达到这种极境。但无论深浅，它的影响都大体是好的。社会的形成与维系都不外借宗教政治教育学术几种“文化”的势力。宗教起于英雄崇拜，卡莱尔已经详论过。世界中最宗教的民族要算希伯来人，读《旧约》的人们大概都明了希伯来也是一个最崇拜英雄的民族。政治的灵魂在秩序组织，而秩序组织的建立与维持必赖有领袖。一个政治团体里有领袖能号召，能得人心悦诚服，政治没有不修明的。极权国家固然需要独裁者，民主国家仍然需要独裁者，无论你给他什么一个名义。至于教育学术也都需要有人开风气之先。假想没有孔墨庄老几个哲人，中国学术思想还留在怎样一个地位！没有柏拉图、亚理斯多德、笛卡儿、康德几个哲人，西方学术思想还留在怎样一个地位！如此等类问题是颇耐人寻思的。俗话有一句说得有趣：“山中无老虎，猴子称霸王。”阮步兵登广武曾发“时无英雄，遂令竖子成名”之叹。一个国家民族到了“猴子称霸王”或是“竖子成名”的时候，他的文化水准也就可想而见了。

学习就是模仿，人是最善于学习的动物，因为他是最善于模仿的动物。模仿必有模型，模型的美丑注定模仿品的好丑，所谓“种瓜得瓜，种豆得豆”。英雄（或是叫他“圣贤”，“豪杰”）是学做人的好模型。所以从教育观点看，我们主张维持一般人所认为过时的英雄崇拜。尤其在青年时代，意象的力量大于概念，与其向他们说仁义道德，不如指点几个有血有肉的具有仁义道德的人给他们看。教育重人格感化，必须是一个具体的人格才真正有感化力。

我们民族中从古至今，做人的好模型委实不少，可惜长篇传记不发达，许多伟大人物都埋在断简残篇里面，不能以全副面目活现于青年读者眼前。这个缺陷希望将来有史家去弥补。

谈交友

人生的快乐有一大半要建筑在人与人的关系上面。只要人与人的关系调处得好,生活没有不快乐的。许多人感觉生活苦恼,原因大半在没有把人与人的关系调处适宜。这人与人的关系在我国向称为“人伦”。在人伦中先儒指出五个最重要的,就是君臣、父子、夫妇、兄弟、朋友。这五伦之中,父子、夫妇、兄弟起于家庭,君臣和朋友起于国家社会。先儒谈伦理修养,大半在五伦上做功夫,以为五伦上面如果无亏缺,个人修养固然到了极境,家庭和国家社会也就自然稳固了。五伦之中,朋友一伦的地位很特别,它不像其他四伦都有法律的基础,它起于自由的结合,没有法律的力量维系它或是限定它,它的唯一的基础是友爱与信义。但是它的重要性并不因此减少。如果我们把人与人中间的好感称为友谊,则无论是君臣、父子、夫妇或是兄弟之中,都绝对不能没有友谊。就字源说,在中西文里“友”字都含有“爱”的意义。无爱不成友,无爱也不成君臣、父子、夫妇或兄弟。换句话说,无论哪一伦,都非有朋友的要素不可,朋友是一切人伦的基础。懂得处友,就懂得处人;懂得处人,就懂得做人。一个人在处友方面如果有亏缺,他的生活不但不能是快乐的，而且也决不能是善的。

谁都知道，有真正的好朋友是人生一件乐事。人是社会的动物，生来就有同情心，生来也就需要同情心。读一篇好诗文，看一片好风景，没有一个人在身旁可以告诉他说："这真好呀！"心里就觉得美中有不足。遇到一件大喜事，没有人和你同喜，你的欢喜就要减少七八分；遇到一件大灾难，没有人和你同悲，你的悲痛就增加七八分。孤零零的一个人不能唱歌，不能说笑话，不能打球，不能跳舞，不能闹架拌嘴，总之，什么开心的事也不能做。世界最酷毒的刑罚要算幽禁和充军，逼得你和你所常接近的人们分开，让你尝无亲无友那种孤寂的风味。人必须接近人，你如果不信，请你闭关独居十天半个月，再走到十字街头在人群中挤一挤，你心里会感到说不出来的快慰，仿佛过了一次大瘾，虽然街上那些行人在平时没有一个让你瞧得上眼。人是一种怪物，自己是一个人，却要显得瞧不起人，要孤高自赏，要闭门谢客，要把心里所想的看成神妙不可言说，"不可与俗人道"，其实隐意识里面唯恐人不注意自己，不知道自己，不赞赏自己。世间最欢喜守秘密的人往往也是最不能守秘密的人。他们对你说："我告诉你你却不要告诉人。"他不能不告诉你，却忘记你也不能不告诉人。这所谓"不能"实在出于天性中一种极大的压迫力。人需要朋友，如同人需要泄露秘密，都由于天性中一种压迫力在驱遣。它是一种精神上的饥渴，不满足就可以威胁到生命的健全。

谁也都知道，朋友对于性格形成的影响非常重大。一个人的好坏，朋友熏染的力量要居大半。既看重一个人，把他当作真心朋友，他就变成一种受崇拜的英雄，他的一言一笑、一举一动都在有意无意之间变成自己的模范,他的性格就逐渐有几分变成自己的性格。同时,他也变成自己的裁判者,自己的一言一笑、一举一动,都要顾到他的赞许或非难。一个人可以蔑视一切人的毁誉,却不能不求见谅于知己。每个人身旁有一个“圈子”,这圈子就是他所尝亲近的人围成的,他跳来跳去,尝跳不出这圈子。在某一种圈子就成为某一种人。圣贤有道,盗亦有道。隔着圈子相视,尧可非桀,桀亦可非尧。究竟谁是谁非,责任往往不在个人而在他所在的圈子。古人说:“与善人交,如入芝兰之室,久而不闻其香;与恶人交,如入鲍鱼之市,久而不闻其臭。”久闻之后,香可以变成寻常,臭也可以变成寻常,而习安之,就不觉其为香为臭。一个人应该谨慎择友,择他所在的圈子,道理就在此。人是善于模仿的,模仿品的好坏,全看模型的好坏,有如素丝,染于青则青,染于黄则黄。“告诉我谁是你的朋友,我就知道你是怎样的一种人。”这句西谚确实是经验之谈。《学记》论教育,一则曰:“七年视论学取友。”再则曰:“相观而善之谓摩。”从孔孟以来,中国士林向奉尊师敬友为立身治学的要道。这都是深有见于朋友的影响重大。师弟向不列于五伦,实包括于朋友一伦里面,师与友是不能分开的。

许叔重《说文解字》谓“同志为友”。就大体说,交友的原则是“同声相应,同气相求”。但是绝对相同在理论与事实都是不可能。“人心不同,各如其面。”这不同亦正有它的作用。朋友的乐趣在相同中容易现出;朋友的益处却往往在相异处才能得到。古人尝拿“如切如磋,如琢如磨”来譬喻朋友的交互影响。这譬喻实在是很恰当。玉石有瑕疵棱角,用一种器具来切磋琢磨它,它才能圆融光润,才能“成器”。人的性格也难免有瑕疵棱角,如私心、成见、骄矜、暴躁、愚昧、顽恶之类，要多受切磋琢磨，才能洗刷净尽，达到玉润珠圆的境界。朋友便是切磋琢磨的利器，与自己愈不同，磨擦愈多，切磋琢磨的影响也就愈大。这影响在学问思想方面最容易见出。一个人多和异己的朋友讨论，会逐渐发现自己的学说不圆满处，对方的学说有可取处，逼得不得不作进一层的思考，这样地对于学问才能逐渐鞭辟入里。在朋友互相切磋中，一方面被"磨"，一方面也在受滋养。一个人被"磨"的方面愈多，吸收外来的滋养也就愈丰富。孔子论益友，所以特重直谅多闻。一个不能有诤友的人永远是愚而好自用，在道德学问上都不会有很大的成就。

好朋友在我国语文里向来叫做"知心"或"知己"，"知交"也是一个习用的名词。这个语言的习惯颇含有深长的意味。从心理观点看，求见知于人是一种社会本能，有这本能，人与人才可免除隔阂，打成一片，社会才能成立。它是社会生命所借以维持的，犹如食色本能是个人与种族生命所借以维持的，所以它与食色本能同样强烈。古人尝以一死报知己，钟子期死后，伯牙不复鼓琴。这种行为在一般人看近似于过激，其实是由于极强烈的社会本能在驱遣。其次，从伦理哲学观点看，知人是处人的基础，而知人却极不易，因为深刻的了解必基于深刻的同情。深刻的同情只在真挚的朋友中才常发现，对于一个人有深交，你才能真正知道他。了解与同情是互为因果的，你对于一个人愈同情，就愈能了解他；你愈了解他，也就愈同情他。法国人有一句成语说："了解一切，就是宽容一切。"(tout comprendre, c'est tout pardonner)。这句话说来像很容易，却是人生的最高智慧，需要极伟大的胸襟才能做到。古今有这种胸襟的只有几个大宗教家，像释迦牟尼和耶稣，有这种胸襟才能谈到大慈大悲；没有它，任何宗教都没有灵魂。修养这种胸襟的捷径是多与人做真正的好朋友，多与人推心置腹，从对于一部分人得到深刻的了解，做到对于一般人类起深厚的同情。从这方面看，交友的范围宜稍广泛，各种人都有最好，不必限于自己同行同趣味的。蒙田在他的论文里提出一个很奇怪主张，以为一个人只能有一个真正的朋友，我对这主张很怀疑。

交友是一件寻常事，人人都有朋友，交友却也不是一件易事，很少人有真正的朋友。势利之交固容易破裂，就是道义之交也有时不免闹意气之争。王安石与司马光、苏轼、程颢诸人在政治和学术上的倾轧便是好例。他们个个都是好人，彼此互有相当的友谊，而结果闹成和世俗人一般的翻云覆雨。交道之难，从此可见。从前人谈交道的话说得很多。例如“朋友有信”，“久而敬之”，“君子之交淡如水”，视朋友须如自己，要急难相助，须知护友之短，像孔子不假盖于悭吝朋友；要劝善规过，但“不可则止，无自辱焉”。这些话都是说起来颇容易，做起来颇难。许多人都懂得这些道理，但是很少人真正会和人做朋友。

孔子尝劝人“无友不如己者”，这话使我很惶惶不安。你不如我，我不和你做朋友，要我和你做朋友，就要你胜似我，这样我才能得益。但是这算盘我会打你也就会打，如果你也这么说，你我之间不就没有做朋友的可能么？柏拉图写过一篇谈友谊的对话，另有一番奇妙议论。依他看，善人无须有朋友，恶人不能有朋友，善恶混杂的人才或许需要善人为友来消除他的恶，恶去了，友的需要也就随之消灭。这话显然与孔子的话有些抵牾。谁是谁非，我至今不能断定，但是我因此想到朋友之中，人我的比较是一个重要问题，而这问题又和善恶问题密切相关。我从前研究美学上的欣赏与创造问题，得到一个和常识不相通的结论，就是：欣赏与创造根本难分，每人所欣赏的世界就是每人所创造的世界，就是他自己的情趣和性格的返照；你在世界中能“取”多少，就看你在你的性灵中能提出多少“与”它，物与我之中有一种生命的交流，深人所见于物者深，浅人所见于物者浅。现在我思索这比较实际的交友问题，觉得它与欣赏艺术自然的道理颇可暗合默契。你自己是什样的人，就会得到什样的朋友。人类心灵尝交感回流。你拿一分真心待人，人也就拿一分真心待你，你所“取”如何，就看你所“与”如何。“爱人者人恒爱之，敬人者人恒敬之。”人不爱你敬你，就显得你自己有损缺。你不必责人，先须返求诸己。不但在情感方面如此，在性格方面也都是如此。友必同心，所谓“心”是指性灵同在一个水准上。如果你我在性灵上有高低，我高就须感化你，把你提高到同样水准；你高也是如此，否则友谊就难成立。朋友往往是测量自己的一种最精确的尺度。你自己如果不是一个好朋友，就绝不能希望得到一个好朋友。要是好朋友，自己须先是一个好人。我很相信柏拉图的“恶人不能有朋友”的那一句话。恶人可以做好朋友时，他在他方面尽管是坏，在能为好朋友一点上就可证明他还有人性，还不是一个绝对的恶人。说来说去，“同声相应，同气相求”那句老话还是对的，何以交友的道理在此，如何交友的方法也在此。交友和一般行为一样，我们应该常牢记在心的是“责己宜严，责人宜宽”。

谈性爱问题

这问题的重要性是无可否认的。圣人说得好:“饮食男女,人之大欲存焉。”许多人的活动和企图,仔细分析起来,多少都与这两种基本的生活要求有直接或间接的关系。整个的人类文化动态也大半围着这两个轴心旋转。单提男女关系来说,没有它,世间就要少去许多纠纷,文艺就要少去一个重要的母题,社会必是另样,历史也必是另样。但是许多人对这样重要的问题偏爱扮面孔,不肯拿它来郑重地谈,郑重地想。已往少数哲学家如卢梭、康德、斯宾诺莎诸人对这问题所发表的议论,依叔本华看,都很肤浅。至于一般人的观念更不免为迷信、偏见和伪善所混乱。许多负教养之责的父母和师长对这问题简直有些畏惧,讳莫如深,仿佛以为男女关系生来是与淫秽相连的,青年人千万沾染不得,最好把他们蒙蔽住。其实你愈不使他们沾染而他们偏愈爱沾染;对这重要问题你想他们安于愚昧,他们就须得偿付愚昧的代价。

从生物学的观点看,这问题本很简单。有生之伦执著最牢固的是生命,最强烈的本能是叔本华所说的生命意志。首先是个体生命。我们挣扎、营求、竭力劳心,都无非是要个体生命在物质方面得到维持、发展、安全、舒适;在精神方面得到真善美诸价值所给的快慰。一切活动的最终目的都在“谋生”。但是个体生命是不能永久执著的,生的尽头都是死。长生不但是一个不能实现的理想,而且也不是一个好理想。你试想:从开天辟地到世界末日,假如老是一代人在活着,世界不就成为一池死水?一代过去了,就有另一代继着来,生生不息,不主故常,所以变化无端,生发无穷。这是造化的巧妙安排。懂得这巧妙,我们就明白种族不朽何以胜似个体长生,种族生命何以重于个体生命,种族生命意志何以强于个体生命意志。男女相悦,说来说去,只是种族生命意志的表现。种族生命意志就是一般人所谓“性欲”。“爱”是一个较好听的名词,凡是男女间的爱都不免带有性欲成分。你尽管相信你的爱是“纯洁的”、“心灵的”、“精神的”,骨子里都是无数亿万年遗传下来的那一点性的冲动在作祟,你要与你所爱的人配合,你要传种。你不敢承认这点,因为你的老祖宗除了遗传给你这一点性的冲动以外,还遗传给你一些相反的力量——关于性爱的“特怖”(taboo),你的脑筋里装满着性爱性交是淫秽的、可羞的、不道德的之类观念。其实,你须得知道:假如这一点性的冲动被阉割了,人道就会灭绝。人除着爱上帝以外,没有另一种心灵活动,比男人爱女人或女人爱男人那一点热忱,更值得叫做“神圣”,因为那是对于“不朽”的希求,是要把人人所宝贵的生命继续不断地绵延下去。

传种的要求驱遣着两性相爱,这是人与禽兽所共同的。但是有两个因素使性爱问题在人类社会中由简单变为很复杂。

第一个因素是社会的。社会所赖以维持的是伦理宗教法律和风俗习惯所酿成的礼法,“男女居室,人之大伦”,没有礼法更不足以维持。关于男女关系的礼法大约起于下列两种。第一是防止争端。性欲是最强烈的本能,而性欲的对象虽有选择,却无限制。一个人可以有许多对象,而许多人也可以同有一个对象。男爱女或不爱,女爱男或不爱。假如一个人让自己的性欲作主,不受任何制裁,“争风”和“逼奸”之类事态就会把社会的秩序弄得天翻地覆。因此每个社会对于男女交接和婚姻都有一套成文和不成文的法典。例如一夫一妻,凭媒嫁娶,尊重贞操,惩处奸淫之类。其次是划清责任。恋爱的正常归宿是婚姻,婚姻的正常归宿是生儿养女,成立家庭。有了家庭就有家庭的责任。生活要维持,子女要教养。性的冲动是飘忽游离的,常要求新花样与新口胃,而家庭责任却需要夫妻固定拘守,“一与之齐,终身不改”。假如一个人随意杂交,随意生儿养女,欲望满足了,就丢开配偶儿女而别开生面,他所丢下来的责任给谁负担呢?在以家庭为中心的社会,这种不负责的行为是不能不受裁制的。世界也有人梦想废除家庭的乌托邦,在那里面男女关系有绝对的自由,但是这恐怕永远是梦想,男女配合的最终目的原来就在生养子女,不在快一时之意;家庭是种族蔓延所必需的暖室,为了快一时之意而忘了那快意行为的最终目的,破坏达到那目的的最适宜的路径那是违反自然的铁律。

因为上述两种社会的力量,人类两性配合不能全凭性欲指使,取杂交方式。他一方面须满足自然需要,一方面也要满足社会需要。自然需要倾向于自由发泄,社会需要却倾向于防闲节制。这种防闲节制对于个体有时不免是痛苦,但就全局着想,有健康的社会生命才能保障个体生命与种族生命。性欲要求原来在绵延种族生命，到了它危害到种族生命所借以保障的社会生命时，它就失去了本来作用，于理是应受制止的。这道理本很浅显，许多人却没有认清，感到社会的防闲节制不方便，便骂“礼教吃人”。极端的个人主义常是极端的自私主义，这是一端。同时，我们自然也须承认社会的防闲节制的方式也有失去它的本来作用的时候。社会常在变迁，甲型社会的礼法不一定适用于乙型社会，一个社会已经由甲型变到乙型时，甲型的礼法往往本着习惯的惰性留存在乙型社会里，有如盲肠，不但无用，甚至发炎生病。原始社会所遗留下来的关于性的“特怖”，如“男女授受不亲”，“女子出门必拥蔽其面”，“望门守节”，孕妇产妇不洁净带灾星之类，在现代已如盲肠，都很显然。

第二个使人类两性问题变复杂的因素是心理的。从个体方面看，异性的寻求、结合、生育都是消耗与牺牲，自私是人类天性，纯粹是消耗牺牲的事是很少有人肯干的。于此造化又有一个很巧妙的安排，使这消耗与牺牲的事带有极大的快感。人们追求异性，骨子里本为传种，而表面上却现得为自己求欲望的满足。恋爱的人们，像叔本华所说的，常在“错觉”(illusion)里过活。当其未达目的时，仿佛世间没有比这更快意的事，到了种子播出去了，回思虽了无余味，而性欲的驱遣却不因此而灭杀其热力，还是源源涌现，挟着排山倒海的力量东奔西窜。它的遭遇有顺有逆，有常有变，纵横流转中与其他事物发生关系复杂微妙至不可想象，而身当其冲者的心理变迁也随之幻化无端。近代有几个著名学者如韦斯特·马克(West Mark)、埃利斯(H. Ellis)、弗洛伊德(Freud)诸人对性爱心理所发表的著作几至汗牛充栋。在这篇短文里我们无法把许多光怪陆离的现象都描绘出来，只能略举数端，以示梗概。

男女相爱与审美意识有密切关系，这是尽人皆知的。我们在这里所指的倒不在男爱女美，女爱男美那一点，因为那很明显，无用申述。我们所指的是相爱相交那事情本身的艺术化。人为万物之灵，虽处处受自然需要驱遣，却时时要超过自然需要而做自由活动，较高尚的企图如文艺宗教哲学之类多起于此。举个浅例来说，盛水用壶是一种自然需要，可是人不以此为足，却费心力去求壶的美观。美观非实用所必需，却是心灵自由伸展所不可无。人在男女关系方面也是如此。男女间事，如果止于禽兽的阶层上，那是极平凡而粗浅的。只须看鸡犬，在交合的那一顷刻间它们服从性欲的驱遣，有如奴隶服从主子之恭顺，其不可逃免性有如命运之坚强，它们简直不是自己的主宰，一股冲动来，就如悬崖纵马，一冲而下，毫不绕弯子，也毫不讲体面。人要把这件自然需要所逼迫的事弄得比较“体面”些，不那样脱皮露骨，于是有许多遮盖，有许多粉饰，有许多作态弄影，旁敲侧击，男女交际间的礼仪和技巧大半是粗俗事情的文雅化，做得太过分了，固不免带着许多虚伪与欺诈；做得恰到好处时，却可以娱目赏心。

实用需要壶盛水，审美意识进一步要求壶的美观，美观与实用在此仍并行不悖。再进一步，壶可以放弃它的实用而成为古董，纯粹的艺术品；如果拿它来盛水，就不免煞风景，男女的爱也有同样的演进。在动物阶层，它只是为生殖传种一个实用目的，继之它成为一种带有艺术性的活动，再进一步它就成为一种纯粹的艺术，徒供赏玩。爱于是与性欲在表面上分为两事，许多人只是“为爱而爱”，就只在爱的本身那一点快乐上流连体会，否认爱还有借肉体结合而传种那一个肮脏的作用。爱于是成为“柏拉图式的”、纯洁的、心灵的、神圣的，至于性欲活动则被视为肉体的、淫秽的、可羞的、尘俗的。这观念的形成始于耶稣教的重灵轻肉，终于十九世纪浪漫派文艺的“恋爱至上”观。这种灵爱与肉爱的分别引起好些人的自尊心，激励成好些思想、文艺和事业上的成就；同时，它也使好些人变成疯狂，养成好些不康健的心理习惯。说得好听一点，它起于性爱的净化或“升华”；说得不好听一点，它是替一件极尘俗的事情挂上一个极高尚的幌子，“金玉其外，败絮其中”。

从这一点，我们可以看出人心怎样爱绕弯子，爱歪曲自然。近代变态心理学所供给的实例更多。它的起因，像弗洛伊德所说的，是自然与文化，性欲冲动与社会道德习俗的冲突。性欲冲动极力伸展，社会势力极力压抑。这冲突如果不得到正常的调整，性欲冲动就不免由意识域压抑到潜意识域，虽是囚禁在那黑狱里，却仍跃跃欲试，冀图破关脱狱。为着要逃避意识的检查，取种种化装。许多寻常行动，如做梦、说笑话、创作文艺、崇拜偶像、虐待弱小，以至于吮指头、露大腿之类，在变态心理学家看，都可以是性欲化装的表现。性欲是一种强大的力量，有如奔流，须有所倾泻，正常的方式是倾泻于异性对象；得不到正常对象倾泻时，它或是决堤而泛滥横流，酿成种种精神病症；或是改道旁驰，起升华作用而致力于宗教、文艺、学术或事功。因此，人类活动——无论是个体的或社会的——几乎没有一件不可以在有形无形之中与性爱发生心理上的关联。

这里所说的只是一个极粗浅的梗概，从这种粗浅的梗概中我们已可以见出人类两性关系问题如何复杂。要得到一个健康的性道德观，我们需要近代科学所供给的关于性爱的各方面知识，一种性知识的启蒙运动。我们一不能如道德学家和清教徒一味抹杀人性，对于性的活动施以过分严厉的裁制，原始时代的“特怖”更没有保留的必要；二不能如浪漫派文艺作者满口讴歌“恋爱至上”，把一件寻常事情捧到九霄云外，使一般神经质软弱的人们悬过高的希望，追攀不到，就陷于失望悲观；三不能如苏联共产党人把恋爱婚姻完全看成个人的私行，与社会国家无关，任它绝对自由，绝对放纵。依我个人的主张，男女间事是一件极家常极平凡的事，我们须以写实的态度和生物学的眼光去看它，不必把它看成神奇奥妙，也不必把它看成淫秽邪僻。我们每个人天生有传种的机能、义务与权利。我们寻求异性，是要尽每个人都应尽的责任。一对男女成立恋爱或婚姻的关系时，只要不妨害社会秩序的合理要求，我们就用不着大惊小怪。这句话中的插句极重要：社会不能没有裁制，而社会的裁制也必须合理。社会的合理裁制是指上文所说的防止争端和划清责任。争婚、逼婚、乱伦、患传染病结婚、结婚而放弃结婚的责任，这些便是法律所应禁止的。除了这几项以外，社会如果再多嘴多舌，说这样是伤风，那样是败俗，这样是淫秽，那样是奸邪，那就要在许多人的心理上起不必要的压抑作用，酿成精神的变态，并且也引起许多人阳奉阴违，面子上仁义道德，骨子里男盗女娼。在人生各方面，正常的生活才是健康的生活，在男女关系方面，正常的路径是由恋爱而结婚，由结婚而生儿养女，把前一代的责任移交给后一代，使种族“于万斯年”地绵延下去。传种以外，结婚者的个人幸福也不应一笔勾销。结婚和成立家庭应该是一件快乐的事，人们就应该在里面希冀快乐，且努力产生快乐。到了夫妻实在不能相容而家庭无幸福可言时，在划清责任的条件之下离婚是道德与法律都应该允许而且提倡的。

谈青年与恋爱结婚

在动物阶层，性爱不成问题，因为一切顺着自然倾向，不失时，不反常，所以也就合理。在原始人类社会，性爱不成为严重的问题，因为大体上还是顺自然倾向的，纵有社会裁制，习惯成了自然，大家也就相安无事。在近代开化的社会，性爱的问题变成很严重，因为自然倾向与社会裁制发生激烈的冲突，失时和反常的现象常发生，伦理的、宗教的、法律的、经济的、社会的关系愈复杂，纠纷愈多而解决愈困难。这困难成年人感觉到很迫切，青年人感觉到尤其迫切。性爱在青年期有一个极大的矛盾：一方面性欲在青年期由潜伏而旺盛，力量特别强烈；一方面种种理由使青年人不适宜于性生活的活动。

先说青年人不适宜于性爱的理由：

一、恋爱的正常归宿是结婚，结婚的正常归宿是生儿养女，成立家庭。青年处学习期，在事业上尚无成就，在经济上未能独立，负不起成立家庭教养子女的责任。恋爱固然可以不结婚，但是性的冲动培养到最紧张的程度而没有正常的发泄，那是违反自然，从医学和心理学观点看，对于身心都有很大的妨害。结婚固然也可以节制生育，但是寻常婚后生活中，子女的爱是夫妻中间一个重要的联系，培养起另一代人原是结婚男女的共同目标与共同兴趣，把这共同目标与共同兴趣用不自然的方法割去了，结婚男女的生活就很干枯，他们的情感也就逐渐冷淡。这对于种族和个人都没有裨益，失去了恋爱与婚姻的本来作用。

二、青年身体发展尚未完全成熟，早婚妨碍健康，尽人皆知；如果生儿养女，下一代人也必定比较羸弱，可以影响到民族的体力，我国已往在这方面吃的亏委实不小。还不仅此，据一般心理学家的观察，性格的成熟常晚于体格的成熟，青年在体格方面尽管已成年，在心理方面往往还很幼稚，男子尤其是如此。在二十余岁的光景，他们心中装满着稚气的幻想，没有多方的人生经验，认不清现实，情感游离浮动，理智和意志都很薄弱，性格极易变动，尤其是缺乏审慎周详的抉择力与判断力，今天做的事明天就会懊悔。假如他们钟情一个女子，马上就会陷入沉醉迷狂状态，把爱的实现看得比世间任何事都较重要；达不到目的，世界就显得黑暗，人生就显得无味，觉得非自杀不可；达到目的，结婚就成了“恋爱的坟墓”，从前的仙子就是现在的手镣脚铐。到了这步田地，他们不是牺牲自己的幸福，就是牺牲别人的幸福。许多有为青年的前途就这样毁去了，让体格性格都不成熟的青年人去试人生极大的冒险，那简直是一个极大的罪孽。

三、人生可分几个时期，每时期有每时期的正当使命与正当工作。青年期的正当使命是准备做人，正当工作是学习。在准备做人时，在学习时，无论是恋爱或结婚都是一种妨害。人生精力有限，在恋爱和结婚上面消耗了一些，余剩可用于学习的就不够。在大学期间结婚的学生成绩必不会顶好,在中学期间结婚的学生的前途决不会有很大的希望。自己还带乳臭,就腼颜准备做父母,还满口在谈幸福,社会上有这现象,就显得它有些病态。恋爱用不着反对,结婚更用不着反对,只是不能“用违其时”。禽兽性生活的优点就在不失时,一生中有一个正当的时期,一年中有一个正当的季节。在人类,正当的时期是壮年,老年人过时,青年人不及时,青年人恋爱结婚,与老年人恋爱结婚,是同样地反常可笑。

假如我们根据这几条理由,就绝对反对青年谈恋爱,是否可能呢?我自己也是过来人,略知此中甘苦,凭自己的经验和对旁人的观察,我可以大胆地说:在三十岁以前,一个人假如不受爱情的搅扰,对男女间事不发生很大的兴趣,专心致志地去做他的学问,那是再好没有的事,他可以多得些成就,少得些苦恼。我还可以说,像这样天真烂漫地过去青春的人,世间也并非绝对没有,而且如果我们认定三十岁左右为正当的结婚年龄,从生物学观点看,这种人也不能算是不自然或不近人情。不过我们也须得承认,在近代社会中,这种浑厚的青年人确实很少,少的原因是在近代生活对于性爱有许多不健康的暗示与刺激,以及教育方面的欠缺。家庭和学校对男女间事绝对不准谈,仿佛这中间事极神秘或是极不体面,有不可告人处。只这印象对儿童们影响就很坏。他们好奇心特别强,你愈想瞒,他们就愈想知道。他们或是从大人方面窥出一些偷偷摸摸的事,或是从一块儿游戏的顽童听到一些淫秽的话。不久他们的性的冲动逐渐发达了,这些不良的种子就在他们心中发芽生枝,好奇心以外又加上模仿本能的活动。他们开始看容易刺激性欲的小说或电影,注意窥探性生活的秘密,甚至想自己也跳到那热闹舞台上去表演。他们年纪轻,正当的对象自无法可得,于是演出种种“性的反常”现象,如同性爱、自性爱、手淫之类。如果他们生在都市里,年纪比较大一点,说不定还和不正当的女人来往。如果他们进了大学,读过一些讴歌恋爱的诗文,看过一些甜情蜜意的榜样,就会觉得恋爱是大学生活中应有的一幕,自己少不得也要凑趣应景,否则即是一个缺陷,一宗耻辱。我们可以说,现在一般青年从幼稚园到大学,沿途所受的性生活的影响都是不健康的,无怪他们向不健康的路径走。

自命为“有心人”的看到这种景象,或是嗟叹世风不古,或是诅咒近代教育,想拿古老的教条来钳制近代青年的活动。世风不古是事实,无用嗟叹,在任何时代,世风都不会“古”的。世界既已演变到现在这个阶段,要想回到男女授受不亲那种状态,未免是痴人说梦。我个人的主张是要把科学知识尽量地应用到性爱问题上面来,使一般人一方面明白它在生物学、生理学和心理学上的意义,一方面也认清它所连带的社会、政治、经济各方面的责任。这问题,像一切其他人生问题一样,可以用冷静的头脑去思索,不必把它摆在一种带有宗教性的神秘氛围里。神秘本身就是一种诱惑,暗中摸索都难免跌跤。

就大体说,我赞成用很自然的方法引导青年撇开恋爱和结婚的路。所谓自然的方法有两种。第一是精力有所发挥,精神有所委托。一个人心无二用,却也不能没有所用。青年人精力最弥满,要他闲着无所用,就难免泛滥横流。假如他在工作里发生兴趣,在文艺里发生兴趣,甚至在游戏运动里发生兴趣,这就可以垄断他的心神,不叫它旁迁他涉。我知道很多青年因为心有所用,很自然地没有走上恋爱的路。第二是改善社交生活，使同情心得到滋养。青年人最需要的是同情，最怕的是寂寞，愈寂寞就愈感觉异性需要的迫切。一般青年追求异性，与其说是迫于性的冲动，毋宁说是迫于同情的需要。要满足这需要，社交生活如果丰富也就够了。一个青年如果有亲热的家庭生活，加上温暖的团体生活，不感觉到孤寂，他虽然还有“遇”恋爱的可能，却无“谋”恋爱的必要。

这番话并非反对男女青年的正常交接，反之，我认为男女社交公开是改善社交生活的一端。愈隔绝，神秘观念愈深，把男女关系看成神秘，从任何观点看，都是要不得的。我虽然赞成叔本华的“男女的爱都是性爱”的看法，却不敢同意王尔德的“男女间只有爱情而无友谊”的看法。因为友谊有深有浅，友谊没有深到变为爱情的程度是常见的。据我个人的观察，青年施受同情的需要虽很强烈，而把同情专注在某一个对象上并不是一个很自然的现象。无论在同性中或异性中，一个人很可能地同时有几个好友。交谊愈广泛，发生恋爱的可能性也就愈少。一个青年最危险的遭遇莫过于向来没有和一个女子有较深的接触，一碰见第一个女子就爱上了她。许多在男女社交方面没有经验的青年却往往是如此，而许多悲剧也就如此酿成。

在男女社交公开中，“遇”恋爱自然很可能，但是危险性比较小，双方对于异性都有较清楚的认识。既然“遇”上了恋爱，一个人最好认清这是一件极自然极平凡而亦极严重的事。他不应视为儿戏，却也不应沉醉在诗人的幻想里，他应该用最写实的态度去应付它。如果“恋爱至上”，他也要从生物学观点把它看成“至上”，与爱神无关，与超验哲学更无关。他就要准备作正常的归宿——结婚,生儿养女和担负家庭的责任。

柏拉图到晚年计划第二“理想国”,写成一本书叫做《法律》,里面有一段话颇有意思,现在译来作本文的结束:

“我们的公民不应比鸟类和许多其他动物都不如,它们一生育就是一大群,不到生殖的年龄却不结婚,维持着贞洁。但是到了适当的时候,雌雄就配合起来,相欢相爱,终身过着圣洁和天真的生活,牢守着它们的原来的合同:——真的,我们应该向他们(公民们)说,你们须比禽兽高明些。”

谈休息

在世界各民族中，我们中国人要算是最能刻苦耐劳的。第一是农人。他们日出而作，日入而息，不分阴晴冷暖，总是硬着头皮，流着血汗，忙个不休。一年之中，他们最多只能在过年过节时歇上三五天，你如果住在乡下，常看他们在炎天烈日下车水拔草，挑重担推重车上高坡，或是拉牵绳拖重载船上急滩，你对他们会起敬心也会起怜悯心，觉得他们虽是人，却在做牛马的工作，过牛马的生活。读书人比较算是有闲阶级，但在未飞黄腾达以前，也要经过一番艰苦的奋斗。从前私塾学生从天亮到半夜，都有规定的课程，休息对于他们是一个稀奇的名词。小学生们只有在先生打瞌睡时偷耍一阵，万一先生不打瞌睡，就只有找借口逃学。从前读书人误会“自强不息”的意思，以为“不息”就是不要休息。十年不下楼，十年不窥园，囊萤刺股，发愤忘食之类的故事在读书人中传为美谈，奉为模范。近代学校教育比从前私塾教育似乎也并不轻松多少。从小学以至大学，功课都太繁重，每日除上六七小时课外还要看课本做练习。世界各国学校上课钟点之多，假期之短少，似没有比得上我们的。

这种刻苦耐劳的精神原可佩服,但是对于身心两方的修养却是极大的危害。最刻苦耐劳的是我们中国人,体格最羸弱而工作最不讲效率的也是我们中国人。这中间似不无密切关系。我们对于休息的重要性太缺乏彻底的认识了。它看来虽似小问题,却为全民族的生命力所关,不能不提出一谈。

自然界事物都有一个节奏。脉搏一起一伏,呼吸一进一出,筋肉一张一弛,以至日夜的更替,寒暑的来往,都有一个劳动和休息的道理在内。草木和虫豸在冬天要枯要眠,土壤耕种了几年之后须休息,连机器输电灯线也不能昼夜不息地工作。世间没有一件事物能在一个状态维持到久远的,生命就是变化,而变化都有一起一伏的节奏,跳高者为着要跳得高,先蹲着很低;演戏者为着造成一个紧张的局面,先来一个轻描淡写;用兵者守如处女,才能出如脱兔;唱歌者为着要拖长一个高音,先须深深地吸一口气。事例是不胜枚举的。世间固然有些事可以违拗自然去勉强,但是勉强也有它的限度。人的力量,无论是属于身或属于心的,到用过了限度时,必定是由疲劳而衰竭,由衰竭而毁灭。譬如弓弦,老是尽量地拉满不放松,结果必定是裂断。我们中国人的生活常像满引的弓弦,只图张的速效,不顾弛的蓄力,所以常在身心俱惫的状态中。这是政教当局所必须设法改善的。

一般人以为多延长工作的时间就可以多收些效果,比如说,一天能走一百里路,多走一天,就可以多走一百里路,如此天天走着不歇,无论走得多久,都可以维持一百里的速度。凡是走过长路的人都知道算盘打得不很精确,走久了不歇,必定愈走愈慢,以至完全走不动。我们走路的秘诀"不怕慢,只怕站",实在只是片面的真理。永远站着固然不行，永远不站也不一定能走得远，不站就须得慢，慢有时延误事机；而偶尔站站却不至于慢，站后再走是加速度的唯一办法。我们中国人做事的通病就在怕站而不怕慢，慢条斯理地不死不活地望前挨，说不做而做着并没有歇，说做却并没有做出什么名色来。许多事就这样因循耽误了。我们只讲工作而不讲效率，在现代社会中，不讲效率，就要落后。西方各国都把效率看作一个迫切的问题，心理学家对这问题做了无数的实验，所得的结论是以同样时间去做同样工作，有休息的比没有休息的效率大得多。比如说，一长页的算学加法习题，继续不断地去做要费两点钟，如果先做五十分钟，继以二十分钟的休息，再做五十分钟，也还可以做完，时间上无损失而错误却较少。西方新式工厂大半都已应用这个原则去调节工作和休息的时间，结果工人的工作时间虽然少了，雇主的出品质量反而增加了。一般人以为休息是浪费时间，其实不休息的工作才真是浪费时间。此外还有精力的损耗更不经济。拿中国人与西方人相比，可工作的年龄至少有二十年的差别，我们到五六十岁就衰老无能为，他们那时还正年富力强，事业刚开始，这分别有多大！

休息不仅为工作蓄力，而且有时工作必须在休息中酝酿成熟。法国大数学家潘嘉赉研究数学上的难题，苦思不得其解，后来跑到街上闲逛，原来费尽气力不能解决的难题却于无意中就轻轻易易地解决了。据心理学家的解释，有意识作用的工作须得退到潜意识中酝酿一阵，才得着土生根。通常我们在放下一件工作之后，表面上似在休息，而实际上潜意识中那件工作还在进行，詹姆斯有“夏天学溜冰，冬天学泅水”的比喻，溜冰本来是前冬练习的，今夏无冰可溜，自然就想不到溜冰，算是在休息，但是溜冰的筋肉技巧却恰巧此时凝固起来。泅水也是如此，一切学习都如此。比如我们学写字，用功甚勤，进步总是显得很慢，有时甚至越写越坏。但是如果停下一些时候再写，就猛然觉得字有进步。进步之后又停顿，停顿之后又进步，如此辗转多次，字才易写得好。习字需要停顿，也是因为要有时间让筋肉技巧在潜意识中酝酿凝固。习字如此，习其他技术也是如此。休息的工夫并不是白费的，它的成就往往比工作的成就更重要。

《佛说四十二章经》里有一段故事，戒人为学不宜操之过急，说得很好："沙门夜诵迦叶佛教遗经，其声悲紧，思悔欲退。佛问之曰：'汝昔在家，曾为何业？'对曰：'爱弹琴。'佛言：'弦缓如何？'对曰：'不鸣矣。''弦急如何？'对曰：'声绝矣。''急缓得中如何？'对曰：'诸音普矣。'佛言：'沙门学道亦然。心若调适，道可得矣。于道若暴，暴即身疲；其身若疲，意即生恼；意若生恼，行即退矣。'"我国先儒如程朱诸子教人为学，亦常力戒急迫，主张"优游涵泳"。这四字含有妙理，它所指的功夫是猛火煎后的慢火煨，紧张工作后的潜意识的酝酿。要"优游涵泳"，非有充分休息不可。大抵治学和治事，第一件要事是清明在躬，从容而灵活，常做得自家的主宰，提得起也放得下。急迫躁进最易误事。我有时写字或作文，在意兴不佳或微感倦怠时，手不应心，心里愈想好，而写出来的愈坏，在此时仍不肯丢下，带着几分气忿的念头勉强写下去，写成要不得就扯去，扯去重写仍是要不得，于是愈写愈烦躁，愈烦躁也就写得愈不像样。假如在发现神志不旺时立即丢开，在乡下散步，吸一口新鲜空气，看看蓝天绿水，陡然间心旷神怡，回头来再伏案做事，便觉精神百倍，本来做得很艰苦而不能成功的事，现在做起来却有手挥目送之乐，轻轻易易就做成了。不但作文写字如此，要想任何事做得好，做时必须精神饱满，工作成为乐事。一有倦怠或烦躁的意思，最好就把它搁下休息一会儿，让精神恢复后再来。

人须有生趣才能有生机。生趣是在生活中所领略得的快乐，生机是生活发扬所需要的力量。诸葛武侯所谓"宁静以致远"就包含生趣和生机两个要素在内，宁静才能有丰富的生趣和生机，而没有充分休息做优游涵泳的功夫的人们决难宁静。世间有许多过于辛苦的人，满身是尘劳，满腔是杂念，时时刻刻都为环境的需要所驱遣，如机械一般流转不息，自己做不得自己的主宰，呆板枯燥，没有一点生人之趣。这种人是环境压迫的牺牲者，没有力量抬起头来驾驭环境或征服环境，在事业和学问上都难有真正的大成就。我认识许多穷苦的农人，孜孜不辍的老学究和一天在办公室坐八小时的公务员，都令我起这种感想。假如一个国家里都充满着这种人，我们很难想象出一个光明世界来。

基督教的《圣经》叙述上帝创造世界的经过，于每段工作完成之后都赘上一句说："上帝看看他所做的事，看，每一件都很好！"到了第七天，上帝把他的工作都完成了，就停下来休息，并且加福于这第七天，因为在这一天他能够休息。这段简单的文字很可耐人寻味。我们不但需要时间工作，尤其需要时间对于我们所做的事回头看一看，看出它很好；并且工作完成了，我们需要一天休息来恢复疲劳的精神，领略成功的快慰。这一天休息的日子是值得"加福的"，"神圣化的"（《圣经》里所用的字是 blessed and sanctified）。在现代紧张的生活中，我们"车如流水马如龙"地向前直滚，曾不留下一点时光作一番静观和回味，以至华严世相都在特别快车的窗子里滑了过去，而我们也只是轮回戏盘中的木人木马，有上帝的榜样在那里而我们不去学，岂不是浪费生命！

我生平最爱陶渊明在《自祭文》里所说的两句话："勤靡余劳，心有常闲。"上句是尼采所说的狄俄倪索斯的精神，下句即是阿波罗的精神。动中有静，常保存自我主宰，这是修养的极境，人事算尽了，而神仙福分也就在尽人事中享着。现代人的毛病是"勤有余劳，心无偶闲"。这毛病不仅使生活索然寡味，身心俱惫，于事劳而无功，而且使人心地驳杂，缺乏冲和弘毅的气象，日日困于名缰利锁，叫整个世界日趋于干枯黑暗。但丁描写魔鬼在地狱中受酷刑，常特别着重"不停留"或"无间断"的字样。"不停留"、"无间断"自身就是一种惩罚，甘受这种惩罚的人们是甘愿人间成为地狱，上帝的子孙们，让我们跟着他的榜样，加福于我们工作之后休息的时光啊！

谈消遣

身和心的活动都有有节奏的周期，这周期的长短随各人的体质和物质环境而有差异。在周期限度之内，工作有它的效果，也有它的快慰。过了周期限度，工作就必产生疲劳，不但没有效果，而且成为苦痛。到了疲劳，就必定有休息，才能恢复工作的效果。这道理极浅，无用深谈。休息的方式甚多，最理想而亦最普遍的是睡眠。在睡眠中生理的功能可以循极自然的节奏进行，各种筋肉虽仍在活动，却不需要紧张的注意力，也没有工作情境需要所加的压迫，它的动作是自由的、自然的、不费力的、倾向弛懈的。一个人如果每天在工作疲劳之后能得到充分时间的熟睡，比任何养生家的秘诀都灵验。午睡尤其有效。午睡醒了，午后又变成了清晨，一日之中就有两度的朝气。西方有些中小学里，时间表内有午睡的规定，那是很合理的。我国的理学家和各派宗教家于睡眠之外练习静坐。静坐可以使心境空灵，生理功能得到人为的调节，功用有时比睡眠更大。但是初习静坐需要注意力的控制，有几分不自然，不易成为恒久的习惯，而且在近代生活状况之下，静坐的条件不易具备，所以它不能很普遍。

睡眠与静坐都不能算是完全的休息,因为许多生理的功能照旧在进行。严格地说,生物在未死以前决不能有完全的休息。有生气就必有活动,“活”与“动”是不可分的。劳而不息固然是苦,息而不劳尤其是苦。生机需要修养,也需要发泄。生机旺而不泄,像春天的草木萌芽被砖石压着,或是把压力推开,冲吐出来,或是变成拳曲黄瘦,失去自然的形态。心理学家已经很明白地指示出来:许多心理的毛病都起于生机不得正当的发泄。从一般生物的生活看,精力的发泄往往同时就是精力的蓄养。人当少壮时期,精力最弥满,需要发泄也就愈强烈,愈发泄,精力也就愈充足。一个生气蓬勃的人必定有多方的兴趣,在每方面的活动都比常人活跃,一个人到了可以索然枯坐而不感觉不安时,他必定是一个行将就木的病夫或老者。如果他们在健康状态中,需要活动而不得活动,他必定感到愁苦抑郁。人生最苦的事是疾病幽囚,因为在疾病幽囚中,他或是失去了精力,或是失去了发泄精力的自由。

精力的发泄有两种途径:一是正当工作,一是普通所谓消遣,包含各种游戏运动和娱乐在内。我们不能用全副精力去工作,因为同样的注意方向和同样的筋肉动作维持到相当的限度,必定产生疲劳,如上所述。人的身心构造是依据分工合作原理的。对于各种工作我们都有相当的一套机器,一种才能和一副精力。比如说,要看有眼,要听有耳,要走有脚,要思想有头脑。我们运用眼的时候,耳可以休息,运用脑的时候,脚可以休息。所以在专用眼之后改着去用耳,或是在专用脑之后改着去用脚,我们虽然仍旧在活动,所用以活动的只是耳或脚,眼或脑就可以得到休息了。这种让一部分精力休息而另一部分精力活动的办法在西文中叫做 diversion，可惜在中文里没有恰当的译名。这也足见我们没有注意到它的重要。它的意义是“转向”，工作方面的“换口味”，精力的侧出旁击。我们已经说过，生物不能有完全的休息，普通所谓休息，除睡眠以外，大半是 diversion，这种“换口味”的办法对于停止的活动是精力的蓄养，对于正在进行的另一活动是精力的发泄。它好比打仗，一部分兵力上前线，另一部分兵力留在后面预备补充。全体的兵力都上了前线，难乎为继；全体的兵力都在后方按兵不动，过久也会疲老无用，仗自然更打不起来。

更番瓜代仍是精力的最经济最合理的支配，无论是在军事方面或是在普通生活方面。更番瓜代有种种方式。普通读书人用脑的机会比较多，最好常在用脑之后作一番筋肉活动，如散步打球栽花做手工之类，一方面可以使脑得休息而恢复疲劳，一方面也可以破除同一工作的单调，不致发生厌闷。卢梭谈教育，主张学生多习手工，这不但因为手工有它的特殊的教育功效，也因为用手对于用脑是一种调节。大哲学家斯宾诺莎于研究哲学之外，操磨镜的职业，这固然是为着生活，实在也很合理，因为两种性质相差很远的工作互相更换，互为上文所说的 diversion，对于心身都有好影响。就生活理想说，劳心与劳力应该具备于一身，劳力的人绝对不劳心固然变成机械，劳心的人绝对不劳力也难免文弱干枯。现在劳心与劳力成为两种相对峙的阶级，这固然是历史与社会环境所造成的事实，但是我们应该不要忘记它并不甚合理。在可能范围之内，我们应该求心与力的活动能调节适中。我个人很羡慕中世纪欧洲僧院的生活，他们一方面诵经钞书画画而且作很精深的哲学研究，一方面种地砍柴酿酒织布。我尝想到我们的学校在这个经济凋惫之际为什么不想一个自给自足的办法，有系统有计划地采行半工半读制？这不仅是从经济着眼，就从教育着眼，这也是一种当务之急。大部分学生来自田间，将来纵不全数回到田间，也要走进工厂或公务机关；如果在学校里只养成少爷小姐的心习，全不懂民生疾苦，他们决难担负现时代的艰巨责任。当然，本文所说的劳心与劳力的调剂也是一个重要的理由。

不同性质的工作更番瓜代，固可以收到调剂和休息的效用，可是一个人不能时时刻刻都在工作，事实上没有这种需要，而且劳苦过度，工作也变成一种苦事，不能有很大的效率。我们有时须完全放弃工作，做一点无所为而为的活动，享受一点自由人的幸福。工作都有所为而为，带有实用目的；无所为而为，不带实用目的活动，都可以算作消遣。我们说“消遣”，意谓“混去时光”，含义实在不很好；西方人说“转向”（diversion），意谓“把精力朝另一方面去用”，它和工作同称为 occupation，比较可以见出消遣的用处。所谓 occupation 无恰当中文译词，似包含“占领”和“寄托”二义。在工作和消遣时，都有一件事物“占领”着我们的身心，而我们的身心也就“寄托”在那一件事物里面。身心寄托在那里，精力也就发泄在那里。拉丁文有一句成语说：“自然厌恶空虚。”这句话近代科学仍奉为至理名言。在物理方面，真空固不易维持，一有空隙，就有物来占领；在心理方面，真空虽是一部分宗教家（如禅宗）的理想，在实际上也是反乎自然而为自然所厌恶。我们都不愿意生活中有空隙，都愿常有事物“占领”着身心，没有事做时须找事做，不愿做事时也不甘心闲着，必须找一点玩意儿来消遣，否则便觉得厌闷苦恼。闲惯了，闷惯了，人就变干枯无生气。

消遣就是娱乐，无可消遣当然就是苦闷。世间欢喜消遣的人，无论他们的嗜好如何不同，都有一个共同点，就是他们必都有强旺的生活力，运动家和艺术家如此，嫖客赌徒乃至于烟鬼也是如此。他们的生活力强旺，发泄的需要也就跟着急迫。他们所不同者只在发泄的方式。这有如大水，可以灌田、发电或推动机器，也可以泛滥横流，淹毙人畜草木。同是强旺的生活力，用在运动可以健身，用在艺术可以怡情养性，用在吃喝嫖赌就可以劳民伤财，为非作歹。“浪子回头是个宝”，也就是这个道理。所以消遣看来虽似末节，却与民族性格国家风纪都有密切关系。一个民族兴盛时有一种消遣方式，颓废时又有另一种消遣方式。古希腊罗马在强盛时，人民都欢喜运动、看戏、参加集会，到颓废时才有些骄奢淫逸的玩意儿如玩娈童看人兽斗之类。近代条顿民族多欢喜户外运动，而拉丁民族则多消磨时光于咖啡馆与跳舞厅。我国古代民族娱乐花样本极多，如音乐、跳舞、驰马、试剑、打猎、钓鱼、斗鸡、走狗等都含有艺术意味或运动意味。后来士大夫阶级偏嗜琴棋书画，虽仍高雅，已微嫌侧重艺术，带有几分“颓废”色彩。近来“民族形式”的消遣似只有打麻将、坐茶馆、吃馆子、逛窑子几种。对于这些玩意儿不感兴趣的人们除着做苦工之外，就只有索然枯坐，不能在生活中领略到一点乐趣。我经过几个大学和中学，看见大部分教员和学生终年没有一点消遣，大家都喊着苦闷，可是大家都不肯出点力把生活略加改善，提倡一些高级趣味的娱乐来排遣闲散时光。从消遣一点看，我们可以窥见民族生命力的低降。这是一个很危险的现象。它的原因在一般人不明了消遣的功用，把它太看轻了。

其实这事并不能看轻。柏拉图计划理想国的政治，主张消遣娱乐都由国法规定。儒家标六艺之教，其中礼乐射御四项都带有消遣娱乐意味，只书数两项才是工作。孔子谈修养，“居于仁”之后即继以“游于艺”，这足见中西哲人都把消遣娱乐看得很重，梁任公先生有一文讲演消遣，可惜原文不在手边，记得大意是反对消遣浪费时光。他大概有见于近来我国一般消遣方式趣味太低级。但我们不能因噎废食。精力必须发泄，不发泄于有益身心的运动和艺术，便须发泄于有害身心的打牌、抽烟、喝酒、逛窑子。我们要禁绝有害身心的消遣方式，必须先提倡有益身心的消遣方式。比如水势须决堤泛滥，你不愿它决诸东方，就必须让它决诸西方，这是有心政治与教育的人们所应趁早注意设法的。要复兴民族，固然有许多大事要做，可是改善民众消遣娱乐，也未见得就是小事。

谈体育

理想的教育应以发展全人为鹄的。全人包括身心两方面,修养也应同时顾到这两方面。心的修养包含智育德育美育三项,相当于知情意三种心理机能。身的修养即通常所谓体育。近来我们的教育对于心的修养多偏重智育,德育与美育多被忽视。这种畸形的发展酿成一般人的道德堕落与趣味低下,已为共见周知的事实。至于体育更是落后。学校虽设有体育这门功课,大半是奉行公事,体育教员一向被轻视,学生不注意体育可不致影响升级和毕业,学校在体育设备上花的费用在整个预算上往往不及百分之一。如果你把身心的重要看作平等,把心的方面知情意三种机能的重要也看作平等,再把目前教育状况衡量一下,就可以想到我们的教育的不完善到了什么一个程度。德育和美育至少在理论上还有人在提倡,体育则久已降于不议不论之列了。体育所以落到这种无足轻重的地位,大半因为一般人根本误认体肤没有心灵那么高贵,一部分宗教家和哲学家甚至把体肤看成心灵的迷障,要修养心灵须先鄙弃体肤的需要。我们崇拜甘地,仿佛以为甘地成就他的特殊精神,就与他的身体瘦弱有关,身体不瘦弱,就不能成圣证道。

这种错误的观念不破除，我们根本不能谈体育。

生命是有机的，身与心虽可分别却不可割裂；没有身就没有心，身体不健全，心灵就不会健全。这道理可以分几点来说。

第一，身体不健全，聪明智慧不能发展最高度的效能。我们中国民族的聪明智慧并不让西方人，但是在学问事业方面的造就，我们常常赶不上他们。原因固然很多，身体羸弱是最重要的一种。普通欧美人士说："生命从四十岁开始。"他们到了五六十岁时，还是血气方刚，还有二三十年可以在学问事业方面努力。但是普通中国人到了四十岁以后，精力就逐渐衰惫，在西方人正是奋发有为的时候，我们已宣告体力的破产，作告老退休的打算。在普通西方人，头三四十年只是训练和准备的时期，后三四十年才可以谈到成就与收获；在我们中国人，刚过了训练和准备的时期，可用的精力就渐就耗竭，犹如果子未成熟就萎落，如何能谈到成就与收获呢？无论是读书、写字、做文章、演说、打仗或是办事，必须精力弥满，才可以好。尤其是做比较重大的工作，我们需要持久的努力，要能挣扎到底，维持最后五分钟的奋斗。我们做事，往往开头很起劲，以后越做越觉得精力不济，那最后五分钟最难挨过，以致功亏一篑。这就由于身体羸弱，生活力不够。

其次，身体羸弱可以影响到性情和人生观。我常分析自己，每逢性情暴躁，容易为小事动气时，身体方面总有些毛病，如头痛牙痛胃痛之类；每逢心境颓唐，悲观厌世时，大半精疲力竭，所能供给的精力不够应付事物的要求，这在生病或失眠时最易发生。在睡了一夜好觉之后，清晨爬起来，觉得自己生气蓬勃，心里就特别畅快，对人也就特别和善。我仔细观察我所常接触的人，发现体格与心境的密切关系是很普遍的。我没有看见一个真正康健的人为人不和善,处事不乐观;也没有看见一个愁眉苦脸的人在身体方面没有丝毫缺陷。我们中国青年中许多人都悲观厌世,暮气沉沉,我敢说这大半是身体不健康的结果。

第三,德行的亏缺大半也可归原到身体的羸弱。西谚说:“健全精神宿于健全身体。”这句话的意味实在深长。我常分析中国社会的病根,觉得它可以归原到一个字——懒。懒,所以萎靡因循,遇应该做的事拿不出一点勇气去做;懒,所以马虎苟且,遇不应该做的事拿不出一点勇气去决定不做;懒,于是对一切事情朝抵抗力最低的路径走,遇事偷安取巧,逐渐走到人格的堕落。懒的原因在哪里呢?懒就是物理学上的惰性,由于动力的缺乏,换言之,由于体力的虚弱。比如机器要产生动力,必须开足马达,要开足马达,必须电力强大。身体好比马达,生活力就是电力,而努力所需要的坚强意志就是动力,生活力不旺——这就是说,体力薄弱——身体那一个马达就开不动,努力所需要的动力就无从产生。所以精神的破产毕竟起于身体的破产。

生命是一种无底止的奋斗。一个士兵作战,一个学者研究学问,或是一个普通公民勇于尽自己的职责,向一切恶引诱说一个坚决的“不”字,向一切应做的事说一个坚决的“干”字,都需要一番斗争的精神,一股蓬勃的生活力。我们多数民众所最缺乏的就是这奋斗所必需的生活力,尤其在这抗建时代,我们必须彻底认识这种缺乏的严重性,极力来弥补它。我们慢些谈学问,慢些谈道德,慢些谈任何事功,第一件要事先把身体这个机器弄得坚强结实。

要补救我们民族体格的羸弱,必先推求羸弱的病因,然后对症下药。一般人都知道一些健身的方法和道理,例如营养适宜,衣食住清洁,生活有规律,运动休息得时之类。我们中国人体格羸弱,大半由于对这些健康的基本条件没有十分注意,这是谁都会承认的。但是我以为这些条件固然重要,却都是后天的培养,最重要的还是先天的基础。比如动植物的繁殖,在同样的后天环境之下,种子好的比种子差的较易于发育茁壮。哈巴狗总不能长成狮子狗,任凭你怎样去饲养。我知道许多人一辈子注意卫生,一辈子仍是不很强壮,就吃亏在先天不足;我也知道许多人一辈子不知道什么叫做卫生,可是身体依然是坚实,他们生来就有一副铜筋铁骨。因此,我想到在体格方面,先天的基础好,比任何谨慎的后天的培养都要强;我们要想改变民族的体质,第一步要务是彻底地研究优生。在身体方面的优生,有三个要点必须注意。一、男女配合必须在发育完成之后,早婚必须绝对禁止。二、选择配偶的标准必须把身体强健放在第一位。我们应特别奖励强壮的男子配强壮的女子。已往男择女要林黛玉那样弱不禁风,工愁善病;女择男要潘安那样白面书生,风度儒雅。这种传统的理想必须打破。三、妇女在妊孕期内必须有极合理的调养,在生产后至少在三年之内须节制妊孕。先天的基础,母亲要奠立一大半,母亲的健康比父亲的更为重要。现在一般母亲在妊孕期劳作过度,营养不充分,而妊孕期的周率又太频繁,一年生产一次几是常事。这一点影响民族体格的健康比其他一切因素都较严重。以上三点体格优生要义我们必须灌注到每一个公民的头脑里去,在必要时,我们最好能用政府的力量帮助人民去切实施行。

至于后天的培养用不着多说,一般人都知道一些卫生常识。

第一是营养必须适宜。目前物价昂贵，一般青年们正当发育的年龄，不能得到最低限度的营养，以致危害到健康。这是一个很严重的现象，政教当局必须彻底认识，急图补救。其次是生活必须有规律，起居饮食，劳作休息，都须有一定的时候，一定的分量，一定的节奏。在这一点，我们中国人的习惯很差。迟睡晚起，打牌可以打连宵，平时饮食不够营养的标准，进馆子就得把肚皮胀破，劳作者整天不得休息，游手好闲者整天不做工作，如此等类的毛病都是酿成民族羸弱的因素。单就青年说，目前各学校的功课都太繁重，营养所产生的力量过少，功课担负所要求的力量过多，供不应求，逼成虚耗。这也是一个很严重的现象。要教育合理化，各级学校的课程必须尽量裁汰。第三是心境要宽和冲淡，少动气，少存杂念。我国古代养生家素来特重这一点，所以说："养生莫善于寡欲。"我们近代人对此点似多认为陈腐，其实这很可惜。近代社会复杂，刺激特多，愈近于文明，愈远于自然，处处都是扰乱心志的事物，就是处处逼我们打消耗战。我们必须淡泊宁静，以逸待劳。这不但可以养生，也可以使学问事业得到较大的成就。

如果做到上面几点，我相信一个人不会不康健。康健的生活是正常的自然的。健康的最大秘诀就在使生活是正常的自然的。近代人谈体育，多专指运动，其实专就健康而言，运动是体育的下乘节目。运动的要义在使血液流通，筋肉平均发展，脑筋与筋肉互换劳息。这三点在普通劳作方面也可以办到。自然人都很健康，除渔猎耕作及舞蹈以外，别无所谓运动，而身体却大半很强健。不过运动确也有不能用普通劳作代替的地方。第一，它是比较地科学化，顾到全身筋肉脉络的有系统的调摄和锻炼。在近代社会中分工细密,许多人只用一部分筋肉去劳作,有系统的运动实为必要。第二,运动带有团体娱乐的意味,是群育的最好工具。在中国古代,射以观德;近代西方人也说运动可以养成“公平游艺”(fair play),一个公平正直的人有“运动家的风度”(sportsmanship)。要训练合作互助,尊重纪律的精神,最好的场所是运动场。威灵顿说:“滑铁卢的胜仗,是在义敦和哈罗两校运动场上打来的。”就是因为这个道理。从这两点说,我们急须提倡运动。不过已往饲养选手替学校争门面的办法必须废除。运动必须由学校推广到全社会,成为每个人日常生活中一个节目,如吃饭睡觉一样,它才能于全民族的健康有所补助。

谈价值意识

——“物有本末，事有终始，知所先后，则近道矣。”

我初到英国读书时，一位很爱护我的教师——辛博森先生——写了一封很恳切的长信，给我讲为人治学的道理，其中有一句话说：“大学教育在使人有正确的价值意识，知道权衡轻重。”于今事隔二十余年，我还很清楚地记得这句看来颇似寻常的话。在当时，我看到了有几分诧异，心里想：大学教育的功用就不过如此么？这二三十年的人生经验才逐渐使我明白这句话的分量。我有时虚心检点过去，发现了我每次的过错或失败都恰是当人生歧路，没有能权衡轻重，以致去取失当。比如说，我花去许多功夫读了一些于今看来是值不得读的书，做了一些于今看来是值不得做的文章，尝试了一些于今看来是值不得尝试的事，这样地就把正经事业耽误了。好比行军，没有侦出要塞，或是侦出要塞而不尽力去击破，只在无战争重要性的角落徘徊摸索，到精力消耗完了还没碰着敌人，这岂不是愚蠢？

我自己对于这种愚蠢有切身之痛，每衡量当世人物，也欢喜审察他们有没有犯同样的毛病。有许多在学问思想方面极为我所敬佩的人，希望本来很大，他们如果死心塌地做他们的学问，成就必有可观。但是因为他们在社会上名望很高，每个学校都要请他们演讲，每个机关都要请他们担任职务，每个刊物都要请他们做文章，这样一来，他们不能集中力量去做一件事，用非其长，长处不能发展，不久也就荒废了。名位是中国学者的大患。没有名位去挣扎求名位，旁驰博骛，用心不专，是一种浪费；既得名位而社会视为万能，事事都来打搅，惹得人心花意乱，是一种更大的浪费。“古之学者为己，今之学者为人。”在“为人”“为己”的冲突中，“为人”是很大的诱惑。学者遇到这种诱惑，必须知所轻重，毅然有所取舍，否则随波逐流，不旋踵就有没落之祸。认定方向，立定脚跟，都需要很深厚的修养。

“正其谊不谋其利，明其道不计其功”，是儒家在人生理想上所表现的价值意识。“学也禄在其中”，既学而获禄，原亦未尝不可；为干禄而求学，或得禄而忘学便是颠倒本末。我国历来学子正坐此弊。记得从前有一个学生刚在中学毕业，他的父亲就要他做事谋生，有友人劝阻他说：“这等于吃稻种。”这句聪明话可表现一般家长视教育子弟为投资的心理。近来一般社会重视功利，青年学子便以功利自期，入学校只图混资格作敲门砖，对学问没有浓厚的兴趣，至于立身处世的道理更视为迂阔而远于事情。这是价值意识的混乱。教育的根基不坚实，影响到整个社会风气以至于整个文化。轻重倒置，急其所应缓，缓其所应急，这种毛病在每个人的生活上，在政治上，在整个文化动向上都可以看见。近来我看了英人贝尔的《文化论》（Clive Bell, *Civilization*），其中有一章专论价值意识为文化要素，颇引起我的一些感触。贝尔专从文化观点立论，我联想到“价值意识”在人生许多方面的意义。这问题值得仔细一谈。

自然界事物纷纭错杂，人能不为之迷惑，赖有两种发现，一是条理，一是分寸。条理是联系线索，分寸是本末轻重。有了条理，事物才能分别类居，不相杂乱；有了分寸，事物才能尊卑定位，各适其宜。条理是横面上的秩序，分寸是纵面上的等差。条理在大体上是纯理活动的产品，是偏于客观的；分寸的鉴别则有赖于实用智慧，常为情感意志所左右，带有主观的成分。别条理，审分寸，是人类心灵的两种最大的功能。一般自然科学在大体上都是别条理的事，一般含有规范性的学术如文艺伦理政治之类都是审分寸的事。这两种活动有时相依为用，但是别条理易，审分寸难。一个稍有逻辑修养的人大半能别条理，审分寸则有待于一般修养。它不仅是分析，而且是衡量，不仅是知解，而且是抉择。“厩焚，子退朝，曰‘伤人乎？’不问马”这件事本很琐细，但足见孔子心中所存的分寸，这种分寸是他整个人格的表现。

所谓审分寸，就是辨别紧要的与琐屑的，也就是有正确的价值意识。“价值”是一个哲学上的术语，有些哲学家相信世间有绝对价值，永住常在，不随时空及人事环境为转移，如康德所说的道德责任，黑格尔所说的永恒公理。但是就一般知解说，价值都有对待，高下相形，美丑相彰，而且事物自身本无价值可言，其有价值，是对于人生有效用，效用有大小，价值就有高低。这所谓“效用”自然是指极广义的，包含一切物质的和精神的实益，不单指狭义功利主义所推崇的安富尊荣之类。作为这样的解释，价值意识对于人生委实是重要。人生一切活动，都各追求一个目的，我们必须先估定这目的有无追求的价值。如果根本没有价值而我们去追求，或只追求较低的价值，我们就打错了算盘，没有尽量地享受人生最大的好处。有正确的价值意识，我们对于可用的力量才能作最经济的分配，对于人生的丰富意味才能尽量榨取。人投生在这个世界里如入珠宝市，有任意采取的自由，但是货色无穷，担负的力量不过百斤。有人挑去瓦砾，有人挑去钢铁，也有人挑去珠玉，这就看他们的价值意识如何。

价值意识的应用范围极广。凡是出于意志的行为都有所抉择，有所排弃。在各种可能的途径之中择其一而弃其余，都须经过价值意识的审核。小而衣食行止，大而道德学问事功，无一能为例外。

价值通常分为真善美三种。先说真，它是科学的对象。科学的思考在大体上虽偏于别条理，却也须审分寸。它分析事物的属性，必须辨别主要的与次要的；推求事物的成因，必须辨别自然的与偶然的；归纳事例为原则，必须辨别貌似有关的与实际有关的。苹果落地是常事，只有牛顿抓住它的重要性而发明引力定律；蒸汽上腾是常事，只有瓦特抓住它的重要性而发明蒸汽机。就一般学术研究方法说，提纲挈领是一套紧要的功夫，囫囵吞枣必定是食而不化。提纲挈领需要很锐敏的价值意识。

次说美，它是艺术的对象。艺术活动通常分欣赏与创造。欣赏全是价值意识的鉴别，艺术趣味的高低全靠价值意识的强弱。趣味低，不是好坏无鉴别，就是欢喜坏的而不了解好的；趣味高，只有真正好的作品才够味，低劣作品可以使人作呕。艺术方面的爱憎有时更甚于道德方面的爱憎，行为的失检可以原谅，趣味的低劣则无可容恕。至于艺术创造更步步需要谨严的价值意识。在作品酝酿中，许多意象纷呈，许多情致泉涌，当兴高采烈时，它们好像八宝楼台，件件惊心夺目，可是实际上它们不尽经得起推敲，艺术家必能知道割爱，知道剪裁洗炼，才可披沙拣金。这是第一步。已选定的材料需要分配安排，每部分的分量有讲究，各部分的先后位置也有讲究。凡是艺术作品必有头尾和身材，必有浓淡虚实，必有着重点与陪衬点。“譬如北辰，居其所，而众星拱之。”艺术作品的意思安排也是如此。这是第二步。选择安排可以完全是胸中成竹，要把它描绘出来，传达给别人看，必借特殊媒介，如图画用形色，文学用语言。一个意思常有几种说法，都可以说得大致不差，但是只有一种说法，可以说得最恰当妥帖。艺术家对于所用媒介必有特殊敏感，觉得大致不差的说法实在是差以毫厘，谬以千里，并且在没有碰着最恰当的说法以前，心里就安顿不下去，他必肯呕出心肝去推敲。这是第三步。在实际创造时，这三个步骤虽不必分得如此清楚，可是都不可少，而且每步都必有价值意识在鉴别审核。每个大艺术家必同时是他自己的严厉的批评者。一个人在道德方面需要良心，在艺术方面尤其需要良心。良心使艺术家不苟且敷衍，不甘落下乘。艺术上的良心就是谨严的价值意识。

再次说善，它是道德行为的对象。人性本可与为善，可与为恶，世间善人少而不善人多，可知为恶易而为善难。为善所以难者，道德行为虽根于良心，当与私欲相冲突，胜私欲需要极大的意志力。私欲引入朝抵抗力最低的路径走，而道德行为往往朝抵抗力最大的路径走。这本有几分不自然。但是世间终有人为履行道德信条而不惜牺牲一切者，即深切地感觉到善的价值。“朝闻道，夕死可矣。”孔子醇儒，向少作这样侠士气的口吻，而竟说得如此斩截者，即本于道重于生命一个价值意识。古今许多忠臣烈士宁杀身以成仁，也是有见于此。从短见的功利观点看，这种行为有些傻气。但是人之所以为人，就贵在这点傻气。说浅一点，善是一种实益，行善社会才可安宁，人生才有幸福。说深一点，善就是一种美，我们不容行为有瑕疵，犹如不容一件艺术作品有缺陷。求行为的善，即所以维持人格的完美与人性的尊严。善的本身也有价值的等差。“礼与其奢也宁俭，丧与其奢也宁戚”，重在内心不在外表。“男女授受不亲，嫂溺援之以手”，重在权变不在拘守条文。“人尽夫也，父一而已”，重在孝不在爱。忠孝不能两全时，先忠而后孝。以德报怨，即无以报德，所以圣人主以直报怨。“其父攘羊，其子证之”，为国法而伤天伦，所以圣人不取。子夏丧子失明而丧亲民无所闻，所以为曾子所呵责。孔子自己的儿子死只有棺，所以不肯卖车为颜渊买椁。齐人拒嗟来之食，义本可嘉，施者谢罪仍坚持饿死，则为太过。有无相济是正当道理，微生高乞醯以应邻人之求，不得为直。战所以杀敌致胜，宋襄公不鼓不成列，不得为仁。这些事例有极重大的，有极寻常的，都可以说明权衡轻重是道德行为中的紧要功夫。道德行为和艺术一样，都要做得恰到好处。这就是孔子所谓“中”，孟子所谓“义”。中者无过无不及，义者事之宜。要事事得其宜而无过无不及，必须有很正确的价值意识。

真善美三种价值既说明了，我们可以进一步谈人生理想。每个人都不免有一个理想，或为温饱，或为名位，或为学问，或为德行，或为事功，或为醇酒妇人，或为斗鸡走狗，所谓“从其大体者为大人，存其小体者为小人”。这种分别究竟以什么为标准呢？哲学家们都承认：人生最高目的是幸福。什么才是真正的幸福？对于这问题也各有各的见解。积学修德可被看成幸福，饱食暖衣也可被看成幸福。究竟谁是谁非呢？我们从人的观点来说，须认清人的高贵处在哪一点。很显然地，在肉体方面，人比不上许多动物，人之所以高于禽兽者在他的心灵。人如果要充分地表现他的人性，必须充实他的心灵生活。幸福是一种享受。享受者或为肉体，或为心灵。人既有肉体，即不能没有肉体的享受。我们不必如持禁欲主义的清教徒之不近人情，但是我们也须明白：肉体的享受不是人类最上的享受，而是人类与鸡豚狗彘所共有的。人类最上的享受是心灵的享受。哪些才是心灵的享受呢？就是上文所述的真善美三种价值。学问、艺术、道德几无一不是心灵的活动，人如果在这三方面达到最高的境界，同时也就达到最幸福的境界。一个人的生活是否丰富，这就是说，有无价值，就看他对于心灵或精神生活的努力和成就的大小。如果只顾衣食饱暖而对于真善美漫不感觉兴趣，他就成为一种行尸走肉了。这番道理本无深文奥义，但是说起来好像很迂阔。灵与肉的冲突本来是一个古老而不易化除的冲突。许多人因顾到肉遂忘记灵，相习成风，心灵生活便被视为怪诞无稽的事。尤其是近代人被“物质的舒适”这一观念所迷惑，大家争着去拜财神，财神也就笼罩了一切。“哀莫大于心死”，而心死则由于价值意识的错乱。我们如想改正风气，必须改正教育，想改正教育，必须改正一般人的价值意识。

谈美感教育

世间事物有真善美三种不同的价值，人类心理有知情意三种不同的活动。这三种心理活动恰和三种事物价值相当。真关于知，善关于意，美关于情。人能知，就有好奇心，就要求知，就要辨别真伪，寻求真理。人能发意志，就要想好，就要趋善避恶，造就人生幸福。人能动情感，就爱美，就欢喜创造艺术，欣赏人生自然中的美妙境界。求知、想好、爱美，三者都是人类天性；人生来就有真善美的需要，真善美具备，人生才完美。

教育的功用就在顺应人类求知、想好、爱美的天性，使一个人在这三方面得到最大限度的调和的发展，以达到完美的生活。"教育"一词在西文为 education，是从拉丁动词 educare 来的，原义是"抽出"，所谓"抽出"就是"启发"。教育的目的在"启发"人性中所固有的求知、想好、爱美的本能，使它们尽量生展。中国儒家的最高的人生理想是"尽性"。他们说："能尽人之性则能尽物之性，能尽物之性则可以赞天地之化育。"教育的目的可以说就是使人"尽性"，"发挥性之所固有"。

物有真善美三面，心有知情意三面，教育求在这三方面同时发展，于是有智育，德育，美育三节目。智育叫人研究学问，求知识，寻真理；德育叫人培养良善品格，学做人处世的方法和道理；美育叫人创造艺术，欣赏艺术与自然，在人生世相中寻出丰富的兴趣。三育对于人生本有同等的重要，但是在流行教育中，只有智育被人看重，德育在理论上的重要性也还没有人否认，至于美育则在实施与理论方面都很少有人顾及。二十年前蔡孑民先生一度提倡过“美育代宗教”，他的主张似没有发生多大的影响。还有一派人不但忽略美育，而且根本仇视美育。他们仿佛觉得艺术有几分不道德，美育对于德育有妨碍。希腊大哲学家柏拉图就以为诗和艺术是说谎的，逢迎人类卑劣情感的，多受诗和艺术的熏染，人就会失去理智的控制而变成情感的奴隶，所以他对诗人和艺术家说了一番客气话之后，就把他们逐出“理想国”的境外。中世纪耶稣教徒的态度很类似。他们以倡苦行主义求来世的解脱，文艺是现世中一种快乐，所以被看成一种罪孽。近代哲学家中卢梭是平等自由说的倡导者，照理应该能看得宽远一点，但是他仍是怀疑文艺，因为他把文艺和文化都看成朴素天真的腐化剂。托尔斯泰对近代西方艺术的攻击更丝毫不留情面，他以为文艺常传染不道德的情感，对于世道人心影响极坏。他在《艺术论》里说：“每个有理性有道德的人应该跟着柏拉图以及耶回教师，把这问题从新这样决定：宁可不要艺术，也莫再让现在流行的腐化的虚伪的艺术继续下去。”

这些哲学家和宗教家的根本错误在认定情感是恶的，理性是善的，人要能以理性镇压感情，才达到至善。这种观念何以是错误的呢？人是一种有机体，情感和理性既都是天性固有的，就不容易拆开。造物不浪费，给我们一份家当就有一份的用处。无论情感是否可以用理性压抑下去，纵是压抑下去，也是一种损耗，一种残废。人好比一棵花草，要根茎枝叶花实都得到平均的和谐的发展，才长得繁茂有生气。有些园丁不知道尽草木之性，用人工去歪曲自然，使某一部分发达到超出常态，另一部分则受压抑摧残。这种畸形发展是不健康的状态，在草木如此，在人也是如此。理想的教育不是摧残一部分天性而去培养另一部分天性，以致造成畸形的发展；理想的教育是让天性中所有的潜蓄力量都得尽量发挥，所有的本能都得平均调和发展，以造成一个全人。所谓“全人”除体格强壮以外，心理方面真善美的需要必都得到满足。只顾求知而不顾其他的人是书虫，只讲道德而不顾其他的人是枯燥迂腐的清教徒，只顾爱美而不顾其他的人是颓废的享乐主义者。这三种人都不是全人而是畸形人，精神方面的驼子跛子。养成精神方面的驼子跛子的教育的无可辩护的。

美感教育是一种情感教育。它的重要我们的古代儒家是知道的。儒家教育特重诗，以为它可以兴观群怨；又特重礼乐，以为“礼以制其宜，乐以导其和”。《论语》有一段话总述儒家教育宗旨说：“兴于诗，立于礼，成于乐。”诗、礼、乐三项可以说都属于美感教育。诗与乐相关，目的在怡情养性，养成内心的和谐（harmony）；礼重仪节，目的在使行为仪表就规范，养成生活上的秩序（order）。蕴于中的是性情，受诗与乐的陶冶而达到和谐；发于外的是行为仪表，受礼的调节而进到秩序。内具和谐而外具秩序的生活，从伦理观点看，是最善的；从美感观点看，也是最美的。儒家教育出来的人要在伦理和美感观点都可以看得过去。

这是儒家教育思想中最值得注意的一点。他们的着重点无疑地是在道德方面，德育是他们的最后鹄的，这是他们与西方哲学家宗教家柏拉图和托尔斯泰诸人相同的。不过他们高于柏拉图和托尔斯泰诸人，因为柏拉图和托尔斯泰诸人误认美育可以妨碍德育，而儒家则认定美育为德育的必由之径。道德并非陈腐条文的遵守，而是至性真情的流露。所以德育从根本做起，必须怡情养性。美感教育的功用就在怡情养性，所以是德育的基础功夫。严格地说，善与美不但不相冲突，而且到最高境界，根本是一回事，它们的必有条件同是和谐与秩序。从伦理观点看，美是一种善；从美感观点看，善也是一种美。所以在古希腊文与近代德文中，美善只有一个字，在中文和其他近代语文中，“善”与“美”二字虽分开，仍可互相替用。真正的善人对于生活不苟且，犹如艺术家对于作品不苟且一样。过一世生活好比做一篇文章，文章求惬心贵当，生活也须求惬心贵当。我们嫌恶行为上的卑鄙龌龊，不仅因其不善，也因其丑，我们赞赏行为上的光明磊落，不仅因其善，也因其美，一个真正有美感修养的人必定同时也有道德修养。

美育为德育的基础，英国诗人雪莱在《诗的辩护》里也说得透辟。他说：“道德的大原在仁爱，在脱离小我，去体验我以外的思想行为和体态的美妙。一个人如果真正做善人，必须能深广地想象，必须能设身处地替旁人想，人类的忧喜苦乐变成他的忧喜苦乐。要达到道德上的善，最大的途径是想象；诗从这根本上做功夫，所以能发生道德的影响。”换句话说，道德起于仁爱，仁爱就是同情，同情起于想象。比如你哀怜一个乞丐，你必定先能设身处地想象他的痛苦。诗和艺术对于主观的情境必能“出乎其外”，对于客观的情境必能“入乎其中”，在想象中领略它，玩索它，所以能扩大想象，培养同情。这种看法也与儒家学说暗合。儒家在诸德中特重“仁”，“仁”近于耶稣教的“爱”、佛教的“慈悲”，是一种天性，也是一种修养。仁的修养就在诗。儒家有一句很简赅深刻的话：“温柔敦厚，诗教也。”诗教就是美育，温柔敦厚就是仁的表现。

美育不但不妨害德育而且是德育的基础，如上所述。不过美育的价值还不仅在此。西方人有一句恒言说：“艺术是解放的，给人自由的。”(Art is liberative)这句话最能见出艺术的功用，也最能见出美育的功用。现在我们就在这句话的意义上发挥。从哪几方面看，艺术和美育是“解放的，给人自由的”呢？

第一是本能冲动和情感的解放。人类生来有许多本能冲动和附带的情感，如性欲、生存欲、占有欲、爱、恶、怜、惧之类。本自然倾向，它们都需要活动，需要发泄。但是在实际生活中，它们不但常彼此互相冲突，而且与文明社会的种种约束如道德宗教法律习俗之类不相容。我们每个人都知道，本能冲动和欲望是无穷的，而实际上有机会实现的却寥寥有数。我们有时察觉到本能冲动和欲望不大体面，不免起羞恶之心，硬把它们压抑下去；有时自己对它们虽不羞恶而社会的压力过大，不容它们赤裸裸地暴露，也还是将它们压抑下去。性欲是一个最显著的例。从前哲学家宗教家大半以为这些本能冲动和情感都是卑劣的、不道德的、危险的，承认压抑是最好的处置。他们的整部道德信条有时只在理智镇压情欲。我们在上文指出这种看法的不合理，说它违背平均发展的原则，容易造成畸形发展。其实它的祸害还不仅此。弗洛伊德(Freud)派心理学告诉我们，本能冲动和附带的情感仅可暂时压抑而不可永远消灭，它们理应有自由活动的机会，如果勉强被压抑下去，表面上像是消灭了,实际上在隐意识里凝聚成精神上的疮疖,为种种变态心理和精神病的根源。依弗洛伊德看,我们现代文明社会中人因受道德宗教法律习俗的裁制,本能冲动和情感常难得正常地发泄,大半都有些"被压抑的欲望"所凝成的"情意综"(complexes)。这些情意综潜蓄着极强烈的捣乱力,一旦爆发,就成精神上种种病态。但是这种潜力可以借文艺而发泄,因为文艺所给的是想象世界,不受现实世界的束缚和冲突,在这想象世界中,欲望可以用"望梅止渴"的办法得到满足。文艺还把带有野蛮性的本能冲动和情感提到一个较高尚较纯洁的境界去活动,所以有升华作用(sublimation)。有了文艺,本能冲动和情感才得自由发泄,不致凝成疮疖,酿成精神病,它的功用有如机器方面的"安全瓣"(safety volve)。弗洛伊德的心理学有时近于怪诞,但实含有一部分真理。文艺和其他美感活动给本能冲动和情感以自由发泄的机会,在日常经验中也可以得到证明。我们每当愁苦无聊时,费一点工夫来欣赏艺术作品或自然风景,满腹的牢骚就马上烟消云散了。读古人痛快淋漓的文章,我们常有"先得我心"的感觉。看过一部戏或是读过一部小说之后,我们觉得曾经紧张了一阵是一件痛快事。这些快感都起于本能冲动和情感在想象世界中得解放。最好的例子是歌德著《少年维特之烦恼》的经过。他少时爱过一个已经许人的女子,心里痛苦已极,想自杀以了一切。有一天他听到一位朋友失恋自杀的消息,想到这事和他自己的境遇相似,可以写成一部小说。他埋头两礼拜,写成《少年维特之烦恼》,把自己心中怨慕愁苦的情绪一齐倾泻到书里,书成了,他的烦恼便去了,自杀的念头也消了。从这实例看,文艺确有解放情感的功用,而解放情感对于心理健康也确有极大的裨益，我们通常说一个人情感要有所寄托，才不致苦恼烦闷，文艺是大家公认为寄托情感的最好的处所。所谓“情感有所寄托”还是说它要有地方可以活动，可得解放。

其次是眼界的解放。宇宙生命时时刻刻在变动进展中，希腊哲人有“濯足急流，抽足再入，已非前水”的譬喻。所以在这种变动进展的过程中每一时每一境都是个别的、新鲜的、有趣的。美感经验并无深文奥义，它只在人生世相中见出某一时某一境特别新鲜有趣而加以流连玩味，或者把它描写出来。这句话中“见”字最紧要。我们一般人对于本来在那里的新鲜有趣的东西不容易“见”着。这是什么缘故呢？不能“见”必有所蔽。我们通常把自己囿在习惯所画成的狭小圈套里，让它把眼界“蔽”着，使我们对它以外的世界都视而不见，听而不闻。比如我们如果囿于饮食男女，饮食男女以外的事物就见不着；囿于奔走钻营，奔走以外的事就见不着。有人向海边农夫称赞他的门前海景美，他很羞涩地指着屋后菜园说：“海没有什么，屋后的一园菜倒还不差。”一园菜囿住了他，使他不能见到海景美。我们每个人都有所囿，有所蔽，许多东西都不能见，所见到的天地是非常狭小的、陈腐的、枯燥的。诗人和艺术家所以超过我们一般人者就在情感比较真挚，感觉比较锐敏，观察比较深刻，想象比较丰富。我们“见”不着的他们“见”得着，并且他们“见”得到就说得出，我们本来“见”不着的他们“见”着说出来了，就使我们也可以“见”着。像一位英国诗人所说的，他们“借他们的眼睛给我们看”(they lend their eyes for us to see)。中国人爱好自然风景的趣味是陶谢王韦诸诗人所传染的。在 Turner 和 Whistler 以前，英国人就没有注意到泰晤士河上有雾。Byron 以前，欧洲人很少赞美威尼斯。前一世纪的人崇拜自然，常咒骂城市生活和工商业文化，但是现代美国俄国的文学家有时把城市生活和工商业文化写得也很有趣。人生的罪孽灾害通常只引起忿恨，悲剧却教我们于罪孽灾祸中见出伟大壮严；丑陋乖讹通常只引起嫌恶，喜剧却教我们在丑陋乖讹中见出新鲜的趣味。Rembrandt 画过一些疲癃残疾的老人以后，我们见出丑中也还有美。象征诗人出来以后，许多一纵即逝的情调使我们觉得精细微妙，特别值得留恋。文艺逐渐向前伸展，我们的眼界也逐渐放大，人生世相越显得丰富华严。这种眼界的解放给我们不少的生命力量，我们觉得人生有意义，有价值，值得活下去。许多人嫌生活干燥，烦闷无聊，原因就在缺乏美感修养，见不着人生世相的新鲜有趣。这种人最容易堕落颓废，因为生命对于他们失去意义与价值。“哀莫大于心死”，所谓“心死”就是对于人生世相失去解悟与留恋，就是不能以美感态度去观照事物。美感教育不是替有闲阶级增加一件奢侈，而是使人在丰富华严的世界中随处吸收支持生命和推展生命的活力。朱子有一首诗说：“半亩方塘一鉴开，天光云影共徘徊，问渠哪得清如许？为有源头活水来。”这诗所写的是一种修养的胜境。美感教育给我们的就是“源头活水”。

第三是自然限制的解放。这是德国唯心派哲学家康德、席勒、叔本华、尼采诸人所最着重的一点，现在我们用浅近语来说明它。自然世界是有限的，受因果律支配的，其中毫末细故都有它的必然性，因果线索命定它如此，它就丝毫移动不得。社会由历史铸就，人由遗传和环境造成。人的活动寸步离不开物质生存条件的支配，没有翅膀就不能飞，绝饮食就会饿死。由此类推，人在自然中是极不自由的。动植物和非生物一味顺从自然，接受它的限制，没有过分希冀，也就没有失望和痛苦。人却不同，他有心灵，有不可压的欲望，对于无翅不飞绝食饿死之类事实总觉有些歉然。人可以说是两重奴隶，第一服从自然的限制，其次要受自己的欲望驱使。以无穷欲望处有限自然，人便觉得处处不如意、不自由，烦闷苦恼都由此起。专就物质说，人在自然面前是很渺小的，它的力量抵不住自然的力量，无论你有如何大的成就，到头终不免一死，而且科学告诉我们，人类一切成就到最后都要和诸星球同归于毁灭，在自然圈套中求征服自然是不可能的，好比孙悟空跳来跳去，终跳不出如来佛的掌心。但是在精神方面，人可以跳开自然的圈套而征服自然，他可以在自然世界之外另在想象中造出较能合理慰情的世界。这就是艺术的创造。在艺术创造中可以把自然拿在手里来玩弄，剪裁它、锤炼它，从新给以生命与形式。每一部文艺杰作以至于每人在人生自然中所欣赏到的美妙境界都是这样创造出来的。美感活动是人在有限中所挣扎得来的无限，在奴属中所挣扎得来的自由。在服从自然限制而汲汲于饮食男女的寻求时，人是自然的奴隶；在超脱自然限制而创造欣赏艺术境界时，人是自然的主宰，换句话说，就是上帝。多受些美感教育，就是多学会如何从自然限制中解放出来，由奴隶变成上帝，充分地感觉人的尊严。

爱美是人类天性，凡是天性中所固有的必须趁适当时机去培养，否则像花草不及时下种及时培植一样，就会凋残萎谢。达尔文在自传里懊悔他一生专在科学上做功夫，没有把他年轻时对于诗和音乐的兴趣保持住，到老来他想用诗和音乐来调剂生活的枯燥，就抓不回年轻时那种兴趣，觉得从前所爱好的诗和音乐都索然无味。他自己说这是一部分天性的麻木。这是一个很好的前车之鉴。美育必须从年轻时就下手,年纪愈大,外务愈纷繁,习惯的牢笼愈坚固,感觉愈迟钝,心里愈复杂,欣赏艺术力也就愈薄弱。我时常想,无论学哪一科专门学问,干哪一行职业,每个人都应该会听音乐,不断地读文学作品,偶尔有欣赏图画雕刻的机会。在西方社会中这些美感活动是每个受教育者的日常生活中的重要节目。我们中国人除专习文学艺术者以外,一般人对于艺术都漠不关心。这是最可惋惜的事。它多少表示民族生命力的低降与精神的颓靡。从历史看,一个民族在最兴旺的时候,艺术成就必伟大,美育必发达。史诗悲剧时代的希腊、文艺复兴时代的意大利、莎士比亚时代的英国、歌德和贝多芬时代的德国都可以为证。我们中国人古代对于诗乐舞的嗜好也极普遍。《诗经》、《礼记》、《左传》诸书所记载的歌乐舞的盛况常使人觉得仿佛是置身近代欧洲社会。孔子处周衰之际,特置慨于诗亡乐坏,也是见到美育与民族兴衰的关系密切。现在我们要想复兴民族,必须恢复周以前歌乐舞的盛况,这就是说,必须提倡普及的美感教育。

談文學

朱光潛 著

漓江出版社

图书在版编目(CIP)数据

谈文学/朱光潜 著.—桂林:漓江出版社, 2012.4(2018.5 重印)
ISBN 978-7-5407-5311-5

Ⅰ.①谈… Ⅱ.①朱… Ⅲ.①文学理论 Ⅳ.①I0

中国版本图书馆 CIP 数据核字(2011)第 182073 号

责任编辑:阎海文
封面设计:李 佳 李星星

出版人:刘迪才
漓江出版社出版发行
广西桂林市南环路 22 号 邮政编码:541002
网址:http://www.lijiangbook.com
全国新华书店经销
销售热线:0773-2583322

山东德州新华印务有限责任公司印刷
(山东省德州市经济开发区晶华大道 2306 号 邮政编码:253000)
开本:650mm×960mm 1/16
印张:10.25 字数:91 千字
2012 年 4 月第 2 版 2018 年 5 月第 3 次印刷
定价:22.80 元

序

这些短文都是在抗战中最后几年陆续写成的,在几个不同的刊物上发表过,因为都是谈文学,所以我把它们结集成为这个小册子。

文学是谈不尽的,坊间文学入门之类书籍实在太多。这类书籍没有多大用处,人人都知道。学文学第一件要事是多玩索名家作品,其次是自己多练习写作,如此才能亲自尝出甘苦,逐渐养成一种纯正的趣味,学得一副文学家体验人情物态的眼光和同情。到了这步,文学的修养就大体算成功了。如果不在这上面做功夫,读完任何数量的讨论文学的书籍,也无济于事。

这个小册子说浅一点不能算是文学入门,说深一点不能算是文学理论。它有时也为初入门者说法,有时也牵涉到理论,但是主要的是我自己学习文艺的甘苦之言。文学是我的第一个嗜好,这二十多年以来,很少有日子我不看到它,想到它。这些短文就是随时看和随时想所得到的一点收获。在写它们的时候,我一不敢凭空乱构,二不敢道听途说,我想努力做到"切实"二字。在这一点,我希望这个小册子和坊间一般文学入门之类书籍微有不同。我愿与肯用心的爱好文学的读者们印证经验。

目　录

文学与人生

文学是以语言文字为媒介的艺术。就其为艺术而言,它与音乐、图画、雕刻及一切号称艺术的制作有共同性:作者对于人生世相都必有一种独到的新鲜的观感,而这种观感都必有一种独到的新鲜的表现;这观感与表现即内容与形式,必须打成一片,融合无间,成为一种有生命的和谐的整体,能使观者由玩索而生欣喜。达到这种境界,作品才算是“美”。美是文学与其他艺术所必具的特质。就其以语言文字为媒介而言,文学所用的工具就是我们日常运思说话所用的工具,无待外求,不像形色之于图画、雕刻,乐声之于音乐。每个人不都能运用形色或音调,可是每个人只要能说话就能运用语言,只要能识字就能运用文字。语言文字是每个人表现情感思想的一套随身法宝,它与情感思想有最直接的关系。因为这个缘故,文学是一般人接近艺术的一条最直截简便的路;也因为这个缘故,文学是一种与人生最密切相关的艺术。

我们把语言文字联在一起说,是就文化现阶段的实况而言,其实在演化程序上,先有口说的语言而后有手写的文字,写的文字与说的语言在时间上的距离可以有数千年乃至数万年之久,到现在世间还有许多民族只有语言而无文字。远在文字未产生以前，人类就有语言，有了语言就有文学。文学是最原始的也是最普遍的一种艺术。在原始民族中，人人都欢喜唱歌，都欢喜讲故事，都欢喜戏拟人物的动作和姿态。这就是诗歌、小说和戏剧的起源。于今仍在世间流传的许多古代名著，像中国的《诗经》，希腊的《荷马史诗》，欧洲中世纪的民歌和英雄传说，原先都由口头传诵，后来才被人用文字写下来。在口头传诵的时期，文学大半是全民众的集体创作。一首歌或是一篇故事先由一部分人倡始，一部分人随和，后来一传十，十传百，辗转相传，每个传播的人都贡献一点心裁把原文加以润色或增损。我们可以说，文学作品在原始社会中没有固定的著作权，它是流动的，生生不息的，集腋成裘的。它的传播期就是它的生长期，它的欣赏者也就是它的创作者。这种文学作品最能表现一个全社会的人生观感，所以从前关心政教的人要在民俗歌谣中窥探民风国运，采风观乐在春秋时还是一个重要的政典。我们还可以进一步说，原始社会的文学就几乎等于它的文化，它的历史、政治、宗教、哲学等等都反映在它的诗歌、神话和传说里面。希腊的神话史诗，中世纪的民歌传说以及近代中国边疆民族的歌谣、神话和民间故事都可以为证。

口传的文学变成文字写定的文学，从一方面看，这是一个大进步，因为作品可以不纯由记忆保存，也不纯由口诵流传，它的影响可以扩充到更久更远。但从另一方面看，这种变迁也是文学的一个厄运，因为识字另需一番教育，文学既由文字保存和流传，文字便成为一种障碍，不识字的人便无从创造或欣赏文学，文学便变成一个特殊阶级的专利品。文人成了一个特殊阶级，而这阶级化又随社会演进而日趋尖锐，文学就逐渐和全民众疏远。这种变迁的坏影响很多：第一，文学既与全民众疏远，就不能表现全民众的精神和意识，也就不能从全民众的生活中吸收力量与滋养，它就不免由窄狭化而传统化、形式化、僵硬化。其次，它既成为一个特殊阶级的兴趣，它的影响也就限于那个特殊阶级，不能普及于一般人，与一般人的生活不发生密切关系，于是一般人就把它认为无足轻重。文学在文化现阶段中几已成为一种奢侈，而不是生活的必需。在最初，凡是能运用语言的人都爱好文学；后来文字产生，只有识字的人才能爱好文学；现在连识字的人也大半不能爱好文学，甚至有一部分人鄙视或仇视文学，说它的影响不健康或根本无用。在这种情形之下，一个人要想郑重其事地来谈文学，难免有几分心虚胆怯，他至少须说出一点理由来辩护他的不合时宜的举动。这篇开场白就是替以后陆续发表的十几篇谈文学的文章作一个辩护。

先谈文学有用无用问题。一般人嫌文学无用，近代有一批主张"为文艺而文艺"的人却以为文学的妙处正在它无用。它和其他艺术一样，是人类超脱自然需要的束缚而发出的自由活动。比如说，茶壶有用，因能盛茶，是壶就可以盛茶，不管它是泥的瓦的扁的圆的，自然需要止于此。但是人不以此为满足，制壶不但要能盛茶，还要能娱目赏心，于是在质料、式样、颜色上费尽机巧以求美观。就浅狭的功利主义看，这种功夫是多余的，无用的；但是超出功利观点来看，它是人自作主宰的活动。人不惮烦要作这种无用的自由活动，才显得人是自家的主宰，有他的尊严，不只是受自然驱遣的奴隶；也才显得他有一片高尚的向上心。要胜过自然，要弥补自然的缺陷，使不完美的成为完美。文学也是如此。它起于实用，要把自己所知所感的说给旁人知道；但是它超过实用，要找好话说，要把话说得好，使旁人在话的内容和形式上同时得到愉快。文学所以高贵，值得我们费力探讨，也就在此。

这种“为文艺而文艺”的看法确有一番正当道理，我们不应该以浅狭的功利主义去估定文学的身价。但是我以为我们纵然退一步想，文学也不能说是完全无用。人之所以为人，不只因为他有情感思想，尤在他能以语言文字表现情感思想。试假想人类根本没有语言文字，像牛羊犬马一样，人类能否有那样光华灿烂的文化？文化可以说大半是语言文字的产品。有了语言文字，许多崇高的思想，许多微妙的情境，许多可歌可泣的事迹才能流传广播，由一个心灵出发，去感动无数心灵，去启发无数心灵的创造。这感动和启发的力量大小与久暂，就看语言文字运用得好坏。在数千载之下，《左传》、《史记》所写的人物事迹还活现在我们眼前，若没有左丘明、司马迁的那种生动的文笔，这事如何能做到？在数千载之下，柏拉图的《对话集》所表现的思想对于我们还是那么亲切有趣，若没有柏拉图的那种深入而浅出的文笔，这事又如何能做到？从前也许有许多值得流传的思想与行迹，因为没有遇到文人的点染，就湮没无闻了。我们自己不时常感觉到心里有话要说而说不出的苦楚么？孔子说得好：“言之无文，行之不远。”单是“行远”这一个功用就深广不可思议。

柏拉图、卢梭、托尔斯泰和程伊川都曾怀疑到文学的影响，以为它是不道德的或是不健康的。世间有一部分文学作品确有这种毛病，本无可讳言，但是因噎不能废食，我们只能归咎于作品不完美，不能断定文学本身必有罪过。从纯文艺观点看，在创作与欣赏的聚精会神的状态中，心无旁涉，道德的问题自无从闯入意识阈。纵然离开美感态度来估定文学在实际人生中的价值，文艺的影响也决不会是不道德的，而且一个人如果有纯正的文艺修养，他在文艺方面所受的道德影响可以比任何其他体验与教训的影响更为深广。“道德的”与“健全的”原无二义。健全的人生理想是人性的多方面的谐和的发展，没有残废也没有臃肿。譬如草木，在风调雨顺的环境之下，它的一般生机总是欣欣向荣，长得枝条茂畅，花叶扶疏。情感思想便是人的生机，生来就需要宣泄生长，发芽开花。有情感思想而不能表现，生机便遭窒塞残损，好比一株发育不完全而呈病态的花草。文艺是情感思想的表现，也就是生机的发展，所以要完全实现人生，离开文艺决不成。世间有许多对文艺不感兴趣的人干枯浊俗，生趣索然，其实都是一些精神方面的残废人，或是本来生机就不畅旺，或是有畅旺的生机因为窒塞而受摧残。如果一种道德观要养成精神上的残废人，它本身就是不道德的。

表现在人生中不是奢侈而是需要，有表现才能有生展，文艺表现情感思想，同时也就滋养情感思想使它生展。人都知道文艺是“怡情养性”的。请仔细玩索“怡养”两字的意味！性情在怡养的状态中，它必定是健旺的、生发的、快乐的。这“怡养”两字却不容易做到，在这纷纭扰攘的世界中，我们大部分时间与精力都费在解决实际生活问题，奔波劳碌，很机械地随着疾行车流转，一日之中能有几许时刻回想到自己有性情？还论怡养！凡是文艺都是根据现实世界而铸成另一超现实的意象世界，所以它一方面是现实人生的返照，一方面也是现实人生的超脱。在让性情怡养在文艺的甘泉时，我们霎时间脱去尘劳，得到精神的解放，心灵如鱼得水地徜徉自乐；或是用另一个比喻来说，在干燥闷热的沙漠里走得很疲劳之后，在清泉里洗一个澡，绿树阴下歇一会儿凉。世间许多人在劳苦里打翻转，在罪孽里打翻转，俗不可耐，苦不可耐，原因只在洗澡歇凉的机会太少。

从前中国文人有“文以载道”的说法，后来有人嫌这看法的道学气太重，把“诗言志”一句老话抬出来，以为文学的功用只在言志；释志为“心之所之”，因此言志包含表现一切心灵活动在内。文学理论家于是分文学为“载道”、“言志”两派，仿佛以为这两派是两极端，绝不相容——“载道”是“为道德教训而文艺”，“言志”是“为文艺而文艺”。其实这问题的关键全在“道”字如何解释。如果释“道”为狭义的道德教训，载道就显然小看了文学。文学没有义务要变成劝世文或是修身科的高头讲章。如果释“道”为人生世相的道理，文学就决不能离开“道”，“道”就是文学的真实性。志为心之所之，也就要合乎“道”，情感思想的真实本身就是“道”，所以“言志”即“载道”，根本不是两回事，哲学科学所谈的是“道”，文艺所谈的仍然是“道”，所不同者哲学科学的道是抽象的，是从人生世相中抽绎出来的，好比从盐水中所提出来的盐；文艺的道是具体的，是含蕴在人生世相中的，好比盐溶于水，饮者知咸，却不辨何者为盐，何者为水。用另一个比喻来说，哲学科学的道是客观的、冷的、有精气而无血肉的；文艺的道是主观的、热的，通过作者的情感与人格的渗沥，精气与血肉凝成完整生命的。换句话说，文艺的“道”与作者的“志”融为一体。

我常感觉到，与其说“文以载道”，不如说“因文证道”。《楞严经》记载佛有一次问他的门徒从何种方便之门，发菩提心，证圆通道。几十个菩萨罗汉轮次起答，有人说从声音，有人说从颜色，有人说从香味，大家总共说出二十五个法门（六根、六尘、六识、七大，每一项都可成为证道之门）。读到这段文章，我心里起了一个幻想，假如我当时在座，轮到我起立作答时，我一定说我的方便之门是文艺。我不敢说我证了道，可是从文艺的玩索，我窥见了道的一斑。文艺到了最高的境界，从理智方面说，对于人生世相必有深广的观照与彻底的了解，如阿波罗凭高远眺，华严世界尽成明镜里的光影，大有佛家所谓万法皆空，空而不空的景象；从情感方面说，对于人世悲欢好丑必有平等的真挚的同情，冲突化除后的谐和，不沾小我利害的超脱，高等的幽默与高度的严肃，成为相反者之同一。柏格森说世界时时刻刻在创化中，这好比一个无始无终的河流，孔子所看到的“逝者如斯夫，不舍昼夜”，希腊哲人所看到的“濯足清流，抽足再入，已非前水”，所以时时刻刻有它的无穷的兴趣。抓住某一时刻的新鲜景象与兴趣而给以永恒的表现，这是文艺。一个对于文艺有修养的人决不感觉到世界的干枯或人生的苦闷。他自己有表现的能力固然很好，纵然不能，他也有一双慧眼看世界，整个世界的动态便成为他的诗，他的图画，他的戏剧，让他的性情在其中“怡养”。到了这种境界，人生便经过了艺术化，而身历其境的人，在我想，可以算得一个有“道”之士。从事于文艺的人不一定都能达到这个境界，但是它究竟不失为一个崇高的理想，值得追求，而且在努力修养之后，可以追求得到。

资禀与修养

拉丁文中有一句名言:“诗人是天生的不是造作的。”这句话本有不可磨灭的真理,但是往往被不努力者援为口实。迟钝人说:“文学必须靠天才,我既没有天才,就生来与文学无缘,纵然努力,也是无补费精神。”聪明人说:“我有天才,这就够了,努力不但是多余的,而且显得天才还有缺陷,天才之所以为天才,正在他不费力而有过人的成就。”这两种心理都很普遍,误人也很不浅。文学的门本是大开的。迟钝者误认为它关得很严密不敢去问津;聪明者误认为自己生来就在门里,用不着摸索。他们都同样地懒怠下来,也同样地被关在门外。

从前有许多迷信和神秘色彩附丽在“天才”这个名词上面,一般人以为天才是神灵的凭借,与人力全无关系。近代学者有人说它是一种精神病,也有人说它是“长久的耐苦”。这个名词似颇不易用科学解释。我以为与其说“天才”,不如说“资禀”。资禀是与生俱来的良知良能,只有程度上的等差,没有绝对的分别,有人多得一点,有人少得一点。所谓“天才”不过是在资禀方面得天独厚,并没有什么神奇。莎士比亚和你我相去虽不可以道里计,他所有的资禀你和我并非完全没有，只是他有的多，我们有的少。若不然，他和我们在智能上就没有共同点，我们也就无从了解他、欣赏他了。除白痴以外，人人都多少可以了解欣赏文学，也就多少具有文学所必需的资禀。不单是了解欣赏，创作也还是一理。文学是用语言文字表现思想情感的艺术，一个人只要有思想情感，只要能运用语言文字，也就具有创作文学所必需的资禀。

就资禀说，人人本都可以致力文学；不过资禀有高有低，每个人成为文学家的可能性和在文学上的成就也就有大有小。我们不能对于每件事都能登峰造极，有几分欣赏和创作文学的能力，总比完全没有好。要每个人都成为第一流文学家，这不但是不可能，而且也大可不必；要每个人都能欣赏文学，都能运用语言文字表现思想情感，这不但是很好的理想，而且是可以实现和应该实现的理想。一个人所应该考虑的，不是我究竟应否在文学上下一番功夫（这不成为问题，一个人不能欣赏文学，不能发表思想情感，无疑地算不得一个受教育的人），而是我究竟还是专门做文学家，还是只要一个受教育的人所应有的欣赏文学和表现思想情感的能力？

这第二个问题确值得考虑。如果只要有一个受教育的人所应有的欣赏文学和表现思想情感的能力，每个人只须经过相当的努力，都可以达到，不能拿没有天才做借口；如果要专门做文学家，他就要自问对文学是否有特优的资禀。近代心理学家研究资禀，常把普遍智力和特殊智力分开。普遍智力是施诸一切对象而都灵验的，像一把同时可以打开许多种锁的钥匙；特殊智力是施诸某一种特殊对象而才灵验的，像一把只能打开一种锁的钥匙。比如说，一个人的普遍智力高，无论读书、处事或作战、经商，都比低能人要强；可是读书、处事、作战、经商各需要一种特殊智力。尽管一个人件件都行，如果他的特殊智力在经商，他在经商方面的成就必比做其他事业都强。对于某一项有特殊智力，我们通常说那一项为“性之所近”。一个人如果要专门做文学家就非性近于文学不可。如果性不相近而勉强去做文学家，成功的固然并非绝对没有，究竟是用违其才；不成功的却居多数，那就是精力的浪费了。世间有许多人走错门路，性不近于文学而强做文学家，耽误了他们在别方面可以有为的才力，实在很可惜。“诗人是天生的不是造作的”这句话，对于这种人确是一个很好的当头棒。

但是这句话终有语病。天生的资禀只是潜能，要潜能成为事实，不能不借人力造作。好比花果的种子，天生就有一种资禀可以发芽成树、开花结实，但是种子有很多不发芽成树、开花结实的，因为缺乏人工的培养。种子能发芽成树、开花结实，有一大半要靠人力，尽管它天资如何优良。人的资禀能否实现于学问事功的成就，也是如此。一个人纵然生来就有文学的特优资禀，如果他不下功夫修养，他必定是苗而不秀，华而不实。天才愈卓越，修养愈深厚，成就也就愈伟大。比如说李白、杜甫对于诗不能说是无天才，可是读过他们诗集的人都知道这两位大诗人所下的功夫。李白在人生哲学方面有道家的底子，在文学方面从《诗经》、《楚辞》直到齐梁体诗，他没有不费苦心模拟过。杜诗无一字无来历为世所共知。他自述经验说：“读书破万卷，下笔如有神”。西方大诗人像但丁、莎士比亚、歌德诸人，也没有一个不是修养出来的。莎士比亚是一般人公评为天才多于学问的，但是谁能测量他的学问的深浅？医生说，只有医生才能写出他的某一幕；律师说，只有学过法律的人才能了解他的某一剧的术语。你说他没有下功夫研究过医学、法学等等？我们都惊讶他的成熟作品的伟大，却忘记他的大半生精力都费在改编前人的剧本，在其中讨诀窍。这只是随便举几个例。完全是“天生”的而不经“造作”的诗人，在历史上却无先例。

孔子有一段论学问的话最为人所称道：“或生而知之，或学而知之，或困而知之，及其知之一也。”这话确有至理，但亦看“知”的对象为何。如果所知的是文学，我相信“生而知之”者没有，“困而知之”者也没有，大部分文学家是有“生知”的资禀，再加上“困学”的功夫，“生知”的资禀多一点，“困学”的功夫也许可以少一点。牛顿说：“天才是长久的耐苦。”这话也须用逻辑眼光去看，长久的耐苦不一定造成天才，天才却有赖于长久的耐苦。一切的成就都如此，文学只是一例。

天生的是资禀，造作的是修养；资禀是潜能，是种子；修养使潜能实现，使种子发芽成树，开花结实。资禀不是我们自己力量所能控制的，修养却全靠自家的努力。在文学方面，修养包含极广，举其大要，约有三端：

第一是人品的修养。人品与文品的关系是美学家争辩最烈的问题，我们在这里只能说一个梗概。从一方面说，人品与文品似无必然的关系。魏文帝早已说过：“古今文人类不护细行。”刘彦和在《文心雕龙·程器》篇里一口气就数了一二十个没有品行的文人，齐梁以后有许多更显著的例，像冯延巳、严嵩、阮大铖之流还不在内。在克罗齐派美学家看，这也并不足为奇。艺术的活动出于直觉，道德的活动出于意志；一为超实用的，一为实用的，二者实不相谋。因此，一个人在道德上的成就不能裨益也不能妨害他在艺术上的成就，批评家也不应从他的生平事迹推论他的艺术的人格。

但是从另一方面说，言为心声，文如其人。思想情感为文艺的渊源，性情品格又为思想情感的型范，思想情感真纯则文艺华实相称，性情品格深厚则思想情感亦自真纯。“仁者之言蔼如”，“诐辞知其所蔽”。屈原的忠贞耿介，陶潜的冲虚高远，李白的徜徉自恣，杜甫的每饭不忘君国，都表现在他们的作品里面。他们之所以伟大，就因为他们的一篇一什都不仅为某一时会即景生情偶然兴到的成就，而是整个人格的表现。不了解他们的人格，就决不能彻底了解他们的文艺。从这个观点看，培养文品在基础上下功夫就必须培养人品。这是中国先儒的一致主张，“文以载道”说也就是从这个看法出来的。

人是有机体，直觉与意志，艺术的活动与道德的活动恐怕都不能像克罗齐分得那样清楚。古今尽管有人品很卑鄙而文艺却很优越的，究竟是占少数，我们可以用心理学上的“双重人格”去解释。在甲重人格（日常的）中一个人尽管不矜细行，在乙重人格（文艺的）中他却谨严真诚。这种双重人格究竟是一种变态，如论常例，文品表现人品是千真万确的事实。所以一个人如果想在文艺上有真正伟大的成就，他必须有道德的修养。我们并非鼓励他去做狭隘的古板的道学家，我们也并不主张一切文学家在品格上都走一条路。文品需要努力创造，各有独到，人品亦如此，一个文学家必须有真挚的性情和高远的胸襟，但是每个人的性情中可以特有一种天地，每个人的胸襟中可以特有一副丘壑，不必强同而且也决不能强同。

其次是一般学识经验的修养。文艺不单是作者人格的表现，也是一般人生世相的返照。培养人格是一套功夫，对于一般人生世相积蓄丰富而正确的学识经验又另是一套功夫。这可以分两层说。一是读书。从前中国文人以能熔经铸史为贵，韩愈在《进学解》里发挥这个意思，最为详尽。读书的功用在储知蓄理，扩充眼界，改变气质。读的范围愈广，知识愈丰富，审辨愈精当，胸襟也愈恢阔。在近代，一个文人不但要博习本国古典，还要涉猎近代各科学问，否则见解难免偏蔽。这事固然很难。我们第一要精选，不浪费精力于无用之书；第二要持恒，日积月累，涓涓终可成江河；第三要有哲学的高瞻远瞩，科学的客观剖析，否则食而不化，学问反足以梏没性灵。其次是实地观察体验。这对于文艺创作或比读书还更重要。从前中国文人喜游名山大川，一则增长阅历，一则吸纳自然界瑰奇壮丽之气与幽深玄渺之趣。其实这种“气”与“趣”不只在自然中可以见出，在一般人生世相中也可得到。许多著名的悲喜剧与近代小说所表现的精神气魄正不让于名山大川。观察体验的最大的功用还不仅在此，尤其在洞达人情物理。文学超现实而却不能离现实，它所创造的世界尽管有时是理想的，却不能不有现实世界的真实性。近代写实主义者主张文学须有“凭证”，就因为这个道理。你想写某一种社会或某一种人物，你必须对于那种社会那种人物的外在生活与内心生活都有彻底的了解，这非多观察多体验不可。要观察得正确，体验得深刻，你最好投身他们中间，和他们过同样的生活。你过的生活愈丰富，对于人性的了解愈深广，你的作品自然愈有真实性，不致如雾里看花。

第三是文学本身的修养。“工欲善其事，必先利其器”。文学的器具是语言文字。我们第一须认识语言文字，其次须有运用语言文字的技巧。这事看来似很容易，因为一般人日常都在运用语言文字；但是实在极难，因为文学要用平常的语言文字产生不平常的效果。文学家对于语言文字的了解必须比一般人都较精确，然后可以运用自如。他必须懂得字的形声义，字的组织以及音义与组织对于读者所生的影响。这要包含语文学、逻辑学、文法、美学和心理学各科知识。从前人做文言文很重视小学（即语文学），就已看出工具的重要。我们现在做语体文比做文言文更难。一则语言文字有它的历史渊源，我们不能因为做语体文而不研究文言文所用的语文，同时又要特别研究流行的语文；一则文言文所需要的语文知识有许多专书可供给，流行的语文的研究还在草创，大半还靠作者自己努力去摸索。在现代中国，一个人想做出第一流文学作品，别的条件不用说，单说语文研究一项，他必须有深厚的修养，他必须达到有话都可说出而且说得好的程度。

运用语言文字的技巧一半根据对于语言文字的认识，一半也要靠虚心模仿前人的范作。文艺必止于创造，却必始于模仿，模仿就是学习。最简捷的办法是精选模范文百篇左右（能多固好；不能多，百篇就很够），细心研究每篇的命意布局分段造句和用字，务求透懂，不放过一字一句，然后把它熟读成诵，玩味其中声音节奏与神理气韵，使它不但沉到心灵里去，还须沉到筋肉里去。这一步做到了，再拿这些模范来模仿（从前人所谓“拟”），模仿可以由有意的渐变为无意的。习惯就成了自然。入手不妨尝试各种不同的风格，再在最合宜于自己的风格上多下功夫，然后融合各家风格的长处，成就一种自己独创的风格。从前做古文的人大半经过这种训练，依我想，做语体文也不能有一个更好的学习方法。

以上谈文学修养，仅就其大者略举几端，并非说这就尽了文学修养的能事。我们只要想一想这几点所需要的功夫，就知道文学并非易事，不是全靠天才所能成功的。

文学的趣味

文学作品在艺术价值上有高低的分别，鉴别出这高低而特有所好，特有所恶，这就是普通所谓趣味。辨别一种作品的趣味就是评判，玩索一种作品的趣味就是欣赏，把自己在人生自然或艺术中所领略得的趣味表现出就是创造。趣味对于文学的重要于此可知。文学的修养可以说就是趣味的修养。趣味是一个比喻，由口舌感觉引申出来的。它是一件极寻常的事，却也是一件极难的事。虽说“天下之口有同嗜”，而实际上“人莫不饮食也，鲜能知味”。它的难处在没有固定的客观的标准，而同时又不能完全凭主观的抉择。说完全没有客观的标准吧，文章的美丑犹如食品的甜酸，究竟容许公是公非的存在；说完全可以凭客观的标准吧，一般人对于文艺作品的欣赏有许多个别的差异，正如有人嗜甜，有人嗜辣。在文学方面下过一番功夫的人都明白文学上趣味的分别是极微妙的，差之毫厘往往谬以千里。极深厚的修养常在毫厘之差上见出，极艰苦的磨炼也常是在毫厘之差上做功夫。

举一两个实例来说。南唐中主的《浣溪沙》是许多读者所熟读的：

菡萏香销翠叶残，西风愁起绿波间。还与韶光共憔悴，不堪看。　细雨梦回鸡塞远，小楼吹彻玉笙寒。多少泪珠何限恨，倚阑干。

冯正中、王荆公诸人都极赏“细雨梦回”二句，王静安在《人间词话》里却说：“菡萏香销二句大有众芳芜秽美人迟暮之感，乃古今独赏其细雨梦回二句，故知解人正不易得。”《人间词话》又提到秦少游的《踏莎行》，这首词最后两句是“郴江幸自绕郴山，为谁流下潇湘去”，最为苏东坡所叹赏；王静安也不以为然：“少游词境最为凄惋，至‘可堪孤馆闭春寒，杜鹃声里斜阳暮’，则变而为凄厉矣。东坡赏其后二语，犹为皮相。”

这种优秀的评判正足见趣味的高低。我们玩味文学作品时，随时要评判优劣，表示好恶，就随时要显趣味的高低。冯正中、王荆公、苏东坡诸人对于文学不能说算不得“解人”，他们所指出的好句也确实是好，可是细玩王静安所指出的另外几句，他们的见解确不无可议之处，至少是“郴江绕郴山”二句实在不如“孤馆闭春寒”二句。几句中间的差别微妙到不易分辨的程度，所以容易被人忽略过去。可是它所关却极深广，赏识“郴江绕郴山”的是一种胸襟，赏识“孤馆闭春寒”的另是一种胸襟；同时，在这一两首词中所用的鉴别的眼光可以应用来鉴别一切文艺作品，显出同样的抉择，同样的好恶，所以对于一章一句的欣赏大可见出一个人的一般文学趣味。好比善饮酒者有敏感鉴别一杯酒，就有敏感鉴别一切的酒。趣味其实就是这样的敏感。离开这一点敏感，文艺就无由欣赏，好丑妍媸就变成平等无别。

不仅欣赏，在创作方面我们也需要纯正的趣味。每个作者必须是自己的严正的批评者，他在命意布局遣词造句上都须辨析锱铢，审慎抉择，不肯有一丝一毫含糊敷衍。他的风格就是他的人格，而造成他的特殊风格的就是他的特殊趣味。一个作家的趣味在他的修改锻炼的功夫上最容易见出。西方名家的稿本多存在博物馆，其中修改的痕迹最足发人深省。中国名家修改的痕迹多随稿本湮没，但在笔记杂著中也偶可见一斑。姑举一例。黄山谷的《冲雪宿新寨》一首七律的五六两句原为“俗学近知回首晚，病身全觉折腰难”。这两句本甚好，所以王荆公在都中听到，就击节赞叹，说“黄某非风尘俗吏”。但是黄山谷自己仍不满意，最后改为“小吏有时须束带，故人颇问不休官”。这两句仍是用陶渊明见督邮的典故，却比原文来得委婉有含蓄。弃彼取此，亦全凭趣味。如果在趣味上不深究，黄山谷既写成原来两句，就大可苟且偷安。

以上谈欣赏和创作，摘句说明，只是为其轻而易举，其实一切文艺上的好恶都可作如是观。你可以特别爱好某一家，某一体，某一时代，某一派别，把其余都看成左道狐禅。文艺上的好恶往往和道德上的好恶同样地强烈深固，一个人可以在趣味异同上区别敌友，党其所同，伐其所异。文学史上许多派别，许多笔墨官司，都是这样起来的。

在这里我们会起疑问：文艺有好坏，爱憎起于好坏，好的就应得一致爱好，坏的就应得一致憎恶，何以文艺的趣味有那么大的纷歧呢？你拥护六朝，他崇拜唐宋；你赞赏苏辛，他推尊温李，纷纭扰攘，莫衷一是。作品的优越不尽可为凭，莎士比亚、布莱克、华兹华斯一般开风气的诗人在当时都不很为人重视。读者的深厚造诣也不尽可为凭，托尔斯泰攻击莎士比亚和歌德，约翰逊看不起弥尔顿，法朗士讥诮荷马和维吉尔。这种趣味的纷歧是极有趣的事实。粗略地分析，造成这事实的有下列几个因素：

第一是资禀性情。文艺趣味的偏向在大体上先天已被决定。最显著的是民族根性。拉丁民族最喜欢明晰，条顿民族最喜欢力量，希伯来民族最喜欢严肃，他们所产生的文艺就各具一种风格，恰好表现他们的国民性。就个人论，据近代心理学的研究，许多类型的差异都可以影响文艺的趣味。比如在想象方面，“造形类”人物要求一切像图画那样一目了然，“涣散类”人物喜欢一切像音乐那样迷离隐约；在性情方面，“硬心类”人物偏袒阳刚，“软心类”人物特好阴柔；在天然倾向方面，“外倾”者喜欢戏剧式的动作，“内倾”者喜欢独语体诗式的默想。这只是就几个荦荦大端来说，每个人在资禀性情方面还有他的特殊个性，这和他的文艺的趣味也密切相关。

其次是身世经历。《世说新语》中谢安有一次问子弟：“《毛诗》何句最佳？”谢玄回答：“昔我往矣，杨柳依依；今我来思，雨雪霏霏。”谢安表示异议，说：“‘訏谟定命，远猷辰告’句有雅人深致。”这两人的趣味不同，却恰合两人不同的身份。谢安自己是当朝一品，所以特别能欣赏那形容老成谋国的两句；谢玄是翩翩佳公子，所以那流连风景，感物兴怀的句子很合他的口胃。本来文学欣赏，贵能设身处地去体会。如果作品所写的与自己所经历的相近，我们自然更容易了解，更容易起同情。杜工部的诗在这抗战期中读起来，特别亲切有味，也就是这个道理。

第三是传统习尚。法国学者泰纳著《英国文学史》，指出“民族”、“时代”、“周围”为文学的三大决定因素，文艺的趣味也可以说大半受这三种势力形成。各民族、各时代都有它的传统，每个人的“周围”（法文 milieu 略似英文 circle，意谓“圈子”，即常接近的人物，比如说，属于一个派别就是站在那个圈子里）都有它的习尚。在西方，古典派与浪漫派、理想派与写实派；在中国，六朝文与唐宋古文，选体诗、唐诗和宋诗，五代词、北宋词和南宋词，桐城派古文和阳湖派古文，彼此中间都树有很森严的壁垒。投身到某一派旗帜之下的人，就觉得只有那一派是正统，阿其所好，以致目空其余一切。我个人与文艺界朋友的接触，深深地感觉到传统习尚所产生的一些不愉快的经验。我对新文学属望很殷，费尽千言万语也不能说服国学耆宿们，让他们相信新文学也自有一番道理。我也很爱读旧诗文，向新文学作家称道旧诗文的好处，也被他们嗤为顽腐。此外新旧文学家中又各派别之下有派别，京派海派，左派右派，彼此相持不下。我冷眼看得很清楚，每派人都站在一个“圈子”里，那圈子就是他们的“天下”。

一个人在创作和欣赏时所表现的趣味，大半由上述三个因素决定。资禀性情、身世经历和传统习尚，都是很自然地套在一个人身上的，轻易不能摆脱，而且它们的影响有好有坏，也不必完全摆脱。我们应该做的功夫是根据固有的资禀性情而加以磨砺陶冶，扩充身世经历而加以细心的体验，接收多方的传统习尚而求截长取短，融会贯通。这三层功夫就是普通所谓学问修养。纯恃天赋的趣味不足为凭，纯恃环境影响造成的趣味也不足为凭，纯正的可凭的趣味必定是学问修养的结果。

孔子有言:“知之者不如好之者,好之者不如乐之者”,仿佛以为知、好、乐是三层事,一层深一层;其实在文艺方面,第一难关是知,能知就能好,能好就能乐。知、好、乐三种心理活动融为一体,就是欣赏,而欣赏所凭的就是趣味。许多人在文艺趣味上有欠缺,大半由于在知上有欠缺。

有些人根本不知,当然不会盛感到趣味,看到任何好的作品都如蠢牛听琴,不起作用。这是精神上的残废。犯这种毛病的人失去大部分生命的意味。

有些人知得不正确,于是趣味低劣,缺乏鉴别力,只以需要刺激或麻醉,取恶劣作品疗饥过瘾,以为这就是欣赏文学。这是精神上的中毒,可以使整个的精神受腐化。

有些人知得不周全,趣味就难免窄狭,像上文所说的,被囿于某一派别的传统习尚,不能自拔。这是精神上的短视,“坐井观天,诬天渺小”。

要诊治这三种流行的毛病,唯一的方剂是扩大眼界,加深知解。一切价值都由比较得来,生长在平原,你说一个小山坡最高,你可以受原谅,但是你错误。“登东山而小鲁,登泰山而小天下”,那“天下”也只是孔子所能见到的天下。要把山估计得准确,你必须把世界名山都游历过,测量过。研究文学也是如此,你玩索的作品愈多,种类愈复杂,风格愈纷歧,你的比较资料愈丰富,透视愈正确,你的鉴别力(这就是趣味)也就愈可靠。

人类心理都有几分惰性,常以先入为主,想获得一种新趣味,往往须战胜一种很顽强的抵抗力。许多旧文学家不能欣赏新文学作品,就因为这个道理。就我个人的经验来说,起初习文言文,后来改习语体文,颇费过一番冲突与挣扎。在才置信语体文时,对文言文颇有些反感,后来多经摸索,觉得文言文仍有它的不可磨灭的价值。专就学文言文说,我起初学桐城派古文,跟着古文家们骂六朝文的绮靡,后来稍致力于六朝人的著作,才觉得六朝文也有为唐宋文所不可及处。在诗方面我从唐诗入手,觉宋诗索然无味,后来读宋人作品较多,才发现宋诗也特有一种风味。我学外国文学的经验也大致相同,往往从笃嗜甲派不了解乙派,到了解乙派而对甲派重新估定价值。我因而想到培养文学趣味好比开疆辟土,须逐渐把本来非我所有的征服为我所有。英国诗人华兹华斯说道:"一个诗人不仅要创造作品,还要创造能欣赏那种作品的趣味。"我想不仅作者如此,读者也须时常创造他的趣味。生生不息的趣味才是活的趣味,像死水一般静止的趣味必定陈腐。活的趣味时时刻刻在发现新境界,死的趣味老是囿在一个窄狭的圈子里。这道理可以适用于个人的文学修养,也可以适用于全民族的文学演进史。

文学上的低级趣味(上):关于作品内容

一般讨论文学的人大半侧重好的文学作品,不很注意坏的文学作品,所以导引正路的话说得多,指示迷途的话说得少。刘彦和在《文心雕龙》里有一篇《指瑕》,只谈到用字不妥一点。章实斋在《文史通义》里有一篇《古文十弊》,只专就古文立论,而且连古文的弊病也未能说得深中要害,例如讥刺到"某国某封某公同里某人之柩"之类好袭头衔的毛病,未免近于琐屑。嗣后模仿《古文十弊》的文章有张鸿来的《今文十弊》(见《北平师大月刊》第十三期)和林语堂的《今文八弊》(见《人间世》第二十七期),也都偏从文字体裁和文人习气方面着眼,没有指出文学本身上的最大毛病。我以为文学本身上的最大毛病是低级趣味。所谓"低级趣味"就是当爱好的东西不会爱好,不当爱好的东西偏特别爱好。古人有"嗜痂成癖"的故事,就饮食说,爱吃疮疤是一种低级趣味。在文学上,无论是创作或是欣赏,类似"嗜痂成癖"的毛病很多。许多人自以为在创作文学或欣赏文学,其实他们所做的勾当与文学毫不相干。文学的创作和欣赏都要靠极锐敏的美丑鉴别力,没有这种鉴别力就会有低级趣味,把坏的看成好的。这是一个极严重的毛病。

在这两篇文章里我想把文学上的低级趣味分为十项来说。弊病并不一定只有十种,我不过仿章实斋《古文十弊》的先例,略举其成数而已,其余的不难类推。我把我所举的十种低级趣味略加分析,发现其中有五种是偏于作品内容的,另外五种是偏于作者态度的。

本篇先说关于内容方面的低级趣味。本来文学之所以为文学,在内容与形式构成不可分拆的和谐的有机整体。如果有人专从内容着眼或专从形式着眼去研究文学作品,他对于文学就不免是外行。比如说崔颢的《长干行》“君家何处住?妾住在横塘。移舟暂借问,或恐是同乡”这首短诗,如果把内容和形式拆开来说,那女子攀问同乡一段情节(内容)算得什么?那二十字所排列的五绝体(形式)又算得什么?哪一个船码头上没有攀问同乡的男女?哪一个村学究不会胡诌五言四句?然而《长干行》是世人公认的好诗,它就好在把极寻常的情节用极寻常的语言表现成为一种生动的画境,使读者如临其境,如见其人,如闻其声,如见其情。这是一个短例,一切文学作品都可作如此观。但是一般人往往不明白这个浅近的道理,遇到文学作品,不追问表现是否完美而专去问内容。他们所爱好的内容最普遍的是下列五种:

第一是侦探故事。人生来就有好奇心,一切知识的寻求,学问的探讨以及生活经验的尝试,都由这一点好奇心出发,故事的起源也就在人类的好奇心。小孩子略懂人事,便爱听故事,故事愈穿插得离奇巧妙,也就愈易发生乐趣。穿插得最离奇巧妙的莫过于侦探故事。看这种故事有如猜谜,先有一个困难的疑团,产生疑团的情境已多少埋伏着可以解释疑团的线索,若隐若现,忽起忽没,旧线索牵引新线索，三弯九转，最后终于转到答案。在搜寻线索时，“山重水复疑无路，柳暗花明又一村”，是一种乐趣；在穷究到底细时，“一旦豁然贯通”，更是一种乐趣。贪求这种乐趣本是人情之常，而且文学作品也常顾到要供给这种乐趣，在故事结构上做功夫。小说和戏剧所常讲究的“悬揣与突惊”（suspense and surprise）便是侦探故事所赖以引人入胜的两种技巧。所以爱好侦探故事本身并不是一种坏事，在文学作品中爱好侦探故事的成分也不是一种坏事。但是我们要明白，单靠寻常侦探故事的一点离奇巧妙的穿插决不能成为文学作品，而且文学作品中有这种穿插的，它的精华也决不在此。文学作品之成为文学作品，在能写出具体的境界，生动的人物和深刻的情致。它不但要能满足理智，尤其要感动心灵。这恰是一般侦探故事所缺乏的，看最著名的《福尔摩斯侦探案》或《春明外史》就可以明白。它们有如解数学难题和猜灯谜，所打动的是理智不是情感。一般人的错误就在把这一类故事不但看成文学作品，而且看成最好的文学作品，废寝忘餐，手不释卷，觉得其中滋味无穷。他们并且拿读侦探故事的心理习惯去读真正好的文学作品，第一要问它有没有好故事，至于性格的描写，心理的分析，情思与语文的融贯，人生世相的深刻了解，都全不去理会。如果一种文学作品没有侦探故事式的穿插，尽管写得怎样好，他们也尝不出什么味道。这种低级趣味的表现在一般读者中最普遍。

其次是色情的描写。文学的功用本来在表现人生，男女的爱情在人生中占极重要的位置，文学作品常用爱情的“母题”，本也无足深怪；一般读者爱好含有爱情“母题”的文学作品更无足深怪。不过我们必须明白一点重要的道理。爱情在文艺中只是一种题材，像其他题材一样，本身只像生铜顽石，要经过熔炼雕琢，得到艺术形式，才能成为艺术作品。所以文艺所表现的爱情和实际人生的爱情有一个重要的分别，就是一个得到艺术的表现，一个没有得到艺术的表现。《西厢记》里"软玉温香抱满怀，春至人间花弄色，露滴牡丹开"几句所指的是男女交媾。普通男女交媾是一回事；这几句词却不只是这么一回事，它在极淫猥的现实世界之上造成另一个美妙的意象世界。我们把这几句词当作文艺欣赏时，所欣赏的并不是男女交媾那件事实，而是根据这件事实而超出这件事实的意象世界。我们惊赞这样极平凡的事实表现得这样美妙。如果我们所欣赏的只是男女交媾这件事实，那么，我们大可以在实际人生中到处找出这种欣赏对象，不必求之于文艺。这个简单的说明可以使我们明白一般文艺欣赏的道理。我们在文艺作品中所当要求的是美感，是聚精会神于文艺所创造的意象世界，是对于表现完美的惊赞；而不是实际人生中某一种特殊情绪，如失恋、爱情满意、穷愁潦倒、恐惧、悲伤、焦虑之类。自然，失恋的人读表现失恋情绪的作品，特别觉得痛快淋漓。这是人之"常情"，却不是"美感"。文艺的特质不在解救实际人生中自有解救的心理上或生理上的饥渴，它不应以刺激性欲和满足性欲为目的，我们也就不应在文艺作品中贪求性欲的刺激或满足。但是事实上不幸得很，有许多号称文艺创作者专在逢迎人类要满足实际饥渴这个弱点，尽量在作品中刺激性欲，满足性欲；也有许多号称文艺欣赏者在实际人生中的欲望不能兑现，尽量在文学作品中贪求性欲的刺激和满足。鸳鸯蝴蝶派小说所以风行，就因为这个缘故。这种低级趣味的表现在"血气方刚"的男男女女中最为普遍。

第三是黑幕的描写。拿最流行的小说来分析，除掉侦探故事与色情故事以外，最常用的材料是社会黑幕。从前上海各报章所常披露的《黑幕大观》之类的小说（较好的例有《官场现形记》和《二十年目睹之怪现状》）颇风行一时，一般人爱看这些作品，如同他们打开报纸先看离婚案、暗杀案、诈骗案之类新闻一样，所贪求的就是那一点强烈的刺激，西方人所说的 sensation。本来社会确有它的黑暗方面，文学要真实地表现人生，并没有把世界渲染得比实际更好的必要。如果文艺作品中可悲的比可喜的情境较多，唯一的理由就是现实原来如此，文学只是反映现实。所以描写黑幕本身也并不是一件坏事。欧洲文学向推悲剧首屈一指，近代比较伟大的小说也大半带有悲剧性；这两类文学所写的也还可以说都是黑幕，离不掉残杀、欺骗、无天理良心之类的事件。不过悲剧和悲剧性的小说所以崇高，并不在描写黑幕，而在达到艺术上一种极难的成就，于最困逆的情境见出人性的尊严，于最黑暗的方面反映出世相的壮丽。它们令我们对于人生朝深一层看，也朝高一层看。我们不但不感受实际悲惨情境所应引起的颓丧与苦闷，而且反能感发兴起，对人生起一种虔敬。从悲剧和悲剧性的小说我们可以看出艺术点染的功用。大约情节愈惨酷可怕，艺术点染的需要也就愈大，成功也就愈难。所以把黑幕化为艺术并不是一件易事。如果只有黑幕而没有艺术，它所赖以打动读者的就是上文所说的那一点强烈的刺激。我们在作品中爱看残酷、欺骗、卑污的事迹，犹如在实际人生中爱看这些事迹一样，所谓“隔岸观火”，为的是要满足残酷的劣根性。刑场上要处死犯人，不是常有许多人抢着去看么？离开艺术而欣赏黑幕，心理和那是一样的。这无疑地还是一种低级趣味。

第四是风花雪月的滥调。古代文艺很少有流连风景的痕迹，自然通常只是人物生活的背景，画家和文人很少为自然而描写自然。崇拜自然的风气在欧洲到十九世纪浪漫主义起来以后才盛行。在中国它起来较早，从东晋起它就很占势力。所谓“老庄告退而山水方滋”，陶、谢的诗是这种新风气之下最灿烂的产品。从艺术境界说，注意到自然风景的本身，确是一种重要的开拓。人类生长在自然里，自然由仇敌而变成契友，彼此间互相的关系日渐密切。人的思想情感和自然的动静消息常交感共鸣。自然界事物常可成为人的内心活动的象征。因此文艺中乃有“即景生情”、“因情生景”、“情景交融”种种胜境。这是文艺上一种很重要的演进，谁都不否认。但是因为自然在大艺术家和大诗人的手里曾经放过奇葩异彩，因为它本身又可以给劳苦困倦者以愉快的消遣和安息，一般人对于它与艺术的关系便发生一种误解，以为风花雪月、花鸟山水之类事物是美的，文艺用它们做材料，也就因而是美的。这是误解，因为它假定艺术的美丑取决于题材的美丑。有些作家相信要写成伟大的作品，必选择伟大的题材如英雄事迹之类，和相信作品里有风花雪月、花鸟山水等等就可以美，是犯了同样的错误。他们不明白“连篇累牍尽是月露风云”，其中有许多实在是空洞腐滥，不表现任何情感，也不能引起任何情感。从前号称风雅的骚人墨客常犯这毛病，现在新文学家有时也“雅到俗不可耐”。许多关于自然的描写都没有情感上的绝对必要，只是相习成风，人家盲目地说这才美，自己也就跟着相信这真是美。这种心理习惯，就是心理学家所谓“套板反应”（stock response），是一切低级趣味的病根。

第五是口号教条。文艺是不是一种宣传工具呢？关于这一点，我知道我的意见和许多人的不相同，话说来很长，我在《文艺心理学》里已说得相当详细，在这里我只能说一个梗概。这问题在古今中外都闹得很久，双方都有很有力的人提出很有力的理论，我们用不着固执成见。从一方面看，文艺对于人生必有彻底的了解与同情，把这了解与同情渗透到读者的心里，使他们避免狭陋与自私所必有的恶果；同时，它让心灵得到自由活动，情感得到健康的宣泄和怡养，精神得到完美的寄托场所，超脱现实世界所难免的秽浊而徜徉于纯洁高尚的意象世界，知道人生永远有更值得努力追求的东西在前面，——这一切都可以见出文艺对于人的影响是良好的，人可以从文艺中得到极好的教训，最好的宣教工具就莫过于文艺。但从另一方面看，文艺在创作与欣赏中都是一种独立自足的境界，它自有它的生存理由，不是任何其他活动的奴属，除掉创造出一种合理慰情的意象世界叫做“作品”的东西以外，它没有其他目的，其他目的如果闯入，那是与艺术本身无关的。存心要创造艺术，那是一种内在的自由的美感活动；存心要教训人，那是一种道德的或实用的目的。这两桩事是否可合而为一呢？一箭射双雕是一件很经济的事，一人骑两马却是一件不可能的事，拿文艺作宣传工具究竟属于哪一种呢？从美学看，创作和欣赏都是聚精会神的事，顾到教训就顾不到艺术，顾到艺术也就顾不到教训。从史实看，大文艺家的作品尽管可以发生极深刻的教训作用，可是他们自己在创造作品时大半并不存心要教训人；存心要教训人的作品大半没有多大艺术价值。所以我对于利用文艺作宣传工具一事极端怀疑。我并不反对宣传，但是我觉得用文艺作宣传工具，作品既难成功，就难免得反结果，使人由厌恶宣传所取的形式因而厌恶到所宣传的主张。我也很了解甚至同情宣传者要冒文艺的名，但是我觉得从事于文艺的人要明白此中底细，立定脚跟，不要随声附和。我本不想说出这番不合时宜的话来开罪许多新作家，但是我深深感觉到"口号教条文学"在目前太流行，而中国新文学如果想有比较伟大的前途，就必须作家们多效忠于艺术本身。他们须感觉到自己的尊严，艺术的尊严以至于读者的尊严；否则一味做应声虫，假文艺的美名，做呐喊的差役，无论从道德观点看或从艺术观点看，都是低级趣味的表现。

总观上述五种弊病，共同的病根在离开艺术而单讲内容。离开艺术，内容本身就可以使我们爱好或厌恶，那自然也是常有的事，但那并不是艺术观点上的好恶；我们要爱它恶它，并不一定要在艺术作品中去找它。许多伟大的作品所用的材料都很平凡，许多美丽的作品所用的材料都很丑陋。艺术之为艺术，并不在所用的材料如何，而在取生糙的自然在情感与想象的炉火里熔炼一番，再雕琢成为一种超自然的意象世界。一种内容既经过艺术的表现，就根本变成另外一回事，我们就应把它当作内容形式不可分的有机体看待。我们鉴赏的对象不是未经艺术点化以前生糙的内容（如侦探故事、爱情故事、黑幕、自然风景、抽象的道理之类），而是艺术点化以后的作品。艺术点化的成功或失败就是美丑好恶所应有的唯一的标准。离开这标准而对于艺术作品判美丑，起好恶，那就是低级趣味。

文学上的低级趣味(下):关于作者态度

文艺的功用在表现作者的情感思想,传达于读者,使读者由领会而感动。就作者说,他有两重自然的急迫需要。第一是表现。情感思想是生机,自然需要宣泄,宣泄才畅通愉快,不宣泄即抑郁苦闷。所以文艺是一件不得已的事。一个作家如果无绝对的必要,他最好是守缄默;得已而不已,勉强找话来说,他的动机就不纯正,源头就不充实,态度就不诚恳,作品也就不会有很大的艺术价值。其次是传达的需要。人是社会动物,需要同情,自己愈珍视的精神价值愈热烈地渴望有人能分享。一个作者肯以深心的秘蕴交付给读者,就显得他对读者有极深的同情,同时也需要读者的同情报答。所以他的态度必须是诚恳的,严肃而又亲切的。如果一个作家在内心上并无这种同情,只是要向读者博取一点版税或是虚声,为达到这种不很光明的目的,就不惜择不很光明的手段,逢迎读者,欺骗读者,那也就决说不上文艺。在事实上,文艺成为一种职业以后,这两种毛病,这表现与传达两种急迫需要的缺乏,都很普遍。作者对自己不忠实,对读者不忠实,如何能对艺术忠实呢?这是作者态度上的基本错误,许多低级趣味的表现都从此起。

第一是无病呻吟，装腔作势。文艺必出于至性深情，谁也知道。但是没有至性深情的人也常有出产作品的引诱，于是就只有装腔作势，或是取浅薄俗滥的情调加以过分的夸张。最坏的当然是装腔作势，心里没有那种感触，却装着有那种感触。满腔尘劳俗虑，偏学陶谢滋情山水，冒充风雅；色情的追逐者实际只要满足生理的自然需要，却跟着浪漫诗人讴歌恋爱圣洁至上；过着小资产阶级的生活，行径近于市侩土绅，却诅咒社会黑暗，谈一点主义，喊几声口号，居然像一个革命家。如此等类，数不胜数，沐猴而冠，人不像人。此外有一班人自以为有的是情感，无论它怎样浅薄俗滥，都把它和盘托出，尽量加以渲染夸张。这可以说是"泄气主义"。人非木石，谁对于人事物态的变化没有一点小感触？春天来了，万物欣欣向荣，心里不免起一阵欣喜或一点留恋；秋天来了，生趣逐渐萧索，回想自家身世，多少有一点迟暮之感；清风明月不免扰动闺思，古树暮鸦不免令人暗伤羁旅；自己估定的身价没有得到社会的重视，就觉得怀才莫展，牢骚抑郁；喝了几杯老酒，心血来潮，仿佛自己有一副盖世英雄的气概，倘若有一两位"知己"，披肝沥胆，互相推许，于是感激图报的"义气"就涌上来了。这一切本来都是人情之常，但是人情之常中正有许多荒唐妄诞，酸气滥调，除掉当作喜剧的穿插外，用不着大吹大擂。不幸许多作家终生在这些浅薄俗滥的情调中讨生活，像醉汉呓语，就把这些浅薄俗滥的情调倾泻到他们所谓"作品"里去。"一把辛酸泪"却是"满纸荒唐言"。这种"泄气主义"有它的悠久的历史传统。中国自古有所谓"骚人墨客"，徜徉诗酒，嗟叹生平，看他们那样"狂歌当泣"的神情，竟似胸中真有消不尽的闲愁，浇不平的块垒。至于一般士女的理想向来是才子佳人,而才子佳人的唯一的身份证是“善病工愁”,“吟风弄月”。在欧洲,与浪漫主义结缘最深的“感伤主义”(sentimentalism)事实上也还是一种“泄气主义”。诗人们都自以为是误落人寰的天仙,理想留在云端,双脚陷在泥淖,不能自拔,怨天尤人,仿佛以为不带这么一点感伤色彩,就显不出他们的高贵的身份。拜伦的那一身刺眼的服装,那一副憔悴行吟、长吁短叹的神情,在当时迷醉了几多西方的佳人才子!时代过了,我们冷眼看他一看,他那一副挺得笔直,做姿势让人画像的样子是多么滑稽可笑!我们在这新旧交替之际,还有许多人一方面承继着固有的骚人墨客和才子佳人的传统,一方面又染着西方浪漫主义的比较粗陋一面的色彩,满纸痛哭流泪,骨子里实在没有什么亲切深挚的情感。这种作品,像柏拉图老早就已经看到的,可以逢迎人类爱找情感刺激的弱点,常特别受读者欢迎。这种趣味是低级的,因为它是颓废的,不健康的,而且是不艺术的。

其次是憨皮臭脸,油腔滑调。取这种态度的作者大半拿文艺来逢场作戏,援“幽默”作护身符。本来文艺的起源近于游戏,都是在人生世相的新鲜有趣上面玩索流连,都是人类在精力富裕生气洋溢时所发的自由活动,所以文艺都离不掉几分幽默。我在《诗论》里《诗与谐隐》篇曾经说过:“凡诗都难免有若干谐趣。情绪不外悲喜两端。喜剧中都有谐趣,用不着说;就是把最悲惨的事当作诗看时,也必在其中见出谐趣。我们如果仔细玩味蔡琰的《悲愤诗》或是杜甫的《新婚别》之类的作品,或是写自己的悲剧,或是写旁人的悲剧,都是痛定思痛,把所写的事看成一种有趣的意象,有几分把它当作戏看的意思。丝毫没有谐趣的人大概不易做诗,也不易欣赏诗。诗与谐都是生气的富裕,不能谐是枯燥贫竭的征候,枯燥贫竭的人和诗没有缘分。但是诗也是最不易谐,因为诗最忌轻薄,而谐则最易流于轻薄。"这段引语里的"谐"就是幽默,我这番话虽专就诗说,实在可通用于一般文艺。我们须承认幽默对于文艺的重要,同时也要指出幽默是极不容易的事。幽默有种种程度上的分别。说高一点,庄子、司马迁、陶潜、杜甫一班大作家有他们的幽默;说低一点,说相声、玩杂耍、村戏打诨、市井流氓斗唇舌、报屁股上的余兴之类玩意也有他们的幽默。幽默之中有一个极微妙的分寸,失去这个分寸就落到下流轻薄。大约在第一流作品中,高度的幽默和高度的严肃常化成一片,一讥一笑,除掉助兴和打动风趣以外,还有一点深刻隽永的意味,不但可耐人寻思,还可激动情感,笑中有泪,讥讽中有同情。许多大诗人、悲剧家、喜剧家和小说家常有这副本领。不过这种幽默往往需要相当的修养才能领会欣赏,一般人大半只会欣赏说相声、唱双簧、村戏打诨、流氓显俏皮劲那一类的幽默。他们在实际人生中欢喜这些玩意,在文艺作品中也还是要求这些玩意。有些作家为着要逢迎这种低级趣味,不惜自居小丑,以谑浪笑傲为能事。前些时候有所谓"幽默小品"借几种流行的刊物轰动了一时,一般男女老少都买它,读它,羡慕它,模仿它。一直到现在,它的影响还很大。

第三是摇旗呐喊,党同伐异。思想上只有是非,文艺上只有美丑。我们的去取好恶应该只有这一个标准。如果在文艺方面,我们有敌友的分别,凡是对文艺持严肃纯正的态度而确有成就者都应该是朋友,凡是利用文艺作其他企图而作品表现低级趣味者都应该是仇敌。至于一个作者在学术、政治、宗教、区域、社会地位各方面是否和我相同，甚至于他和我是否在私人方面有无恩怨关系，一律都在不应过问之列。文艺是创造的，各人贵有独到，所以人与人在文艺上不同，比较在政治上或宗教上不同应该还要多些。某一地某一时的文艺，不同愈多，它的活力也就愈大。当然，每一时一地的作家倾向常有相近的，本着同声相应的原则，聚集在一起成为一种派别，这是历史上常有的事而且本身也不是坏事。不过模仿江湖帮客结义的办法，立起一个寨主树起一面旗帜，招徒聚众，摇旗呐喊，自壮声威，逼得过路来往人等都来"落草"归化，敢有别树一帜的就兴师动众，杀将过去，这种办法于己于人都无好处，于文艺更无好处。我们毋庸讳言，这种江湖帮客的恶习在我们的文艺界似仍很猖獗。文艺界也有一班野心政客，要霸占江山，垄断顾客，争窃宗主，腼颜以"提携新进作家"自命，招收徒弟，一有了"群众"，就像王麻儿卖膏药，沿途号喊"只此一家，谨防假冒"，至于自己的膏药是"万宝灵应"，那更不用说了。他们一方面既虚张自己的声势，写成一部作品便大吹大擂地声张出去；一方面又要杀他人的威风，遇到一个不在自己旗帜之下的作品，便把它扯得稀烂，断章取义把它指摘得体无完肤，最优待的办法也只是予以冷酷的忽视。这种"策略"并不限于某一派人。文言作者与白话作者相待如此，白话作者中种种派别互相对待也是如此。可怜许多天真的读者经不起这种呐喊嘲骂的暗示，深入彀中而不自知，不由自主地养成一些偏见，是某派某人的作品必定是好的，某派某人的作品必定是坏的，在阅读与领会之前便已注定了作品的价值。拿"低级趣味"来形容他们，恐怕还太轻吧。

第四是道学冬烘，说教劝善。我们在讨论题材内容时，已经指出文艺宣传口号教条的错误。在这里我们将要谈的倒不是有意作宣传的作品，而是从狭义的道德观点来看作品中人物情境这个普遍的心理习惯。文艺要忠实地表现人生，人生原有善恶媸妍幸运灾祸各方面。我们的道德意识天然地叫我们欢喜善的，美的，幸运的，欢乐的一方面，而厌恶恶的，丑的，灾祸的，悲惨的一方面。但是文艺看人生，如阿诺德所说的，须是“镇定的而且全面的”(Look on life steadily and as a whole)，就不应单着眼到光明而闪避黑暗。站在高一层去看，相反的往往适以相成，造成人生世相的伟大庄严，一般人却不容易站在高一层去看，在实际人生中尽管有缺陷，在文艺中他们却希望这种缺陷能得到弥补。莎士比亚写《李尔王》，让一个最孝顺最纯洁的女子在结局时遭遇惨死。约翰逊说他不能把这部悲剧看到终局，因为收场太惨。十八世纪中这部悲剧出现于舞台，收场完全改过，孝女不但没有死而且和一位忠臣结了婚。我们中国的《红楼梦》没有让贾宝玉和林黛玉大团圆，许多人也引为憾事，所以有《续红楼梦》来弥补这个缺陷。《西厢记》本来让莺莺改嫁郑恒，《锦西厢》却改成嫁郑恒的是红娘，莺莺终于归了张珙。诸如此类的实例很多，都足以证明许多人把“道德的同情”代替了“美感的同情”。这分别在哪里呢？比如说一个戏子演曹操，扮那副老奸巨猾的样子，惟妙惟肖，观众中有一位木匠手头恰提着一把斧子，不禁义愤填膺，奔上戏台去把演曹操的那人的头砍下。这位木匠就是用“道德的同情”来应付戏中人物；如果他用“美感的同情”，扮曹操愈像，他就应该愈高兴，愈喝彩叫好。懂得这个分别，我们再去看看一般人是用哪一种同情去读小说戏剧呢？看武松杀嫂，大家感觉得痛快，金圣叹会高叫“浮一大白”；看晴雯奄奄待毙，许多少爷小姐流了许多眼泪。他们要“善恶报应，因果昭彰”，要“天下有情人都成眷属”，要替不幸运的打抱不平。从道德的观点看，他们的义气原可钦佩；从艺术的观点看，他们的头脑和《太上感应篇》、《阴骘劝世文》诸书作者的是一样有些道学冬烘气，都不免有低级趣味在作祟。

第五是涂脂抹粉，卖弄风姿。文艺是一种表现而不是一种卖弄。表现的理想是文情并茂，“充实而有光辉”，虽经苦心雕琢，却是天衣无缝，自然熨帖，不现勉强作为痕迹。一件完美的艺术品像一个大家闺秀，引人注目而却不招邀人注目，举止大方之中仍有她的贞静幽闲，有她的高贵的身份。艺术和人一样，有它的品格，我们常说某种艺术品高，某种艺术品低，品的高低固然可以在多方面见出，最重要的仍在作者的态度。品高的是诚于中，形于外，表里如一的高华完美。品低的是内不充实而外求光辉，存心卖弄，像小家娼妇涂脂抹粉，招摇过市，眉挑目送的样子。文艺的卖弄有种种方式。最普通的是卖弄词藻，只顾堆砌漂亮的字眼，显得花枝招展，绚烂夺目，不管它对于思想情感是否有绝对的必要。从前骈俪文犯这毛病的最多，现在新进作家也有时不免。其次是卖弄学识。文艺作者不能没有学识，但是他的学识须如盐溶解在水里，尝得出味，指不出形状。有时饱学的作者无心中在作品中流露学识，我们尚不免有“学问汩没性灵”之感，至于有意要卖弄学识，如暴发户对人夸数家珍，在寻常做人如此已足见趣味低劣，在文艺作品中如此更不免令人作呕了。过去中国文人犯这病的最多，在诗中用僻典，谈哲理，写古字，都是最显著的例。新文学作家常爱把自己知道比较清楚的材料不分皂白地和盘托出，不管它是否对于表现情调、描写人物或是点明故事为绝对必需，写农村就把农村所有的东西都摆进去，写官场也就把官场所有的奇形怪状都摆进去，有如杂货店，七零八落的货物乱堆在一起，没有一点整一性，连比较著名的作品如赛珍珠的《大地》，吴趼人的《二十年目睹之怪现状》之类均不免此病，这也还是卖弄学识。另外是卖弄才气。文艺作者固不能没有才气，但是逞才使气，存心炫耀，仍是趣味低劣。像英国哲学家休谟和法国诗人魏尔兰所一再指示的，文学不应只是“雄辩”(eloquence)，而且带不得雄辩的色彩。“雄辩”是以口舌争胜，说话的人要显出他聪明，要博得群众的羡慕，要讲究话的“效果”，要拿出一副可以镇压人说服人的本领给人看，免不掉许多装模作样，愈显得出才气愈易成功。但是这种浮浅的炫耀对于文学作品却是大污点。一般文学作者愈有才气，也就愈难避免炫耀雄辩的毛病。从前文人夸口下笔万言，倚马可待，文成一字不易，做诗押险韵，和韵的诗一做就是几十首，用堂皇铿锵的字面，戏剧式表情的语调，浩浩荡荡，一泻直下，乍听似可喜，细玩无余味，这些都是卖弄才气，用雄辩术于文学。爱好这一类的作品在趣味上仍不很高。

文学趣味上的毛病是数不尽的，以上十点只是举其荦荦大者。十点之中有些比较严重，有些比较轻微，但在一般初学者中都极普遍。许多读者听到我这番话，发现他们平时所沾沾自喜的都被我看成低级趣味，不免怪我太严格苛求，太偏狭。这事不能以口舌争，我只能说：一个从事文学者如果入手就养成低级趣味，愈向前走就离文学的坦途大道愈远。我认为文学教育第一件要事是养成高尚纯正的趣味，这没有捷径，唯一的办法是多多玩味第一流文艺杰作，在这些作品中把第一眼看去是平淡无奇的东西玩味出隐藏的妙蕴来,然后拿“通俗”的作品来比较,自然会见出优劣。优劣都由比较得来,一生都在喝坏酒,不会觉得酒的坏,喝过一些好酒以后,坏酒一进口就不对味。一切方面的趣味大抵如此。

写作练习

研究文学只阅读绝不够，必须练习写作，世间有许多人终身在看戏、念诗、读小说，却始终不动笔写一出戏、一首诗或是一篇小说。这种人容易养成种种错误的观念。自视太低者以为写作需要一副特殊的天才，自问既没有天才，纵然写来写去，总写不到名家的那样好，倒不如索性不写为妙。自视过高者以为自己已经读了许多作品，对于文学算是内行，不写则已，写就必与众不同，于是天天在幻想将来写出如何伟大的作品，目前且慢些再说。这两种人阅读愈多，对于写作就愈懒惰，所以有人把学问看成写作的累，以为学者与文人根本是两回事。这自然又是一个错误的观念。

只阅读而不写作的人还另有一种误解，以为自己写起来虽是平庸，看旁人的作品却有一副高明的眼光，这就是俗语所谓“眼高手低”。一般职业的批评家欢喜拿这话头来自宽自解。我自己在文艺批评中鬼混了一二十年，于今深知在文艺方面手眼必须一致，眼低者手未必高，手低者眼也未必高。你自己没有亲身体验过写作的甘苦，对于旁人的作品就难免有几分隔靴搔痒。很显著的美丑或许不难看出，而于作者苦心经营处和灵机焕发处，微言妙趣大则源于性情学问的融会,小则见于一字一句的选择与安排,你如果不曾身历其境,便难免忽略过去。克罗齐派美学家说,要欣赏莎士比亚,你须把你自己提升到莎士比亚的水准。他们理应补充一句说:你无法把自己提升到莎士比亚的水准,除非你试过他的工作。莎士比亚的朋友本·琼森说得好:“只有诗人,而且只有第一流诗人,才配批评诗。”你如果不信这话,你试想一想:文学批评虽被认为一种专门学问,古今中外有几个自己不是写作者而成为伟大的批评家?我只想到亚理斯多德一个人,而他对于希腊诗仍有不少的隔膜处。

文学的主要功用是表现。我们如果只看旁人表现而自己不能表现,那就如哑子听人说话,人家说得愈畅快,自己愈闷得心慌。听人家说而自己不说,也不感觉闷,我不相信这种人对于文艺能有真正的热忱。人生最大的快慰是创造,一件难做的事做成了,一种闷在心里的情感或思想表现出来了,自己回头一看,就如同上帝创造了世界,母亲产出了婴儿,看到它好,自己也充分感觉到自己的力量,越发兴起鼓舞。没有尝到这种快慰的人就没有尝到文学的最大乐趣。

要彻底了解文学,要尽量欣赏文学,你必须自己动手练习创作。创作固然不是一件易事,也不是一件不可能的事。像一切有价值的活动一样,它需要辛苦学习才能做好。假定有中人之资,依着合理的程序,一步一步地向前进,有一分功夫,决有一分效果,孜孜不辍,到后来总可以达到意到笔随的程度。这事有如下围棋,一段一段地前进,功夫没有到时,慢说想跳越一段,就是想多争一颗子也不行。许多学子对文学写作不肯经过浅近的基本的训练,以为将来一动笔就会一鸣惊人,那只是妄想,虽天才也未必能做到。

练习写作有一个最重要的原则须牢记在心的,就是有话必说,无话不说,说须心口如一,不能说谎。文学本来是以语文为工具的表现艺术。心里有东西要表现,才拿语文来表现。如果心里要表现的与语文所表现的不完全相同,那就根本失去表现的功用。所谓"不完全相同"可以有两个原因,一是作者的能力不够,一是他存心要说谎。如果是能力不够,他最好认清自己能力的限度,专写自己所能写的,如是他的能力自然逐渐增进。如果是存心说谎,那是入手就走错了路,他愈写就愈入迷,离文学愈远。许多人在文学上不能有成就,大半都误在入手就养成说谎的习惯。

所谓"说谎",有两种含义。第一是心里那样想而口里不那样说。一个作家须有一个"我"在,须勇敢地维护他的"我"性。这事虽不容易,许多人有意或无意地在逢迎习俗,苟求欺世盗名,昧着良心去说话,其实这终究是会揭穿的。文学不是说谎的工具,你纵想说谎也无从说。"言为心声",旁人听到你的话就会窥透你的心曲,无论你的话是真是假。《论语》载有几句逸诗:"棠棣之华,偏其反而;岂不尔思,室斯远而。"孔子一眼就看破这话的不诚实,他说:"未之思也,夫何远之有?"作者未尝不想人相信他"岂不尔思",但是他心里"未之思",语言就无从表现出"思"来。他在文学上失败,在说谎上也失败了。

其次,说谎是强不知以为知。你没有上过战场,却要描写战场的生活,没有仔细研究过一个守财奴的性格,却在一篇戏剧或小说中拿守财奴做主角,尽管你的想象如何丰富,你所写的一定缺乏文学作品所必具的真实性,人不能全知,也不能全无所知。一个聪明的作家须认清自己知解的限度，小心谨慎地把眼光注视着那限度以内的事物，看清楚了，才下笔去写。如果他想超过那限度以外去摸索，他与其在浪漫派作家所谓“想象”上做功夫，不如在写实派作家所谓“证据”上做功夫，这就是说，增加生活的经验，把那限度逐渐扩大。说来说去，想象也还是要利用实际经验。

记得不肯说谎这一个基本原则，每遇到可说的话，就要抓住机会，马上就写，要极力使写出来的和心里所想的恰相符合。习文有如习画，须常备一个速写簿带在身边，遇到一片风景，一个人物，或是一种动态，觉得它新鲜有趣，可以入画，就随时速写，写得不像，再细看摆在面前的模特儿，反复修改，务求其像而后已。这种功夫做久了之后，我们一可以养成爱好精确的习惯；二可以逐渐养成艺术家看事物的眼光，在日常生活中时时可发现值得表现的情境；三可以增进写作的技巧，逐渐使难写的成为易写。

在初写时，我们必须谨守着知道清楚的，和易于着笔的这两种材料的范围。我把这两层分开来说，其实最重要的条件还是知得清楚，知得不清楚就不易于着笔。我们一般人至少对于自己日常生活知得比较清楚，所以记日记是初学习作的最好的方法。普通记日记只如记流水账，或是作干燥无味的起居注，那自然与文学无干。把日记当作一种文学的训练，就要把本身有趣的材料记得有趣。如果有相当的敏感，到处留心，一日之内值得记的见闻感想决不会缺乏。一番家常的谈话，一个新来的客，街头一阵喧嚷，花木风云的一种新变化，读书看报得到的一阵感想，听来的一件故事，总之，一切动静所生的印象，都可以供你细心描绘，成为好文章。你不必预定每天应记的字数，只要把应记的记得恰到好处，长则数百字,短则数十字,都可不拘。你也不必在一天之内同时记许多事,多记难免如“数莱菔下窖”,决不会记得好。选择是文学的最重要的功夫,你每天选一件最值得记的,把它记得妥妥帖帖,记成一件“作品”出来,那就够了。

宇宙间一切现象都可以纳到四大范畴里去,就是情理事态。情指喜怒哀乐之类主观的感动,理是思想在事物中所推求出来的条理秩序,事包含一切人物的动作,态指人物的形状。文字的材料就不外这四种。因此文学的功用通常分为言情、说理、叙事、绘态(亦称状物或描写)四大类。文学作品因体裁不同对这四类功用各有所偏重。例如诗歌侧重言情,论文侧重说理,历史、戏剧、小说都侧重叙事,山水人物杂记侧重绘态。这自然是极粗浅的分别,实际上情理事态常交错融贯,事必有态,情常寓理,不易拆开。有些文学课本把作品分为言情、说理、叙事、绘态四类,未免牵强。一首诗、一出戏或一篇小说,可以时而言情说理,时而叙事绘态。纯粹属于某一类的作品颇不易找出,作品的文学价值愈高,愈是情理事态打成一片。

不过在习作时,我们不妨记起这四类的分别,因为四类作法对于初学有难有易,初学宜由易而难,循序渐进。从前私塾国文教员往往入手就教学生做论说,至今这个风气仍在学校里流行。这办法实在不妥。说理,需要丰富的学识和谨严的思考。这恰是青年人通常所缺乏的。他们没有说理文所必具的条件而勉强做说理文,势必袭陈腐的滥调,发空洞的议论。我有时看到大学生的国文试卷,常是满纸“大凡天下”,学理工者也是如此,因而深深地感觉到不健康的语文教育可以酿成思想糊涂。早习说理文的坏处还不仅此。青年期想象力较丰富，所谓“想象”是指运用具体的意象去思想，与我们一般成年人运用抽象的概念去思想不同。这两种思想类型的分别恰是文艺与科学的分别。所以有志习文学创作者必须趁想象力丰富时期，学会驾驭具体的情境，让世界本其光热色相活现于眼前，不只是一些无血无肉的冷冰冰的理。舍想象不去发展，只耗精力于说理，结果心里就只会有“理”而不会有“象”，那就是说，养成一种与文艺相反的习惯。我自己吃过这亏，所以知道很清楚。

现代许多文学青年喜欢写抒情诗文。我曾做过一个文艺刊物的编辑，收到的青年作家的稿件以抒情诗文为最多。文学本是表现情感的，青年人是最富于情感的，这两件事实凑拢起来，当然的结论是青年人是爱好文学的。在事实上许多青年人走上文学的路，也确是因为他们需要发泄情感。不过就习作说，入手就写言情诗文仍是不妥当。第一，情感迷离恍惚，不易捉摸，正如梦中不易说梦，醉中只觉陶陶。诗人华兹华斯说得好：“诗起于沉静中回味得来的情绪”，意与中文成语“痛定思痛”相近。青年人容易感受情绪，却不容易于沉静中回味情绪，感受情绪而加以沉静回味是始而“入乎其中”，继而“出乎其外”，这需要相当的修养。回味之后，要把情绪表现出来，也不能悲即言悲，喜即言喜，必须使情绪融化于具体的意象，或寓情于事，如“步出城东门，遥望江南路，前日风雪中，故人从此去”，不言惜别而惜别自见；或寓情于景（即本文所谓态），如“西风残照，汉家陵阙”，不言悲凉而悲凉自见。所以言情必借叙事绘态，如果没有先学叙事绘态，言情文决不易写得好。现在一般青年作家只知道抽象地说悲说喜，再加上接二连三的惊叹号，以为这就算尽了言情的能事。悲即言悲，喜即言喜，谁不会？堆砌惊叹号,谁不会?只是你言悲言喜而读者不悲不喜,你用惊叹号而读者并不觉有惊叹的必要,那还算得什么文学作品?其次,情感自身也需要陶冶熔炼,才值得文学表现。人生经验愈丰富,事理观察愈深刻,情感也就愈沉着,愈易融化于具体的情感。最沉痛的言情诗文往往不是一个作家的早年作品,我们的屈原、庾信、杜甫和苏轼,西方的但丁、莎士比亚和歌德都可以为证。青年人的情感来得容易,也来得浮泛,十个人失恋就有九个人要悲观自杀,就有九个人表现同样的姿态,过了一些时候,就有九个人都仍旧欢天喜地过日子。他们的言情作品往往表现一种浅薄的感伤主义,即西方人所谓 sentimentalism。这恰是上品言情文的大忌讳。

为初学写作者说法,说理文可缓作,言情文也可缓作,剩下来的只有叙事绘态两种。事与态都是摆在眼前的,极具体而有客观性,比较容易捉摸,好比习画写生,模特儿摆在面前,看着它一笔一笔地模拟,如果有一笔不像,还可以随看随改。紧抓住实事实物,决不致堕入空洞肤泛的恶习。叙事与绘态之中还是叙事最要紧。叙事其实就是绘动态,能绘动态就能绘静态。纯粹的绘静态文极易流于呆板,而且在事实上也极少见。事物不能很久地留在静态中,离静而动,即变为事,即成为叙事的对象。因此叙事文与绘态文极不易分,叙事文即于叙事中绘态,绘态文也必夹叙事才能生动。叙事文与绘态文做好了,其他各体文自可迎刃而解,因为严格地说,情与理还是心理方面的动作,还是可以认成“事”,还是有它们的“态”,所不同者它们比较偏于主观的,不如一般外在事态那样容易着笔。在外在事态上下过一番功夫,然后再以所得的娴熟的手腕去应付内在的事态(即情理),那就没有多大困难了。

作文与运思

做文章通常也叫做“写”文章，在西文中作家一向称“写家”，作品叫做“写品”。写须用手，故会做文章的人在中文里有时叫做“名手”，会读而不会作的人说是“眼高手低”。这种语文的习惯颇值得想一想。到底文章是“作”的还是“写”的呢？创造文学的动作是“用心”还是“用手”呢？

这问题实在不像它现于浮面的那么肤浅。因近代一派最占势力的美学——克罗齐派——所争辩的焦点就在此。依他们看，文艺全是心灵的活动，创造就是表现也就是直觉。这就是说，心里想出一具体境界，情趣与意象交融，情趣就已表现于那意象，而这时刻作品也就算完全成就了。至于拿笔来把心里所已想好的作品写在纸上，那并非“表现”，那只是“传达”或“记录”。表现（即创造）全在心里成就，记录则如把唱出的乐歌灌音到留声机片上去，全是物理的事实，与艺术无关。如我们把克罗齐派学说略加修正一下，承认在创造时，心里不仅想出可以表现情趣的意象，而且也想出了描绘那意象的语言文字，这就是说，全部作品都有了“腹稿”，那么“写”并非“作”的一个看法大致是对的。

我提出这问题和连带的一种美学观点，因为它与作文方法有密切的关系。普通语文习惯把“写”看成“作”，认为写是“用手”，也有一个原因。一般人作文往往不先将全部想好，拈一张稿纸，提笔就写，一直写将下去。他们在写一句之前，自然也得想一番，只是想一句写一句，想一段，写一段；上句未写成时，不知下句是什么；上段未写成时，不知下段是什么；到写得无可再写时，就自然终止。这种习惯养成时，“不假思索”而任笔写下去，写得不知所云，也是难免的事。文章“不通”，大半是这样来的。这种写法很普遍，学生们在国文课堂里作文，不用这个写法的似居少数。不但一般学生如此，就是有名的职业作家替报章杂志写“连载”的稿子，往往也是用这个“急就”的办法。这一期的稿子印出来了，下一期的稿子还在未定之天。有些作家甚至连写都不写，只坐在一个沙发上随想随念，一个书记或打字员在旁边听着，随听随录，录完一个段落了就送出发表。这样做成的作品，就整个轮廓看，总难免前后欠呼应，结构很零乱。近代英美长篇小说有许多是这样做成的，所以大半没有连串的故事，也没有完整的形式。作家们甚至把“无形式”(formlessness)当作一个艺术的信条，以为艺术原来就应该如此。这恐怕是艺术的一个厄运，有生命的东西都有一定完整的形式，首尾躯干不完全或是不匀称，那便成了一种怪物，而不是艺术。

这是一个极端，另一个极端是把全部作品都在心里想好，写只是记录，像克罗齐派美学家所主张的。苏东坡记文与可画竹，说他先有“成竹在胸”，然后铺纸濡毫，一挥而就。“成竹在胸”于是成为“腹稿”的佳话。这种办法似乎是理想的，实际上很不易做到。我自己也尝试过，只有在极短的篇幅中，像做一首绝句或律诗，我还可以把全篇完全在心里想好;如篇幅长了那就很难。它有种种不方便。第一,我们的注意力和记忆力所能及的范围有一定的限度,把几千字甚至几万字的文章都一字一句地记在心里,同时注意到每字每句每段的线索关联,并且还要一直向前思索,纵假定是可能,这种繁重的工作对于心力也未免是一种不必要的损耗。其次,这也许是我个人的心理习惯,我想到一点意思,就必须把它写下来,否则那意思在心里只是游离不定。好比打仗,想出一个意思是夺取一块土地,把它写下来就像筑一座堡垒,可以把它守住,并且可以作进一步袭击的基础。第三,写自身是一个集中注意力的助力,既在写,心思就不易旁迁他涉。还不仅此,写成的字句往往可以成为思想的刺激剂,我有时本来已把一段话预先想好,可是把它写下来时,新的意思常源源而来,结果须把预定的一段话完全改过。普遍所谓"由文生情"与"兴会淋漓",大半在这种时机发现。只有在这种时机,我们才容易写出好文章。

我个人所采用的是全用腹稿和全不用腹稿两极端的一种折中办法。在定了题目之后,我取一张纸条摆在面前,抱着那题目四方八面地想。想时全凭心理学家所谓"自由联想",不拘大小,不问次序,想得一点意思,就用三五个字的小标题写在纸条上,如此一直想下去,一直记下去,到当时所能想到的意思都记下来了为止。这种寻思的工作做完了,我于是把杂乱无章的小标题看一眼,仔细加一番衡量,把无关重要的无须说的各点一齐丢开,把应该说的选择出来,再在其中理出一个线索和次第,另取一张纸条,顺这个线索和次第用小标题写成一个纲要。这纲要写好了,文章的轮廓已具。每小标题成为一段的总纲。于是我依次第逐段写下去。写一段之先，把那一段的话大致想好，写一句之先，也把那一句的话大致想好。这样写下去时，像上面所说的，有时有新意思涌现，我马上就修改。一段还没有写妥时，我决不把它暂时摆下，继续写下去。因此，我往往在半途废去了很多稿纸，但是一篇写完了，我无须再誊清，也无须大修改。这种折中的办法颇有好处，一则纲要先想好，文章就有层次，有条理，有轻重安排，总之，就有形式；二则每段不预先决定，任临时触机，写时可以有意到笔随之乐，文章也不至于过分板滞。许多画家作画，似亦采取这种办法。他们先画一个大轮廓，然后逐渐填枝补叶，显出色调线纹阴阳向背。预定轮廓之中，仍可有气韵生动。

寻思是作文的第一步重要工作，思有思路，思路有畅通时也有蔽塞时。大约要思路畅通，须是精力弥满，脑筋清醒，再加上风日清和，窗明几净，临时没有外扰败兴，杂念萦怀。这时候静坐凝思，新意自会像泉水涌现，一新意酿成另一新意；如果辗转生发，写作便成为人生一件最大的乐事。一般“兴会淋漓”的文章大半都是如此做成。提笔作文时最好能选择这种境界，并且最好能制造这种境界。不过这是理想，有时这种境界不容易得到，有时虽然条件具备，文思仍然蔽塞。在蔽塞时，我们是否就应放下呢？抽象的理论姑且丢开，只就许多著名的作家的经验来看，苦思也有苦思的收获。唐人有“吟成一个字，捻断数茎须”的传说，李白讥诮杜甫说：“借问近来太瘦生，总为从来作诗苦”，李长吉的母亲说：“呕出心肝乃已”。福楼拜有一封信札，写他著书的艰难说：“我今天弄得头昏脑晕，灰心丧气。我做了四个钟头，没有做出一句来。今天整天没有写成一行，虽然涂去了一百行。这工作真难！艺术啊，你是什么恶魔？为什么要这样咀嚼我们的心血？”但是他们的成就未始不从这种艰苦奋斗得来。元遗山与张仲杰论文诗说：“文章出苦心，谁以苦心为？”大作家看重“苦心”，于此可见。就我个人所能看得到的来说，苦心从不会白费的，思路太畅时，我们信笔直书，少控制，常易流于浮滑；苦思才能拨茧抽丝，鞭辟入里，处处从深一层着想，才能沉着委婉，此其一。苦思在当时或许无所得，但是在潜意识中它的工作仍在酝酿，到成熟时可以“一旦豁然贯通”，普通所谓“灵感”大半都先经苦思的准备，到了适当时机便突然涌现，此其二。难关可以打通，平路便可驰骋自如。苦思是打破难关的努力，经过一番苦思的训练之后，手腕便逐渐娴熟，思路便不易落平凡，纵遇极难驾驭的情境也可以手挥目送，行所无事，此其三。大抵文章的畅适境界有两种，有生来即畅适者，有经过艰苦经营而后畅适者。就已成功的作品看，好像都很平易，其实这中间分别很大，入手即平易者难免肤浅，由困难中获得平易者大半深刻耐人寻味，这是铅锡与百炼精钢的分别，也是袁简斋与陶渊明的分别。王介甫所说的“看似寻常最奇倔，成如容易却艰辛”，是文章的胜境。

作文运思有如抽丝，在一团乱丝中拣取一个丝头，要把它从错杂纠纷的关系中抽出，有时一抽即出，有时须绕弯穿孔解结，没有耐心就会使紊乱的更加紊乱。运思又如射箭，目前悬有鹄的，箭朝着鹄的发，有时一发即中，也有因为瞄准不正确，用力不适中，箭落在离鹄的很远的地方，习射者须不惜努力尝试，多发总有一中。

这譬喻不但说明思路有畅通和艰涩的分别，还可说明一个意思的涌现，固然大半凭人力，也有时须碰机会。普通所谓“灵感”，虽然源于潜意识的酝酿，多少也含有机会的成分。大约文艺创作的起念不外两种。一种是本来无意要为文，适逢心中偶然有所感触，一种情境或思致，觉得值得写一写，于是就援笔把它写下来。另一种是预定题目，立意要做一篇文章，于是抱着那题目想，想成熟了然后把它写下。从前人写旧诗标题常用“偶成”和“赋得”的字样，“偶成”者触兴而发，随时口占，“赋得”者定题分韵，拈得一字，就用它为韵做诗。我们可以用这个术语，把文学作品分为“偶成”和“赋得”两类。“偶成”的作品全凭作者自己高兴，逼他写作的只有情思需要表现的一个内心冲动，不假外力。“赋得”的作品大半起于外力的催促，或是要满足一种实用的需要，如宣传、应酬、求名谋利、练习技巧之类。按理说，只有“偶成”作品才符合纯文学的理想，但是在事实上现存的文学作品大半属于“赋得”的一类，细看任何大家的诗文集就可以知道。“赋得”类也自有好文章，不但应酬唱和诗有好的，就是策论、奏疏、墓志铭之类也未可一概抹杀。一般作家在练习写作时期常是做“赋得”的工作。“赋得”是一种训练，“偶成”是一种收获。一个作家如果没有经过“赋得”的阶段，“偶成”的机会不一定有，纵有也不会多。

“赋得”所训练的不仅是技巧，尤其是思想。一般人误信文学与科学不同，无须逻辑的思考。其实文学只有逻辑的思考固然不够，没有逻辑的思考却也决不行。诗人柯尔律治在他的《文学传记》里眷念一位无名的老师，因为从这老师的教诲，他才深深地了解极放纵的诗还是有它的逻辑。我常觉得，每一个大作家必同时是他自己的严厉的批评者。所谓“批评”就要根据逻辑的思想和文学的修养。一件作品如果有毛病——无论是在命意布局或是在造句用字——仔细穷究，病源都在思想。思想不清楚的人做出来的文章决不会清楚。思想的毛病除了精神失常以外，都起于懒惰，遇着应该分析时不仔细分析，应该斟酌时不仔细斟酌，只图模糊敷衍，囫囵吞枣混将过去。练习写作第一件要事就是克服这种心理的懒怠，随时彻底认真，一字不苟，肯朝深处想，肯向难处做。如果他养成了这种谨严的思想习惯，始终不懈，他决不会做不出好的文章。

选择与安排

在作文运思时，最重要而且最艰苦的工作不在搜寻材料，而在有了材料之后，将它们加以选择与安排，这就等于说，给它们一个完整有生命的形式。材料只是生糙的钢铁，选择与安排才显出艺术的锤炼刻画。就生糙的材料说，世间可想到可说出的话在大体上都已经从前人想过说过；然而后来人却不能因此就不去想不去说，因为每个人有他的特殊的生活情境与经验，所想所说的虽大体上仍是那样的话，而想与说的方式却各不相同。变迁了形式，就变迁了内容。所以他所想所说尽管在表面上是老生常谈，而实际上却可以是一种新鲜的作品，如果选择与安排给了它一个新的形式，新的生命。“袅袅兮秋风，洞庭波兮木叶下”，在大体上和“菡萏香销翠叶残，西风愁起绿波间”表现同样的情致，而各有各的佳妙处，所以我们不能说后者对于前者是重复或是抄袭。莎士比亚写过夏洛克以后，许多作家接着写过同样典型的守财奴（莫里哀的阿尔巴贡和巴尔扎克的葛朗台是著例），也还是一样入情入理。材料尽管大致相同，每个作家有他的不同的选择与安排，这就是说，有他的独到的艺术手腕，所以仍可以有他的特殊的艺术成就。

最好的文章，像英国小说家斯威夫特所说的，须用“最好的字句在最好的层次”。找最好的字句要靠选择，找最好的层次要靠安排。其实这两桩工作在人生各方面都很重要，立身处世到处都用得着，一切成功和失败的枢纽都在此。在战争中我常注意用兵，觉得它和作文的诀窍完全相同。善将兵的人都知道兵在精不在多。精兵一人可以抵得许多人用，疲癃残疾的和没有训练、没有纪律的兵愈多愈不易调动，反而成为累赘或障碍。一篇文章中每一个意思或字句就是一个兵，你在调用之前，须加一番检阅，不能作战的，须一律淘汰，只留下精锐，让他们各站各的岗位，各发挥各的效能。排定岗位就是摆阵势，在文章上叫做“布局”。在调兵布阵时，步、骑、炮、工、辎须有联络照顾，将、校、尉、大、卒须按部就班，全战线的中坚与侧翼，前锋与后备，尤须有条不紊。虽是精锐，如果摆布不周密，纪律不严明，那也就成为乌合之众，打不来胜仗。文章的布局也就是一种阵势，每一段就是一个队伍，摆在最得力的地位才可以发生最大的效用。

文章的通病总不外两种，不知选择和不知安排。第一步是选择。斯蒂文森说，文学是“裁剪的艺术”。裁剪就是选择的消极方面。有选择就必有排弃，有割爱。在兴酣采烈时，我们往往觉得自己所想到的意思样样都好，尤其是费过苦心得来的，要把它一笔勾销，似未免可惜。所以割爱是大难事，它需要客观的冷静，尤其需要谨严的自我批评。不知选择大半由于思想的懒惰和虚荣心所生的错觉。遇到一个题目来，不肯朝深一层想，只浮光掠影地凑合一些实在是肤浅陈腐而自以为新奇的意思，就把它们和盘托出。我常看大学生的论文，把一个题目所有的话都一五一十地说出来，每一点都约略提及，可是没有一点说得透彻，甚至前后重复或自相矛盾。如果有几个人同做一个题目，说的话和那话说出来的形式都大半彼此相同，看起来只觉得"天下老鸦一般黑"。这种文章如何能说服读者或感动读者？这里我们可以再就用兵打比譬，用兵制胜的要诀在占领要塞，击破主力。要塞既下，主力既破，其余一切就望风披靡，不攻自下。古人所以有"射人先射马，擒贼先擒王"的说法。如果虚耗兵力于无战略性的地点，等到自己的实力消耗尽了，敌人的要塞和主力还屹然未动，那还能希望打什么胜仗？做文章不能切中要害，错误正与此相同。在艺术和在自然一样，最有效的方式常是最经济的方式，浪费不仅是亏损而且也是伤害。与其用有限的力量于十件事上而不能把任何一件事做得好，不如以同样的力量集中在一件事上，把它做得斩钉截铁。做文章也是如此。世间没有说得完的话，你想把它说完，只见得你愚蠢；你没有理由可说人人都说的话，除非你比旁人说得好，而这却不是把所有的话都说完所能办到的。每篇文章必有一个主旨，你须把着重点完全摆在这主旨上，在这上面鞭辟入里，烘染尽致，使你所写的事理情态成一个世界，突出于其他一切世界之上，像浮雕突出于石面一样。读者看到，马上就可以得到一个强有力的印象，不由得他不受说服和感动。这就是选择，这就是攻坚破锐。

我们最好拿戏剧、小说来说明选择的道理。戏剧和小说都描写人和事。人和事的错综关系向来极繁复，一个人和许多人有因缘，一件事和许多事有联络，如果把这种关系辗转追溯下去，可以推演到无穷。一部戏剧或小说只在这无穷的人事关系中割出一个片段来，使它成为一个独立自足的世界，许多在其他方面虽有关系而在所写的一方面无大关系的事事物物，都须斩断撇开。我们在谈劫生辰纲的梁山泊好汉，生辰纲所要送到的那个豪贵场合也许值得描写，而我们却不能去管。谁不想知道哈姆雷特在威登堡的留学生活，但是我们现在只谈他的家庭悲剧，时间和空间的限制都不许我们搬到威登堡去看一看。再就划定的小范围来说，一部小说或戏剧须取一个主要角色或主要故事做中心，其余的人物故事穿插，须能烘托这主角的性格或理清这主要故事的线索，适可而止，多插一个人或一件事就显得臃肿繁芜。再就一个角色或一个故事的细节来说，那是数不尽的，你必须有选择，而选择某一个细节，必须有它典型性，选了它其余无数细节就都可不言而喻。悭吝人到处悭吝，吴敬梓在《儒林外史》里写严监生只挑选他临死时看见油灯里有两茎灯芯不闭眼一事。《红楼梦》对于妙玉着笔墨最少，而她那一副既冷僻而又不忘情的心理却令我们一见不忘。刘姥姥吃过的茶杯她叫人掷去，却将自己用的绿玉斗斟茶给宝玉；宝玉做寿，众姊妹闹得欢天喜地，她一人枯坐参禅，却暗地递一张粉红笺的贺帖。寥寥数笔，把一个性格，一种情境，写得活灵活现。在这些地方多加玩索，我们就可悟出选择的道理。

选择之外，第二件要事就是安排，就是摆阵势。兵家有所谓“常山蛇阵”，它的特点是“击首则尾应，击尾则首应，击腹则首尾俱应”。亚理斯多德在《诗学》里论戏剧结构说它要完整，于是替“完整”一词下了一个貌似平凡而实精深的定义：“我所谓完整是指一件事物有头，有中段，有尾。头无须有任何事物在前面笼盖着，而后面却必须有事物承接着。中段要前面既有事物笼盖着，后面又有事物承接着。尾须有事物在前面笼盖着，却不须有事物在后面承接着。”这与“常山蛇阵”的定义其实是一样。用近代语言来说，一个艺术品必须为完整的有机体，必须是一件有生命的东西。有生命的东西第一须有头有尾有中段，第二是头尾和中段各在必然的地位，第三是有一股生气贯注于全体，某一部分受影响，其余各部分不能麻木不仁。一个好的阵形应如此，一篇好的文章布局也应如此。一段话如果丢去仍于全文无害，那段话就是赘疣；一段话如果搬动位置仍于全文无害，那篇文章的布局就欠斟酌。布局愈松懈，文章的活力就愈薄弱。

从前中国文人讲文章义法，常把布局当作呆板的形式来谈，例如全篇局势须有起承转合，脉络须有起伏呼应，声调须有抑扬顿挫，命意须有正反侧，如作字画，有阴阳向背。这些话固然也有它们的道理，不过它们是由分析作品得来的，离开作品而空谈义法，就不免等于纸上谈兵。我们想懂得布局的诀窍，最好是自己分析完美的作品；同时，自己在写作时，多费苦心衡量斟酌。最好的分析材料是西方戏剧杰作，因为它们的结构通常都极严密。习作戏剧也是学布局的最好方法，因为戏剧须把动作表现于有限时间与有限空间之中，如果起伏呼应不紧凑，就不能集中观众的兴趣，产生紧张的情绪。我国史部要籍如《左传》、《史记》之类在布局上大半也特别讲究，值得细心体会。一篇完美的作品，如果细细分析，在结构上必具备下面的两个要件：

第一是层次清楚。文学像德国学者莱辛所说的，因为用在时间上承续的语文为媒介，是沿着一条线绵延下去。如果同时有许多事态线索，我们不能把它们同时摆在一个平面上，如同图画上许多事物平列并存；我们必须把它们在时间上分先后，说完一点，再接着说另一点，如此生发下去。这许多要说的话，谁说在先，谁说在后，须有一个层次。层次清楚，才有上文所说的头尾和中段。文章起头最难，因为起头是选定出发点，以后层出不穷的意思都由这出发点顺次生发出来，如幼芽生发出根干枝叶。文章有生发才能成为完整的有机体。所谓“生发”是上文意思生发下文意思，上文有所生发，下文才有所承接。文章的“不通”有多种，最厉害的是上气不接下气，上段上句的意思没有交代清楚就搁起，下段下句的意思没有伏根就突然出现。顺着意思的自然生发脉络必有衔接，不致有脱节断气的毛病，而且意思可以融贯，不致有前后矛盾的毛病。打自己耳光，是文章最大的弱点。章实斋在韩退之《送孟东野序》里挑出过一个很好的例。上文说“凡物不得其平则鸣”，下文接着说“伊尹鸣商，周公鸣周”，伊尹、周公并非不得其平。这是自相矛盾，下文意思不是从上文意思很逻辑地生发出来。意思互相生发，就能互相呼应，也就能以类相聚，不相杂乱。杂乱有两种：一是应该在前一段说的话遗漏着不说，到后来一段不很相称的地方勉强插进去；一是在上文已说过的话到下文再重复说一遍。这些毛病的根由都在思想疏懈。思想如果谨严，条理自然缜密。

第二是轻重分明。文章不仅要分层次，尤其要分轻重。轻重犹如图画的阴阳光影，一则可以避免单调，起抑扬顿挫之致；二则轻重相形，重者愈显得重，可以产生较强烈的效果。一部戏剧或小说的人物和故事如果不分宾主，群龙无首，必定显得零乱芜杂。一篇说理文如果有五六层意思都平铺并重，它一定平滑无力，不能说服读者。艺术的特征是完整，完与整是相因的，整一才能完美。在许多意思并存时，想产生整一的印象，它们必须轻重分明。文章无论长短，一篇须有一篇的主旨，一段须有一段的主旨。主旨是纲，由主旨生发出来的意思是目。纲必须能领目，目必须附丽于纲，尊卑就序，然后全体自能整一。“譬如北辰居其所而众星拱之”。一篇文章的主旨应有这种气象，众星也要分大小远近。主旨是着重点，有如照相投影的焦点，其余所有意思都附在周围，渐远渐淡。在文章中显出轻重通常不外两种办法：第一是在层次上显出。同是一个意思，摆的地位不同，所生的效果也就不同，不过我们不能指定某一地位是天然的着重点。起头有时可以成为着重点，因为它笼盖全篇，对读者可以生“先入为主”的效果；收尾通常不能不着重，虎头蛇尾是文章的大忌讳，作家往往一层深一层地掘下去，不断地引起读者的好奇心，使他不能不读到终了，到终了主旨才见分晓，故事才告结束，谜语才露谜底。中段承上启下，也可以成为着重点，戏剧的顶点大半落在中段，可以为证。一个地位能否成为着重点，全看作者渲染烘托的技巧如何，我们不能定出法则，但是可以从分析名著（尤其是叙事文）中探得几分消息。其次轻重可以在篇幅分量上显出。就普遍情形说，意思重要，篇幅应占多；意思不重要，篇幅应占少。这不仅是为着题旨醒豁，也是要在比例匀称上显出一点波澜节奏，如同图画上的阴阳。轻重倒置在任何艺术作品中都是毛病。不过这也不能一概而论，名手立论或叙事，往往在四面渲染烘托，到了主旨所在，有如画龙点睛反而轻描淡写地掠过去，不多着笔墨。

从上面的话看来，我们可以知道文章有一定的理，没有一定的法。所以我们只略谈原理，不像一般文法修辞书籍，在义法上多加剖析。“大匠能诲人以规矩，不能使人巧。”知道文章作法，不一定就做出好文章。艺术的基本原则是寓变化于整齐，整齐易说，变化则全靠心灵的妙运，这是所谓“神而明之，存乎其人”了。

咬文嚼字

郭沫若先生的剧本《屈原》里婵娟骂宋玉说:“你是没有骨气的文人!”上演时他自己在台下听,嫌这话不够味,想在“没有骨气的”下面加“无耻的”三个字。一位演员提醒他把“是”改为“这”,“你这没有骨气的文人!”就够味了。他觉得这字改得很恰当,他研究这两种语法的强弱不同,以为“你是什么”只是单纯的叙述语,没有更多的意义,有时或许竟会“不是”;“你这什么”便是坚决的判断,而且附带语省略去了。根据这种见解,他把另一文里“你有革命家的风度”一句话改为“你这革命家的风度”(参见《文学创作》第四期郭沫若《札记四则》)。

这是炼字的好例。我们不妨借此把炼字的道理研究一番。那位演员把“是”改为“这”,确是改得好,不过郭先生如果记得《水浒》,就会明白一般民众骂人,都用“你这什么”式语法。石秀骂梁中书说:“你这与奴才做奴才的奴才!”杨雄醉骂潘巧云说:“你这贱人,你这淫妇!你这你这大虫口里流涎!你这你这……”一口气就骂了六个“你这”。看这些实例,“你这什么!”倒不仅是“坚决的判断”,而是带有极端憎恶的惊叹语,表现着强烈的情感。“你是什么"便只是不带情感的判断,纵有情感也不能在文字本身上见出。不过它也不一定就是"单纯的叙述语,没有更多的含义"。《红楼梦》里茗烟骂金荣说:"你是个好小子,出来动一动你茗大爷!"这里"你是"含有假定语气,也带"你不是"一点讥刺的意味,如果改成"你这好小子!"神情就完全不对了。从此可知"你这"式语法并非在任何情形之下都比"你是"式语法来得更有力。其次,郭先生援例把"你有革命家的风度"改为"你这革命家的风度",似乎改得并不很妥。一、"你这"式语法大半表示深恶痛疾,在赞美时便不适宜。二、"是"在逻辑上是连接词(copula),相当于等号;"有"的性质全不同。在"你有革命家的风度"一句中"风度"是动词的宾词;在"你这革命家的风度"中"风度"便变成主词,和"你(的)"平行根本不成一句话。

这番话不免啰唆,但是我们原在咬文嚼字,非这样锱铢必较不可。咬文嚼字有时是一个坏习惯,所以这个成语的含义通常不很好。但是在文学,无论阅读或写作,我们必须有一字不肯放松的谨严。文学借文字表现思想情感;文字上面有含糊,就显得思想还没有透彻,情感还没有凝练。咬文嚼字,在表面上像只是斟酌文字的分量,在实际上就是调整思想和情感。从来没有一句话换一个说法而意味仍完全不变。例如《史记》李广射虎一段:"李广见草中石,以为虎而射之,中石没镞,视之,石也。因更复射,终不能入石矣。"这本是一段好文章,王若虚在《史记辨惑》里说它"凡多三石字",当改为:"以为虎而射之,没镞,既知其为石,因更复射,终不能入。"或改为:"尝见草中有虎,射之,没镞。视之,石也。"在表面上改的似乎简洁些,却实在远不如原文。"见草中石,以为虎"并非

"见草中有虎"。原文"视之,石也"有发现错误而惊讶的意味。改为"既知其为石"便失去这意味。原文"终不能复入石矣"有失望而放弃得很斩截的意味,改为"终不能入"便觉索然无味。这种分别稍有文字敏感的人细心玩索一番,自会明白。

一般人根本不了解文字和思想情感的密切关系,以为更改一两个字不过是要文字顺畅些或是漂亮些。其实更动了文字,就同时更动了思想情感,内容和形式是相随而变的。姑举一个人人皆知的实例。韩愈在月夜里听见贾岛吟诗,有"鸟宿池边树,僧推月下门"两句,劝他把"推"字改成"敲"字。这段文字因缘古今传为美谈,于今人要把咬文嚼字的意思说得好听一点,都说"推敲"。古今人也都赞赏"敲"字比"推"字下得好。其实这不仅是文字上的分别,同时也是意境上的分别。"推"固然显得鲁莽一点,但是它表示孤僧步月归寺,门原来是他自己掩的,于今他"推"。他须自掩自推,足见寺里只有他孤零零的一个和尚。在这冷寂的场合,他有兴致出来步月,兴尽而返,独往独来,自在无碍,他也自有一副胸襟气度。"敲"就显得他拘礼些,也就显得寺里有人应门。他仿佛是乘月夜访友,他自己不甘寂寞,那寺里如果不是热闹场合,至少也有一些温暖的人情。比较起来,"敲"的空气没有"推"的那么冷寂。就上句"鸟宿池边树"看来,"推"似乎比"敲"要调和些。"推"可以无声,"敲"就不免剥啄有声,惊起了宿鸟,打破了岑寂,也似乎频添了搅扰。所以我很怀疑韩愈的修改是否真如古今所称赏的那么妥当。究竟哪一种意境是贾岛当时在心里玩索而要表现的,只有他自己知道。如果他想到"推"而下"敲"字,或是想到"敲"而下"推"字,我认为那是不可能的事。所以问题不在"推"字和"敲"字哪一个比较恰当，而在哪一种境界是他当时所要说的而且与全诗调和的。在文字上推敲，骨子里实在是在思想情感上“推敲”。

无论是阅读或写作，字的难处在意义的确定与控制。字有直指的意义，有联想的意义。比如说“烟”，它的直指的意义见过燃烧体冒烟的人都会明白，只是它的联想的意义迷离不易捉摸，它可联想到燃烧弹，鸦片烟榻，庙里焚香，“一川烟水”，“杨柳万条烟”，“烟光凝而暮山紫”，“蓝田日暖玉生烟”……种种境界。直指的意义载在字典，有如月轮，明显而确实；联想的意义是文字在历史过程上所累积的种种关系，有如轮外圆晕，晕外霞光，其浓淡大小随人随时随地而各个不同，变化莫测。科学的文字愈限于直指的意义就愈精确，文学的文字有时却必须顾到联想的意义，尤其是在诗方面。直指的意义易用，联想的意义却难用，因为前者是固定的，后者是游离的；前者偏于类型，后者偏于个性。既是游离的，个别的，它就不易控制，而且它可以使意蕴丰富，也可以使意思含糊甚至于支离。比如说苏东坡的《惠山烹小龙团》诗里三四两句“独携天上小团月，来试人间第二泉”，“天上小团月”是由“小龙团”茶联想起来的，如果你不知道这个关联，原文就简直不通；如果你不了解明月照着泉水和清茶泡在泉水里那一点共同的清沁肺腑的意味，也就失去原文的妙处。这两句诗的妙处就在不即不离若隐若现之中。它比用“惠山泉水泡小龙团茶”一句话来得较丰富，也来得较含混有蕴藉。难处就在于含混中显得丰富。由“独携小龙团，来试惠山泉”变成“独携天上小团月，来试人间第二泉”，这是点铁成金。文学之所以为文学就在这一点生发上面。

这是一个善用联想意义的例子。联想意义也最易误用而生流弊。联想起于习惯，习惯老是欢喜走熟路。熟路抵抗力最低，引诱性最大，一人走过，人人就都跟着走，愈走就愈平滑俗滥，没有一点新奇的意味。字被人用得太滥，也是如此。从前做诗文的人都依靠《文料触机》、《幼学琼林》、《事类统编》之类书籍，要找词藻典故，都到那里去乞灵。美人都是“柳腰桃面”，“王嫱、西施”，才子都是“学富五车，才高八斗”；谈风景必是“春花秋月”，叙离别不离“柳岸灞桥”；做买卖都有“端木遗风”，到现在用铅字排印书籍还是“付梓”、“杀青”。像这样例子举不胜举，它们是从前人所谓“套语”，我们所谓“滥调”。一件事物发生时立即使你联想到一些套语滥调，而你也就安于套语滥调，毫不斟酌地使用它们，并且自鸣得意。这就是近代文艺心理学家们所说的“套板反应”（stock response）。一个人的心理习惯如果老是倾向“套板反应”，他就根本与文艺无缘，因为就作者说，“套板反应”和创造的动机是仇敌；就读者说，它引不起新鲜而真切的情趣。一个作者在用字用词上面离不掉“套板反应”，在运思布局上面，甚至于在整个人生态度方面也就难免如此。不过习惯力量的深广非我们意料所及，沿着习惯去做，总比新创较省力，人生来有惰性，常使我们不知不觉地一滑就滑到“套板反应”里去。你如果随便在报章杂志或是尺牍宣言里面挑一段文章来分析，你就会发现那里面的思想情感和语言大半都由“套板反应”起来的。韩愈谈他自己做古文，“唯陈言之务去”。这是一句最紧要的教训。语言跟着思想情感走，你不肯用俗滥的语言，自然也就不肯用俗滥的思想情感，你遇事就会朝深一层去想，你的文章也就真正是“作”出来的，不致落入下乘。

以上只是随便举几个实例，说明咬文嚼字的道理。例子举不尽，道理也说不完。我希望读者从这粗枝大叶的讨论中，可以领略运用文字所应有的谨严精神。本着这个精神，他随处留心玩索，无论是阅读或写作，就会逐渐养成创作和欣赏都必需的好习惯。他不能懒，不能粗心，不能受一时兴会所生的幻觉迷惑而轻易自满。文学是艰苦的事，只有刻苦自勉，推陈翻新，时时求思想情感与语文的精练与吻合，他才会逐渐达到艺术的完美。

散文的声音节奏

咬文嚼字应从意义和声音两方面着眼。上篇我们只谈推敲字义,没有提到声音。声音与意义本不能强分,有时意义在声音上见出还比在习惯的联想上见出更微妙,所以有人认为讲究声音是行文的最重要的功夫。我们把这问题特别另作专篇来讨论,也就因为这个缘故。我们把诗除外,因为诗要讲音律,是人人都知道的,而且从前人在这方面已经说过很多的话。至于散文的声音节奏在西方虽有语音学专家研究,在我国还很少有人注意。一般人谈话写文章(尤其是写语体文),都咕咕喽喽地滚将下去,管他什么声音节奏!

从前人做古文,对声音节奏却也讲究。朱子说:“韩退之、苏明允作文,敝一生之精力,皆从古人声响处学。”韩退之自己也说:“气盛则言之短长,声之高下,皆宜。”清朝桐城派文家学古文,特重朗诵,用意就在揣摩声音节奏。刘海峰谈文,说:“学者求神气而得之音节,求音节而得之字句,思过半矣。”姚姬传甚至谓:“文章之精妙不出字句声色之间,舍此便无可窥寻。”此外古人推重声音的话还很多,引不胜引。

声音对于古文的重要可以从几个实例中看出。

范文正公作《严先生祠堂记》，收尾四句歌是："云山苍苍，江水泱泱，先生之德，山高水长。"他的朋友李太伯看见，就告诉他："公此文一出名世，只一字未妥。"他问何字，李太伯说："先生之德不如改先生之风。"他听了很高兴，就依着改了。"德"字与"风"字在意义上固然不同，最重要的分别还在声音上面。"德"字仄声音哑，没有"风"字那么沉重响亮。

相传欧阳公作《画锦堂记》已经把稿子交给来求的人，而那人回去已经走得很远了，猛然想到开头两句"仕宦至将相，锦衣归故乡"，应加上两个"而"字，改为"仕宦而至将相，锦衣而归故乡"，立刻就派人骑快马去追赶，好把那两个"而"字加上。我们如果把原句和改句朗诵来比较看，就会明白这两个"而"字关系确实重大。原句气局促，改句便很舒畅；原句意直率，改句便有抑扬顿挫。从这个实例看，我们也可以知道音与义不能强分，更动了声音就连带地更动了意义。"仕宦而至将相"比"仕宦至将相"意思多一个转折，要深一层。

古文难于用虚字，最重要的虚字不外承转词（加上字"而"字），肯否助词（如"视之，石也"的"也"字），以及惊叹疑问词（如"独吾君也乎哉？"句尾三虚字）几大类。普通说话声音所表现的神情也就在承转、肯否、惊叹、疑问等地方见出，所以古文讲究声音，特别在虚字上做功夫。《孔子家语》往往抄袭《檀弓》而省略虚字，神情便比原文差得远。例如"仲子亦犹行古之道也"（《檀弓》）比"仲子亦犹行古人之道"（《孔子家语》），"予恶夫涕之无从也"（《檀弓》）比"予恶夫涕而无以将之"（《孔子家语》），"夫子为弗闻也者而过之”(《檀弓》)比“夫子为之隐佯不闻以过之”(《孔子家语》),风味都较隽永。柳子厚《钴鉧潭记》收尾“于以见天之高,气之迥,孰使予乐居夷而忘故土者,非兹潭也欤?”如果省去两个“之”字为“天高气迥”,省去“也”字为“非兹潭欤”,风味也就不如原文。

古文讲究声音,原不完全在虚字上面,但虚字最为紧要。此外段落的起伏开合,句的长短,字的平仄,文的骈散,都与声音有关。这须拿整篇文章来分析,才说得明白,不是本文篇幅所许可的。从前文学批评家常用“气势”、“神韵”、“骨力”、“姿态”等词,看来好像有些弄玄虚,其实他们所指的只是种种不同的声音节奏,声音节奏在科学文里可不深究,在文学文里却是一个最主要的成分,因为文学须表现情趣,而情趣就大半要靠声音节奏来表现,犹如在说话时,情感表现于文字意义的少,表现于语言腔调的多,是一个道理。从前人研究古文,特别着重朗诵。姚姬传说:“大抵学古文者必要放声疾读,又缓读,只久之自悟。若但能默看,即终身作外行也。”读有读的道理,就是从字句中抓住声音节奏,从声音节奏中抓住作者的情趣、“气势”或“神韵”。自己作文,也要常拿来读读,才见出声音是否响亮,节奏是否流畅。

领悟文字的声音节奏,是一件极有趣的事。普通人以为这要耳朵灵敏,因为声音要用耳朵听才生感觉。就我个人的经验来说,耳朵固然要紧,但是还不如周身筋肉。我读音调铿锵、节奏流畅的文章,周身筋肉仿佛作同样有节奏的运动;紧张,或是舒缓,都产生出极愉快的感觉。如果音调节奏上有毛病,我的周身筋肉都感觉局促不安,好像听厨子刮锅烟似的。我自己在作文时,如果碰上兴会,筋肉方面也仿佛在奏乐,在跑马,在荡舟,想停也停不住。如果意兴不佳，思路枯涩，这种内在的筋肉节奏就不存在，尽管费力写，写出来的文章总是吱咯吱咯的，像没有调好的弦子。我因此深信声音节奏对于文章是第一件要事。

我们放弃了古文来做语体文，是否还应该讲声音节奏呢？维护古文的人认为语体文没有音调，不能拉着嗓子读，于是就认为这是语体文的一个罪状。做语体文的人往往回答说：文章原来只是让人看的，不是让人唱的，根本就用不着什么音调。我看这两方面的话都不很妥当。既然是文章，无论古今中外，都离不掉声音节奏。古文和语体文的不同，不在声音节奏的有无，而在声音节奏形式化的程度大小。古文的声音节奏多少是偏于形式的，你读任何文章，大致都可以拖着差不多的调子。古文能够拉着嗓子读，原因也就在它总有个形式化的典型，犹如歌有乐谱，固然每篇好文章于根据这个典型以外还自有个性。语体文的声音节奏就是日常语言的，自然流露，不主故常。我们不能拉着嗓子读语体文，正如我们不能拉着嗓子谈话一样。但是语体文必须念着顺口，像谈话一样，可以在长短、轻重、缓急上面显出情感思想的变化和生展。古文好比京戏，语体文好比话剧。它们的分别是理想与写实，形式化与自然流露的分别。如果讲究得好，我相信语体文比古文的声音节奏应该更生动，更有味。

不拘形式，纯任自然，这是语体文声音节奏的特别优点。因此，古文的声音节奏容易分析，语体文的声音节奏却不易分析。刘海峰所说的“无一定之律，而有一定之妙”，用在语体文比用在古文上面还更恰当。我因为要举例说明语体文的声音节奏，拿《红楼梦》和《儒林外史》来分析，又拿老舍、朱自清、沈从文几位文字写得比较好的作家来分析，我没有发现旁的诀窍，除掉“自然”、“干净”、“浏朗”几个优点以外。比如说《红楼梦》二十八回宝玉向黛玉说心事：

> 当初姑娘来了，那不是我陪着顽笑！凭我心爱的，姑娘要，就拿去；我爱吃的，听见姑娘也爱吃，连忙的收拾的干干净净，收着；等着姑娘到来，一桌子吃饭，一床儿上睡觉。丫头们想不到的，我怕姑娘生气，我替丫头们想到。我心里想着：姊妹们从小儿长大，亲也罢，热也罢，和气到了底，才见的比别人好。如今谁承望姑娘人大心大，不把我放在眼睛里！……

这只是随便挑出的，你把全段念着看，看它多么顺口，多么能表情，一点不做作，一点不拖沓。如果你会念，你会发现它里面也有很好的声音节奏。它有骈散交错，长短相间，起伏顿挫种种道理在里面，虽然这些都是出于自然，没有很显著的痕迹。

我也分析过一些写得不很好的语体文，发现文章既写得不好，声音节奏也就不响亮流畅。它的基本原因当然在作者的思路不清楚，情趣没有洗练得好，以及驾驭文字的能力薄弱。单从表面看，语体文的声音节奏有毛病，大致不外两个原因。第一个原因是文白杂糅，像下面随意在流行的文学刊物上抄来的两段：

> 摆夷的坌山多半是在接近村寨的地方，并且是树林荫翳，备极森严。其中荒冢累累，更增凄凉的成分。这种坌

山恐怕就是古代公有墓园的遗风。故祭奎除崇拜创造宇宙的神灵外，还有崇拜祖先的动机。……

他的丑相依然露在外面，欺哄得过的无非其同类不求认识人格之人而已。然进一步言之，同类人亦不能欺哄，因同类人了解同类人尤其清楚。不过，有一点可得救的，即他们不求自反自省，所以对人亦不曾，且亦不求分析其最后之人格，此所以他们能自欺兼以欺人……

这些文章既登在刊物上，当然不能算是最坏的例子，可是念起来也就很“别扭”。我们不能像读古文一样拖起调子来哼，又不能用说话或演戏的腔调来说。第一例用了几句不大新鲜的文言，又加上“增”、“故”两个作文言文用法的字，显得非驴非马，和上下文不调和。第二例除掉杂用文言文的用字法以外，在虚字上面特别不留心。你看：“无非……而已……然……不过……即……所以……亦……且亦……此所以……兼以……”一条线索多么纠缠不清！语体文的字和词不够丰富，须在文言文里借用，这是无可反对的。语体文本来有的字和词，丢着不用，去找文言文的代替字，那何不索性做文言文？最不调和的是在语体文中杂用文言文所特有的语句组织，使读者不知是哼好还是念好。比如说，“然进一步言之，同类人亦不能欺哄，因同类人了解同类人尤其清楚”一段话，如果写成纯粹的语体文，就应该是：“但是进一步来说，同类人也难得欺哄，因为同类人了解同类人更加清楚。”这样地，我们说起来才顺口，才有自然的节奏。

其次，没有锤炼得好的欧化文在音调节奏上也往往很糟，像下面的例子：

当然这不是说不要想象，而且极需要想象给作品以生动的色彩。但是想象不是幻想而是有事实，或经验作根据。表现可能的事实，这依然对现象忠实，或者更忠实些。我们不求抓住片段的死的事实，而求表现真理。因为真理的生命和常存，那作品也就永远是活的。……

春来了，花草的生命充分表现在那嫩绿的枝叶和迷乱的红云般花枝，人的青春也有那可爱的玉般肢体和那苹果似的双颊呈现……

作者很卖气力，我们可以想象得到；但是这样生硬而笨重的句子里面究竟含有什么深奥的道理？第一例像是一段生吞活剥的翻译，思路不清楚，上下不衔接，（例如第一句“而且”接什么？“可能的事实”成什么话？作者究竟辩护想象，还是主张对现象忠实，还是赞扬真理？）音调节奏更说不上。第二例模仿西文堆砌形容词，把一句话（本来根本不成话，那双颊是人的还是青春的？）拖得冗长，念起来真是佶屈聱牙。从这个实例看，我们可以明白思路和节奏的密切关系，思想错乱，节奏就一定错乱；至于表面上欧化的痕迹还是次要的原因。适宜程度的欧化是理应提倡的，但是本国语文的特性也应当顾到。用外国文语句构造法来运用中文，用不得当，就像用外国话腔调说中国话一样滑稽可笑。

我在这里只是随意举例说明声音节奏上的毛病，对所引用的作者并非要作恶意的批评，还请他们原谅。语体文还在试验时期，错误人人都难免。我们既爱护语体文，就应努力使它在声音节奏上比较完美些，多给读者一些愉快，少给责难者一些口实。这事要说是难固然是难，要说是容易也实在容易。先把思想情感洗练好，下笔时你就当作你是在谈话，让思想情感源源涌现，力求自然。你在向许多人说话，要说服他们，感动他们，当然不能像普通谈话那样无剪裁，无伦次。你须把话说得干净些，响亮些，有时要斩截些，有时要委婉些。照这样办，你的文章在声音节奏上就不会有毛病。旁人读你的文章，就不但能明白你的意思，而且听得见你的声音，看得见你的笑貌。“如闻其语，如见其人。”你于是成为读者的谈心的朋友，你的话对于他也就亲切有味。

文学与语文(上):内容、形式与表现

从前我看文学作品,摄引注意力的是一般人所说的内容。如果它所写的思想或情境本身引人入胜,我便觉得它好,根本不很注意到它的语言文字如何。反正语文是过河的桥,过了河,桥的好坏就可不用管了。近年来我的习惯几已完全改过。一篇文学作品到了手,我第一步就留心它的语文。如果它在这方面有毛病,我对它的情感就冷淡了好些。我并非要求美丽的辞藻,存心装饰的文章甚至使我嫌恶;我所要求的是语文的精确妥帖,心里所要说的与手里所写出来的完全一致,不含糊,也不夸张,最适当的字句安排在最适当的位置。那一句话只有那一个说法,稍加增减更动,便不是那么一回事。语文做到这个地步,我对作者便有绝对的信心。从我自己的经验和对于文学作品的观察看来,这种精确妥帖的语文颇不是易事,它需要尖锐的敏感,极端的谨严,和极艰苦的挣扎。一般人通常只是得过且过,到大致不差时便不再苛求。他们不了解在文艺方面,差之毫厘往往谬以千里。文艺的功用原在表现,如果写出来的和心里所想说的不一致,那就无异于说谎,失去了表现的意义。一个作家如果不在语文精确妥帖上苛求,他不是根本不了解文学,就是缺乏艺术的良心,肯对他自己不忠实。像我们在下文须详细分析的,语文和思想是息息相关的。一个作家在语文方面既可以苟且敷衍,他对于思想情感的洗练安排也就一定苟且敷衍。处处都苟且敷衍,他的作品如何能完美?这是我侧重语文的一个看法。

我得到这么一个看法,并不是完全拿科学头脑来看文学,硬要文学和数学一样,二加二必等于四。我细心体会阅读和写作的经验,觉得文学上的讲究大体是语文上的讲究,而语文的最大德性是精确妥帖。文学与数学不同的,依我看来,只有两点:一是心里所想的不同,数学是抽象的理,文学是具体的情境;一是语文的效果不同,数学直述,一字只有一字的意义,不能旁生枝节,文学暗示,一字可以有无穷的含蓄。穷到究竟,这还是因为所想的不同,理有固定的线索,情境是可变化可伸缩的。至于运用语文需要精确妥帖,使所说的恰是所想说的,文学与数学并无二致。

人人都承认文学的功用在表现,不过究竟什么叫做"表现",用这名词的人大半不深加考究。依一般的看法,表现是以形式表现内容。这话原来不错,但是什么是内容,什么是形式,又是一个纠纷的问题。中国旧有"意内言外"和"意在言先"的说法。照这样看,以"言"表现"意","意"就是内容,"言"就是形式。表现就是拿在外在后的"言"来翻译在内在先的"意"。有些人纵然不以为言就是形式,也至少认为形式是属于言的。许多文学理论上的误解都由此生,我们须把它加以谨严的分析。

"意"是情感思想的合称。情感是生理的反应在意识上所生的感觉,自身迷离恍惚,不易捉摸。文艺表现情感,不能空洞地言悲言喜，再加上一些惊叹号，它必须描绘情感所由生的具体情境，比如哈姆雷特的悲哀、彷徨和冲突，在莎翁名剧中是借一些可表演于舞台的言动笑貌表现出来的。这就是说，情感必须化为思想，才可以表现得出。这里所谓“思想”有两种方式。一种运用抽象的概念，一种运用具体的意象。比如说“我打狗”这个思想内容，我们可以用“我”、“打”、“狗”三个字所指的意义连串起来想，也可以用“我的身体形象”，“打的动作姿态”和“狗被打时的形象”连成一幅图画或一幕戏景来想。前者是概念的思想，后者是意象的思想，就是“想象”。两种都离不着“想”的活动。文艺在大体上用具体情境（所想的象）表现情感，所以“意”是情感饱和的思想。

在未有语文时，原始人类也许很少有抽象的概念，须全用具体的意象去想，几乎一切思想都是想象。这是最生动的想法，也是最笨拙的想法。你试用这种想法想一想“百年三万六千日，一日须倾三百杯”，或是“左据函谷、二崤之阻，表以太华、终南之山，右界褒斜、陇首之险，带以洪河、泾、渭之川”，其中有许多事物动静，你如何能在一霎时想象遍？运用语文是思想的捷径，一个简短的符号如“三百”、“倾”、“太华”、“界”、“带”之类可以代替很笨重的实事实物。既有了语文，我们就逐渐避繁趋简，概念的思想就逐渐代替意象的思想，甚至不易成意象而有意义的事物如“百年”、“陇首”之类仍可以为思想对象。到了现在，语文和它所代表的事物已发生了根深蒂固的联想，想到实物树，马上就联想起它的名谓“树”字。在一般人的思想活动中，语文和实事实物常夹杂在一起，时而由实事实物跳到语文，时而由语文跳到实事实物。概念与形象交互织成思想的内容。因为心理习惯不同，有人侧重用实事实物去想，有人侧重用语文去想，但是绝对只用一种对象去想的人大概不会有。

语文与思想密切相关，还可以另用一些心理的事实来证明。普通说思想“用脑”，这话实在不很精确。思想须用全身，各种器官在思想时都在活动。你可以猜出一个人在用思想，甚至猜出他在想什么，因为从动作姿态上可以得到一些线索。有些人用思想时，必须身体取某种姿态，作某种活动，如叉腿、抖腿、摇头、定睛、皱眉之类，你如果勉强停止或更动他的活动姿态，就会打断他的思路。在周身中，语言器官的活动对于思想尤为重要。婴儿想到什么就须说什么，成人在自言自语时就是在用思想。有些人看书必须口里念着才行，不念就看不下去。就是“闷着想”，语言器官仍是在活动。默想“三百”，喉舌就须作说“三百”两字的动作，虽然这动作的显著程度随人而异。所以行为派心理学家说：“思想是无声的语言，语言也就是有声的思想。”单从文化演进的过程来看，思想的丰富和语文的丰富常成正比。一般动物思想不如人类，野蛮人思想不如文明人，关键都在语文的有无或贫富。人类文化的进步可以说是字典的逐渐扩大。一个民族的思想类型也往往取决于语文的特性。中国的哲学文学和西方的不同，在我看，有大半由于语文的性质不同。我们所常想的（例如有些伦理观念）西方人根本不想；西方人所常想的（例如有些玄学观念）我们也根本不想，原因就在甲方有那一套语文而乙方没有。所以无论是哲学或文学，由甲国语文翻译到乙国语文，都很难得准确。我们固然很难说，思想和语文究竟谁是因谁是果，但是思想有时决定语言，语言也有时决定思想，这大概不成问题。

从这些事实看，思想是心理活动，它所借以活动的是事物形象和语文（即意象和概念），离开事物形象和语文，思想无所凭借，便无从进行。在为思想所凭借时，语文便夹在思想里，便是“意”的一部分，是在内的，与“意”的其余部分同时进行的。所以我们不能把语文看成在外在后的“形式”，用来“表现”在内在先的特别叫做“内容”的思想。“意内言外”和“意在言先”的说法绝对不能成立。

流俗的表现说大概不外起于两种误解。第一是把写下来的（或说出来的）语文当作在外的“言”，以为思想原无语文，到写或说时，才去另找语文，找得的语文便是思想的表现。其实在写或说之前，所要写要说的已在心中成就，所成就者是连带语文的思想，不是空洞游离的思想。比如我写下一句话，这一句话的意义连同语文组织都已在心中想好，才下笔写。写不过是记录，犹如将声音灌到留声机片，不能算是艺术的创作，更不能算是替已成的思想安一个形式。

第二个误解是起于语文有时确须费力寻求，我们常感觉到心里有话说不出，偶然有一阵感触，觉得大有“诗意”，或是生平有一段经验，仿佛是小说的好材料，只是没有本领把它写成作品。这好像是证明语文是思想以后的事。其实这是幻觉。所谓“有话说不出”，“说不出”因为它根本未成为话，根本没有想清楚。你看一部文学作品，尽管个个字你都熟悉，可是你做不到那样。举一个短例来说：“春眠不觉晓，处处闻啼鸟。夜来风雨声，花落知多少。”哪一个字你不认识，你没有用过？可是你也许终身做不成这么一首好诗。这可以证明你所缺乏的并不是语文，而是运用语文的思想。你根本没有想，或是没有能力想，在你心中飘忽来去的还是一些未成形的混乱的意象和概念，你的虚荣心使你相信它们是“诗意”或是“一部未写的小说”。你必须努力使这些模糊的意象和概念确定化和具体化，所谓确定化和具体化就是“语文化”，“诗意”才能成诗。像是小说材料的东西才能成小说。心里所能想到的原不定全有语文，但是文学须从有限见无限，只能用可以凝定于语文的情感思想来暗示其余。文学的思想不在起飘忽迷离的幻想，而在使情感思想凝定于语言。在这凝定中实质与形式同时成就。

我们写作时还另有一种现象，就是心里似有一个思想，须费力搜索才可找得适当的字句，或是已得到的一个字句还嫌不甚恰当，须费力修改，这也似足证明“意在言先”。其实在寻求字句时，我们并非寻求无意义的字句；字句既有意义，则所寻求的不单是字句而同时是它的意义。寻字句和寻意义是一个完整的心理活动，统名之为思想，其中并无内外先后的分别。比如说王介甫的“春风又绿江南岸”一句诗中的“绿”字是由“到”、“过”、“入”、“满”诸字辗转改过来的。这几个不同的动词代表不同的意境，王介甫要把“过”、“满”等字改成“绿”字，是嫌“过”、“满”等字的意境不如“绿”字的意境，并非本来想到“绿”字的意境而下一“过”字，后来发现它不恰当，于是再换上一个“绿”字。在他的心中“绿”的意境和“绿”字同时生发，并非先想到“绿”的意境而后另找一个“绿”字来“表现”它。

语文既与思想同时成就，以语文表现思想的说法既不精确，然则“内容”、“形式”、“表现”之类名词在文艺上究竟有无意义呢？

要明白这问题，我们须进一步分析思想的性质。在文艺创作时，由起念到完成，思想常在生展的过程中，生展的方向是由浅而深,由粗而细,由模糊而明确,由混乱而秩序,这就是说,由无形式到有形式,或是由不完美的形式到完美的形式。起念时常是一阵飘忽的情感,一个条理不甚分明的思想,或是一幅未加剪裁安排的情境。这就是作者所要表现的,它是作品的胚胎,生糙的内容。他从这个起点出发去思想,内容跟着形式,意念跟着语文,时常在变动,在伸展。在未完成时,思想常是一种动态,一种倾向,一种摸索。它好比照相调配距离和度数,逐渐使所要照的人物形象投在最适合的焦点上。这种工作自然要靠技巧。老手一摆就摆在最适合的距离和角度上,初学有时须再三移动,再三尝试,才调配得好。文艺所要调配的距离角度同时是内容与形式,思想与语文,并非先把思想调配停当,再费一番手续去调配语文。一切调配妥帖了,内容与形式就已同时成就,内容就已在形式中表现出来。谈文艺的内容形式,必须以已完成的作品为凭。在未完成之前,内容和形式都可以几经变更;完成的内容和形式大半与最初所想的出入很大。在完成的作品中,内容如人体,形式如人形,无体不成形,无形不成体,内容与形式不能分开,犹如体与形不能分开。形式未成就时,内容也就没有完全成就;内容完全成就,就等于说,它有了形式;也就等于说,它被表现了。所谓"表现"就是艺术的完成;所谓"内容"就是作品里面所说的话;所谓"形式"就是那话说出来的方式。这里所谓"话"指作者心中想着要说的,是思想情感语文的化合体,先在心中成就,然后用笔记录下来。

作品无论好坏,都有一个形式,通常所谓"无形式"(formlessness)还是一种形式。坏作品的形式好比残废人的形貌,丑恶不全;好作品的形式好比健全人,体格生得齐全匀称,精神饱满。批评作品的形式只有一个很简单的标准，就是看它是否为完整的有机体。有机体的特征有两个：一是亚理斯多德所说的有头有尾有中段，一是全体与部分，部分与部分，互相联络照应，变更任何一部分，其余都必同时受牵动。

这标准直接应用到语文，间接应用到思想。我们读者不能直接看到在作者心中活动的思想，只能间接从他写下来的语文窥透他的思想。这写下来的语文可以为凭，因为这原来就是作者所凭借以思想的，和他写作时整个心灵活动打成一片。思想是实体，语文是投影。语文有了完整的形式，思想决不会零落错乱；语文精妙，思想也决不会粗陋。明白这一点，就明白文学上的讲究何以大体是语文上的讲究，也就明白许多流行的关于内容与形式的辩论——例如"形式重要抑内容重要""形式决定内容，抑内容决定形式"之类——大半缺乏哲理的根据。

附注　这问题在我脑中已盘旋了十几年，我在《诗论》里有一章讨论过它，那一章曾经换过两次稿。近来对这问题再加思索，觉得前几年所见的还不十分妥当，这篇所陈述的也只能代表我目前的看法。我觉得语文与思想的关系不很容易确定，但是在未把它确定以前，许多文学理论上的问题都无从解决。我很愿虚心思索和我不同的意见。

文学与语文(中):体裁与风格

每一个开化民族的语文到了它的现阶段,都曾经过很悠久的历史。它常在生长、变化和新陈代谢;它是一个活的东西,随着一个民族的精神生活而生发无穷。那个民族的精神生活衰竭了,它也就随之衰竭。这种语文发展的发动和支配固然大半靠全民族在历史过程中所拿出来的力量,但是关键仍在那民族中的文学作家。他们是与语文打交涉最多最密切者,也是运用语文最谨严而又最富于创造性者。他们在写成一部有价值的作品时,不仅替文艺国库里添上一件瑰宝,也替当时语文的生展打开了一条新路,决定了一个新动向。所以研究一国语文的演变史,如果丢开文学作品的例证,就无法进行。

不过文学作家所能拿来运用的是当时公认的流行的语文,这就是说,他的工具是旁人已经替他造就的,无论它对他合适不合适,他都须用它,他不能凭空地替自己铸造一个崭新的工具。他的使命是创造,而天造地设的局面逼得他要接受传统,要因袭。他须抓住一个已定的起点去前进。这个原则固然适用于他的整个精神生活,在语文方面他尤其感觉得迫切。语文的已成之局固然可以给他很多的方便，他可以在遗产里予取予求，俯拾即是；但是也可以给他很多的不方便，常使他感觉困难。最显著的是固有的语文不够应付新的需要。人类一切活动，自物质的设施、社会的组织以至于心智的运用，都逐渐由粗趋精，由简趋繁。在每一时代写作者都感觉到语文的守旧性，世界变了，而语文还没有迎头赶上；要语文跟着变，还要他来出力。他须把旧字送到铅炉里熔解，他须铸造新字，尤其重要的是他须发明新的排字法。但是最大的困难还不在此。流行的语文像流行的货币，磨得精光，捏得污烂，有时须贬值，有时甚至不能兑现。文学作家须凭借这人人公用的东西，来运用他个人在特殊情境的思想。他稍不当心，就会中了引诱，落到陈腐滥调的陷阱里去，他的语文连同他的思想都停滞到人人所能达到的境界，他所要表现的那特殊情境没有到手就溜走。古今中外的作家能从这种陷阱中爬起来的并不多，爬起来的人才真正是创造者，开辟风气者。从开辟风气者人数寥寥看，我们可以知道语文的创造大非易事。它需要极艰苦的努力，取精光烂污的语文加以一番揉捏洗练，给它一种新形样，新生命，新价值，使它变为自己的可适应特殊情境的工具。文学的创造是思想（抽象的连同具体的）的创造，也就是语文的创造。

语文有普通性，有个别性。普通性来自沿袭传统，个别性起于作者的创造。一个作品的语文有普通性，才能博得读者的了解；有个别性，才能见得作者在艺术上的成就。这原则不但适用于用字造句，还可以适用于体裁与风格。严格地说，每一个作品所要表现的是特殊的，它的语言形式也必是特殊的，否则它就没有存在的理由。一个人云亦云的作品就各方面说，都是精力的浪费。所以每一个名副其实的文学作品必有一个特殊的形式，犹如世间没有两个人模样完全相同。所谓“形式”只有这一个意义经得起哲理的分析——就是一篇完成的作品的与内容不能分开的特殊形式。这形式就是作品的生命的自然流露，水到渠成，不由外铄。

不过一般人谈形式，往往把它看作传统的类型，例如“诗”、“骈文”、“散文”、“戏剧”、“小说”、“书疏”、“墓志铭”之类也被称为形式。其实这是法国人所谓 genres，英国人所谓 kinds，只宜称为“种类”或“体裁”。文学史家和批评家常欢喜采自然科学的方法，将文学作品分类，并且在每类中找出一些共同原则来，想把它们定为规律。这种工作并没有多大价值，美学家克罗齐已再三详辩过。它没有谨严的逻辑性，例如诗分叙事、状物、抒情等等，实际上叙事诗有状物抒情的，抒情诗也有叙事状物的。我们只看《文选》、《古文辞类纂》、《经史百家杂钞》之类选本对于文章的分类，互不相同，而且都很勉强，就可以知道把文学作品摆进鸽子笼里去，不是一件合理的事。同属一类型的作品有时差别很大，我们很难找出共同原则来，求其适合一切事例。《红楼梦》、《水浒传》也叫做小说，却与西方一般小说不同；《西厢记》、《燕子笺》也叫做戏剧，却也与西方一般戏剧不同。无论你拿看《红楼梦》的标准看《包法利夫人》，或是拿《罗米欧与朱丽叶》的标准看《西厢记》，你都是扣盘扪烛，认不清太阳。不但如此，你能拿看《红楼梦》的标准看《水浒传》？或是拿《哈姆雷特》的标准看《浮士德》？每一篇成功的作品都有一个内在的标准，也就都自成一类。它采用流行的类型，犹如它采用流行的语言；但是那类型须有新生命，也犹如语言的普通性之外须有个别性。

体裁或种类只是一个空壳。它有历史的渊源，例如戏剧起于宗教仪式的表演，逐渐生展，遂奠定一种文学体裁。作家一方面因为有些已成的范作可模仿，一方面也因为听众容易接受他们所熟悉的类型，于是就利用它来作创作的媒介。旧瓶装新酒自是一种方便，不过我们不能根据瓶来评定酒，更不能武断地说某种酒只有某种瓶可装。我从前也主张过某种体裁只宜于某种内容，“反串”就违背自然。后来我仔细比较同一体裁的许多作品，发现体裁虽同，内容可以千差万别。我们试想想诗中五律七律，词中任何一个调子，在从前经过几多人用过，表现过几多不同的情调，就可以知道体裁与内容并无必然的关系。批评家常责备韩昌黎以做文章的方法去做诗，苏东坡以做诗的方法去做词，说这不是本色当行。这就是过于信任体裁和它的规律。每一个大作家沿用旧体裁，对于它都多少加以变化甚至于破坏。他用迎合风气的方法来改变风气。莎士比亚和易卜生对于戏剧，可以为例。我相信莎士比亚如果生在现代欧洲也许写小说，生在唐代中国也许和李白、杜甫一样写五七言诗。体裁至多像服装一样，服装虽可以供人公用，却可以随时随地变更样式；至于每个作品的形式则如人的容貌，没有两个完全相同的。

每一篇作品有它的与内容不能分开的形式，每一个作者在他的许多作品中，也有与他的个性不能分开的共同特性，这就是“风格”。莎士比亚的四大悲剧的风味各不相同，但是拿他来比较和他同时的悲剧作家，这四大悲剧却有一种共同的特性，是在当时作品中找不着的。这是他的独到的风格。一般修辞学家往往以风格为修辞的结果，专从语文技巧上来分析风格，这种工作本也有它的效用,但是也容易使人迷失风格的真正源泉。历史上许多伟大作者成就了独到的风格,往往并不很关心到风格问题;而特别在修辞技巧上勾心斗角的作者却不一定能成就独到的风格。风格像花草的香味和色泽,自然而然地放射出来。它是生气的洋溢,精灵的焕发,不但不能从旁人抄袭得来,并且不能完全受意志的支配。古今讨论风格的话甚多,只有法国自然科学家布丰所说的最简单而中肯:"风格即人格。"一个作者的人格决定了他的思想情感的动向,也就决定了他的文学的风格。弥尔顿说得好:"谁想做一个诗人,他必须自己是一首真正的诗。""言为心声",要看"言"如何,须先看"心"如何,从前人所以有"和顺积中,英华外发"的话。司空图的《诗品》是中国批评文中最精妙的,他所要描绘的是诗品(诗的风格),而他实际所描绘的大半是人品。人格与风格的密切关联证实了一个基本原则,就是文学不能脱离人生而独立。我们要想在文学上有成就,从源头做起必须修养品格。我们并非希望文学作家都变成道学家,我们所着重的是他必须有丰富的精神生活。有生气然后有生气的洋溢。

抓住了这个基本原则,其他关于风格的争辩全属枝节问题。历来讨论风格者都着重字的选择与安排。斯威夫特(Swift)说:风格是"用适当的字在适当的地位"(the use of proper words in proper places)。柯尔律治(Coleridge)论诗,说它是"最好的字在最好的次第"(the best words in their best order)。福楼拜(Flaubert)是近代最讲究风格的作家,也是在"正确的字"(le juste mot)上做功夫。他以为一句话只有一个最恰当的说法,一个字的更动就可以影响全局,所以常不惜花几个钟头去找一个恰当的字,或是斟酌一个逗点的位置。这些都是有经验的作家,他们都特别看重选字排字的重要,当然有一番大道至理。在我们看,他们在表面上重视用字的推敲,在骨子里仍是重视思想的谨严。唯有谨严,思想情感才能正确地凝定于语文,人格才能正确地流露于风格。

作家第一件应当心的是对于他自己的忠实。一句话恰好表现了他自己的思想情感,照理他就应该感觉满意。不过通常作家的顾虑,不仅在一句话是否恰好表现了他自己,同时也在它是否能说服或感动读者。因此,语文有两重功用:一是表现,一是感动。理想的文学作品是它的语文有了表现力就有了感动力,不在表现之外另求所谓“效果”(effect)。不过这究竟是理想,满作家自己意的作品往往不尽能满读者意。在这种时会,缺陷有时在作品本身,也有时在读者的欣赏力。如果它在读者的欣赏力,它可以借教育弥补。一个作家最难的事往往不在创造作品,而在创造欣赏那种作品的趣味。这就是所谓“开风气之先”。如果缺陷在作品本身,根本的救济仍在思想情感的深厚化,而不在语文的铺张炫耀。但是平庸的作家往往不懂得这简单的道理,以为文学只是雕章琢句就可以了事,于是“修辞学”成为一种专门学问,而文学与雄辩混为一谈。从文学史看,文学到了专在修辞家所谓“辞藻”上显雕虫小技时,往往也就到了它的颓废时期。文学与雄辩的分别,穆勒(J. S. Mill)说得最好:“雄辩是使人听见的(heard),诗是无意中被人听见的(overheard)。当言说非自身就是目的而是达到一种目的之手段时……当情感的表现带着有意要在旁人心上产生一个印象时,那就不复是诗而变为雄辩了。”穆勒虽专指诗,其实凡是纯文学都与诗一理。雄辩意在炫耀,文学须发于真心,心里有那样的话非那样说出不可,一炫耀就是装点门面,出空头支票。所以诗人魏尔兰(Verlaine)在《论诗》的诗里大声疾呼:“抓住雄辩,扭断它的颈项!”

一个作家有一个作家的风格,一时代或一学派也带有它的特殊风格。在欧洲,“古典的”、“浪漫的”、“写实的”是几种重要的不同的作风;在中国,文则六朝与唐宋,诗则选体与唐,唐与宋,词则花间与北宋,北宋与南宋,各有各的特殊风味。这种分别固然有一部分是实在的,它的根源在脾胃和眼光的不同;但是也有一部分是由文学史家和批评家夸张出来的,真正完美的文学都必合于一些基本的条件,纯粹是“古典的”或纯粹是“浪漫的”作家往往不是第一流作家。一种风格流行到相当时期以后,有时容易由呆板而僵硬腐朽,穷则必变,于是一个反动跟着来,另一种风格代起。但是过些时候,这种新风格又变成旧的,引起另一个反动,有时打开另一新径,也有时回转到曾经一度放弃的旧径,这种“趣味的旋转”是文学演进的自然现象。但是虚心静气的读者和作者当不为一时风气所囿,知道每一种风气中都可以有好作品,承认它们的不同,但是不必强分优劣。

这个原则可以应用到关于风格的另一些区别。中国批评家常欢喜谈阳刚与阴柔、浓丽与清淡、朴直与委婉、艰深与平易之类分别,而且各阿其所好,喜清淡就骂浓丽,喜浓丽就瞧不起清淡。西方批评家也有同样的脾气。这些分别有时起于作者的个性,是苏东坡那样的人,就会持铜琶铁板,唱“大江东去”;是柳耆卿那样的人,就会执红牙板,歌“杨柳岸晓风残月”;也有时起于所写情境的分别,王摩诘写田园山林之乐固然清淡,写宫殿的排场还是很浓丽。这都是自然而然，不假做作的。如果与作者个性相称，与题材内容相称，各种不同的风格都可以有好文章。最忌讳的是情思枯涩而要装浓丽，情思平庸而要显得艰深，性格偏于阴柔而要张牙露爪地卖弄阳刚。说来说去，还是回到我们对于表现的基本主张，思想必须与语文同一，人格必须与风格同一。这就是《易经》所说的“修辞立其诚”。

文学与语文(下):文言、白话与欧化

摆在我面前的是一本新出版的刊物,里面劈头一篇就是一位大学中文系主任的《中国文学系之精神》的文章。他郑重申明:“本系之精神,力矫流俗,以古为则”。他很痛心疾首地骂“无识之徒,倡导白话,竞煽小调,共赏伧言,谓合自然,呼为天籁”;同时又骂“诡异之徒,轻议旧业,谓为陈腐,以西体为提倡,创造为号召”。他反对白话的理由是:“语言之与文学本有区分,俗曲之与雅奏岂能并论!……文学自有艺术之高下,岂村童野老之所能工?且自然与白话有殊,古典非故实之谓。……自然须自艰苦中来,非白话之能期,而古典为经世之必需,尤非可以邪说抹杀”;至于西体不应提倡,是因为:“文学有语言文字之殊,文法声韵之异,是有国别,岂可强同?……文字创造乃自然之演进,必以旧业为基,岂可斩绝历史,刮灭前言,而以异邦异物,强相改易?”

这篇文章很可以代表许多维护国学者对于近年来白话运动和欧化运动的反响。我认识的朋友中持这种“以古为则”的态度的人颇不少,而且他们不尽是老年人,我知道上面所引的文章的作者比我较年轻,因为我和他曾有一面之雅。我很明白他们这一批人的立场，也很同情他们的诚恳；可是我碰巧站在“无识之徒”与“诡异之徒”一边，对于他们的见地不能心悦诚服。一般人似以为新旧之争已成过去，不肯再提这老问题，上引一文可以证明它并未完全过去。本来事实胜于雄辩，无论站在旧的或新的一边，最有力的武器是作品；到最后哪一派能产生最有生命的作品，哪一派就会胜利。不过不正确的思想和理论也可以迷惑视听，用人工的歪曲阻碍自然的进展；所以关于新旧之争，在思想与理论上多加检讨，还是有益的。

这问题还与我们所讨论的文学与语文的关系密切相关。它是目前最切实际的一个问题。在讨论它以前，我须向“以古为则”者申明，我从识字到现在，四十年不间断地在读旧书，从前也做过十几年的古文，我爱护中国旧诗文的热忱也许不在他们之下，可是我也常在读新文学作品，做过二十年左右的白话文；我的职业是教外国文，天天都注意到中文和西文的同异。我也经过骂“无识之徒”与“诡异之徒”那么一个阶段，现在觉得“无识”与“诡异”的不是旁人而是当年的自己。事非经过不知难，我希望“登泰山而小天下”的诸公多登一些高峰，然后再作高低大小的比较。成见、固执和意气永远是真理的仇敌。

先说文言与白话。“文学自有艺术之高下”，谁也不否认，不过“艺术之高下”以用文言与用白话做标准来定，似大有问题。无论用哪一种语文作媒介，是文学作品就得要符合文学的基本条件：有话说，说得好。这两层都需要思想的锐敏与谨严，都颇不是易事，用文言或用白话都不能天生地减去思想上的困难。思想的工作做到家，文言文可以做得好，白话文也还可以做得好。“自然须从艰苦中来”,白话文作者也是如此想;“非白话之能期”,这句话就不像“从艰苦中来”的。文言文所能有的毛病,白话文都能有;白话文所能有的毛病,文言也在所不免。肤浅、俗滥、空洞、晦涩、流滑,都不是哪一方面的专利品。如果说文言文比白话文简洁,我大致可承认;但这也看作者的能力,白话文也还是可以简洁。比如说,上文所引的“以西体为提倡”一句话,用白话来说,“提倡西体”就很够,用不着“以……为”。“以西体为提倡”读起来像很顺口,但是想起来似不如“以古为则”那样合逻辑。文言有时可以掩盖文章的毛病,这是一个眼前的例证。如果不为篇幅所限,这种例证我可以举得很多。

从语文的观点看,文言文与白话的分别也只是比较的而不是绝对的。活的语文常在生长,常在部分地新陈代谢。在任何一个时期,每一种活的语文必有一部分是新生的,也必有一部分是旧有的。如果全是旧有的,它就已到了衰死期;如果全是新生的,它与过去语文就脱了节,彼此了不相干。我们中国语文虽然变得很慢,却也还是活的,生长的,继续一贯的。这就是说,白话也还是从文言变来的,文言与白话并非两种截然不同的语文。不但许氏《说文》里面的字有许多到现在还在口头流传,就是《论语》、《孟子》、《左传》、《史记》一类古典的字句组织法也还有许多是白话所常用的。我们如果硬要把文言奉为天尊,白话看成大逆不道,那就无异于替母亲立贞节牌坊,斥她的儿子为私生子,不让他上家谱。

白话的定义容易下,它就是现在人在口头说的语文;文言的定义却不易下,如果它指古语,指哪一时代的古语呢?所谓“用文言作文”只有三个可能的意义。一是专用过去某一时代的语文,学周秦人说话，或是学两汉人说话。这是古文家们所提倡的。这种办法没有很充足的理由，从前似已有人反对过，并不限于现在“无识之徒”。而事实上这也未必真正可以办到。比如先秦诸子在同时代写文章，所用的语文却往往彼此相差很远。我们以哪一家为标准呢？第二种办法是杂会过去各时代的语文，任意选字，任意采用字句组织法。比如在同一篇文章里，这句学《论语》，那句学《楚辞》，另一句学《史记》，另一句又学归震川；只要是字，无论它流行于哪一个时代，都一律采用。多数文言文作者口里尽管只说周秦两汉，实际上都是用这个“一炉而冶之”的办法。这种办法的长处在丰富，短处在驳杂芜乱，就在讲古文义法的人们看来，也未必是正路。第三种办法是用浅近文言。所谓“浅近文言”是当代人易于了解的文言，一方面冷僻古字不用，奇奥的古语组织法不用；一方面也避免太俚俗的字和太俚俗的口语组织法。以往无心执古而自成大家的作者大半走这条路，我想孟子、左丘明、司马迁、王充、陶潜、白居易、欧阳修、王安石、苏轼一班人都是显著的代表。看这些人的作品，我们可以看出两点：第一，他们的语文跟着时代变迁，不悬某一代“古文”做标准，泥古不化；第二，他们的原则与白话文的原则大致相近，就是要求语文有亲切生动的表现力与平易近人的传达力，作者写起来畅快，读者读起来也畅快。

好的白话文比起似六朝而非六朝，似唐宋而非唐宋的文言文，好处就在这两点。第一，就作者自己说，语文与思想，语文与实际生活经验，都有密切的关联。在实际生活中，他遇着不开心的事，“哎”地叹一口气，心里想着这声叹息还是想着“哎”，传达这情感于语文时也还是写“哎”，这多么直截了当！你本想着“哎”，而偏经一道翻译手续，把它写成“呜呼”甚至于“於戏”，这又何苦来？古人在用“呜呼”、“於戏”时，还是和我们现在用“哎”一样叹气，古人可以用“呜呼”、“於戏”，我们何以一定不可以用“哎”？这还是小事，最要紧的是现时名谓字与拿来代替的古代名谓字所指的常不完全相同。东南大学只是东南大学，你要叫它“南雝”；行政专员只是行政专员，你要叫他“太守”或“刺史”。这不但不自然，而且也不忠实。“以古为则”者似没有理会“修辞立其诚”一句古训。

其次就读者说，流行的语文对于他比较亲切，你说“呜呼”，他很冷淡地抽象地想这两字的意义；你说“哎”，这声音马上就钻进他的耳朵，钻进他的心窝，使他联想起自己在说“哎”时的那种神情。读白话文，他仿佛与作者有对谈之乐，彼此毫无隔阂；读文言文，尤其读现代人的文言文，他总不免像看演旧戏，须把自己在想象中搬到另一种世界里去，与现实世界隔着一层。还不仅此，读文言文须先有长时期的辛苦训练，才能彻底了解。这种训练原来是有益的，不过我们不能希望一般读者都有。一般读者知道东南大学是东南大学，不知道所谓“南雝”，并没有多大妨碍；你偏要他因为不知道“南雝”就不知道东南大学，以为非如此不足以“挽救颓风”，这就未免执古不化了。

做白话文是一件事，读古典另是一件事。现在一班“以古为则”者以为既提倡白话文就必须废弃古典，这其实是过虑。就逻辑说，这两件事中间并无必然关系。就事实说，做白话文的人们谈古典的还是很多，施耐庵、曹雪芹、吴敬梓们没有读过古典？朱元晦、王阳明一班语录的作者没有读过古典？就西方各国来说，每一个时代的作者都只用当时流行的语文，可是没有一个很重要的作者不研究前代的名著。原因很简单,他们要利用前人在数千百年中所逐渐积蓄的经验,要承继历史的遗产。文学与语文都有长久的历史,前人已得的成就是后人前进的出发点。后人对于前人的传统不是因袭,就是改革。无论是因袭或是改革,都必须对于传统有正确的了解。我们尽管做白话文,仍须认清文言文的传统,知道它的优点和弱点,才知道哪些地方可因袭,哪些地方可改革。现代语文是由过去语文蜕化出来,所以了解文言文对于运用白话还是有极大的帮助。丢开技巧不说,单说字汇。拿文盲和读书人比较,读书人的字汇无疑地较为丰富。在文盲听起来莫知所云的,在读书人却是寻常口语。超出于文盲所有的那部分字汇当然从书本上得来。各国语文都常有古字复活的现象。这复活往往由文章逐渐蔓延到口语。在今日中国,复活古字尤其紧要,因为通常口语字汇过于贫乏,把一部分用得着的古字复活起来,一方面可以增加白话文的表现力,一方面也可以使文言与白话的距离变小,文章读起来不太难,通常说话也不太粗俗不精确。单就扩充字汇来说,研究文言文的古典,确是写作家应有的准备。我们只略取现在人写的较好的白话文来作一个分析,就知道古字复活正在大量地进行,也就知道白话文仍然可以承继一部分文言文的遗产,历史的赓续性并不致因为放弃文言就被打断。

“以古为则”者看不起白话文,以为它天生是下贱的,和乡下佬说的话一样粗俗,他们以为用文言才能“雅”。这种误解一半起于他们的固执,不肯虚心研究白话文;一半也起于初期提倡白话文者的“作文如说话”这句带有语病的口号。我们尽管用白话,作文并不完全如说话。说话时信口开河,思想和语文都比较粗疏;写作时有斟酌的时间,思想和语文都比较缜密。在这两方面可以见出。头一点是用字,说话用的字比较有限,作文用的字比较丰富。无论在哪一国,没有人要翻字典去谈话,可是作文和读文却有时要翻字典。作文思想谨慎些,所以用字也比较谨慎些。一篇寻常对话,如果照实记录下来,必定有很多不精确的字。其次是语句组织。通常谈话不必句句讲文法,句句注意到声音节奏,反正临时对方可以勉强懂得就够了。至于作文,我们对于文法及声调不能不随时留意。所以"写的语文"(written language)和"说的语文(spoken language)在各国都不能完全一致。"写的语文"不一定就是文言,例如现在西方作家尽管研究但丁、乔叟、蒙田、莎士比亚诸古代作者,写作时并不用这些作者所用的语文(可以说是西方的文言),这一点是拥护古文者所忽略的。至于雅俗并不在文之古今,《诗经》、《楚辞》在当时大体是白话,想来在当时也还可以算得"雅",何以现在人用白话写诗文,就一定要"俗"呢?依我想,"雅"只能作艺术的或"精美纯正的"解,这并不在字本身的漂亮,而在它与情感思想的吻合。如果把"雅"看成涂脂敷粉,假装门面,那就根本没有了解文艺。我颇有一点疑心许多固执把白话看成"不雅"的"文坛耆宿"对于文艺的趣味并不很高。

我们承认白话在目前还不是一个尽美尽善的工具,它还须加以扩充和精练。这只有两个方法,一是上文所说的接受用得着的文言文遗产,一是欧化。提起欧化,"以古为则"者听到,怕比听到白话还更痛心疾首。其实管你高兴不高兴,白话文久已在接受欧化,和它久已在接受文言文的遗产,同是铁一般的事实。这事实有它的存在理由,是自然演变所必经过的,决不会被你泼妇骂街似的骂它“鄙薄”、“夸诞”、“诡异”、“悖谬”，就可以把它压倒的。关于欧化问题可说的话甚多，我姑且提出几点来，供虚心人衡量思索。

第一，语文和思想不能分开。思想的方式和内容变迁，语文就必跟着变迁，除非你绝对拒绝西方学术，要不然，你无法不酌量接受西方语文的特殊组织。你不能用先秦诸子的语文去“想”康德或怀特海的思想，自然也就不能用那种语文去“表现”他们的思想。如果你用很道地的中国语文翻译他们的著作，你的译文读起来愈是好中文，很可能就愈不忠实。这道理佛经的翻译大师都知道，所以他们宁可冒“诡异”大不韪，尽量让中文印度化，不愿失去佛经原来的意义与风味。西文有根底的人们都知道林琴南翻译的小说尽管是“古道照颜”的中文，所得到的仅是粗枝大叶，原文的微妙处都不复存在。这虽然只是说翻译，也可以适用于写作。我们既然接受西方的哲学和文学，能不在上面体验玩索？能不采同样的思想方式去想出自己的哲学系统？能不采同样的看人生世相的眼光去创造自己的文学作品？如果这些都不是分外的事，我们必定有意地或无意地使我们的语文多少受些欧化。

第二，文化交流是交通畅达的自然结果。人类心灵活动所遵循的理本来不能有很大的差别，《易经》所以有东圣西圣心同理同的名言。但是因为有地理上的阻隔，每个民族各囿于一个区域发展它的文化；又因为历史和自然环境的关系，每个文化倾向某方面发展，具有它所特有的个性，逐渐与其他文化不同。不同的文化如果不相接触，自然不能互相影响；如果相接触，则模仿出于人类的天性，彼此截长补短往往是不期然而然的。就人类全体说，这种文化交流是值得提倡的，它可以除去各民族都难免的偏蔽，逐渐促成文化上的大同。一个民族接受其他民族的文化犹如吸收滋养料，可以使自己的文化更加丰富。这里我们大可不必听短见的狭义的国家主义作祟。“相观而善之谓摩”，这是我们先圣对于个人交友的看法，它也可以推广到整个民族。“见贤思齐”原来不是一件羞耻，我不了解“文坛耆宿”何以必定把接受欧化当作一件奇耻大辱。单就文学与语文来说，欧洲各国从有文学史以来，就互相影响。最显著的是英文，于今英文所保留的盎格鲁-撒克逊的成分极少，大部分都是从希腊、拉丁、北欧语和法文“借”来的。从十四世纪起，英国文学和语文几乎没有一时不受法国的影响。因为英文肯虚心采纳外来的成分，它才变成了世界上一种最丰富的语文。为什么我们就觉得欧化是“腾笑友邦，毒虐国家”呢？难道我们忘记以往翻译佛典的那一大宗公案？“如是我闻”，“合掌恭敬而白佛言”，“当知，阿难，诸如来身即是法身”，“日镜相远，非和非合，不应火光，无从自有”，“以积聚义故，说名为蕴”，“所有一切众生之类，若卵生，若胎生，若湿生，若化生，若有色，若无色，若有想，若无想，若非有想，非无想，我皆令入无余涅槃而灭度之”……这些语句的组织，如果稍加分析，都是由欧化来的（因为印度文仍属印度欧罗巴系）。何以古人接受欧化可成经典，我们主张接受欧化，就是大逆不道？

所谓欧化，当然不仅指语文，体裁和技巧也应当包含在内。有了《佛本行赞》和《唐三藏游西域记》那样长篇传记并游记的模范，我想不出理由我们一定要学司马迁和柳宗元。元曲固然有它的优点，要在近代舞台上演，写莎士比亚、易卜生、契诃夫那种样式的剧本，似也未见得就损失尊严。我们不必从西方小说的观点去轻视

《水浒传》或《红楼梦》，但是现代中国作家采用西方技巧所写的小说似也有相当的成绩。此外，说理的文章如果能采用柏拉图《对话集》那样深入浅出、亲切有趣的方式，或是康德《纯粹理性批判》那样有系统有条理的方式，似也不一定就要比“论说”、“语录”体逊色。我颇怀疑刘彦和如果不精通佛理，能否写出那样颇有科学系统组织的《文心雕龙》。对于这些问题我不敢武断，我希望“文坛耆宿”不必持“拒人于千里之外”的态度，把它们加一番虚心检讨。

第三，中国语文的优点很多，我们不必否认，但是拿欧洲语文来仔细比较，它有不少的弱点，我们似亦毋庸讳言。举几个最显著的来说。动词自身不能表示时间性，虽然有“曾”、“已”、“正”、“将”之类副词可用，普通人写作却不常拿来用，所以要明白动作的时间先后次第，我们常须依文义猜测。文法本由习惯形成，在语文是文法，在思想就是逻辑。我们多数人的思想都缺乏谨严的逻辑，所以用语文很少注意文法的习惯，一句话有时没有主词，有时没有主要动词。主动词和被动词有时在形式上可以无分别。最重要的是关系代名词和关系连续词的缺乏，因此写复合句颇不容易，西文所有的紧凑的有机组织和伸缩自如的节奏在中文中颇难做到。我们很少用插句的习惯，在一句话之中有一个次要的意思临时发生，或是须保留某一个条件，或是须作一个轻淡的旁敲侧击，我们很不容易顺着思想的自然程序与轻重分寸把它摆进那一句话里；要把它说出，只好另来一句。这个欠缺使语文减少弹性和浓淡阴影。只知道中文而不知道西文的人们自然不会感觉到这些欠缺不方便，知道西文而没有做翻译工作的人或许也不感觉到它们的严重，但是忠实的翻译者都会明白我说这番话的甘苦。各国语文习惯本各不相同，我们固然不能拿西文文法来衡量中文，但是上述几种欠缺不全是习惯问题而是思想的谨严与松懈问题。如果我们能了解西文在这几方面确比中文好，我们似没有理由说中文不应把好的地方接受过来。

根据上面三层理由，我以为久已在进行的欧化运动是必须继续进行的。这不是一件易事，我明白；它可以弄得很糟，我也不否认。采用欧化的作者有两点须特别留意。头一点是不要生吞活剥。各国语文都有它的特性（法国人所谓 génie），我们在大体上不能违反它。如果一句话依中文习惯可以说得同样精确有力，我们就绝对不能欧化它；欧化须在表现上有绝对必要时才可采用。第二点是不要躁进偾事。语文是逐渐生长的，我们不能希望一个重大的变动一蹴而就。一个作者的语文如果欧化到一般读者不易了解接受的程度，那反引起不必要的麻烦。群众需要按部就班的训练。这一代所认为欧化的，下一代就习惯成自然；这一代欧化得轻微一点，下一代欧化得彻底一点，如此逐渐下去，到适可程度为止，也许可以免除许多固执者的少见多怪。照我看，这是自然的大势所趋。

作者与读者

作者心目中应不应该有读者呢？他对于读者应该持怎样一种态度呢？初看起来，这问题好像值不得一问，但实在是文学理论中一个极重要的问题。文艺还只是表现作者自己就算了事，还是要读者从这表现中得到作者所要表现的情感思想？作者与读者的资禀经验和趣味决难完全一致，作者所自认为满意的是否叫读者也就能同样地满意？文艺有无社会性？与时代环境有无关系？每时代的特殊的文艺风气如何养成？在文艺史上因袭和反抗两种大势力如何演变？文艺作品何以有些成功，有些失败，有时先成功的后失败，先失败的后成功？这种种问题实在都跟着作者与读者的关系究应如何这个基本问题旋转。

我从前在《论小品文》一封公开信里曾经主张道："最上乘的文章是自言自语"，它"包含大部分纯文学，它自然也有听众，但是作者的用意第一是要发泄自己心中所不能不发泄的。这就是劳伦斯所说的'为我自己而艺术'"。于今回想，这话颇有语病。当时我还是克罗齐的忠实信徒。据他说，艺术即表现，表现即直觉，直觉即情感与意象相交而产生具体形式的那一种单纯的心灵综合作用。

所以艺术的创造完全在心里孕育，在心里完成。至于把心里所已完成的艺术作品用文字符号记载下来，留一个永久固定的痕迹，可以防备自己遗忘，或是传给旁人看，这只是“物理的事实”，犹如把乐歌灌音到留声机片上，不能算是艺术的活动。备忘或是准备感动旁人，都有实用目的，所以传达（即以文字符号记载心里所成就的形象）只是实用的活动。就艺术家之为艺术家而言，他在心中直觉到一种具体意象恰能表现所要表现的情感，他就已完全尽了他的职责。如果他不止于此，还要再进一步为自己或读者谋便利，把自己所独到的境界形诸人人可共睹的文字，他就已放弃艺术家的身份而变为实用人了。这第二步活动尽管如何重要，却不能与艺术的创造相混。严格地说，真正的艺术家都是自言自语者。

这一套理论是上引一段话中“最上乘的文章是自言自语”一句话所由来。克罗齐的学说本有它的谨严的逻辑性，纯从逻辑抽象分析，颇不容易推翻。不过这种看法显然和我们的常识违反。它向常识挑衅，常识也就要向它挑衅。这两个敌阵在我心中支持过很长期的争斗。克罗齐所说的艺术人与实用人在理论上虽可划分，在实际上是否截然两事互不相谋呢？艺术家在创作之际是否完全不受实用目的影响呢？假如偶然也受实用目的的影响，那影响对于艺术是否绝对有损呢？假如艺术家止于直觉形象与自言自语而不传达其心中蕴蓄，艺术的作用就止于他自身，世间许多有形迹可求的艺术作品是否都是枝指骈拇呢？这些问题常在我心中盘旋。于是我在事实中求解答，我发现常识固然不可轻信，也不可轻易抹杀。每时代的作者大半接受当时所最盛行的体裁。史诗、悲剧、小说、五七言诗和词曲，都各有它的特盛时代。作者一方面固然因为耳濡目染，相习成风，一方面也因为流行体裁易于为读者接受和了解。荷马和莎士比亚之类大家如果不存心要得到当时人玩赏，是否要费心力去完成他们伟大的作品，我以为大是问题。近代作者几乎以写作为职业，先存一个念头要产生作品，而后才去找灵感，造成艺术的心境，所谓“由文生情”，正不少于“因情生文”。创造一件作品，藏在心中专供自己欣赏，和创造一件作品，传达出来求他人欣赏，这两种心境大不相同。如果有求他人欣赏的“实用目的”，这实用目的决不能不影响到艺术创作本身上去。姑举一例，小说、戏剧常布疑阵，突出惊人之笔（英文所谓 suspense and surprise），作者自己对于全局一目了然，本无须有此，他所以出此，大半为着要在读者心中产生所希望的效果。由此类推，文艺上许多技巧，都是为打动读者而设。

从这个观点看，用文字传达出来的文艺作品没有完全是“自言自语”的。它们在表面上尽管有时像是向虚空说话，实际上都在对着读者说话，希冀读者和作者自己同样受某一种情趣感动，或是悦服某一点真理。这种希冀克罗齐称之为“实用目的”。它尽管不纯粹是艺术的，艺术却多少要受它的影响，因为艺术创造的心灵活动不能不顾到感动和说服的力量，感动和说服的力量强大也是构成艺术完美的重要成分。

感动和说服的希冀起于人类最原始而普遍的同情心。人与人之间，有交感共鸣的需要。每个人都不肯将自己囚在小我牢笼里，和四周同类有墙壁隔阂着，忧喜不相闻问。他感觉这是苦闷，于是有语言，于是有艺术。艺术和语言根本是一回事，都是人类心灵交通的工具，它们的原动力都是社会的本能。世间也许有不立文字的释迦，不制乐谱的贝多芬，或是不写作品的杜甫，只在心里私自欣赏所蕴蓄的崇高幽美的境界，或私自庆幸自己的伟大，我们也只能把他们归在自私的怪物或心理有变态者一类，和我们所谈的文艺不起因缘。我们所谈的文艺必有作品可凭，而它的作者必极富于同情心，要在人与人之中造成情感思想的交流汇通，伸张小我为大我，或则泯没小我于大我，使人群成为一体。艺术的价值之伟大，分别地说，在使各个人于某一时会心中有可欣赏的完美境界；综合地说，在使个人心中的可欣赏的完美境界浸润到无数同群者的心里去，使人类彼此中间超过时空的限制而有心心相印之乐。托尔斯泰说："艺术是一种'人性活动'，它的要义只是一个人有意地用具体的符号，把自己所曾经历的情感传给旁人，旁人受这些情感的传染，也起同感"。因此，他以为艺术的功用，在打破界限隔阂，"巩固人和人以及人和上帝的和合"。克罗齐派美学家偏重直觉，把艺术家看成"自言自语者"，就只看到艺术对于个人的意义与价值；托尔斯泰着重情感的传染，把艺术家看成人类心灵的胶漆，才算看到艺术对于人群的意义与价值。两说本可并行不悖，合并起来，才没有偏蔽。总之，艺术家在直觉形象时，独乐其乐；在以符号传达所直觉之形象时，与人同乐。由第一步活动到第二步活动，由独赏直觉到外现直觉以与人共赏，其中间不容发，有电流水泻不能自止之势。如将两步活动截然划开，说前者属于"艺术人"，后者属于"实用人"，前后了不相涉，似不但浅视艺术，而且把人看得太像机械了。实际上艺术家对于直觉与传达，容或各有偏重（由于心理类型有内倾外倾之别）；但止于直觉而不传达，或存心传达而直觉不受影响，在我看来，都像与事实不很符合。

艺术就是一种语言,语言有说者就必有听者,而说者之所以要说,就存心要得到人听。作者之于读者,正如说者之于听者,要话说得中听,眼睛不得不望着听众。说的目的本在于作者读者之中成立一种情感思想上的交流默契;这目的能否达到,就看作者之所给予是否为读者之所能接受或所愿接受。写作的成功与失败一方面固然要看所传达的情感思想本身的价值,一方面也要看传达技巧的好坏。传达技巧的好坏大半要靠作者对于读者所取的态度是否适宜。

这态度可以分为不视、仰视、俯视、平视四种。不视即目中无读者。这种态度可以产生最坏的作品,也可以产生最好的作品。一般空洞议论,陈腐讲章,枯燥叙述之类作品属于前一种。在这种作品中,作者向虚空说话,我们反复寻求,找不出主人的性格,嚼不出言语的滋味,得不着一点心灵默契的乐趣。他看不见我们,我们也看不见他,我们对面的只是一个空心大老倌!他不但目中无读者,根本就无目可视。碰到这种作者,是读者的厄运。另有一种作品,作者尽管不挺身现在我们面前,他尽管目中不像看见有我们存在,只像在自言自语,而却不失其为最上乘作品。莎士比亚是最显著的例。他写戏剧,固然仍是眼睛望着当时戏院顾主,可是在他的剧本中,我们只看见形形色色的人物活现在眼前,而不容易抓住莎士比亚自己。他的嬉笑怒骂像是从虚空来的,也是像朝虚空发的。他似无意要专向某一时代、某一国籍或某一类型的人说话,而任何时代、任何国籍、任何类型的读者都可以在他的作品中各见到一种天地,尝到一种滋味。他能使雅俗共赏,他的深广伟大也就在此。像他这一类作者,我们与其说他们不现某一片面的性格,毋宁说他们有多方的丰富的性格；与其说他们“不视”，不如说他们“普视”。他们在看我们每一个人，我们却不容易看见他们。

普视是最难的事。如果没有深广的心灵，光辉不能四达，普视就流于不视。普视是不朽者所特有的本领，我们凡人须择一个固定的观点，取一个容易捉摸的态度。文书吏办公文，常分“下行上”、“上行下”、“平行”三种。作者对于读者也可以取三种态度，或仰视，或俯视，或平视。仰视如上奏疏，俯视如颁诏谕，平视则如亲友通信叙家常，道衷曲。曾国藩在《经史百家杂钞》的序例里仿佛曾经指出同样的分别。我们所指的倒不限于在选本上所常分开的这几种体类，而是写任何体类作品时作者对于读者所存的态度。作者视读者或是比自己高一层，或是比自己低一层，或是和自己平行，这几种态度各有适合的时机，也各随作者艺术本领而见成败，我们不能抽象地概括地对于某一种有所偏袒。犹太人的《旧约》是最好的例证。《颂诗》颂扬上帝，祷祝上帝，捧着一片虔敬的丹心，向神明呈献，是取仰视的态度。《先知书》是先知者对于民众的预言和谆谆告诫，是取俯视的态度。其他叙述史事诸书只像一个人向他的同胞谈论往事，是取平视的态度。它们在文艺上各臻胜境。仰视必有尊敬的心情，俯视必有爱护的心情，平视必有亲密的心情，出乎至诚，都能感动。

在仰视、俯视、平视之中，我比较赞成平视。仰视难免阿谀逢迎。一个作者存心取悦于读者，本是他的分内事，不过他有他的身份和艺术的良心，如果他将就读者的错误的见解，低级的趣味，以佞嬖俳优的身份打诨呐喊，猎取世俗的炫耀，仰视就成为对于艺术的侮辱。一个作者存心开导读者，也本是他的分内事，不过他不能有骄矜气，如果他把自己高举在讲台上，把台下人都看成蒙昧无知，盛气凌人地呵责他们，讥笑他们，教训他们，像教蒙童似的解释这样那样，俯视就成为对于读者的侮辱。世间人一半欢喜人捧，另一半欢喜人踩，所以这两种态度常很容易获得世俗上的成功。但是从艺术观点看，我们对这种仰视与俯视都必须深恶痛疾。因此，我不欢喜×××先生（让问心有愧的作者们填进他们自己的姓名），也不欢喜萧伯纳。

我赞成平视，因为这是人与人中间所应有的友谊的态度。“酒逢知己饮，诗向会人吟”。我们心中有极切己的忧喜，极不可为俗人言的秘密，隐藏着是痛苦，于是找知心的朋友去倾泻，我们肯向一个人说心事话，就看得起他这位朋友，知道在他那方面可以得到了解与同情。文艺所要表现的正是这种不得不言而又不易为俗人言的秘密。你拿它向读者吐露时，就已经假定他是可与言的契友。你拿哀乐和他分享，你同情他，而且也希望得到同情的回报。你这种假定，这种希望，是根据“人同此心，心同此理”这个基本原则。你传达你的情感思想，是要在许多“同此心”的人们中取得“同此理”的印证。这印证有如回响震荡，产生了读者的喜悦，也增加了作者的喜悦。这种心灵感通之中不容有骄矜，也不容有虚伪的谦逊，彼此须平面相视，赤心相对，不装腔作势，也不吞吐含混，这样人与人可以结成真挚的友谊，作者与读者也可以成立最理想的默契。凡是第一流作家，从古代史诗悲剧作者到近代小说家，从庄周、屈原、杜甫到施耐庵、曹雪芹，对于他们的读者大半都持这种平易近人的态度。我们读他们的作品，虽然觉得他们高出我们不知若干倍，同时也觉得他们诚恳亲切，听得见他们的声音，窥得透他们的心曲，使我们很快乐地发现我们的渺小的心灵和伟大的心灵也有共通之点。“尚友古人”的乐趣就在此。

诚恳亲切是人与人相交接的无上美德，也是作者对于读者的最好的态度，文化愈进，人与人的交接不免有些虚伪节仪，连写作也有所谓“礼貌”。这在西文中最易见出。记得我初从一位英国教师学作文时，他叮咛嘱咐我极力避免第一人称代名词。分明是“我”想“我”说，讲一点礼貌，就须写“我们想”、“我们说”。英、德、法文中单数“你”都只能用于最亲密的人，对泛泛之交本是指“你”时却须说“你们”。事实上是我请你吃饭，正式下请帖却须用第三人称。“某某先生请某某先生予以同餐的荣幸”。有时甚至连有专指的第三人称都不肯用，在英、法文中都有非你非我非他而可以用来指你指我指他的代名词（英文的one、法文的on）。在这些语文习惯琐例中，我们可以看出人们有意要在作者与读者（或说者与听者）之中辟出所谓“尊敬的距离”，说“你”和“我”未免太显得亲密，太固定，说“你们”和“我们”既客气又有闪避的余地。说“张某李某”未免无忌惮，说实虽专指而貌似泛指的one或on，那就沾染不到你或我了。一般著作本都是作者向读者说话，而作者却装着向虚空说话，自己也不肯露面，也正犹如上举诸例同是有“客气”作祟。这种客气我认为不仅是虚伪，而且是愚笨，它扩大作者与读者的距离，就减小作品的力量。我欢喜一部作品中，作者肯说自己是“我”，读者是“你”，两方促膝谈心，亲密到法国人所说的entre nous（“在咱俩中间”，意谓只可对你说不可对旁人说）的程度。

文艺的语言同是社会交接的工具，所以说文艺有社会性，如同说人是动物一样，只是说出一个极平凡的真理。但是我们虽着重文艺的社会性，却与一般从社会学观点谈文艺者所主张的不同。在他们看，政治经济种种社会势力对于文艺倾向有决定的力量；在我们看，这些势力虽可为文艺风气转变的助因，而它的主因仍在作者对于读者的顾虑。各时代、各派别的文艺风气不同，因为读者的程度和趣味不同。汉人的典丽的词赋，六朝人的清新的骈俪文，唐宋人的平正通达的古文，多少都由于当时读者特别爱好那种味道，才特别发达。中国过去文艺欣赏者首先是作者的朋友和同行的文人，所以唱酬的风气特盛，而作品一向是“斗方名士”气味很重。在西方，有爱听英雄故事的群众才有荷马史诗和中世纪传奇，有欢喜看戏的群众才有希腊悲剧和伊丽莎白后朝的戏剧。近代人欢喜看小说消遣，所以小说最盛行，这些都是很粗浅的事例，如果细加分析，文学史上体裁与风格的演变，都可以证明作者时时在迁就读者。

一个作者需要读者，就不能不看重读者；但是如果完全让读者牵着鼻子走，他对于艺术也决不能有伟大的成就。就一般情形说，读者比作者程度较低，趣味较劣，也较富于守旧性。因此，作者常不免处在两难境遇：如果一味迎合读者，揣摩风气，他的艺术就难超过当时已达到的水准；如果一味立异为高，孤高自赏，他的艺术至少在当时找不着读者。在历史上，作者可以分为两大类，有些甘心在已成立的风气之下享一时的成功，有些要自己开辟一个风气让后人继承光大。一是因袭者，守成者；一是反抗者，创业者。不过这只是就粗浅的迹象说，如果看得精细一点，文学史上因袭和反抗两种势力向来并非绝不相谋的。纯粹的因袭者决不能成为艺术家，真正艺术家也绝不能一味反抗而不因袭。所以聪明的艺术家在应因袭时因袭，在应反抗时反抗。他接受群众，群众才接受他；但是他也要高出群众，群众才受到他的启迪。他须从迎合风气去开导风气。这话看来像圆滑骑墙，但是你想一想曹植、陶潜、阮籍、杜甫、韩愈、苏轼、莎士比亚、歌德、易卜生、托尔斯泰，哪一个大家不是如此？

一般人都以为文艺风气全是少数革命作家所创成的。我对此颇表怀疑。从文艺史看，一种新兴作风在社会上能占势力，固然由于有大胆的作者，也由于有同情的读者。唐代诗人如卢同、李贺未尝不各独树一帜，却未能造成风气。一种新风气的成立，表示作者的需要，也表示读者的需要；作者非此不揣摩，读者非此不爱好，于是相习成风，弥漫一时。等到相当时期以后，这种固定的作风由僵化而腐朽，读者看腻了，作者也须另辟途径。文艺的革命和政治的革命是一样的，只有领袖而无群众，都决不能成功。作者与读者携手，一种风气才能养成，才能因袭；作者与读者携手，一种风气也才能破坏，才能转变。作者水准高，可以把读者的水准提高，这道理是人人承认的；读者的水准高，也可以把作者的水准提高，这道理也许不那么浅显，却是同样地正确。在我们现在的时代，作者们须从提高读者去提高自己。

具体与抽象

“文章之精妙不出字句声色之间。”如果记住语文情思一致的基本原则而单从语文探求文章的精妙，姚姬传的这句话确是一语破的。在《散文的声音节奏》篇中我们已谈到声的重要，现在来讲色。所谓“色”并不专指颜色，凡是感官所接触的，分为声色臭味触，合为完整形体或境界，都包含在内（佛典所谓“色蕴”亦广指现象界）。那篇所说的“声”侧重它的形式的成分，如音的阴阳平仄和字句段落的节奏之类；至于人物所发的声音可以帮助我们了解一种具体性格或情境的仍应归在本文所说的“色”。“色”可以说就是具体意象或形象。

我们接受事物的形象用感官，领会事物的关系条理用理智。感官所得的是具体意象，理智所运用的是抽象概念。在白马、白玉、白雪等个别事物所“见”到的白是具体意象，离开这些个别事物而总摄其共象所“想”到的白是抽象概念。理智是进一步、高一层的心理机能，但是抽象概念须从具体意象得来，所以感官是到理智的必由之路。一个人在幼稚时代，一个民族在原始时代，运用感官都多于运用理智，具体意象的力量都大于抽象概念。拿成年人和开化民族说，象仍先于理，知觉仍先于思想。因此，要人明了“理”最好的方法是让他先认识“象”（即“色”），古人所以有“象教”的主张。宗教家宣传教义多借重图画和雕刻，小学教科书必有插画，就是根据这个道理。

有些人在这中间见出文学与哲学科学的分别。哲学科学都侧重理，文学和其他艺术都侧重象。这当然没有哲学科学不要象、文艺不要理的含义。理本寓于象，哲学科学的探求止于理，有时也要依于象；文艺的探求止于象，但也永不能违理。在哲学科学中，理是从水提炼出来的盐，可以独立；在文艺中，理是盐所溶解的水，即水即盐，不能分开。文艺是一种“象教”，它诉诸人类最基本、最原始而也最普遍的感官机能，所以它的力量与影响永远比哲学科学深厚广大。

文艺的表现必定是具体的，诉诸感官的。如果它完全是抽象的，它就失去文艺的特质而变为哲学科学。记得这个原则，我们在写作时就须尽量避免抽象而求具体。“他与士卒同甘苦”，“他为人慈祥”，“他有牺牲的精神”之类语句是用抽象的写法，“他在战场上受伤临危时，口渴得厉害，卫兵找得一杯水给他喝，他翻身看见旁边躺着一个受伤发热的兵，自己就不肯喝，把那杯水传过去给那伤兵说：‘喝了吧，你的需要比我的更迫切！’”这才是具体的写法。仆人慌慌张张地跑去找主人说：“不好了！糟了！”他还是在弄抽象的玩意儿，令人捉摸不着；等到他报告说：“屋里起了火，房子烧光了，小少爷没救得出来，老太太吓昏过去了。”他才把我们引到具体的境界。“少所见，多所怪”，本是常理，你就以常理待它，如耳边风听过去；到了“见骆驼，言马肿背”，你就一惊一喜，看见一个具体的情境活现在眼前。凡是完美的诗、小说或戏剧，里面所写的人物故事和心境，如果抽象地说，都可以用三言两语总括起来，可是作者却要把它“演”成长篇大作，并非不知道爱惜笔墨，他要把人物化成有血有肉的人物，把情境化成有声有色的情境，使读者看到如在眼前。文艺舍创造无能事。所谓创造，就是托出一个意象世界来。从前人做寿序、墓志铭，把所有可赞扬人的话都堆积起来，一样话在任何场合都拿来应用，千篇一律，毛病就在不具体。现在许多人写文章还没有脱去这种习气。你尽管惊叹“那多么美丽啊！”“人生多么悲哀哟！”“我真爱你！”读者却不稀罕听这种空洞的话，他要你“拿出证据来”。

文学必以语文这媒介，语文的生展就带有几分艺术性。这在文字的引申义上面最容易看出。许多抽象的意义都借表达事物的字表达出来。就如这里所说的“生展”和“引申”都是抽象的意义，原来“生产”、“展开”、“牵引”、“欠伸”却都指具体的动作。此外如“道”（路）、“理”（玉石的纹理）、“风”（空气流动）、“行”（走）、“立”（站）、“推”（用手推物）、“断”（用刀断物）、“组织”（编织丝布）、“吹嘘”（以口鼓动空气）、“联络”（系数物于一处）之类在流行语文中用来表示抽象意义（即引申义），反比用原来的具体意义更为普通。如果略知文字学者把流行语文所用的抽象字义稍加分析，他会发现它们大半都是引申义，原义大半是指具体的事物。引申大半含有比喻的意味。“行道”有如“走路”，语文的“生展”有如草木的“发芽长叶”。比喻是文学修词中极重要的一格。小则零句，大则整篇，用具体事物比喻抽象意义的都极多。零句如“人生若梦”、“天地者万物之逆旅”、“割鸡焉用牛刀”，“鱼相忘乎江湖，人相忘乎道术”、“秋风弃扇知安命，小炷留灯悟养生”之类，整篇如庄子的《养生主》、屈原的《离骚》、佛典中的《百喻经》、《伊索寓言》和英国班扬的《天路历程》之类都可以为例。读者如果循例推求，就可明白比喻在文学作品中，如何普遍，如何重要。

在《写作练习》篇中，我们已谈到文章的作用不外说理、言情、叙事、状物四种。事与物本来就是具体的，所以叙事文与状物文比较容易具体。情感在发动时虽有具体的表现，内为生理变化，外为对人处事的态度和动作，都有迹象可寻，但是身当其境者常无暇自加省察；即自加省察，也常苦其游离飘忽，不易捉摸。加以情随境迁，哀乐尽管大致相同，而个别经历悬殊，这个人的哀乐和那个人的哀乐，这一境的哀乐和另一境的哀乐终必有微妙的分别。文学不但要抓住类型，尤其紧要的是抓住个性。在实际中哀可以一哭表现，乐可以一笑表现；但是在文学作品中，哀只言哭，乐只言笑，就决不能打动人，因为言哭言笑还是太抽象。要读者深刻地感觉到某人在某境中哀如何哀，乐如何乐，就必须把它所伴的具体情境烘托出来。因此，言情常须假道于叙事状物。美学家谈表现，以为情感须与意象融合，就因为这个道理。《诗经》里名句“蒹葭苍苍，白露为霜，所谓伊人，在水一方，溯回从之，宛在水中央”，所写的是一些事物，一种情境，而所表现的却是一种情致。那种情致本身不能直接叙述或描绘，必须借“蒹葭”、“白露”、“伊人”、“水”这些具体的意象所组成的具体的情境才可表现出来。

在文学所用的四类材料之中，理最为抽象。它无形无声无臭亦无味触，不能由感官直接感触，只能用理智领悟。纯文学必为具体的有个性的表现，所以想把说理文抬举到纯文学的地位，颇不容易。理愈高深就愈抽象，也就愈难为一般人了解欣赏。像《洪范》、《中庸》、《道德经》、墨子的《经》及《经说》、佛典中的论、康德的《纯粹理性批判》、斯宾诺莎的《伦理学》之类典籍陈义非不高深，行文却极抽象，不免使读者望而生畏。世间有许多高深的思想都埋没在艰晦的文字里，对于文学与文化都是很大的损失。有些思想家知道这一点，虽写说理文，也极力求其和文学作品一样具体。古代的柏拉图和庄子，近代的柏格森和詹姆斯，都是好例。他们通常用两种方法。一是举例证，拿具体的个别事件说明抽象的普遍原理，有如律师辩护，博引有关事实，使听者觉其证据确凿可凭，为之动听。一是多用譬喻，理有非直说可明者，即用类似的具体事物来打比。“人相忘乎道术”颇不易懂，“鱼相忘乎江湖”却是众人皆知的。《庄子》多用寓言，寓言多是譬喻。《战国策》所记载的当时游说之士的言辞，也大半能以譬喻说理见长。最有名的是画蛇添足、鹬蚌相争、狐假虎威几段故事。区区数语在当时外交政治上曾发生极大的影响。战国时言谈的风气很盛，而譬喻是言谈达到目的所必由之径。刘向《说苑》曾经有这样一段记载：

梁惠王问惠子曰：“愿先生言事则直言耳，无譬也。”惠子曰：“今有人于此而不知弹者。”曰：“弹之状何若？”应曰：“弹之状若弹，则喻乎？”王曰：“未喻也。”于是更应曰：“弹之状如弓而以竹为弦则知乎？”王曰：“可知矣。”惠子曰：“夫说者固以其所知，喻其所不知，而使人知之。今王曰‘无譬’则不可矣。”

这段话可以见出当时譬喻的流行，也把譬喻的道理说得极清楚："以其所知喻其所不知。"文学要用具体的意象说出抽象的道理，功用也是如此。

从梁惠王不欢喜譬喻这件事实看，我们可以知道譬喻要多说话，尽管是最有效的办法，却不是最简截的办法。分明只有一个道理，不直接说出，却要找一个陪衬把它烘托出来，不免是绕弯子。但是人类心智都要由具体达到抽象，这是无可如何的事。大凡具体的写法都比抽象的写法较费笔墨，不独譬喻如此。抽象的写法有如记总账，画轮廓，悬牌宣布戏单；具体的写法有如陈列账上所记的货物，填颜色画出整个形体，生旦净丑穿上全副戏装出台扮演。前者虽简赅而不免空洞，后者有时须不避繁琐才能生动逼真。文学在能简赅而又生动时，取简赅；在简赅而不能生动时，则毋宁取生动。这个道理我们有一个很好的例子可以说明。《穀梁传》成公元年有一条记载：

> 季孙行父秃，晋却克眇，卫孙良夫跛，曹公子手偻，同时而聘于齐。齐使秃者御秃者，使眇者御眇者，使跛者御跛者，使偻者御偻者。

这段文字的重复是有意的，重复才能着重当时情境的滑稽。刘知幾在《史通》里嫌它太繁，主张在"齐使秃者御秃者"句下只用"各以其类逆"一句总括其余。这就是把具体的改成抽象的，虽较简赅，却没有原文的生动和幽默。大约理智胜于想象的人对于文学中画境和剧情都不很能欣赏,而且嫌它琐细。这就无异于说他们的文学欣赏力薄弱。

具体的写法也不一定就要繁琐。繁简各有时宜,只要能活跃有生气,都不失其为具体。作文如绘画,有用工笔画法的,把眼前情景和盘托出,巨细不遗,求于精致周密处擅长;也有用大笔头画法的,寥寥数笔就可以把整个性格或情境暗示出来,使读者觉得它“言有尽而意无穷”。就常例说,作品的艺术价值愈高,就愈含蓄。含蓄的秘诀在于繁复情境中精选少数最富于个性与暗示性的节目,把它们融化成一完整形象,让读者凭这少数节目做想象的踏脚石,低回玩索,举一反三。着墨愈少,读者想象的范围愈大,意味也就愈深永。这道理在第一流史诗、戏剧和小说里都可以看出。荷马描写海伦的美,只叙述特洛伊国一般元老见到她如何惊叹,是一个最有名的实例。

要写得具体,也并非堆砌具体意象就可以了事。貌似具体的作品还可以说是太“抽象”,因为它陈腐、肤泛、空洞。广告商标的图画非无具体意象,可是从艺术眼光看,我们不能说它具体,它千篇一律,没有个性和生气。作文使用意象,颇非易事。我们脑中积着许多陈腐词藻,一动笔就都拥挤上来。一提到美人就是桃面柳眉,一提到变化无常就是浮云流水、桑田沧海。写恋爱老是那一套三角场面,写抗战老是那一套间谍勾当。这其实和绘广告商标没有分别。我们所提倡的“具体”不仅是要用感官所接受的意象,而且是要把这种意象通过创造的想象,熔成一种独到的新鲜的境界或是一个有特殊生命的性格。情境写得像《水浒》里的武松打虎或《史记》里的鸿门宴,人物写得像莎士比亚的哈姆雷特或曹雪芹的刘姥姥,我们说那才不愧为“具体的”。我们在实际生活中所经历的人物情境还没有那么具体,那么真实。只就这一个意义说,我们才承认文艺所创造的世界是理想化的世界。

情与辞

一切艺术都是抒情的，都必表现一种心灵上的感触，显著的如喜、怒、爱、恶、哀、愁等情绪，微妙的如兴奋、颓唐、忧郁、宁静以及种种不易名状的飘来忽去的心境。文学当作一种艺术看，也是如此。不表现任何情致的文字就不算是文学作品。文字有言情、说理、叙事、状物四大功用，在文学的文字中，无论是说理、叙事、状物，都必须流露一种情致，若不然，那就成为枯燥的没有生趣的日常应用文字，如账簿、图表、数理化教科书之类。不过这种界线也很不容易划清，因为人是有情感的动物，而情感是容易为理、事、物所触动的。许多哲学的、史学的甚至于科学的著作都带有几分文学性，就是因为这个道理。我们不运用言辞则已，一运用言辞，就难免要表现几分主观的心理倾向，至少也要有一种“理智的信念”(intellectual conviction)，这仍是一种心情。

情感和思想通常被人认为是对立的两种心理活动。文字所表现的不是思想，就是情感。其实情感和思想常互相影响，互相融会。除掉惊叹语和谐声语之外，情感无法直接表现于文字，都必借事理物烘托出来，这就是说，都必须化成思想。这道理在中国古代有刘彦和说得最透辟。《文心雕龙》的《熔裁》篇里有这几句话："草创鸿笔，先标三准。履端于始，则设情以位体；举正于中，则酌事以取类；归余于终，则撮辞以举要。"

用现代话来说，行文有三个步骤，第一步要心中先有一种情致，其次要找出具体的事物可以烘托出这种情致，这就是思想分内的事，最后要找出适当的文辞把这内在的情思化合体表达出来。近代美学家克罗齐的看法恰与刘彦和的一致。文艺先须有要表现的情感，这情感必融会于一种完整的具体意象（刘彦和所谓"事"），即借那个意象得表现，然后用语言把它记载下来。

我特别提出这一个中外不谋而合的学说来，用意是在着重这三个步骤中的第二个步骤。这是一般人所常忽略的。一般人常以为由"情"可以直接到"辞"，不想到中间须经过一个"思"的阶段，尤其是十九世纪浪漫派理论家主张"文学为情感的自然流露"，很容易使人发生这种误解。在这里我们不妨略谈艺术与自然的关系和分别。艺术（art）原意为"人为"，自然是不假人为的；所以艺术与自然处在对立的地位，是自然就不是艺术，是艺术就不是自然。说艺术是"人为的"就无异于说它是"创造的"。创造也并非无中生有，它必有所本，自然就是艺术所本。艺术根据自然，加以熔铸雕琢，选择安排，结果乃是一种超自然的世界。换句话说，自然须通过作者的心灵，在里面经过一番意匠经营，才变成艺术。艺术之所以为艺术，全在"自然"之上加这一番"人为"。

这番话并非题外话。我们要了解情与辞的道理，必先了解这一点艺术与自然的道理。情是自然，融情于思，达之于辞，才是文学的艺术。在文学的艺术中，情感须经过意象化和文辞化，才算得到表现。人人都知道文学不能没有真正的情感,不过如果只有真正的情感,还是无济于事。你和我何尝没有过真正的情感?何尝不自觉平生经验有不少的诗和小说的材料?但是诗在哪里?小说在哪里?浑身都是情感不能保障一个人成为文学家,犹如满山都是大理石不能保障那座山有雕刻,是同样的道理。

一个作家如果信赖他的生糙的情感,让它"自然流露",结果会像一个掘石匠而不能像一个雕刻家。雕刻家的任务在把一块顽石雕成一个石像,这就是说,给那块顽石一个完整的形式,一条有灵有肉的生命。文学家对于情感也是如此。英国诗人华兹华斯有一句名言:"诗起于在沉静中回味过来的情绪。"在沉静中加过一番回味,情感才由主观的感触变成客观的观照对象,才能受思想的洗练与润色,思想才能为依稀隐约不易捉摸的情感造出一个完整的可捉摸的形式和生命。这个诗的原理可以应用于一切文学作品。

这一番话是偏就作者自己的情感说。从情感须经过观照与思索而言,通常所谓"主观的"就必须化为"客观的",我必须跳开小我的圈套,站在客观的地位,来观照我自己,检讨我自己,把我自己的情感思想和行动姿态当作一幅画或是一幕戏来点染烘托。古人有"痛定思痛"的说法,不只是"痛",写自己的一切的切身经验都必须从追忆着手,这就是说,都必须把过去的我当作另一个人去看。我们需要客观的冷静的态度。明白这个道理,我们也就应该明白在文艺上通常所说的"主观的"与"客观的"分别是粗浅的,一切文学创作都必须是"客观的",连写"主观的经验"也是如此。

但是一个文学家不应只在写自传,独角演不成戏,虽然写自传,他也要写到旁人,也要表现旁人的内心生活和外表行动。许多大文学家向来不轻易暴露自己，而专写自身以外的人物，莎士比亚便是著例。形形色色的人物的心理变化在他们手中都可以写得惟妙惟肖，淋漓尽致。他们所以能做到这一点，因为他们会设身处地去想象，钻进所写人物的心窍，和他们同样想，同样感，过同样的内心生活。写哈姆雷特，作者自己在想象中就变成哈姆雷特，写林黛玉，作者自己在想象中也就要变成林黛玉。明白这个道理，我们也就应该明白一切文学创作都必须是"主观的"，所写的材料尽管是通常所谓"客观的"，作者也必须在想象中把它化成亲身经验。

总之，作者对于所要表现的情感，无论是自己的或旁人的，都必须能"入乎其内，出乎其外"，体验过也观照过；热烈地尝过滋味，也沉静地回味过，在沉静中经过回味，情感便受思想熔铸，由此附丽到具体的意象，也由此产生传达的语言（即所谓"辞"），艺术作用就全在这过程上面。

在另一篇文章里我已讨论过情感思想与语文的关系，在这里我不再作哲理的剖析，只就情与辞在分量上的分配略谈一谈。就大概说，文学作品可分为三种："情尽乎辞"、"情溢乎辞"或是"辞溢乎情"。心里感觉到十分，口里也就说出十分，那是"情尽乎辞"；心里感觉到十分，口里只说出七八分，那是"情溢乎辞"；心里只感觉到七八分，口里却说出十分，那是"辞溢乎情"。德国哲学家黑格尔曾经指出与此类似的分别，不过他把"情"叫做"精神"，"辞"叫做"物质"。艺术以物质表现精神，物质恰足表现精神的是"古典艺术"，例如希腊雕刻，体肤恰足以表现心灵；精神溢于物质的是"浪漫艺术"，例如中世纪"哥特式"雕刻和建筑，热烈的情感与崇高的希望似乎不能受具体形象的限制，磅礴四射；物质溢于精神的是

"象征艺术"(黑格尔的"象征"与法国象征派诗人所谓"象征"绝不相同),例如埃及金字塔,以极笨重庞大的物质堆积在那里,我们只能依稀隐约地见出它所要表现的精神。

黑格尔最推尊古典艺术,就常识说,情尽乎辞也应该是文学的理想。"无情者不得尽其辞","和顺积中,英华外发","修辞立其诚",我们的古圣古贤也是如此主张。不过概括立论,都难免有毛病。"情溢乎辞"也未尝没有它的好处。语文有它的限度,尽情吐露有时不可能,纵使可能,意味也不能很深永。艺术的作用不在陈述而在暗示,古人所谓"言有尽而意无穷"。含蓄不尽,意味才显得闳深婉约,读者才可自由驰骋想象,举一反三。把所有的话都说尽了,读者的想象就没有发挥的机会,虽然"观止于此",究竟"不过尔尔"。拿绘画来打比,描写人物,用工笔画法仔细描绘点染,把一切形色,无论巨细,都尽量地和盘托出,结果反不如用大笔头画法,寥寥数笔,略现轮廓,更来得生动有趣。画家和画匠的分别就在此。画匠多着笔墨不如画家少着笔墨,这中间妙诀在选择与安排之中能以有限寓无限,抓住精要而排去秕糠。黑格尔以为古典艺术的特色在物质恰足表现精神,其实这要看怎样解释,如果当作"情尽乎辞"解,那就显然不很正确,古典艺术的理想是"节制"(restraint)与"静穆"(serenity),也着重中国人所说的"弦外之响","不着一字,尽得风流"。

在普通情境之下,"辞溢乎情"总不免是一个大毛病,它很容易流于空洞、腐滥、芜冗。它有些像纸折的花卉,金叶剪成的楼台,绚烂夺目,却不能真正产生一点春意或是富贵气象。我们看到一大堆漂亮的辞藻,期望在里面玩味出来和它相称的情感思想,略经咀嚼，就知道它索然乏味，心里仿佛觉得受了一回骗，作者原来是一个穷人要摆富贵架子！这个毛病是许多老老少少的人所最容易犯的。许多叫做“辞章”的作品，旧诗赋也好，新“美术文”也好，实在是空无所有。

不过“辞溢乎情”有时也别有胜境。汉魏六朝的骈俪文就大体说，都是“辞溢乎情”。固然也有一派人骂那些作品一文不值，可是真正爱好文艺而不夹成见的虚心读者，必能感觉到它们自有一种特殊的风味。我曾平心静气地玩味庾子山的赋、温飞卿的词、李义山的诗、莎士比亚的悲剧和商籁，弥尔顿的长短诗，以及近代新诗试验者如斯温伯恩、马拉梅和罗威尔诸人的作品，觉得他们的好处有一大半在辞藻的高华与精妙，而里面所表现的情趣往往却很普通。这对于我最初是一个大疑团，我无法在理论上找到一个圆满的解释。我放眼看一看大自然，天上灿烂的繁星，大地在盛夏时所呈现葱茏的花卉与锦绣的河山，大都会中所铺陈的高楼大道，红墙碧瓦，车如流水马如龙，说它们有所表现固无不可，不当作它们有所表现，我们就不能借它们娱目赏心么？我再看一看艺术，中国古瓷上的花鸟、刺绣上的凤翅龙鳞，波斯地毡上的以及近代建筑上的图案，贝多芬和瓦格纳的交响曲，不也都够得上说“美丽”，都能令人欣喜？我们欣赏它们所表现的情趣居多呢，还是欣赏它们的形象居多呢？我因而想起，辞藻也可以组成图案画和交响曲，也可以和灿烂繁星、青山绿水同样地供人欣赏。“辞溢乎情”的文章如能做到这地步，我们似也毋庸反对。

刘彦和本有“为情造文”与“为文造情”的说法，我觉得后起的“因情生文，因文生情”的说法比较圆满，一般的文字大半“因情生文”，上段所举的例可以说是“因文生情”。“因情生文”的作品一般人有时可以办得到，“因文生情”的作品就非极大的艺术家不办。在平地起楼阁是寻常事，在空中架楼阁就有赖于神斤鬼斧。虽是在空中，它必须是楼阁，是完整的有机体。一般“辞溢乎情”的文章所以要不得，因为它根本不成为楼阁。不成为楼阁而又悬空，想拿旁人的空中楼阁来替自己辩护，那是狂妄愚蠢，为初学者说法，脚踏实地最稳妥，只求“因情生文”，“情见于辞”，这一步做到了，然后再作高一层的企图。

想象与写实

在这些短文里，我着重学习文学的实际问题，想撇开空泛的理论，不过对于想象与写实这个理论上的争执不能不提出一谈，因为它不仅有关于写作基本态度上的分别，而且涉及对于文艺本质的认识。这个理论上的争执在十九世纪后期闹得最剧烈。在十九世纪前期，浪漫主义风靡一时，它反抗前世纪假古典主义过于崇拜理智的倾向，特提出“情感”和“想象”两大口号。浪漫作者坚信文艺必须表现情感，而表现情感必借想象。在他们的心目中与想象对立的是理智，是形式逻辑，是现实的限制；想象须超过理智打破形式逻辑与现实的限制，任情感的指使，把现实世界的事理情态看成一个顽皮孩子的手中的泥土，任他搬弄糅合，造成一种基于现实而又超于现实的意象世界。这意象世界或许是空中楼阁，但空中楼阁也要完整美观，甚至于比地上楼阁还要更合于情理。这是浪漫作者的信条，在履行信条之中，他们有时不免因走极端而生流弊。比如说，过于信任想象，蔑视事实，就不免让主观的成见与幻想作祟，使作品离奇到不近情理，空洞到不切人生。因此到了十九世纪后期，文学界起了一个大反动，继起的写实主义咒骂主观的想象情感，一如从前浪漫主义咒骂理智和常识。写实作家的信条在消极方面是不任主观，不动情感，不凭空想；在积极方面是尽量寻求实际人生经验，应用自然科学的方法搜集“证据”，写自己所最清楚的，愈忠实愈好。浪漫派的法宝是想象，毕生未见大海的人可以歌咏大海；写实派的法宝是经验，要写非洲的故事便须背起行囊亲自到非洲去观察。

这显然是写作态度上一个基本的分别。在谈写作练习时我曾经说过初学者须认清自己知解的限度，与其在浪漫派作家所谓“想象”上做功夫，不如在写实派作家所谓“证据”上做功夫，多增加生活经验，把那限度逐渐扩大。不过这只是就写作训练来说，如果就文艺本质作无偏无颇的探讨，我们应该知道，凡是真正的文艺作品都必同时是写实的与想象的。想象与写实相需为用，并行不悖，并不如一般人所想象的那样绝对相反。理由很简单，凡是艺术创造都是旧经验的新综合。经验是材料，综合是艺术的运用。唯其是旧经验，所以读者可各凭经验去了解；唯其是新综合，所以见出艺术的创造，每个作家的特殊心裁。所谓“写实”就是根据经验，所谓“想象”就是集旧经验加以新综合（想象就是“综合”或“整理”）。想象决不能不根据经验，神鬼和天堂地狱虽然都是想象的，可也是都根据人和现世想象出来的，神鬼都像人一样有四肢五官，能思想行动，天堂地狱都像现世一样有时间空间和摆布在时空中的事事物物，如宫殿楼阁饮食男女之类。一切艺术的想象都可以作如是观。至于经验——写实派所谓“证据”——本身不能成为艺术，它必须透过作者的头脑，在那里引起一番意匠经营，一番选择与安排，一番想象，然后才能产生作品。任何作品所写的经验决不能与未写以前的实际经验完全一致,如同食物下了咽喉未经消化就排泄出来一样。食物如果要成为生命素,必经消化;人生经验如果要形成艺术作品,必经心灵熔铸。从艺术观点看,这熔铸的功夫比经验还更重要千百倍,因为经验人人都有,却不是每个人都能表现他的经验成为艺术家。许多只信"证据"而不信"想象"的人为着要产生作品,钻进许多偏僻的角落里讨实际生活,实际生活算是讨到手了,作品仍是杳无踪影;这正如许多书蠹读过成千成万卷的书,自己却无能力写出一本够得上称为文艺作品的书,是同一道理。

极端的写实主义者对于"写实"还另有一个过激的看法,写实不仅根据人生经验,而且要忠实地保存人生经验的本来面目,不许主观的想象去矫揉造作。据我们所知,写实派大师像福楼拜、屠格涅夫诸人并不曾实践这种理论。但是有一班第三四流写实派作家往往拿这种理论去维护他们的艺术失败。他们的影响在中国文艺界似开始流毒。"报告文学"作品有许多都很芜杂零乱,没有艺术性。我们首先要明白的是写实派所谓"实"。文艺作品应该富于"真实感","对自然真实",或是"对人生真实",这都是没有问题的;问题在"什么叫做真实",这是一个哲学上的问题,这里不能详谈,我们只能说,判断任何事物是否真实,须有一个立场。从某一个立场看一件事物是真实的,从另一个立场看它,可能是不真实。这就是说,世间并不只有一种真实。概略地说,真实有三种,大家所常认得的是"历史的真实",这也可以叫做"现象的真实"。比如说,"中国在亚洲","秦始皇焚书坑儒","张三昨天和他的太太吵了一架","李四今天跌了一跤",这些都是曾经在自然界发生过的现象,在历史上是真实的。其次是"逻辑的真实",比如说,"凡人皆有死”，“勾方加股方等于弦方”，“白马之白犹白玉之白”，“自由意志论与命定论不能并存”，这些都是于理为必然的事实，经过逻辑思考而证其为真实的。现象的真实不必合于逻辑的真实，比如现象界并无绝对的圆，而绝对的圆在逻辑上仍有它的真实性。第三就是“诗的真实”或“艺术的真实”。在一个作品以内，所有的人物内心生活与外表行动都写得尽情尽理，首尾融贯整一，成为一种独立自足的世界，一种生命与形体谐和一致的有机体，那个作品和它里面所包括的一切就有“诗的真实”。比如说，在《红楼梦》那圈套里，贾宝玉应该那样痴情，林黛玉应该那样心窄，薛宝钗应该那样圆通，在任何场合，他们一举一动，一言一笑，都切合他们的身份，表现他们的性格，叫我们惊疑他们“真实”，虽然这一切在历史上都是子虚乌有。

极端的写实派的错误在只求历史的或现象的真实，而忽视诗的真实。艺术作品不能不有几分历史的真实，因为它多少要有实际经验上的根据；它却也不能只有历史的真实，因为它是艺术，而艺术必于“自然”之上加以“人为”，不仅如照相底片那样呆板地反映人物形象。艺术创造是旧经验的新综合。旧经验在历史上是真实的，新综合却必须在诗上是真实的。要审问一件事物在历史上是否真实，我们问：它是否发生过？有无事实证明？要审问一件事物在诗上是否真实，我们问：衡情度理，它是否应该如此？在完整体系（即作品）以内，它与全部是否融贯一致？不消说得，就艺术观点来说，最重要的真实是诗的真实而不是历史的真实；因为世间一切已然现象都有历史的真实，而诗的真实只有在艺术作品中才有，一件作品在具有诗的真实时才能成其为艺术。

我们还可以进一步说，诗的真实高于历史的真实。自然界无数事物并存交错，繁复零乱，其中尽管有关系条理，却忽起忽没，若隐若现，有时现首不现尾，有时现尾不现首，我们一眼看去，无从把某一事物的来踪去向从繁复事态中单提出来，把它看成一个融贯整一的有机体。文艺作品都有一个"母题"或一个主旨，一切人物故事，情感动作，都以这主旨为中心，可以附丽到这主旨上去的摄取来，一切无关主旨的都排弃去，而且在摄取的材料之中轻重浓淡又各随班就位，所以关系条理不但比较明显，也比较紧凑，没有自然现象所常呈现的颠倒错乱，也没有所谓"偶然"。自然界现象只是"如此如此"，而文艺作品所写的事变则在接受了一些假定的条件之下，每一样都是"必须如此如此"。比如拿人物来说，文学家所创造的角色如哈姆雷特、夏洛克、达尔杜弗、卡拉马佐夫、鲁智深、刘姥姥、严贡生之类，比我们在实际生活中的常遇见的类似的典型人物还更入情入理。我们指不出某一个人恰恰是夏洛克或刘姥姥，但是觉得世间有许多人都有几分像他们。根据这个事实去想，我们可以见出诗的真实高于历史的真实是颠扑不破的至理。亚理斯多德说："诗比历史更富于哲理"，意思也就在此。诗的真实所以高于历史的真实者，因为自然现象界是未经发掘的矿坑，文艺所创造的世界是提炼过的不存一点渣滓的赤金纯钢。艺术的功夫就在这种提炼上见出，它就是我们所说的"想象"。

中国文学理论家向重"境界"二字，王静安在《人间词话》里提出"造境"和"写境"的分别，以为"造境"即"理想"（即"想象"），"写境"即"写实"，并加以补充说："二者颇难分别，因大诗人所造之境必合乎自然，所写之境亦必邻于理想。"这话很精妙，其实充类至尽，写境仍是造境，文艺都离不掉自然，也都离不掉想象，写实与想象的分别终究是一庸俗的分别。文艺的难事在造境，凡是人物性格事变原委等等都要借境界才能显出。境界就是情景交融事理相契的独立自足的世界，它的真实性就在它的融贯整一，它的完美。“完”与“美”是不能分开的，这世界当然要反映人生自然，但是也必须是人生自然经过重新整理。大约文艺家对于人生自然必须经过三种阶段。头一层他必须跳进里面去生活过(live)，才能透懂其中甘苦；其次他必须跳到外面观照过(contemplate)，才能认清它的形象；经过这样的主观的尝受和客观的玩索以后，他最后必须把自己所得到的印象加以整理(organize)，整理之后，生糙的人生自然才变成艺术的融贯整一的境界。写实主义所侧重的是第一阶段，理想主义所侧重的是第三阶段，其实这三个阶段都是不可偏废的。

精进的程序

文学是一种很艰难的艺术，从初学到成家，中间须经过若干步骤，学者必须循序渐进，不可一蹴而就。拿一个比较浅而易见的比喻来讲，作文有如写字。在初学时，笔拿不稳，手腕运用不能自如，所以结体不能端正匀称，用笔不能平实遒劲，字常是歪的，笔锋常是笨拙扭曲的。这可以说是“疵境”。特色是驳杂不稳，纵然一幅之内间或有一两个字写得好，一个字之内间或有一两笔写得好，但就全体看去，毛病很多。每个人写字都不免要经过这个阶段。如果他略有天资，用力勤，多看碑帖笔迹（多临摹，多向书家请教），他对于结体用笔，分行布白，可以学得一些规模法度，手腕运用的比较灵活了，就可以写出无大毛病、看得过去的字。这可以说是“稳境”，特色是平正工稳，合于规模法度，却没有什么精彩，没有什么独创。多数人不把书法当作一种艺术去研究，只把它当作日常应用的工具，就可以到此为止。如果想再进一步，就须再加揣摩，真草隶篆各体都须尝试一下，各时代的碑版帖札须多读多临，然后荟萃各家各体的长处，造成自家所特有的风格，写成的字可以算得艺术作品，或奇或正，或瘦或肥，都可以说得上“美”。这可以说是“醇境”，特色是凝练典雅，极人工之能事，包世臣和康有为所称的“能品”、“佳品”都属于这一境。但是这仍不是极境，因为它还不能完全脱离“匠”的范围，任何人只要一下功夫，到功夫成熟了，都可以达到。最高的是“化境”，不但字的艺术成熟了，而且胸襟学问的修养也成熟了，成熟的艺术修养与成熟的胸襟学问的修养融成一片，于是字不但可以见出驯熟的手腕，还可以表现高超的人格；悲欢离合的情调，山川风云的姿态，哲学宗教的蕴藉，都可以在无形中流露于字里行间，增加字的韵味。这是包世臣和康有为所称的“神品”、“妙品”，这种极境只有极少数幸运者才能达到。

作文正如写字。用字像用笔，造句像结体，布局像分行布白。习作就是临摹，读前人的作品有如看碑帖墨迹，进益的程序也可以分“疵”、“稳”、“醇”、“化”四境。这中间有天资和人力两个要素，有不能纯借天资达到的，也有不能纯借人力达到的。人力不可少，否则始终不能达到“稳境”和“醇境”；天资更不可少，否则达到“稳境”和“醇境”有缓有速，“化境”却永远无法望尘。在“稳境”和“醇境”，我们可以纯粹就艺术而言艺术，可以借规模法度作前进的导引；在“化境”，我们就要超出艺术范围而推广到整个人的人格以至整个的宇宙，规模法度有时失其约束的作用，自然和艺术的对峙也不存在。如果举实例来说，在中国文字中，言情文如屈原的《离骚》，陶渊明和杜工部的诗，说理文如庄子的《逍遥游》、《齐物论》和《楞严经》，记事文如太史公的《项羽本纪》、《货殖传》和《红楼梦》之类作品都可以说是到了“化境”，其余许多名家大半止于“醇境”或是介于“化境”与“醇境”之间，至于“稳境”和“疵境”都无用举例，你我就大概都在这两个境界中徘徊。

一个人到了艺术较高的境界，关于艺术的原理法则无用说也无可说；有可说而且需要说的是在“疵境”与“稳境”。从前古文家有奉“义法”为金科玉律的，也有攻击“义法”论调的。在我个人看，拿“义法”来绳“化境”的文字，固近于痴人说梦；如果以为学文艺始终可以不讲“义法”，就未免更误事。记得我有一次和沈尹默先生谈写字，他说：“书家和善书者有分别，世间尽管有人不讲规模法度而仍善书，但是没有规模法度就不能成为一个真正的书家。”沈先生自己是“书家”，站在书家的立场他拥护规模法度，可是仍为“善书者”留余地，许他们不要规模法度。这是他的礼貌。我很怀疑“善书者”可以不经过揣摩规模法度的阶段。我个人有一个苦痛的经验。我虽然没有正式下功夫写过字，可是二三十年来没有一天不在执笔乱写，我原来也相信此事可以全凭自己的心裁，苏东坡所谓“我书意造本无法”，但是于今我正式留意书法，才觉得自己的字太恶劣，写过几十年的字，一横还拖不平，一竖还拉不直，还是未脱“疵境”。我的病根就在从头就没有讲一点规模法度，努力把一个字写得四平八稳。我误在忽视基本功夫，只求要一点聪明，卖弄一点笔姿，流露一点风趣。我现在才觉悟“稳境”虽平淡无奇，却极不易做到，而且不经过“稳境”，较高的境界便无从达到。文章的道理也是如此，韩昌黎所谓“醇而后肆”是作文必循的程序。由“疵境”到“稳境”那一个阶段最需要下功夫学规模法度，小心谨慎地把字用得恰当，把句造得通顺，把层次安排得妥帖，我作文比写字所受的训练较结实，至今我还在基本功夫上着意，除非精力不济，注意力松懈时，我必尽力求稳。

稳不能离规模法度。这可分两层说，一是抽象的，一是具体的。抽象的是文法、逻辑以及古文家所谓“义法”，西方人所谓文学理论和文学批评。在这上面再加上一点心理学和修辞学常识，就可以对付了。抽象的原则和理论本身并没有多大功用，它的唯一的功用在帮助我们分析和了解作品。具体的规模法度须在模范作品中去找。文法、逻辑、义法等等在具体实例中揣摩，也比较更彰明较著。从前人说：“熟读唐诗三百首，不会吟诗也会吟”，语调虽卑，却是经验之谈。为初学说法，模范作品在精不在多，精选熟读透懂，短文数十篇，长著三数种，便已可以作为达到“稳境”的基础。读每篇文字须在命意、用字、造句和布局各方面揣摩；字、句、局三项都有声义两方面，义固重要，声音节奏更不可忽略。既叫做模范，自己下笔时就要如写字临帖一样，亦步亦趋地模仿它。我们不必唱高调轻视模仿，古今大艺术家，据我所知，没有不经过一个模仿阶段的。第一步模仿，可得规模法度，第二步才能集合诸家的长处，加以变化，造成自家所特有的风格。

练习作文，一要不怕模仿，二要不怕修改。多修改，思致愈深入，下笔愈稳妥。自己能看出自己的毛病才算有进步。严格地说，自己要说的话是否从心所欲地说出，只有自己知道，如果有毛病，也只有自己知道最清楚，所以文章请旁人修改不是一件很合理的事。丁敬礼向曹子建说：“文之佳恶，吾自得之，后世谁相知定吾文者耶？”杜工部也说：“文章千古事，得失寸心知。”大约文章要做得好，必须经过一番只有自己知道的辛苦，同时必有极谨严的艺术良心，肯严厉地批评自己，虽微疵小失，不肯轻易放过，须把它修到无疵可指，才能安心。不过这番话对于未脱“疵境”的作者恐未免是高调。据我的观察，写作训练欠缺者通常有两种毛病：第一是对于命意用字造句布局没有经验，规模法度不清楚，自己的毛病自己不能看出，明明是不通不妥，自己却以为通妥；其次是容易受虚荣心和兴奋热烈时的幻觉支配，对自己不能作客观的冷静批评，仿佛以为在写的时候既很兴高采烈，那作品就一定是杰作，足以自豪。只有良师益友，才可以医治这两种毛病。所以初学作文的人最好能虚心接受旁人的批评，多请比自己高明的人修改。如果修改的人肯仔细指出毛病，说出应修改的理由，那就可以产生更大的益处。作文如写字，养成纯正的手法不易，丢开恶劣的手法更难。孤陋寡闻的人往往辛苦半生，没有摸上正路，到发现自己所走的路不对时，已悔之太晚，想把“先入为主”的恶习丢开，比走回头路还更难更冤枉。良师益友可以及早指点迷途，引上最平正的路，免得浪费精力。

自己须经过一番揣摩，同时又须有师友指导，一个作者才可以逐渐由“疵境”达到“稳境”。“稳境”是不易达到的境界，却也是平庸的境界。我认识许多前一辈子的人，幼年经过科举的训练，后来借文字“混差事”，对于诗文字画，件件都会，件件都很平稳，可是老是那样四平八稳，没有一点精彩，不是“庸”，就是“俗”，虽是天天在弄那些玩意，却到老没有进步。他们的毛病在成立了一种定型，便老守着那种定型，不求变化。一稳就定，一定就一成不变，由熟以至于滥，至于滑。要想免去这些毛病，必须由稳境重新尝试另一风格。如果太熟，无妨学生硬；如果太平易，无妨学艰深；如果太偏于阴柔，无妨学阳刚。在这样变化已成风格时，我们很可能地回到另一种“疵境”，再由这种“疵境”进到“熟境”，如此辗转下去，境界才能逐渐扩大，技巧才能逐渐成熟，所谓“醇境”大半都须经过这种

"精钢百炼"的功夫才能达到。比如写字,入手习帖的人易于达到"稳境",可是不易达到很高的境界。稳之后改习唐碑可以更稳,再陆续揣摩六朝碑版和汉隶、秦篆,以至于金文、甲骨文,如果天资人才都没有欠缺,就必定有"大成"的一日。

这一切都是"匠"的范围以内的事,西文所谓"手艺"(craftsmanship)。要达到只有大艺术家所能达到的"化境",那就还要在人品学问各方面另下一套更重要的功夫。我已经说过,这是不能谈而且也无用谈的。本文只为初学说法,所以陈义不高,只劝人从基本功夫下手,脚踏实地循序渐进地做下去。

谈翻译

在现代研究文学，不精通一两种外国文是一个大缺陷。尽管过去的中国文学如何优美，如果我们坐井观天，以为天下之美尽在此，我们就难免对本国文学也不能尽量了解欣赏。美丑起于比较，比较资料不够，结论就难正确。纯正的文学趣味起于深广的观照，不能见得广，就不能见得深。现在还有一批人盲目地颂扬中国文学，盲目地鄙弃外国文学，这对于中国文学的发展实在是一个大障碍。我们承认中国文学有很多优点，但是不敢承认文学所可有的优点都为中国文学所具备。单拿戏剧小说来说，我们的成就比起西方的实在是很幼稚。至于诗，我们也只在短诗方面擅长，长诗根本就没有。再谈到文学研究，没有一个重要的作家的生平有一部详细而且精确的传记可参考，没有一部重要作品曾经被人作过有系统的研究和分析，没有一部完整而有见解的文学史，除《文心雕龙》以外，没有一部有哲学观点或科学方法的文学理论书籍。我们以往偏在注疏评点上做功夫，不失之支离破碎，便失之陈腐浅陋。我们需要放宽眼界，多吸收一点新的力量，让我们感发兴起。最好我们学文学的人都能精通一两种外国文，直接阅读外国文学名著。

为多数人设想,这一层或不易办到,不得已而思其次,我们必须作大规模的有系统的翻译。

谈到翻译这并不是一件易事,据我个人的经验,译一本书比自己写一本书要难得多。要译一本书,起码要把那本书懂得透彻。这不仅要懂文学,还须看懂文学后面的情理韵味。一般人说,学外国文只要有阅读的能力就够了,仿佛以为这并不很难。其实阅读就是一个难关。许多大学外文系教授翻译的书仍不免错误百出,足见他们对于外国文阅读的能力还不够。我们常易过于自信,取一部外国文学作品从头读到尾,便满以为自己完全了解。可是到动手译它时,便发现许多自以为了解的地方还没有了解或是误解。迅速的阅读使我们无形中自己欺骗自己。因此,翻译是学习外国文的一个最有效的方法。它可以训练我们细心,增加我们对于语文的敏感,使我们透彻地了解原文,文学作品的精妙大半在语文的运用,对语文不肯仔细推敲斟酌,只抱着"好读书不求甚解"的态度,就只能得到一个粗枝大叶,决不能了解文学作品的精妙。

阅读已是一个难关,翻译在这上面又加上一个更大的难关,就是找恰当的中文字句把原文的意思表达出来。阅读只要精通西文,翻译于精通西文之外,又要精通中文。许多精通西文而不精通中文的人所译的书籍往往比原文还更难懂,这就未免失去翻译的意义。

严又陵以为译事三难:信,达,雅。其实归根到底,"信"字最不容易办到。原文"达"而"雅",译文不"达"不"雅",那还是不"信";如果原文不"达"不"雅",译文"达"而"雅",过犹不及,那也还是不"信"。所谓"信"是对原文忠实,恰如其分地把它的意思用中文表达出来。有文学价值的作品必是完整的有机体,情感思想和语文风格必融为一体，声音与意义也必欣合无间。所以对原文忠实，不仅是对浮面的字义忠实，对情感、思想、风格、声音节奏等必同时忠实。稍有翻译经验的人都知道这是极难的事。有些文学作品根本不可翻译，尤其是诗（说诗可翻译的人大概不懂得诗）。大部分文学作品虽可翻译，译文也只能得原文的近似。绝对的"信"只是一个理想，事实上很不易做到。但是我们必求尽量符合这个理想，在可能范围之内不应该疏忽苟且。

"信"最难，原因甚多。头一层是字义难彻底了解。字有种种不同方式的意义，一般人翻字典看书译书，大半只看到字的一种意义，可以叫做直指的或字典的意义（indicative or dictionary meaning）。比如指"火"的实物那一个名谓字，在中西各国文字虽各不相同，而所指的却是同一实物，这就是古字典上所规定的。这种文字最基本的意义，最普遍也最粗浅。它最普遍，因为任何人对于它有大致相同的了解。它也最粗浅，因为它用得太久，好比旧铜钱，磨得光滑破烂，虽然还可用来在市场上打交易，事实上已没有一点个性。在文学作品里，每个字须有它的个性，它的特殊生命。所以文学家或是避免熟烂的字，或是虽用它而却设法灌输一种新生命给它。一个字所结的邻家不同，意义也就不同。比如"步出城东门，遥望江南路，前日风雪中，故人从此去"和"骏马秋风冀北，杏花春雨江南"两诗中同有"江南"，而前诗的"江南"含有惜别的凄凉意味，后诗的"江南"却含有风光清丽的意味。其次，一个字所占的位置不同，意义也就不同。比如杜甫的名句："香稻啄残鹦鹉粒，碧梧棲老凤凰枝"，有人疑这话不通，说应改为"鹦鹉啄残香稻粒，凤凰棲老碧梧枝"。其实这两种说法意义本不相同。杜句着重点在

"香稻"和"碧梧"(香稻是鹦鹉啄残的那一粒,碧梧是凤凰棲老的那一枝),改句着重点在"鹦鹉"和"凤凰"(鹦鹉啄残了香稻粒,凤凰棲老了碧梧枝),杜甫也并非倒装出奇,他当时所咏的主体原是香稻碧梧,而不是鹦鹉凤凰。这种依邻伴不同和位置不同而得的意义在文学上最为重要,可以叫做上下文决定的意义(contextual meaning)。这种意义在字典中不一定寻得出,我们必须玩索上下文才能明了。一个人如果没有文学修养而又粗心,对于文字的这一种意义也难懂得透彻。

此外文字还有另一种意义,每个字在一国语文中都有很长久的历史,在历史过程中,它和许多事物情境发生联想,和那一国的人民生活状态打成一片,它有一种特殊的情感氛围。各国各地的事物情境和人民生活状态不同,同指一事物的字所引起的联想和所打动的情趣也就不同。比如英文中 fire sea, Roland, castle, sport, shepherd, nightingale, rose 之类字对于英国人所引起心理反应和对于我们中国人所引起的心理反应大有分别。它们对于英国人意义较为丰富。同理,中文中"风"、"月"、"江"、"湖"、"梅"、"菊"、"燕"、"碑"、"笛"、"僧"、"隐逸"、"礼"、"阴阳"之类字对于我们所引起的联想和情趣也决不是西方人所能完全了解的。这可以叫做"联想的意义"(associative meaning),它带有特殊的情感的氛围,甚深广而微妙,在字典中无从找出,对文学却极要紧。如果我们不熟悉一国的人情风俗和文化历史背景,对于文字的这种意义也就茫然,尤其在翻译时,这一种字义最不易应付。有时根本没有相当的字,比如外国文中没有一个字恰当于我们的"礼",中文没有一个字恰当于英文的"gentleman"。有时表面上虽有相当的字,而这字在两国文字中情感氛围，联想不同。比如我们尽管以“海”译“sea”或是以“willow”译“柳”，所译的只是字典的直指的意义，“sea”字在英文中，“柳”字在中文中的特殊情感氛围则无从译出。

外国文学最难了解和翻译的第一是联想的意义，其次就是声音美。字有音有义，一般人把音义分作两件事，以为它们各不相关。在近代西方，诗应重音抑应重义的问题争论得很剧烈。“纯诗”派以为意义打动理想，声音直接打动感官，诗应该逼近音乐，力求声音和美，至于意义则无关宏旨。反对这一说的人则以为诗根本不是音乐，我们决不能为声音而牺牲意义。其实这种争执起于误解语言的性质。语言都必有意义，而语言的声音不同，效果不同，则意义就不免有分别。换句话说，声音多少可以影响意义。举一个简单的例来说，“他又来了”和“他来了又去了”两句话中都用“又”字，因为腔调着重点不同，上句的“又”字和下句的“又”字在意义上就微有区别。做诗填词的人都知道一个字的平仄不同，开齐合撮不同，发音的器官不同，在效果上往往悬殊很大。散文对于声音虽没有诗讲究得那么精微，却也不能抹杀。中西文字在声音上悬殊很大，最显著的是中文有，而西文没有四声的分别，中文字尽单音，西文字多复音；中文多谐声字，西文少谐声字。因此，无论是以中文译西文或是以西文译中文，遇着声音上的微妙处，我们都不免束手无策。原文句子的声音很幽美，译文常不免佶屈聱牙；原文意味深长，译文常不免索然无味。文字传神，大半要靠声音节奏。声音节奏是情感风趣最直接的表现。对于文学作品无论是阅读或是翻译，如果没有抓住它的声音节奏，就不免把它的精华完全失去。但是抓住声音节奏是一件极难的事。

以上是文字的四种最重要的意义，此外还有两种次要的，第一种是“历史沿革的意义”（historic meaning）。字有历史，即有生长变迁。中国文言和白话在用字上分别很大，阅读古书需要特殊的训练，西文因为语文接近，文字变迁得更快。四百年前（略当于晚明）的文字已古奥不易读，就是十八世纪的文字距今虽只一百余年，如果完全用现行字义去解，也往往陷于误谬。西方字典学比较发达，某字从某时代变更意义或新起一意义。常有例证可考。如果对文字沿革略有基础而又肯勤翻详载字源的字典，这一层困难就可以免除。许多译者在这方面不注意，所以翻译较古的书常发生错误。

其次，文字是有生命的东西，有时欢喜开一点玩笑，耍一点花枪。离奇的比譬可以使一个字的引申义与原义貌不相关，某一行业的隐语可以变成各阶级的普通话，文字游戏可以使两个本不相关而只有一点可笑的类似点的字凑合在一起，一种偶然的使用可以变成一个典故，如此等类的情境所造成的文字的特殊意义可以叫做“习惯语的意义”（idiomatic meaning）。普通所谓“土语”（slang）也可以纳于这一类。这一类字义对于初学是一个大难关。了解既不易，翻译更难。英文的习惯语和土语勉强用英文来解释，还不免失去原有的意味；如果用中文来译，除非是有恰巧相当的陈语，意味更索然了。

从事翻译者必须明了文字意义有以上几种分别，遇到一部作品，须揣摩那里所用的文字是否有特殊的时代、区域或阶级上的习惯，特殊的联想和情感氛围，上下文所烘托成的特殊“阴影”（nuance），要把它们所有的可能的意义都咀嚼出来，然后才算透懂那部作品，这不是易事，它需要很长久的文字训练和文学修养。看书和译书都必有勤翻字典的习惯，可是根底不够的人完全信任字典，也难免误事，他只能得一知半解，文字的精妙处实无从领会。一般英汉字典尤其不可靠，因为编译者大半并不精通外国文，有时转抄日译，以讹传讹。普通这一类字典每页上难免有几个错误或不精确处。单举一两个极普通的字来说，在中国一般学生心里，pride 只是“骄傲”，envy 只是“妒忌”，satisfactory 只是“满意”。其实“骄傲”和“妒忌”在中文里含义都不很好，而 pride“尊荣心”和 envy“欣羡”在英文里却有很好的意思，至于 satisfactory 所“满”的并不一定是“意”，通常只应译为“圆满”。这种不正确的知解都是中了坏字典的毒。

上文只就文字的意义来说，困难已经够多了，如果我们进一步研究语句的组织，又可发现其他更大的困难。拿中文和西文来比较，语句组织上的悬殊很大。先说文法。中文也并非没有文法，只是中文的弹性比较大，许多虚字可用可不用，字与词的位置有时可随意颠倒没有西文法那么谨严。因此，意思有时不免含糊，虽然它可以做得很简练。其次，中文少用复句和插句，往往一义自成一句，特点在简单明了，但是没有西文那样能随情思曲折、变化而现出轻重疾徐，有时不免失之松散平滑。总之，中文以简练直截见长，西文以繁复绵密见长，西文一长句所含包的意思用中文来表达，往往需要几个单句才行。这对于阅读比较费力。初学西文者看见一长句中包含许多短句或子句，一意未完又插入另一意，一个曲折之后又一个曲折，不免觉得置身五里雾中，一切都朦胧幻变，捉摸不住。其实西文语句组织尽管如何繁复曲折，文法必定有线索可寻，把文法一分析，一切都了如指掌。所以中国人学西文必须熟悉文法，常作分析句子的练习，使一字一句在文法上都有着落，意义就自然醒豁了。这并非难事，只要下过一两年切实仔细的工夫就可以办到。翻译上的错误不外两种：不是上文所说的字义的误解，就是语句的文法组织没有弄清楚。这两种错误第一种比较难免，因为文字意义的彻底了解需要长久的深广的修养，多读书，多写作，多思考，才可以达到；至于语句文法组织有一种规律可循，只要找一部较可靠的文法把它懂透记熟，一切就可迎刃而解。所以翻译在文法组织上的错误是不可原恕的，但是最常见的错误也起于文法上的忽略。

语句文法组织的难倒不在了解而在翻译，在以简单的中文语句来译繁复的西文语句。这种困难的原因很多，姑举几个实例来说明：

1. But my pride was soon humbled, and a sober melancholy was spread over my mind, by the idea that I had taken an everlasting leave of an old and agreeable companion; and that, whatsoever might be the future date of my History, the life of the historian must be short and precarious. – E. Gibbon.

2. This is why those periods have been so exceptional in history in which men who differed from the holders of power have been permitted, in an atmosphere of reasoned calm, to prove the validity of the insight they claim. – H. Laski.

3. All the loneliness of humanity amid hostile forces is concentrated upon the individual soul, which must struggle alone, with what of courage

it can command, against the whole weight of a universe that cares nothing for its hopes and fears. – B. Russell.

这三句文字并不算很难，我叫学生试译，意思译对的不多，译文顺畅可读的更少。我自己试译，译文读起来也不很顺口，至于原文的风味更减色不少：

(一)但是我的自豪不久就降下去，一阵清愁在(我的)心头展开，想到我已经和一个愉快的老伴侣告永别；并且想到将来我的史书流传的日子无论多么久，作史者的生命却是短促而渺茫的。

(二)因此，人们和掌权者持异见时，还被允许(可以)在心平气和的空气中证明他们所自以为有的真知灼见是对的，这种时会在历史上很不多见。

(三)人类在各种对敌的(自然)势力之中所感受的寂寞都集中在各个人的心灵上，这各种人的心灵不得不凭它以能鼓起的勇气，孤独地奋斗，去撑持宇宙的全副重压，那宇宙对于它(各个人的心灵)的希冀和恐惧是漠不关心的。

我们感觉的困难有几种。头一种是复句。中文里不常用关系代名词和连接词(relative pronouns and conjunctions)如 which, that, whose, where, when 之类，所以复句少。我们遇着用关系代名词和连接词很多的复句，翻译起来就感到棘手。比如第一例的 by the idea that and that 第二例的 why, in which, who 第三例的 which, that 都很难直译。第一例只好把 by the idea that 译成“想到”。第三例 why 前后文本是一气,译文只好把它译成有停顿的子句“因此”, in which 一个插句只好和主句 those periods……分开,把主句移置于全句尾。这样译,可以避免冗长笨重的句子如:

这就是为什么那些时期在历史上很是例外,当其中人们和掌权者持异见还被允许……

但是第三例中两个代名词 which 和 that 就无法直译。which 本是代前面的“这各个人的心灵”,中文没有相当的代名词,只好把“这各个人的心灵”复述一遍, that 代前面的“宇宙”也是如此。这样一来,原文一个复句便变成三个单句。它的绵密组织和抑扬顿挫的节奏因此就不能保存了。总之关系代名词和连接词所造成的复句在西文里很自然,在中文里很不自然,译西文复句时常须把它化成单句,虽然略可传达原文的意思,却难保存原文的风味。如果不把它化成单句,读起来就很不顺口,意思既暧昧,风味更不能保存。

其次,我感觉的困难是被动语气(passive voice)。被动语气在西文里用得很多,在中文里却不常见,依中文习惯,在应该用被动语气时,我们仍用主动语气。例如:

他挨打了(他被打了)。

秘密让人发现了(秘密被发现了)。

房子给火烧了(房子被火烧了)。

碗打破了(碗被打破了)。

他不为人所了解(他不被了解)。

孟子不列于学官(孟子不被列于学官)。

如此等例不可胜举。在翻译时,如果遇到被动语气,就很难保存。例如:

It is said that his book has been published.

一句英文,依被动口气,应该译为:

那是被说过,他的书已被发行了。

但是依中文习惯,它应该译为:

据说,他的书已发行了。

上面引的 Gibbon,“自传”里一段文字只是一个用被动语气的长句,可分析为下式:

My pride was humbled a sober melancholy was spread…	by the idea that… and that…

如果勉强保持原文被动语气,那就成为:

但是我的自豪不久就被我已知一个愉快的老伴侣永别那一个念头，和我的史书将来流传的日子无论多么久，而作史者的生命却是短促而渺茫的那一个念头所降伏下去了；而且一阵清愁也被这两个念头散布在我的心头。

一般初学者大半这样生吞活剥地翻译，但是这句话是多么笨重！为求适合中文习惯使语气顺畅起见，被动语气改译为主动语气较为方便。但是西文的被动语气有它的委婉曲折，译为主动语气，就难保存。比如上文所引的Laski一句中的Men…have been permitted依英文被动语气应译为"人们被允许"；依中文习惯应译为"人们可以"；"被允许"和"可以"究竟有一点差别。

第三，原文和译文在繁简上有分别，有时原文简而明；有时原文字多才合文法。译文须省略一些字才简练。比如第一例Whatsoever might be the future date of my History直译应为"无论我的史书的将来的日子是怎样"，意思就不明白，我们必须加字译为"我的史书将来流传的日子无论多么久"。第二例"人们和掌权者持异见时还被允许……"加了"时"字文气才顺，加了"还"字语气才足。第三例struggle alone…against the whole weight of a universe直译应为"孤独地向宇宙的全副重压奋斗"，但是意思不如"孤独地奋斗，去撑持（或抵挡）宇宙的全副重压"那么醒豁。至于虚字的省略是很容易见出的，第一例and a sober melancholy was spread over my mind中and（而且）和my（我的）都可以不译。中文用虚字比西文较少，这是文字习惯，可省略的就不必要。

这是关于语句组织的几大困难。此外像词句的位置，骈散长短的分配，中西文也往往不同，翻译时我们也须费心斟酌。在这里我们可以趁便略谈直译和意译的争执。所谓“直译”是指依原文的字面翻译，有一字一句就译一字一句，而且字句的次第也不更动。所谓“意译”是指把原文的意思用中文表达出来。不必完全依原文的字面和次第。“直译”偏重对于原文的忠实，“意译”偏重译文语气的顺畅。哪一种是最妥当的译法，人们争执得很厉害。依我看，直译和意译的分别根本不应存在。忠实的翻译必定能尽量表达原文的意思。思想感情与语言是一致的，相随而变的，一个意思只有一个精确的说法，换一个说法，意味就完全不同。所以想尽量表达原文的意思，必须尽量保存原文的语句组织。因此，直译不能不是意译，而意译也不能不是直译。不过同时我们也要顾到中西文的习惯不同，在尽量保存原文的意蕴与风格之中，译文仍应是读得顺口的中文。以相当的中国语文习惯代替西文语句习惯，而能尽量表达原文的意蕴，这也并无害于“直”。总之，理想的翻译是文从字顺的直译。

一般人所谓直译有时含有一种不好的意思，就是中西文都不很精通的翻译者，不能融会中西文的语句组织，又不肯细心推敲，西文某种说法恰当于中文某种说法，一面翻字典，一面看原文，用生吞活剥的办法，勉强照西文字面顺次译下去，结果译文既不通顺，又不能达原文的意思。许多这一类的译品读起来佶屈聱牙，远比读原文困难，读者费很大的气力还抓不住一段文章的意思。严格地说，这并不能算是直译。

一般人所谓意译也有时含有一种不好的意思，就是不求精确，只粗枝大叶地摘取原文大意，有时原文不易了解或不易翻译处，便索性把它删去，有时原文须加解释意思才醒豁处，便硬加一些话进去。林琴南是这派意译的代表。他本不通西文，只听旁人讲解原文大意，便用唐人小说体的古文敷衍成一部译品。他的努力不无可钦佩处，可是他是一个最不忠实的译者。从他的译文中见不出原文的风格。较早的佛典翻译如《佛教遗经》和《四十二章经》之类，读起来好像中国著述，思想和文章风格都很像是从印度来的。英国人译布瓦洛(Boileau)的《诗艺》，遇着原文所举的法国文学例证，都改用英国文学例证代替。英美人译中国诗常随意增加原文所没有的话，以求强合音律。这些都不足为训，只是“乱译”。

提起“改译”，人们都会联想到英人 Fitzgerald 所译的波斯诗人奥马康颜的《劝酒行》。据说这诗的译文比原文还好，假如这样，那便不是翻译而是创作。译者只是从原诗得到一种灵感，根据它的大意，而自己创作一首诗。近来我国人译西方戏剧，也有采用这种办法的。我们对于这一类成功尝试不必反对，不过从翻译的立场说，我们还是要求对原文尽量的忠实。纵非“改译”，好的翻译仍是一种创作。因为文学作品以语文表达情感思想，情感思想的佳妙处必从语文见出。作者须费一番苦心才能使思想情感凝定于语文，语文妥帖了，作品才算成就。译者也必须经过同样的过程。第一步须设身处在作者的地位，透入作者的心窍，和他同样感，同样想，同样地努力使所感所想凝定于语文。所不同者作者是用他的本国语文去凝定他的情感思想，而译者除着了解欣赏这情感思想融成一个新的作品。因为这个缘故，翻译比自著较难；也因为这个缘故，只有文学家才能胜任翻译文学作品。

给青年的十二封信

朱光潜 著

漓江出版社

图书在版编目(CIP)数据

给青年的十二封信/朱光潜 著.—桂林:漓江出版社，2012.4(2018.5 重印)
ISBN 978-7-5407-5214-9

Ⅰ.①给… Ⅱ.①朱… Ⅲ.①思想修养-青年读物 Ⅳ.①D432.63

中国版本图书馆 CIP 数据核字(2011)第 141274 号

责任编辑:郑纳新
封面设计:李 佳

出版人:刘迪才
漓江出版社出版发行
广西桂林市南环路 22 号 邮政编码:541002
网址:http://www.lijiangbook.com
全国新华书店经销
销售热线:0773-2583322

山东德州新华印务有限责任公司印刷
(山东省德州市经济开发区晶华大道 2306 号 邮政编码:253000)
开本:650mm×960mm 1/16
印张:6.5 字数:48 千字
2012 年 4 月第 2 版 2018 年 5 月第 7 次印刷
定价:16.80 元

序

夏丏尊

这十二封信是朱孟实先生从海外寄来分期在我们同人杂志《一般》上登载过的。《一般》的目的,原思以一般人为对象,从实际生活出发来介绍些学术思想。数年以来,同人都曾依了这目标分头努力。可是如今看来,最好的收获第一要算这十二封信。

这十二封信以有中学程度的青年为对象。并未曾指定某一受信人的姓名,只要是中学程度的青年,就谁都是受信人,谁都应该一读这十二封信。这十二封信,实是作者远从海外送给国内青年的很好的礼物。作者曾在国内担任中等教师有年,他那笃热的情感,温文的态度,丰富的学殖,无一不使和他接近的青年感服。他的赴欧洲,目的也就在谋中等教育的改进。作者实是一个终身愿与青年为友的志士。信中首称"朋友",末署"你的朋友",在深知作者的性行的我看来,这称呼是笼有真实的感情的，决不只是通常的习用套语。

各信以青年们所正在关心或应该关心的事项为话题，作者虽随了各话题抒述其意见，统观全体，却似乎也有一贯的出发点可寻。就是劝青年眼光要深沉，要从根本上做功夫，要顾到自己，勿随了世俗图近利。作者用了这态度谈读书，谈作文，谈社会运动，谈爱恋，谈升学选科等等。无论在哪一封信上，字里行间，都可看出这忠告来。其中如在《谈在卢佛尔宫所得的一个感想》一信里，作者且郑重地把这态度特别标出了说："假如我的十二封信对于现代青年能发生毫末的影响，我尤其虔心默祝这封信所宣传的超'效率'的估定价值的标准能印入个个读者的心孔里去。因为我所知道的学生们，学者们和革命家们都太贪容易，太浮浅粗疏，太不能深入，太不能耐苦，太类似美国旅行家看《蒙娜·丽莎》了。"

"超效率！"这话在急于近利的世人看来，也许要惊为太高踏的论调了。但一味亟于效率，结果就会流于浅薄粗疏，无可救药。中国人在全世界是被推为最重实用的民族的，凡事都怀一个极近视的目标：娶妻是为了生子，养儿是为了防老，行善是为了福报，读书是为了做官，不称入基督教的为基督教信者而称为"吃基督教"的，不称投身国事的军士为军人而称为"吃粮"的，流弊所至，在中国，什么都只是吃饭的工具，什么都实用，因之，就什么都浅薄。试就学校教育的现状看吧：坏的呢，教师目的但在地位、薪水，学生目的但在文凭资格；较好的呢，教师想把学生嵌入某种预定的铸型去，学生想怎样揣摩世尚毕业后去问世谋事。在真正的教育面前，总之都免不掉浅薄粗疏。效率原是要顾的，但只顾效率，究竟是蠢事。青年为国家社会的生力军，如果不从根本上培养能力，凡事近视，贪浮浅的近利，一味袭踏时下陋习，结果纵不至于“一蟹不如一蟹”，亦只是一蟹仍如一蟹而已。国家社会还有什么希望可说。

“太贪容易，太浮浅粗疏，太不能深入，太不能耐苦”，作者对于现代青年的毛病，曾这样慨乎言之。征之现状，不禁同感。作者去国已好几年了，依据消息，尚能分明地记得起青年的病象，则青年的受病之重，也就可知。

这十二封信啊，愿对于现在的青年，有些力量！

1929 年元旦书于白马湖平屋

目　录

Where my heart lies ,let my brain lies also.

——R . Browning: *One Word More*

一　谈读书

朋友：

中学课程很多，你自然没有许多时间去读课外书。但是你试抚心自问：你每天真抽不出一点钟或半点钟的功夫么？如果你每天能抽出半点钟，你每天至少可以读三四页，每月可以读一百页，到了一年也就可以读四五本书了。何况你在假期中每天断不会只能读三四页呢？你能否在课外读书，不是你有没有时间的问题，是你有没有决心的问题。

世间有许多人比你忙得多。许多人的学问都在忙中做成的。美国有一位文学家、科学家和革命家富兰克林，幼时在印刷局里做小工，他的书都是在做工时抽暇读的。不必远说，你应该还记得，国父孙中山先生，难道你比那一位奔走革命席不暇暖的老人家还要忙些么？他生平无论忙到什么地步，没有一天不偷暇读几页书。你只要看他的《建国方略》和《孙文学说》，你便知道他不仅是一个政治家，而且还是一个学者。不读书讲革命，不知道“光”的所在，只是窜头乱撞，终难成功。这个道理，孙先生懂得最清楚的，所以他的学说特别重“知”。

人类学问逐天进步不止，你不努力跟着跑，便落伍退后，这固不消说。尤其要紧的是养成读书的习惯，是在学问中寻出一种兴趣。你如果没有一种正常嗜好，没有一种在闲暇时可以寄托你的心神的东西，将来离开学校去做事，说不定要被恶习惯引诱。你不看见现在许多叉麻雀抽鸦片的官僚们绅商们乃至于教员们，不大半由学生出身么？你慢些鄙视他们，临到你来，再看看你的成就吧！但是你如果在读书中寻出一种趣味，你将来抵抗引诱的能力比别人定要大些。这种兴趣你现在不能寻出，将来永不会寻出的。凡人都越老越麻木，你现在已比不上三五岁的小孩子那样好奇、那样兴味淋漓了。你长大一岁，你感觉兴味的锐敏力便须迟钝一分。达尔文在自传里曾经说过，他幼时颇好文学和音乐，壮时因为研究生物学，把文学和音乐都丢开了，到老来他再想拿诗歌来消遣，便寻不出趣味来了。兴味要在青年时设法培养，过了正常时节，便会萎谢。比方打网球，你在中学时欢喜打，你到老都欢喜打。假如你在中学时代错过机会，后来要发愿去学，比登天边要难十倍。养成读书习惯也是这样。

你也许说，你在学校里终日念讲义看课本就是读书吗？讲义课本着意在平均发展基本知识，固亦不可不读。但是你如果以为念讲义看课本，便尽读书之能事，就是大错特错。第一，学校功课门类虽多，而范围究极窄狭。你的天才也许与学校所有功课都不相近，自己在课外研究，去发现自己性之所近的学问。再比方你对于某种功课不感兴趣，这也许并非由于性不相近，只是规定课本不合你的口胃。你如果能自己在课外发现好书籍，你对于那种功课的兴趣也许就因而浓厚起来了。第二，念讲义看课本，免不掉若干拘束，想借此培养兴趣，颇是难事。比方有一本小说，平时自由拿来消遣，觉得多么有趣，一旦把它拿来当课本读，用预备考试的方法去读，便不免索然寡味了。兴趣要逍遥自在地不受拘束地发展，所以为培养读书兴趣起见，应该从读课外书入手。

书是读不尽的，就读尽也是无用，许多书没有一读的价值。你多读一本没有价值的书，便丧失可读一本有价值的书的时间和精力，所以你须慎加选择。你自己自然不会选择，须去就教于批评家和专门学者。我不能告诉你必读的书，我能告诉你不必读的书。许多人曾抱定宗旨不读现代出版的新书。因为许多流行的新书只是迎合一时社会心理，实在毫无价值，经过时代淘汰而巍然独存的书才有永久性，才值得读一遍两遍以至于无数遍。我不敢劝你完全不读新书，我却希望你特别注意这一点，因为现代青年颇有非新书不读的风气。别的事都可以学时髦，唯有读书做学问不能学时髦。我所指不必读的书，不是新书，是谈书的书，是值不得读第二遍的书。走进一个图书馆，你尽管看见千卷万卷的纸本子，其中真正能够称为“书”的恐怕难上十卷百卷。你应该读的只是这十卷百卷的书。在这些书中间，你不但可以得较真确的知识，而且可以于无形中吸收大学者治学的精神和方法。这些书才能撼动你的心灵，激动你的思考。其他像“文学大纲”、“科学大纲”以及杂志报章上的书评，实在都不能供你受用。你与其读千卷万卷的诗集，不如读一部《国风》或《古诗十九首》，你与其读千卷万卷谈希腊哲学的书籍，不如读一部柏拉图的《理想国》。

你也许要问我像我们中学生究竟应该读些什么书呢？这个问题可是不易回答。你大约还记得《北平京报·副刊》曾征求“青年必读书十种”，结果有些人所举十种尽是几何代数，有些人所举十种尽是史记汉书。这在旁人看起来似近于滑稽，而应征的人却各抱有一番大道理。本来这种征求的本意，求以一个人的标准做一切人的标准，好像我只喜欢吃面，你就不能吃米，完全是一种错误见解。各人的天资、兴趣、环境、职业不同，你怎么能定出万应灵丹似的十种书，供天下无量数青年读之都能感觉同样趣味发生同样效力？

我为了写这封信给你，特地去调查了几个英国公共图书馆。他们的青年读物部最流行的书可以分为四类：（一）冒险小说和游记，（二）神话和寓言，（三）生物故事，（四）名人传记和爱国小说。就中代表的书籍是凡尔纳的《八十天环游地球》（Jules Verne：*Around the World in Eighty Days*）和《海底二万里》（*Twenty Thousand Leagues Under the Sea*），笛福的《鲁滨孙飘流记》(Defoe:*Robinson Crusoe*),大仲马的《三剑客》(A. Dumas:*Three Musketeers*),霍桑的《奇书》和《丹谷闲话》(Hawthorne:*Wonder Book* and *Tangle Wood Tales*),金斯利的《希腊英雄传》(Kingsley:*Heroes*),法布尔的《鸟兽故事》(Fabre:*Story Book of Birds and Beasts*),安徒生的《童话》(Andersen:*Fairy Tales*),骚塞的《纳尔逊传》(Southey:*Life of Nelson*),房龙的《人类故事》(Vanloon:*The Story of Mankind*)之类。这些书在国外虽流行,给中国青年读,却不十分相宜。中国学生们大半是少年老成,在中学时代就欢喜像煞有介事地谈一点学理。他们——你和我自然都在内——不仅欢喜谈谈文学,还要研究社会问题,甚至于哲学问题。这既是一种自然倾向,也就不能漠视,我个人的见解也不妨提起和你商量商量。十五六岁以后的教育宜注重发达理解,十五六岁以前的教育宜注重发达想像。所以初中的学生们宜多读想像的文字,高中的学生才应该读含有学理的文字。

谈到这里,我还没有答复应读何书的问题。老实说,我没有能力答复,我自己便没曾读过几本"青年必读书",老早就读些壮年必读书。比方在中国书里,我最欢喜《国风》、《庄子》、《楚辞》、《史记》、《古诗源》、《文选》中的书笺、《世说新语》、《陶渊明集》、《李太白集》、《花间集》、张惠言《词选》、《红楼梦》等等。在外国书里,我最欢喜济慈(Keats)、雪莱(Shelly)、柯尔律治(Coleridge)、布朗宁(Browning)诸人的诗集、索福克勒斯(Sophocles)的七悲剧、莎士比亚的《哈姆雷特》(Shakespeare:*Hamlet*)、《李尔王》(*King Lear*)和《奥瑟罗》(*Othello*)、歌德的《浮士德》(Goethe:*Faust*),易卜生(Ibsen)的戏剧集、屠格涅夫(Turgenef)的《处女地》(*Virgin Soil*)和《父与子》(*Fathers and Children*)、陀思妥也夫斯基的《罪与罚》(Dostoyevsky:*Crime and Punishment*)、福楼拜的《包法利夫人》(Flaubert:*Madame Bovary*)、莫泊桑(Maupassant)的小说集、小泉八云(Lafcadio Hearn)关于日本的著作等等。如果我应《北平京报·副刊》的征求,也许把这些古董洋货捧上,凑成"青年必读书十种"。但是我知道这是荒谬绝伦,所以我现在不敢答复你应读何书的问题。你如果要知道,你应该去请教你所知的专门学者,请他们各就自己所学范围以内指定三两种青年可读的书。你如果请一个人替你面面俱到的设想,比方他是学文学的人,他也许明知青年必读书应含有社会问题科学常识等等,而自己又没甚把握,姑且就他所知的一两种拉来凑数,你就像问道于盲了。同时,你要知道读书好比探险,也不能全靠别人指导,你自己也须得费些功夫去搜求。我从来没有听见有人按照别人替他定的"青年必读书十种"或"世界名著百种"读下去,便成就一个学者。别人只能介绍,抉择还要靠你自己。

关于读书方法。我不能多说,只有两点须在此约略提起。第一,凡值得读的书至少须读两遍。第一遍须快读,着眼在醒豁全篇大旨与特色。第二遍须慢读,须以批评态度衡量书的内容。第二,读过一本书,须笔记纲要和精彩的地方和你自己的意见。记笔记不特可以帮助你记忆,而且可以逼得你仔细,刺激你思考。记着这两点,其他琐细方法便用不着说。各人天资习惯不同,你用哪种方法收效较大,我用哪种方法收效较大,不是一概论的。你自己终久会找出你自己的方法,别人决不能给你一个方单,使你可以"依法炮制"。

你嫌这封信太冗长了吧?下次谈别的问题,我当力求简短。

再会!

你的朋友　孟实

二 谈 动

朋友：

从屡次来信看，你的心境近来似乎很不宁静。烦恼究竟是一种暮气，是一种病态，你还是一个十八九岁的青年，就这样颓唐沮丧，我实在替你担忧。

一般人欢喜谈玄，你说烦恼，他便从“哲学辞典”里拖出“厌世主义”、“悲观哲学”等等堂哉皇哉的字样来叙你的病由。我不知道你感觉如何？我自己从前仿佛也尝过烦恼的况味，我只觉得忧来无方，不但人莫之知，连我自己也莫名其妙，哪里有所谓哲学与人生观！我也些微领过哲学家的教训：在心气和平时，我景仰希腊廊下派哲学者，相信人生当皈依自然，不当存有嗔喜贪恋；我景仰托尔斯泰，相信人生之美在宥与爱；我景仰布朗宁，相信世间有丑才能有美，不完全乃真完全；然而外感偶来，心波立涌，拿天大的哲学，也抵挡不住。这固然是由于缺乏修养，但是青年们有几个修养到“不动心”的地步呢？从前长辈们往往拿“应该不应该”的大道理向我说法。他们说，像我这样一个青年应该活泼泼的，不应该暮气沉沉的，应该努力做学问，不应该把自己的忧乐放在心头。谢谢吧，请留着这副“应该”的方剂，将来患烦恼的人还多呢！

朋友，我们都不过是自然的奴隶，要征服自然，只得服从自然。违反自然，烦恼才乘虚而入，要排解烦闷，也须得使你的自然冲动有机会发泄。人生来好动，好发展，好创造。能动，能发展，能创造，便是顺从自然，便能享受快乐，不动，不发展，不创造，便是摧残生机，便不免感觉烦恼。这种事实在流行语中就可以见出，我们感觉快乐时说“舒畅”，感觉不快乐时说“抑郁”。这两个字样可以用作形容词，也可以用作动词。用作形容词时，它们描写快或不快的状态；用作动词时，我们可以说它们说明快或不快的原因。你感觉烦恼，因为你的生机被抑郁；你要想快乐，须得使你的生机能舒畅，能宣泄。流行语中又有“闲愁”的字样，闲人大半易于发愁，就因为闲时生机静止而不舒畅。青年人比老年人易于发愁些，因为青年人的生机比较强旺。小孩子们的生机也很强旺，然而不知道愁苦，因为他们时时刻刻地游戏，所以他们的生机不至于被抑郁。小孩子们偶尔不很乐意，便放声大哭，哭过了气就消去。成人们感觉烦恼时也还要拘礼节，哪能由你放声大哭呢？黄连苦在心头，所以愈觉其苦。歌德少时因失恋而想自杀，幸而他的文机动了，埋头两礼拜著成一部《少年维特之烦恼》，书成了，他的气也泄了，自杀的念头也打消了。你发愁时并不一定要著书，你就读几篇哀歌，听一幕悲剧，借酒浇愁，也可以大畅胸怀。从前我很疑惑何以剧情愈悲而读之愈觉其快意，近来才悟得这个泄与郁的道理。

总之，愁生于郁，解愁的方法在泄；郁由于静止，求泄的方法在动。从前儒家讲心性的话，从近代心理学眼光看，都很粗疏，只有孟子的“尽性”一个主张，含义非常深广。一切道德学说都不免肤浅，如果不从“尽性”的基点出发。如果把“尽性”两字懂得透彻，我以为生活目的在此，生活方法也就在此。人性固然是复杂的，可是人是动物，基本性不外乎动。从动的中间我们可以寻出无限快感。这个道理我可以拿两种小事来印证：从前我住在家里，自己的书房总欢喜自己打扫。每看到书籍零乱，灰尘满地，你亲自去洒扫一过，霎时间混浊的世界变成明窗净几，此时悠然就座，游目骋怀，乃觉有不可言喻的快慰，再比方你自己是欢喜打网球的，当你起劲打球时，你还记得天地间有所谓烦恼么？

你大约记得晋人陶侃的故事。他老来罢官闲居，找不得事做，便去搬砖。晨间把一百块砖由斋里搬到斋外，暮间把一百块砖由斋外搬到斋里。人问其故，他说：“吾方致力中原，过尔优逸，恐不堪事。”他又尝对人说：“大禹圣人，乃惜寸阴，至于众人，当惜分阴。”其实惜阴何必定要搬砖，不过他老先生还很茁壮，借这个玩意儿多活动活动，免得抑郁无聊罢了。

朋友，闲愁最苦！愁来愁去，人生还是那么样一个人生，世界也还是那么样一个世界。假如把自己看得伟大，你对于烦恼，当有“不屑”的看待；假如把自己看得渺小，你对于烦恼当有“不值得”的看待。我劝你多打网球，多弹钢琴，多栽花木，多搬砖弄瓦。假如你不喜欢这些玩意儿，你就谈谈笑笑，跑跑跳跳，也是好的。就在此祝你

谈谈笑笑，

跑跑跳跳！

你的朋友　孟实

三 谈 静

朋友：

前信谈动，只说出一面真理。人生乐趣一半得之于活动，也还有一半得之于感受。所谓“感受”是被动的，是容许自然界事物感动我的感官和心灵。这两个字含义极广。眼见颜色，耳闻声音，是感受；见颜色而知其美，闻声音而知其和，也是感受。同一美颜，同一和声，而各个人所见到的美与和的程度又随天资境遇而不同。比方路边有一棵苍松，你看见它只觉得可以砍来造船；我见到它可以让人纳凉；旁人也许说它很宜于入画，或者说它是高风亮节的象征。再比方街上有一个乞丐，我只能见到他的蓬头垢面，觉得他很讨厌；你见他便发慈悲心，给他一个铜子；旁人见到他也许立刻发下宏愿，要打翻社会制度。这几个人反应不同，都由于感受力有强有弱。

世间天才之所以为天才，固然由于具有伟大的创造力，而他的感受力也分外比一般人强烈。比方诗人和美术家，你见不到的东西他能见到，你闻不到的东西他能闻到。麻木不仁的人就不然，你就请伯牙向他弹琴，他也只联想到棉匠弹棉花。感受也可以说是“领略”，不过领略只是感受的一方面。世界上最快活的人不仅是最活动的人，也是最能领略的人。所谓领略，就是能在生活中寻出趣味。好比喝茶，渴汉只管满口吞咽，会喝茶的人却一口一口地细啜，能领略其中风味。

能处处领略到趣味的人决不至于岑寂，也决不至于烦闷。朱子有一首诗说：“半亩方塘一鉴开，天光云影共徘徊，问渠哪得清如许？为有源头活水来。”这是一种绝美的境界。你姑且闭目一思索，把这幅图画印在脑里，然后假想这半亩方塘便是你自己的心，你看这首诗比拟人生苦乐多么惬当！一般人的生活干燥，只是因为他们的“半亩方塘”中没有天光云影，没有源头活水来，这源头活水便是领略得的趣味。

领略趣味的能力固然一半由于天资，一半也由于修养。大约静中比较容易见出趣味。物理上有一条定律说：两物不能同时并存于同一空间。这个定律在心理方面也可以说得通。一般人不能感受趣味，大半因为心地太忙，不空所以不灵。我所谓“静”，便是指心界的空灵，不是指物界的沉寂，物界永远不沉寂的。你的心境愈空灵，你愈不觉得物界沉寂，或者我还可以进一步说，你的心界愈空灵，你也愈不觉得物界喧嘈。所以习静并不必定要逃空谷，也不必定学佛家静坐参禅。静与闲也不同。许多闲人不必都能领略静中趣味，而能领略静中趣味的人，也不必定要闲。在百忙中，在尘市喧嚷中，你偶然丢开一切，悠然遐想，你心中便蓦然似有一道灵光闪烁，无穷妙悟便源源而来。这就是忙中静趣。

我这番话都是替两句人人知道的诗下注脚。这两句诗就是“万物静观皆自得，四时佳兴与人同。”大约诗人的领略力比一般人都要大。近来看周启孟的《雨天的书》引日本人小林一茶的一首俳句：

“不要打哪，苍蝇搓他的手，搓他的脚呢。”觉得这种情境真是幽美。你懂得这一句诗就懂得我所谓静趣。中国诗人到这种境界的也很多。现在姑且就一时所想到的写几句给你看：

“鱼戏莲叶东，鱼戏莲叶西，鱼戏莲叶南，鱼戏莲叶北。”——古诗，作者姓名佚。

“山涤余霭，宇暧微霄。有风自南，翼彼新苗。”——陶渊明《时运》。

“采菊东篱下，悠然见南山。山气日夕佳，飞鸟相与还。”——陶渊明《饮酒》。

“目送飘鸿，手挥五弦。俯仰自得，游心太玄。”——嵇叔夜《送秀才从军》。

“倚仗柴门外，临风听暮蝉。渡头余落日，墟里上孤烟。”——王摩诘《赠裴迪》。

像这一类描写静趣的诗，唐人五言绝句中最多。你只要仔细玩味，你便可以见到这个宇宙又有一种景象，为你平时所未见到的。梁任公的《饮冰室文集》里有一篇谈“烟士披里纯”，詹姆斯的《与教员学生谈话》（James：*Talks To Teachers and Students*）里面有三篇谈人生观，关于静趣都说得很透辟。可惜此时这两部书都不在手边，不能录几段出来给你看。你最好自己到图书馆里去查阅。詹姆斯的《与教员学生谈话》那三篇文章（最后三篇）尤其值得一读，记得我从前读这三篇文章，很受他感动。

静的修养不仅是可以使你领略趣味，对于求学处事都有极大帮助。释迦牟尼在菩提树阴静坐而证道的故事，你是知道的。古今许多伟大人物常能在仓皇扰乱中雍容应付事变，丝毫不觉张皇，就因为能镇静。现代生活忙碌，而青年人又多浮躁。你站在这潮流里，自然也难免跟着旁人乱嚷。不过忙里偶然偷闲，闹中偶然觅静，于身于心，都有极大裨益。你多在静中领略些趣味，不特你自己受用，就是你的朋友们看着你也快慰些。我生平不怕呆人，也不怕聪明过度的人，只是对着没有趣味的人，要勉强同他说应酬话，真是觉得苦也。你对着有趣味的人，你并不必多谈话，只是默然相对，心领神会，便可觉得朋友中间的无上至乐。你有时大概也发生同样感想吧？

眠食诸希珍重！

你的朋友　孟实

四　谈中学生与社会运动

朋友：

第一信曾谈到，孙中山先生知难行易的学说，和不读书而空谈革命的危险。这个问题有特别提出讨论的必要，所以再拿它来和你商量商量。

你还记得叶楚伧先生的演讲吧？他说，如今中国在学者只言学，在工者只言工，在什么者只言什么，结果弄得没有一个在国言国的人，而国事之糟，遂无人过问。叶先生在这里只主张在学者应言国，却未明言在国亦必言学。恽代英先生更进一步说，中国从孔孟二先生以后，读过两千几百年的书，讲过两千几百年的道德，仍然无补国事，所以读书讲道德无用，一切青年都必须加入战线去革命。这是一派的主张。

同时你也许见过前几年的上海大同大学的章程，里面有一条大书特书："本校主张以读书救国，凡好参加爱国运动者不必来！"这并不是大同大学的特有论调，凡遇学潮发生，你走到一个店铺里，或是坐在一个校务会议席上，你定会发现大家窃窃私语，引为深忧的都不外“学生不读书，而好闹事”一类的话。因为这是可以深忧的，教育部所以三令五申：“整顿学风！”这又是一派的主张。

叶恽诸先生们是替某党宣传的。你知道我无党籍，而却深信中国想达民治必经党治。所以我如果批评叶恽二先生，非别有用意，乃责备贤者，他们在青年中物望所系，出言不慎，便不免贻害无穷。比方叶先生的话就有许多语病。国家是人民组合体，在学者能言学，在工者能言工，在什么者能言什么，合而言之，就是在国言国。如今中国弊端就在在学者不言学，在工者不言工，大家都抛弃分内事而空谈爱国。结果学废工弛，而国也就不能救好，这是显然的事实。恽先生从中国历史证明读书无用，也颇令人怀疑。法国革命单是丹东、罗伯斯比尔的功劳，而卢梭、伏尔泰没有影响吗？思想革命成功，制度革命才能实现。辛亥革命还未成功，是思想革命未成功，这是大家应该承认的。

中国人蜂子孵蛆的心理太重，只管诱劝人“类我类我！”比方我喜欢谈国事，就藐视你读书；你欢喜读书，就藐视我谈国事。其实单面锣鼓打不成闹台戏。要撑起中国场面，也要生旦净丑角俱全。我们对于鼓吹青年都抛开书本去谈革命的人，固不敢赞同，而对于悬参与爱国运动为厉禁的学校也觉得未免矫枉过正。学校与社会绝缘，教育与生活绝缘，在学理上就说不通。若谈事实,则这一代的青年,这一代的领袖,此时如果毫无准备,想将来理乱不问的书生一旦会变成措置咸宜的社会改造者,也是痴人妄想。固然,在秩序安宁的国家里,所谓"天下有道,则庶人不议",用不着学生去干预政治。可是在目前中国,又另有说法:民众未觉醒,舆论未成立,教育界中人本良心主张去监督政府,也并不算越职。总而言之,救国读书都不可偏废。蔡孑民先生说:"读书不忘救国,救国不忘读书。"这两句话是青年人最稳妥的座右铭。

所谓救国,并非空口谈革命所可了事。我们跟着社会运动家喊"打倒军阀","打倒帝国主义"力已竭,声已嘶了。而军阀淫威既未稍减,帝国主义的势力也还在扩张。朋友,空口呐喊大概有些靠不住吧?北方人奚落南方人,往往说南方人打架,双方都站在自家门里摩拳擦掌对骂,你说:"你来,我要打杀你这个杂种!"我说:"我要送你这条狗命见阎王。"结果半拳不挥,一哄而散。住在租界谈革命的人不也是这样空摆威风么?

五四以来,种种运动只在外交方面稍生微力。但是你如果把这点微力看得了不得的重要,那你就未免自欺。"夫人必自侮,而后人侮之。""自侮"的成分一日不减绝,你一日不能怪人家侮你。你应该回头看看你自己是什么样的一个人,看看政府是什么样的一个政府,看看人民是什么样的一个人民。向外人争"脸"固然要紧,可是你切莫要因此忘记你自己的家丑!

家丑如何洗得清?我从前想,要改造中国,应由下而上,由地方而中央，由人民而政府，由部分而全体，近来觉得这种见解不甚精当，国家是一种有机体，全体与部分都息息相关，所以整顿中国，由中央而地方的改革，和由地方而中央的改革须得同时并进。不过从前一般社会运动家大半太重视国家大政，太轻视乡村细务了。我们此后应该排起队伍，“向民间去”。

我记得在香港听孙中山先生谈他当初何以想起革命的故事。他少年时在香港学医，欢喜在外面散步，他觉得香港街道既那样整洁，他香山县的街道就不应该那样污秽。他回到香山县，就亲自去打扫，后来居然把他们门前的街道打扫干净了。他因而想到一切社会上的污浊，都应该可以如此清理。这才是真正革命家！别人不管，我自己只能做小事。别人鼓吹普及教育，我只提起粉笔诚诚恳恳地当一个中小学教员；别人提倡国货，我只能穿起土布衣到乡下去办一个小工厂；别人喊打倒军阀，我只能苦劝我的表兄不为非作歹；别人发电报攻击贿选，吾侪小人，发电报也没有人理会，我只能集合同志出死力和地方绅士奋斗，不叫买票卖票的事在我自己乡里发生。大事小事都要人去做。我不敢说别人做的不如我做的重要。但是别人如果定要拉我丢开这些末节去谈革命，我只能敬谢不敏（屠格涅夫的《父与子》里那位少年虚无党临死时所说的话，最使我感动，可惜书不在身旁，不能抄译给你看，你自己寻去吧）。

总而言之，到民间去！要到民间去，先要把学生架子丢开。我记得初进中学时，有一天穿着短衣出去散步，路上遇见一个老班同学,他立刻就竖起老班的喉嗓子问我:“你的长衫到哪里去了?”教育尊严,哪有学生出门而不穿长衫子?街上人看见学生不穿长衣,还成什么体统?我那时就逐渐觉得些学生的尊严了。有时提起篮子去买菜,也不免羞羞涩涩的,此事虽小,可以喻大。现在一般青年的心理大半都还没根本改变。学生自成一种特殊阶级,把社会看成待我改造的阶级。这种学者的架子早已御人于千里之外,还谈什么社会运动?你尽管说运动,社会却不敢高攀,受你的运动。这不是近几年的情形么?

老实说,社会已经把你我看成眼中钉了。这并非完全是社会的过处。现在一般学生,有几个人配谈革命?吞剥捐款聚赌宿娼的是否没曾充过代表,赴国大会?勾结绅士政客以捣乱学校是否没曾谈过教育尊严?向日本政府立誓感恩以分润庚子赔款的,是否没曾喊过打倒帝国主义?其实,社会还算是客气,他们如要是提笔写学生罪状,怕没有材料吗?你也许说,任何团体都有少数败类,不能让全体替少数人负过。但是青年人都有过于自觉的幻觉,在你谈爱国谈革命以前,你总应该默诵几声“君子求诸己!”

话又说长了,再见吧!

你的朋友　孟实

五　谈十字街头

朋友：

岁暮天寒，得暇便围炉嘘烟遐想。今日偶然想到日本厨川白村的《出了象牙之塔》和《走向十字街头》两部书，觉得命名大可玩味。玩味之余，不觉发生一种反感。

所谓《走向十字街头》有两种解释。从前学士大夫好以清高名贵相尚，所以力求与世绝缘，冥心孤往。但是闭户读书的成就总难免空疏虚伪。近代哲学与文艺都逐渐趋向写实，于是大家都极力提倡与现实生活接触。世传苏格拉底把哲学从天上搬到地下，这是“走向十字街头”的一种意义。

学术思想是天下公物，须得流布人间，以求雅俗共赏。威廉·莫里斯和托尔斯泰所主张的艺术民众化，叔琴先生在《一般》诞生号中所主张的特殊的一般化，爱迪生所谓把哲学从课室图书馆搬到茶寮客座，这是“走向十字街头”的另一意义。

这两种意义都含有极大的真理。可是在这“德谟克拉西”

呼声极高的时代，大家总不免忘记关于十字街头的另一面真理。

十字街头的空气中究竟含有许多腐败剂，学术思想出了象牙之塔到了十字街头以后，一般化的结果常不免流为俗化（vulgarized）。昨日的殉道者，今日或成为市场偶像，而真纯面目便不免因之污损了。到了市场而不成为偶像，成偶像而不至于破落，都是很难的事。老庄经过流俗化以后，其结果乃为白云观以静坐骗铜子的道士。易学经过流俗化以后，其结果乃为街头摆摊卖卜的江湖客。佛学经过流俗化以后，其结果乃为祈财求子的三姑六婆和秃头肥脑的蠢和尚。这都是世人所共见周知的。不必远说，且看西方科学哲学和文学落到时下一般打学者冒牌的人手里，弄得成何体统！

寂居文艺之宫，固然会像不流通的清水，终究要变成污浊恶臭的。可是十字街头的叫嚣，十字街头的尘粪，十字街头的挤眉弄眼，都处处引诱你汩没自我。臣门如市，臣心就决不能如水。名利声势虚伪刻薄肤浅欺侮等等字样，听起来多么刺耳朵，实际上谁能摆脱得净尽？所以站在十字街头的人们——尤其是你我们青年——要时时戒备十字街头的危险，要时时回首瞻顾象牙之塔。

十字街头上握有最大权威的是习俗。习俗有两种：一为传说（Tradition），一为时尚（Fashion）。儒家的礼教，五芝斋的馄饨，是传说；新文化运动，四马路的新装，是时尚。传说尊旧，时尚趋新，新旧虽不同，而盲从附和，不假思索，则根本无二致。社会是专制的，是压迫的，是不容自我伸张的。比方九十九个人守贞节，你一个人偏要不贞，你固然是伤风败俗，大逆不道；可是如果九十九个人都是娼妓，你一个人偏要守贞节，你也会成为社会公敌，被人唾弃的。因此，苏格拉底所以饮鸩，伽利略所以被教会加罪，罗曼·罗兰、罗素所以在欧战期中被人谩骂。

本来风化习俗这件东西，孽虽造得不少，而为维持社会安宁计，却亦不能尽废。人与人相接触，问题就会发生。如果世界只有我，法律固为虚文，而道德也便无意义。人类须有法律道德维持，固足证其顽劣；然而人类既顽劣，道德法律也就不能勾销。所以老庄上德不德绝圣弃智的主张，理想虽高，而究不适于顽劣的人类社会。

习俗对于维持社会安宁，自有相当价值，我们是不能否认的。可是以维持安宁为社会唯一目的，则未免大错特错。习俗是守旧的，而社会则须时时翻新，才能增长滋大，所以习俗有时时打破的必要。人是一种贱动物，只好模仿因袭，不乐改革创造。所以维持固有的风化，用不着你费力。你让它去，世间自有一般庸人懒人去担心。可是要打破一种习俗，却不是一件易事。物理学上仿佛有一条定律说，凡物既静，不加力不动。而所加的力必比静物的惰力大，才能使它动。打破习俗，你须以一二人之力，抵抗千万人之惰力，所以非有雷霆万钧的力量不可。因此，习俗的背叛者比习俗的顺从者较为难能可贵，从历史看社会进化,都是靠着几个站在十字街头而能向十字街头宣战的人。这般人的报酬往往不是十字架,就是断头台。可是世间只有他们才是不朽,倘若世界没有他们这些殉道者,人类早已为乌烟瘴气闷死了。

一种社会所最可怕的不是民众肤浅顽劣,因为民众通常都是肤浅顽劣的。它所最可怕的是没有在肤浅卑劣的环境中而能不肤浅不卑劣的人。比方英国民众就是很沉滞顽劣的,然而在这种沉滞顽劣的社会中,偶尔跳出一二个性坚强的人,如雪莱、卡莱尔、罗素等,其特立独行的胆与识,却非其他民族所可多得。这是英国人力量所在的地方。路易·狄更生尝批评日本,说她是一个没有柏拉图和亚理斯多德的希腊,所以不能造伟大的境界。据生物学家说,物竞天择的结果不能产生新种,须经突变(sports)。所谓突变,是指不像同种的新裔。社会也是如此,它能否生长滋大,就看它有无突变式的分子,换句话说,就看十字街头的矮人群中有没有几个大汉。

说到这点,我不能不替我们中国人汗颜了。处人胯下的印度还有一位泰戈尔和一位甘地,而中国满街只是一些打冒牌的学者和打冒牌的社会运动家。强者皇然叫嚣,弱者随声附和,旧者盲从传说,新者盲从时尚,相习成风,每况愈下,而社会之浮浅顽劣虚伪酷毒,乃日不可收拾。在这个当儿,站在十字街头的我们青年怎能免彷徨失措?朋友,昔人临歧而哭,假如你看清你面前的险径,你会心寒胆裂哟!围着你的全是肤浅顽劣虚伪酷毒，你只有两种应付方法：你只有和它冲突，要不然，就和它妥洽。在现时这种状况之下，冲突就是烦恼，妥洽就是堕落。无论走哪一条路，结果都是悲剧。

但是，朋友，你我正不必因此颓丧！假如我们的力量够，冲突结果，也许是战胜。让我们相信世界达真理之路只有自由思想，让我们时时记着十字街头肤浅虚伪的传说和时尚都是真理路上的障碍，让我们本着少年的勇气把一切市场偶像打得粉碎！

最后，打破偶像，也并非鲁莽叫嚣所可了事。鲁莽叫嚣还是十字街头的特色，是肤浅卑劣的表征。我们要能于叫嚣扰攘中：以冷静态度，灼见世弊；以深沉思考，规划方略；以坚强意志，征服障碍。总而言之，我们要自由伸张自我，不要汩没在十字街头的影响里去。

朋友，让我一齐努力吧！

你的朋友　孟实

六　谈多元宇宙

朋友：

你看到“多元宇宙”这个名词，也许联想到詹姆斯的哲学名著。但是你不用骇怕我谈玄，你知道我是一个不懂哲学而且厌听哲学的人。今天也只是吃家常便饭似的，随便谈谈，与詹姆斯毫无关系。

年假中朋友们来闲谈，“言不及义”的时候，动辄牵涉到恋爱问题。各人见解不同，而我所援以辩护恋爱的便是我所谓“多元宇宙”。

什么叫做“多元宇宙”呢？

人生是多方面的，每方面如果发展到极点，都自有其特殊宇宙和特殊价值标准。我们不能以甲宇宙中的标准，测量乙宇宙中的价值。如果勉强以甲宇宙中的标准，测量乙宇宙中的价值，则乙宇宙便失其独立性，而只在乙宇宙中可尽量发展的那一部分性格便不免退处于无形。

各人资禀经验不同，而所见到的宇宙，其种类多寡，量积大小，也不一致。一般人所以为最切己而最推重的是“道德的宇宙”。“道德的宇宙”是与社会俱生的。如果世间只有我，“道德的宇宙”便不能成立。比方没有父母，便无孝慈可言，没有亲友，便无信义可言。人与人相接触以后，然后道德的需要便因之而起。人是社会的动物，而同时又秉有反社会的天性。想调剂社会的需要与利己的欲望，人与人中间的关系不能不有法律道德为之维护。因有法律存在，我不能以利己欲望妨害他人，他人也不能以利己欲望妨害我，于是彼此乃宴然相安。因有道德存在，我尽心竭力以使他人享受幸福，他人也尽心竭力以使我享受幸福，于是彼此乃欢然同乐，社会中种种成文的礼法和默认的信条都是根据这个基本原理。服从这种礼法和信条便是善，破坏这种礼法和信条便是恶。善恶便是“道德的宇宙”中的价值标准。

我们既为社会中人，享受社会所赋予的权利，便不能不对于社会负有相当义务，不能不趋善避恶，以求达到“道德的宇宙”的价值标准的最高点。在“道德的宇宙”中，如果能登峰造极，也自能实现伟大的自我，孔子、苏格拉底和耶稣诸人的风范所以照耀千古。

但是“道德的宇宙”决不是人生唯一的宇宙，而善恶也决不能算是一切价值的标准，这是我们中国人往往忽略的道理。

比方在“科学的宇宙”中，善恶便不是合适的价值标准。

"科学的宇宙"中的适当价值标准只是真伪。科学家只问:我的定律是否合于事实?这个结论是否没有讹错?他们决问不到:"物体向地心下坠"合乎道德吗?"勾方加股方等于弦方"有些不仁不义吧?固然"科学的宇宙"也有时和"道德的宇宙"相抵触。但是科学家只当心真理而不顾社会信条。伽利略宣传哥白尼地动说,达尔文主张生物是进化而不是神造的,就教会眼光看,他们都是不道德的,因为他们直接地辩驳《圣经》,间接地摇动宗教和它的道德信条。可是伽利略和达尔文是"科学的宇宙"中的人物,从"道德的宇宙"所发出来的命令,他们则不敢奉命唯谨。科学家的这种独立自由的态度到现代更渐趋明显。比方伦理学从前是指导行为的规范科学,而近来却都逐渐向纯粹科学的路上走,它们的问题也逐渐由"应该或不应该如此?"变为"实在是如此或不如此?"了。

其次,"美术的宇宙"也是自由独立的。美术的价值标准既不是是非,也不是善恶,只是美丑。从希腊以来,学者对于美术有三种不同的见解。一派以为美术含有道德的教训,可以陶冶性情。一派以为美术的最大功用只在供人享乐。第三派则折中两说,以为美术既是教人道德的,又是供人享乐的。好比药丸加上糖衣,吃下去又甜又受用。这三种学说在近代都已被人推翻了。现代美术家只是"为美术而言美术"(art for art's sake)。意大利美学泰斗克罗齐并且说美和善是绝对不能混为一谈的。因为道德行为都是起于意志,而美术品只是直觉得来的意象，无关意志，所以无关道德。这并非说美术是不道德的，美术既非“道德的”，也非“不道德的”，它只是“超道德的”。说一个幻想是道德的，或者说一幅画是不道德的，是无异于说一个方形是道德的，或者说一个三角形是不道德的，同为毫无意义。美术家最大的使命求创造一种意境，而意境必须超脱现实。我们可以说，在美术方面，不能“脱实”便是不能“脱俗”。因此，从“道德的宇宙”中的标准看，曹操、阮大铖、李波·李披（Fra Lippo Lippi）和拜伦一般人都不是圣贤，而从“美术的宇宙”中的标准看，这些人都不失其为大诗家或大画家。

再其次，我以为恋爱也是自成一个宇宙。在“恋爱的宇宙”里，我们只能问某人之爱某人是否真纯，不能问某人之爱某人是否应该。其实就是只“应该不应该”的问题，恋爱也是不能打消的。从生物学观点看，生殖对于种族为重大的利益，而对于个体则为重大的牺牲。带有重大的牺牲，不能不兼有重大的引诱，所以性欲本能在诸本能中最为强烈。我们可以说，人应该生存，应该绵延种族，所以应该恋爱。但是这番话仍然是站在“道德的宇宙”中说的，在“恋爱的宇宙”中，恋爱不是这样机械的东西，它是至上的，神圣的，含有无穷奥秘的。在恋爱的状态中，两人脉搏的一起一落，两人心灵一往一复，都恰能忻合无间。在这种境界，如果身家财产学业名誉道德等等规念渗入一分，则恋爱真纯的程度便须减少一分。真能恋爱的人只是为恋爱而恋爱，恋爱以外，不复另有宇宙。

“恋爱的宇宙”和“道德的宇宙”虽不必定要不能相容，而在实际上往往互相冲突。恋爱和道德相冲突时，我们既不能两全，应该牺牲恋爱呢，还是牺牲道德呢？道德家说，道德至上，应牺牲恋爱。爱伦凯一般人说，恋爱至上，应牺牲道德。就我看，这所谓“道德至上”与“恋爱至上”都未免笼统。我们应该加上形容句子说，在“道德的宇宙”中道德至上，在“恋爱的宇宙”中恋爱至上。所以遇着恋爱和道德相冲突时，社会本其“道德的宇宙”的标准，对于恋爱者大肆其攻击诋毁，是分所应有的事，因为不如此则社会赖以维持的道德难免隳丧；而恋爱者整个地酣醉于“恋爱的宇宙”里，毅然不顾一切，也是分所应有的事，因为不如此则恋爱不真纯。

“恋爱的宇宙”中，往往也可以表现出最伟大的人格。我时常想，能够恨人极点的人和能够爱人极点的人都不是庸人。日本民族是一个有生气的民族，因他们中间有人能够以嫌怨杀人，有人能够为恋爱自杀。我们中国人随在都讲“中庸”，恋爱也只能达到温汤热。所以为恋爱而受社会攻击的人，立刻就登报自辩。这不能不算是根性浅薄的表征。

朋友，我每次写信给你都写到第六张信笺为止。今天已写完第六张信笺了，可是如果就在此搁笔，恐怕不免叫人误解，让我在收尾时郑重声明一句吧。恋爱是至上的，是神圣的，所以也是最难遭遇的。“道德的宇宙”里真正的圣贤少，“科学的宇宙”里绝对真理不易得，“美术的宇宙”里完美的作家寥寥，“恋爱的宇宙”里真正的恋爱人更是凤毛麟角。恋爱是人格的交感共鸣,所以恋爱真纯的程度以人格高下为准。一般人误解恋爱,动于一时飘忽的性欲冲动而发生婚姻关系,境过则情迁,色衰则爱驰,这虽是冒名恋爱,实则只是纵欲。我为真正恋爱辩护,我却不愿为纵欲辩护;我愿青年应该懂得恋爱神圣,我却不愿青年在血气未定的时候,去盲目地假恋爱之名寻求泄欲。

意长纸短,你大概已经懂得我的主张了吧?

你的朋友　孟实

七　谈升学与选课

朋友：

你快要在中学毕业，此时升学问题自然常在脑中盘旋。这一着也是人生一大关键，所以，值得你慎而又慎。

升学问题分析起来便成为两个问题：第一是选校问题，第二是选科问题。这两个问题自然是密切相关的，但是为说话清晰起见，分开来说，较为便利。

我把选校问题放在第一，因为青年们对于选校是最容易走入迷途的。现在中国社会还带有科举时代的资格迷。比方小学才毕业便希望进中学，大学才毕业便希望出洋，出洋基本学问还没有做好，便希望掇拾中国古色斑斑的东西去换博士。学校文凭只是一种找饭碗的敲门砖。学校招牌愈亮，文凭就愈行，实学是无人过问的。社会既有这种资格迷，而资格买卖所便乘机而起。租三间铺面，拉拢一个名流当“名誉校长”，便可挂起一个某某大学的招牌。只看上海一隅，大学的总数比较英或法全国大学的总数似乎还要超过，谁说中国文化没有提高呢？大学既多，只是称“大学”还不能动听，于是“大学”之上又冠以“美国政府注册”的头衔。既“大学”而又在“美国政府注册”，生意自然更加茂盛了。何况许多名流又肯“热心教育”做“名誉校长”呢？

朋友，可惜这些多如牛毛的大学都不能解决我们升学的困难，因为那些有“名誉校长”或是“美国政府注册”的大学，是预备让有钱可花的少爷公子们去逍遥岁月，像你我们既无钱可花，又无时光可花，只好望望然去吧。好在它们的生意并不会因我们“杯葛”而低落的，我们求学最难得的是诚恳的良师与和爱的益友，所以选校应该以有无诚恳、和爱的空气为准。如果能得这种学校空气，无论是大学不是大学，我们都可以心满意足。做学问全赖自己，做事业也全赖自己，与资格都无关系。我看过许多留学生程度不如本国大学生，许多大学生程度不如中学生。至于凭资格去混事做，学校的资格在今日是不大高贵的，你如果作此想，最好去逢迎奔走，因为那是一条较捷的路径。

升学问题，跨进大学门限以后，还不能算完全解决。选科选课还得费你几番踌躇。在选课的当儿，个人兴趣与社会需要尝不免互相冲突。许多人升学选课都以社会需要为准。从前人都欢迎速成法政；我在中学时代，许多同学都希望进军官学校或是教会大学；我进了高等师范，那要算是穷人末路。那时高等师范里最时髦的是英文科，我选了国文科，那要算是腐儒末路。杜威来中国时，哥伦比亚大学的留学生把教育学也弄得很热闹。近来书店逐渐增多，出诗文集一天容易似一天，文学的风头也算是出得十足透顶。听说现在法政经济又很走时了。朋友，你是学文学或是学法政呢！“学以致用”本来不是一种坏的主张，但是资禀兴趣人各不同，你假若为社会需要而忘却自己，你就未免是一位“今之学者”了。任何科目，只要和你兴趣资禀相近，都可以发挥你的聪明才力，都可以使你效用于社会。所以你选课时，旁的问题都可以丢开，只要问：“这门功课合我的胃口么？”

我时常想，做学问，做事业，在人生中都只能算是第二桩事。人生第一桩事是生活。我所谓“生活”是“享受”，是“领略”，是“培养生机”。假若为学问为事业而忘却生活，那种学问事业在人生中便失其真正意义与价值。因此，我们不应该把自己看作社会的机械。一味迎合社会需要而不顾自己兴趣的人，就没有明白这个简单的道理。

我把生活看作人生第一桩要事，所以不赞成早谈专门；早谈专门便是早走狭路，而早走狭路的人对于生活常不能见得面面俱到。前天G君对我谈过一个故事，颇有趣很可说明我的道理。他说，有一天，一个中国人一个印度人和一位美国人游历，走到一个大瀑布前面，三人都看得发呆。中国人说：“自然真是美丽！”印度人说：“在这种地方才见到神的力量呢！”美国人说:“可惜偌大水力都空费了!”这三句话各个不同,各有各的真理,也各有各的缺陷。在完美的世界里,我们在瀑布中应能同时见到自然的美丽,神力的广大和水力的实用。许多人因为站在狭路上,只能见到诸方面的某一面,便说他人所见到的都不如他的真确。前几年大家曾像煞有介事地争辩哲学和科学,争辩美术和宗教,不都是坐井观天诬天渺小么?

我最怕和谈专门的书呆子在一起,你同他谈话,他三句话就不离本行。谈到本行以外,旁人所以为兴味盎然的事物,他听之则麻木不能感觉。像这样的人是因为做学问而忘记生活了。我特地提出这一点来说,因为我想现在许多人大谈职业教育,而不知单讲职业教育也颇危险。我并非反对职业教育,我却深深地感觉到职业教育应该有宽大自由教育(Liberal education)做根底。倘若先没有多方面的宽大自由教育做根底,则职业教育的流弊,在个人方面,常使生活单调乏味,在社会方面,常使文化肤浅褊狭。

许多人一开口就谈专门(specialization),谈研究(research work)。他们说,欧美学问进步所以迅速,由于治学尚专门。原来不专则不精,固是自然之理,可是“专”也并非是任何人所能说的。倘若基础树得不宽广,你就是“专”,也决不能专到多远路。自然和学问都是有机的系统,其中各部分常息息相通,牵此则动彼。倘若你对于其他各部分都茫无所知,而专门研究某一部分,实在是不可能的。哲学和历史,须有一切学问做根底;

文学与哲学历史也密切相关;科学是比较可以专习的,而实亦不尽然。比方生物学,要研究到精深的地步,不能不通化学,不能不通物理学,不能不通地质学,不能不通数学和统计学,不能不通心理学。许多人连动物学和植物学的基础也没有,便谈专门研究生物学,是无异于未学爬而先学跑的。我时常想,学问这件东西,先要能博大而后能精深。"博学守约",真是至理名言。亚理斯多德是种种学问的祖宗。康德在大学里几乎能担任一切功课的教授。歌德盖代文豪而于科学上也很有建树。亚当·斯密是英国经济学的始祖,而他在大学是教授文学的。近如罗素,他对于数学、哲学、政治学样样都能登峰造极。这是我信笔写来的几个确例。西方大学者(尤其是在文学方面)大半都能同时擅长几种学问的。

我从前预备再做学生时,也曾痴心妄想过专门研究某科中的某某问题。来欧以后,看看旁人做学问所走的路径,总觉悟像我这样浅薄,就谈专门研究,真可谓"颜之厚矣!"我此时才知道从前在国内听大家所谈的"专门"是怎么一回事。中国一般学者的通病就在不重根基而侈谈高远。比方"讲东西文化"的人,可以不通哲学,可以不通文学和美术,可以不通历史,可以不通科学,可以不懂宗教,而信口开河,凭空立说;历史学者闻之窃笑,科学家闻之窃笑,文艺批评学者闻之窃笑,只是发议论者自己在那里洋洋得意。再比方著世界文学史的人,法国文学可以不懂,英国文学可以不懂,德国文学可以不懂,希腊文学可以不懂，中国文学可以不懂，而东抄西袭，堆砌成篇，使法国文学学者见之窃笑，英国文学学者见之窃笑，中国文学学者见之窃笑，只是著书人在那里大吹喇叭。这真所谓“放屁放屁，真正岂有此理！”

朋友，你就是升到大学里去，千万莫要染着时下习气，侈谈高远而不注意把根基打得宽大稳固。我和你相知甚深，客气话似用不着说。我以为你在中学所打的基本学问的基础还不能算是稳固，还不能使你进一步谈高深专门的学问。至少在大学头一二年中，你须得尽力多选功课，所谓多选功课，自然也有一个限制。贪多而不务得，也是一种毛病。我是说，在你的精力时间可能范围以内，你须极力求多方面的发展。

最后，我这番话只是对你的情形而发的。我不敢说一切中学生都要趁着这条路走。但是对于预备将来专门学某一科而谋深造的人，——尤其是所学的关于文哲和社会科学方面，——我的忠告总含有若干真理。

同时，我也很愿听听你自己的意见。

你的朋友　孟实

八　谈作文

朋友：

我们对于许多事，自己愈不会做，愈望朋友做得好。我生平最大憾事就是对于美术和运动都一无所长。幼时薄视艺事为小技，此时亦偶发宏愿去学习，终苦于心劳力拙，怏怏然废去。所以每遇年幼好友，就劝他趁早学一种音乐，学一项运动。

其次，我极羡慕他人做得好文章。每读到一种好作品，看见自己所久想说出而说不出的话，被他人轻轻易易地说出来了，一方面固然以作者"先获我心"为快，而另一方面也不免心怀惭怍，唯其惭怍，所以每遇年幼好友，也苦口劝他练习作文，虽然明明知道人家会奚落我说："你这样起劲谈作文，你自己的文章就做得'蹩脚'！"

文章是可以练习的么？迷信天才的人自然嗤着鼻子这样问。但是在一切艺术里，天资和人力都不可偏废。古今许多第一流作者大半都经过刻苦的推敲揣摩的训练。法国福楼拜尝费三个月的工夫做成一句文章；莫泊桑尝登门请教，福楼拜叫他把十年辛苦成就的稿本付之一炬，从新起首学描实境。我们读莫泊桑那样的极自然极轻巧极流利的小说，谁想到他的文字也是费工夫作出来的呢？我近来看见两段文章，觉得是青年作者应该悬为座右铭的，写在下面给你看看：

一段是从托尔斯泰的儿子 Count Ilya Tolstoy 所做的《回想录》（*Reminiscences*）里面译出来的，这段记载托尔斯泰著《安娜·卡列尼娜》（*Anna Karenina*）修稿时的情形。他说："《安娜·卡列尼娜》初登俄报 *Vyetnik* 时，底页都须寄吾父亲自己校对。他起初在纸边加印刷符号如删削句读等。继而改字，继而改句，继而又大加增删，到最后，那张底页便成百孔千疮，糊涂得不可辨识。幸吾母尚能认清他的习用符号以及更改增删。她尝终夜不眠替吾父誊清改过底页。次晨，她便把他很整洁的清稿摆在桌上，预备他下来拿去付邮。吾父把这清稿又拿到书房里去看'最后一遍'，到晚间这清稿又重新涂改过，比原来那张底页要更加糊涂，吾母只得再抄一遍。他很不安地向吾母道歉：'松雅吾爱，真对不起你，我又把你誊的稿子弄糟了。我再不改了。明天一定发出去。'但是明天之后又有明天。有时甚至于延迟几礼拜或几月。他总是说，'还有一处要再看一下'，于是把稿子再拿去改过。再誊清一遍。有时稿子已发出了，吾父忽然想到还要改几个字，便打电报去吩咐报馆替他改。"

你看托尔斯泰对文字多么谨慎，多么不惮烦！此外小泉八云给张伯伦教授(Prof. Chamberlain)的信也有一段很好的自白。他说:“…题目择定,我先不去运思,因为恐怕易生厌倦。我作文只是整理笔记。我不管层次,把最得意的一部分先急忙地信笔写下。写好了,便把稿子丢开,去做其他较适宜的工作。到第二天,我再把昨天所写的稿子读一遍,仔细改过,再从头至尾誊清一遍,在誊清中,新的意思自然源源而来,错误也呈现了,改正了。于是我又把他搁起,再过一天,我又修改第三遍。这一次是最重要的,结果总比原稿大有进步,可是还不能说完善。我再拿一片干净纸作最后的誊清,有时须誊两遍。经过这四五次修改以后,全篇的意思自然各归其所,而风格也就改定妥帖了。”

小泉八云以美文著名,我们读他这封信,才知道他的成功秘诀。一般人也许以为这样咬文嚼字近于迂腐。在青年心目中,这种训练尤其不合胃口。他们总以为能倚马千言不加点窜的才算好角色。这种念头不知误尽多少苍生!在艺术田地里比在道德田地里,我们尤其要讲良心。稍有苟且,便不忠实。听说印度的甘地主办一种报纸,每逢作文之先,必斋戒静坐沉思一日夜然后动笔。我们以文字骗饭吃的人们对此能不愧死么?

文章像其他艺术一样,“神而明之,存乎其人”,精微奥妙都不可言传,所可言传的全是糟粕。不过初学作文也应该认清路径,而这种路径是不难指点的。

学文如学画，学画可临帖，又可写生。在这两条路中间，写生自然较为重要。可是临帖也不可一笔勾销，笔法和意境在初学时总须从临帖中领会。从前中国文人学文大半全用临帖法。每人总须读过几百篇或几千篇名著，揣摩呻吟，至能背诵，然后执笔为文，手腕自然纯熟。欧洲文人虽亦重读书，而近代第一流作者大半由写生入手。莫泊桑初请教于福楼拜，福楼拜叫他描写一百个不同的面孔。霸若因为要描写吉普赛野人生活，便自己去和他们同住，可是这并非说他们完全不临帖。许多第一流作者起初都经过模仿的阶段。莎士比亚起初模仿英国旧戏剧作者。布朗宁起初模仿雪莱。陀思妥也夫斯基和许多俄国小说家都模仿雨果。我以为向一般人说法，临帖和写生都不可偏废。所谓临帖在多读书。中国现当新旧交替时代，一般青年颇苦无书可读。新作品寥寥有数，而旧书又受复古反动影响，为新文学家所不乐道。其实东烘学究之厌恶新小说和白话诗，和新文学运动者之攻击读经和念古诗文，都是偏见。文学上只有好坏的分别，没有新旧的分别。青年们读新书已成时髦，用不着再提倡，我只劝有闲工夫有好兴致的人对于旧书也不妨去读读看。

读书只是一步预备的工夫，真正学作文，还要特别注意写生。要写生，须勤做描写文和记叙文。中国国文教员们常埋怨学生们不会做议论文。我以为这并不算奇怪。中学生的理解和知识大半都很贫弱，胸中没有议论，何能做得出议论文？许多国文教员们叫学生入手就做议论文，这是没有脱去科举时代的陋习。初学做议论文是容易走入空疏俗滥的路上去。我以为初学作文应该从描写文和记叙文入手，这两种文做好了，议论文是很容易办的。

这封信只就一时见到的几点说说。如果你想对于作文方法还要多知道一点，我劝你看看夏丏尊和刘薰宇两先生合著的《文章作法》。这本书有许多很精当的实例，对于初学是很有用的。

你的朋友　孟实

九　谈情与理

朋友：

去年张东荪先生在《东方杂志》发表过两篇论文，讨论兽性问题，并提出理智救国的主张。今年李石岑先生和杜亚泉先生也为着同样问题，在《一般》上起过一番辩论。一言以蔽之，他们的争点是：我们的生活应该受理智支配呢？还是应该受感情支配呢？张杜两先生都是理智的辩护者，而李先生则私淑尼采，对于理智颇肆抨击。我自己在生活方面，尝感着情与理的冲突。近来稍涉猎文学哲学，又发现现代思潮的激变，也由这个冲突发轫。屡次手痒，想做一篇长文，推论情与理在生活与文化上的位置，因为牵涉过广，终于搁笔。在私人通信中大题不妨小做，而且这个问题也是青年急宜了解的，所以趁这次机会，粗陈鄙见。

科学家讨论事理，对于规范与事实，辨别极严。规范是应然，是以人的意志定出一种法则来支配人类生活的。事实是实然的，是受自然法则支配的。比方伦理、教育、政治、法律、经济各种学问都侧重规范，数、理、化各种学问都侧重事实。规范虽和事实不同，而却不能不根据事实。比方在教育学中，“自由发展个性”是一种规范，而根据的是儿童心理学中的事实；在马克思派经济学中，“阶级斗争”和“劳工专政”都是规范，而“剩余价值”律和“人口过剩”律是他所根据的事实。但是一般人制定规范，往往不根据事实而根据自己的希望。不知人的希望和自然界的事实常不相侔，而规范是应该限于事实的。规范倘若不根据事实，则不特不能实现，而且漫无意义。比方在事实上二加二等于四，而人的希望往往超过事实，硬想二加二等于五。既以为二加二等于五是很好的，便硬定“二加二应该等于五”的规范，这岂不是梦语？

我所以不满意张东荪、杜亚泉诸先生的学说者，就因为他们既没有把规范和事实分别清楚，而又想离开事实，只凭自家理想去订规范。他们想把理智抬举到万能的地位，而不问在事实上理智是否万能；他们只主张理智应该支配一切生活，而不考究生活是否完全可以理智支配。我很奇怪张先生以柏格森的翻译者而抬举理智，我尤其奇怪杜先生想从哲学和心理学的观点去抨击李先生，而不知李先生的学说得自尼采，又不知他自己所根据的心理学早已陈死。

只论事实，世界文化和个人生活果能顺着理智所指的路径前进么？现代哲学和心理学对于这个问题所给的答案是否定的。

哲学家怎么说呢？现代哲学的主要潮流可以说主要是十八世纪理智主义的反动。自尼采、叔本华以至于柏格森，没有人不看透理智的威权是不实在的。依现代哲学家看，宇宙的生命，社会的生命，和个体的生命都只有目的而无先见（purposive without foresight）。所谓有目的，是说生命是有归宿的，是向某固定方向前进的。所谓无先见，是说在某归宿之先，生命不能自己预知归宿何所。比方母鸡孵卵，其目的在产小鸡，而这个目的却不必预存于母鸡的意识中。理智就是先见，生命不受先见支配，所以不受理智支配。这是现代哲学上一种主要思潮，而这个思潮在政治思想上演出两个相反的结论。其一为英国保守派政治哲学。他们说，理智既不能左右社会生命，所以我们应该让一切现行制度依旧存在，它们自己会变好，不用人费力去筹划改革。其一为法国行会主义（syndicalism）。这派激烈分子说，现行制度已经够坏了，把它们打破以后，任它们自己变去，纵然没有理智产生的建设方略，也决不会有比现在更坏的制度发现出来。无论你相信哪一说，理智都不是万能的。

在心理学方面，理智主义的反动尤其剧烈。这种反动有两个大的倾向。第一个倾向是由边沁的享乐主义（hedonism）转到麦独孤的动原主义（homic theory）。享乐派心理学者以为一切行为都不外寻求快感与避免痛感。快感与痛感就是行为的动机。吾人心中预存何者发生快感何者发生痛感的计算，而后才有寻求与避免的行为。换句话说,行为是理智的产品,而理智所去取,则以感觉之快与不快为标准。这种学说在十八十九两世纪颇盛行,到了现代,因为受麦独孤心理学者的攻击,已成体无完肤。依麦独孤派学者看,享乐主义误在倒果为因。快感与痛感是行为的结果,不是行为的动机,动作顺利,于是生快感,动作受阻碍,于是生痛感;在动作未发生之前,吾人心中实未曾运用理智,预期快感如何寻求,痛感如何避免。行为的原动力是本能与情绪,不是理智。这个道理麦独孤在他的《社会心理学》里说得很精辟。

心理学上第二个反理智的倾向是弗洛伊德派的隐意识心理学。依这派学者看,心好比大海,意识好比海面浮着的冰山,其余汪洋深湛的统是隐意识。意识在心理中所占位置甚小,而理智在意识中所占位置又甚小,所以理智的能力是极微末的,通常所谓理智,大半是理性化(rationalisation)的结果,理智之来,常不在行为未发生之前,而在行为已发生之后。行为之发生,大半由隐意识中的情意综(Complexes)主持。吾人于事后须得解释辩护,于是才找出种种理由来。这便是理性化。比方一个人钟爱一个女子,天天不由自主地走到她的寓所左右。而他自己所能举出的理由只不外"去看报纸","去访她哥哥","去看那棵柳树今天开了几片新叶"一类的话。照这样说,不特理智不易驾驭感情,而理智自身也不过是感情的变相。维护理智的人喜用弗洛伊德的升华说(sublimation)做护身符,不知所谓升华大半还是隐意识作用，其中情的成分比理的成分更加重要。

总观以上各点，我们可以知道在事实上理智支配生活的能力是极微末，极薄弱的，尊理智抑感情的人在思想上是开倒车，是想由现世纪回到十八世纪。开倒车固然不一定就是坏，可是要开倒车的人应该先证明现代哲学和心理学是错误的。不然，我们决难悦服。

更进一步，我们姑且丢开理智是否确能支配情感的问题，而衡量理智的生活是否确比情感的生活价值来得高。迷信理智的人不特假定理智能支配生活，而且假定理智的生活是尽善尽美的。第一个假定，我们已经知道，是与现代哲学和心理学相矛盾的。现在我们来研究第二个假定。

第一，我们应该知道理智的生活是很狭隘的。如果纯任理智，则美术对于生活无意义，因为离开情感，音乐只是空气的震动，图画只是涂着颜色的纸，文学只是联串起来的字。如果纯任理智，则宗教对于生活无意义，因为离开情感，自然没有神奇，而冥感灵通全是迷信。如果纯任理智，则爱对于人生也无意义，因为离开情感，男女的结合只是为着生殖。我们试想生活中无美术，无宗教（我是指宗教的狂热的情感与坚决信仰），无爱情，还有什么意义？记得几年前有一位学生物学的朋友在《学灯》上发表一篇文章，说穷到究竟，人生只不过是吃饭与交媾。他的题目我一时记不起，仿佛是“悲”“哀”一类的字。专从理智着想,他的话是千真万确的。但是他忘记了人是有感情的动物。有了感情,这个世界便另是一个世界,而这个人生便另是一个人生,决不是吃饭交媾就可以了事的。

第二,我们应该知道理智的生活是很冷酷的,很刻薄寡恩的。理智指示我们应该做的事甚多,而我们实在做到的还不及百分之一。所做到的那百分之一大半全是由于有情感在后面驱遣。比方我天天看见很可怜的乞丐,理智也天天提醒我赈济困穷的道理,可是除非我心中怜悯的情感触动时,我百回就有九十九回不肯掏腰包。前几天听见一位国学家投河的消息,和朋友们谈,大家都觉得他太傻。他固然是傻,可是世间有许多事项得有几分傻气的人才能去做。纯信理智的人天天都打计算,有许多不利于己的事他决不肯去做的。历史上许多侠烈的事迹都是情感的而不是理智的。

人类如要完全信任理智,则不特人生趣味剥削无余,而道德亦必流为下品。严密说起,纯任理智的世界中只能有法律而不能有道德。纯任理智的人纵然也说道德,可是他们的道德是问理的道德(morality according to principle),而不是问心的道德(morality according to heart),问理的道德迫于外力,问心的道德激于衷情,问理而不问心的道德,只能给人类以束缚而不能给人类以幸福。

比方中国人所认为百善之首的“孝”,就可以当作问理的道德,也可以当作问心的道德。如果单讲理智,父母对于子女不能居功，而子女对于父母便不必言孝。这个道理胡适之先生在《答汪长禄书》里说得很透辟。他说。

"'父母于子无恩'的话，从王充孔融以来，也很久了。……今年我自己生了一个儿子，我才想到这个问题上去。我想这个孩子自己并不曾自由主张要生在我家，我们做父母的也不曾得他的同意，就糊里糊涂地给他一条生命，况且我们也并不曾有意送给他这条生命。我们既无意，如何能居功？……我们生一个儿子，就好比替他种了祸根，又替社会种了祸根。……所以我们教他养他，只是我们减轻罪过的法子。……这可以说是恩典吗？"因此，胡先生不赞成把"儿子孝顺父母"列为一种"信条"。

胡先生所以得此结论，是假定孝只是一种报酬，只是一种问理的道德。把孝当作这样解释，我也不赞成把它"列为一种信条"。但是我们要知道真孝并不是一种报酬，并不是借债还息。孝只是一种爱，而凡爱都是以心感心，以情动情，决不像做生意买卖，时时抓住算盘子，计算你给我二五，我应该报酬你一十。换句话说，孝是情感的，不是理智的。世间有许多慈母，不惜牺牲一切，以养护她的婴儿；世间也有许多婴儿，无论到了怎样困穷忧戚的境遇，总可以把头埋在母亲的怀里，得那不能在别处得到的保护与安慰。这就是孝的起源，这也就是一切爱的起源。这种孝全是激于至诚的，是我所谓问心的道德。

孝不是一种报酬，所以不是一种义务，把孝看成一种义务，于是"孝"就由问心的道德降而为问理的道德了。许多人"孝顺"父母,并不是因为激于情感,只因为他想凡是儿子都须得孝顺父母,才成体统。礼至而情不至,孝的意义本已丧失。儒家想因存礼以存情,于是孝变成一种虚文。像胡先生所说,"无论怎样不孝的人,一穿上麻衣,戴上高梁冠,拿着哭丧棒,人家就赞他做'孝子'了"。近人非孝,也是从理智着眼,把孝看作一种债息。其实与儒家末流犯同一毛病。问理的孝可非而问心的孝是不可非的。

孝不过是许多事例中之一种。其他一切道德也都可以有问心的和问理的分别。问理的道德虽亦不可少,而衡其价值,则在问心的道德之下。孔子讲道德注重仁字,孟子讲道德注重义字,仁比义更有价值,是孔门学者所公认的。仁就是问心的道德,义就是问理的道德。宋儒注仁义两个字说:"仁者心之德,义者事之宜。"这是很精确的。

我说了这许多话,可以一言以蔽之,仁胜于义,问心的道德胜于问理的道德,所以情感的生活胜于理智的生活。生活是多方面的,我们不但要能够知(know),我们更要能够感(feel)。理智的生活只是片面的生活。理智没有多大能力去支配情感,纵使理智能支配情感,而理胜于情的生活和文化都不是理想的。

我对于这个问题还有许多的话,在这封信里只能言不尽意,待将来再说。

你的朋友　孟实

附注：

此文发表后曾蒙杜亚泉先生给了一个批评(见《一般》三卷三号)，当时课忙，所以没有奉复。我此文结论中明明说过："问理的道德虽亦不可少，而衡其价值，则在问心的道德之下。"我并没有说把理智完全勾销。杜先生也说："我也主张主情的道德。"然则我们的意见根本并无二致。我不能不羡慕杜先生真有闲功夫。

杜先生一方面既然承认"朱先生说，'真孝并不是一种报酬'，这句话很精到的"，而另一方面又加上一句"但是'孝不是一种义务'这句话却错了"。我以为他可以说出一番大道理来，而下文不过是如此："至于父母就是社会上担负教育子女义务的人……这种人在衰老的时候，社会也应该辅养他。"说明白一点咧，在子女幼时，父母曾为社会辅养子女，所以到父母老时，子女也应该为社会辅养父母。

请问杜先生，这是不是所谓报酬？承认我的"孝不是一种报酬"一语为"精到"，而说明"孝是一种义务"时，又回到报酬的原理，这似犯了维护理智的人们所谓"矛盾律"。

"今之孝者，是谓能养"，杜先生大约还记得下文吧？我承认"养老"、"养小"都确是一种义务，我否认能尽这种义务就是孝慈。因为我主张于能尽养老的义务之外，还要有出于衷诚的敬爱，才能谓孝，所以我主张孝不是一种报酬。因为我主张孝不是一种报酬，所以我否认孝只是一种义务。杜先生同意于"孝不是一种报酬"，而致疑于"孝不是一种义务"，这也是矛盾。

维护理智的人,推理一再陷于矛盾,世间还有更好的凭据证明理智不可尽信么?

十　谈摆脱

朋友：

近来研究黑格尔(Hegel)讨论悲剧的文章,有时拿他的学说来印证实际生活,颇觉欣然有会意。许久没有写信给你,现在就拿这点道理作谈料。

黑格尔对于古今悲剧,最推尊希腊索福克勒斯(sophocles)的《安提戈涅》(*Antigone*)。安提戈涅的哥哥因为争王位,借重敌国的兵攻击他自己的祖国忒拜,他在战场中被打死了。忒拜新王克瑞翁(Creon)悬令,如有人敢收葬他,便处死罪,因为他是一个国贼。安提戈涅很像中国的聂嫈,毅然不避死刑,把她哥哥的尸骨收葬了。安提戈涅又是和克瑞翁的儿子海蒙(Haemon)订过婚的,她被绞以后,海蒙痛恨她,也自杀了。

黑格尔以为凡悲剧都生于两理想的冲突,而安提戈涅是最好的实例。就克瑞翁说,做国王的职责和做父亲的职责相冲突。就安提戈涅说,做国民的职责和做妹妹的职责相冲突。就海蒙说，做儿子的职责和做情人的职责相冲突。因此冲突，故三方面结果都是悲剧。

黑格尔只是论文学，其实推广一点说，人生又何尝不是一种理想的冲突场？不过实在界和舞台有一点不同，舞台上的悲剧生于冲突之得解决，而人生的悲剧则多生于冲突之不得解决。生命途程上的歧路尽管千差万别，而实际上只有一条路可走，有所取必有所舍，这是自然的道理。世间有许多人站在歧路上只徘徊顾虑，既不肯有所舍，便不能有所取。世间也有许多人既走上这一条路，又念念不忘那一条路。结果也不免差误时光。“鱼我所欲，熊掌亦我所欲，二者不可得兼，舍鱼而取熊掌可也。”有这样果决，悲剧决不会发生。悲剧之发生就在既不肯舍鱼，又不肯舍熊掌，只在那儿垂涎打算盘。这个道理我可以举几个实例来说明。

“禾”是一个大学生，很好文学，而他那一班的功课有簿记、有法律，都是他所厌恶的。他每见到我便愁眉蹙额地说：“真是无聊！天天只是预备考试！天天只是读这些没有意味的课本！”我告诉他：“你既不欢喜那些东西，便把它们丢开就是了。”他说：“既然花了家里的钱进学堂，总得要勉强敷衍考试才是。”我说：“你要敷衍考试，就敷衍考试是了。”然而他天天嫌恶考试，天天又在那儿预备考试。

我有一个幼时的同学恋爱了一个女子。他的家庭极力阻止他。他每次来信都向我诉苦。我去信告诉他说：“你既然爱她，便毅然不顾一切去爱她就是了。”他又说：“家庭骨肉的恩爱就能够这样恝然置之么？”我回复他说：“事既不能两全，你便应该趁早疏绝她。”但是他到现在还是犹豫不知所可，还是照旧叫苦。

“禹”也是一个旧相识。他在衙门里充当一个小差事。他很能做文章，家里虽不丰裕，也还不至于没有饭吃。衙门里案牍和他的脾胃不很合，而且妨碍他著述。他时常觉得他的生活没有意味，和我谈心时，不是说：“嗳，如果我不要就这个事，这本稿子久已写成了。”就是说：“这事简直不是人干的，我回家陪妻子吃糙米饭去了！”像这样的话我也不知道听他说过多少回数，但是他还是依旧风雨无阻地去应卯。

这些朋友的毛病都不在“见不到”而在“摆脱不开”。“摆脱不开”便是人生悲剧的起源。畏首畏尾，徘徊歧路，心境既多苦痛，而事业也不能成就。许多人的生命都是这样模模糊糊地过去的。要免除这种人生悲剧，第一须要“摆脱得开”。消极说是“摆脱得开”，积极说便是“提得起”，便是“抓得住”。认定一个目标，便专心致志地向那里走，其余一切都置之度外，这是成功的秘诀，也是免除烦恼的秘诀。现在姑且举几个实例来说明我所谓“摆脱得开”。

释迦牟尼当太子时，乘车出游，看到生老病死的苦状，便恍然解悟人生虚幻，把慈父娇妻爱子和王位一齐抛开，深夜遁入深山，静坐菩提树下，冥心默想解脱人类罪苦的方法。这是古今第一个知道摆脱的人。其次如苏格拉底，如耶稣，如屈原，如文天祥，为保持人格而从容就死，能摆脱开一般人所摆脱不开的生活欲，也很可以廉顽立懦。再其次如希腊第欧根尼提倡克欲哲学，除一个饮水的杯子和一个盘坐的桶子以外，身旁别无长物，一日见童子用手捧水喝，他便把饮水的杯子也掷碎。犹太斯宾诺莎学说与犹太教义不合，犹太教徒行贿不遂，把他驱逐出籍，他以后便专靠磨镜过活。他在当时是欧洲第一个大哲学家，海得尔堡大学请他去当哲学教授，他说："我还是磨我的镜子比较自由。"所以谢绝教授的位置。这是能为真理为学问摆脱一切的。卓文君逃开富家的安适，去陪司马相如当垆卖酒，是能为恋爱摆脱一切的。张翰在齐做大司马东曹掾，一天看见秋风乍起，想起吴中菰菜莼羹鲈鱼脍，立刻就弃官归里。陶渊明做彭泽令，不愿束带见督邮，向县吏说："我岂能为五斗米折腰向乡里小儿！"立即解绶辞官。这是能摆脱禄位以行吾心所安的。英国小说家司各特早年颇致力于诗，后读拜伦著作，知道自己在诗的方面不能有大成就，便丢开音律专去做他的小说。这是能为某一种学问而摆脱开其他学问之引诱的。孟敏堕甑，不顾而去。郭林宗问他的缘故，他回答说："甑已碎，顾之何益？"这是能摆脱过去失败的。

斯蒂文森论文，说文章之术在知遗漏（the art of omitting），其实不独文章如是，生活也要知所遗漏。我幼时，有一位最敬爱的国文教师看出我不知摆脱的毛病，尝在我的课卷后面加这样的批语:“长枪短戟,用各不同,但精其一,已足制胜,汝才有偏向,姑发展其所长,不必广心博骛也。”十年以来,说了许多废话,看了许多废书,做了许多不中用的事,走了许多没有目标的路,多尝试,少成功,回忆师训,殊觉赧然,冷眼观察,世间像我这样暗中摸索的人正亦不少。大节固不用说,请问街头那纷纷群众忙的为什么?为什么天天做明知其无聊的工作,说明知其无聊的话,和明知其无聊的朋友假意周旋?在我看来,这都由于“摆脱不开”。因为人人都“摆脱不开”,所以生命便成了一幕最大的悲剧。

朋友,我写到这里,已超过寻常篇幅,把上面所写的翻看一过,觉得还没有把“摆脱”的道理说得透。我只谈到粗浅处,细微处让你自己暇时细心体会。

你的朋友　孟实

十一　谈在卢佛尔宫所得的一个感想

朋友：

去夏访巴黎卢佛尔宫，得摩挲《蒙娜·丽莎》肖像的原迹，这是我生平一件最快意的事。凡是第一流美术作品都能使人在微尘中见出大千，在刹那中见出终古。雷阿那多·达·芬奇(Leonardo da Vinci)的这幅半身美人肖像纵横都不过十几寸，可是她的意蕴多么深广！佩特(Walter Pater)在《文艺复兴论》里说希腊、罗马和中世纪的特殊精神都在这一幅画里表现无遗。我虽然不知道佩特所谓希腊的生气，罗马的淫欲和中世纪的神秘是什么一回事，可是从那轻盈笑靥里我仿佛窥透人世的欢爱和人世的罪孽。虽则见欢爱而无留恋，虽则见罪孽而无畏惧。一切希冀和畏避的念头在霎时间都涣然冰释，只游心于和谐静穆的意境。这种境界我在贝多芬乐曲里，在《密罗斯爱神》雕像里，在《浮士德》诗剧里，也常隐约领略过，可是都不如《蒙娜·丽莎》所表现的深刻明显。

我穆然深思，我悠然遐想，我想像到中世纪人们的热情，想像到达·芬奇作此画时费四个寒暑的精心结构，想像到丽莎夫人临画时听到四周的缓歌慢舞，如何发出那神秘的微笑。

正想得发呆时，这中纪的甜梦忽然被现世纪的足音惊醒，一个法国向导领着一群四五十个男的女的美国人蜂拥而来了。向导操很拙劣的英语指着说："这就是著名的《蒙娜·丽莎》。"那班肥颈项胖乳房的人们照例露出几种惊奇的面孔，说出几个处处用得着的赞美的形容词，不到三分钟又蜂拥而去了。一年四季，人们尽管川流不息地这样蜂拥而来蜂拥而去，丽莎夫人却时时刻刻在那儿露出你不知道是怀善意还是怀恶意的微笑。

从观赏《蒙娜·丽莎》的群众回想到《蒙娜·丽莎》的作者，我登时发生一种不调和的感触，从中世纪到现世纪，这中间有多么深多么广的一条鸿沟！中世纪的旅行家一天走上两百里已算飞快，现在坐飞艇不用几十分钟就可走几百里了。中世纪的著作家要发行书籍须得请僧侣或抄胥用手抄写，一个人朝于斯夕于斯的，一年还不定能抄完一部书，现在大书坊每日可出书万卷，任何人都可以出文集诗集了。中世纪许多书籍是新奇的，连在近代，以培根、笛卡儿那样渊博，都没有机会窥亚理斯多德的全豹，近如包慎伯到三四十岁时才有一次机会借阅《十三经注疏》。现在图书馆林立，贩夫走卒也能博通上下古今了。中世纪画《蒙娜·丽莎》的人须自己制画具自己配颜料，作一幅画往往须三年五载才可成功，现在美术家每日可以成几幅乃至于十几幅"创作"了。中世纪人想看《蒙娜·丽莎》须和作者或他的弟子有交谊,真能欣赏他,才能侥幸一饱眼福,现在卢佛尔宫好比十字街,任人来任人去了。

这是多么深多么广的一条鸿沟!据历史家说,我们已跨过了这鸿沟,所以我们现代文化比中世纪进步得多了。话虽如此说,而我对着《蒙娜·丽莎》和观赏《蒙娜·丽莎》的群众,终不免有所怀疑,有所惊惜。

在这个现世纪忙碌的生活中,哪里还能找出三年不窥园、十年成一赋的人?哪里还能找出深通哲学的磨镜匠,或者行乞读书的苦学生?现代科学和道德信条都比从前进步了,哪里还能迷信宗教崇尚侠义?我们固然没有从前人的呆气,可是我们也没有从前人的苦心与热情了。别的不说,就是看《蒙娜·丽莎》也只像看破烂朝报了。

科学愈进步,人类征服环境的能力也愈大。征服环境的能力愈大,的确是人生一大幸福。但是它同时也易生流弊。困难日益少,而人类也愈把事情看得太容易,做一件事不免愈轻浮粗率,而坚苦卓绝的成就也便日益稀罕。比方从纽约到巴黎还像从前乘帆船时要经许多时日,冒许多危险,美国人穿过卢佛尔宫决不会像他们穿过巴黎香榭里雪街一样匆促。我很坚决地相信,如果美国人所谓"效率"(efficiency)以外,还有其他标准可估定人生价值,现代文化至少含有若干危机的。

"效率"以外究竟还有其他估定人生价值的标准么?要回

答这个问题，我们最好拿法国理姆（Reims）、亚眠（Amiens）各处几个中世纪的大教寺和纽约一座世界最高的钢铁房屋相比较。或者拿一幅湘绣和杭州织锦相比较，便易明白。如只论“效率”，杭州织锦和美国钢铁房屋都是一样机械的作品，较之湘绣和理姆大教寺，费力少而效率差不多总算没有可指摘之点。但是刺湘绣的闺女和建筑中世纪大教寺的工程师在工作时，刺一针线或叠一块砖，都要费若干心血，都有若干热情在后面驱遣，他们的心眼都钉在他们的作品上，这是近代只讲“效率”的工匠们所诧为呆拙的。织锦和钢铁房屋用意只在适用，而湘绣和中世纪建筑于适用以外还要能慰情，还要能为作者力量气魄的结晶，还要能表现理想与希望。假如这几点在人生和文化上自有意义与价值，“效率”决不是唯一的估定价值的标准，尤其不是最高品的估定价值的标准。最高品估定价值的标准一定要着重人的成分（human element），遇见一种工作不仅估量它的成功如何，还有问它是否由努力得来的，是否为高尚理想与伟大人格之表现。如果它是经过努力而能表现理想与人格的工作，虽然结果失败了，我们也得承认它是有价值的。这个道理布朗宁（Browning）在 *Rabbi Ben Ezva* 那篇诗里说得最精透，我不会翻译，只择几段出来让你自己去玩味：

Not on the vulgar mass
Called “work”, must sentence pass,

Things done, that took the eye and had the price;
O'er which, from level stand,
The low world laid its hand,
Found straight way to its mind, could value in a trice:

But all, the world's coarse thumb
And finger failed to plumb,
So passed in making up the main account;
All instincts immature,
All purposes unsure,
That weighed not as his work, yet swelled the man's amount:

Thoughts hardly to be packed
Into a narrow act,
Fancies that broke through thoughts and escaped:
All I could never be,
All, men ignored in me,
This I was worth to God, whose wheel the pitcher shaped.

这几段诗在我生平所给的益处最大。我记得这几句话,所以能惊赞热烈的失败,能欣赏一般人所嗤笑的呆气和空想,能景仰不计成败的坚苦卓绝的努力。

假如我的十二封信对于现代青年能发生毫末的影响，我尤其虔心默祝这封信所宣传的超“效率”的估定价值的标准能印入个个读者的心孔里去。因为我所知道的学生们、学者们和革命家们都太贪容易，太浮浅粗疏，太不能深入，太不能耐苦，太类似美国旅行家看《蒙娜·丽莎》了。

你的朋友　孟实

十二　谈人生与我

朋友：

我写了许多信，还没有郑重其事地谈到人生问题，这是一则因为这个问题实在谈滥了，一则也因为我看这个问题并不如一般人看得那样重要。在这最后一封信里我所以提出这个滥题来讨论者，并不是要说出什么一番大道理，不过把我自己平时几种对于人生的态度随便拿来做一次谈料。

我有两种看待人生的方法。在第一种方法里，我把我自己摆在前台，和世界一切人和物在一块玩把戏；在第二种方法里，我把我自己摆在后台，袖手看旁人在那儿装腔作势。

站在前台时，我把我自己看得和旁人一样，不但和旁人一样，并且和鸟兽虫鱼诸物也都一样。人类比其他物类痛苦，就因为人类把自己看得比其他物类重要。人类中有一部分人比其余的人苦痛，就因为这一部分人把自己比其余的人看得重要。比方穿衣吃饭是多么简单的事，然而在这个世界里居然成为一个极重要的问题，就因为有一部分人要亏人自肥。再比方生死，这又是多么简单的事，无量数人和无量数物都已生过来死过去了。一个小虫让车轮压死了，或者一朵鲜花让狂风吹落了，在虫和花自己都决不值得计较或留恋，而在人类则生老病死以后偏要加上一个苦字。这无非是因为人们希望造物主宰待他们自己应该比草木虫鱼特别优厚。

因为如此着想，我把自己看作草木虫鱼的侪辈，草木虫鱼在和风甘露中是那样活着，在炎暑寒冬中也还是那样活着。像庄子所说，它们“诱然皆生，而不知其所以生；同焉皆得，而不知其所以得”。它们时而戾天跃渊，欣欣向荣，时而含葩敛翅，晏然蛰处，都顺着自然所赋予的那一副本性。它们决不计较生活应该是如何，决不追究生活是为着什么，也决不埋怨上天待它们特薄，把它们供人类宰割凌虐。在它们说，生活自身就是方法，生活自身也就是目的。

从草木虫鱼的生活，我觉得一个经验。我不在生活以外别求生活方法，不在生活以外别求生活目的。世间少我一个，多我一个，或者我时而幸运，时而受灾祸侵逼，我以为这都无伤天地之和。你如果问我，人们应该如何生活才好呢？我说，就顺着自然所给的本性生活着，像草木虫鱼一样。你如果问我，人们生活在这幻变无常的世相中究竟为着什么？我说，生活就是为着生活，别无其他目的。你如果向我埋怨天公说，人生是多么苦恼呵！我说，人们并非生在这个世界来享幸福的，所以那并不算奇怪。

这并不是一种颓废的人生观。你如果说我的话带有颓废的色彩，我请你在春天到百花齐放的园子里去，看看蝴蝶飞，听听鸟儿鸣，然后再回到十字街头，仔细瞧瞧人们的面孔，你看谁是活泼，谁是颓废？请你在冬天积雪凝寒的时候，看看雪压的松树，看看站在冰上的鸥和游在水中的鱼，然后再回头看看遇苦便叫的那“万物之灵”，你以为谁比较能耐苦持恒呢？

我拿人比禽兽，有人也许目为异端邪说。其实我如果要援引“经典”，称道孔孟以辩护我的见解，也并不是难事。孔子所谓“知命”，孟子所谓“尽性”，庄子所谓“齐物”，宋儒所谓“廓然大公，物来顺应”，和希腊廊下派哲学，我都可以引申成一篇经义文，做我的护身符。然而我觉得这大可不必。我虽不把自己比旁人看得重要，我也不把自己看得比旁人分外低能，如果我的理由是理由，就不用仗先圣先贤的声威。

以上是我站在前台对于人生的态度。但是我平时很欢喜站在后台看人生。许多人把人生看作只有善恶分别的，所以他们的态度不是留恋，就是厌恶。我站在后台时把人和物也一律看待，我看西施、嫫母、秦桧、岳飞也和我看八哥、鹦鹉、甘草、黄连一样，我看匠人盖屋也和我看鸟鹊营巢、蚂蚁打洞一样，我看战争也和我看斗鸡一样，我看恋爱也和我看雄蜻蜓追雌蜻蜓一样。因此，是非善恶对我都无意义，我只觉得对着这些纷纭扰攘的人和物，好比看图画，好比看小说，件件都很有趣味。

这些有趣味的人和物之中自然也有一个分别。有些有趣味，是因为它们带有很浓厚的喜剧成分；有些有趣味，是因为它们带有很深刻的悲剧成分。

我有时看到人生的喜剧。前天遇见一个小外交官，他的上下巴都光光如也，和人说话时却常常用大拇指和食指在腮旁捻一捻，像有胡须似的。他们说这是官气，我看到这种举动比看诙谐画还更有趣味。许多年前一位同事常常很气愤地向人说："如果我是一个女子，我至少已接得一尺厚的求婚书了！"偏偏他不是女子，这已经是喜剧；何况他又麻又丑，纵然他幸而为女子，也决不会有求婚书的麻烦，而他却以此沾沾自喜，这总算得喜剧之喜剧了。这件事和英国文学家哥尔德斯密斯的一段逸事一样有趣。他有一次陪几个女子在荷兰某一个桥上散步，看见桥上行人个个都注意他同行的女子，而没有一个睬他自己，便板起面孔很气愤地说："哼，在别地方也有人这样看我咧！"如此等类的事，我天天都见得着。在闲静寂寞的时候，我把这一类的小小事件从记忆中召回来，寻思玩味，觉得比抽烟饮茶还更有味。老实说，假如这个世界中没有曹雪芹所描写的刘姥姥，没有吴敬梓所描写的严贡生，没有莫里哀所描写的达尔杜弗和阿尔巴贡，生命更不值得留恋了。我感谢刘姥姥、严贡生一流人物，更甚于我感谢钱塘的潮和匡庐的瀑。

其次，人生的悲剧尤其能使我惊心动魄。许多人因为人生多悲剧而悲观厌世，我却以为人生有价值正因其有悲剧。我在几年前做的《无言之美》里曾说明这个道理，现在引一段来：

“我们所居的世界是最完美的，就因为它是最不完美的。这话表面看去，不通已极。但是实含有至理。假如世界是完美的，人类所过的生活——比好一点，是神仙的生活，比坏一点，就是猪的生活——便呆板单调已极，因为倘若件件事都尽美尽善了，自然没有希望发生，更没有努力奋斗的必要。人生最可乐的就是活动所生的感觉，就是奋斗成功而得的快慰。世界既完美，我们如何能尝创造成功的快慰？这个世界之所以美满，就在有缺陷，就在有希望的机会，有想像的田地。换句话说，世界有缺陷，可能性才大。”

这个道理李石岑先生在《一般》三卷三号所发表的《缺陷论》里也说得很透辟。悲剧也就是人生一种缺陷。它好比洪涛巨浪，令人在平凡中见出庄严，在黑暗中见出光彩。假如荊轲真正刺中秦始皇，林黛玉真正嫁了贾宝玉，也不过闹个平凡收场，哪得叫千载以后的人唏嘘赞叹？以李太白那样天才，偏要和江淹戏弄笔墨，做了一篇《反恨赋》，和《上韩荆州书》一样庸俗无味。毛声山评《琵琶记》，说他有意要做“补天石”传奇十种，把古今几件悲剧都改个快活收场，他没有实行，总算是一件幸事。人生本来要有悲剧才能算人生，你偏想把它一笔勾销，不说你勾销不去，就是勾销去了，人生反更索然寡趣。所以我无论站在前台或站在后台时，对于失败，对于罪孽，对于殃咎，都是一副冷眼看待，都是用一个热心惊赞。

朋友,我感谢你费去宝贵的时光读我的这十二封信,如果你不厌倦,将来我也许常常和你通信闲谈,现在让我暂时告别吧!

你的朋友　孟实

附录一

无言之美

孔子有一天突然很高兴地对他的学生说:“予欲无言。”子贡就接着问他:“子如不言,则小子何述焉?”孔子说:“天何言哉?四时行焉,百物生焉。天何言哉?”

这段赞美无言的话,本来从教育方面着想。但是要明了无言的意蕴,宜从美术观点去研究。

言所以达意,然而意决不是完全可以言达的。因为言是固定的,有迹象的;意是瞬息万变,飘渺无踪的。言是散碎的,意是混整的。言是有限的,意是无限的。以言达意,好像用继续的虚线画实物。只能得其近似。

所谓文学,就是以言达意的一种美术。在文学作品中,语言之先的意象,和情绪意旨所附丽的语言,都要尽美尽善,才能引起美感。

尽美尽善的条件很多。但是第一要不违背美术的基本原理,要“和自然逼真”(true to nature):这句话讲得通俗一点,就是说美术作品不能说谎。不说谎包含有两种意义：一、我们所说的话，就恰似我们所想说的话。二、我们所想说的话，我们都吐肚子说出来了，毫无余蕴。

意既不可以完全达之以言，“和自然逼真”一个条件在文学上不是做不到么？或者我们问得再直接一点，假使语言文字能够完全传达情意，假使笔之于书的和存之于心的铢两悉称，丝毫不爽，这是不是文学上所应希求的一件事？

这个问题是了解文学及其他美术所必须回答的。现在我们姑且答道：文字语言固然不能全部传达情绪意旨，假使能够，也并非文学所应希求的。一切美术作品也都是这样，尽量表现，非唯不能，而也不必。

先从事实下手研究。譬如有一个荒村或任何物体，摄影家把它照一幅相，美术家把它画一幅画。这种相片和图画可以从两个观点去比较：第一，相片或图画，哪一个较“和自然逼真”？不消说的，在同一视阈以内的东西，相片都可以包罗尽致，并且体积比例和实物都两两相称，不会有丝毫错误；图画就不然，美术家对一种境遇，未表现之先，先加一番选择。选择定的材料还须经过一番理想化，把美术家的人格参加进去，然后表现出来。所表现的只是实物一部分，就连这一部分也不必和实物完全一致。所以图画决不能如相片一样“和自然逼真”。第二，我们再问，相片和图画所引起的美感哪一个浓厚，所发生的印象哪一个深刻，这也不消说，稍有美术口胃的人都觉得图画比相片美得多。

文学作品也是同样。譬如《论语》,“子在川上曰:‘逝者如斯夫,不舍昼夜!’”几句话决没完全描写出孔子说这番话时候的心境,而“如斯夫”三字更笼统,没有把当时的流水形容尽致。如果说详细一点,孔子也许这样说:“河水滚滚地流去,日夜都是这样,没有一刻停止。世界上一切事物不都像这流水时常变化不尽么?过去的事物不就永远过去决不回头么?我看见这流水心中好不惨伤呀!……”但是纵使这样说去,还没有尽意。而比较起来,“逝者如斯夫,不舍昼夜!”九个字比这段长而臭的演义就值得玩味多了!在上等文学作品中——尤其在诗词中——这种言不尽意的例子处处都可以看见。譬如陶渊明的《时运》,“有风自南,翼彼新苗”;《读〈山海经〉》,“微雨从东来,好风与之俱”,本来没有表现出诗人的情绪,然而玩味起来,自觉有一种闲情逸致,令人心旷神怡。钱起的《省试湘灵鼓瑟》末二句,“曲终人不见,江上数峰青”,也没有说出诗人的心绪,然而一种凄凉惜别的神情自然流露于言语之外。此外像陈子昂的《幽州台怀古》:“前不见古人,后不见来者,念天地之幽幽,独怆然而泪下!”李白的《怨情》:“美人卷珠帘,深坐颦蛾眉。但见泪痕湿,不知心恨谁。”虽然说明了诗人的情感,而所说出来的多么简单,所含蓄的多么深远?再就写景说,无论何种境遇,要描写得惟妙惟肖,都要费许多笔墨。但是大手笔只选择两三件事轻描淡写一下,完全境遇便呈露眼前,栩栩欲生。

譬如陶渊明的《归园田居》:“方宅十余亩,草屋八九间。榆柳阴后檐,桃李罗堂前。暧暧远人村,依依墟里烟。狗吠深巷中,鸡鸣桑树巅。”四十字把乡村风景描写多么真切!再如杜工部的《后出塞》:“落日照大地,马鸣风萧萧。平沙列万幕,部伍各见招。中天悬明月,令严夜寂寥。悲笳数声动,壮士惨不骄。”寥寥几句话,把月夜沙场状况写得多么有声有色,然而仔细观察起来,乡村景物还有多少为陶渊明所未提及,战地情况还有多少为杜工部所未提及。从此可知文学上我们并不以尽量表现为难能可贵。

在音乐里面,我们也有这种感想,凡是唱歌奏乐,音调由洪壮急促而变到低微以至于无声的时候,我们精神上就有一种沉默肃穆和平愉快的景象。白香山在《琵琶行》里形容琵琶声音暂时停顿的情况说:“水泉冷涩弦凝绝,凝绝不通声暂歇。别有幽愁暗恨生,此时无声胜有声。”这就是形容音乐上无言之美的滋味。著名英国诗人济慈(Keats)在《希腊花瓶歌》也说,“听得见的声调固然幽美,听不见的声调尤其幽美”(Heard melodies are sweet; but those unheard are sweeter),也是说同样道理。大概喜欢音乐的人都尝过此中滋味。

就戏剧说,无言之美更容易看出。许多作品往往在热闹场中动作快到极重要的一点时,忽然万籁俱寂,现出一种沉默神秘的景象。梅特林克(Maeterlinck)的作品就是好例。譬如《青鸟》的布景,择夜阑人静的时候,使重要角色睡得很长久,就是利用无言之美的道理。梅氏并且说:“口开则灵魂之门闭,口闭则灵魂之门开。”赞无言之美的话不能比此更透辟了。莎士比亚的名著《哈姆雷特》一剧开幕便描写更夫守夜的状况,德林瓦特(Drinkwater)在其《林肯》中描写林肯在南北战争军事傍午的时候跪着默祷,王尔德(O. Wilde)的《温德梅尔夫人的扇子》里面描写温德梅尔夫人私奔在她的情人寓所等候的状况,都在兴酣局紧,心悬悬渴望结局时,放出沉默神秘的色彩,都足以证明无言之美的。近代又有一种哑剧和静的布景,或只有动作而无言语,或连动作也没有,就将靠无言之美引人入胜了。

雕刻塑像本来是无言的,也可以拿来说明无言之美。所谓无言,不一定指不说话,是注重在含蓄不露。雕刻以静体传神,有些是流露的,有些是含蓄的。这种分别在眼睛上尤其容易看见。中国有一句谚语说,“金刚怒目,不如菩萨低眉”,所谓怒目,便是流露;所谓低眉,便是含蓄。凡看低头闭目的神像,所生的印象往往特别深刻。最有趣的就是西洋爱神的雕刻,她们男女都是瞎了眼睛。这固然根据希腊的神话,然而实在含有美术的道理,因为爱情通常都在眉目间流露,而流露爱情的眉目是最难比拟的。所以索性雕成盲目,可以耐人寻思。当初雕刻家原不必有意为此,但这些也许是人类不用意识而自然碰的巧。

要说明雕刻上流露和含蓄的分别,希腊著名雕刻《拉奥孔》(Laocoon)是最好的例子。相传拉奥孔犯了大罪,天神用了一种极惨酷的刑法来惩罚他，遣了一条恶蛇把他和他的两个儿子在一块绞死了。在这种极刑之下，未死之前当然有一种悲伤惨感目不忍睹的一顷刻，而希腊雕刻家并不擒住这一顷刻来表现，他只把将达苦痛极点前一顷刻的神情雕刻出来，所以他所表现的悲哀是含蓄不露的。倘若是流露的，一定带了挣扎呼号的样子。这个雕刻，一眼看去，只觉得他们父子三人都有一种难言之恫；仔细看去，便可发现条条筋肉根根毛孔都暗示一种极苦痛的神情。德国莱辛(Lessing)的名著《拉奥孔》就根据这个雕刻，讨论美术上含蓄的道理。

以上是从各种艺术中信手拈来的几个实例。把这些个别的实例归纳在一起，我们可以得一个公例，就是：拿美术来表现思想和情感，与其尽量流露，不如稍有含蓄；与其吐肚子把一切都说出来，不如留一大部分让欣赏者自己去领会。因为在欣赏者的头脑里所生的印象和美感，有含蓄比较尽量流露的还要更加深刻。换句话说，说出来的越少，留着不说的越多，所引起的美感就越大越深越真切。

这个公例不过是许多事实的总结束。现在我们要进一步求出解释这个公例的理由。我们要问何以说得越少，引起的美感反而越深刻？何以无言之美有如许势力？

想答复这个问题，先要明白美术的使命。人类何以有美术的要求？这个问题本非一言可尽。现在我们姑且说，美术是帮助我们超现实而求安慰于理想境界的。人类的意志可向两方面发展:一是现实界,一是理想界。不过现实界有时受我们的意志支配,有时不受我们的意志支配。譬如我们想造一所房屋,这是一种意志。要达到这个意志,必费许多力气去征服现实,要开荒辟地,要造砖瓦,要架梁柱,要赚钱去请泥水匠。这些事都是人力可以办到的,都是可以用意志支配的。但是现实界凡物皆向地心下坠一条定律,就不可以用意志征服。所以意志在现实界活动,处处遇障碍,处处受限制,不能圆满地达到目的,实际上我们的意志十之八九都要受现实限制,不能自由发展。譬如谁不想有美满的家庭?谁不想住在极乐国?然而在现实界决没有所谓极乐美满的东西存在。因此我们的意志就不能不和现实发生冲突。

一般人遇到意志和现实发生冲突的时候,大半让现实征服了意志,走到悲观烦闷的路上去,以为件件事都不如人意,人生还有什么意味?所以堕落,自杀,逃空门种种的消极的解决法就乘虚而入了,不过这种消极的人生观不是解决意志和现实冲突最好的方法。因为我们人类生来不是懦弱者,而这种消极的人生观甘心让现实把意志征服了,是一种极懦弱的表示。

然则此外还有较好的解决法么?有的,就是我所谓超现实。我们处世有两种态度,人力所能做到的时候,我们竭力征服现实。人力莫可奈何的时候,我们就要暂时超脱现实,储蓄精力待将来再向他方面征服现实。超脱到哪里去呢?超脱到理想界去。现实界处处有障碍有限制,理想界是天空任鸟飞,极空阔极自由的。现实界不可以造空中楼阁,理想界是可以造空中楼阁的。现实界没有尽美尽善,理想界是有尽美尽善的。

姑取实例来说明。我们走到小城市里去,看见街道窄狭污浊,处处都是阴沟厕所,当然感觉不快,而意志立时就要表示态度。如果意志要征服这种现实哩,我们就要把这种街道房屋一律拆毁,另造宽大的马路和清洁的房屋。但是谈何容易?物质上发生种种障碍,这一层就不一定可以做到。意志在此时如何对付呢?他说:我要超脱现实,去在理想界造成理想的街道房屋来,把它表现在图画上,表现在雕刻上,表现在诗文上。于是结果有所谓美术作品。美术家成了一件作品,自己觉得有创造的大力,当然快乐已极。旁人看见这种作品,觉得它真美丽,于是也愉快起来了,这就是所谓美感。

因此美术家的生活就是超现实的生活,美术作品就是帮助我们超脱现实到理想界去求安慰的。换句话说,我们有美术的要求,就因为现实界待遇我们太刻薄,不肯让我们的意志推行无碍,于是我们的意志就跑到理想界去求慰情的路径。美术作品之所以美,就美在它能够给我们很好的理想境界。所以我们可以说,美术作品的价值高低就看它超现实的程度大小,就看它所创造的理想世界是阔大还是窄狭。

但是美术又不是完全可以和现实界绝缘的。它所用的工具——例如雕刻用的石头,图画用的颜色,诗文用的语言——都是在现实界取来的。它所用的材料——例如人物情状悲欢离合——也是现实界的产物。所以美术可以说是以毒攻毒，利用现实的帮助以超脱现实的苦恼。上面我们说过，美术作品的价值高低要看它超脱现实的程度如何。这句话应稍加改正，我们应该说，美术作品的价值高低，就看它能否借极少量的现实界的帮助，创造极大量的理想世界出来。

在实际上说，美术作品借现实界的帮助愈少，所创造的理想世界也因而愈大。再拿相片和图画来说明。何以相片所引起的美感不如图画呢？因为相片上一形一影，件件都是真实的，而且应有尽有，发泄无遗。我们看相片，种种形影好像钉子把我们的想像力都钉死了。看到相片，好像看到二五，就只能想到一十，不能想到其他数目。换句话说，相片把事物看得忒真，没有给我们以想像余地。所以相片，只能抄写现实界，不能创造理想界。图画就不然。图画家用美术眼光，加一番选择的功夫，在一个完全境遇中选择了一小部事物，把它们又经过一番理想化，然后才表现出来。唯其留着一大部分不表现，欣赏者的想像力才有用武之地。想像作用的结果就是一个理想世界。所以图画所表现的现实世界虽极小而创造的理想世界则极大。孔子谈教育说："举一隅不以三隅反，则不复也。"相片是把四隅通举出来了，不要你劳力去"复"。图画就只举一隅，叫欣赏者加一番想像，然后"以三隅反"。

流行语中有一句说："言有尽而意无穷。"无穷之意达之以有尽之言，所以有许多意，尽在不言中。文学之所以美，不仅在有尽之言，而尤在无穷之意。推广地说，美术作品之所以美，不是只美在已表现的一部分，尤其是美在未表现而含蓄无穷的一大部分，这就是本文所谓无言之美。

因此美术要和自然逼真一个信条应该这样解释：和自然逼真是要窥出自然的精髓所在，而表现出来；不是说要把自然当作一篇印版文字，很机械地抄写下来。

这里有一个问题会发生。假使我们欣赏美术作品，要注重在未表现而含蓄着的一部分，要超“言”而求“言外意”，各个人有各个人的见解，所得的言外意不是难免殊异么？当然，美术作品之所以美，就美在有弹性，能拉得长，能缩得短。有弹性所以不呆板。同一美术作品，你去玩味有你的趣味，我去玩味有我的趣味。譬如莎氏乐府所以在艺术上占极高位置，就因为各种阶级的人在不同的环境中都欢喜读他。有弹性所以不陈腐。同一美术作品，今天玩味有今天的趣味，明天玩味有明天的趣味。凡是经不得时代淘汰的作品都不是上乘。上乘文学作品，百读都令人不厌的。

就文学说，诗词比散文的弹性大，换句话说，诗词比散文所含的无言之美更丰富。散文是尽量流露的，愈发挥尽致，愈见其妙。诗词是要含蓄暗示，若即若离，才能引人入胜。现在一般研究文学的人都偏重散文——尤其是小说。对于诗词很疏忽。这件事实可以证明一般人文学欣赏力很薄弱。现在如果要提高文学，必先提高文学欣赏力，要提高文学欣赏力，必先在诗词方面特下功夫，把鉴赏无言之美的能力养得很敏捷。因此我很望文学创作者在诗词方面多努力，而学校国文课程中诗歌应该占一个重要的位置。

本文论无言之美，只就美术一方面着眼。其实这个道理在伦理哲学教育宗教及实际生活各方面，都不难发现。老子《道德经》开卷便说："道可道，非常道；名可名，非常名。"这就是说伦理哲学中有无言之美。儒家谈教育，大半主张潜移默化，所以拿时雨春风做比喻。佛教及其他宗教之能深入人心，也是借沉默神秘的势力。幼稚园创造者蒙台梭利利用无言之美的办法尤其有趣。在她的幼稚园里，教师每天趁儿童玩得很热闹的时候，猛然地在粉板上写一个"静"字，或奏一声琴。全体儿童于是都跑到自己的座位去，闭着眼睛蒙着头伏案假睡的姿势，但是他们不可睡着。几分钟后，教师又用很轻微的声音，从颇远的地方呼唤各个儿童的名字。听见名字的就要立刻醒起来。这就是使儿童可以在沉默中领略无言之美。

就实际生活方面说，世间最深切的莫如男女爱情。爱情摆在肚子里面比摆在口头上来得恳切。"齐心同所愿，含意俱未伸"和"更无言语空相觑"，比较"细语温存"、"怜我怜卿"的滋味还要更加甜蜜。英国诗人布莱克（Blake）有一首诗叫做《爱情之秘》（*Love's Secret*）里面说：

（一）切莫告诉你的爱情，

爱情是永远不可以告诉的。
因为她像微风一样，
不做声不做气地吹着。

（二）我曾经把我的爱情告诉而又告诉，
我把一切都披肝沥胆地告诉爱人了，
打着寒颤，耸头发地告诉，
然而她终于离我去了！

（三）她离我去了，
不多时一个过客来了。
不做声不做气地，只微叹一声，
便把她带去了。

这首短诗描写爱情上无言之美的势力，可谓透辟已极了。本来爱情完全是一种心灵的感应，其深刻处是老子所谓不可道不可名的。所以许多诗人以为"爱情"两个字本身就太滥太寻常太乏味，不能拿来写照男女间神圣深挚的情绪。

其实何只爱情？世间有许多奥妙，人心有许多灵悟，都非言语可以传达，一经言语道破，反如甘蔗渣滓，索然无味。这个道理还可以推到宇宙人生诸问题方面去。我们所居的世界是最完美的，就因为它是最不完美的。这话表面看去，不通已极。但是实在含有至理。假如世界是完美的，人类所过的生活——比好一点，是神仙的生活，比坏一点，就是猪的生活——便呆板单调已极，因为倘若件件都尽美尽善了，自然没有希望发生，更没有努力奋斗的必要。人生最可乐的就是活动所生的感觉，就是奋斗成功而得的快慰。世界既完美，我们如何能尝创造成功的快慰？这个世界之所以美满，就在有缺陷，就在有希望的机会，有想像的田地。换句话说，世界有缺陷，可能性（potentiality）才大。这种可能而未能的状况就是无言之美。世间有许多奥妙，要留着不说出；世间有许多理想，也应该留着不实现。因为实现以后，跟着"我知道了！"的快慰便是"原来不过如是！"的失望。

天上的云霞有多么美丽！涛虫鸟的声息有多么和谐！用颜色来摹绘，用金石丝竹来比拟，任何美术家也是作践天籁，糟蹋自然！无言之美何限？让我这种拙手来写照，已是糟粕枯骸！这种罪过我要完全承认的。倘若有人骂我胡言乱道，我也只好引陶渊明的诗回答他说："此中有真味，欲辨已忘言！"

1924 年仲冬于上虞白马湖

附录二

悼夏孟刚

此稿曾载立达学园校刊，因为可以代表我对于自杀的意见，所以特载于此。

今晨接得慕陶和澄弟的信，但道夏孟刚已于四月十二日服氰化钾自杀了。近来常有人世凄凉之感，听了孟刚的噩耗，烦忧隐恸，益觉不能自禁。

我在吴淞中国公学时，孟刚在我所教的学生中品学最好，而我属望于他也最殷，他平时沉静寡言语，但偶有议论，语语都来自衷曲，而见解也非一般青年所能及。那时他很喜欢读托尔斯泰，他的思想，带有很深的托氏人生观的印痕。我有一个时期，也受过托尔斯泰的熏沐。我自惭根性浅薄，有些地方不能如孟刚之彻底深入，可是我们的心灵究竟有许多类似，所以一接触后，能交感共鸣。

中国公学阻于兵争以后，孟刚入浦东中学，我转徙苏浙，彼此还数相见。在这个时候,他介绍我认识了他的哥哥。他的父亲曾经在我的母校桐城中学当过教师。因此我们情感上更加一层温慰。江湾立达学园成立后,孟刚遂舍浦东来学江湾。我因亟于去国,正想寻机会同他作一次深谈,他突然间得了父病的消息,就匆匆别我返松江叶榭去了。

今年一月中,他来一封信,里面有这一段话:

> 您启程赴英的时候,我在家中不能听到"我去了"三字,至以为憾。我近来觉人生太无意味;我觉得世界上很少真正的同情者,——除去母性的外,也许绝无,——我觉得我是不可再活在世上和人类接触了;而尤其使我悲伤的就是我本来可以向他发发牢骚的哥哥已于暑假中死于北京,继而我的父亲也病没了。也许我过去的生活太偏于情感,——或太偏于理智。或者我的天性如此。我知道我请您教我,是无效果的,但是我又觉着不可不领领您的教。

我读过这封信为之惘然许久。我很疑虑我所属望最殷的孟刚或者于悲恸父兄之丧外,又不幸别触尘网。青年人大半都免不掉烦闷时期。但是我相信孟刚终当自能解脱。寄了一部歌德的《麦斯特游学记》给他读,希望他在这本书中能发现他所未曾见到的人生又一面。孟刚具有很强烈的感受伟大心灵之暗示的能力，我很希望他能私淑歌德抛开轻生的念头，替人类多造些光。哪里知道孟刚在写信给我的时候，就有自杀的决心，而那封信竟成绝笔！

孟刚自杀的近因，我不甚明了。但是就他的性格和遭际说，这次举动也不难解释。他不属于任何宗教，而宗教的情感则甚强烈。他对于世人的罪恶，感觉过于锐敏。托尔斯泰的影响本应该可以使他明了赦宥的美；可是他的性情耿介孤洁，不屑与世浮沉，只能得托氏之深的方面，未能得托氏之广的方面，其结果乃走于极端而生反动。孟刚固深于情者，慈爱的父兄既先后弃世，而友朋中能了解他心的深处者又甚寥寥。于此寥阔冷清的世界中，孟刚乃不幸又受命运之神最后的揶揄，而绝望于理想的爱。这些情境相凑合，孟刚遂恝然抛开垂暮的慈母而自杀了。

我不愿像柏拉图、叔本华一般人以伦理眼光抨击自杀。生的自由倘若受环境剥夺了，死的自由谁也不能否认的。人们在罪恶苦痛里过活，有许多只是苟且偷生，腼然不知耻。自杀是伟大意志之消极的表现。假如世界没有中国的屈原、希腊的塞诺（Zeno），罗马的塞内加（Seneca）一类人的精神，其卑污顽劣，恐更不堪言状了。

人生是最繁复而诡秘的，悲字乐字都不足以概其全。愚者拙者混混沌沌地过去，反倒觉庸庸多厚福。具有湛思慧解的人总不免苦多乐少。悲观之极，总不出乎绝世绝我两路。自杀是绝世而兼绝我。但是自杀以外，绝非别无他路可走，最普通的是绝世而不绝我，这条路有两分支。一种人明知人世悲患多端而生命终归于尽，乃力图生前欢乐，以诙谐的眼光看游戏似的世事，这是以玩世为绝世的。此外也有些人既失望于人世欢乐之无常，而生老病死，头头是苦，于是遁入空门，为未来修行，这是以逃世为绝世的。苏曼殊的行迹大半还在一般人的记忆中。他是想逃世而终于止做到玩世的。玩世者与逃世者都只能绝世而不能绝我。不能绝世，便不能无赖于人。牵绊既未断尽，而人世忧患乃有时终不能不随之俱来。所以玩世与逃世，就人说，为不道德；就己说，为不彻底。衡量起来，还是自杀为直截了当。

自杀比较绝世而不绝我，固为彻底，然而较之绝我而不绝世，则又微有欠缺。什么叫做“绝我而不绝世”？就是流行语中所谓“舍己为群”，不过这四字用滥了，因而埋没了真义。所谓“绝我”，其精神类自杀，把涉及我的一切忧苦欢乐的观念一刀斩断。所谓“不绝世”，其目的在改造，在革命，在把现在的世界换过面孔，使罪恶苦痛，无自而生。这世界是污浊极了，苦痛我也够受了。我自己姑且不算吧，但是我自己堕入苦海了。我决不忍眼睁睁地看别人也跟我下水。我决计要努力把这个环境弄得完美些，使后我而来的人们免得再尝受我现在所尝受的苦痛，我自己不幸而为奴隶，我所以不惜粉身碎骨，努力打破这个奴隶制度，为他人争自由，这就是绝我而不绝世的态度。持这个态度最显明的要算释迦牟尼，他一身都是“以出世的精神，做入世的事业”。佛教到了末流，只能绝世而不能绝我，与释迦所走的路恰相背驰，这是释迦始料不及的。古今许多哲人，宗教家，革命家，如墨子，如耶稣，如甘地，都是从绝我出发到淑世的路上的。

假如孟刚也努力“以出世的精神，做入世的事业”，他应该能打破几重使他苦痛而将来又要使他人苦痛的孽障。

但是，孟刚死了，幽明永隔，这番话又向谁告诉呢！

1926年5月18日夜半于爱丁堡

代跋

"再说一句话"

薰宇兄来信说他们有意把十二封信印成单行本，我把原稿复看一遍，想起冠在目录前页的布朗宁写完五十个《男与女》时在《再说一句话》中所说的那一个名句。

拿这本小册子和《男与女》并提，还不如拿蚂蚁所负的一粒谷与骆驼所负的千斤重载并提。但是一粒谷虽比千斤重载差得远，而蚂蚁负一粒谷却也和骆驼负千斤重载，同样卖力气。所以就蚂蚁的能力说，他所负的一粒谷其价值也无殊于骆驼所负的千斤重载。假如这个比拟可以作野人献曝的借口，让我渎袭布朗宁的名句，将这本小册子奉献给你吧。

"我的心寄托在什么地方，让我的脑也就寄托在那里。"这句话对于我还另有一个意义。我们原始的祖宗们都以为思想是要用心的。"心之官则思"，所以"思"和"想"都从"心"。西方人从前也是这样想，所以他们尝说："我的心告诉我如此如此。"据说近来心理学发达，人们思想不用心而用脑了。心只是管血液循环的。据威廉·詹姆斯派心理学家说，感情就是血液循环的和内脏移迁的结果。那么，心与其说是运思的不如说是生情的。科学家之说如此。

从前有一位授我《说文解字》的姚明晖老夫子要沟通中西，说思想要用脑，中国人早就知道了。据他说，思想的“思”字上部分的篆文并不是“田”字，实在是像脑形的。他还用了许多考据，可惜我这不成器的学生早把它丢在九霄云外了。国学家之说如此。

说来也很奇怪。我写这几篇小文字时，用心理学家所谓内省方法，考究思想到底是用心还是用脑，发现思想这件东西与其说是由脑里来的，还不如说是由心里来的，较为精当（至少在我是如此）。我所要说的话，都是由体验我自己的生活，先感到（feel）而后想到（think）的。换句话说，我的理都是由我的情产生出来的，我的思想是从心出发而后再经过脑加以整理的。

这番闲话用意不在夸奖我自己“用心”思想，也不在推翻科学家思想用脑之说，尤其不在和杜亚泉先生辩“情与理”。我承认人生有若干喜剧才行，所以把这种痴人的梦想随便说出博诸君一粲。

美學拾穗集

朱光潜 著

漓江出版社

图书在版编目(CIP)数据

美学拾穗集/朱光潜 著.—桂林:漓江出版社,2012.4(2018.5 重印)
ISBN 978-7-5407-5301-6

Ⅰ.①美… Ⅱ.①朱… Ⅲ.①美学-文集 Ⅳ.①B83-53

中国版本图书馆 CIP 数据核字(2011)第 168027 号

责任编辑:阎海文
封面设计:李　佳

出版人:刘迪才
漓江出版社出版发行
广西桂林市南环路 22 号　邮政编码:541002
网址:http://www.lijiangbook.com
全国新华书店经销
销售热线:0773-2583322

山东德州新华印务有限责任公司印刷
(山东省德州市经济开发区晶华大道 2306 号　邮政编码:253000)
开本:650mm×960mm　1/16
印张:13　字数:120 千字
2012 年 4 月第 2 版　2018 年 5 月第 2 次印刷
定价:30.80 元

目 录

缘起

百花文艺出版社的一位编辑来访，约我把八十岁以后有关美学的论文或札记选些出来，出一本选集。我欣然接受了他的建议，选了十一篇，题之为《美学拾穗集》。《拾穗者》原是近代法国画家米勒的一幅名画，画的是三位乡下妇人在夕阳微霭中弯着腰在田里拾收割后落下来的麦穗。我在青年时期在法国卢浮宫看过这幅画，时过半个世纪，对它还保存着新鲜愉快的印象。现在想起自己的晚年美学研究，和那三位拾穗的乡下妇人颇可攀上同调。这中间也有一番甘苦，美学界同调者当能体会到我现在的这种心情。

文章只有十一篇，大体上反映了我晚年的美学工作。黑格尔的《美学》三卷终于译完了，我转过头来仔细校读马恩的有关文艺论著，有关的几部札记表达出我的一个热烈愿望：在四个坚持的大原则之下，党的领导当趁早认真校改马恩经典著作的译文，在这个基础上选出一个有关文艺理论的选本。近几年我还在继承五十年代美学辩论的传统，不怕争鸣和交锋。两篇批驳《反形象思维论》就是这样产生的。这次辩论显示出美学界的一些新生力量，也暴露出一些缺乏近代科学常识和拘守僵化教条的弱点。

就我现在这样年老昏聩的情况来看，今后“拾穗”的工作似宜限于继续翻译美学资料。目前已开始译维柯的《新科学》，预计明年完成。在此期间决力戒写应酬文，“争鸣”的任务只好偏劳年富力强的一辈人了。

1980 年夏　北京大学

我是怎样学起美学来的

我的第一部美学著作是1936年出版的《文艺心理学》。《谈美》的信是概括这部处女作的通俗叙述。接着我就写了一部《诗论》，对过去用功较多的诗这门艺术进行了一些探讨。这三部书都是我在英、法两国当大学生时代写出初稿的。我还用英文写过一本博士论文，叫做《悲剧心理学》，由斯特拉斯堡大学出版社出版。

在《文艺心理学》的"作者自白"里我已简略地回答过《书林》编辑部向我提出的这个问题，现在先把有关的一段话抄下来，然后稍作补充：

> 从前我决没有梦想到我有一天会走到美学的路上去。我前后在几个大学里做过十四年的学生，学过许多不相干的功课，解剖过鲨鱼，制过染色切片，读过建筑史，学过符号名学，用过熏烟鼓和电气反应机测验过心理反应，可是我从来没有上过一次美学课。我原来的兴趣中心第一是文学，其次是心理学，第三是哲

学。因为欢喜文学，就被逼到研究批评的标准，艺术与人生，艺术与自然，内容与形式，语文与思想等问题。因为欢喜心理学，我就被逼到研究想象与情感的关系，创造和欣赏的心理活动以及文艺趣味上的个别差异。因为欢喜哲学，我就被逼到研究康德、黑格尔和克罗齐诸人讨论美学的著作。这样一来，美学便成为我欢喜的几门学问的联络线索了。我现在相信：研究文学、艺术、心理学的人们如果忽略了美学，那是一个很大的欠缺。

事隔半个世纪，现在来检查过去写的这段“自白”，它还是符合事实的。不过要作两点补充。当时我也很喜欢历史，为着要了解希腊文学和艺术，我在爱丁堡大学曾正式选修了欧洲古代史，可是我考了两次都没有及格，为着遮羞，写“自白”时没有敢提到它。现在回想起来，这门不及格的欧洲古代史对我向往美学毕竟起了不小的作用。当时我还是一个穷学生，但是省吃俭用，还一个人跑到意大利罗马地下墓道里考察过哥特大教寺和壁画的起源，参观过梵蒂冈所藏的一些著名雕刻和文艺复兴时代散在意大利各城市的建筑、绘画和雕刻，体会到“耳闻不如目见”这句话的意义。

另一点须补充的是“自白”最后一句后面还应加上这么一句：“研究美学的人们如果忽略文学、艺术、心理学、哲学（和历史），那就会是一个更大的欠缺。”这一点是我从参加国内美学讨论到现在所看到的美学落后状态中体会出来的。关起门来学美学，不知“天有多高，地有多厚”，那是有害于己而无益于人的。

上文我提到“当时我还是一个穷学生”，这对于我学起美学来也颇有影响。我在学生时代还编写过一部《变态心理学》、一部《变态心理学派别》（都出版过）和一部《符号辑辑》（稿交商务印书馆，在日本侵略上海时遭火灾焚毁了）。为什么一方面读书，一方面又写出那么多书呢？这就是因为我穷，不得不“自力更生”，争取稿费来吃饭过活。在这样“骑两头马”的生活中我也吸取了一点有益的教训，就是做学问光读不写不行。写就要读得更认真一点，要把所读的在自己头脑里整理一番，思索一番，就会懂得较透些，使作者的思想经过消化，变成自己的精神营养。根据这点教训，我指导研究生，总是要求他们边读边写。他们也因此取得了较好的成绩。不过要补充一句，光写而不读也不行。

《书林》出给我做的题目是“怎样研究起美学来的”，显然是问我怎样开始学美学的。这个“开始”我已交代清楚了，不过我觉得这还未免“有头无尾”。从前人说得好：“学无止境”，“活到老，学到老”。老实说，我一直在学美学，一直在开始新的阶段。解放后我有幸参加了几年之久的国内美学界的批判和讨论。我至少是批判对象之一。我是认真对待这次批判的，有来必往，无批不辩。从此我开始挪动了我原来的唯心主义立场。当时是我的论敌而现在是我的好友的一位同志，看到我在答辩中表示决心要学马列主义，便公开宣布“朱某某不配学马列主义！”这就激发了我的自尊心，暗地里答复了他：“我就学给你看看！”于是我又开始了我的新的美学行程。这三十年来我学的主要是马列主义。译文读不懂的必对照德文、俄文、法文和英文的原文，并且对译文错误或欠妥处都作了笔记，提出了校改意见。去年我看到世界各国马克思主义的学者们都在热烈讨论马克思的《经济学—哲学手稿》，这是我在五十年代就已读过而没有读懂的。于是又把它翻出来再啃，并且把其中关键性的“异化劳动”和“私有制与共产主义”两章重译过。虽不敢说我读懂了，毕竟比原来懂得多一点。这部经典著作受黑格尔和费尔巴哈的影响都很深。我对费尔巴哈毫无研究，预备补了这一课再回头去啃，但愿老天爷分配给我足够的时间和精力！

美 学

什么是美学？就字面看，美学当然是研究美的一门学问。要解决的问题是：什么是美？对这个问题，历来各派有很大的分歧。基本的分歧在于自然美和艺术美以及这两种美之间的关系。有一派认为美是一种客观存在，美首先见于自然和现实生活，艺术美只是自然美的一种反映，自然美先于、也高于艺术美。另一派认为美不是一种客观存在，而是一种意识形态。美首先见于艺术。艺术美离不开人的创造活动，自然美也只是从艺术的眼光看出来的。艺术美高于自然美，不懂艺术美也就不能真正懂自然美。此外还有主观与客观统一的看法：美既离不开物（对象或客体），也离不开人（创造和欣赏的主体）。理由之一是，人这个主体须根据客观具体事物来作为创作和欣赏的对象，而这种对象也须体现人的本质和修养，主客两方缺一不可。理由之二是，美和真与善一样，都是一种价值。而无论是使用价值还是交换价值，都离不开特定社会中的一定的人。

这个基本问题还涉及美与美感的关系，艺术作为意识形态与经济基础的关系，以及文艺实践与文艺理论的批判继承和国际交流的一系列的问题。美学和其他科学一样,都不能离开历史发展而单就某一横断面作出全面结论,所以美学的研究离不开美学史的研究。美学领域中有些问题是在历史发展中逐渐获得解决的,有些至今还难说已获得了圆满解决,还有待于人类继续不断的探讨。

在西方,自从德国哲学家鲍姆嘉通在1750年发表他的《埃斯特惕克》(*Aesthetik*)即《美学》之日起,美学才成为一门独立科学。鲍姆嘉通把美学看作是和逻辑学对立的。美学研究的是感性认识和形象思维,逻辑学研究的却是形成概念和进行推理的抽象思维。不过美学成为一门独立的科学虽不过两百多年,美学思想却与人类历史一样的古老。自从人类开始断发文身,披树叶遮羞,筑巢掘洞,敬神祭祖,乃至进行乐歌舞蹈之类文艺活动之日起,人类就已开始有了审美的观念和美学思想。一个文艺创作的鼎盛时代往往就有一个文艺理论鼎盛时代接踵而至。例如古希腊神话、雕刻,史诗和悲剧鼎盛之后,马上就有柏拉图的一系列的文艺《对话录》和亚理士多德的《诗学》和《修辞学》来总结已往的文艺实践的经验,为后来文艺创作和文艺理论的发展奠定了基础。这正符合从实践到认识而认识又转过来指导实践的辩证规律。所以要理解一个民族在一定时代的美学思想,就须对当时社会情况和文艺作品有些感性认识,决不应把文艺思想和当时社会实况与文艺实践割裂开来。美学虽然号称研究美的科学,但只研究美学而不研究社会背景和文艺创作的实况,就决不可能搞通美学,那就会成为不懂文艺作品的文艺理论家或空头美学家。

美学必须结合文艺作品来研究，所以它历来是文艺批评的附庸。西方有些著名的美学家，例如贺拉斯、布瓦洛、狄德罗、莱辛、泰纳和别林斯基等人，都同时是文艺批评家。随着人类文化的进展，文艺日益成为自觉的活动，最好的文艺批评家往往就是文艺创作者本人。绘画方面的达·芬奇和杜勒，雕塑方面的罗丹，音乐方面的瓦格纳，诗和戏剧方面的但丁和歌德，小说方面的巴尔扎克和福楼拜，都在谈话录、回忆录、书信集或专题论文里留下了珍贵的文艺见解和美学思想。其所以珍贵，是因为根据的是亲身实践经验。

此外，美学实际上是一种认识论，所以它历来是哲学或神学的附庸。西方著名的美学家，从柏拉图、亚理士多德一直到康德、黑格尔和克罗齐，都是从哲学出发的。中世纪有很长一段时期美学是附庸于神学的，代表人物是普洛丁和托马斯·阿奎那。美学在西方大学里往往设在哲学系，就是作为认识论的一部分看待的。美学的命名人鲍姆嘉通就是把美学和逻辑学看成哲学中的两个部门。近代哲学上一场重大的斗争是大陆的笛卡尔派理性主义与英国培根派经验主义之间的斗争。结果经验主义日益上升，因而产生了德国古典哲学的调和企图，特别是奠定了近代唯物主义历史发展观点的基础。没有这个重大转变，就不可能有近代美学。所以研究美学还必须研究美学史。

随着十七八世纪欧洲的产业革命，自然科学的发展蒸蒸日上，文艺和文艺理论就日益受到自然科学，特别是生理学、心理学和人类学的影响。这就产生了英国经验主义派的美学以及继起的德、美诸国实验美学、德国费尔巴哈的以“人类学原则”为基础的美学、法国孔德和泰纳的实证主义美学和自然主义派的小说理论、德国新黑格尔派费肖尔和立普斯的移情说以及谷鲁斯内模仿说和游戏说。接着就是变态心理学在美学领域里日益泛滥，在法国有耶勒和塞阿伊诸人的固定观念活动说，在奥国有弗洛伊德、阿德勒和荣格诸人的原始欲望的化装满足说。这些五花八门的受到自然科学影响的美学思想，看来有些支离破碎甚至离奇怪诞，但是现在仍甚嚣尘上。研究美学者对之也不能置之不顾，因为它们各有片面的道理，披沙或可拣金。

西方自从进入帝国主义时期，经济、政治和学术思想都日益进入危机。随着生产方式的改变，工人运动的蓬勃发展和受压迫民族的日益觉醒，马克思主义就应时而出，日益显示出它的强大威力。它不仅带来一次接着一次的社会主义革命，而且也使文化思想（包括文艺和美学）起了翻天覆地的变化。主要见于以下几点：

一、辩证唯物主义和历史唯物主义成了一切学术思想的指导原则。文艺和文艺理论（即美学）已经科学地证明为一种由经济基础决定，反过来又对经济基础和上层建筑起反作用的意识形态，而且随着历史发展在不断地向前发展。从此美学就由哲学、神学、文艺批评和自然科学的附庸一跃而为一门独立的社会科学，因此它的重要性也空前地提高了。

二、马克思主义对美学带来了一个最根本的转变，就是从单纯的认识观点转变到实践观点。已往的美学都大半从认识论出发，只满足于解释一些美学现象。马克思主义美学却首先从实践观点出发，证明了文艺活动是一种生产劳动，和物质生产劳动显出基本一致性。在这种生产劳动中，人发挥人所特有的“本质力量”来改造自然，而人在改造自然之中也就在改造和提高他自己，人与自然互相改造，互相提高，就推动着历史向前进展。

三、由于单从认识观点出发，已往的美学不是片面唯心就是片面唯物，彼此在这个分歧上争论不休，莫衷一是。马克思在《经济学—哲学手稿》里强调对立面的辩证统一，把片面唯心和片面唯物叫做“抽象唯心”和“抽象唯物”加以否定，证明了心与物都不可偏废。他的著名的共产主义的定义是“彻底的人道主义加上彻底的自然主义”，这个基本原则实质上就是主体（人）与对象（物），也就是心与物互相推进，不可偏废。这是美学上的一个重大发展，使许多问题都可迎刃而解。姑举美与美感的关系这个久经争论的问题来说明。马克思在第三手稿里举了各种感官为例来说明美与美感的关系，例如关于音乐的美，马克思说：

> ……正如只有音乐才能唤醒能欣赏音乐的感官，对于不懂音乐的耳朵，最美的音乐也没有意义，就不是它的对象。因为我的对象只能是我的某一种本质力量的证实。

这就是说，音乐的美既要有客观存在的音乐，也要有能欣赏音乐的耳朵。我能欣赏音乐的美，这就证实我有一种能欣赏音乐的本质力量。试想一想，照这样看，美是一种单纯的客观存在吗？美能离开美感而独立吗？想通了这个问题，过去的许多争论就显得很可笑了。

四、已往的近代美学用的大半是形而上学的机械论的看法，把有生命的人割裂为若干独立部分。这是牛顿对付力学的方法，也是康德对付美学的方法。康德把人的功能分析成知、情、意三个部分，然后追究审美活动属于哪一部分。他否定了美与意志、目的和快感的关系，把美只归到“知”中的对形式的感性欣赏。他发现到这种看法与事实不尽吻合，于是又在“崇高”、“依存美”等问题上得出了自相矛盾的结论。他对近代美学的影响很大，特别是他的形式主义、“为艺术而艺术”以及克罗齐的“艺术等于直觉”说，都是由康德的“美的分析”那一片面发展出来的。十九世纪后期生物学带来了与机械观相对立的有机观。在有机观指导之下看出文艺须“向整体人说话”的，首先是歌德。接着马克思在有机观的基础上发展出辩证唯物主义，在美学上也特别强调人的整体性。只要细读《经济学—哲学手稿》的第三稿，和《资本论》第一卷论“劳动”部分，乃至恩格斯的《从猿到人》，就可以看出马克思主义不但强调人与自然（我与物）的统一，而且也强调人本身全部身心两方面各种“本质力量”的统一，在“整体人”的概念上比歌德又前进了一大步。如果从这种人与自然以及人本身各种功能辩证的统一观点，来检查一下已往各派美学思想，就可以看出马克思主义对美学将会引起多么宏伟而深远的一场革命。

从以上的简单说明，可以看出两点：

一、“美学研究什么?”和“美是什么?”的问题,不可能有公式化或概念化的一成不变的结论。各时代和各流派各有不同的出发点和不同的结论。

二、处在历史发展的现阶段,研究美学,首先就要研究马克思主义。这并不是说马克思主义已对美学作出了最后的结论。这种看法本身就是违背辩证发展观点的。历史在前进,美学也就必然跟着历史不断地前进。

黑格尔的《美学》译后记

黑格尔的《美学》原是作者在十九世纪二十到三十年代在海德堡大学和柏林大学授课的讲义。他死后由他的门徒霍托根据他亲笔写的提纲和几个听课者的笔记编辑成书，于1835年出版。本译文根据1955年柏林出版的由巴森格重编的新版本。

本译文第一卷早已在1959年由人民文学出版社印行。后来译者忙于其他工作，接着在“四人帮”对知识分子实行法西斯专政时期，又搁了十年左右，直到1970年冬才动手续译。译完后把全书（包括已出版的第一卷）从头到尾校改了一遍。除德文版以外，译者参校了英译本（鲍申葵译的全书绪论部分，奥斯玛斯通译全书）、俄译本（斯托尔卜纳译第一第二两卷，巴波夫补译完全书）和法译本（姜克勒维希译）。原书分三卷，柏林新版合订成一厚册。本译文依英、俄、法三种译本分四卷，把原来第三卷分为上下两卷。

黑格尔的《美学》是难读的，主要原因在于这部著作是从作者的客观唯心主义哲学体系及其辩证法出发的。这套体系极端抽象和艰晦，而且有很多矛盾和漏洞。抽象艰晦的思想体系就必然表达于抽象艰晦的语言，黑格尔所用的并不是一般德国人所习用的语言。此外，原书既根据提纲和笔记编成，未经作者亲自校改，遗漏、重复和错误就在所难免。英、俄、法三种译文不但和原文都有些出入，而且在原文艰晦的地方，三种译文彼此悬殊也很大。所以看不懂原文时求救于这些译本，也不一定就能解决问题。译起来既有困难，读起来就不会很容易。

但是难懂并不等于不可懂。如果对黑格尔的哲学体系有一个大致正确的认识，多动点脑筋，《美学》这部著作还是可以读懂的。反过来说，对《美学》的钻研也有助于理解黑格尔的哲学体系，因为《美学》是用艺术发展的具体事例来阐明客观唯心主义及其辩证法的，比起黑格尔的《精神现象学》、《逻辑学》之类著作就较具体易懂。黑格尔在谈具体问题时也能写出简明流畅的文章，《美学》里有不少的章节可以证明这一点。恩格斯在1891年11月写信给康·斯米特说："为消遣计，我劝你读一读黑格尔的《美学》，如果你对这部书进行一点深入的研究，你就会感到惊讶。"细读《美学》，就可以体会到恩格斯的这句经验之谈，发现这部著作里足供消遣的东西不少，启发深思的东西更多。

对于深入学习马克思主义理论的人，《美学》这部书是值得细读的。在马克思主义以前，西方美学和文艺理论的书籍虽是汗牛充栋，真正有科学价值而影响深广的也只有两部书，一部是古希腊的亚理士多德的《诗学》，另一部就是十九世纪初期的黑格尔的《美学》。在哲学方面黑格尔总结了他以前两千多年的西方思想发展，在美学和文艺理论方面也是如此。马克思、恩格斯早期都属于青年黑格尔派，他们所创立的辩证唯物主义和历史唯物主义是在工人运动蓬勃发展的新形势之下批判继承黑格尔和他的门徒费尔巴哈等人的结果。这一点恩格斯在《费尔巴哈和德国古典哲学的终结》里说得最清楚。马克思、恩格斯在《德意志意识形态》、《神圣家族》、《反杜林论》、《费尔巴哈论纲》以及《费尔巴哈和德国古典哲学的终结》里，对黑格尔哲学体系进行了系统的彻底的批判。关于黑格尔哲学体系应该批判的是什么，这个问题可以说已经基本解决了。至于美学这个领域，马克思、恩格斯早期都极为关心，进行过一些工作，发表过一些卓越的见解。但是由于他们后来转到更重要更迫切的经济学研究和工人运动，虽没有完全抛弃美学和文艺理论，却没有来得及就黑格尔《美学》这部著作进行过系统的批判，或是把他们自己关于美学和文艺理论的一些极其重要的教导加以汇总和总结。后来普列汉诺夫、李夫希茨、卢卡契、多列斯和柯赫等人虽作过一些粗浅的尝试，其中不免有些修正主义色彩。① 所以对黑格尔《美学》的批判以及对马克思主义美学和文艺观点与黑格尔《美学》渊源关系的清理工作仍有待于今后的马克思主义者。希望这部《美学》的中译本可以提供一些

---

① 普列汉诺夫对《费尔巴哈和德国古典哲学的终结》作过注释。李夫希茨编过《马克思恩格斯论艺术与文学》，有中译本。多列斯编选过法文本《马克思恩格斯论文艺》，附有长篇序文。卢卡契写过长文评介黑格尔的《美学》，作为民主德国出的一卷本《美学》全书的序论。柯赫著有《马克思主义美学史》，五十年代柏林出版。

必要的资料。

译者在本书第一卷译文出版后，即着手编写《西方美学史》，其中第十五章专门介绍了黑格尔的美学基本观点，也试图进行一些粗浅的不完全正确的批判。这些年来一直在思考这方面的问题，日益认识到这项批判工作的迫切必要性和艰巨性。但自量思想水平和暮年精力，都不能把这项工作做好。在这篇译后记中，为一般读者方便起见，只能提供一些掌握黑格尔美学概要的线索。

一　客观唯心主义的“绝对”和历史辩证发展的矛盾

《美学》和黑格尔的其他著作一样，最突出的一点是历史发展观点，这也是马克思、恩格斯首先给以高度评价的一点。《反杜林论》里有一段评语说：

> 黑格尔第一次——这是他的巨大功绩——把整个自然的、历史的和精神的世界描写为一个过程，即把它描写为处在不断的运动、变化、转变和发展中，并企图揭示这种运动和发展的内在联系。

较晚的更为人所熟知的论断是在《费尔巴哈和德国古典哲学的终结》里：

> ……精神哲学又分成各个历史部门来研究，如历

史哲学、法哲学、宗教哲学、哲学史、美学等等，——在所有这些不同的历史领域中，黑格尔都力求找出并指出贯穿这些领域的发展线索，同时，因为他不仅是一个富于创造性的天才，而且是一个学识渊博的人物，所以他在每一个领域中都起了划时代的作用。

这里所说的“运动和发展的内在联系”和“贯串这些领域的发展线索”就是辩证法的线索。黑格尔辩证法的出发点是任何事物都含有本身的对立面或内在矛盾，就是这种内在矛盾在推动事物的发展。这个出发点是马克思、恩格斯所肯定的黑格尔辩证法的“合理内核”。用黑格尔的逻辑术语来说，事物本身和它所含的对立面是“正”与“反”的关系。由于正和反各有片面性，有片面性就不真实。正本身含着反，要为反所否定，反也有片面性，不能静止于反，又要为正所否定。否定不等于消灭，只是消除两对立面的片面性，使正与反统一于较高一级的肯定，这种“否定的否定”就是“合”，又叫做“对立面的统一”，这比原来各有片面性的正与反就较为真实，就有了发展。但是发展还不静止于此，这低一级的合又变为高一级的正，又有它的内在矛盾或对立面，又要经过否定和否定的否定，上升到更高一层的统一，这种由低级到高级的发展过程是理应不断地进行下去的。

这种辩证法主要有四个优点。第一，它否定了形而上学的静止观点和永恒不变观点，肯定了事物的不断发展。其次，它肯定了发展的推动力是事物本身的内在矛盾，亦即内因，明确地提出了有矛盾就有斗争，有斗争才有发展。第三，它肯定了“凡是现实的都是合理的，凡是合理的都是现实的”，这就是说，一切事物的产生、发展和消灭都有必然性和合理性，因为都是符合辩证规律的。这也就是肯定了凡是合理的就必然变成现实，不合理的现实也必然终归灭亡。第四，它肯定了世界历史发展不断地由低级向高级上升，永远是在向上前进的。这种乐观的看法实际上是达尔文的生物进化论以前的社会进化论。

不过黑格尔在哲学思想上是个承先启后的人物，他虽然有进步的甚至革命的一面，旧时代的保守思想在他身上毕竟留下很深的烙印。这两对立面在他思想上经常在互相矛盾而没有得到真正的解决。单就他的辩证法来说，就有很多这样没有解决的矛盾。第一，他虽承认矛盾冲突斗争是历史发展的推动力，却特别强调妥协调和在解决矛盾中的作用。他从来不承认两对立面斗争中有甲消灭乙或乙消灭甲的可能，而是认为甲和乙各有所长也各有所短，截长补短才有上升的发展。他所谓“否定的否定”实际上是对各有片面性的两对立面各打五十大板。各有所“弃”，各有所“扬”，然后才能达到较高一级的统一或较高一级的真理。他明确地说过矛盾的解决就是调和，他在悲剧论里曾不厌其烦地企图说明这个道理。所以他的辩证法是以“一分为二”（事物本身包含否定自己的对立面）开始，以“合二而一”（两对立面由互相否定而达到妥协性的统一）告终的。其次，他既肯定事物不断发展，却又承认有所谓“永恒正义”和“普遍人性”。第三，他既强调一切现实事物的必然性和合理性，却在这个借口之下歌颂当时普鲁士君主专制。这一切矛盾都是由黑格尔的市民阶级地位和政治态度决定的。他热情地赞扬过法国资产阶级革命,实际上他的思想从这次革命受到了很大的启发。但是到了雅各宾专政时期他就忍受不住了,表现出绝望和彷徨。这个事实就足以说明他的市民阶级的摇摆性和不彻底性。像马克思和恩格斯关乎歌德所说的一样,黑格尔还没有摆脱当时德国“庸俗市民”的习气。

黑格尔辩证法的最大矛盾还在于他在肯定事物不断向前发展这个基本原则上发生了摇摆。这个基本原则本是黑格尔辩证法的基本合理内核。恩格斯在《费尔巴哈和德国古典哲学的终结》里曾这样肯定了它:

> 这种辩证哲学推翻了一切关于最终的绝对真理和与之相应的人类绝对状态的想法。在它面前,不存在任何最终的、绝对的、神圣的东西;它指出所有一切事物的暂时性,在它面前,除了发生和消灭,无止境地由低级上升到高级的不断的过程,什么都不存在。它本身也不过是这一过程在思维着的头脑中的反映而已。

这是不断发展这个大前提所应得出的结论,这也是马克思主义所得出的结论。但是黑格尔本人并没有得出这样的结论,在他的著作中(包括《美学》在内)到处讲的正是所谓“绝对真理”或“最终的、绝对的、神圣的东西”。他一方面肯定事物的不断发展,另一方面又认为这种发展达到“绝对”便算达到止境,因为“绝对”就不再有和它相对的对立面,就不能再有辩证发展了。

在他的思想体系里，人类精神的发展终止于哲学所认识到的涵盖一切的“绝对”，也就是终止于他本人的哲学体系，在绝对精神表现于艺术的发展终止于浪漫型艺术，也就是终止于十九世纪西方资产阶级中所流行的那种艺术；在绝对精神表现于社会政治的发展终止于启蒙运动所吹嘘的“理性王国”，也就是终止于德国威廉二世的“开明专制”。一句话，世界历史各个领域的发展都在黑格尔时代的德国就已达到了顶峰和终点。

黑格尔何以得出这样荒谬的结论呢？这是理解乃至批判黑格尔哲学体系的关键要害所在。一语道破这个关键要害所在的还是恩格斯，他的话是这样说的：

> 原因很简单，因为他不得不去建立一个体系，而按照传统的要求，哲学体系是一定要以某种绝对真理来完成的。

这就是说，黑格尔哲学体系要求一种涵盖一切的“绝对”作为认识的最高峰和终止点，也就是作为历史发展的终止点，就是这个“绝对”或终止点扼杀了黑格尔辩证法本来应有的革命因素，这就是黑格尔哲学体系与辩证法之间不可调和的矛盾。

所谓黑格尔哲学体系就是黑格尔所特有的一种客观唯心主义体系。哲学基本问题是思维与存在的关系，亦即精神与物质或思维主体与客观世界的关系。问题在于：这两个对立面究竟哪个是第一性，哪个是第二性的？是思维产生存在还是存在产生思维呢？对这个基本问题过去有各种不同的答案，就形成了各种不同的哲学派别。最主要的派别实际上就是唯心主义和唯物主义两家，前者认为“心”或“精神”是第一性的，而后者则认为“物”、“存在”或客观世界是第一性的。唯心主义又分为主观唯心主义和客观唯心主义两派，前者认为主体认识造成了客观世界，后者认为客观存在的“理”或规律具体化为客观世界。黑格尔属于客观唯心主义而同时又是集过去各种唯心主义之大成的。他的出发点是“精神”或“心灵”，不过他所谓“精神”或“心灵”并不是某个人或人类中某一部分人的头脑的作用或活动，而是超然于“有限的”具有肉体的人类之外、弥漫宇宙、涵盖一切的客观存在的“理”或“理念”（Idee①）。客观物质世界就是由这“理”外化或具体化出来的。“理”是一般，具体事物是特殊。黑格尔的这种客观唯心主义还是按他的辩证法演化出来的。他认为抽象的普遍的“理”本身中就含有它的对立面即具体的个别事物。这具体个别事物就是“理”所外化的另一体。“理”在未外化为具体事物时，只有抽象的普遍性，事物在未受到“理”灌注生气时，也只有抽象的个别特殊性，都还不算真实，须互相否定，互相成全，才形成算得真实的统一体。每一事有每一事的理，顺辩证发展的上升次第，理与事各有高低等级，到了最高级，便是涵盖一切理与事的“绝对”。未外化为具体事物的抽象的理叫做“概念”。在外化中具体个别事物否定了“概念”的抽象普遍性，事物同时也受到概念的否定，二者

---

① 这个词本义是“印象”或“观念”，引申为柏拉图的“理式”和黑格尔的“理念”，客观唯心主义实际是唯理主义。

统一,成为具体的“理念”,理才成为真实的理,事物也才成为真实的事物。“绝对”或最高理念便是万物万理的统一,又叫做“太一”。黑格尔替理念下的定义是:“理念不是别的,就是概念,概念所代表的实在,以及这二者的统一”,就是这个意思。从此可见,黑格尔的客观唯心主义实即唯理主义,其要义是理与事的统一,一般与特殊的统一,亦即思维与存在的统一以及哲学与历史的统一。它否定了康德的不可知论,肯定了一切事物的必然性和合理性以及人类认识的不断发展。

不过这只是问题的一个方面,问题的关键还在于思维决定存在还是思维反映存在。黑格尔不从具体客观现实出发,而从一整套逻辑概念出发,企图从逻辑概念推演出客观世界,实际上是“首足倒置”,显然是与马克思主义的反映论相对立的。马克思在《神圣家族》里用一个简明例子一针见血地驳斥了黑格尔的理念产生客观世界的谬论,他说:“要从现实的果实得出‘果实’这个抽象的观念是很容易的,而要从‘果实’这个抽象的观念得出各种现实的果实就很困难了。”所以上文引过的恩格斯肯定黑格尔的辩证哲学的那句话:“它本身也不过是这一过程(指客观历史发展过程——译者注)在思维着的头脑中的反映而已。”这虽是从黑格尔的辩证发展大前提出发本应得出的结论,而实际上黑格尔却得出了相反的结论。从他的辩证发展大前提得出应得的结论的是马克思主义创始人。

由于这种“首足倒置”,黑格尔既未解决思维与存在关系的问题,也没有真正摆脱康德的不可知论。思维与存在的关系既然“首足倒置”了,而思维所能得到的概念由低级到高级的上升又终止于“绝对”或最高理念。这就对历史发展和人类认识都划了止境。止境以内是“此岸”，一切都仿佛可知，止境以外便是“彼岸”，一切便不可知了。有人说，黑格尔的辩证法只能应用于过去，不能应用于未来，也就是指他把未来划到不可知的“彼岸”。由此可见，黑格尔哲学体系的致命伤就是“绝对”这个概念。这个“绝对”就是他的本来带有革命性的辩证发展观点扼杀了，教人安于现存秩序，对未来极端悲观。辩证发展是无限的，不能说到了时间上某一阶段就达到“绝对”的高峰或终止点。“绝对”与“相对”是统一的，不能离开“相对”而有所谓“绝对”。世界历史不断向前发展，人类认识也就不断提高和深入。这个道理恩格斯在《费尔巴哈和德国古典哲学的终结》里反复阐明过，毛泽东在《实践论》里也作过精辟的发挥：

> 马克思主义者承认，在绝对的总的宇宙发展过程中，各个具体过程的发展都是相对的，因而在绝对真理的长河中，人们对于在各个一定发展阶段上的具体过程的认识只具有相对的真理性。无数相对的真理之总和，就是绝对的真理。……客观现实世界的变化运动永远没有完结，人们在实践中对于真理的认识也就永远没有完结。

由此可知，马克思主义的认识论否定了在某一发展阶段中人类认识就已达到了黑格尔所说的“绝对”，它也否定了客观世界有什么不可知的“彼岸”，随着历史的发展，人类通过实践会不断地把未知的变成可知的。有了这种认识,黑格尔的不断向上发展的辩证法的“合理内核”便可发挥效用了。

二 《美学》的结构,美的定义:“理念的感性显现”,理性内容提到第一位

以上我们费了一些篇幅说明黑格尔辩证法的合理内核与他的客观唯心主义哲学体系的基本矛盾,因为这是理解和批判黑格尔的《美学》都必须抓住的纲,因为《美学》是他的辩证法和客观唯心主义哲学体系的具体运用。

《美学》是从概念或基本原则出发,来推演出艺术发展具体情况的。第一卷讲的便是艺术美的基本原理。第二卷从艺术类型观点追溯象征型、古典型和浪漫型三种艺术的特征及其历史发展。第三卷从三种类型中代表艺术门类出发,讨论建筑、雕刻、绘画、音乐和诗(包括戏剧)这些门类艺术的特征及其历史发展。原第三卷的论诗部分在本编中划入第四卷。论诗部分特别重要,因为黑格尔认为诗是一切艺术的共同因素,一切艺术里都必有诗,一切艺术发展阶段都必出现诗,诗也是黑格尔本人研究较深的一门艺术,所以论诗部分是《美学》这部著作的精华所在,与第一卷有同等重要性。黑格尔所理解的诗其实就是文学或“语言的艺术”。

黑格尔的全部美学思想都是从艺术用感性形式表现理性内容这一基本原则推演出来的。艺术的特征是美,所以他替美下的定义也就是艺术的定义,原文如下:

> 真，就它是真来说，也存在着。当真在它的这种外在存在中直接呈现于意识，而且它的概念直接和它的外在现象处于统一体时，理念就不仅是真的，而且是美的了。美因此可以下这样的定义：美就是理念的感性显现。

这里"理念"就是"意蕴"，也就是内容；"感性显现"是不假抽象思考而直接呈现于感官的具体形象，也就是形式。这两方面的统一，就成了美的艺术。美必同时是真，但艺术的真与哲学的真不同，哲学的真是凭哲学思维从个别具体事例中推演出普遍原理而得来的；艺术的真却是直接凭感官从具体形象感知的。这种分别主要来自抽象思维与形象思维的分别，抽象思维属于理性认识，形象思维属于感性认识。黑格尔没有看到感性认识与理性认识的密切联系，把二者划分得过死。仿佛艺术就绝对排除抽象思考，这是近代西方一般唯心主义美学家的通病，这一点下文谈哲学取代艺术时还要谈到。

艺术的首要因素是理性内容，这是黑格尔一贯坚持的。问题在于这种理性内容如何产生，又如何出现于艺术。黑格尔把这种理性内容追溯到他所说的"世界情况"。在他看，一般世界情况就是"艺术中有生命的个别人物所借以出现的一般背景"，是"把心灵现实的一切现象都联系在一起的"，即"教育、科学、宗教乃至于财政、司法、家庭生活以及一切其他类似现象的情况"的总和，总之，一般世界情况就是某特定时代的社会文化背景。一个时代的社会文化背景就形成当时流行的精神方面的“普遍力量”，黑格尔把它称作“神”，也就是一个时代中大多数人所共有的宗教、道德、政治等方面的准则或人生理想。他认为世界情况须结合具体情境，具体化为人物性格，体现于动作，揭开矛盾，导致冲突和解决。普遍力量在人物性格上所形成的主观情绪或人生态度叫做“情致”。“情致”就是“存在于人的自我中而渗透到全部心情的那种理性内容”。这种内容为数不多，就是“恋爱、名誉、光荣、英雄气质、友谊、亲子爱之类的成败所引起的哀乐”。例如莎士比亚的《哈姆雷特》悲剧所表现的“一般世界情况”是文艺复兴时代社会文化背景，“情境”是这位王子的母亲和他叔父通奸，杀害了他父亲，“情致”是王子在企图报仇中在当时流行的人生观和伦理观所形成的那种错综复杂的心情。在具体情境中，不同的人物性格可以代表不同的理想，例如这人代表政权王法，那人代表家庭骨肉恩爱，就会发生矛盾冲突，推动情节的发展。

三　在改造自然中实现自我，环境的“人化”和人的“对象化”；实践观点的萌芽

马克思和恩格斯说过：“黑格尔常常在思辨的叙述中作出把握事物本身的，真实的叙述”，这就是说，他根据客观唯心主义逻辑推演出来的论断往往符合客观事实。他对于文艺反映一定时代社会文化背景的看法就是一个例子。从理念推演出客观世界，这当然是“首足倒置”，但其中也还含有一方面的真

理。列宁在《哲学笔记》里曾肯定了这一点:“观念的东西转化为实在的东西,这个思想是深刻的,对于历史是很重要的,并且就是从个人生活中也可看到,这里有许多真理。”列宁在这里是从“意识反过来影响存在”或“精神转化为物质”这个马克思主义的观点来看问题的。这个问题涉及黑格尔的主体与客观世界统一的看法,也涉及他对实践与文艺关系的看法,值得特别注意。他在叙述人作为主体与客观世界的关系时说:

有生命的个体一方面固然离开身外实在界而独立,另一方面却把外在世界变成为他自己而存在的;他达到这个目的,一部分是通过认识,即通过视觉等等,一部分是通过实践,使外在事物服从自己,利用它们,吸收它们来营养自己,因此在他的“另一体”里再现自己。只有在人把他的心灵的定性纳入自然事物里,把他的意志贯彻到外在世界里的时候,自然事物才达到一种较大的单整性。因此,人把他的环境人化了,使那环境可以使他得到满足,对他不能保持任何独立自在的力量。

人还通过实践的活动,来达到为自己,因为人有一种冲动,要在直接呈现于他面前的外在事物之中实现他自己,而且就在这实践过程中认识他自己。人通过改变外在事物来达到这个目的,在外在事物上面刻下他自己内心生活的烙印,而且发现他自己的性格在这些外在事物中复现了。

这里几段引文代表黑格尔的主客体统一的中心思想，他是从认识与实践的密切关系来考虑这个问题的。人在认识和实践中就和外在世界打成一片，按自己的意志和性格来改变外在事物，使它们变成为自己服务的，这样就使环境人化了，在客观世界上打下人的烙印了。同时人就在这实践过程中认识自己，再现自己，肯定自己。值得注意的是在马克思主义以前，黑格尔已把实践的观点提到重要的地位，马克思在《关于费尔巴哈的提纲》里曾指责费尔巴哈派唯物主义对事物“不从主体方面和实践方面去理解，却让唯心主义抽象地发展了能动的（即实践的、主体的）方面”。这里所说的唯心主义当然也包括黑格尔。他确实开始认识到主体方面实践的重要性，隐约见到马克思所说的“环境的改变和人的活动的一致”。他的美学思想确有实践观点的萌芽，他举过一个浅显的例子，说明艺术如何使人在外在事物中进行自我创造：

> 例如一个男孩把石头抛在河水里，以惊奇的神色去看水中所现的圆圈，觉得这是一个作品，在这作品中他看出他自己活动的结果。这种需要贯串在各种各样的现象里，一直到艺术作品里的那种样式的在外在事物中进行自我创造。

所谓“自我创造”就是“自我肯定”或“自我实现”。马克思在《为〈神圣家族〉写的准备论文》里把这种自我创造和劳动联系起来说：

> 黑格尔把人的自我产生看作一种过程……这就是说，他看出了劳动的本质，他把对象性的（客观的）人，真正现实的人，看作他自己劳动的产品。

这就是说，他看出劳动的本质在于人在改变自然中产生自己，实现自己，这种思想黑格尔在谈“英雄时代”最适合理想艺术时说得更清楚：

> 英雄们都亲手宰牲畜，亲手来烧烤，亲自训练自己所骑的马，他们所用的器具也或多或少是亲手制造出来的，犁、防御武器、盔甲、盾、刀、矛都是他们自己的作品，或是他们都熟悉这些器具的制造方法。在这种情况之下，人见到他所利用的……一切东西，就感觉到它们都是他自己创造的，因而感觉到所要应付的这些事物就是他自己的事物，而不是在他主宰范围之外的异化了的事物。……
>
> 总之，到处都可见新发明所产生的最初欢乐。占领事物的新鲜感觉和欣赏事物的胜利感觉……在一切上面人都可以看出他的筋力，他的双手的灵巧，他的心灵的智慧或英勇的结果。……

不过这种重视劳动的思想在《美学》中只偶露萌芽，黑格尔的基本思想还是把人的自我实现看成是“理念”的自生发展或“外化”，所以马克思在上引论文里指出了这个局限性说：“黑格尔只知道而且只承认劳动的一种方式，即抽象的心灵的劳动。”①

四 《美学》作为艺术史大纲：三大历史阶段和三种艺术类型

《美学》不仅是一部美学理论著作，也是一部艺术史大纲。黑格尔把人类文化发展史看作人类精神逐渐征服自然的历史。在原始时代，人类处在蒙昧状态，精神还未醒觉，与自然一样只是“自在”的。文化开始发展以后，人才逐渐有自意识，感觉自己与自然的分别和对立，要凭自己的认识和意志去影响自然，改变自然，这时人才成为不仅是“自在”的，而且是“自为”亦即“自觉”的。精神达到自觉，不但外在事物成为人类认识和实践的对象，而且人本身也由认识的主体变为认识的对象，亦即变为客观存在的一部分。随着文化的发展，人类精神在自觉方面也在发展，主要在于驾驭自然的能力日渐提高。理想的境界是精神能得心应手地运用自然，使精神与自然（亦即主体与客体）融合成为和谐的统一体。艺术处在精神发展中的初级阶段，与艺术对立的是宗教，宗教处在中间阶段，这两对立面的统一便构成最高阶段的哲学。艺术既然是“理念的感性显现”，也就是

① 关于这一节，请参看拙著《西方美学史》“结束语”部分为新版补写的《形象思维：从认识和实践的观点来看》一文。

精神与自然统一的一个事例，因为理念或理性内容来自精神方面，而感性形式来自感官所接触的自然方面。这两方面的关系可以处理得恰到好处，达到理想，也可以有所偏重，时而偏重感性自然即形式方面，时而偏重主体精神即内容方面。黑格尔就根据这些差异把艺术发展分为三种类型，亦即三个阶段。

最初的阶段是象征型艺术。在这个阶段，人类刚摆脱蒙昧状态，精神还没有完全达到自觉，对于理性内容还只有一种朦胧的认识，因而找不到适合的感性形式去表达它，只能采用符号来象征朦胧认识到的精神内容。例如印度婆罗门教的“梵”只是一种没有任何定性的浑然太一，由它本身推演不出任何具体形象来，于是就凭偶然的联系，把牛猴之类动物当作“梵”来崇拜。内容既不明确，就很难说形式对内容是否适合。典型的象征艺术是印度、埃及、波斯等东方民族的建筑，如神庙、金字塔之类。这种艺术一般是用形式离奇而体积庞大的东西来象征一个民族的抽象理想，所产生的印象往往不是内容与形式和谐的美，而是巨大物质压迫心灵的那种“崇高风格”。总之，象征型艺术在理性内容方面是不明确的，在感性形象方面是不适合的，而二者的结合所用的象征方式是牵强的，所以不符合艺术的理想。这种缺陷终于导致象征型艺术的解体，过渡到较高类型的古典型艺术。①

古典型艺术的特征就在理性内容和感性形象达到了完满

① 象征（Symbolismus）即我国诗论中“比”的一种用法，是文艺用形象思维的一种起点，所以第二卷论象征型艺术部分是研究形象思维的一种重要资料。象征型艺术与原始神话分不开，和近代象征主义流派有关联而实质不同。

的和谐一致，内容中没有什么没有表现出来，而形象中也没有什么不是表现内容的。其原因在于人类已达到完全的自觉，对自己和对客观世界都有了明确的认识。最典型的古典型艺术是希腊雕刻，在希腊雕刻里，神总是作为人而表现出来的。人首先从他本身上认识到神或绝对，人体既是精神的住所，所以也是精神的最适合的感性显现形式。雕刻只表现静态而不表现动作，它所表现的精神一般是静穆和悦的。黑格尔把这种古典型艺术尊为理想的艺术。但是精神是无限的，自由的，而古典型艺术用来表现精神的人体形式毕竟是有限的，不自由的。这种矛盾终于导致古典型艺术的解体和浪漫型艺术的产生。

黑格尔所理解的浪漫型艺术就是从中世纪开始的在基督教统治之下的西方资产阶级的艺术，不限于十八、十九世纪之交的浪漫运动。在浪漫型艺术里，精神回到它本身，有自意识的人回到他的“自我”，沉没到自己的内心生活中去，因而和外在客观世界对立起来，采取了藐视现实的态度，凭创作主体个人的意志和愿望对客观世界的感性形象任意摆弄，这样就失去了艺术内容与形式两方面应有的和谐一致，同时，由于出发点是自我中心和个人主义，浪漫型艺术中的人物性格就不再像古典型人物性格那样体现伦理、宗教和政治的普遍理想，而只体现主体个人的意志情感和愿望。近代人的灵魂是一种分裂的灵魂。近代艺术中的冲突也主要是人物性格本身分裂的冲突，情感的激动和怅惘，不再有古典型艺术的那种静穆和悦气象。古典型艺术经常避免的罪恶、痛苦、丑陋之类消极现象在浪漫型艺术里却占了很大的地位。

这种精神本身的分裂以及它与客观世界的分裂，依黑格尔看来，不仅要导致浪漫型艺术的解体，而且要导致艺术本身的解体。从此人类就不能满足于从感性形象去认识理念，精神就要进一步脱离物质，专注于精神本身，以哲学的方式去认识理念了。黑格尔虽不曾明说艺术终将灭亡，但他对于艺术的未来是极其悲观的，他的话是这样说的：

> 我们尽管可以希望艺术还会蒸蒸日上，日趋于完善，但是艺术的形式已不复是心灵的最高需要了。我们尽管觉得希腊神像还很优美，天父、基督和马利亚在艺术里也表现得很庄严完美，但是这都是徒然的，我们不再屈膝膜拜了。

这种声词毕竟是替艺术唱挽歌的声调！

五　哲学取代艺术说，唯心史观与唯物史观的对立

黑格尔何以把艺术导致死胡同里呢？这是由于他始终只能从资产阶级的唯心史观看问题，他处在西方资产阶级上升时代，当时资本主义的祸害已开始暴露，在生产关系方面劳资对立日益尖锐化，在生产方式方面日益精密的分工制阻止了个人的全面发展，年复一年地拘守某一零件的机械操作，尝不到创造事物和改变世界的乐趣，在社会关系方面，人，从自私自利的

个人主义出发，尔虞我诈，闹得个人与社会完全脱节。这些情况都不利于文艺的发展。关于这一点黑格尔是认识得很清楚的，他对于近代“工业文化”作过如下的描绘：

> 需要与工作（即劳动——译者注）以及兴趣与满足之间的宽广关系已完全发展了，每个人都失去他的独立自足性而对其他人物发生无数的依存关系，他自己所需要的东西或是完全不是他自己工作的产品，或是只有极小一部分是他自己工作的产品。还不仅如此，他的每种活动并不是活的，不是各人有各人的方式，而是日渐采取按照一般常规的机械方式。在这种工业文化里，人与人互相利用，互相排挤，这就一方面产生最酷毒状态的贫穷，一方面产生一些富人。

从工业文化中的严格分工，利己的个人主义以及贫富悬殊这些弊病见出资产阶级文艺势必趋于解体，黑格尔大体上是正确的。马克思和恩格斯后来也着重地指出过资本主义社会情况不利于文艺的发展，把这一点看作资本主义必须推翻而代以共产主义的理由，并且展望到在共产主义社会中文艺将达到空前的繁荣。黑格尔却从资产阶级文艺的解体就断定文艺本身也就必然解体。这种论断是不能成立的。首先这种论断就否定了黑格尔本人的辩证发展由低级逐渐上升到高级的观点。象征型艺术和古典型艺术不是也都有过解体阶段而过渡到较高一级的新型艺术吗？何以浪漫型的资产阶级艺术解体之后就不能过渡到更高一级的新型艺术呢？黑格尔的答案是艺术从此就要让位于更高级的精神活动即哲学。他显然忘记了他所奉为理想的希腊古典艺术是和同样繁荣的希腊古典哲学并存过的。他想象不到资产阶级文艺解体之后还会有更高一级的社会主义文艺，和他看不到资本主义社会解体之后还会有更高一级的新型社会，理由是一致的，都要推原到他的唯心史观。这种唯心史观是和马克思主义的唯物史观直接对立的。依马克思主义的唯物史观，推动历史向前发展的首先是经济基础或生产关系的总和，其次是法律的政治的上层建筑，第三是艺术、宗教、哲学、伦理教条和政法观点之类意识形态，是适应经济基础与上层建筑的，虽然也对经济基础起重要的反作用，毕竟是第二性的。几千年来的世界历史发展都证实了这种辩证唯物史观的正确性。黑格尔的唯心史观则与此相反，推动历史发展的不是生产实践和经济基础而是精神基础，历史发展就是抽象概念或人类理想“外化”或“具体化”为客观世界的过程，而这过程终止于绝对理念，如上文已经解说过的。艺术发展之有止境，正因为黑格尔眼中的人类精神的发展有止境。艺术发展在人类精神发展中只处在初级阶段而且是局限于初级阶段的。整部世界文艺史已彻底推翻了这种荒谬的悲观论调。

毛泽东曾经指出：“在阶级社会中，每一个人都在一定的阶级地位中生活，各种思想无不打上阶级的烙印。”黑格尔的思想体系的阶级烙印是很明显的。他始终是站在德国具体社会情况下的资产阶级立场来歪曲历史发展的。他继承启蒙运动所鼓吹的理性和自由的余绪，幻想资产阶级的理性和自由这层外衣所掩盖的个人主义在任何时代都是最高准则。他眼看当时资产阶级现实生活并没有所谓理性和自由，而只有个人主义所产生的种种丑恶现象，于是又幻想过去希腊时代曾经有过这种理性的自由。他所景仰的德国诗人席勒曾经把古希腊作为他逃避现实的避风港。他本人也是如此，不但把希腊古典文艺悬为理想，而且认为荷马所写的“英雄时代”（亦即奴隶制开始的时代）的英雄人物性格都以他所说的“独立自足”（亦即自由）为特征。“英雄时代”的好处据说就在社会理想还没有僵化为束缚个人自由的呆板的政法制度和道德信条，个人还可以凭自己的认识和意志去行事，能替自己的行为负责。黑格尔的英雄人物当然只限于奴隶主。即使奴隶主也还要依靠剥削奴隶的劳动。个人“独立自足”这种反社会的口号，在任何社会里都是反动的，而且也不可能成为事实的。

六　自然美和艺术美的区别

接着还要约略提一下艺术美与自然美是否对立的老问题。黑格尔把他的《美学》看作“艺术哲学”，艺术以外的美当然不在他的讨论范围之内。他并没有完全抹煞自然美。《美学》第一卷第一章就专门分析自然美，而且美的定义“理念的感性显现”中的“感性”因素就属于自然，为艺术表现所必不可少的。不过他轻视自然美却是事实。他说得很明白：

艺术美高于自然美，因为艺术美是由心灵产生而

> 且再生的(心灵就自然材料加工,表现为艺术作品——译者注),心灵及其产品比自然及其现象高多少,艺术美也就比自然美高多少。
>
> 自然美只是属于心灵的那种美的反映,它所反映的只是一种不完全,不完善的形态。

举例来说,荷兰的风景画和风俗画所反映的只是平凡的自然。这种平凡的自然并不是因为它本身有美的价值,而是因为它反映了荷兰人民和自然与外来侵略做过长期英勇斗争才获得自由和繁荣后所感到的欣慰和自豪感。在这个意义上,自然美其实还是一种雏形的艺术美,也必须含有精神因素。黑格尔还认为人类愈向前发展,精神(即心灵)也随之发展,标志之一是自觉性愈来愈高,标志之二是艺术愈来愈降低物质作用,提高精神作用,例如建筑、雕刻、绘画、音乐和诗这些主要艺术门类的演进,就是逐渐贬低物质因素而提高精神因素的过程。关于自然美与艺术美这个久经争论的问题,黑格尔的看法是片面的,毛泽东《在延安文艺座谈会上的讲话》中指出:“人类的社会生活虽是文学艺术的唯一源泉……虽然两者都是美,但是文艺作品中反映出来的生活却可以而且应该比普通的实际生活更高,更强烈,更有集中性,更典型,更理想,因此就更带普遍性。”这才是马克思主义对自然和艺术关系的正确的辩证的看法。从表面看,除第一句以外,上引毛泽东的一段话似是黑格尔也会赞同的,但是基本差别正在“唯一源泉”问题。毛泽东坚持马克思主义的反映论,认为艺术是反映物质基础的,而黑格尔则坚持他的客观唯心主义，认为艺术中起决定作用的是精神性的“理念”，这正是“首足倒置”。

七 《美学》的历史背景，它在历史上的进步意义和局限性

以上是黑格尔思想体系特别是美学思想的一些主要线索，我们看到其中矛盾重重，有成功的方面也有失败的方面，有积极的方面也有消极的方面。这些都不能孤立地看，须结合当时社会背景来看。黑格尔处在十八和十九世纪之交，在西方历史上是一个大转变，大动荡的时代。最大的事件是法国启蒙运动及其直接后果，法国资产阶级革命。黑格尔从这一伟大时代潮流受到了积极的影响，帮助他形成了辩证发展的历史观和资产阶级的自由和理性的理想。他所出生的德国在政治经济方面都还很落后，在长期封建小朝廷割据分争之后，普鲁士才开始统一德国，逐渐建成军事帝国。社会基本上还处于封建型，资产阶级还在依附封建力量，极为软弱。农工商各业都远远落后于英法，到十九世纪三十年代即黑格尔死后，德国才开始有大工业和工人运动。黑格尔当然不可能瞭望到未来的工人运动和无产阶级革命，在阶级地位上他属于软弱的资产阶级，但力求迎合普鲁士王国的政治制度和理想。这就说明了他在思想上有很大的保守性和妥协性。在文化方面当时德国处境也很特殊。马克思在《政治经济学批判》导言里在提到物质生产和艺术生产不平衡时说过：“某些有重大意义的艺术形式只有在

艺术发展的不发达阶段上才是可能的……在整个艺术领域同社会一般发展的关系上[也]有这种情形”,古希腊是一个例证,近代德国也是一个例证。德国当时政治经济状况尽管很落后,哲学和文艺的繁荣都达到了近代西方的高峰。这种不平衡状态曾引起过一些疑问和争论,其实马克思主义创始人早已作了解答。恩格斯在《德国的局势》一文里是这样说的:

> 一切都已腐朽,衰颓,在迅速崩溃,连最微细的好转希望也没有。……唯一好转的希望在文学。(“文学”和下文“世界文学”都泛指一般文献——引者)

这就是说,一般德国知识分子在当时社会落后状态之下,只有文化事业一条出路,这方面还有美好的希望。

此外,上述不平衡的发展单在德国本身还得不到完满的解答,还要结合到德国以外的世界情况。马克思、恩格斯在《共产党宣言》里也就世界市场的形成情况作了解答:

> 过去那种地方的和民族的自给自足和闭关自守状态,被各民族的各方面的互相往来和各方面的互相依赖所代替了。物质的生产是如此,精神的生产也是如此。各民族的精神产品成了公共的财产。民族的片面性和局限性日益成为不可能,于是由许多种民族的和地方的文学形成了一种世界的文学。

世界文学既已形成，研究一个作家及其作品，不能片面孤立地从他所出生的那个国家和时代着眼，必须研究他所受到的全世界范围的文化及其历史的影响。黑格尔和歌德一样，都是当时德国最渊博而且最敏感的学者，即是说，他受到了世界范围的文化影响既广且深，是文艺复兴的继承人，启蒙运动的参与者，过去西方哲学的集大成者。当时已开始进入帝国主义时代，资产阶级正在进行地理探险和殖民扩张，西方知识分子也日益放眼世界，到处寻求精神食粮，接触到埃及、印度、波斯、中国乃至北美印第安族的文化，进行了大量翻译和介绍。这方面德国学者的贡献是很突出的。民歌和中世纪文物搜集和研究对当时浪漫运动也起了促进作用。温克尔曼、莱辛和希尔特诸人对古代造形艺术（特别是希腊雕刻）的研究掀起了崇拜希腊古典的风气，把十五、六世纪文艺复兴运动推进了一步，由此把拉丁古典文艺复兴推进到希腊古典文艺复兴。当时百家争鸣风气空前活跃。例如长达百年之久的古今优劣之争到黑格尔时代还没有结束。总之，黑格尔是在欧洲政局大动荡，学术空气极浓厚的形势中培育出来的，在哲学、历史哲学、文艺作品及其理论各方面都有比前此学者远较广阔的视野和远较强大的促进动力，否则《美学》这部著作是写不成的。他的成就是历史发展理应达到的结果。

《美学》这部著作的基本矛盾和局限，上文在讨论各个问题中已约略指出，它究竟有没有值得借鉴和批判继承的地方呢？

要解答这个问题，最稳妥的途径是细心钻研马克思主义创始人关于文艺方面的论著。他们都细心阅读过黑格尔的《美学》,对黑格尔进行过深刻的批判,肯定了他"把世界描写为处在不断的运动变化、转变和发展中,并企图揭示这种运动和发展的线索",《美学》就是把艺术描写为辩证发展过程并揭示其发展线索的范例。它不仅是一部美学理论,尤是重要的是一部艺术发展史。他的基本错误在把物质与精神(存在与意识)的关系首足倒置的唯心史观。马克思主义的唯物史观正是由批判黑格尔的唯心史观而吸收其辩证法中的合理内核而建立起来的。在这个意义上,黑格尔对马克思主义唯物史观毕竟是有所贡献的。马克思主义文艺理论中有许多观点都可以溯源到黑格尔的《美学》,例如人在劳动过程中改造客观世界中同时肯定自己和改造自己的实践观点,人的全面发展观点,"外化"①和"异化"观点,资本主义社会不利于文艺发展的观点,典型环境和典型性格的观点等等都是如此。译者初读马克思的《经济学—哲学手稿》这部对美学极为重要的著作时,深以其艰晦难懂为苦,到译完黑格尔的《美学》以后再读这部手稿,比过去就稍懂得多一点,因此深信学习《美学》有助于深入学习马克思主

① "外化"可能有两个不同的意思,一个是"对象化"。即把主体方面的精神因素转化为客观的物质的东西,另一个是"异化"(Entfremdung, Alienation)或"疏远化",私有制就是"异化"的结果,例如劳动产品从工人"异化"到资本家手里;由于分工制,工人得不到全面发展,他本来有的才能遭到了摧残或凋萎,他的劳动本身对他也成为和他自己相对立的"异化"了的活动。到了私有制废除的共产主义社会,"异化"就不再存在。"异化"问题在近代马克思主义理论家中一直在引起争论,可参看斯屈柔克(Dirk J. Struik)为纽约国际出版局1964年新出版的马克思的《经济学—哲学手稿》英译本所写的序言和名词释义,作者详细追溯了"异化"观念由黑格尔和费尔巴哈到马克思的发展。他认为马克思后来虽不常谈"异化",却没有放弃这个概念,举了《资本论》中《商品的拜物教》和第三卷引用过"异化"这个词作为例证。

义文艺理论。当然反过来说，更是如此，即深入学习马克思主义文艺理论就能更正确地理解黑格尔的《美学》。此理愿与美学界同志共参之，作为一种入门练习，不妨把上引黑格尔《美学》关于实践观点的引文和马克思《资本论》第一卷第三编第五章论“劳动”的一段话细心参较一下：

> 劳动首先是在人与自然之间所进行的一种过程，在这种过程中，人凭他自己的活动作为媒介，来调节和控制他跟自然的物质交换。人自己也作为一种自然力来对着自然物质。他为着要用一种对自己生活有利的形式去占有自然物质，所以发动属于身体的各种自然力，发动肩膀和腿以及头和手。人在通过这种运动去对外在自然进行工作，引起它改变时，也就在改变他本身的自然（本性），促使他的原来睡眠着的各种潜力得到发展，并且归他自己去统制。我们在这里姑不讨论最原始的动物式的劳动……我们要研究的是人所特有的那种劳动。蜘蛛结网，颇类似织工纺织。蜜蜂用蜡来造蜂房，使许多人类建筑师都感到惭愧，但是即使最庸劣的建筑师也比最灵巧的蜜蜂要高明，因为建筑师在着手采用蜡来造蜂房之前，就已经在他的头脑中把那蜂房构成了。劳动过程结束时所取得的成果已经在劳动过程开始时就存在于劳动者的观念中，已经以观念（或理想）的形式存在着了，他不仅造成自然物的一种形态改变，同时还在自然中实

现了他所意识到的目的。这个目的就成了规定他的动作的方式和方法的法则(规律),他还必须使自己的意志服从这个目的。这种服从并不是一种零散的动作而是在整个劳动过程中,除各种劳动器官都紧张起来以外,还须行使符合目的的意志,这种活动表现为注意。劳动的内容和进行方式对劳动者愈少吸引力,劳动力愈不能从劳动中感到自己运用身体和精神两方面的各种力量的乐趣,他也就愈需要更多的注意。(参照原文对中译文略有校改——引者注)

马克思在这里从实践观点出发,把精神的生产活动和物质的生产活动看作是统一的,都是人在改造客观世界,从而体现自己和改造自己的实践过程。因此,这段关于劳动生产的教导不仅限于物质生产,而且也适用于文艺创造。文艺创造活动正如物质生产一样,涉及整个人的精神和身体两方面的各种力量,涉及自我意识、形象思维,也涉及由目的制约的理性考虑,涉及意志和情感,也涉及运动器官以及高度紧张中的聚精会神(即马克思所强调的“注意”)。无论是文艺创作还是物质生产都可以产生美感,即“从劳动中感到自己运用身体和精神两方面的各种力量的乐趣”。因此,审美活动决不限于康德所说的不涉及目的和利益计较,也不涉及理性概念的那种抽象的光秃秃的对于形式的感性观照。如果研究美学的人都懂透了这个道理,便会认识到这种实践观点必然要导致美学领域里的彻底革命,也就会对黑格尔的实践观点的萌芽作出正确估价和批判。

就黑格尔奉希腊古典艺术为理想而对近代资本主义社会的文艺深致不满来说，他似是厚古薄今，但是他认识到每一历史阶段的文艺特征都是历史发展的必然结果，取决于当时“一般情况”和“普遍力量”，希腊古典艺术决不能在近代复活，所以他明确地反对复古倒退，反对德国著名诗人克洛卜施托克在近代企图复活已死的北欧原始宗教，赞成歌德用不同的方式来处理希腊悲剧家所用过的材料。

由于从历史发展观点出发，重视每个时代的世界情况和具体情境，黑格尔很少脱离现实。他的文艺观点大半是针对当时资产阶级文艺的流弊而提出的。这特别表现在把内容提到第一位，把形式看成由内容决定的。“理念的感性显现”这个美（即艺术）的定义就含有理性内容决定感性形式的意思。所谓“理性”并不是抽象概念而是与具体形象融成一体的生活理想。对于今天我们社会主义文艺来说，内容决定形式是家喻户晓的大道至理，对于当时西方资产阶级文艺来说，这个提法却是对风靡一世的形式主义和颓废主义痛下针砭的。资本主义一登上历史舞台就日渐暴露出它的弊病和危机，文艺上的反映就是消极的浪漫主义。消极浪漫派都表现出厌恶现实而又看不到出路的怅惘心情。这派在德国代表的人物是蒂克、施莱格尔兄弟、甲可比和霍夫曼等人。他们根据康德门徒费希特的唯我哲学，标榜所谓“滑稽”或“暗讽”，从自我中心出发，以玩世不恭的态度对待客观世界的一切事物，把它们当作玩具，任自我尽情游戏，随意创造也随意毁杀。他们认为这种滑稽态度就是艺术家的人生态度。他们的作品大半已为群众所厌弃了，只有黑格尔一再批判过的霍夫曼(《谢拉皮翁兄弟》的作者)在斯大林时代的苏联还有影响,所以又受到日丹诺夫的批判。消极浪漫主义的另一种表现就是感伤抑郁,因为主体既然没有坚实的明确的理想,把世界一切都看成空虚的,自我也就必然空虚,因此也就往往产生黑格尔所说的“精神上的饥渴病”。这种人物性格表现在作品里必然是软弱的。黑格尔曾举歌德的“少年维特”为例,说明“长久在德国统治着的那种感伤主义的软弱”,接着还举甲可比的作品的人物为例,对这种软弱性格作了逼真的描绘和深刻的分析,说这种人“抱着自我优越感来看现实世界,以为其中一切都值不得他关心”,“他只孤坐默想,像蜘蛛吐丝一样,从自己肚子里织出主观幻想”,并且“要求世上一切人……都能了解和尊敬他的这种孤独的灵魂美。如果旁人办不到,他就伤心刺骨,一辈子不平”。这是许多消极浪漫派诗人和一般颓废派作家的忠实写照。

黑格尔一贯主张艺术内容的严肃性,认为这种“滑稽”态度和“主体的幽默”是近代资本主义浪漫型艺术解体的征兆,正如阿里斯托芬的喜剧和罗马时代讽刺诗文的出现标志着古典型艺术的解体是一样道理。这道理就在于理想的艺术必须有“丰富而真实的旨趣以及坚持人生重大理想的性格”。这种真实旨趣和重大理想是来自一定历史阶段的“一般世界情况”通过具体情境而体现为个别具体人物的“情致”,来推动他发出动作的。黑格尔把人物性格看作“理想艺术表现的真正中心”,关于人物性格,黑格尔除反对软弱要求坚强以外,还反对片面性或抽象化,要求丰富性或完整性。他说:

每个人都是一个整体,本身就是一个世界,每个人都是一个完满的有生气的人而不是某种孤立的性格特征的寓言式的抽象品。

为着说明丰富性与抽象化的分别,黑格尔举莎士比亚和莫里哀为例。依他看,在描绘丰满的人物性格方面,在近代当推莎士比亚为首屈一指,他从来“不让某一抽象的情致(例如麦克白的政权欲,朱丽叶的爱情或奥赛罗的妒忌)去淹没掉人物的丰富的个性,而是在突出一种情欲中,使人物还不失其为一个完整的人”,他的人物性格的特点是“具有个性的、现实的、生动的、高度多样化的”。至于莫里哀在喜剧里,只片面地写出人物的某一种抽象性格,如“悭吝”“伪善”之类,这类“顽固的性格也是可厌的抽象品”。黑格尔在这里要区别的正是马克思和恩格斯分别写给拉萨尔论悲剧信里都提到的莎士比亚和席勒的分别。马克思在信里说:“你应该更加莎士比亚化,我认为你现在最大的毛病就是把个别人物变成时代精神的单纯传声筒的席勒方式。”恩格斯也指责拉萨尔的戏剧观点“太抽象而不够现实主义”,接着说,“依我的戏剧观点,我们不应为了观念性的东西而忘掉现实的东西,为了席勒而忘掉莎士比亚……”这些观点对文艺创作都是有益的教导,是对“主题先行”“三突出”之类谬论的有力批判。

趁便可以说明恩格斯的《费尔巴哈和德国古典哲学的终结》这部经典著作,因译文一字之差,在一般人心中可能引起的误解。恩格斯在这部著作里正要说明马克思是在批判继承费尔巴哈和黑格尔所代表的德国古典哲学的基础上，才建立起辩证唯物主义和历史唯物主义的，并非说德国古典哲学到了马克思时代就"终结"了。马克思在举世都把黑格尔看作"死狗"时郑重声明过"我是黑格尔的学生"，而且恩格斯在上述著作里的最后一句话是"德国的工人运动是德国古典哲学的继承者"。怎么能认为德国古典哲学到了马克思时代就已"终结"呢？原来"终结"是译原文 Ausgang 的。过去英、法、俄三种译本也都把这个词译为"终结"或"终点"，中译因此也以讹传讹。查 1962 年柏林德国科学院新出版的多卷本《现代德语大词典》在 Ausgang 的 44 项下正引恩格斯的上述著作为例来解释这个词有"一个时间段落"的意思。再查 1964 年美国纽约国际出版局印行的马克思的《经济学—哲学手稿》新译本在 230 页注文里引恩格斯的上述著作标题用 outcome 译 Ausgang，outcome 是"结果"或"成果"，两书都没有用"终结"，"结果"显然较妥。

关于译注

以上是理解和批判黑格尔《美学》所应抓住的一些要点。其他值得注意的问题在这里不能详谈，只在各章注脚中趁便点出。《美学》德文原文版的编者没有加注，只附载词汇的简介和引得，英译本偶尔有注，法译本和俄译本都基本上没有加注。为了大多数读者的方便，译者加了一些译注。译注分三种：(1) 较难章节的释义和提要；(2) 点明从马克思主义观点看值得注意的一些问题;(3)词汇和典故的简介。译者从事这项翻译工作时断时续,基本上是单干,很难得有寻师问友的机会,经常以孤陋寡闻为苦。译文和译注虽屡经易稿或修改,不妥或错误的地方一定还很多,衷心请求认真的读者指出或提意见寄编辑部,备将来修改时参考。在此应趁便感谢一些读者对早出版的本译本第一卷所提的意见,这次复校第一卷时已尽量吸收。

关于人性、人道主义、人情味和共同美问题①

我国解放的三十年中，文艺出现过前所未有的繁荣景象，但发展道路是崎岖曲折的。这期间，有右的和左的干扰，特别是林彪和“四人帮”对文艺界施行法西斯专政长达十年之久，对文艺创作和理论凭空设置了一些禁区，强迫文艺界就范，造成了万马齐喑的局面，滋长了一些歪风邪气，败坏了学风和文风。粉碎“四人帮”之后，局面才日渐好转。但对过去形成的一些禁区仍畏首畏尾，裹足不前。这是和四个现代化的步伐不合拍的，是不可能促进文艺繁荣的。当前文艺界的最大课题就是解放思想，冲破禁区。

要冲破的禁区很多。我只就文艺创作和美学中的一些禁区提出自己的看法。

首先就是“人性论”这个禁区。什么叫做“人性”？它就是人类自然本性。古希腊有一句流行的文艺信条，说“艺术模仿

① 此文载1979年第三期《文艺研究》，与《谈美书简》第六节标题不同，文字也有出入。——编者注

自然”，这个“自然”主要就指“人性”。西方从古希腊一直到现代还有一句流行的信条，说文艺作品的价值高低取决于它模仿（表现、反映）自然是否真实。我想不出一个伟大作家或理论家曾经否定过这两个基本信条，或否定过这两个信条的出发点“人性论”，尽管在性善性恶的问题上常有分歧。我们中国过去在人性论的问题上也基本上和西方一致。可是近来“人性论’在我们中间却成了一个罪状或一个禁区。特别在流行的文学史课本中说某个作家的出发点是人性论，就是对他判了刑，至少是嫌他美中不足。为什么出现了这种论调呢？据说是相信人性论，就要否定阶级观点，仿佛是自从人有了阶级性，就失去了人性，或是说，人性就不起作用。显而易见，这对马克思主义者所强调的阶级观点是一种歪曲。人性和阶级性的关系是共性与特殊性或全体与部分的关系。部分并不能代表或取消全体，肯定阶级性并不是否定人性。马克思《经济学—哲学手稿》整部书的论述，都是从人性论出发，他证明人的本质力量应该尽量发挥，他强调的“人的肉体和精神两方面的本质力量”便是人性。马克思正是从人性论出发来论证无产阶级革命的必要性和必然性，论证要使人的本质力量得到充分的自由发展，就必须消除私有制。因此，人性论和阶级观点并不矛盾，它的最终目的还是为无产阶级服务。毛泽东同志关系人性论的教导也很明确：

有没有人性这种东西？当然有的。但是只有具体的人性，在阶级社会里就只有带着阶级性的人性，而没有超阶级的人性。

很明显,到了共产主义时代,阶级消失了,人性不但不会消失,而且会日渐丰富化和高尚化。那时文艺虽不再具有阶级性,却仍然要反映人性,而且反映具体的人性。所谓“具体”,就是体现于阶级性以外的其他定性,体现于另样的具体人物和具体情节。就是说,那时候的文艺,将帮助人、影响人,把人性提得更高,更完美,更善良。

总之,凭阶级观点围起来的这种“人性论”禁区是建筑在空虚中的,没有结实基础的。望人性论而生畏的作家们就必然要放弃对人性的深刻理解和忠实描绘,这样怎么能产生名副其实的文艺作品呢?有不少的作家正犯此病,因而只能产生一些田园诗式或牧歌式的歌颂和一些概念的图解。要打破这种公式化、概念化,首先就要打破“人性论”这个禁区。打破这个禁区,文艺才能踏上康庄大道。这也是“不破不立”大原则中的一个事例。

第二,与“人性论”这个禁区密切相联系的还有壁垒同样森严的“人道主义”禁区。人道主义事实上是存在的。有人性,就有人的道德。人道主义是西方文艺复兴时代作为反封建反教会而提出来的一个口号,尽管它有时还披着宗教的伪装,但是以人道代替神道的基本思想最后终于冲破了基督教会在西方长达一千余年的黑暗统治。在法国资产阶级革命中《人权宣言》所标榜的“自由”和“平等”以及后来添上的“博爱”就是人道主义的具体政治内容。所以人道主义在近代西方起过推动历史前进的作用,尽管后来基督教会把“博爱”这个它早已用过的口号片面地加以夸大,成了帝国主义对内宣扬阶级妥协对外宣扬殖民统治的武器。总之,人道主义在西方是历史的产物,在不同的时代具有不同的具体内容,却有一个总的核心思想,就是尊重人的尊严,把人放在高于一切的地位,因为人虽是一种动物,却具有一般动物所没有的自觉性和精神生活。人道主义可以说是人的“本位主义”,这就是古希腊人所说的“人是衡量一切事物的标准”,我们中国人所常说的“人为万物之灵”。人的这种“本位主义”显然有它的积极的社会功用,人自觉到自己的尊严地位,就要在言行上争取配得上这种尊严地位。一切真正伟大的文艺作品无不体现出人的伟大和尊严的。从古代的神话、雕刻、史诗和悲剧到近代的小说和电影都是如此。马克思不但没有否定过人道主义,而且把人道主义与自然主义的统一看作真正共产主义的体现。在美学方面,且不说贯串康德和黑格尔美学著作中的都是人道主义,就连激进派车尔尼雪夫斯基也说得很明确:

> 在整个感性世界里,人是最高级的存在物,所以人的性格是我们所能感觉到的世界上最高的美。至于世界上其他各级存在物只有按照它们暗示到人或令人想到人的程度,才或多或少地获得美的价值。

为什么我们中间有些理论家特别是文学史课本的编写者,一遇到人道主义就嗤之以鼻呢?据说因为它是资产阶级货色,反资产阶级复辟，就必须反人道主义。这无异于要倒掉洗婴儿的脏水，就连婴儿也一齐倒掉。他们不但忘记了他们天天挂在口头上的马克思和车尔尼雪夫斯基，而且竟忘记了许多善良的人从林彪和“四人帮”那里所受到的惨无人道的法西斯迫害，这批人妖才是人道主义的死敌！

第三，由于否定了人性论，“人情味”也就成了一个禁区，因为人情也还是人性中的一个重要因素。在文艺作品中人情味就是人民所喜闻乐见的东西。有谁爱好文艺而不要求其中有一点人情味呢？可是极左思潮泛滥时，人情味居然成了文艺作品的一个罪状。对老舍、巴金等同志的一些小说杰作，艾青同志的一些诗歌以及对影片《早春二月》的批判和打击至今记忆犹新，而余毒也似未尽消除，人情味的反面是呆板乏味，文艺作品而没有人情味会成什么玩艺儿呢？那只能是公式教条的图解式或乞巧板式的拼凑。今天敲敲打打吹上了天，明日便成了泄了气的气球，难道这种“文艺作品”的命运我们看到的还少吗？无论在中国还是在外国，最富于人情味的主题莫过于爱情。自从否定了人情味，细腻深刻的爱情描绘就很难见到了。为什么有相当长的一个时期人们都不爱看我们自己的诗歌、戏剧、小说和电影，等到“四人帮”一打倒，大家都爱看外国文艺作品和影片呢？还不是因为我们作品人情味太少，“道学气”太重了吗？道学气都有一点伪善或弄虚作假。难道这和现实主义文艺或浪漫主义文艺有任何共同之处吗？提到政治思想的高度来说，难道社会主义社会中的男男女女都要变成和尚尼姑，不许尝到，也不许表现出人世间的悲欢离合吗？

第四，人性论和人情味既然都成了禁区，共同美感当然也就不能幸免。人们也认为肯定了共同美感，就势必否定阶级观点。毫无疑问，不同的阶级确实有不同的美感。焦大并不欣赏贾宝玉所笃爱的林妹妹，文人学士也往往嫌民间大红大绿的装饰“俗气”。可是这只是事情的一个方面，事情还有许多其他方面。因为美感这个概念是很模糊的，美感的来源也是很复杂的。过去有些美学家认为美仅在形色的匀称，声音的谐和之类形式美，另外一些美学家却把重点放在内容意义上，辩证唯物主义者则强调内容和形式的统一。就美感作为一种情感来说，它也是非常复杂的，过去美学家大半认为美感是一种愉快的感觉，可是它又不等于一般的快感，不像渴时饮水或困倦后酣睡那种快感。有时美感也不全是快感，悲剧和一般崇高事物如狂风巨浪悬崖陡壁等所产生的美感之中却夹杂着痛感。喜剧和滑稽事物所产生的美感也是如此，同一美感中就有发展转变的过程，往往是生理和心理交互影响的。过去心理学在这方面已做过不少的实验和分析工作，得到了一些公正的结论，但未得到公认结论，待进一步研究的问题还很多。现在我们中间很多人对这方面的科学研究还毫无所知，或只是道听途说，就对美感下结论，轻易把“共同美感”摆入禁区，这也是一个学风问题。

究竟有没有共同美感呢？

根据何其芳同志在1977年《人民文学》第九期里回忆毛泽东同志谈话的文章，毛泽东同志是肯定了共同美感的。他说：“各个阶级有各个阶级的美，各个阶级也有共同的美，‘口之于味，有同嗜焉’。”我们在另一文介绍《经济学—哲学手稿》和

《资本论》论劳动的部分也已经看到马克思肯定了人类物质生产和精神生产都因为人在劳动中发挥了肉体和精神两方面的本质力量而感到乐趣。这种乐趣不就是美感吗？马克思因此进一步肯定了艺术起源于劳动。劳动是人类的共同职能，它所产生的美感能不是人类共同美感吗？

马克思和毛泽东同志都是全世界无产阶级革命的导师，同时也都是“共同美感”的见证人。马克思在一系列著作中高度评价过奴隶社会、封建社会和资本主义社会的一系列的文艺杰作，从古希腊的神话、史诗、悲剧、喜剧，文艺复兴时代的但丁《神曲》，莎士比亚的悲剧，塞万提斯的《堂吉诃德》，直至近代巴尔扎克的《人间喜剧》，而且早年还亲自写过爱情诗。毛泽东同志也是如此，现代没有哪一位“国故”专家对中国古典有毛泽东同志那样渊博而深湛的认识和终生不倦的钻研和爱好，而且在自己的光辉的诗词中吸取了中国古典精华，甚至不放弃古典诗词的格律，真正做到了推陈出新。难道这两位革命导师对各种类型社会古典文艺的爱好，还不能证明不同时代、不同民族和不同阶级有共同的美感吗？

还不仅如此，否定共同美感，就势必要破坏马克思主义关于文化（包括文艺在内）的两大基本政策：一是对传统的文化遗产的批判继承，一是对世界各民族的文化的交流借鉴，截长补短。在文艺方面这两大政策的实施不但促进了文艺繁荣，也促进了各民族之间的互相了解，和平共处。否定共同美感，就势必割断历史，不可能有批判继承；也势必闭关自守，坐井观天，不可能有交流借鉴。生今之世，能否定文化继续和文化交流吗？

第五，特别要冲破的是江青和她的走卒们所吹嘘的"三突出"谬论对于人物性格所设置的一些禁区，文艺作品总离不开人，特别是有故事情节的戏剧和小说，亚理士多德把戏剧中的角色叫做"在行动中的人"，马克思主义者把他们叫做"典型环境中的典型性格"。角色之中有主次之分，首要的角色叫做主角，在西文为 hero，这个西文词的一般意义是"英雄"。主角可以是英雄人物，也可以是所谓"中间人物"和"小人物"。在封建时代，戏剧和小说的主角大半是些英雄人物，因为当时只有封建社会上层人物才能作为主角反映在文艺作品里，为着维护或表扬他们的高贵尊严，他们大半被描写成为英雄人物。不过只是在悲剧性或严肃性的作品里如此，至于在喜剧性的作品里，如莫里哀的《伪君子》和《贵人迷》之类喜剧主角却都不是什么英雄而是些卑鄙可笑的人。到了近代资产阶级登上了政治舞台，因而也登上了文艺舞台，文学创作中现实主义也占上风了，情形就有了彻底的变化。现实主义派抛弃过去歌颂英雄人物和伟大事迹的习尚，有意识地描写社会下层人物。在十九世纪俄国现实主义中，写"小人物"和"多余的人"是作为一个正式口号提出来的。莱蒙托夫的著名小说《当代英雄》（应译为《现时代的主角》）中的主角毕乔林就不是什么英雄人物而是典型的小人物或多余的人物。过去时代的主角是统治阶级的领导人物，而"现时代的主角"却是毕乔林之类没落阶级悲观厌世行为卑鄙的人物了。

我约略叙述这种历史转变，因为从此可以揭示江青及其走卒们所吹嘘的“三突出”谬论的反动性。这批害人虫妄图把封建时代突出统治阶层首脑人物的老办法拖回到现代戏里来，骨子里还是为着突出他们自己，为他们篡党夺权作思想准备。他们理想中的英雄人物有两大特点：第一是十全十美，没有一点瑕疵；其次是始终一致，人物没有发展，结果使文艺作品中的主角不是有血有肉的人，而是概念公式的图解或漫画式的夸张。近代英国小说家福斯特（E. M. Forster）在《论小说的各方面》一书中指出小说人物可分两种：一种是看不出冲突发展的“平板人物”（flat character），另一种是看得出冲突发展的“圆整人物”（round character）。他认为小说不应写出前一种人物而应写出后一种人物。“四人帮”所吹捧的恰是前一种，所禁忌的恰是后一种，仿佛宋江不应有“坐楼杀惜”，李逵也应该莽撞到底，他们狂妄无知竟到了这种程度！

其次，由于他们要片面地突出“英雄人物的高大形象”，就把所谓“中间人物”和“小人物”列入禁区，把描绘小人物和中间人物的能手赵树理的作品打入冷宫，并把他迫害致死，想起无数类似的事例，谁不痛心疾首！遭殃的并不限于一些优秀作家和优秀作品，还应想一想由江青盗窃来加以篡改歪曲的八部“样板戏”成了几多大大小小作家的“样板”！几多人有意识地或无意识地陷入那批人妖所设置的陷阱？结果形成了什么样的文风？在青年一代思想中造成了多么大的危害？

冲破他们所设置的禁区，解放思想，恢复文艺应有的创作自由，现在正是时候了！

对《关于费尔巴哈的提纲》译文的商榷

（根据《马克思恩格斯选集》第一卷第十六至十九页）

马克思的辩证唯物主义和历史唯物主义是在批判黑格尔和费尔巴哈的基础上发展出来的，在1845年写的《关于费尔巴哈的提纲》制定了批判费尔巴哈的一些基本论点的纲要。马克思、恩格斯据此写出《德意志意识形态》，后来恩格斯在1888年又据此写出《路德维希·费尔巴哈和德国古典哲学的终结》，从而奠定了马克思主义哲学的基础。恩格斯提到这部《提纲》时说它是“新世界观的天才萌芽的第一个文件”。值得特别注意的是《提纲》第一次提出的马克思主义的实践观点，把掌握和改造世界的重点从单纯的认识转移到实践和行动方面去。这些年来《提纲》在我国似还没有受到应有的重视，原因之一或许是译文还不够正确，不够明白易懂。因此，我们在这里对译文提出一些意见，谨供校改时参考。

关于题目本身，原文是 Thesen über Feuerbach，译《关于费尔巴哈的提纲》既累赘也不很正确，德文 über（即英文 on）有时可译为“论”，例如 on education 就可译为“论教育”而不宜译为

“关于教育”。Thesen（英文 theses）本义为“论文”或“论点”，本文与 über 连用，译为“论纲”较简洁。因为它原是准备写的《费尔巴哈论》的提纲，“论”字应出现。

一

全文要义在第一条，难处也在第一条。第一条译不好，下文各条也就不易译好，不易让读者读懂。目前第一条译文就很难懂，原因在译时理解得不够正确。马克思的经典著作是前后既有发展而又有连贯性的，《论纲》决不能孤立地看。《论纲》是紧接着《经济学—哲学手稿》写的，《德意志意识形态》又是紧接着《论纲》写的。这三部著作如果合在一起来看，同时，还可结合到后来的《政治经济学批判“导论”和“序言”》，《资本论》第一卷的论“劳动过程”段以及恩格斯的《劳动在从猿到人转变过程中的作用》和《费尔巴哈与德国古典哲学的结果》（原文 Ausgang 是“出路”或“结果”，译“终结”亦误）来看，《论纲》就较易理解。

《论纲》里有些词是马克思沿用黑格尔常用的术语，有时取一般意义，有时取特殊意义。因此，造成理解和翻译上的不少困难。例如 Der Gegensltand（英：object），die Wirklichkeit（英：reality），Sinnlichkeit（英：sensuousness）三词连用，都是同义词，在语法上属于同位格，都指现实界的具体事物。第一个词译为“事物”，本不算错，英译也有时用 thing，但一律译为“对象”较妥，因为这个词在本文有个特殊涵义，它是与主体（人）相对立的，是人的实践和认识的对象；所以译为“对象”就比“事物”或“客体”较好。旧译文对此词前后译法不一致，时而是“事物”，时而是“客体”，时而又是“客观”。下文“把人的活动动本身理解为客观的活动”，便失去了这句话的深刻意义：人的活动和对象（物）的活动是既对立又相依为用，不可分割的。“客观”不如“客体”，“客体”的对立面也是“主体”比“主观”好，本条“从主观方面去理解”在中文里读者可能理解为“凭主观去理解”，这就失去“要从人（主体）那方面去看或了解”的原意了。下文还有“思想客体”和“感性客体”也是读者不易懂的。为什么不和上文一致，用“思想对象”和“感觉对象”呢？费尔巴哈是侧重感性认识而轻视理性认识的。下文“费尔巴哈想要研究跟思想对象不同的感觉对象”，以及第五条“不满意抽象的思维而诉诸感性的直观”，都可为证。懂得这个道理，就可以看出下文旧译文说“费尔巴哈仅仅把理论的活动看作是真正人的活动”，就是让费尔巴哈自打耳光了。译文中“理论的活动”的“理论的”原文是 Theoretische，Theorie，在涉及学说和理性认识时，固可译为“理论”，但只涉及感觉或感性认识时也译为“理论’就是错误了。这是一个普遍流行的因而急待更正的一个错误。Theorie 本意是看到的事物的形象或道理，包括感性认识和理性认识两种。如果一律译为“理论”，就把感性认识排除掉了。一般地说，只是与实践（Praxis）对举时，Theorie 就应一律译为“认识”。特别在涉及费尔巴哈的思想体系时，不要使读者误认为费尔巴哈也是重视“理论”的。

还要回头谈一下开始就提到的那三个同义词。其中第三词 Sinnlichkeit 是不易译的，旧译文照字面译为“感性”，英译文也照字面译为 sensuousness，都不很妥，因为指的是具体事物而不是某种抽象的属性，法译作 le monde sensible（感性世界）即可用感官直接感知的世界，这就醒豁了。法译文有时把“感性的”改为“具体的”，也便于理解。这就说明翻译不能孤立地拘泥于字面，要看到上下文的关联。旧译文的一个明显的缺点就在不大注意上下文的关联，上文已举过的“对象”“客体”和“客观”以及“理解”和“认识”都是著例。另外还有“唯心主义却发展了能动的方面”一句话也是如此，“能动的方面”原文是 die tätige Seite，指的是上下文都屡次出现的 Tatigkeit（活动），为什么前后都译为“活动”，这里偏译为“能动的方面”呢？这里有“能动”和“被动”的区分吗？

《论纲》第一条的要义是：在批判唯心主义和旧唯物主义的基础上，来奠定人与自然，心与物，亦即主体和对象在生产劳动中既对立而又互相依存，互相促进而达到统一的这个唯物辩证的基本原则。从这个基本原则出发，马克思对旧唯物主义和唯心主义都既有所肯定，又有所否定。在《论纲》前一年写的《经济学—哲学手稿》里马克思就已从唯物辩证观点出发，批判过“抽象唯心”和“抽象唯物”。抽象这个词在本文也用过，原文是 abstrakt，意思是从统一体中抽去某一片面而单取某另一片面，所以“抽象地”就是“片面地”（与一般用法略有不同）。“抽象唯心”片面地强调“心”而忽视“物”，“抽象唯物”则适得其反，片面地强调“物”而忽视“心”，所以，各有正确的一面和错误的一面。唯心主义正确的一面在于阐明了旧唯物主义所忽视主体的活动方面；它的错误的另一面在于“不知道真正的现实的感性（即具体）活动本身”，从《经济学—哲学手稿》和其他有关的经典著作看，这种实践活动，也就是人和物（自然）合作所进行的生产劳动。在生产劳动过程中，人形成了社会集体，既在改造自然，使自然日益丰富，同时也在改造自己，提高自己，从而不断地推动历史前进。这就是下文所说的“革命的，实践批判的活动”。唯心主义当然不懂得这种生产劳动的实践活动，所以，它并没有懂得它所片面强调的主体的活动方面。费尔巴哈的旧唯物主义与此相反。他重视具体感性事物而轻视抽象思维和抽象理论，从而把黑格尔的客观唯心主义扳正到唯物主义方向，这是他的重要的功绩。但是，他的错误也在于不懂得实践。在《基督教的本质》一书里，他“只把认识活动当作真正的人的活动”，把实践只看成犹太人唯利是图，损人利己的那种卑鄙活动，而真正的人的活动却是马克思所强调的人在其中既改造自然也改造自己的那种生产劳动，即“革命的实践批判的活动”。

这就是辩证唯物主义和历史唯物主义所根据的马克思主义的实践观点。在《德意志意识形态》中“费尔巴哈”部分，马克思、恩格斯把“实践的唯物主义者”称为“共产主义者”，说他们的“全部问题在于使现存世界革命化”。从此可见，不懂得这种实践观点，就不会懂得马克思主义哲学及其重要性。在我们中间还有号称马克思主义者在论文里公开诋毁马克思主义的实践观点，仿佛这只是几个苏联学者和我国资产阶级学者所捏造出来骗人的，而马克思主义创始人并不曾提出过什么实践观点。《论纲》、《经济学—哲学手稿》、《资本论》、《劳动在从猿到人转变过程中的作用》等经典著作都足以证明这种人既愚昧而又不老实。所以认真学好、懂透和译好这些经典著作，今天对我们还有很大的现实意义和迫切性。

《论纲》不过十一条，简短，却不易懂。为着便于深入学习和讨论，特就旧译文提出一些意见。第一条较难，所以多费一些篇幅，已谈过的下文就无需复述。不少问题出在对外文的掌握，有时也出在对中文的掌握。后面附有建议的校改文，本意不是“示范”，而是供讨论者和校改者参考。

二

“人的思维是否具有客观的真理性”

这是思维与存在是否统一问题。用“具有”译原文 zukomme 是不妥的，这个德文词是精心挑选的。它兼含“达到”和“接近”两个意思，用来表达思维和存在的关系是极妥贴的。就中文来说，这句译文也顶生硬。人民大众只问：“你那种思想是否真实”，不问“它是否具有真理性”，“真理性”就是硬造出来不大妥贴的一个词，“真理”就够明白了。

“人应该在实践中证明自己思维的真理性，即自己思维的现实性和力量，亦即自己思维的此岸性。”

“真理性”是否可改为“真实”或“真理”？下面和“真实”处于同位格的有现实性。“威力”（比“力量”似较强）和“此岸性”，都是证明的宾词。“自己思维”复述了三次，“即”之后又有“亦即”，不嫌累赘吗？“此岸性”究竟是怎么回事？不加注就直译义，例如“此岸性”（可知性），原文说明实际上就是实践是检验真理的唯一标准。所检验的有三点：一是有关思想的现实性；二是它的威力；三是它的可理解性。有了这三点，有关思想就是真实的。头两点指切实有效，第三点是不玄秘而可理解。下文“经院哲学的”用“经院气的”（略似中文“学究气”）即可，不必加“哲学”二字。

三

“教育者本人一定是受教育的”

“一定是……的”是强调地肯定一切教育者实际上都是受过教育的，原文 erzogen muss 是说“教育者自己也必须（或应该）受教育”。汉语用虚字表达语气和神韵，在写作和翻译都应特别注意。旧译文在处理虚字方面往往不妥，特举一例，余见建议的校改文：

> 环境的改变和人的活动的一致，只能被看作是并合理地理解为革命的实践。

这句译文把原文的语法看错了，因而把原意完全译错了，这可分为三点来说：(1)“一致”（或“合拍”）是全句的主语，互相“一致”的有两项，一是“环境的改变”，一是“人的活动的改变”，所以原文用了两个 der（英：of），旧译文“人的活动”后漏了

“的改变”三字。(2)只能被看作是并合理地理解为革命的实践,原文是“两种活动的一致只有作为革命的实践才可以(Kann nur als)认识(gefasgt)和合理地理解”,“作为革命的实践”是认识和理解的条件,不是“认识和理解”的宾词(如旧译文所理解的)。(3)这句话在原文里用外文常用的被动语气,中文一般少用被动语气,译外文被动语气句往往改为主动语气句。例如说“他挨打了”,不说“他被打了”;说“他打败了”,不说“他被打败了”,如果用生吞活剥的直译,读起来就不顺畅。这句的译文“只能被看作是并合理地理解为……”就是一个例子。中文仍可译为主动语气:“这种一致只有作为革命的实践才可以认识和合理地理解。”

四

“他致力于把宗教世界归结为它的世俗基础”

“他致力于”原文是 Seine Arbeit(他的工作),与下文“这一工作”相关联,应照原文直译。“归结于”原文是 aufzulösen(英文 reduce)改为“还原到”较易懂。因为宗教的世界原是世俗的世界化身的分裂和矛盾,所以要消除二重化。这是费尔巴哈在《基督教的本质》所提出的主张。如举基督教的神圣家族为例来说,神圣家族的基础是世俗家庭。要解决神圣家族这个宗教问题,就要先通过认识和实践去推翻或消灭世俗家庭制。“消灭”在原文是 vernichtet,另一版本作 umgewallzt(推翻),旧译文却作“受到革命改造”,与法译本大致相同,根据的或是另一版本，在我们所根据的一九五九年的德文本里，马克思明说要“消灭”或“推翻”，并没有说要“革命改造”。他对待家庭制和对待“世俗世界”的办法并不一样。这涉及到了共产主义社会还要不要家庭制的大问题，应特别审慎，应谨遵马克思的正确看法。

五

“他把感性不是看作实践的人类感性的活动”

这句旧译文很费解，单就字面看，看不出这句话的意思。“感性”是什么？法译作“具体”，似较明确。原文 menschlich 是指“人类”还是泛指“人”（包括个人），法译作 de L’homme（人的）也较妥。

六

“人的本质并不是单个人所固有的抽象物”

原文 kein dem einzelnen inwohnendes Abstraktum。用“单个人”译 einzelnen 不够，“单个人”和“个人”有什么不同？法译作 L’individu isoler（孤立的“个人”）较明确。而且与下文所强调的人的社会性有密切的关联。用“抽象物”也可斟酌，指的并不是“物”而是“属性”。

用“在其现实性上”译 in seiner Wirklichkeit 这个日常口头语，死扣字面，就显得笨拙可笑。一般人民大众会说“其实”或“实际上”，全句话可译为“人的本质（中文不轻易用代词）其实就是(注意‘就’这个虚词)一切社会关系的总和”。

“费尔巴哈不是对这种现实的本质进行批判”

“不是”中“是”字是多余的,“现实的”仍依上译为“实际”(或“其实”)。Gemüt(英:Sentiment),不是“感情”而是“心情”或“情操”。

“孤立地观察宗教感情”译 das religiöre Gemüt(英:sentiment)fur sich zu fixieren,动词 fixieren 不是“观察”而是“固定”,把宗教情操固定为孤立的(或独立自在的)。

“所以,他只能把人的本质理解为类”

Gattung 译为“类”不够明确,这个词相当于英文 species 与英文 class 或 category 不同。它涉及费尔巴哈的中心思想,即他们宣扬的“人类学原则”(anthropological principle,有人误译为“人本主义”)。按照人类学原则,人是作为生物中的一种来看待的,着重血缘而蔑视社会关系,达尔文的名著 *Origin of Species*,严复译为《物种原始》颇精确,Gattung 也就是“物种”。把人只看作动物中的一种物种,就会忽视人的社会性和自觉性。这是费尔巴哈的“人类学原则”的基本缺点。马克思在《经济学—哲学手稿》的第一手稿里在费尔巴哈的影响之下还只把人看成一个物种,到第三手稿才强调人的社会性和自觉性,并且指出人达到这样高一层的地位是来自生产劳动的实践活动。明白了这段批判继承的渊源,就会对本段有较正确的理解,译起来也就会较准确些。

“只能把人的本质理解为类(物种),理解为一种内在的、无声的,把许多个人的纯粹自然地联系起来的共同性。”这句旧译文也很费解。“内在的、无声的”究竟是什么意思，是形容什么的？看原文也颇不易确定，可能指有内心活动而哑口无言。形容像一般动物的那种原始人所属的物种，也就是最后一词Allgemeinheit。这一词决不应译为抽象的“共同性”，因为它是由“许多个人纯粹自然地联系起来的”，而且和上文“物种”处于同位格。足见它是一个集体名词而不是一个抽象名词，应译为“总体”或“共同体”而不应译为“共同性”。“纯粹自然地联系起来”就是以自然人的方式拼在一起的“乌合之众”，而不是以社会人的组织方式联系起来的团体。

七

Gesellschaftsform 通用的译词是“社会形态”不是“社会形式”。

八

头一个词 Alles(“一切”或“凡是”)

原文 Aller Mysterien, Welche die theorio zum Mystizim〔us〕Veranlassen 译为“凡是把理论导致神秘主义方面去的神秘东西”，嫌累赘。Mysterien 不是一般“神秘东西”，而是宗教中的秘密教条和仪式。

九

“对市民社会的单个人的直观”

原文是 die Anschauung der einzelnen individuen und der burgerlichen Gesellschaftliche Menschheit。

1. “对”,原文没有,一字之差便走了原义。例如“你的看法”和“对你的看法”完全是两回事。这是一个严重错误,起于乱加字。

2. “直观”,涉及下文两种直观主体。一是一些个别的人,一是市民社会。所以用 und 连接起来,用了两个 der。如原文不错,旧译就错了。但查法文本,此句译为“在市民社会中一些零星(孤立的)个人的观照方式”。旧译所根据的版本或与一八五九年的德文版本不同。但是“直观的唯物主义”仅限于市民社会的某些孤立的个人,也还是一个问题,姑存疑。

十

“人类社会或社会化的人类”

依原文“社会化的人类”die Gesellschaftliche Menschheit,没有“化”的意思。应译为“社会性的人类”,前一词人类社会原文是 die menschliche Gesellshaft 亦应译为“人性的社会”。

十一

“问题在于改变世界”

原文 es kommf darauf an 译为“问题”似不够。解释世界也还是问题，但改变世界是最重要的事，建议把“问题”改为“关键”。

附　建议校改译文

费尔巴哈论纲

一

前此一切唯物主义（包括费尔巴哈的在内）的主要缺点都在于对对象、现实界，即感性世界，只以对象的形状或直观得来的形状去理解，而不是把对象作为人的具体的活动或实践去理解，即不是从主体方面去理解。因此，活动的方面不是由唯物主义反而是由唯心主义抽象地阐明了，——唯心主义当然不知道实在的具体活动本身。费尔巴哈所想要的是和思想对象实在不同的感觉对象，但是他不把人的活动本身当作对象方面的活动来理解。所以，他在《基督教的本质》里只把认识活动当作真正的人的活动，而把实践只理解和固定为犹太人的那种卑鄙的表现形式。所以他不了解革命的或实践批判的活动的意义。

二

人的思维是否能达到客观真理的问题并不是一个认识问题而是一个实践问题。人必须在实践中证明他的思想的真理，亦即现实性、威力和此岸性（可知性）。脱离实践而争辩思想是否真实，那就纯粹是一种经院气的问题。

三

有一种唯物主义的教条宣扬环境和教育的改革作用，却忘记了环境正是由人来改造的，而教育者自己也必须受教育。所以这种教条必须要把社会分成两部分，把其中一部分抬高到凌驾于另一部分之上。

环境的改变和人的活动的改变或自我改造之间的一致，只有把这两种改变都看作革命的实践，才可以认识和合理的理解。

费尔巴哈的出发点是宗教的自我异化，即把世界二重化为一种是宗教世界而另一种是世俗世界。他的工作是要把宗教世界还原到它的世俗基础。但是这世俗基础原是由自分裂而转入云霄，固定成为一个独立王国，这就只有用这世俗基础的自我分裂和自我矛盾才可以说明。所以这世俗基础既要从它的矛盾去理解，又要通过实践去加以改革。举例来说，既已从世俗家庭里发现到神圣家族的秘密了，就应通过认识和实践来消灭（或推翻）世俗家庭本身。

五

费尔巴哈对抽象思维不满意而要求直观，但是，他不把感性世界理解为人的实践的具体活动。

六

费尔巴哈把宗教的本质还原到人的本质。但是人的本质并不是某一个人生来固有的抽象的东西。人的本质实际上就是社会关系的总和。

费尔巴哈不对这种实际本质进行批判,他就被迫:

1．抛开历史进程而把宗教心情(或情操)固定成为独立自在的,并且假定有一种抽象的孤立化的人性个体;

2．因此,他只能把〔人的〕本质理解为“物种”,理解为一种内在的、哑口无言,由许多个人以自然的方式联系起来的总类(共同体)。

七

因此,费尔巴哈看不到宗教心情本身就是一种社会的产物,而他所分析的那种抽象的个人实际上仍属于某一形态的社会。

八

凡是社会生活在本质上都是实践的,凡是把认识误引到神秘主义去的那些宗教秘密仪式都要在人的实践中以及对这种实践的理解中得到合理的解决。

九

凭直观的唯物主义,即不把感性世界看作实践活动的唯物主义,所能达到的最高水平不过是一些零星的个人的直观和市民社会的直观。

十

旧唯物主义的立场就是市民社会,新唯物主义的立场却是人类社会或社会性的人类。

十一

前此哲学家们只是用不同的方式去解释世界,而关键却在于改革世界。

(据1959年柏林Dietz版《马克思恩格斯全集》
第三卷第517页改译)

马克思的《经济学—哲学手稿》中的美学问题

一　浅谈"异化的劳动"与"美的规律"

近四十年来，全世界都在争论的"异化"问题，是马克思在《经济学—哲学手稿》中特别是在"异化的劳动"章中详加阐明了的。"异化"所涉及的方面很多，包括共产主义远景，经济学、哲学、科学、宗教和文艺等等。特别涉及美学的是马克思所提的"美的规律"，马克思对这些方面的问题结合"异化"与私有制提出一些意义重大的看法。马克思只花了六个月就写出了这部手稿，从中可以看出他对私有制的极端痛恨，对共产主义宏大远景的热烈向往。同时也可以看出，这部手稿是他在匆忙之中奋笔疾书写出来的。写完就搁下来，来不及修改，一直搁了差不多九十年，到 1982 年才在德国出版，原稿中有些段落已残缺或遗失，这就给读者造成了很大困难。马克思沿用了黑格尔和费尔巴哈的一些术语，对一般读者不免艰晦；而且经常重复或中途停顿，也使读者很难摸索出个条理。现在我试图就个人所摸索到的一点一滴，用浅近的语言表达出来。错误在所不免,希望引起美学界的同志深入学习手稿原文,对我的浅谈进行批判纠正,以便把对原文的理解搞深搞透一点。

这部手稿是既从人性论又从阶级斗争观点出发的。马克思先就资本主义时代关于工资、地租和资本利润以及竞争和垄断等等现实政治经济情况和弊端加以揭露和分析,同时对当时英法等国的古典政治经济学也进行批判,指出它站在维护资产阶级利益的立场,把资本主义的种种病态都视为理所当然,只罗列现象而不寻求病根所在。马克思一针见血地指出病根在于私有制所带来的“异化的劳动”。异化在实质上就是对人的肉体和精神两方面的剥削和摧残。经过层层异化,人就丧失了人的本质而退化到一般动物的地位。只有等到历史发展到共产主义时代,才有希望彻底废除私有制和异化的劳动,使人全面发展他的肉体和精神两方面的“本质力量”,凭他的实践和认识,对自然(包括社会)加工改造,日渐把人类社会的物质文化和精神文化都推进到最高最丰富的阶段。那时人与自然的对立,人与人的对立,主体与客体(对象)的对立,存在与思维的对立,抽象唯心和抽象唯物的对立以及导致纷争冲突的其他对立就都要消除净尽了。这是整部手稿的大轮廓。

现在来谈这部手稿的中心思想,即“异化的劳动”。这个词在原文是 Die entfremdete Arbeit;除 entfremden 这个动词之外,马克思也曾用 entäussen 作为同义词。entfremdete 英译作 estranged 或 alienated,英文名词 stranger 和 alien 都有“陌生人”或“外方人”的意思,所以用作被动词时译“异化”或“外化”都可以。不过德文 entäussen(外化)有“出卖”,“出让”,“抛出”等商业的意义，“异化”已通用，一般以沿用为宜。

“异化”和“外化”这两个词都来自黑格尔和费尔巴哈，马克思用这两个词与他们俩人所用的在意义上有联系而实质不同，须先把黑格尔和费尔巴哈用这两个词所表达的思想交代清楚，然后才能正确地理解马克思用这两个词所表达的思想是一个重大的进展和转变。黑格尔所说的外化或异化是他的客观唯心主义辩证法的正反合三一体中的“反”的阶段。例如抽象概念（包括所谓“绝对”）是正，因为片面抽象还不真实，须在它自身设立对立面，即“另一体”或具体的事物，这就是“反”，由正而反的过程便是“外化”。正反对立，不但“正”是片面的，“反”也还是片面的，须经过否定的否定，才达到较高一级的统一，即所谓“合”。这种辩证过程于理应一直进展下去。黑格尔有时也把“外化”叫做“对象化”，即精神变物质。这是历史发展的必然，所以黑格尔用这些词并没有贬义。这种辩证法是从客观唯心主义出发的，马克思在这部手稿的最后一章《黑格尔的辩证法及其整个哲学体系的批判》一文里已批判了黑格尔的客观唯心主义的哲学基础及其辩证法的谬误。但仍沿用了“异化”“外化”“对象化”这些术语，除用“对象化”一词有时见不出贬义以外，用“异化”和“外化”都带有贬义。

马克思在这部手稿中，受到影响最深的还不是黑格尔而是费尔巴哈。在马克思之前，费尔巴哈已把黑格尔的心物关系的首足倒置扳转过来了，由概念和对立面的关系转到人本身对自然的关系。在他的名著《基督教的本质》里，费尔巴哈就从人对自然的关系出发，论证人在宗教信仰中把自己“异化”到神上去了。不过他所说的“人”不是个人而是作为“物种存在”的人，即属于同一物种的人类。基督教相信人是上帝创造出来的，实际上并不是上帝创造了人，而是人按人类自己的形象创造了上帝，这就是说，人把同属于一个物种的人类的本质外射或“异化”到上帝这个幻想产品上去了。人既把人类本质异化到上帝身上，就不再能由人自己去发挥人的本质力量。要人由自己发挥人的本质力量，就必须消除这种自我异化，也就是要消除幻想的神。费尔巴哈把黑格尔的哲学也看成一种神学，因为正如宗教和神学把幻想中的上帝看作创世主，黑格尔的哲学也把幻想中的“绝对”或“理念”看作创世主，都把人自己异化到“绝对”去了。其结果也正和神学一样使人的本质力量失其应有的作用，所以这种“异化”也必须否定掉。这是从唯心主义转到唯物主义，由有神论转到无神论所走的一大步。马克思对费尔巴哈的这个功劳曾热情地赞颂过。不过费尔巴哈缺乏实践经验和历史发展观点，仍大谈其“爱的宗教”，在哲学上仍有半截唯物主义半截唯心主义的缺陷。马克思在《经济学—哲学手稿》里，既继承了费尔巴哈的人对自然的紧密联系，人的物种本质及其异化等观点，也批判了他的思想的抽象性和不彻底性。这是批判继承的范例。

这部手稿的突出特点是完全从劳动者出发来分析资本主义政治经济的现实情况，证明一切弊病都出在劳动者对生产劳动的关系上。这个关系是从三方面来分析的，即(1)劳动者对劳动产品的关系，(2)劳动者对生产劳动本身的关系，(3)劳动者对旁人(劳动者和非劳动者即资本家)的关系。

(1)异化的劳动使劳动者失去了他的产品，他的产品“异化”到资本家那里成为资本，而他自己创造出商品愈多反而就愈贫穷，不但掌握不到生产资料，而且也被剥夺去维持肉体生存的生活资料。资本家就凭劳动者所创造的财富作为奴役和欺凌劳动者的工具，结果迫使劳动本身和劳动者都变成日益廉价的商品。用马克思的原话来说：

劳动者生产愈多，供他消耗的就愈少，他创造的价值愈多，他自己就愈无价值，愈下贱；他的产品造得愈美好，他自己就变得愈残废丑陋；他的对象愈文明，他自己就变得愈野蛮；劳动愈有威力，劳动者就愈无权；劳动愈精巧，劳动者就愈呆笨，愈变成自然的奴隶。

这种劳动产品的异化和资本化，还只限于“物的异化”。物的异化使劳动产品对劳动者成为一种外在的对立的奴役他自己的敌对力量。就它的恶果来看，已可看出。(2)异化还表现在劳动者对生产劳动这种活动本身上。劳动者不但被剥夺去他的产品，而且他的生产活动也剥夺去它作为人的本质力量。他的劳动并不属于劳动者的本质：

所以在他的劳动里他不是肯定而是否定他自己，不是感到快慰而是感到不幸，不是自由地发挥他的身体和精神两方面的力量，而是摧残他的身体，毁坏他的心灵。……所以他的劳动不是自愿的而是强迫的，是强迫的劳动，因此不是一种需要的满足，而只是满足外在于它的那些需要的一种手段。……所以结果是：人（劳动者）除掉吃、喝、生殖乃至住和穿之类动物性功能之外，感觉不到自己在自由活动，而在人性的功能方面，他也感觉不到自己和动物有任何差别。动物性的东西变成了人性的东西，人性的东西变成了动物性的东西。

一句话，由于劳动这种活动在本质上的异化，人就失其为人了，“其所以异于禽兽者几希”了。这就叫做“自我异化”。

（3）从物的异化和自我异化这两种定性之中，马克思还引申出异化的第三种定性，即在异化劳动中人丧失人作为一个物种（即人类）的特性：

人是一种物种存在。这不仅因为人在实践和认识两方面都把物种（包括他自己的种和其他物的种）作为他的对象，而且……也因为他把自己就看成实在的有生命的物种，看成一种具有普遍性的因而是自由的存在。

这里“物种存在”还是沿用费尔巴哈的术语。人作为一种物种存在就是通常所说的“人类”，研究人作为一种物种的科学就叫做“人类学”。费尔巴哈强调过“人类学原则”，马克思在这部手稿中和《费尔巴哈论纲》中也沿用了“人类学原则”，但赋予它较深刻的意义，指出人的物种特性在于人有自意识即自觉性，认识到自己不仅是一个个体，而且把自己和他所属的那个物种（即人类）等同起来，因而在他的生活活动（实践和认识）中都把他的物种（即人类）作为他的对象。还不仅此，他还认识到其他物种乃至整个自然界（包括社会）。这一切都成了“精神食粮”，时而作为自然科学的对象，时而作为艺术的对象。在实践方面，这一切自然对象都成了人的“无机的肉体”，既是生活资料，又是“人的生活活动的材料、对象和工具”。也就是生产劳动、革命斗争和科学实验的物质基础。这些就是马克思所强调的人的物种特性中的普遍性和自由性。异化的劳动就使劳动者丧失了这些特性。在第一手稿里，马克思还专谈“物种存在”。在第三手稿里，“社会性”就代替了“物种存在”：

> 这整个〔生产〕运动的一般性质就是社会性，正如社会生产出作为人性的人，社会也是由人生产出的。

这种对“社会性”的强调就弥补了费尔巴哈的“人类学原则”的缺陷。

在分析人的物种特性和人与自然的统一之中，马克思还提到人通过实践对自然界进行加工改造，从而创造一个对象世界。这段提到“美的规律”，对美学和文艺创造的意义特别重大，让我们引出全文来稍加分析：

通过实践来创造一个对象世界，即对无机自然界进行加工改造，就证实了人是一种有自意识的物种存在，也就是说，人是把物种存在当作自己的存在来对待，或是把自己当作物种存在那种存在来对待。动物固然也生产，它替自己营巢造窝，例如蜜蜂、海狸和蚂蚁之类。但是动物只制造它自己或它的后代直接需要的东西，它们只片面性地生产，而人却普遍（全面）地生产，动物只有在肉体直接需要的支配之下才生产，而人却在不受肉体需要的支配时也生产，而且只有在不受肉体需要的支配时，人才真正地生产，动物只生产动物，而人却再生产整个自然界；动物的产品直接联系到它的肉体，而人却自由地对待他的产品。动物只按照他所属的那个物种的标准和需要去制造，而人却知道怎样按照每个物种的标准来生产，而且知道怎样把本身固有的（或内在）标准运用到对象上来制造，因此，人还按照美的规律来制造。

这段话有下列几点值得特别注意：

(1)人通过实践来创造一个对象世界，即对于无机自然界进行加工改造。这条原则既适用于包括工农业的物质生产，也适用于包括哲学科学和文艺的精神生产。这两种生产都既要根据自然，又要对自然进行加工改造。这里见出物质生产和精神生产的一致性。这就肯定了艺术既要根据自然又要改造自然的现实主义路线，排除了文艺流派中所谓“自然主义”。

(2)这两种生产都“证实了人是一种有自意识的物种存在”。人意识到人的个体就等于人的物种,而且根据这种认识来生产。这就不是根据个体肉体的直接需要,像一般动物那样,而是着眼于为人类服务的目的,根据整个物种的深远需要。就文艺来说,马克思强调文艺的自由性,并不以为自由就在“为文艺而文艺”;他否定了文艺的自私动机,却肯定了文艺的社会功用。这段举动物建筑为例来说明人和一般动物在生产方面的差别。我们在下文谈到马克思在《资本论》中有关论述劳动的章节里,还会看到马克思就这条原则作了进一步的发挥,那里举的实例也正是蜜蜂营巢和人类建筑师仿制蜂巢的差别。

(3)“人还按照美的规律来制造”,说明了人的作品,无论是物质生产还是精神生产都与美有联系,而美也有“美的规律”。这美的规律究竟是什么?这个问题曾引起不少的揣测和争论。这句话前面冠有“因此”一个连接词,“此”字显然指上文所列的两条:一条是“人知道怎样按照每个物种的标准来生产”,另一条是“人却知道怎样把本身固有的(内在的)标准运用到对象上来制造”,这两种标准的差别究竟何在?依我的捉摸,差别在于前条指的是每个物种作为主体的标准,不同的物种有不同的需要,例如人造住所和蜜蜂营巢各有物种的需要,标准(即尺度)就不能相同。蜜蜂只知道按自己所属的那个物种的需要和标准,而人的普遍性和自由就在于人不但知道按人自己的物种的需要和标准去制造高楼大厦,而且还知道按蜜蜂的需要和标准去仿制蜂巢。这就是前一条要求。后一条比前一条更进了一步。对象本身固有的标准就更高更复杂,它就是各种对象本身的固有的客观规律。恩格斯在《劳动在从猿到人转变过程中的作用》一文中说:“我们对自然界的整个统治,是在于我们比其他一切动物强,能够认识和正确运用自然规律。”①马克思所说的“对象本身固有的标准”也就是恩格斯所说的“自然规律”。这就要涉及创作方面的各种因素,例如创作素材、创作方法、创作媒介、作家与作品和观众与作品的关系、创作与时代和社会类型的关系、创作与文化教养和遗产继承的关系等等都各有本身固有的规律,要用得各得其所,各适其宜,才符合后一条的要求。单就创作方法来说,马克思在这里所要求的正是现实主义,包括他和恩格斯所经常提到的“典型与个性的统一”和“典型环境中的典型性格”等都要包括在“美的规律”之内。从此可见,“美的规律”是非常广泛的,也可以说就是美学本身的研究对象。

属于“美的规律”的还有马克思所经常强调的人的整体观点,他说:

> 人是用全面的方式,因而是作为一个整体的人,来掌管他的全面本质。

究竟什么才是整体人的全面本质呢?马克思在第三手稿《私有制与共产主义》章举的例是“视、听、嗅、味、触、思维、观照、情感、意志、活动、爱,总之,他的个体所有的全部器官力,此外还

① 《马克思恩格斯选集》,第三卷第518页。

有“爱情”和一些“社会性的器官”。马克思对人的这些器官和本质力量以及它们和文艺的关系都作过深刻的分析，下文还要谈到。

二　艺术的起源：劳动

上文已约略介绍了“异化的劳动”，现在接着谈私有制和异化劳动的彻底废除是共产主义的前提以及各种感官的发展在文艺活动中的作用。马克思在第三手稿中《私有制与共产主义》一章论证了私有制在历史发展中有它的必然性，只有在它的高度发展的物质财富的范围内，在它的弊病和灾祸已完全暴露的时候，共产主义才能诞生。共产主义也有不同的阶段和形式。原始的形式是公妻，较进一步的是集体私有制。二者都没有真正彻底废除私有制，因而也不可能彻底废除异化的劳动。马克思给彻底废除私有制的共产主义下了如下的意义深远的定义：

> 共产主义就是作为人的自我异化的私有制的彻底废除，因而就是通过人而且为着人，来真正占有人的本质；所以共产主义就是人在此前发展出来的全部财富的范围之内，全面地自觉地回到他自己，即回到一种社会性的（即人性的）人的地位。这种共产主义，作为完善化的（完全发展的）自然主义，就等于人道主义，作为完善化的人道主义，也就等于自然主义。共

> 产主义就是人与自然和人与人之间的对立冲突的真正解决，也就是存在与本质，对象化与自我肯定，自由与必然，个体与物种之间的纠纷的真正解决。共产主义就是历史谜语得到的解答，而且认识到它自己就是这种解答。

接着马克思就指出，这种真正共产主义必然要在私有制的经济运动即生产运动的基础上才能诞生，和它相适应的各种上层建筑和意识形态也是如此：

> 宗教、家庭、政权、法律、道德、科学、艺术等等都是些生产的**特殊**方式，都受到它的一般规律的统辖。所以**私有制**的彻底废除，作为**人性的**生活的占有，就是一切异化的彻底废除——这就是说，人从宗教、家庭、政权等等返回到他的**人性的**即**社会性**的存在。

不难看出，宗教、家庭、政权之类上层建筑也都是异化的结果，它们终须废除，人才能恢复到人性的即社会性的存在。要废除它们，就先要废除私有制。这就是马克思早期的历史唯物主义的提法，后来在《政治经济学批判》的《导言》里又进一步加以明确化了。马克思的思想是一直在发展的，由第一手稿到第三手稿六个月写作之间就有些重要的发展。最明显的就是上段引文中“人性的，即社会性的存在”那句解释。在第一手稿里马克思还主要地沿用费尔巴哈的“人是一种物种的存在”那个“人类学原则”,还没有明确地强调人的社会性。在本章中人的社会性已基本上代替了人的物种存在了。这是从劳动出发来考虑人与自然的关系所必然得到的结论,因为马克思已明确指出,“集体(即社会)只是劳动的集体”,也就是说,人在劳动中才形成社会。谈到生产运动的历史发展时,马克思还指出:

> 这整个运动的一般性质就是社会性:正如社会生产出作为人性的人,社会也是由人生产出的,活动和享受(这就是“人的生活活动”的总称——引者注)……都是社会性的;社会性的活动和社会性的享受。

从此可见,马克思是从人的生产劳动引申出人的社会性,又从人的社会性中引申出人道主义与自然主义的统一这条贯串全部手稿中的红线的。他在下文说得更明确:

> 自然中所含的人性的本质只有对于社会的人才存在,因为只有在社会里,自然对于人才作为人和人的联系纽带而存在,——他为旁人而存在,旁人也为他而存在——这是人类世界的生活要素(“要素”即基本原则——引者注)。只有在社会里,自然才作为人自己的人性的存在的基础而存在。只有在社会里,对人原是自然的(原始的——译者)存在才变成他的人性的存在,自然对于他就成了人。因此,社会就是人和自然的完善化的本质的统一体——自然的真正复

活——人的彻底的自然主义和自然的彻底的人道主义。

在上文引过的共产主义的定义里已提到人道主义与自然主义的统一，现在又结合人的社会性来重申这条基本原则，足见马克思对它极端重视。这种统一含有两点互相联系的要义：一点是人之中有自然，一点是自然之中也有人。为什么说人之中有自然呢？自然是人的肉体食粮和精神食粮的来源，是人的生产劳动的基础和手段。为什么说自然之中也有人呢？人本来是和动植矿各界一样是自然中的一分子。更重要的是经过人在长时期中凭劳动对自然的加工改造，自然已变成了“人化的自然”，成了人的本质力量的“对象化”。马克思又把自然（包括社会在内）称为“人的本质力量的现实界”，也就是说，自然是人发挥他的各种本质力量的场所（旧译本把 Wirklichkeit 译为抽象的“现实性”，便没有懂得原话的意思），因此，自然体现了人的需要、认识、实践、意志和情感。人不断地在改造自然，就丰富了自然；人在改造自然之中也不断地在改造自己，也就丰富了人自己。人类历史就这样日益进展下去。这就是“人的彻底的自然主义和自然的彻底的人道主义”这个人与自然的统一体的全部意义。

中国先秦诸子有一句老话：“人尽其能，地尽其利”。“人尽其能”就是人尽量发挥他的本质力量，这就是彻底的人道主义。地就是自然，“地尽其利”就是自然界的财富得到尽量开发和利用，这就是彻底的自然主义。不过这句中国老话没有揭示人与自然的统一和互相依存，只表达了对太平盛世的一种朴素的愿望。马克思在这部手稿里既揭示了人与自然的统一和互相依存，又从历史唯物主义观点替人类大同的愿望建立了一个稳实的哲学基础。依马克思的观点，应该说，只有人尽其能，地才能尽其利；也只有地尽其利，人才能尽其能。这种理想境界只有等到私有制彻底废除和共产主义诞生时才可达到。在私有制之下，不但自然离开人（劳动者）而异化掉了，人本身的本质力量也离开人而异化掉了，结果是人在饥饿线上挣扎，穷人和富人都让唯一的占有感觉或占有欲吞噬了人的全部本质力量，一个个都变成极端贫穷、极端自私的人。中国的老子有四句话："为而不有，功成而不居，唯其不居，是以弗去。"私有制下的异化就是人人只图占有和居功，结果是利也好，功也好，都还要"去"（"去"就是"异化"）。"为而不有，功成而不居"才是共产主义的理想，"唯其不居，是以弗去"，唯其没有唯利是图的占有欲，人的本质力量及其创造的一切财富都不至异化掉。这就是共产主义的胜利和巩固。用马克思的话来说，共产主义的理想是"人是用全面的方式，因而是作为一个整体的人，来掌管他的全面的本质"。这就是马克思所经常强调的整体的人全面发展的观点，对创造物质财富和精神财富（包括文艺在内）都是一律适用的。

整体的人的全面本质究竟是些什么呢？马克思所举的例是：

视、听、嗅、味、触、思维、观照、情感、意志、活动、

> 爱，总之，他的个体所有的全部器官，以及在形式上直接属于社会器官一类的那些器官，都是在它们的对对象关系或它们对待对象的关系上去占有或掌管那对象，去占有或掌管人的现实界，它们对待对象的关系就是人的现实界的活动。

过去一般心理学只把视、听、嗅、味、触叫做“五官”，每一器官管（这就是“官”的原义）一种感觉。马克思把器官扩大到人的肉体和精神两方面的全部本质力量和功能。他提到思维、意志和情感，这就要涉及生理方面的各种系统，特别是神经系统了。在私有制和异化劳动的剥削和摧残之下，这整体的人的全部本质力量就失其本来应有的作用了。

> 因此，废除私有制就是彻底解放人的全部感觉和特性，不过要它成为这种解放，正是要靠这些感觉和特性在主体和对象两方面都已变成人性的。

所谓“人性的”，就是“社会性的”，也就是非动物性的。马克思先举眼睛为例来说明对象须具有人性：

> 眼睛已变成了人性的眼睛，正因为它的对象已变成一种社会性的人性的对象，一种由人造成的为人服务的对象。

例如一件工具，一座房屋，一片自然风景乃至一幅画，都是人的劳动结果，都起着为人服务的作用，都是“人化的自然”，所以就变成了社会性的人性的对象，就能为人的眼睛所掌管。

马克思还举耳朵为例来说明耳朵这个主体本身须具有人性：

> 正如只有音乐才唤醒人的音乐感觉，对于不懂音乐的耳朵，最美的音乐也没有意义，就不是它的对象。

这正是中国俗话所说的“对牛弹琴”。牛没有欣赏音乐的耳朵，因为牛在漫长的历史过程中由于主体和对象两方面的局限，它的生活经验不容许它从事音乐活动和接受能欣赏音乐所必需的文化教养。这两句极简单的话就解决了美和美感的不可分割的关系以及美是主观的、客观的还是主客观统一的问题。上句说音乐的美感须以客观存在的音乐为先决条件，下句说音乐美也要有“懂音乐的耳朵”，这个主观条件。请想一想：（一）美只是主观的还只是客观的呢？（二）美能否离开美感而独立的存在呢？想通了这两个问题，许多美学上的问题就可迎刃而解了。

在“异化”的情况下，“满怀忧虑的穷人对于最美的戏剧也没有感觉。珠宝商只看到珠宝的商业价值，却看不到它的美和特质”。从这些实例，马克思得出结论说：

> 因此，社会人的各种感觉不同于非社会人的各种

感觉，只有通过人的本质力量在对象界所展开的丰富性才能培养出或引导出主体的即人的敏感的丰富性，例如一种懂音乐的耳朵，一种能感受形式美的眼睛，总之，能以人的方式感到满足的各种感官，证实自己为人的本质力量的各种感官，不仅五种感官，而且还有所谓精神的感官，即实践性的感官，例如意志和爱情之类都是如此。总之，人性的感官，各种感官的人性，都凭相应的对象，凭人化的自然，才能形成。五种感官的形成是从古到今的全部世界史的工作成果①。

手稿中这些讨论各种感官的部分都和文艺有密切关系，因为文艺主要靠形象思维，而形象思维的基础正是掌管感性认识的各种感官。从马克思的分析看，感官的问题是非常复杂的，它涉及劳动实践在全部世界史的发展对人和对自然的关系，涉及社会类型及其相应的文化背景，涉及阶级斗争、生产斗争和科学实验三大实践，涉及个人的阶级地位、职业、教养、身体情况乃至一时偶然心境。马克思在这部手稿中显现出他才大心细。他没有抹煞意志、目的、思维和情感，甚至提到爱情和形式美。目前我们美学家中有哪一个能这样从客观事实出发，这样全面

① 旧心理学只研究视、听、嗅、味、触五种感官，并且只谈五官的认识功能，所以称它们为“感官”。马克思认为人的本质力量有各种不同的功能。每一种功能在生理上都有一种器官管辖。器官的功用不仅在认识，而且也在实践，不过他沿用旧词，仍称它们为“感官”。一律称为“器官”似较妥，例如人手虽可以通过触觉去认识事物，也可以作为运动器官进行劳动。

看问题呢？且不谈一些发人深省的论点，单是这种科学态度和方法论就值得我们深入学习！

目前世界各国研究马克思主义的学者们对《经济学—哲学手稿》有三种截然不同的评价。较流行的看法是这部早期著作已过时了，某些论点（例如“异化”）马克思本人后来也放弃了。人性论和人道主义仿佛都是反马克思主义的，最好不必再提。与此相反的另一个极端是这部手稿 1932 年初印行时兰修特（Landshut）和迈约（Meiyer）两位德国编辑所代表的一种观点。他们认为这部手稿标志着马克思哲学思想的顶峰，从此以后马克思在思想上就在走下坡路。他们声称《共产党宣言》中“到目前为止的全部历史都是阶级斗争的历史”应改写为“到目前为止的全部历史都是人的自我异化的历史”。这就暴露出他们要阉割阶级斗争的反动动机了。德国还有一位和他们唱同调的波匹兹（H. Popitz）在《异化的人》一书里有一章的标题就是《异化的人：辩证唯物主义的基础》。他们竟不愿意看到这部手稿的中心思想就是彻底消除私有制从而导致共产主义的诞生，也就是阶级斗争的思想。在这两种观点之外的第三种观点承认这部手稿是马克思观点发展的“转折点”，并认为异化这一范畴是“马克思主义的三大理论来源集合为一条线索的集结点”。持与此类似的历史发展观点的其他学者也认为马克思在成熟时期并没有放弃“异化”范畴，他正是在《资本论》中才彻底弄清楚了异化的秘密。我个人是赞成这第三种看法的。活力旺盛的思想总是在不断向前发展的，但是前后也总是有赓续性的。马克思在十九世纪四十年代初期正在进行“自我澄清”。手稿中某些黑格尔和费尔巴哈的思想方式和表达方式后来确实是澄清掉了，但是手稿中一些基本观点，例如私有制彻底废除是共产主义的前提，劳动是历史发展的动力，人和自然的互相依存和统一，共产主义的理想是整体的人的全面发展，认识来自实践，物质生产和精神生产（包括文艺在内）的一致性等等，在后来都得到发展。“异化”这个词后来确实少用，但它所指的事实则一直盘踞在马克思、恩格斯心中，成为他们从事工人运动和无产阶级革命的推动力。我们在《经济学—哲学手稿》问题上也决不应忘记恩格斯，因为《自然辩证法》中《劳动在从猿到人转变过程中的作用》一章正是这部手稿的最透辟的阐明和最简赅的发挥，也是这部手稿并没有过时的明证。

我们在下文就接着从美学观点来谈这部手稿中的基本思想在《劳动在从猿到人转变过程中的作用》和在《资本论》第一卷论《劳动过程》一节中的进一步的发展。

三　续谈劳动与艺术

上文谈到《经济学—哲学手稿》标志着马克思的思想发展的转折点，其中一些重要观点到他的成熟期不是放弃了而是发展了，主要的证据有二：一是恩格斯的《自然辩证法》中《劳动在从猿到人转变过程中的作用》（以下简称《从猿到人》）一文；二是马克思本人在《资本论》第一卷第三编第五章论《劳动过程》的一节。

我认为恩格斯的《从猿到人》一文是《经济学—哲学手稿》的最透辟的阐明和进一步的发挥，文字明白晓畅，学习《经济学—哲学手稿》最好先从《从猿到人》下手。就在马克思写这部手稿的1844年，恩格斯也写了得到马克思高度赞扬的《政治经济学批判大纲》，这部论著也是从批判英法古典政治经济学人手，来揭露资本主义社会的矛盾和祸害，从而论证彻底废除私有制的必要性，所以它的总的目的是与《经济学—哲学手稿》一致的，都是要发动工人运动来进行社会主义革命的。不过恩格斯在这部著作里讨论范围主要限于经济，很少涉及哲学、宗教和文艺。《从猿到人》一文虽不长，却涉及这些方面的问题。它是在前两部著作之后三十二年(1876年)才写的，原题为《对劳动者的奴役：导言》，足见主旨还是和前两部著作一致的，后来改题为《劳动在从猿到人转变过程中的作用》，可能是原来计划写的一部较大著作的导言。恩格斯开宗明义就说，“劳动和自然界一起才是一切财富的源泉……劳动是整个人类生活的第一个基本条件……劳动创造人本身”以及人的各种器官。这也就总括了《经济学—哲学手稿》的要义。恩格斯的发挥在于特别强调了人手、人脑和语言器官的特殊作用。他指出从猿发展到人，人不同于猿的就在于人适应人的生活需要，在劳动中得手达到高度发展。等到人手能制造劳动工具(石刀)，“具有决定意义的一步完成了：手变得自由了”，“所以，手不仅是劳动的器官，它还是劳动的产物”。人手适应不同的环境，操作愈来愈灵巧，同时也引起全身筋肉骨骼的变化发展，愈来愈善于适应新的动作，使人手和人身通过遗传而来的灵巧性达到高度的完善：

> 在这个基础上它（手——引者注）才能仿佛凭着魔力似地产生了拉斐尔的绘画、托尔瓦德森的雕刻以及帕格尼尼的音乐。

这个实例就生动地说明艺术起源于劳动了。

恩格斯还根据达尔文的生长相关律，证明手不是孤立的，手的改变也引起脚和其他器官的改变。人脚能直立，行动更方便，人的眼界也扩大了，在自然事物中不断发现新的属性了。劳动的发展必然促进人与人的互相协作，“到了彼此间有些什么非说不可的地步了”，这就产生了语言的器官，“语言是从劳动中并和劳动一起产生出来的”。不但人，就连某些动物（如鸟），也能学会一种语言，从此就获得“依恋、感谢等等表现感情的能力”了。这就说明了语言不仅表现思想而且也表现情感。“首先是劳动，然后是语言和劳动一起，成了两个最主要的推动力”，使人的脑髓及其所辖的各种器官一齐发展起来，日渐趋于完善化，从而人的意识也愈来愈清楚，抽象能力和推理能力也日渐发展起来了。等到人完全形成，就产生了社会这个新因素，作为“一种有力的推动力，同时也使人的行动有更确定的方向”。

这里说的“社会”不只是本能式的社会性，而是有组织的形成制度的团体。有了社会，“人有能力进行愈来愈复杂的活动，提出和达到愈来愈高的目的”，劳动本身也日益多样化和完善

化,游牧打猎之外又有了农业、商业、手工业和航行术。接着恩格斯对社会发展史作了赅括的叙述:

> 同商业和手工业一起,最后出现了艺术和科学;从部落发展成了民族和国家。法律和政治发展起来了,而且和它们一起,人的存在在人脑中的幻想的反映——宗教,也发展起来了。

由于这些,上层建筑和意识形态都首先表现为头脑的产物,头脑似乎是统治着人类社会的东西,手所制造的东西就退到次要地位,手的活动仿佛只是执行脑所计划好的劳动,人们便习惯于把全部文明归功于脑的活动即思维的活动,这样就产生了唯心主义的世界观,认识不到劳动在社会发展中所起的作用了。

恩格斯尽管指出唯心主义世界观使存在与思维的关系本末倒置,却也丝毫不贬低人在统治自然之中有计划有目的的思维所起的巨大作用,他拿人和动物比较说:

> 但是人离开动物愈远,他们对自然界的作用就愈带有经过思考的、有计划的、向着一定的和事先知道的目标前进的特征。

此外,人统治自然的能力也远比动物大。

> 动物仅仅**利用**外部自然界……而人则通过他所作

> 出的改变来使自然界为自己的目的服务，来支配自然界。这便是人同其他动物的最后的本质的区别，而造成这一区别的还是劳动。
>
> ……我们对自然界的整个统治，是在于我们比其他一切动物强，能够认识和正确运用自然规律。

人愈正确地理解自然规律，也就愈认识到：

> （人）自身和自然界的一致，而那种把精神和物质、人类和自然、灵魂和肉体对立起来的荒谬的、反自然的观点，也就愈不可能存在了。①

这是一个极其重要的结论，这正是马克思在《经济学—哲学手稿》里所作出的人道主义与自然主义的统一那个结论。从此可以见出那种认为《经济学—哲学手稿》的基本观点已过时的说法是多么荒谬和反自然了。

马克思的《资本论》是他的思想成熟时期的主要著作，它是否就已抛弃了《经济学—哲学手稿》的一些基本论点呢？我们现在就来研究一下《资本论》第一卷第三编第五章中马克思对"劳动过程"所作的著名的总结，先选择关键性段落如下：

---

① 以上恩格斯的引文，均见《马克思恩格斯选集》，第三卷第508—518页。

劳动首先是人和自然都参加的一种过程，在这种过程中，人凭自己的活动作为媒介，来调节和控制他跟自然之间的物质交换。人自己也作为一种自然物质来对待自然物质。他为着要用一种对自己生活有利的方式去占领自然物质，于是发动肉体的各种自然力，例如肩膀，腿以及头和手：人在通过这种运动对自然加工改造之中，也就在改造他本身的自然，促使他的原来睡眠着的各种潜力得到发展，并且服从他的控制。我们在这里讨论的不是原始动物的本能的劳动，现在的劳动是由劳动者拿到市场上出卖的一种商品，和原始动物的本能劳动的情况已隔着无数亿万年了。我们现在谈的是人类所特有的那种劳动。蜘蛛结网，颇类似织工纺织；蜜蜂用蜡来造蜂房，使许多人类建筑师都感到惭愧。但是就连最拙劣的建筑师也比最伶巧的蜜蜂要高明，因为建筑师在着手用蜡来造蜂房之前，就已经在头脑里把那蜂房构成了。劳动过程结束时所取得的成果在劳动过程开始时就已存在于劳动者的观念中了，已经以观念的形式存在着了。他不仅造成自然物的一种形态改变，同时还在自然中实现了他所意识到的目的。这个目的就给他的动作的方式和方法规定了法则（或规律）。他还必须使自己的意志服从这个目的。这种服从并不仅在一些零散动作上，而是在整个劳动过程中各种劳动器官都要紧张起来，此外还要行使符合目的的意志，具体表现为集中注意(聚精会神)。劳动的内容和进行方式对劳动者〔须有吸引力〕,吸引力愈少,劳动者就愈不能从劳动中感到运用肉体和精神两方面的各种力量的乐趣,同时也就愈需要加强集中注意。①

这段引文和上文引的恩格斯关于人和动物的差别的两段话还是一致的,值得特别注意的有以下几个要点:

(一)开宗明义就指出"劳动首先是人和自然都参加的一种过程",并且说明人在劳动过程中既对自然进行加工改造,同时也在改造自己。说劳动所调节和控制的是"人和自然之间的物质交换",就是说,人用自己的肉体方面的各种力量,例如肩、腿、头和手,去创造和占领自然的物质财富,从而满足了自己的生活需要,也提高了自己的支配自然的能力。自然提供了人的劳动对象和劳动手段,发挥了人的本质力量;人在自然上面也打下了自己的烙印。双方协作互利,共同推动历史前进。这还是贯串《经济学—哲学手稿》的那条红线,即人道主义与自然主义的统一。

(二)马克思还强调人的自意识(即自觉性)、观念、目的、意志、情趣等精神方面的本质力量。这也是手稿中所详加说明的。肉体和精神两不偏废,并且在行使意志,集中注意中的器官紧张也说明了肉体与精神的紧密联系。这一点在近代心理

① 中译本见《资本论》第一卷上册第201—202页。参较德文原文对中译本略加校改。"吸引力愈少"前加"须有吸引力"五字,为了读起来较通顺。——引者。

学和移情派美学中已积累了很多例证。这是和《经济学—哲学手稿》中“整体的人的全面发展”的基本原则是一致的。

（三）马克思在这里沿用了《经济学—哲学手稿》中已举过的蜜蜂造蜂房和人仿制蜂房的差别的例证。这里有几点须特别注意:(a)物质生产和精神生产的一致性。过去心理学和美学一般只强调精神生产的特殊性而忽略了它与物质生产的密切联系和基本一致性,这还是抽象唯心主义的流毒。(b)人和动物在劳动过程中的主要分别在人在劳动创造之前,心里先已有了蓝图,有了观念,有了目的,也就是有了自意识。观念(Idee)这个词在这里指的是感性形象,不是“理念”或“理想”。制造蓝图主要还是通过形象思维。

（四）人的劳动生产都有明确的目的,就是要满足某些具体的生活需要,房子要供人居住,居住就是目的,也就是功用。这就排除了艺术无用论。更重要的是马克思说“这目的就给他的动作的方式和方法规定了法则(或规律)”。这就是第一手稿中所说的对象“固有的(内在的)规律”,这就说明了艺术和美都是有规律的,不是主观臆造的。至于哪些具体对象有哪些规律,须进行具体的分析和总结,规律并不是现存的药方。

（五）马克思肯定了劳动在内容上和在进行的方式上对劳动者都须有吸引力,就是肯定内容和形式都不可偏废。吸引力大,劳动者就感到在劳动中发挥肉体和精神两方面的各种力量的乐趣。这种乐趣实际上就是美感。无论是物质生产还是文艺创造,都可以产生美感,这就进一步说明了二者的一致性。这是艺术起源于劳动的理论基础。

我在近来写的《黑格尔的〈美学〉译后记》和《论形象思维》两文里曾一再说过,马克思的论“劳动过程”的这段文章对美学的重要性,无论怎样强调也不为过分,因为如果懂透其中的道理,就会懂得这种实践观点必然要导致美学领域里的彻底革命。不过“懂透其中的道理”还不是一件易事。这里引的论“劳动过程”一段名言,便是一个例子。我查看过苏联出版的《马克思恩格斯论艺术》的中文版第一卷第368—369页,其中也选了论“劳动过程”一段,把它摆在“艺术与马克思主义”总标题之下,而本段的小标题则把原书的“论劳动”改为“劳动与游戏”。《资本论》原是分析资本主义制度下的资本和商品的。就在所选的这一段中还说到“现在的劳动是由劳动者拿到市场上出卖的一种商品”,论劳动一段能摆在“艺术与马克思主义”的总标题之下吗?这至少还值得商讨。至于小标题“劳动与游戏”就骇人听闻了。我检查了这段译文,就发现译者根本不曾对照过《资本论》全书的中译本,而在“独出心裁”。例如把最后一段译成这样:

> 劳动以自己的内容和方式愈少吸引劳动者,因而愈少作为体力和智力的游戏(重点是引者加的)来享受,那就愈加必须有合乎目的的意志。

这段译文不但中文难懂,而且对原文擅自删削和颠倒。读者不妨自找德文原文或英文译文对照一下。我参照《资本论》的中译文,对照原文略作校改如下:

> 劳动的内容和进行方式吸引力愈少，劳动者就愈不能从劳动中感到使肉体和精神两方面各种力量发挥作用的乐趣，同时也就需要加强集中注意。

能说上引译文做到了忠实于原文吗？旁的错误且不必说，请特别注意加重点符号的“游戏”和“发挥作用”都是译德文原文spiel（英译play）。Spiel和play都有这两个不同的含义，究竟是应该用“游戏”还是应该用“发挥作用”呢？这涉及艺术起源于游戏还是起源于劳动的问题。原来德国诗人席勒和英国经验主义者斯宾塞尔都主张艺术起源于游戏，所以这个学说就叫作“席勒-斯宾塞尔的学说”，在西方过去很风行。马克思不赞成这种游戏说而始终坚持艺术起源于劳动，上引译文的译者硬把马克思本人的艺术起源于劳动的学说阉割掉，硬要把“席勒·斯宾塞尔的游戏说”强加到马克思身上，而且还加上“劳动与游戏”这个不伦不类的小标题，问题的严重性就在此。

希望认真的读者找出原文（德文，或英法俄译本）和这句译文仔细对照一下，会看出很多问题（其中也有中文方面的），也会看出认真地对待马克思主义经典著作的翻译工作是多么刻不容缓的事。趁此再向领导同志们呼吁一声，同时也寄希望于后起的新生力量。这份重大责任就要落到他们肩上了。已有的表现和我们社会主义祖国的地位太不相称了。有志者事竟成，这一关是终必须冲破，也终会冲破的，阿门！

附《经济学—哲学手稿》新译片断

前　言

在六十年代国内美学讨论中,我曾涉猎过马克思的《经济学—哲学手稿》,参阅过两种中译本,今年有关出版机构又送了一部新译本托我校阅,我觉得新旧译本都还存在着一些严重问题,看起来很吃力,结果还是有很多看不懂的地方。这部手稿是作者在1844年以六个月在匆忙之中奋笔疾书写出来的。写定之后就搁下来。后来没有来得及修改,有些段落原稿已遗失了。过了九十几年才由德国马克思、恩格斯、列宁、斯大林编译局出版,接着就有了俄、英、法等国文字的译本。英文译本还修改过一次,其中至今还有一些严重的错误。应该承认原文有些地方确实艰晦,例如“异化”一词在原书中就有三四个同义词,有时同一个词在不同的地方还有不同的含义,例如 Wesen 这个常见词有时指“本质”(抽象的),有时又指“存在”(具体的东西)。所以翻译这部手稿确实是件难事,过去几种译本有些错误是情有可原的。我自己读这部手稿时,随时都碰见把握不定的地方。为着想多懂一点,我试着从第一手稿中《异化的劳动》一章和第三手稿中《私有制与共产主义》一章选译了一些关键性的段落。我替自己定了两个奋斗目标:首先要自己对原文基本弄懂,其次是要读者用点心就能读懂。过去两种中译文的通病在于译者基本没有弄懂原文,而且把不大懂的外文框架硬套到中文上,既生硬而又拖沓,本来易懂的话也译得很难懂。我对自己的尝试也很不满意,不过我从尝试中得到一点经验教训。几种旧译本都使我不满意,可是也还使我得到益处,第一是碰到旁人跌跤处,我就多留心点,其次是旁人也偶有可取处,例如自己译完之后,拿旁人的译文再对照一下,总要对自己的译文稍加改动。我们要冲破经典著作翻译这一难关,既要虚心认真,又要集思广益。我的这次尝试主要还是"抛砖引玉"。希望引起一些讨论,日益加深对这部经典著作的理解。

一　异化的劳动[①](选自第一手稿)

……

我们姑从一个现在的政治经济[②]的事实出发。

---

① "异化的劳动",原文是 Die entfremdete Arbeit,除 entfremdete 这个动词之外,马克思还用了 entäussern 作为同义词,英译作 estranged 或 alienated,英文名词 stranger 和 alien 都有"陌生人"或"外方人"的意思,所以用作被动词时译"异化"或"外化"都可以,不过德文 entäussern(外化)有"出卖"、"出让"、"抛出"等商业的意义。中译有时用"异己的"也颇贴切,不过碰到"自我异化"时,用"自我异己化"便嫌累赘。"异化"已通用,一般以沿用为宜。

异化和外化这两个词都来自黑格尔和费尔巴哈,与马克思所用的这两个词的意义有联系而实质不同。先说黑格尔,他所说的"外化"或"异化"其实就是"对象化",是他的辩证法中正反合三一体中由正到反的阶段,例如 (转下页)

(接上页)抽象概念“有”是正,因为片面抽象,还不真实,“有”本身就设立了它的对立面“无”,这就把抽象性的“有”否定掉,单是“无”也还是抽象的,须经过否定的否定,在较高一级上统一起来,这就是“变”。“变”就是“有”与“无”两个相反者的同一,即所谓“合”。这种正反合逐级上升,本不应有止境,可是黑格尔让发展终止于一个笼罩一切的最高概念,叫做“绝对”。黑格尔也有时把“外化”叫做“对象化”,即精神变物质。辩证的发展是历史的必然,所以黑格尔用“外化”“异化”这些词一般没有贬义。马克思在这部手稿的最后一章《黑格尔的辩证法及其整个哲学体系》里已批判了黑格尔的客观唯心主义哲学基础及其辩证法的谬误,但仍沿用了“异化”、“外化”、“对象化”等词,除“对象化”之外,“异化”和“外化”都带有贬义。“对象化”这个词还基本上沿用黑格尔的原义。

这部手稿受到影响最深的还不是黑格尔而是费尔巴哈。在马克思之前,费尔巴哈已把黑格尔的心物关系的首足倒置扳转过来了,他把由概念转到具体事物的关系转到人对自然的关系。在他的名著《基督教的本质》里,他就从人对自然的关系出发,论证人在宗教信仰中把自己“异化”出去了,也就是说,神是人的异化。不过他所说的人不是某个人而是作为“物种存在”的人类。基督教相信上帝创造出人和万物,实际上并不是上帝创造了人而是人按自己的形象创造了上帝。这就是说,人把同属于一个物种的人类的本质“外射”或“异化”到上帝这个幻想产品上去了。人既把人类本质异化到上帝身上去,就不再能由人自己去发挥人的本质力量了。要人由自己发挥人的本质力量,就必须消除自我异化,也就是要消除幻想中的神。费尔巴哈把黑格尔的哲学也看成一种神学,因为正如宗教和神学把幻想中的上帝看作创世主,黑格尔的哲学也把幻想中的“绝对”看作创世主,也是把人异化掉了,其结果也正是和神学一样使人的本质力量失其应有的作用,所以也必须把这种神学否定掉。这是从唯心主义转到唯物主义和由有神论转到无神论的一大步。不过费尔巴哈缺乏实践经验和历史发展观点,仍大谈其“爱的宗教”,在哲学上仍有半截唯物主义半截唯心主义的缺陷(详见恩格斯的《路德维希·费尔巴哈和德国古典哲学的结果》)。马克思在《经济学—哲学手稿》里既继承了费尔巴哈的人对自然的紧密联系,人的物种本质及其异化等观点,也批判了他的思想的抽象性和不彻底性,论证了社会性才是人的本质,社会是由人在生产劳动中形成的。这是批判继承的范例。要理解这部手稿,首先就要理解这方面的批判继承的关系。

② “政治经济”,这里指政治经济的实况,不应译为“政治经济学”。下文批判掩盖异化的政治经济学指英法等国的古典政治经济学,原文用Nationalökonomie,照字面是“国民经济学”,但英、法、俄三种译文均用“政治经济学”,这是约定俗成的名词,宜沿用。

劳动者[1]生产出的财富愈多,他的生产的力量和范围愈增长,他也就变得愈穷。劳动者创造出的商品愈多,他也就愈变成日益廉价的商品。随着物的世界日益增值,人的世界也以正比例日益贬值。劳动不仅生产商品,它还生产作为一种商品的劳动本身和劳动者,——而且一般和它生产商品的速度成正比例。

这个事实只表现出:劳动所生产的对象,即劳动的产品,成为一种疏远的(异己的)东西和劳动者相对立,成为一种离开生产者而独立的力量。劳动的产品就是劳动凝定在一个对象上,变成了物质的,这就是劳动的对象化。劳动的实现就是劳动的对象化。在现在政治经济情况下,对于劳动者来说,这种劳动的实现,表现为劳动者的现实的丧失,对象化表现为对象的丧失和奴役;占有就表现为疏远化或异化。

劳动的实现表现为现实的丧失,严重到劳动者被逼饿死;对象化表现为对象的丧失,严重到劳动者被掠夺去不仅对他的生产而且对他的劳动都极为必要的东西(对象)。劳动甚至变成这样一种对象,劳动者要费最大的努力和经过最不规则的停休才能把它拿到手。[2] 对象的占有表现为异化,严重到劳动者所生产的对象愈多,他所占有的也就愈少,他也就愈落到他的产品,即资本的支配之下。

---

① 一般译为"工人",现一律译为"劳动者",用意在显出劳动者与生产劳动的紧密关系。

② 指劳动者极难找到工作,易失业。

这一切后果都包括在这样一个定性①里：劳动者对他的产品的关系是他对一种疏远的（异己的）对象的关系。从这个前提可以清楚地看出：劳动者愈多地消耗他自己，他所创造的和他自己对立的那个疏远的对象世界也就变得愈有威力，他自己，他的内心世界，也就愈穷，归他占有的也就愈少。情形颇类似宗教。人献给神的愈多，他留给自己的也就愈少。劳动者把他的生命投入对象里，现在他的生命就不再属于他而属于那对象了。从此这种活动的强度愈大，劳动者缺乏对象（货物）的情况也就愈严重。不管他的劳动产品是什么，他却什么也不是。所以这个产品愈强大，他自己就愈渺小。劳动者在他的产品中的异化不仅意味着他的劳动变成一种对象，一种外在的存在，而且还意味着在他之外，对他独立地而且疏远地存在着，作为一种对他是疏远的东西，成了和他对立的一种独立的力量；他拿给那对象的生命也成了一种敌对的疏远的东西和他对立着。

现在我们来更仔细地看一看对象化，劳动者的生产，以及在生产中，他的对象（即产品）的异化和丧失。

劳动者如果没有自然，即没有感性外在世界，他就什么也创造不出来。自然就是资料，他的劳动就实现在这资料上，活动在这资料上，凭借这资料，利用这资料为手段来生产。

但是正如自然一方面向劳动提供生活手段，这就是说，劳动如果没有可凭来操作的对象，它就存在不下去；另一方面它

① “定性”译原文 Bestimmung，英译作 definition（定义）似失原义，中译多作“规定”，似嫌含糊，似有人主观地作出“规定”，事实上这里指的是“异化”这个客观事实具在三个特性或定性。

还提供较狭义的生活手段，这就是劳动者自己所借以维持肉体存在的手段。

因此，劳动者愈多地凭他的劳动来占有的外在世界即感性自然界，他也就在两方面愈多地剥夺掉自己的生活手段：首先是感性外在世界愈来愈不属于他的劳动的对象，愈不属于他的劳动的生活手段；其次是它愈来愈不是直接的生活手段，即劳动者借以维持肉体存在的手段。

因此，劳动者在这两方面都变成他的对象的奴隶，首先是他接受到一个劳动对象，即一项工作；其次是他接受到维持生活的手段。所以这就使他能首先作为一个劳动者而存在，其次作为一个肉体的主体而存在。这种奴役的极坏处在于：只有作为一个劳动者，他才能继续使自己作为一个肉体的主体；而且只有作为一个肉体的主体，他才能是一个劳动者。

（劳动者在他的对象中的异化表现为这样一种政治经济规律：劳动者生产愈多，供他消耗就愈少；他创造的价值愈多，他自己就愈无价值，愈下贱；他的产品造得愈美好，他自己就变得愈残废丑陋；他的对象愈文明，他自己就变得愈野蛮，劳动愈有威力，劳动者就愈无权；劳动愈精巧，劳动者就愈呆笨，愈变成自然的奴隶。）

政治经济学用不理睬劳动者（劳动）与生产的直接关系的办法，来掩盖劳动本质中固有的异化。劳动固然为富人生产出奇妙的作品，却替劳动者生产出穷困。劳动生产出宫殿，替劳动者却生产出茅棚。劳动生产出美，替劳动者却生产出残缺丑陋。劳动者用机器来代替劳动，却把一部分劳动者抛回到野蛮方式的劳动,把剩下的一部分劳动者变成机器。劳动生产出聪明才智,替劳动者却生产出愚蠢和白痴。

劳动对它的产品的直接关系就是劳动者对他的生产对象的关系。资本家对生产对象以及对生产本身的关系只是前一种关系的后果和证实。我们把这另一方面留待下文再讨论①。

因此,我们在追问什么是劳动的基本关系时,其实就是追问劳动者对生产的关系。

直到现在,我们只是从一个方面来考察劳动者的异化或外化,就是劳动者对他的劳动的产品的关系。但是异化不仅表现在生产的结果上而且还表现在生产的动作上,即生产活动本身上。劳动者如果不是在生产活劳中就在异化他自己,他怎么会作为一个陌生人(外来人)来面对他的活动的产品呢?产品毕竟只是生产活动的总结。如果劳动的产品是异化,劳动本身就必然是活动方面的异化,活动的异化,异化的活动。在劳动对象的异化中只是总结了劳动活动本身中的外化或异化。

那么,劳动的异化究竟是由什么构成的呢?

第一,它就是这样一个事实:劳动对于劳动者是外在的,也就是说,并不属于劳动者的本质,所以在他的劳动里他不是肯定而是否定他自己,不是感到快慰而是感到不幸,不是自由地发挥他的身体和精神两方面的力量,而是摧残他的身体,毁坏

① 本章在原稿中未完中断。现存的部分侧重劳动者对生产劳动的关系,至于非劳动者即产业主或资本家对生产劳动的关系,在本章中只约略提到利息、地租、货币和工资。马克思后来在经济学中的重大发现即"剩余价值学说",可能是从"非劳动者对生产劳动的关系"部分的思想发展出来的。

他的心灵。所以劳动者只感到自己外在于他的劳动，而当他劳动时又感到劳动外在于他自己。他不劳动时就自在，劳动时就不自在。所以他的劳动不是自愿的而是强迫的，是强迫的劳动，因此不是一种需要的满足，而只是满足外在于它的那些需要的一种手段。它的疏远性清楚地表现于这样一个事实：只要身体或其他方面的压力不再存在了，人就立即逃避劳动，像逃避瘟疫一样。外在的劳动，使人异化他自己的劳动，就是自我牺牲的劳动，自我折磨的劳动。最后，劳动对于劳动者的外在性还表现于这样的事实：它不是劳动者自己的，而是旁人的，在这种劳动里劳动者不属于他自己而属于旁人。正如在宗教里人的想象力，人脑和人心的自发能力，可以作为一种疏远的神或鬼的活动不随人意而对他起作用。① 劳动者的劳动也就是如此，它并不是他的自发的活动而是属于旁人的活动，就是他的自我丧失。

所以结果是：人（劳动者）除掉在吃、喝、生殖乃至住和穿之类动物性功能之外，感觉不到自己在自由活动，而在人性的功能方面，他也感觉不到自己和动物有任何差别。动物性的东西变成了人性的东西，人性的东西变成了动物性的东西。

吃、喝、生殖之类固然也是些真正的人性的功能，但是在把这类功能和其他人性的活劳分离开的抽象化之中，把它们变成唯一的最终目的，它们就变成动物性的了。

以上我们已从两个方面考察过劳动这种实践性的人性的

① 例如巫婆“过阴”，招魂凭附信士身上来说话或卜吉凶。

活动的异化动作。(1)从劳动者对劳动产品的关系来看,劳动产品是作为一种外在的对象而支配着劳动者的。这种关系同时也就是他对感性外在世界的关系,即对作为一种外在世界而和他敌对的那些自然界对象的关系。(2)从劳动对在劳动过程中的生产行为的关系来看,这种关系就是劳动者对自己的活动的关系,他自己的活动是一种不属于他的异己的活动,在这里活动成了苦恼,有力成了无力,生育成了阉割,劳动者自己的身体和精神两方面的力量,他的个人生活(生活无非就是活动)成了一种既不依存于他,又不属于他的而且反对他的活动。这就是自我的异化,上文所讨论过的是物的异化。

此外,我们还要从上述两个定性中引申出异化的劳动的第三个定性。①

① 这第三定性实际上仍是第二定性的深化。"人是一种物种存在",参看本卷439页注①。物种有译为"类"的,嫌含混。英文作species是从达尔文来的,严复译为"物种",似较妥。人作为一个物种,就是汉语中的"人类"所以中译本有时译为"类",不过单是一个"类"或"种"都不妥,前面应加"物"字。"物种""物类"都可用,不过前后宜一致:不宜时而用"种",时而又用"类"。研究人类作为一个物种的科学就是"人类学"。费尔巴哈主张以"人类学"取代神学,以研究人的本质为主,所以叫做"人类学的原则",过去有译为"人本主义的原则"的,不妥,因为人本主义是古希腊人的思想,与神学并不冲突。马克思侧重人作为物种的本质,虽受了费尔巴哈的影响,却已认为人的物种本质中已包含费尔巴哈所忽视的社会性,第三稿《私有制与共产主义》章才着重地阐明了这一点。

人是一种物种存在。这不仅因为人在实践和认识①两方面都把物种(包括他自己的种和其他物的种)作为他的对象,而且(用另一方式来表达这个事实)也因为他把自己就看成实在的有生命的物种,看成一种具有普遍性的因而是自由的存在。

从肉体方面②来说,人和动物的种生活都要靠无机自然界过活。人比动物愈具有普遍性,他靠来过活的无机自然界的范围也就愈普遍。在认识领域里,例如植物、动物、矿石、空气、光线之类组成人的意识的一部分,时而作为自然科学的对象,时而作为艺术的对象,它们就组成人的精神方面的无机自然界,即精神食粮。对这种精神食粮,人必须进行加工,使其既可口又易消化。在实践领域里也是如此,它们也组成人的生活和活动的一部分。就肉体方面来说,人只靠这些自然界产品来过活,无论它们是作为食品、燃料,还是作为衣服和住所等等。在实践方面,人的普遍性正在于人使整个自然界成为他的无机的肉体,这就是说,自然界既是(1)人的直接生活手段,又是(2)人的生活活动的材料、对象和工具。自然界就是人的无机的肉体,这只指不包括人的肉体在内的那部分自然界。说人靠自然

---

① “认识”原文是 Theorie,中译作“理论”是个错误,因为这个词在希腊文中原指一种“看法”,一种“看到的景象”(如戏剧 Theatre 即与 Theorie 同源)。“理论”是一种理性认识,而费尔巴哈和马克思在手稿中所侧重的是感性认识,感性认识尽管还是一种“认识”,却不包括“理论”。下文谈感官是认识器官时,也有人误译为“感官是理论家”。Theorie 与 Practice 对举时一般应译“认识与实践”,不应译“理论与实践”。

② 肉体方面原文是 Physic,指“肉体”不指一般“物质”,中译有作“从物质方面说来”的,下文与“精神生活”并举的“肉体生活”也就成了“物质生活”,毛病出在对外语和马克思主义认识论的掌握都不够。

界过活，就是说自然界就是人的肉体，如果不愿死，人就必须经常和这种肉体打交道。说人的肉体和精神两方面的生命是和自然界紧密联系在一起的，也就是说自然界是和它本身紧密联系在一起的，因为人本来就是自然界的一个组成部分。

异化的劳动既然把(1)自然界，和(2)人自己，人的活动功能，人的生活活动，都从人那里异化出去了，它也就把人的物种从人那里异化出去了，它使人把物种生活变成个人生活的手段。它首先导致物种生活和个人生活的异化，然后再使抽象形式的个人生活变成同样抽象的和异化的物种生活的一种目的。

于是首先就连劳动这种生活劳动，这种生产生活本身对于人来说，也只是满足他的一种需要，也就是保持肉体生存的需要的一种手段。可是生产生活本来是物种的生活。它是生产生命的生活。一个物种的全部特性就在于物种的生活活动的方式，而人的物种的特性就在于他的活动是自由的，有意识的。就连生活本身也显得只是生活手段。

动物和它的生活活动是直接同一起来的。它不把自己和自己的生活活动分别开来。① 它就是它的生活活动。人却使他的生活活动本身成为他的意志和意识的对象。他有有意识的(自觉的)生活活动。他并不和这个定性直接混而为一。有意识的(自觉的)生活活动把人和动物的生活活动直接分别开来。正是由于这个缘故，人才是一种物种存在，或者说，只是由于他是一种物种存在，他才是一种有意识的存在，这就是说，他的生

① 指动物没有自意识，不能把自己作为认识的对象。

活对他自己是一个对象。只是由于这个缘故，他的活动才是自由的活动。异化的劳动把这种关系颠倒过来了，以致尽管人本是一种有意识的存在，却使他的生活活动，他的本质，仅仅成为他的维持肉体生存的一种手段。

通过实践来创造一个对象世界，即对无机自然界进行加工改造，就证实了人是一种有意识的物种存在，也就是说，人是把物种存在当作自己的存在来对待，或是把自己当作物种存在的那种存在来对待。动物固然也生产，它替自己营巢造窝，例如蜜蜂、海狸和蚂蚁之类。但是动物只制造它自己或它的后代直接需要的东西，它们只片面性地生产，而人却普遍（全面）地生产；动物只有在肉体直接需要的支配之下才生产，而人却在不受肉体需要的支配时也生产，而且只有在不受肉体需要的支配时，人才真正地生产；动物只生产动物，而人却再生产整个自然界；动物的产品直接联系到它的肉体，而人却自由地对待他的产品。动物只按照他所属的那个物种的标准和需要去制造，而人却知道怎样按照每个物种的标准来生产，而且知道怎样把本身固有的（内在的）标准运用到对象上来制造，因此，人还按照美的规律来制造。①

所以正是在改造对象世界之中，人才真正证实他自己是一

---

① 这段和下段说明人在生产劳动中对自然界加工改造，因而创出一个对象世界，包括物质财富和精神财富，既反映了自然，也再现了人自己。马克思在这里把这种对象世界和“美”联系起来，还提到“美的规律”，对美学有特别重大的意义。马克思后来在《资本论》第一卷第三编第五章论“劳动过程”一节里对这段作了进一步的发挥。关于这方面可参看译者为这部手稿写的《马克思的〈经济学—哲学手稿〉中的美学问题》一文。

种物种存在。这种生产就是他的能动的物种生活。通过这种生产，自然界就显得是他的作品和他的实在。所以劳动的对象就是人的物种生活的对象化：因为人不仅在意识中以理智的方式，而且也以实际工作活动的方式，复现了他自己，从而在自己所创造的那个世界中观照到他自己。异化的劳动既然从人那里剥夺去他的生产对象，它也就是从人那里剥夺去他的物种生活，即他的实际的物种的对象性，把人对动物的优点转化为弱点，使他的无机肉体，即自然界，从他那里被剥夺去了。

异化劳动既然把自我活动，即自由活动，降低到成为一种手段，它也就把人的物种生活变成维持人的肉体存在的一种手段了。

人从他的物种得来的意识也由异化加以歪曲，以至物种生活对人竟变成一种手段了。因此，异化的劳动把：

(3) 人的物种存在，即自然和他的精神方面的物种功能转化为对他是异己的一种存在，转化为维持他个人生存的一种手段。它把人自己的身体也从他那里异化出去了，正如外在于他的自然，他的精神本质，他的人的本质都遭到异化一样。

(4) 人从他的劳动产品，他的生活活动以及他的物种存在中异化出来了，这一事实的直接后果就是人脱离人的异化。人在和他自己对立时就是和旁人对立。凡是适用于某个人同他的劳动和劳动产品以及同他自己的关系，也同样适用于他同旁人以及旁人的劳动和劳动对象的关系。

人从他的物种本质异化出去，这句话实际上就是说，一个人脱离旁人而异化了，因为这两人之中每一个人都脱离人的本质而异化了。

人的异化，一般地说，人对他自己所处的每一种关系，首先都是由他对那些旁人的关系来实现和表现的。

因此，在异化的劳动的关系范围之内，每个人看旁人都按照他自己作为一个劳动者所发现的标准和关系。

……

因此，通过疏远化的、异化的劳动，劳动者生产出一个对劳动疏远而且外在于劳动的人对这种异化的劳动的关系。劳动者对劳动的关系产生出资本家（或者随便用什么别的名称来称呼劳动的主子）。因此，私有制就是异化的劳动以及劳动者既外在于自然又外在于他自己的那种情况的产品，结果和必然后果。

……

从异化的劳动对私有制的关系就可引申出另一结论：社会从私有制等等和奴役中的解放就是劳动者解放的政治形式，这并非说，只有劳动者的解放才是生死攸关的大事，而是说，劳动者的解放就包括全人类的普遍解放在内，因为全人类的奴役都涉及劳动者对生产的关系，都只是这种关系的一种变相和后果。

二　私有制与共产主义（选自第三手稿）

……

3. 共产主义就是作为人的自我异化的私有制的彻底废除，

因而就是通过人而且为着人,来真正占有人的本质;所以共产主义就是人在此前发展出来的全部财富的范围之内,全面地自觉地回到他自己,即回到一种社会性的(即人性的)人的地位。这种共产主义;作为完善化的(完全发展的)自然主义,就等于人道主义,作为完善化的人道主义,也就等于自然主义。共产主义就是人与自然和人与人之间的对立冲突的真正解决,也就是存在与本质,对象化与自我肯定,自由与必然,个体与物种之间的纠纷的真正解决。共产主义就是历史谜语得到的解答,而且认识到它自己就是这种解答。①

因此,整个历史运动,既是共产生义的实际的诞生活动,即它的经验性的实际存在的诞生活动,而对它的思维着的意识来说,又是理解到和认识到的它的生产的运动过程。② ……

很容易看出,这整个变革运动必须要在私有制运动即在经

① 第一段给共产主义下了一个有深刻哲学意义的定义。共产主义就是要彻底废除私有制和人的自我异化,使人全面地自觉地回到社会性的人的地位,达到人与人,人与自然以及人道主义与自然主义的完全统一。

这里"人的本质"原文是 menlisch Wesen, Wesen 这个词有两种意义:一是"存在",是具体的东西(事物);二是"本质",是抽象的概念。费尔巴哈在《基督教的本质》中用的就是第二个意义。马克思在手稿里两个意义都用。例如拿思维和存在对举时就取 Wesen 的第一个意义;这里就取它的第二个意义。下文还提到"存在与本质",原文是 Existenz und Wesen 也是取 Wesen 的第二个意义。"存在"本应体现"本质",存在与本质脱节便是"异化"的恶果,这是手稿的基本论点。"人的本质"实际就是"人性"。"人道主义"中译本有译为"人文主义"的,欠妥;因为"人文主义"原指欧洲文艺复兴中对古典文艺和学术的崇尚,而马克思所理解的"人道主义"是人与自然统一的全面发展,是共产主义的人道主义。

这里"彻底废除"中的"彻底"原文是 Positive,有译为"积极的"、"实证的"或"肯定的",其实在这里应译为"彻底的"。

② 已往的历史都是共产主义的准备阶段。整个人类历史都是生产史。

济运动中，既找到它的经验性的基础，又找到它的认识性的基础。

这种物质的直接可感觉到的[1]私有制就是异化的人类生活的物质的可感觉到的表现。它的运动——生产和消费——就是一切直到现在的生产运动的感性揭示，这种生产运动就是人的实现或现实。宗教、家庭、政权、法律、道德、科学、艺术等等都是些生产的特殊方式，都受到它的一般规律的统辖。所以私有制的彻底废除，作为人性的生活的占有，就是一切异化的彻底废除——这就是说，人从宗教、家庭、政权等等返回到他的人性的即社会性的存在。

……

我们看出：在私有制彻底废除的前提下，人就生产人（包括他自己和旁人），直接体现他的个性的那个对象同时既是他自己的为旁人的存在，又是旁人的存在，而这旁人的存在也是为他的存在。[2] 不过无论是劳动的材料还是作为主体的人也都是如此，既是上述历史运动的出发点，又是它的结果（正是因为二者必然是出发点，私有制才有历史的必然性）。因此，这整个运动的一般性质就是社会性：正如社会生产出作为人性的人，社会也是由人生产出的。活动和享受，无论在内容还是在存在形式方面，都是社会性的，社会性的活动和社会性的享受。自然

① “可感觉到的”原文是Sinnliche，是从名词Sinn（感官或感觉）变来的，亦可译为“感性的”，其实就是“具体的”、“物质的”。在黑格尔和马克思的著作里，“感性世界”往往就指“物质世界”。

② 这就是“人人为我，我为人人”。

中所含的人性的本质只有对于社会的人才存在，因为只有在社会里，自然对于人才作为人和人的联系纽带而存在——他为旁人而存在，旁人也为他而存在——这是人类世界的生活要素。只有在社会里，自然才作为人自己的人性的存在的基础而存在。只有在社会里，对人原是他的自然的（原始的——译者）存在才变成他的人性的存在，自然对于他就成了人。因此，社会就是人和自然的完善化的本质的统一体——自然的真正复活——人的彻底的自然主义和自然的彻底的人道主义。①

社会性的活动和社会性的享受②决不只是以某种直接的集体活动和直接的集体享受的形式而存在，尽管集体活动和集体享受，即直接在人与旁人的实际社会交往中所表现和实现出来的那种活动和享受，也会出现，只要社会性的这种直接表现植根于它的内容的本质而且符合它的自然（本性）。

不过当我以科学的方式活动，即我所从事的活动不大能和旁人直接结成集体去进行时，我也仍然是社会性的，因为我是作为一个人而活动的。不仅我的活动所凭的资料是作为一种社会产品而供给我的（例如思想者所用来活动的语言），而且我自己的实际存在就是社会性的活动，所以我凭自己所做出来的

① 注意第一手稿只强调人的“物种性”，现在“社会性”取代了“物种性”，这是马克思在思想上的重大进展。社会是劳动集体，只有在社会里，人和人，人和自然以及人道主义和自然主义才能真正统一起来，发挥最大的作用。

② “活动和享受”原文是die Tätigkeit und der Genuss，英译本对Genuss有时译为mind（心），有时又译为consumption（消费），都极不妥。这个词的原义是“享受”，“乐趣”等等，涉及劳动的乐趣和文艺欣赏，在文艺理论方面有特殊的重要性，不应随便译。

东西是为社会做的，而且我这样做时还意识到自己是一种社会性的存在。①

我的一般意识不过是一种活的形象〔反映〕在认识中的形象，这种活的形象就是实在的集体存在或社会性的存在（集体生活或社会生活），尽管现时一般意识只是来自实际生活的一种抽象品，并且作为这种抽象品，却以对抗的方式和实际生活对立着。所以我的一般意识的活动——作为这样一种活动——也是我作为一种社会存在，在我的认识中的存在。②

我们首先必须避免把“社会”再定作与个人相对立的抽象品，个人就是社会性的存在。所以他的生活表现——尽管不像是在直接形式上和旁人共同完成的一种生活表现——毕竟还是一种社会生活的表现和证实③。人的个体生活和物种生活不管有多大差异（这是不可避免的）——例如个体的存在形态比起物种的存在形态较特殊或较一般，或是物种生活中一种较特殊或较一般的个体生活——二者毕竟不是迥然不同的。

人在他的物种意识里证实了他的真正的社会生活，而且只是在思想里复现他的实际存在，正像反过来说，物种存在也在物种意识里证实它自己，而且在它的一般性上作为一种思维者

① 注意：马克思并不认为科学研究工作一定要由集体进行。科学家的工作尽管是由个人单干的，仍不失其为社会性的。因为科学家自己本是社会性的人，他的工作是为社会服务的，而且他的研究资料（包括“思想资料”和语言）又是社会产品。

② 本段“一般意识”即“意识形态”，译“普遍意识”的不妥。这里已可看出意识形态理论与反映论的萌芽。

③ 例如上文所说的科学工作。

而自觉地存在着。①

因此，人，纵然是一个特殊的个体（正是他的特殊性才使他成为一个个体，成为一个个别的具有集体性的存在），他毕竟还是一个整体，一个理想性（或观念性）的整体，一方面是被思维过和被感觉过的社会作为主体的自为（自觉）的和实际存在；另一方面在现实界里他也既作为社会的实际存在的观照和实际享受，又作为人的各种生活表现的整体而在那里存在着（客观地存在着）。②

从此可见，思维和存在尽管有分别，却仍然是互相统一的。

死亡显现为物种对具体个人的严酷的胜利，而且否定了他们的统一。③ 但是具体个人也只是一种具体的物种存在，作为这样的存在，就得有死亡。

（4）正如私有制只是下列事实的感性具体表现：人变成了对自己是对象性的，变成了一种疏远的无人道的对象④，他的生命表现就是他的生命的异化，他的实现就是他的实现的丧失，成了一种异化的现实，同理，私有制的彻底废除就是由人和为人对人的本质和生活，对象性的人以及人的劳动成就所取得的感性（具体）掌管，这种掌管并不应理解为直接的片面的享受，

---

① 作为集体，社会也和个人一样，可以作为意识和思维的主体，这是近代群众心理学和社会心理学所证实的。马克思主义的“自在阶级”与“自为阶级”的区分也是从集体可以作为意识和思维的主体这个原则出发的。

② 这段原文极艰晦。已出版过的中译文还更艰晦。译者参考俄译和英译而试译的这段文字仍很难令自己满意，希望关心这部手稿的同志们共同斟酌，攻破这个难关。

③ 个人有死亡，物种却长存。个人死亡，就破坏了他与物种存在的统一。

④ 人变成了商品和机器之类对象，过着奴役生活。

不是取“占有”(Besitzen)或“所有”(Haben)的意义。人是用全面的方式,因而是作为一个整体的人,来掌管他的全面本质。①人对世界的各种人性的关系——视、听、嗅、味、触、思维、观照、情感、意志、活动、爱,总之,他的个体所有的全部器官,以及在形式上直接属于社会器官一类的那些器官,都是在它们的对对象关系或它们对待对象的关系上去占有或掌管那对象,去占有或掌管人的现实界,它们对待对象的关系就是人的现实界的活动,因此,人的本质定性和活动有多么复杂,它们对待对象的关系也就有多么复杂。这就是人的活动和人的忍受,因为忍受,从人的意义来理解,就是人的一种自我享受。

私有制使我们(人)变得很愚蠢和片面,以至一个对象只有当我们占有它,即当它作为资本为我们而存在,或直接归我们所有,归我们吃、喝、穿、住等等,总之,由我们使用时,它才成为我们的一个对象。尽管私有制又把这占有本身的直接实现仅仅看作生活手段,而它作为手段而对之服务的那种生活却是私有制的生活——即劳动和资本化。

所以,这些肉体和精神方面的全部感觉就都被干脆异化掉,只剩下占有感觉了。人的本质就必须降落到这样极端贫穷,才能使人把他的内在的财富生产出来(关于“占有”这个范畴,参看赫斯在《第二十一页》中的论文)。②

---

① 这句话仍强调人的整体性,是这部手稿中的一个基本观点。下文列举人的各种感官以及知情意各方面的功能或生活活动就是人的“全面本质”。

② 《第二十一页》是早期共产主义者赫斯(Hess)所办的一个刊物,马克思受过他的影响。

因此，废除私有制就是彻底解放人的全部感觉和特性，不过要它成为这种解放，正是要靠这些感觉和特性在主体和对象两方面都已变成人性的，眼睛已变成了人性的眼睛，正因为它的对象已变成一种社会的人性的对象，一种由人造成的为人服务的对象。因此，各种感觉在它们的实践中就已直接变成认识者器官。[①] 它们为着一种事物本身而使自己和该事物发生关系，但是该事物本身对它自己和对人的关系是一种对象性的人性的关系[②]，反过来说也是如此。因此，需要和享受都已失去了自私的性质，自然也已失去了它的单纯的功利性质，因为效用已变成了人性的效用。

同理，旁人的感觉和享受也变成归我所有。因此，除掉上述那些直接器官之外，还有一些社会性的器官从社会的形式形成和发展起来了。例如和旁人的直接社交活动已变成了我表现我的生活的一种器官和人性的生活的一种占有方式。[③]

人的眼睛显然用不同于粗野的非人的眼睛所用的方式来满足自己，人的耳朵也不同于粗野的耳朵，其他感官由此类推。

---

① 这句中文旧译本是“感觉在自己的实践中成了理论家”（见中文版《马克思、恩格斯论艺术》第一卷203页）。理论家原文是Theoretiker。理论是抽象思维的工作，本文所讨论的视、听、味、触各种感觉所得到的一般是感性认识，不涉及抽象思维。眼、耳、鼻、舌等怎么就成了理论家呢？Theoretiker在这里只能译为“认识者”或“认识器官”。参看第一稿注。

② 我只有在某一事物以人的方式使自己对人发生关系的条件下，才能在实践中使我自己和该事物发生关系。——马克思注。

③ 社交成为社会性的器官，因为它是我与旁人交流感觉和其他生活活动的渠道，使旁人的变成我的，我的也变成旁人的。

我们已看到,人只有在一个条件下才不致使自己丧失在他的对象里,那就是该对象变成了对他是人的对象或对象性的人。这也只有在一个条件下才可能,那就是该对象对于他已变成了一种社会性的对象,而他自己对自己也已变成了一种社会性的存在,而社会对于他也变成一种在该对象中的存在。

所以从一方面看,在对象的现实界,对于社会中的人到处都已变成为人的本质力量的现实界——即人的现实界,因而成为他自己的本质力量的现实界时,一切对象对于人就变成了他自己的对象化①,变成了肯定(证实)和实现他的个性的对象,变成了他的对象,也就是说,人自己变成了对象。对象怎样变成人的对象就要取决于对象的性质和与对象性质相适应的(人的)本质力量的性质,因为正是根据这二者之间的关系的具体(特定)性质才可以作出特殊的具体的肯定方式。一个对象对于眼睛不同于耳朵,眼睛的对象不同于耳朵的对象。每种本质力量的特殊性正是它的特殊本质,所以也就是它的特殊方式的对象化,特殊方式的对象性的实在的和有生命的存在。因此,人在对象世界中得到肯定,不仅凭思维,而且要凭一切感觉。

① “人的本质力量的现实界”即人的各种感觉和功能发挥作用的场所。“一切对象对于人就变成了他自己的对象化”就是“人化的自然”。例如我植了一棵树,这棵树就体现了我的本质力量,所以它就是我自己的对象化,我在树身上肯定了我自己作为人的本质。这棵树对我的肉体和精神两方面也发生了一些影响。所以自然之中有我的本质力量的因素,我之中也有自然力量的因素。这条人与自然,人与人,主体与对象(客体)的统一,即人道主义与自然主义统一的基本原则,是研究这部手稿所要首先掌握的。

另一方面从主体来看，正如只有音乐才唤醒人的音乐感觉，对于不懂音乐的耳朵，最美的音乐也没有意义（感觉），就不是它的对象，因为我的对象只能是我的某一种本质力量的证实（肯定），所以它对于我是怎样也正如我的本质力量作为主体的能力对它自己是怎样，因为一个对象的意义对于我（只有在具有和它相适应的感官的情况下才有感觉[意义]）必正和我的感官走得一样远。因此，社会人的各种感觉不同于非社会人的各种感觉，只有通过人的本质力量在对象界所展开的丰富性才能培养出或引导出主体的即人的敏感的丰富性，例如一种懂音乐的耳朵，一种能感受形式美的眼睛，总之，能以人的方式感到满足的各种感官，证实自己为人的本质力量的各种感官，不仅五种感官，而且还有所谓精神的感官，即实践性的感官，例如意志和爱情之类都是如此。总之，人性的感官，各种感官的人性，都凭相应的对象，凭人化的自然，才能形成。五种感官的形成是从古到今的全部世界史的工作成果。

受到粗野的实践需要支配的感官也只有一种有限的意义（感觉）。对于挨饿的穷人并不存在着人用的那种食品，只存在着食品的抽象存在，可以是最粗糙的，很难说这种饮食活动和动物的有什么不同。满怀忧虑的穷人对于最美的戏剧也没有感觉，珠宝商只看到珠宝的商业价值，却看不到它的美和特质，他根本没有赏识珠宝的感官。因此，人的本质的对象化，无论是从认识的还是从实践的观点来看，都要使人的感官成为人性的，并且创造出能适应人类存在和自然界存在的全部财富的人性的感官。①

正如通过私有制及其富裕和贫穷——或则说，物质和精神的两方面的富裕和贫穷——的运动，在成长中的社会为着这种形成所需要的全部材料都是现成的，已形成的社会也创造（生产）出具有全部丰富本质的人，丰富的，具有全面而又深刻的感觉的人，作为它的长存的现实。②

我们看出，主观主义和客观主义，唯灵主义和唯物主义，活动和忍受（能动和被动）只有在社会情况中才失去它们的矛盾对立，从而失去作为这些矛盾对立的客观存在，我们看出，认识方面的矛盾对立，只有凭人的实践能力通过实践的方式，才有可能得到解决。所以要解决它们决不只是一种知解方面的课题，而是一种实际生活的课题。这是哲学所不能解决的，正因为哲学把它仅仅看作一种认识方面的课题。③

我们看出，工业的历史和工业已建立的客观（对象性）存在就是一部揭示人的本质力量秘密的书，就是向各种感官展现的

---

① 以上关于人的感官功能及其发展是马克思主义文艺理论中一个重要组成部分，因为文艺主要靠形象思维这种感性认识活动。参看恩格斯的《自然辩证法》中《劳动在从猿到人转变过程中的作用》一节。

② 这里拿两种社会来反比，一种是在成长中（Werdende）还实行私有制的社会，一种是将来既已形成的（gewordne）进入共产主义的产生全面发展的丰富的人的社会。

③ 认识方面的矛盾只有人通过实践才可解决，这就是“实践是检验真理的唯一标准”。

人类心理学。[①] 从前人们对这部书(工业),都不是按照它和人的本质的联系,而总是只按照一种外在的效用关系去理解,因为人们在异化这个框子里活动,对人类的一般存在,宗教或历史,只知道按其抽象的一般的性质,理解为政治、艺术、文学等等,理解为人的本质力量的实况和人的物种活动。在寻常的物质的工业中(这种工业既可理解为上述一般运动中的一个组成部分,也可以把上述一般运动理解为工业本身的一个特殊部门,因为从前人类活动都是劳动,都是工业,都是本身已经异化的活动),我们所面临的是一些具有感性的疏远的有效用的对象,即具有异化形式的对象化过的人的本质力量。这部书正是可用感官接触到的历史中最现代的部分,一种心理学如果还没有打开这部书,它就不能成为一门现实的内容丰富的真正的科学。在如此广阔的人类生产活动的财富展现在面前时,一种科学除掉可用"需要","庸俗的需要",这个词就可表达完的之外,它就看不出任何其他意义,于是就傲然把这样巨大部分的人类劳动都抽掉不管,而且还感觉不到自己的欠缺,我们对这样一种科学该怎样看呢?各种自然科学已经开展了巨大活动,

---

① 以下阐明共产主义时代工业和自然科学的宏大远景,即从人类凭自己的本质力量对自然界(包括社会)加工改造,达到"人尽其能,物尽其利"的最高度丰富性的物质和精神的全面发展。这种发展在现代主要表现于工业(包括农业)。工业是一部以具体感性世界揭开人类本质力量的活动及其丰富成果的秘密的书。它在认识方面的反映就是真正的心理学,也就是自然科学和社会科学统一起来的整体("人的科学")。马克思的这个基本思想给费尔巴哈的"人类学原则"以一种新的远较深广的涵义:私有制和异化的彻底废除和人类的真正解放。马克思也批判了古典政治经济学单从"庸俗的需要"而不从人类全面发展的观点出发。

而且占有了日益增长的大量资料。可是哲学对自然科学仍然是疏远的，正如自然科学对哲学也是如此。过去这两种学问的暂时的统一只是一种离奇的幻想。有统一的意志而没有统一的手段。就连历史编纂学也只偶尔注意到自然科学，把它看作一种有启蒙作用，有实效和导致某些重大发明的因素。但是自然科学现已日益通过工业，以实践的方式在侵入人类生活和进行改革，为人类解放作准备，尽管它还必须直接完成阉割人的工作。① 工业就是自然因而也是自然科学对人的现实的历史关系，所以如果把工业看作对人的本质力量的外来的揭露，我们也就会理解到自然中人的本质或人中自然的本质。结果，自然科学就会抛开它的抽象唯物的，或则毋宁说，抽象唯心的倾向，而变成人的科学的基础②，就像它现在就已变成现实的人的生活的基础，尽管还具有异化的形状。如果认为生活有一种基础而科学却有另一种基础，这根本就是一句谎言。在人类历史中亦即在人类社会的诞生活动中变成的自然才是实在的人的自然，因此，通过工业变成的自然，尽管具有异化的形状，才是真正的人类学的自然。

感性世界（见费尔巴哈）必须是一切科学的基础，只有在科学从感性世界的感性意识和感性需要这双重形式出发时，也就是说，只有在科学从自然出发时，它才是真正的科学。于是

① 要让私有制和异化的脓包发展到成熟。

② 自然中有人的本质，人之中也有自然的本质，抽去前者是抽象的唯物倾向，抽去后者是抽象的唯心倾向。抛开这两种抽象，才能找到“人的科学”的基础。

“人”就变成感性意识的对象，而“人作为人”的需要也变成(自然的感性的)需要，全部历史都是为此作准备，都是发展史。历史本身就是自然史的一个真正的部分，就是自然变成人的经过。自然科学将来会统括人的科学，正如人的科学也会统括自然科学，二者将来会成为一种科学。

人是自然科学的直接对象，因为直接的感性自然对于人就直接是人的感性世界(一种同义的表达方式)直接作为另一个感性地呈现于他的人，因为他自己的感性世界只有通过那另一个人才对他自己成为人的感性世界。但是自然是人的科学的直接对象。人的第一个对象——人——就是自然，就是感性世界，而各种特殊的感性的本质力量一般只有在自然事物的科学中才能获得它们的自我认识，因为它们只有在自然对象中才能得到对象性的(客观的)实现。思维的要素本身——思维的生活表现的要素——语言①，就是感性的自然。因此，自然的社会性的实在，人的自然科学和关于人的自然科学都是同义词。

我们看出，政治经济学中的丰富和贫穷的地位已为丰富的人和丰富人的需要所取代了。丰富的人同时就是需要有人的各种生活表现的完整体的那种人。这种人在他的自我实现中是作为一种内在必然或作为需要而存在的。不仅是人的丰富，就连人的贫穷，在社会主义已实现的前提下，都同样具有人的因而就是社会的意义。贫穷是一种被动的约束，迫使人感到一

① 语言是思维本身的要素——马克思主义语言学中的基本原则。

种需要，要享受最大限度的财富，要成为另一种人。客观(对象性)事物在我身上的统治，我的本质活动的感性迸发，就是激情，这种激情在这里于是就变成我的本质的活动。

(根据1956年柏林出版的马克思恩格斯《经济短著》本译)

形象思维：从认识角度和实践角度来看

毛泽东《给陈毅同志谈诗的一封信》在1978年1月发表以来，文艺界一直在进行深入的学习和热烈的讨论，大家都体会到这封信指出了新诗和一般文艺今后发展的大方向，其中最重要的一点是肯定了形象思维在文艺创作中的重要作用。毛泽东说："诗要用形象思维，不能如散文那样直说，所以比、兴两法是不能不用的。"毛泽东还指出不用形象思维的弊病说："宋人多数不懂诗是要用形象思维的，一反唐人规律，所以味同嚼蜡。"联系到新诗，毛泽东指出："要作今诗，则要用形象思维方法，反映阶级斗争与生产斗争，古典绝不能要。"这个关于文艺方针的一项极重要的文件，解决了美学理论中一个在国内久经争论的问题，彻底粉碎了"四人帮"所鼓吹的"从路线出发"、"主题先行"和"三突出"之类谬论以及其在文艺界所造成的歪风邪气，为马克思主义文艺理论的发展和我国文艺创作的繁荣都奠定了牢固的基础。

笔者多年来在介绍西方文艺理论时不断地述评情感与想象对文艺创作的重要性，凡是看过《西方美学史》近代部分的人都会看出述评的主题之一就是形象思维。这部教材1962年出版之后不久，在1965年夏季曾有人大张旗鼓地声讨形象思维论，说："所谓形象思维论……正是一个反马克思主义的认识论体系，正是现代修正主义文艺思潮的一个认识论基础"，"不过是一种违反常识，背离实际胡编乱造而已"。北京文化界对此曾举行过一次座谈会，由反形象思维论者说明他的理由，让与会者讨论。作为形象思维的一个辩护者，笔者也应邀参加讨论，提出了一些直率的意见。过了几个月，这篇声讨形象思维论的大文就在当时由陈伯达控制的《红旗》(1966年第2期)上以最显著的地位发表了。接着"四人帮"就对知识界进行法西斯专政，笔者对此就不再有说话的权利了，但是心里并没有被说服。读到毛主席给陈毅同志谈诗的一封信，憋了十几年的一肚子闷气霎时通畅了，接着在报刊上读到一些讨论的文章，受到了不少启发，看来意见也还有些分歧，似值得继续深入讨论下去。问题牵涉面很广，现在只能从美学史出发，从认识和实践的角度来提出一些看法，请同志们批评指正。

首先来谈一下反形象思维论者控诉形象思维论的一个罪状："违反常识，背离实际，胡编乱造。""形象思维"这个词要涉及语言学常识，它在英法文都是 Imagination，在德文是 Einbildung，在俄文是 Воcбрашэпие；相应的字根是 image，Bild 和 образ，意思都是"形象"，派生的动名词就是"想象"。"形象思维"和"想象"所指的都是一回事。过去常用"想象"，到了十八世纪中期，德国黑格尔派美学家"移情说"的创始人弗列德里希·费肖尔在《论象征》一文里才用过"形象思维"这个词。他说,思想方法有两种:一种用形象或形状,另一种用概念和文词;认识宇宙的方式也有两种:一种用文词,另一种用形象①。在俄国较早用“形象思维”这个词的是别林斯基。这两位都是用“形象思维”来诠释“想象”的。

“名者实之宾”,名所以指实,先有实而后有名,无论在外国还是在中国,“想象”或“形象思维”都是有实可指的,字源很古的,而且现在还是日常生活中经常运用的词。例如“想象”这个词,屈原在《远游》里就已用过(“思旧故以想象兮”),杜甫在《咏怀古迹五首》里也用过(“翠华想象空山里”)。我国文字本身就大半是形象思维的产品,许慎《说文解字》序里所说的六书之中较原始而且也较重要的“象形”、“谐声”、“指事”和“会意”四种都出自形象思维。中国诗文一向特重形象思维,不但《诗经》、《楚辞》和汉魏“乐府”如此,就连陆机的《文赋》和司空图的《诗品》也还是用形象思维而不是抽象说理。难道这一切都是“胡编乱造”吗?

一　从认识角度来看形象思维

认识论首先涉及心理学常识,人凭感官接触到外界事物,感觉神经就兴奋起来,把该事物的印象传到头脑里,就产生一种最基本的感性认识,叫做“观念”、“意象”或“表象”。这种观

① 费肖尔的《论象征》载在他的《批评论丛》德文版第四卷,引文见432页。

念或表象储存在头脑里就成为记忆,在适当时机可以复现。单纯的过去意象的复现是被动式的,文艺创作所用的都是一种"创造性的形象思维",就各种具体意象进行组织安排和艺术加工,创造出一个新的整体,即艺术作品。哲学家和科学家对这种来自感性认识的具体事物的意象却用不同于艺术的方式加以处理。那就是用分析、综合、判断和推理,得出普遍概念或规律的逻辑思维。逻辑思维是根据感性认识而比感性认识高一级的认识活动。这个道理毛泽东在《实践论》里说的再精辟不过了。"认识的感性阶段,就是感觉和印象的阶段","社会实践的继续,使人们在实践中引起感觉和印象的东西反复了多次,于是在人们的脑子里生起了一个认识过程中的突变(即飞跃),产生了概念","概念同感觉,不但是数量上的差别,而且有了性质上的差别"。形象思维属于感性认识范畴。在文艺方面强调形象思维,因为文艺要从现实生活出发而不是从概念公式出发,所达到的成果也不是概念性的理论而是生动活泼的艺术形象。所以毛泽东一再指示文艺工作者必须深入工农兵群众中去,深入工农兵的实际斗争中去,"到唯一的最广大最丰富的源泉中去,观察、体验、研究,分析一切人,一切阶级,一切群众,一切生动的生活形式和斗争形式,一切文学和艺术的原始材料,然后才有可能进入创作过程"①。从此可见,文艺创作之前必须深入现实生活,加深对现实生活的感性认识,积蓄文艺创作的原始材料。这正是根据马克思主义的认识论和文艺观点。

① 《毛泽东选集》,第四卷第817—818页。

反形象思维论者所提出的公式却是“表象(事物的直接印象)→概念(思想)→表象(新创造的形象)”。这个公式并不符合马克思主义的认识论体系和文艺观点,其理由有二:第一,概念是逻辑思维的结果,是由感性认识到理性认识的一种飞跃,要经过分析综合和判断推理的复杂过程,表象能简单地就“飞跃”到概念吗?其次,第二个表象即文艺作品,据上述公式,它是由概念产生的,也就是说,文艺是逻辑思维的产品。逻辑思维既然担负了文艺创作的任务,当然就不用形象思维了。这种论点和“主题先行论”倒是一丘之貉。提出这种论点的人反而说“现代形象思维论是现代修正主义文艺思潮的一个认识论的基础”。大家试想一想,这顶大帽子究竟应该给谁戴上才最合式呢?

(一)从西方美学史来看形象思维

我们的主要课题是要从西方美学史角度来看形象思维问题。在西方,从古希腊一直到近代,奉为文艺基本信条的是“模仿自然”。模仿自然实际上就是反映现实,但这个提法也可能产生误解,以为模仿即抄袭,因而忽视文艺的虚构和创造作用。柏拉图就有过这种误解。从客观唯心主义出发,他认为只有“理”或“理式”(Idea)才真实,具体客观事物是理式的模仿,离真理已隔了一层,只是真理的“摹本”或“影子”,至于模仿具体客观事物的文艺作品和真理又隔了一层,只是“摹本的摹本”,“影子的影子”,也就是虚构的幻想。根据这种理由,柏拉图要把诗人驱逐出他的“理想国”境外。他可以说是西方反对形象思维的第一个人。反对形象思维所导致的结果就是限制文艺的发展，甚至排斥文艺。《理想国》一书的结论正说明了这一点。不过柏拉图言行并不一致，他的哲学对话也不是抽象说理，大半用生动具体的形象来阐明他的哲理。他的门徒亚理士多德是“模仿自然论”的坚决维护者，他的《诗学》肯定了诗人要描写的是“按照可然律或必然律可能发生的事”，描写的方式是“按照事物应该有的样子”。在《伦理学》中他还肯定了艺术是一种“生产”，一种“创造”，作品的“来源在于创造者而不在对象本身”。因此，他认为文艺作品虽要虚构，却不因此就虚假，不但如此，它比起记载已然事物的历史“还是更哲学的、更严肃的”，更“带有普遍性”。亚理士多德这些观点已包含了形象思维和艺术创造的精义，尽管他还没有用“形象思维”这个词①。在《修辞学》里他还讨论了“隐喻”和“显喻”。这就涉及“比”、“兴”了。

西方古代文艺理论中想象或形象思维这个词最早出现在住在罗马的一位雅典学者菲罗斯屈拉特斯（Philostratus，170—245）所写的《阿波罗琉斯的传记》（*Life of Apollonius of Tyana*）②。这里涉及形象思维的一段话是文艺由着重模仿发展到着重想象的转折点。阿波罗琉斯向一位埃及哲人指责埃及

---

① 他用过 Phantasie 这个词，不过指的是被动的复现的幻想活动，参看英国 Butnchae 的亚理士多德的《诗学》的英译评注第 125—127 页。不过在近代西文中 Phantasie 也往往用作 Imagination 的同义词。

② 阿波罗琉斯是一位新毕达哥拉斯派学者。这部传记的原文和英译文载在英国 Loeb 古典丛书中，参看第二卷第 77—81 页。

人把神塑造为一些下贱的动物,并且告诉他,希腊人却用最好的最虔敬的方式去塑造神像。埃及哲人就问:“你们的艺术家们是否升到天上把神像临摹下来,然后用他们的技艺把这些神像塑造出来,还是有什么其他力量来监督和指导他们塑造呢?”他回答说:“确实有一种充满智慧和才能的力量。”埃及哲人间:“那究竟是什么力量?除掉模仿以外,我想你们不会有什么其他力量。”接着就是以下一段有名的回答:

> 创造出上述那些作品①的是想象。想象比起模仿是一种更聪明伶巧的艺术家。模仿只能塑造出见过的事物,想象却也能塑造出未见过的事物,它会联系到现实去构思成它的理想。模仿往往畏首畏尾,想象却无所畏惧地朝已定下的目标勇往直前。如果你想对天神宙斯有所认识,你就得把他联系到他所在的天空和众星中间,并且一年四季地去看,菲狄亚斯就是这样办的。再如你如果想塑造雅典娜女神像,你也就必须在想象中想到与她有关的武艺、智谋和各种技艺以及她如何从她父亲宙斯的头脑中产生出来的。②

这里值得注意的是“想象却也能塑造出未见过的事物”,会

① 指上文谈到的一些著名的希腊神像雕刻。

② 据希腊神话雅典娜是智慧女神、工艺女神和女战神,又是雅典城邦的女护神。她母亲怀孕她时她父亲宙斯把她母亲吞吃下去,雅典娜是从宙斯头脑里产生出来的。

“联系到现实去构思成它的理想”，而且在塑造人物形象时须联系到人物的全部身世和活动去构思，足见想象仍必须从现实生活出发，但不排除虚构和理想化。这里也可看出典型人物性格的要义。涉及的题材是神话，据黑格尔对象征型艺术的论述，希腊众神都是荷马和赫西俄德两位史诗人按照人的形象把他们创造出来的，每个神都代表一种人物性格，所以各是一种典型，也各是一种形象思维的产品。

“想象”这个词在西方虽到公元三世纪左右才出现，可是它所指的事实却比历史还更古老。读者不妨参考黑格尔的《美学》第二卷，特别是论象征型艺术中涉及希腊、中世纪欧洲以及古代埃及、印度和波斯的宗教和神话的部分。从此就可以见出，形象思维是各民族在原始时代就已用惯了，尽管古代很少用这个名词。

对于一般关心西方美学史和文艺批评史的人来说，注意力宜集中到由封建社会过渡到资本主义社会近代五百年这段时间里。在这段时间里，社会制度和人类精神状态都在随经济基础和自然科学的发展起着激烈的变化。哲学界进行着英国经验主义对大陆理性主义的斗争，文艺界进行着以英德为代表的浪漫主义对法国新古典主义的斗争。这两场意识形态领域里的斗争是互相关联的，都反映出上升资产阶级对封建制度的冲击以及个性自由思想对封建权威的反抗。十七世纪欧洲大陆上流行的是笛卡尔、莱布尼兹和沃尔夫等人的理性主义。当时所谓“理性”还是先天的、先验的，甚至是超验的，不是我们现在所理解的以感性认识为基础的理性认识。和大陆理性主义相对立的是当时工商业较先进的英国的培根、霍布斯、洛克、休谟等人所发展出来的经验主义。他们认为人初生下来时头脑只是一张白纸,生活经验逐渐在这张白纸上积累下一些感官印象,这就是一切认识的基础。他们根本否认有所谓无感性基础的“理性”。肯定感性认识是一切认识的基础,这是经验主义的合理内核。形象思维在文艺创作中的作用日益受到重视是和经验主义重视感性认识分不开的,也是和浪漫运动对片面强调理性的法国新古典主义的反抗分不开的。新古典主义的法典是布瓦洛的《诗艺》。这部法典是从笛卡尔的良知(Bon senns)说出发的,强调先天理性在文艺中的主导作用:

……要爱理性:让你的一切文章永远只从理性获得价值和光芒。

全篇始终没有用过“想象”这个词。但是在英国,比布瓦罗还略早的培根就已在强调诗与想象的密切关系。在他的名著《学术的促进》里培根把学术分成历史、诗和哲学三种,与它们相适应的人类认识能力也有三种:记忆、想象和理智。他的结论是“历史涉及记忆,诗涉及想象,哲学涉及理智”。从此可见,培根不但已见出形象思维和抽象思维的分别,把文艺归入形象思维,而且还指出复现性想象(记忆)和创造性想象的分别,指出诗不同于历史记载。在《论美》一篇短文里他还指出同出形象思维,诗与画却有所不同,诗能描绘人物动作,画却只能描绘人物形状,这也就是后来莱辛在《拉奥孔》里所得到的结论。此后英国文艺理论著作没有不强调想象的。就连本来崇拜法国古典主义的艾迪生也写过几篇短文鼓吹“想象的乐趣”。到了浪漫运动起来以后，想象和情感这一对孪生兄弟就成了文艺创作的主要动力，具体表现在抒情诗歌和一般文艺作品里，也反映在文艺理论里。这是上升的资产阶级的自我中心，力求自由扩张的精神状态的反映，后来虽有流弊，却也带来了一个时期的文艺繁荣。

十八世纪中美学研究也开始繁荣了，大半都受到英国经验主义的影响。涉及形象思维要旨的有两部值得一提的著作：一部是意大利哲学家维柯的《新科学》。维柯初次从历史发展观点，根据希腊神话和语言学的资料，论证民族在原始期，像人在婴儿期一样，都只用形象思维，后来才逐渐学会抽象思维。在神话研究方面，后来黑格尔在《美学》第二卷论象征型艺术部分以及马克思关于神话的看法多少有些近似维柯的看法。在美学和语言学方面受他影响最深的是他在意大利的哲学继承人克罗齐。现代瑞士儿童心理学家皮亚杰(Piaget)也从研究儿童运用语言方面论证了儿童最初只会用形象思维①。

十八世纪另外一种值得注意的著作就是初次给美学命名为“埃斯特惕克”的鲍姆嘉通的《美学》。作者明确地把美学和逻辑学对立起来，美学专研究感性认识，其中包括艺术的形象思维，逻辑学则专研究抽象思维或理性认识。

---

① 皮亚杰关于儿童心理学的著作有多种，其中一种专从儿童语言中研究形象思维的。他在英国讲过学，有些著作已译成英文。

总之，“形象思维”古已有之，而且有过长期的发展和演变，这是事实，也是常识，并不是反形象思维论者所指责的“违反常识，背离实际胡编乱造”。这种指责用到他自己身上倒很适合。

（二）马克思肯定了形象思维

反对形象思维论者不但打着“常识”的旗号，而且打着“马克思主义的认识论”的旗号，叫嚣什么形象思维论是“一个反马克思主义的认识论体系”。上面我们已根据毛泽东同志的《实践论》说明了形象思维所隶属的感性认识的合法地位，现在不妨追问：究竟马克思本人是不是一位反形象思维论者呢？梅林在《马克思与寓言》一文里论证了马克思继歌德和黑格尔之后是“一位天生的寓言作者”（faisseur d' allegoriess）①。寓言或寓意体诗文就是中国诗的“比”，黑格尔的《美学》第二卷结合象征型艺术详细讨论过，它还是形象思维方式之一。马克思在他的经典性著作里也多次肯定了形象思维。最明显的例子是《政治经济学批判》的“导言”里关于神话的一段话：

> ……任何神话都是用想象和借助想象以征服自然力，支配自然力，把自然力加以形象化；……希腊艺术的前提是希腊神话，也就是已经通过人民的幻想用一种不自觉的艺术方式加工过的自然和社会形式本身。

① 参看法文本《马克思恩格斯论文艺》，第369—370页的法译文。

这是希腊艺术的素材。①

接着谈到社会发展到不再用神话方式对待自然时，马克思说，这时就“要艺术家具有一种与神话无关的幻想”。“想象”在原文中用的是 Einbildung，“幻想”在原文中用的是 Phantasie，这两个字在近代西文中一般常用作同义词。足见马克思肯定了艺术家要有形象思维的能力，尽管神话时代已过去。在摩尔根的《古代社会》的评注里，马克思也是就神话谈到“想象”，把想象叫做人类的“伟大资禀”。毛泽东同志在《矛盾论》里谈到神话时也引用了上引马克思的一段话，并且结合到神话中的矛盾变化，指出神话“乃是无数复杂的现实矛盾的互相变化对于人们所引起的一种幼稚的、想象的、主观幻想的变化”，“所以它们并不是现实之科学的反映”。从此可见，毛泽东同志肯定形象思维，并不是从《给陈毅同志谈诗的一封信》才开始，而是早就在这个问题上发挥了马克思主义。毛泽东同志的诗词就是形象思维的典范。

二　从实践角度来看形象思维

马克思主义创始人分析文艺创造活动从来都不是单从认识角度出发，更重要的是从实践角度出发，而且分析认识也必然是要结合到实践根源和实践效果。早在 1845 年，马克思在

① 见《马克思恩格斯选集》，第二卷第1—3页。

《关于费尔巴哈的提纲》里就反复阐明实践的首要作用①，他指出："人的思维是否具有客观的真理性，这并不是一个理论的问题，而是一个实践的问题。"费尔巴哈的"主要缺点是：对事物、现实、感性，只是从客体的或者直观的形式去理解，而不是把它们当人的感性活动，当作实践去理解，不是从主观（应作"主体"——引者）方面去理解"，"费尔巴哈不满意抽象的思维而诉诸感性的直观，但是他把感性不是看作实践的、人类感性的活动"。这些论纲是马克思主义哲学的核心。毛泽东同志在《实践论》里更加透辟地发挥了《费尔巴哈论纲》的要旨。在这篇光辉的著作里实践论取代了过去的认识论，对哲学做出正本清源的贡献。可惜我们过去在美学讨论和最近的形象思维的讨论中没有足够地深入学习这些重要文献，所以往往是隔靴搔痒。片面强调美的客观性和片面从认识角度看形象思维，都是例证。最近哲学界还有人否认实践是检验真理的唯一的标准。这些都说明马克思主义在我们头脑里扎根还不深，值得警惕。

从实践观点出发，马克思主义创始人一向把文艺创作看作一种生产劳动。生产劳动，无论就现实世界这个客体还是就人这个主体来看，都有千千万万年的长期发展过程。这道理恩格斯在《劳动在从猿到人转变过程中的作用》一文里已作了科学叙述②。马克思著作中讨论文艺作为生产劳动最多的是在1844年写成的《经济学—哲学手稿》③。这部著作里研究了各

---

① 见《马克思恩格斯选集》，第一卷第16—19页。
② 见《马克思恩格斯选集》，第三卷第508—520页。
③ 出过中译本，译文艰晦，参看本书选的节译和注释。

种感官和运动器官的发展与审美意识的形成,研究了劳动与分工对人的影响,证明了在劳动过程中人类不断地按自己的需要在改变自然,在自然上面打下了人的烙印(这就是对象或客观世界的“人化”)。同时也日渐深入地认识自己和改变自己。

马克思后来在《资本论》第一卷第三编等五章里扼要概括《经济学—哲学手稿》里关于劳动过程改造客观世界从而改造作为劳动主体的人这个道理如下:

劳动首先是在人与自然之间所进行的一种过程,在这种过程中,人凭他自己的活动来作为媒介,调节和控制他跟自然的物质交换。人自己也作为一种自然力来对着自然物质。他为着要用一种对自己生活有利的形式去占有自然物质,所以发动各种属于人体的自然力,发动肩膀和腿,以及头和手。人在通过这种运动去对外在自然进行工作、引起它改变时,也就改变他本身的自然(本性),促使他的原来睡眠着的各种潜力得到发展,并且归他自己去统制,我们在这里姑且不讨论最原始的动物式的本能的劳动……我们要研究的是人所特有的那种劳动。蜘蛛结网,颇类似织工纺织,蜜蜂用蜡来造蜂房,使许多人类建筑师都感到惭愧,但是即使最庸劣的建筑师也比最灵巧的蜜蜂要高明,因为建筑师在着手用蜡来造蜂房以前,就已经在他的头脑中把那蜂房构成了。劳动过程结束时所取得的成果已经在劳动过程开始时存在于劳动者的观念中，已经以观念的形式存在着了。他不仅造成自然物的一种形态改变，同时还在自然中实现了他所意识到的目的，这个目的就成了规定他的动作的方式和方法的法则，他还必须使自己的意志服从这个目的。这种服从并不是一种零散的动作，在整个劳动过程中，各种劳动器官都紧张起来以外，还须行使符合目的的意志，这表现为注意，劳动的内容和进行的方式对劳动者愈少吸引力，劳动者愈不能从劳动中感到自己运用身体和精神两方面的各种力量的乐趣，他对这种注意的需要也就愈大。①

马克思的这段教导对于美学的重要性无论如何强调也不为过分，它会造成美学界的革命。这段话不仅阐明了一般生产劳动的性质和作用，同时也阐明了文艺创作作为一种生产劳动的性质和作用。建筑是一种出现较早的艺术，已具有一切艺术活动的特征。建筑师用蜡仿制蜂房，不是出于本能，而是出于自觉意识，要按照符合目的的意识和意志行事。在着手创作之前，他在头脑中已构成作品的蓝图，作品已以观念的形式（原文是副词 ideel）存在于作者的观念或想象（原文是 Vorstellung，一般译为“观念”或“意象”，法译本即译为“想象”）中，足见作品正是形象思维的产品。更值得注意的是形象思维不只是一种认识活动，而是一种既改造客观世界从而也改造主体自己的实践

① 参看中文版《资本论》，第1卷第192页，校对过德文本，对译文稍作修改。

活动，意识之外还涉及意志，涉及作者对自己自由运用身体的和精神的力量这种活动所感到的乐趣。也就是在这个意义上，劳动（包括文艺创作）会成为人生第一必需。

从这个观点来看形象思维，它的意义与作用就比过去人们所设想的更丰富更具体了。过去美学家们在感官之中只重视视觉和听觉这两种所谓“高级感官”和“审美感官”，就连对这两种感官也只注意到它们的认识功能而见不出它们与实践活动的密切联系。马克思在《经济学—哲学手稿》里五种感官都提到，特别阐明在人与自然的交往和交互作用的过程中，双方都日益发展，自然日益丰富化，人的感官也日益锐敏化。五官之外马克思还提到头、肩、手、腿之类运动器官，恩格斯特别强调人手随劳动而日益发展是由猿转变到人的关键。“手变得自由了，能不断地获得新的技巧，完善到仿佛凭着魔力似地产生出拉斐尔的绘画，托瓦尔德森的雕刻和帕格尼尼的音乐”。

（一）近代心理学的一些旁证

近代心理学的发展也给感官认识与实践活动的密切联系提供了一些旁证。

第一个旁证就是法国心理学家夏柯（Charcot）、耶勒（Janet）和库维（Coué）等人根据变态心理所发展出来的“念动的活动”（ideomotor activity）说。依这一说，头脑里任何一个固定化观念（或意象）如果不受其他同时并存的观念的遏制作用，就往往自动机械似地转化为动作，例如人格分裂症和夜行症之类情况。即在日常生活中,“念动的活动”的事例也不少,例如专心看舞蹈或赛跑,自己的腿也就动起来,看到旁人笑或打哈欠,自己也不知不觉地照办。法国另一个著名的心理学家里波(Th. Ribot)把念动的活动应用到文艺心理学里,写出了《创造性的想象》(*L'imagination créatrice*)①一书。他从各方面研究了创造性的形象思维。另外一个法国著名的美学家色阿伊(G. Séailles)在他的《艺术中的天才》(*Le Génie dans L'Art*)②里也详细讨论了念动的活动与形象思维的问题,特别是其中第三章。这一类的著作对于研究形象思维问题的人们都是不可忽视的资料。

第二个旁证是关于筋肉感觉(kinetic sensation)或运动感觉的一些研究③。过去只提五官,现在又添了一种感觉到运动中的筋肉感官。感觉到运动也就要在脑里产生一种意象,而这种运动意象也就要成为形象思维中的一个因素。近代美学中费肖尔和立普斯派的“移情作用”以及谷鲁斯派的“内模仿作用”都是从研究运动感觉而提出的④。美籍犹太文艺评论家贝冉孙(Berensen)在他的名著《佛罗伦萨派绘画》中特别着重绘画作品对观众心中所产生的筋肉紧张或松弛的感觉。其实这种看

---

① 1926年巴黎F. Alcan书店出版。

② 1923年巴黎F. Alcan书店出版。

③ 参看外国心理学家闵斯特堡(H. Münsterberg)的《心理学》,有英文本,在美国出版。

④ 趁便可指出:费肖尔也是黑格尔的门徒,马克思于1857—1858年仔细读过费肖尔刚出版的《美学》,并且作过大量的笔记摘录,参看《马克思恩格斯论文艺》法文本的序文第65页。

法在我国早已有之。画论中所提的“气韵生动”,文论中所提的“气势”和“神韵”,“阳刚”和“阴柔”之类观念至少有一部分与筋肉感觉有关。传说王羲之看鹅掌拨水,张旭看公孙大娘舞剑,从而在书法上有所改进。还有一位名画家在画马之先,脱衣伏地去体验马的神态姿势。这些都必然借助于筋肉感觉。不过造形艺术(雕刻和绘画)之类“空间艺术”,一般较难表现运动,所以温克尔曼主要从希腊雕刻入手,才得出伟大艺术必以“静穆”为理想的片面性结论。筋肉感觉起作用最大的是音乐、舞蹈和诗歌之类“时间艺术”。这一类艺术都离不开节奏,而节奏感主要是一种筋肉感或运动感。我们不妨挑一些描绘运动的作品来体验一下,例如:

噫吁戏,危乎高哉!蜀道之难,难于上青天!

(李白《蜀道难》)

荡胸生层云,决眦入归鸟。会当凌绝顶,一览众山小。

(杜甫《望岳》)

昵昵儿女语,恩怨相尔汝。划然变轩昂,勇士赴敌场。……跻攀分寸不可上,失势一落千丈强。

(韩愈《听颖师弹琴》)

读这类作品,如果不从筋肉感觉上体会到其中形象的意味,就很难说对作品懂透了。历来在诗文上下工夫的人都要讲究高声朗诵,其原因也正是要加强抑扬顿挫所产生的筋肉感觉,从而加深诗文意味的体会。

第三个旁证是关于哲学界和心理学界对“有没有无意象的思想”(imageless thought)问题的争论,笔者在欧洲学习时正赶上这场争论,报刊上经常有报道①。一位英国学者(名字已记不起了)写过一部书,评介了这场争论。所谓“无意象的思想”就是一般所谓“抽象的思想”。抽象思想的存在是不容否认的,坚持没有“无意象的思想”的一派人的出发点还是理性认识不能没有感性认识的基础这一基本原则。值得注意的是这派人也正是强调筋肉感觉的。记得他们所举的事例之一是“但是”这个联结词。从表面看,这个词及其所代表的思想是一般性的、无意象的。说它是“有意象的”,他们却也拿出了心理学实验仪器所记录下来的筋肉感觉转向的证据。筋肉在注意力强化、弱化或转向时都产生不同的感觉,留下不同的意象。所以像“但是”、“如果”这类词所代表的思想毕竟还不是无意象的。这一点旁证可以帮助我们更好地理解马克思在上引一段话里所提到的“劳动器官紧张”和表现为“注意”的“符合目的的意志”活动。

(二)艺术作品必须向人这个整体说话

从以上所述各点可以看出形象思维这个问题是很复杂的,决不能孤立地作为一种感性认识活动去看,认为它是既不涉及

① 如果查本世纪二十到三十年代的英国哲学刊物 *Mind*,可能还查得出。

理性认识,更不涉及情感和意志方面的实践活动。这种形而上学的机械观在美学界至今还很流行。病根在于康德的《判断力的批判》上部这一美学专著。康德在这里用的是分析法。为科学分析起见,他把人的活动分析为认识和实践两个方面,实践活动又分为互相联系的意志和情感两个方面。接着他就在这个体系中替审美活动或艺术活动找一个适合的位置,把它分配到感性认识那方面去。"界定就是否定",康德的界定就带来了两个否定,一个是否定了审美活动与逻辑思维所产生的概念有任何牵连,另一个是否定了它与实践方面的利害计较和欲念满足有任何牵连。这样,真善美就成了三种截然分开的价值,互不相干。康德的出发点是主观唯心主义和形而上学的机械观。不可否认他在美学方面作出了一些功绩,但是也应认识到他的观点所造成的恶劣后果,在文艺界发展为"为艺术而艺术"的风气,在美学界发展成为克罗齐的"直觉说"。从此文艺就变成了独立王国,摆脱了一切人生实践需要的形象"游戏"。一般对文艺活动没有亲身经验和亲切体会的美学学究们(包括笔者本人)中这种形而上学机械观的毒都很深,在十九世纪科学界的有机观特别是马克思主义的唯物辩证法已很久就日益占优势了,现在是彻底清算余毒的时候了。

什么是辩证的有机观呢?歌德在《搜藏家及其伙伴们》中第五封信里说得顶好:

人是一个整体,一个多方面的内在联系着的能力(认识和实践两方面的——引者注)的统一体。艺术作品必须向人这个整体说话，必须适应人的这种丰富的统一整体，这种单一的杂多。

要“适应人的这种丰富的统一整体”，艺术活动（包括形象思维在内）就必须发动和发展艺术家自己的和听众的全副意识、意志和情感的力量和全身力量，做到马克思论生产劳动时所说的“从劳动中感到运用身体和精神两方面各种力量的乐趣”。这样才不会对美、美感和形象思维之类范畴发生像过去那样片面孤立因而仍是抽象的观念。

这样一来，美学的任务就比过去远较宽广，也远较复杂了。艺术虽然主要用形象思维，不以概念为出发点，也不以概念为归宿，但是作为人类古往今来都在经常进行的一种活动，艺术必然也有它自己的逻辑或规律。寻求这种规律是美学中比过去更艰巨的工作。过去从英国经验主义派研究“观念联想”的工作，到近代心理学家们研究“移情作用”，“念动的活动”，“内模仿”，运动中的“筋肉感觉”，“创造性想象”以及儿童语言之类工作，都各以某种片面方式在寻求艺术形象思维的规律。对这些工作我们决不能持虚无主义态度，至少要弄清在现代世界美学方面人们在干些什么。如果坚持从马克思主义出发，来对待美学方面批判继承推陈出新的任务，我们首先应该承认自己的落后，少浪费时间发些空议论，多做些按规划分步骤的、踏实而持之以恒的研究工作，才有望完成美学方面的新时期的历史任务。

形象思维在文艺中的作用和思想性

研究美学决不能脱离现实，应该经常注意文艺界的现实动态，包括正在热烈讨论的一些文艺上的问题。形象思维便是近几年来引起热烈讨论的一个大问题，我们文艺界和美学界对这样的大问题都不应袖手旁观。

这个问题，首先是由郑季翘同志发表在一九六六年四月《红旗》上的《在文艺领域里必须坚持马克思主义认识论——对形象思维论的批判》①一文中提出的。当时曾在一些座谈会上进行过讨论。接着就是林彪和“四人帮”对文艺界施行法西斯恐怖专政，这问题就搁下来，没有人敢谈了。到了一九七八年一月毛泽东同志《给陈毅同志谈诗的一封信》公开发表了，其中明确地肯定了“诗要用形象思维”，于是《红旗》、《诗刊》、《文学评论》和其他刊物又就形象思维问题展开了热烈的讨论。这时，郑季翘同志在一九七九年《文艺研究》的创刊号上又发表一

① 以下简称“郑文一”。

篇《必须用马克思主义认识论解释文艺创作》①，针对一些反对意见为自己进行辩护。这种勇于争鸣的精神是可佩服的，值得效法的。我原已在光明日报《哲学》专刊创刊号上发表了一些个人的看法，现在读到“郑文二”，觉得还有步他后尘的必要，再来谈一谈“形象思维在文艺中的作用和思想性”这个问题。

“郑文一”根本判决了形象思维论的反马克思主义认识论的罪状；在毛泽东同志肯定了“诗要用形象思维”之后，“郑文二”已承认了有形象思维这回事，不过对形象思维的解释还是原封未动。“郑文二”一开头就在《还历史的本来面目》的题目下，大做文章，详细考证了写“郑文一”时还没有看到毛泽东同志《给陈毅同志谈诗的一封信》，并且叙述了“四人帮”如何排挤他，使他失掉了中央“文革”小组中的地位等等。其实，知道实情的广大人民群众，决不会硬从政治上把反对毛泽东同志和附和江青、陈伯达的大帽子压在郑季翘同志的头上；但是在思想上他确实是“主题先行论”的先行者，对毛泽东同志的《实践论》和《矛盾论》也未见得理解得很准确、很全面。

毛泽东同志在发表《给陈毅同志谈诗的一封信》以前，没有肯定过形象思维吗？郑季翘同志不应忘记《矛盾论》里就矛盾的转化问题谈到《山海经》、《淮南子》、《西游记》和《聊斋志异》等书里的神话故事中的变化“乃是无数复杂的现实矛盾的互相变化对于人们所引起的一种幼稚的、想象的、主观幻想的变化”，“所以它们并不是现实之科学的反映”。毛泽东同志还

① 以下简称“郑文二”。

引用了马克思关于神话的话来作证:

> 任何神话都是用想象和借助想象以征服自然力,支配自然力,把自然力加以形象化。(重点号引者加)

所谓"想象"正是"形象思维",毛泽东同志已说明了神话(原始艺术的土壤)乃是对现实的想象的反映而不是对现实的科学的反映。这不是就已说明艺术的反映不同于科学的反映,想象不同于抽象推理吗?《实践论》也把感性认识和理性认识分得很清楚。

毛泽东同志在《在延安文艺座谈会上的讲话》里还说:"学习马克思主义……并不要我们在文学艺术作品中写哲学讲义";"空洞干燥的教条公式……不但破坏创作情绪,而且首先破坏了马克思主义"。这不是明确地斥责文艺作品运用抽象说理,搬弄教条公式吗?江青的"主题先行论"和"三突出"之类货色还不算公式教条文艺的"样板"理论吗?可惜的是"郑文一"正是替"主题先行论"提供了理论基础,不管作者是有意的还是无意的。更可惜的是经过许多参加讨论者指出他的错误之后,作者在"郑文二"里没有从原来的立场后退一步,反而把"主题先行论"说得更露骨。

"郑文一"的基本观点是:

"表象(即事物的直接映象)——概念(思想)——表象(新创造的形象),也就是个别(众多的)——一般——典型。"

"郑文二"进一步发挥如下:

……作家、艺术家在观察、体验生活的过程中，获得了大量的生活素材（即表象材料），经过分析研究（即进行抽象），取得对社会生活的理性认识，形成一定的主题思想和创作意图，再依据这种思想意图，对头脑中贮存的生活素材进行选择、提炼，运用创造性的想象加以重新组合，从而塑造出能够体现作者思想意图的艺术形象（即新创造的表象），这样创造出来的艺术形象，由于是以一定的理性认识为指导的，又是选取了富有特征的表象材料组合成的，就是说，它是典型化了的……

“郑文二”还对作者自己和形象思维论者的分歧作了总结：

……我认为，作家在实践中获得生活素材的基础上，必须经过科学的抽象，达到理性认识并在这理性认识的指导下，进行创造性想象，再把这种想象的内容描绘出来，造成文学作品；而形象思维论者的……“形象思维过程”，却是排斥以抽象思维为中介，不需要概念参加，从生活中的形象直接“飞跃”到艺术形象。所以这种分歧的实质，就在于是否用马克思主义的认识论来解释文艺创作。

“郑文一”和“郑文二”的要义就在上引三小段话里，话是说得很清楚的。作者就分歧所下的结论也是很清楚的，就是：作者自己是站在马克思主义的一边，而形象思维论者却站在非（或反）马克思主义的一边。作为一个形象思维论者，我不揣冒昧，再进行一些反驳。

首先，要把几个名词的意义说清楚。

思维就是开动脑筋来解决一个问题或构成劳动生产或革命斗争的一种规划或图案。思维既是一种活动，就要产生成果。作为活动，思维本身就是一种实践，一种生产劳动，它所产生的成果便是认识。一切认识都是来自实践，而检验认识的真伪也还要靠实践。认识有两种：感性认识和理性认识，这两种认识的分别，毛泽东同志在《实践论》里已说得很清楚，不容混淆，更不容以理性认识来代替或淹没感性认识。

艺术的思维不同于科学的思维，艺术的思维主要是形象思维，科学的思维主要是抽象思维或逻辑思维。形象思维就是用形象来思维（英文是 think in image 变成名词是 imagination）。过去有人把 think in image（德、法、俄三种文字中这个短语的结构相同）误译为"在形象中的思维"，便不成话。郑文沿用了这种误译，把别林斯基所说的形象思维看作"形象中的思维"，接着就据此指责别林斯基说，"形象中的思维是建立在客观唯心主义基础上的"，接着他又转了一百八十度的大弯说，别林斯基的形象思维"说明了艺术的特征，即思想应当寓于形象之中，则是合理的"。接着他就用了一个"所以"跳到另一个大胆的结论："所以，我觉得毛泽东同志正是在这种意义上（即'在形象中的思维'这种意义上——引者注）用了形象思维这一术语。"可是毛泽东同志明明白白地说:“诗要用形象思维”,并没有说“诗要在形象中思维”。

在上引短短的一小段中,郑季翘同志连跳了四大步:一、由形象思维跳到“在形象中的思维”。二、由“在形象中的思维”跳到“思想寓于形象之中”。三、由别林斯基的“客观唯心主义”跳到“思想应当寓于形象之中”这个“艺术的特征”。四、由对别林斯基的一贬一褒跳到毛泽东同志正是在“在形象中的思维”的“意义上用了形象思维这一术语”。这四大步都是只有郑季翘同志才能办到的“飞跃”。起点一步跳错了,以下几步就越跳越离奇,“跳入非非”。这是他的思想方法的特征,是值得仔细研究一下的。大家(包括郑季翘同志本人在内)不妨认真地想一想,这种思想方法是马克思主义的还是主观唯心主义的呢?

还应指出,郑文只承认理性思维才是思维或思想,否认感性认识阶段可以有思想,在这一点上作者忘记了或蔑视了马克思主义的历史发展观点。各民族在原始时期,人在婴儿时期,都不会抽象思维而只会形象思维,抽象思想在各民族中是长期发展的产物,人在婴儿时期也要经过几年的生活经验和学习才能学会。从马克思所高度评价的摩尔根的《古代社会》和维柯的《新科学》到近代瑞士皮亚杰等人的儿童心理学著作,都提供了无数实例。郑文竟蔑视近代心理学常识乃至哲学常识,忘记了从十七世纪到十九世纪,英国经验主义派和大陆上理性主义派正是在感性认识和理性认识孰先孰后的问题上进行过二、三百年的斗争,经验主义派的胜利奠定了近代唯物主义的基础。

郑季翘同志显然是一位理性主义者。

谈到形象思维,还要澄清几种误解:

一、文艺作品也是一种表象吗?

表象(德文 Vorstelung,英文 presentation)是客观事物在人脑中所产生的直接印象,它是被动接受的,是一切思维的起点,还不是思维本身,所以不能当作形象思维。形象思维在整个过程中要有思维活动。就文艺来说,这种思维活动是一种精神生产活动,首先是一种实践。其次才是认识。郑文往往单从认识出发或是认为认识先于实践,这也并不是马克思主义的看法。作为实践,形象思维生产出文艺作品。文艺作品作为一种意识形态,有助于提高人的认识,对社会发生教育作用,这是文艺作品的另一种实践意义。郑文的"基本观点"的模式是表象——概念——表象。这是对文艺作品的诬蔑。既歪曲了表象,又歪曲了文艺的实质。文艺作品能降低到或倒退到表象的地位吗?

二、形象思维是一种罕见的或只是文艺所特有的思维方式吗?

形象思维不仅在历史发展上先于抽象思维,而且在实际运用上也远比抽象思维更广泛。我们一般人不动脑筋则已,一动脑筋就不免要用形象思维,无论是穿衣、吃饭、旅行、交朋友或是进行生产劳动,一发生问题时一般都首先进行形象思维。例如这几天闷热,我不敢进城。并不是根据"老年人一动不如一静"这样一个抽象原则下逻辑式结论,而是根据自己的衰老的情况。大热天挤电车的艰难,以及进城回来后的困倦之类具体形象。这些都属于形象思维范畴。文艺主要用形象思维,但形象思维并不是文艺所特有的一种思维方式。郑文提到“创造性的想象”。关于这方面近代西方已进行了不少的科学研究。法国心理学家里波(Ribot)的名著《创造的想象》,便是其中的一种。里波举了许多事例,证明除文学家和艺术家之外,还有政治家、实业家、科学家和商人等等也都要用创造的想象。所以形象思维并不是“违反常识”的“胡编乱诌”,如郑文所指责的。

三、只有逻辑思维才用抽象,形象思维就不用吗?

这是郑文的要害所在,他只承认逻辑思维才配叫做“思想”,要进行抽象,他认识不到形象思维也要进行抽象,也配叫做“思想”。什么叫做“抽象”(abstract)?作为动词,这个字原义是从整体中抽出某部分,例如从金矿石中抽出纯金。马克思在《经济学—哲学手稿》里所说的“抽象唯心”和“抽象唯物”中的“抽象”就是取“从整体中抽出部分”这个意义,在心物统一的整体中“抽象唯心”单取心而弃物,“抽象唯物”单取物而弃心。从金矿石中提出纯金的例子来看,可以说“抽象”就是“提炼”,也就是毛泽东同志在《实践论》里所说的“将丰富的感觉材料加以去粗取精、去伪存真、由此及彼、由表及里的改造制作工夫”。毛泽东同志在这里主要是从“造成概念和理论的系统”的科学的逻辑思维着眼,其实他的话也适用于创造文艺的形象思维。文艺的形象思维和科学的逻辑思维基本上是一致的。都要从感觉材料出发,都要经过提炼或“抽象”的工夫,抓住事物的本质和规律,都要从感性认识“飞跃”到高一级认识阶段,所不同者科学的逻辑思维飞跃到抽象的概念或结论,文艺的形象思维则飞跃到生动具体的典型形象。典型形象既然也要见出本质和规律，也就要寓有理性。它是“理在事中”的一个实例。郑文的基本错误在于没有认识到典型形象中的理性，又觉得文艺不可没有理性和思想性（这却是正确的），于是在他的两个“表象”之中硬塞进一个等于“思想”的“概念”（其实“思想”并不等于“概念”），干脆把形象思维抛弃掉。拆穿西洋镜，这就是郑文的奥妙所在。

四、文艺中的“思想”是一种概念性的主题，还是一种世界观的“倾向”呢？

这是文艺理论中一个根本问题，也是一般人（包括郑季翘同志在内）所特别关心和热烈争论的一个问题。我在上文肯定了郑文重视思想性的态度，不过我认为郑文把文艺中的思想等于概念的看法是狭窄的、错误的。

德国大音乐家休曼的一段话时常在对我敲警钟：

> 批评家们老是想知道音乐家无法用语言文字表现出来的东西。他们对所谈的东西往往十分没有懂得一分。上帝呀！将来会有那么一天，人们不再追问我们在神圣的乐曲背后隐寓什么意义么？先把第五音程辨认清楚罢，别再来干扰我们的安宁！

休曼在警告我们不要在音乐里探索什么隐寓的意义或思想，因为一般思想要用语言文字来表达，而音乐本身是不用语言文字的，它只是音调节奏的起伏变化的纯形式性的艺术。不过音调节奏的变化是与情感的变化密切联系的，所以音乐毕竟有所表现,所表现的是情感之类内心生活,不是某种概念性的思想。托尔斯泰就认为一般文艺的作用都在传染情感。

不但音乐是如此,就连作为“语言艺术”的文学一般也不表达概念性的思想。比如说,莎士比亚是公认的近代最伟大的剧作家,你能从他的哪部作品里探索出一些概念性的思想呢?确实有不少的批评家进行过这种探索,所得到的结论也不过是他代表了文艺复兴时代的精神或是他在政治上要求英国有一个强有力的能巩固新兴资产阶级地位的君主。难道就是这种总的倾向而不是他的具体作品使读者受到感动和教育么?你读过他的作品后使你印象最深的是这些总的倾向还是一些具体的戏剧情节和典型人物的形象呢?

我从此又联想到托尔斯泰。他的一些小说杰作感动过无数人,也感动过我。他的作品确实宣扬过人对基督的爱和人与人的爱,个人道德修养和反对暴力抵抗。这些都是不很正确的思想,为什么列宁说他是“俄国革命的镜子”呢?不是因为他宣扬了这些不很正确的思想,而是因为他忠实地描绘了当时俄国“农民资产阶级革命”中农民的矛盾态度和情绪。列宁只把他叫做俄国革命的一面镜子,而没有把他称为革命的号角或传声筒,而且批判了他在思想上的矛盾。托尔斯泰在文艺上的胜利可以说也就是巴尔扎克的那种胜利,即“现实主义的伟大胜利”。一个作家只要把一个时代的真实面貌忠实地生动地描绘出来,使人们认识到它有改革和推进的必要,他就作出了伟大的贡献,不管他个人在思想上有无矛盾或根本没有表现什么概念性的思想。

没有概念性的思想不等于没有思想性。文艺的思想性主要表现在马克思主义创始人所屡次提到的“倾向”（德文 Tendens 有“发展倾向”或“趋势”的意思）。倾向不必作为明确的概念性的思想表达出来而应该具体地形象地隐寓于人物性格和情节发展之中。恩格斯在给玛·哈克奈斯的信里说，他并不责备她没有“鼓吹作者的社会观点和政治观点”，并且说：

> 作者的见解愈隐蔽，对艺术作品就愈好，我所指的现实主义甚至可以违背作者的见解而表现出来。

恩格斯在给敏·考茨基的信里又说：

> 我认为倾向应当由场面和情节本身自然而然地吐露出来，而不应当有意地把它明白指点出来。

用一个粗浅的比喻来说，如人饮水，但尝到盐味，见不着盐粒，盐完全溶解在水里。

不但表现在文艺作品里如此，世界观的总倾向在一个文艺作家身上也是如此，它不是几句抽象的口号教条所能表现的，要看他的具体的一言一行。他的倾向是他的毕生生活经验和文化教养所形成的。它总是理智和情感交融的统一体，形成他的人格的核心。也就是在这个意义上，文艺的“风格就是人格”。例如，就人格来说，“忠君爱国”这一抽象概念可以应用到屈原、杜甫、岳飞和无数其他英雄人物身上，但是显不出屈原、杜甫这两位大诗人各自的具体情况和彼此之间的差异,也就不能作为评价他们各自的文艺作品的可靠依据。在西方,“人道主义”这一抽象概念也是如此,文艺复兴时代、法国革命时代、帝国主义时代,乃至马克思主义创造人,都宣扬过人道主义,但是具体的内容各不相同。这就是为什么我们在文艺领域里反对公式教条化,反对用概念性思想来吞并形象思维。

我们和郑季翘同志的基本分歧可以概括如下:

一、在认识论上,郑季翘同志认为既是思维就必然是概念性的,必然是逻辑推理的结果,包括艺术的典型。我们则既根据心理学常识,根据马克思主义常识,认为思维不是只有科学的逻辑思维一种,此外还有文艺所用的形象思维。这两种思维都从感觉材料出发,都要经过抽象和提炼,都要飞跃到较高的理性阶段,所不同者逻辑思维的抽象要抛弃个别特殊事例而求抽象的共性,形象思维的抽象则要从杂乱的形象中提炼出见出本质的典型形象,这也就是和科学结论不同的另一种理性认识。郑季翘同志在文艺创作过程中的第一个表象(即感觉材料)和他所谓新的表象(即文艺作品)之中凭空插进一个概念(等于思想)的阶段,我们则认为这不但不必要,而且有害,因为它使文艺流于公式概念化,其实也就是主题先行论。

二、在思想性的问题上,郑季翘同志既把思想看作等于概念,就势必要把文艺的思想性看作明确表达出某种概念性的思想;我们却认为文艺的思想性即马克思主义创始人所提到的“倾向”,倾向并不是抽象概念的明确表达而是隐寓在具体人物性格和具体情节的发展中。就文艺作者本人来说,他总有一种世界观，世界观也必然现出一种倾向，这就是他的人格的核心，其中就不但含有理，也必然要含有情，或则说，必然是情理交融的统一体。所以古今中外都强调情感在文艺中的作用。

拙见如此，其中难免有很多自己看不到的欠缺和错误，恳切希望读者们（包括郑季翘同志在内）继续共同商讨，把形象思维问题弄个水落石出。

文艺复兴至十九世纪西方资产阶级文学家艺术家有关人道主义、人性论的言论概述

人道主义思想是与资产阶级的历史发展相终始的。在资产阶级历史发展的不同阶段中，人道主义思想一方面见出历史的持续性，另一方面也随阶级力量对比和政治斗争需要的改变而获得不同的具体内容，起不同的作用。为着叙述的方便，我们把所要涉及的时期分为三个阶段：(1)资产阶级新兴阶段，即文艺复兴阶段，约从十四世纪到十六世纪，这是自然科学兴起的时期，是造形艺术在意大利达到高峰，戏剧文学在英国达到高峰的时期；(2)资产阶级革命阶段，从十七世纪到十八世纪，这在哲学上是理性主义与经验主义交锋和启蒙运动的时期，在文艺上是新古典主义运动及其反响的时期；(3)资产阶级由向外扩张转入垄断资本主义的阶段即十九世纪，这在哲学上是德国唯心主义和法国实证主义流行的时期，在文艺上是浪漫主义运动和现实主义运动相继出现的时期。

在三个阶段中，人道主义思想渗透到各个文化领域的各个角落里。它比较集中地表现在哲学著作里。至于在文艺领域

里，它主要地表现在具体作品的具体形象里，可能还比在哲学领域里所表现的还更能显出它与实际生活的联系，但是它有如盐溶解在水里，饮水方知盐味，很难在盐水里搜求盐粒。例如从莎士比亚的戏剧里或是从雨果的诗集和小说集里摘录一些有关人道主义的片断，显然是要从一斑来窥全豹，带有很大的片面性。因此，我们把论到的重点摆在文艺家的理论著作上。这样做，就难免有时要跨到哲学界里，例如蒙田、培根、帕斯卡尔、狄德罗、赫尔德等人历来就是既出现在哲学史也出现在文学史里的。此外，文艺理论更不可避免地要涉及美学范围。

在这里，我们想说明一下人道主义在不同阶段里的具体内容以及历史发展线索，同时对某些代表人物或代表思想顺带地作一些简略的介绍。

一　文艺复兴，十四至十六世纪

为什么近代资产阶级一登上历史舞台，就进行一场轰轰烈烈的文艺复兴运动，而这个运动在意识形态方面又以人道主义为其主要内容呢？

原来在文艺复兴以前，从公元四世纪起，在约莫一千多年中，即在封建制度的发展过程中，统治欧洲的是基督教文化，这是一种外来的文化，在希腊罗马古典文化长期扎根很深的区域传播开来的。它一开始就以古典文化（被称为“邪教”文化）的敌对者出现，而对古典文化进行顽强的斗争和无情的摧残，企图把它连根拔掉。这两种文化的对立是很尖锐的。古典文化的理想在大体上说来是人本主义（“人是一切事物的权衡”）和现世主义（“最高的善”是现世的幸福生活）。它重视科学和哲学的探讨以及对美好事物的创造和享受，它要求人在身心各方面的平均发展。它也信神，但是它的神是按照人的模样创造出来而且体现人的理想和愿望的。基督教文化则与此相反，它的基本内容是神权中心和来世天国。人类据说自从亚当和夏娃偷食禁果以来，就犯了“原始罪孽”而失去了天国，人的现世生活永远是一种赎罪的过程，要想再回到天国，就得禁欲苦行，因为罪孽的根源就在肉体的要求或情欲，人世间一切感官方面的享受都是有罪的。这就是基督教的禁欲主义。在禁欲的名义之下，对科学和哲学的追求也被认为对修行是有害的。宣传这种教义的罗马教会在整个封建社会时期或是攫取了世俗政权，或是与世俗政权狼狈为奸，在西方进行腐朽而残暴的统治，使人民长期处在被剥削和镇压的地位，处在穷困和愚昧的落后状态。

这种局面到了十三世纪左右开始转变。这是由封建社会过渡到资本主义社会的重大的历史转变。关于这个转变，马克思和恩格斯在《共产党宣言》里以及恩格斯在《自然辩证法》的导言里都已作过扼要的总结。文艺复兴所标志的就是这种经济基础及其相应的意识形态方面的转变。由于掌握了地中海的航业和工商业中心，资产阶级首先在意大利登上了舞台，所以文艺复兴运动也首先由意大利开始，而意大利也正是中世纪封建堡垒罗马教廷所在，新兴资产阶级要扩张它的势力，就得扫除横在它面前的封建统治和基督教会的障碍，所以文艺复兴运动的主要矛头是指向封建制度和基督教会的。人道主义的提出也首先是针对基督教会和封建统治所宣扬的神权主义和禁欲主义的。

凡事都有一个历史发展过程，资产阶级在它的新兴阶段，力量还是很薄弱，传统习惯势力还很强，他们还不敢明目张胆地提出人道来对抗神道，人道主义在最初阶段还只取“人文主义”或古典学术研究的形式。在中世纪，唯一类型的学校是训练僧侣的学校，僧侣垄断了文化教育；唯一类型的学科是神学，神学吞并了一切哲学和科学。到了十二三世纪，由于资产阶级已渐露萌芽和实际生活的需要，世俗性的学校开始出现，神学仍然是主要科目，但于“神学学科”(studia divina)之外，添设了“人文学科”(studia humana)。人文学科的内容就是希腊罗马古典各科学术(包括文学、哲学、历史乃至于科学技术)，因为在这些科目方面，他们只有希腊罗马的遗产可利用。人文主义和人道主义这个名词(humanism)就是这样起来的，它原来所指的只是人文学科实即古典学术的研究。

“人文主义”在表面上只标志一种学科，在实际上有反封建反教会的意义。首先，人文学科打破了神学学科的垄断，在学术领域里，在神之外，人也占领了一分地位。这并不是一件小事。其次，人文学科所代表的古典学术文化，如上文所述，是和基督教文化处于尖锐对立地位的，现在居然能和基督教文化平分秋色，这也就说明了基督教文化势力的下降和古典文化及其所代表的人本主义和人文主义势力的回升。原先基督教为着夺取统治地位，曾经竭力消灭古典文化；现在新兴资产阶级为着反对基督教会和它所支援的封建制度，又乞援于基督教先前所赶走的敌人，这也是顺理成章的事。人道主义既然取得了和神道主义并立的地位，那么谁战胜谁的问题就出来了。按照矛盾发展的规律，新的进步的力量总是逐渐由矛盾的次要方面转化为矛盾的主要方面以至终于达到胜利的解决。

但是，这个过程总是长久而曲折的。人文主义者反封建、反教会的斗争在起始阶段还是打着宗教旗帜来进行的，因此他们的思想经常充满着矛盾。文艺复兴的最大的先驱是但丁。他在《神曲》里把许多基督教的教皇和大主教都打下地狱，让他所笃爱的罗马"邪教"诗人维吉尔做向导，引他游地狱和净界，让他幼年所钟情的贝雅特里齐做向导，引他游天堂，很鲜明地表现出他对基督教会的仇恨，对古典文化的爱好，对禁欲主义的否定以及对现世幸福生活的肯定。但是他的理想国毕竟是天堂，他的最高的人生理想毕竟是对天国光辉的观照，而《神曲》的大部分思想基础毕竟还是圣托马斯的神学体系。同样的矛盾也出现在意大利第二个大诗人彼特拉克身上。他是近代爱情诗的始祖，古典学术研究的先驱，而且是一位积极的政治活动家。他对劳拉的热爱，和但丁对于贝雅特里齐的热爱一样，在西方至今传为佳话，他也和但丁一样，要在学术和事功上博得不朽的荣誉。他自道心事说："我不想变成上帝……属于人的那种光荣对我就够了。这是我所祈求的一切，我自己是凡人，我只要求凡人的幸福"。从这里我们听到了"第一个近代人（法国史学家洛南 Renan 对彼特拉克的评语）的声音，也可以体会到人文主义者心目中的人道主义，其中有强烈的反禁欲主义的色彩。但是在中世纪基督教影响之下，彼特拉克也有时为自己追求“凡人的幸福”（爱情与荣誉）而感到不安。他的《秘密》一篇对话对了解这个时期的人道主义是很有启发性的。在他自己和圣奥古斯丁反复辩论中，我们既可以看出中世纪和文艺复兴两个不同时代在人生理想方面的尖锐对立，也可以看出彼特拉克的内心矛盾。他仿佛感觉到圣奥古斯丁比自己还更有理。

哲学史家们（例如文德尔邦）往往把文艺复兴分为人文主义和自然科学两个阶段，在人文主义阶段，近代资产阶级重新发现到久已失去的古希腊罗马世界，这对于他们还是一个新世界，在一定程度上起了精神解放的作用。但是远较重要的是十五六世纪随着工商业发展而来的自然科学的巨大发展。哥伦布发现了一个新大陆，哥白尼发现了一个新天体，接着科学和技术各个领域都开始突飞猛进，这些成就不但替新兴资产阶级带来了巨大的物质财富，也大大地扩充了他们的精神视野。他们开始认识到自然界的丰富宝藏和无限潜能，也开始认识到人自己的巨大威力和无限光明的前途。因为他们亲眼看到在一千多年酣梦之后，一觉醒过来，人就造成了那么多的奇迹。这就激发了他们向四方八面去探险的雄心壮志，但丁、彼特拉克和达·芬奇所醉心的“荣誉”就表现出当时人对自己的尊严感。“巨人时代”就是在这种物质条件和精神气氛中形成的。无论在物质方面还是在精神方面，文艺复兴时代的人都是一种“暴发户”，暴发户从来是满怀信心，勇于进取的。人发现没有什么东西能束缚自己，人就要求全面发展自己，“完全人”的理想就是这样形成的。

由于自然科学的进展，人发现自己要打交道的是自然而不是神，在达·芬奇的著作里，“自然”和“神”往往成为同义词，“自然”往往代替了“神”，他用人是“第二自然”一句含义深刻的话来表达人和自然的关系，自然是造物主，人也是造物主，人创造事物要学习自然那样创造事物，这也就是说，要掌握自然的规律。培根把这个思想表达得更明白：“人对事物的统治只有建立在技艺和科学的基础上，因为要控制自然，只有通过服从自然”。就是在这个意义上，培根又说：“知识就是力量”。由于他们认识到要控制自然就要认识自然，所以他们特别看重知识。趁便地说，知识分子在社会中成为一个重要的阶层，这也是从文艺复兴时代开始的。知识的无限潜能在当时是一个重要的新发现。根据这个新发现去瞭望未来，他们在幻想中建立了许多光景美好的乌托邦，比较显著的例是达·芬奇的《预言》、摩尔的《乌托邦》、培根的《新大西洋岛》以及康帕内拉的《太阳城》，这些乌托邦代表进步的资产阶级对于未来社会的理想，或则毋宁说空想。但是它们的出发点都是人类将逐渐进步，而进步的途径是人凭科学知识和理性去自觉地征服自然这个大原则，这就为近代西方工业文化发展创造了有利条件。

文艺复兴时代的人一般说来都是些顽强的乐观主义者，但是资产阶级从呱呱堕地之日起，就已开始暴露出它的先天的病象，而这病象也反映在这时期的哲学和文艺著作中。像《共产党宣言》所指出的，资产阶级“使人与人之间除了赤条条的利害关系之外，除了冷酷无情的现金交易之外，再也找不到什么别的联系了”。这种情况莎士比亚在《雅典的泰门》剧里已清楚地反映了出来。① 金钱成了上帝，它可以把社会中一切都弄得颠倒错乱，不近情理。金钱统治了人，人在金钱面前显得是受摆弄的玩具，这种情况在一般不轻易流露主观情感的莎士比亚的心上也投下了一层悲观厌世的阴影，这表现在他的第六十六首商籁里，他历数人间不平事，感到厌倦竟祈求“安静的死”，这也表现在《哈姆雷特》对人的礼赞里，在以高度热情赞扬人是“宇宙精华！万物的灵长！”之后，陡然宣布这种从“泥土提炼出来的玩艺儿”“不能使他欢喜”②。同样的情况也反映在大画家米开朗琪罗身上。人的形象不能比出现在西斯廷教堂壁画上的还更雄伟庄严，但是他们的神色毕竟像隐藏一种难以名状的苦痛，而米开朗琪罗的诗歌和信札所揭露的也是一颗寂寞的不宁静的心。对人的尊严的认识并不能使这时期的人觉得做人完全是幸福，这就足以见文艺复兴时代社会的深刻矛盾。

对爱情的歌颂，对现世幸福生活的肯定以及对科学与理性的赞扬在文艺复兴早期原带有反对基督教会的禁欲主义和愚民政策的进步性质，但是到了晚期，情况就略有改变。这种改变可以拿蒙田为例来说明。社会现实证明了科学与理性并不是万能，这就使蒙田反躬自问：“我究竟知道什么？”人的见解是那样分歧，绝对的真理仿佛是难以捉摸的，于是他就走到怀疑论。人仿佛只有提问题而没有下结论的能力。所以根本性的

① 参看马克思的《经济学—哲学手稿》中《论资产阶级社会中金钱的势力》一章。

② 见《哈姆雷特》，卞之琳译，63页。

问题就无庸深究，可以不了了之。但是蒙田并没有因此走到悲观主义，他逃避到个人享乐主义里去了，他宣布：“我爱生活”，“我心甘意愿地怀着感激的心情接受自然替我做出来的东西”，“知道怎样忠诚地享受生活，这就是绝对的也是神圣的完美”。我们几乎可以说，蒙田已在培育个人主义和实用主义的萌芽了。趁此我们也可以回顾这个时期的另一部文学杰作：塞万提斯的《堂吉诃德》。这主要是一部讽刺封建时代骑士风的作品，同时也突出地描绘了两种典型人物，一个是满脑子虚幻理想，持长矛来和风车搏斗，以显出骑士威风的堂吉诃德本人，另一个是要从美酒佳肴和高官厚禄中享受人生滋味的桑丘·潘沙，堂吉诃德的随从。他们一个是可笑的理想主义者，一个是可笑的实用主义者，但是堂吉诃德属于过去，桑丘·潘沙却属于未来，随着资产阶级势力的日渐上升，理想的人就不是堂吉诃德而是桑丘·潘沙了。

总之，在文艺复兴阶段，人道主义是作为反封建反教会的武器而提出的，针对着基督教的神道，新兴资产阶级提出了人道，针对着基督教的禁欲主义，它肯定了现世幸福生活，特别歌颂爱情和荣誉。随着工商业的发展和自然科学的兴起，人们认识到人就是“第二自然”或“第二造物主”，“知识就是力量”。这样就提高了人的尊严感以及人能凭科学知识去控制自然的信心。这一点是当时人道主义最积极的贡献。但是资本主义一开始就显出金钱的邪恶势力以及剥削制度所必然带来的一切不合理的社会现象，这在文艺复兴后期就在乐观主义的基调上添上一点悲观怀疑的低音，而对现世幸福生活的肯定也开始流为个人享乐主义。后来的一些政治革命的口号还没有明确地提出来，但是随着近代国家的成立以及宗教改革中新教国家对教廷的反抗，爱国主义和民族主义的思想也开始出现了。

二　资产阶级革命阶段，十七至十八世纪

文艺复兴时代对研究自然和征服自然所表现的信心和热情到十七世纪才开始收到真正的效果，恩格斯在《自然辩证法》的导言里所列举的牛顿、笛卡尔、开普勒、莱布尼兹诸人在自然科学方面的成就都是在十七世纪完成的。十七八世纪欧洲在文化方面占领导地位的是法国，而在经济方面占领导地位的却是英国。英国自从击溃了西班牙的"无畏舰队"以后，就掌握了海上霸权，攫取了新大陆和东印度的大部分市场，因而扩大了资本积累。这两个因素——殖民和贸易的扩张以及自然科学的进展——推进了英国工业的发展，机器生产代替了手工场的生产，到了十八世纪末期这种产业革命在英国就已基本完成。那是个"自由竞争"，强者生存的时代，欧洲其他各国为着生存，就不得不随着英国急起直追。因此，十七八世纪在西方是生产力与生产方式开始起激烈变革的时代。

生产力的扩大与生产方式的变革就日益显出生产关系的不适应，须作出相应的调整。资产阶级在经济上的力量日渐雄厚了，就有可能与必要向封建领主夺取政权。因此在这两百年之中，发生了一系列的资产阶级革命。首先是1649年英国克伦威尔所领导的清教徒的革命，英国资产阶级革命几经挫折，

以1688年的所谓“光荣革命”的妥协局面而告终，其次是1789—1794年法国资产阶级革命，这是一次最大的资产阶级革命，振动了全体欧洲人心，冲击到欧洲的整个政局，尽管它最终仍归于失败。第三是比法国革命略早的1761—1782年美国独立战争，结果美国摆脱了英国殖民地的地位，成为一个独立的民主政体的国家。这些资产阶级革命都是一个剥削阶级的统治代替另一个剥削阶级的统治，所以都不可能是彻底的。它们照例都以建立“全民政府”为名，实行剥削阶级对被剥削阶级的专政，获利当权的是少数人组成的统治集团，绝大多数劳动人民还是处于受压迫的无权的在饥饿线上挣扎的地位。

在哲学方面十七八世纪是近代唯物主义思想蓬勃发展的时期，其主要的推动力来自自然科学。但是这种发展也不是一帆风顺的，而且在很大程度上还带有中世纪基督教神学的残余，因而是充满着矛盾的。文艺复兴时代自然科学的研究找到了两套法宝：一是理性，一是经验，在当时这两套法宝在运用上还是统一的，这从达·芬奇的一句名言里可以看出：

> 经验，这位在丰富的自然和人类之间的翻译者，教导我们说：这个自然在受制于必然的凡人中间所造成的东西上面，只能按照它的舵手理性所教给它的方法去进行工作。

到了十七世纪，这两套法宝便拆成两橛，成为彼此对立的东西，因而形成当时哲学界的两大派别，大陆法德两国的理性主义和英国的经验主义。理性派相信人生来就有先天的理性观念,他要认识世界,首先就要靠这些理性观念。经验派否认人有所谓先天观念,认为一切理性认识都不过是感性经验的总结,感性经验是人的一切认识因而也是一切实践的基础。从此可见,理性主义从中世纪先验派哲学继承过来的东西较多,基本上是唯心主义的;经验主义得力于自然科学的较多,基本上是唯物主义的。到了十八世纪,在英国经验主义的影响之下,法国启蒙运动中的"哲学家们"逐渐发展出人是机器而思想是人脑的物质运动的一整套机械唯物主义的思想。值得在这里特别一提的是这两派哲学家们都开始把人作为一个主要对象来研究,单看一些哲学名著的名称就可以看出这一点:笛卡尔的《论情欲》、霍布斯的《论人性》、洛克的《论人的知解力》,休谟的《论人性》和《论人的知解力》,莱布尼兹的《人的知解力新论》、拉美特利的《人是机器》,爱尔维修的《论人心》和《论人》等等,这还只是一小部分,此外还有许多虽没有标出人而实在是论人的著作,例如孟德斯鸠的《法的精神》、卢梭的《民约论》、维柯的《新科学》等等。这时期的哲学家们几乎毫无例外地都还是普遍人性论的信徒,而他们对于人性的研究大半都还是从自然科学特别是生物学和生理学的观点出发,更着重的是人的动物性方面。

在文艺方面,十七八世纪先后有两个主要潮流:一个是法国高乃依、拉辛、莫里哀和布瓦洛等人所领导的新古典主义运动,一个是启蒙运动者狄德罗和莱辛等人所领导的对于新古典主义的反抗,其结果为浪漫运动作了准备。这两个潮流都是与当时政治和一般文化思想密切相结合的。新古典主义在十七世纪法国反映出大资产阶级与封建贵族的联盟以及路易十四政府的中央集权。它企图复活希腊罗马戏剧的庄严形式和谨严技巧,来描绘宫廷的堂皇富丽的排场与伟大人物的伟大事迹,以便投合当时宫廷所特有的一种矫揉造作的趣味,它的思想基础是笛卡尔的理性主义,要求文艺只反映人性中普遍永恒的东西,并且企图把古典作家的经验定为后人必须遵行的法则。它是一种宫廷文艺,虽然也表现出一些资产阶级的人生理想,主要还是封建性的。启蒙运动者代表上升的资产阶级,要求文艺更多地表现资产阶级人物理想,更好地为资产阶级服务,所以对新古典主义进行严厉的批判,要求文艺在题材方面较结合中产阶级的现实生活,在形式方面较自然而且较自由,在语言方面较接近人民大众。他们也还崇奉理性,但是更强调情感和想象。他们所要追随的是英国市民戏剧和感伤主义的诗歌和小说,原来英国资产阶级在这些方面较先进,英国十七世纪的最大诗人是弥尔顿,处在英国资产阶级革命时期,弥尔顿与上述第一个潮流大致同时,但是在倾向上却更近于第二个潮流。他运用古典文学的形式,处理基督教的题材,来反映英国资产阶级革命的理想,所以在德国启蒙运动初期,他成为革新派的一面旗帜。总起来看,十七八世纪欧洲文艺处在资产阶级与封建残余势力争取地盘的局面,启蒙运动在文艺领域和在哲学领域一样,也还是为资产阶级革命作了思想准备。

既已粗略地介绍了十七八世纪欧洲政治经济、哲学和文艺的一般情况,现在就可以分析一下这个时期人道主义思想的基本内容，即启蒙哲学家们所强调的“理性”，以及法国革命中颁布的《人权宣言》里所要求的“人权”、“自由”和“平等”。

“理性”是一个较早的概念，从文艺复兴以来，它一直就是资产阶级用来反封建反教会的一种思想武器，不过作为一个明确的口号而被提出，是在十七八世纪。“理性”据说是普遍人性中的一个基本因素，所以要说明“理性”，先须说明一下这个时期的普遍人性论。依普遍人性论，人作为人，不管时代、地区、民族和阶级的区别，都有一种普遍永恒的本性。这种本性在西文中叫做“自然”（nature），“自然”这一词在西文中比在汉语中涵义较广，它包括外在的自然和人的自然本性两方面。自然是被看作和社会文化对立的，一切由社会文化影响在人身上形成的性质都不属自然本性范围，它们是随时随地改变的，而自然本性却是固定不变的。在文艺方面，古典主义者和新古典主义者都特别强调人的普遍性，他们的“艺术模仿自然”的口号往往是作为“艺术模仿人性”来理解的，艺术作品描绘出普遍的人性，才算创造出典型性格，这种基本思想在我们所选的布瓦洛、约翰逊和雷诺兹等人的言论中都可以看出。在哲学方面，面对着资产阶级夺取政权的迫切问题，英国经验主义者和法国启蒙运动者都特别关心国家和政府的起源问题，从霍布斯和洛克到卢梭都认为政府起于人民之间的协议或契约，既经协议而成立政府，人就脱离了“自然状态”。这究竟是好是坏呢？这就涉及“自然状态”的好坏问题，也就涉及人性善恶问题，霍布斯认为自然状态是人吃人的状态，人生来是自私的，为着保证大家的安全，自然人才成立契约，听命于一个君主，因此就放弃了个人自由。这是君主专制的辩护。卢梭则持相反的意见,认为“自然状态”是人的黄金时代,人性本是善的,人之变坏,是由于文化的腐蚀,政府是人民为着应付实际需要经过立契约而成立的,它的权力来自人民,等到它不称职时,人民就可以把委托给它的权力收回。这是民主革命的辩护。卢梭因厌恶近代文化而号召“回到自然”。这个口号有回到人的原始状态的意义,也有回到自然人的纯朴本性的意义。

从此可见,当时思想家们的政治观点是和他们对于人性的看法分不开的。人性究竟是什么呢?经验主义派从自然科学特别是生物学的观点来研究人,认为人性的基本因素是感性因素(包括感觉和“情欲”),在霍布斯和博克的心目中,最基本的人性最后归结到动物性,或本能的生理要求,例如自我保存和种族保存之类要求。这是一切脱离社会历史发展观点而抽象地看人性的人们都必然要达到的结论。不过这个时期占主导地位的思想,至少在人性这个问题上,还是理性主义,所以十八世纪在欧洲有“理性时代”的称号。对理性的崇拜本来有反封建反教会的一面,但也有基督教神学残余的一面。原来中世纪神学家和经院派哲学家们就早已强调理性,在他们看,理性并不是根据感官经验和实践活动培养起来的,而是上帝授与人类的一种先天先验的功能。上帝是理性的源泉,在创造人时就以自己的特性中一部分分配给人。十八世纪哲学家们从中世纪经验派的思想武库里拾得“理性”这个法宝,虽然不再是用来证明人对神的依存,而是用来证明自己的认识和行为的正确性,但是对理性的先天先验性质的理解却根本没有改变,既然是

“天赋的”，先天先验的，理性就成为脱离人的认识和实践的一种抽象的独立的存在，它至多只能是人的一种主观认识能力，人的主观认识能力并不是万无一失而是错误百出的。单凭这种叫做“理性”的主观认识能力来调整和改变社会关系，结果总不免是错误或欺骗，恩格斯在谈到启蒙运动者所宣扬的理性时，曾作了一针见血的批判：“人的头脑以及头脑通过思维所发现的原则，要成为一切人的行动与社会关系的基础，然而在更广的意义上说，与这些原则相矛盾的现实，事实上是被从头到底颠倒了”；他们的“理性的王国不是别的，正是资产阶级理想化的王国”①，而在这种“理性王国”里“还存在着剥削者和被剥削者，富裕的寄生者和劳动的贫穷者之间的对立”，这就很难说是符合理性的了。

从此可见，十七八世纪人们对于人性的看法以及对于理性的宣扬是和他们那个阶级的政治观点分不开的。这也表现在他们对于“人权”的理解上，人权是对神权而言的，神权说是封建制度的理论基础，据说专制君主的权力是由上帝通过教皇授与的而不是人民授与的，所以是神圣不可侵犯的。马丁·路德虽然进行了宗教改革，却再度批准了这种神权说，作为近代资产阶级国王的护身符。资产阶级的民主派要求由更多的人分享政权，于是提出人权说来对抗神权说，这比文艺复兴时代人文主义者提出人道主义来对抗神道主义，还具有更重要的革命意义，因为反封建反教会的斗争已由一般思想阵线转到政治方

① 《反杜林论》，人民出版社，1956年，14—15页。

面了。究竟什么是人权呢？从法国革命中两次《人权宣言》都可以看出，“这些权利就是平等，自由，安全与财产”（1893 年《人权宣言》第二条）。人权究竟是从何而来的？两次宣言都说人权是人“按其本性”生而就有的“自然的权利”，所以它毕竟和神权一样是“天赋”的或上帝授与的。两次《人权宣言》都一开始“就在主宰（即上帝）面前”发誓，这就足以说明人权说的宗教联系。1776 年的美国《独立宣言》说得更清楚：“人人生而平等，他们都从他们的造物主那边被赋与了某些不可转让的权利，其中包括生命权、自由权和追求幸福的权利。”

“平等”这个概念是欧洲原来没有的，完全是从基督教那里借来的，不过“人在上帝面前平等”改为“人在法律面前平等”。“自由”的概念来源则比较复杂，作为一个政治概念，“自由”是从奴隶社会就已有之，凡是不处在奴隶地位的叫做“自由民”，十八世纪也有些思想家不顾古代社会中奴隶处于绝对大多数的事实，而对少数奴隶主和自由民所享受的自由深为向往，例如休谟在《艺术与科学的兴起和进展》一文里以及温克尔曼在《古代造形艺术史》里都把雅典学术与艺术的繁荣归功于雅典政治的自由，足见他们所理解的政治自由是仅限于少数人的剥削的自由。等到中世纪基督教发展出一套神学以后，“自由”又具有一种宗教的意义，那就是意志的自由。在十七世纪法国，意志自由成为扬生教派和耶稣学会教派大争辩中的主要问题，前一派主张人在行动上趋善避恶是由“神恩”的指导，而后一派则以为人凭自由意志来决定自己的行动。这场争论并不限于神学领域，在哲学领域也进行得很热烈。在资产阶级工商业发达以后,“自由”又获得一种经济的意义,那就是自由贸易和自由竞争。资产阶级革命中所标榜的自由是有这三种性质的,例如在弥尔顿的心目中,宗教意义的自由(即他所谓“理性的自由”)与政治意义的自由是紧密联系在一起的,理性的自由或意志的自由才能保证政治的自由。从经济是基础的观点来看,上述三个意义之中主要的还是经济的意义,自由这一概念所反映的主要还是自由竞争(包括自由剥削)的资产阶级的社会关系。1891年的《人权宣言》第一条说:“在权利方面,人们生来是自由平等的。只有在公共利用上面才显出社会上的差别。”后一句话替贫富的悬殊和阶级的差别作了辩护,无异于否定了前一句。也就等于说人在原则上是自由平等的,在实施上自由平等的享受可以有差别。这个宣言的第十七条明白规定:“财产是不可侵犯的权利”,这就说明了当时资产阶级要保障人权,主要还是要保障私有制,私有制的存在就不可能导致全人民的真正的自由和平等。当时在进行革命的资产阶级为着要争取全体人民的支援,不得不提出“平等”“自由”这些响亮的口号来,实际上是假借全民的名义,来追求一个阶级的统治权,以一种剥削制度来代替另一种剥削制度,这中间带有欺骗性,这是一方面;另一方面也要承认:人权、自由、平等和理性这些口号毕竟起了促进资产阶级革命的作用,所以十七八世纪资产阶级革命时代的人道主义所特有的这些内容毕竟推动了历史前进。

三 十九世纪:资产阶级势力向外扩张转入垄断资本主义的阶段

十九世纪西方历史发展,无论在政治经济方面,还是在哲学和一般文化思想以及文艺方面,都是极其错综复杂的。这种情况反映出资产阶级在巩固和扩张势力的时期,就已开始分化和瓦解了。

十七八世纪英法资产阶级革命都是不彻底的,所以都不完全是成功的。十九世纪初期欧洲政局的骚乱主要起于对法国革命的反响,拿破仑执政以后,一方面加强了资产阶级的统治,在东征西讨中推翻了欧洲其他国家的现存秩序,传播了民主革命的理想,另一方面则在国内导致帝制复辟,在国际招致以英国为首的反动集团对法国的围剿以及稍后以奥国为首的神圣同盟对各国民主革命的镇压。1848 年欧洲各国革命及失败标志着民主力量的进展,但同时也标志着它的不成熟。封建残余势力在这个时期里始终没有得到肃清,还勾结大资产阶级而苟延残喘,同时,作为工业革命与垄断资本主义所形成的直接后果,农村破产,人口日渐集中到城市,财产日渐集中到少数财阀手里,工人和农民的生活日益穷困。这就造成了要求进一步革命的形势,无产阶级与资产阶级的矛盾日渐成为主要矛盾了,这表现在农民运动和工人运动的蓬勃发展,特别是四十年代的英国宪章运动,五十年代前后的俄国农民解放运动以及 1871 年的巴黎公社革命。总之,这个时期的阶级关系是复杂的,阶级矛盾是日益尖锐的,资产阶级统治集团为着挽救危机,有时施行残酷的镇压,有时被迫采取一些点点滴滴的改良措施。这些情况在当时文艺作品里获得了生动的反映。

十九世纪的文艺流派是复杂的,但主要的只有两个:浪漫主义派和现实主义派。浪漫派运动在十八世纪后期英德两国就已开始,它的活跃时期是在法国大革命前后,它是法国大革命所表现的那种时代精神的反映,积极浪漫主义反映上升资产阶级对个性解放的进一步要求以及民族独立自由与繁荣的愿望;消极浪漫主义则反映社会矛盾进一步的尖锐化以及资产阶级上层对革命的畏惧与厌恶。从文艺流派本身的演变来看,浪漫运动是作为对法国新古典主义的反抗而出现的。它反对新古典主义片面强调理性,要求把感情和想象提到首位。它反对新古典主义清规戒律,要求打破一切束缚,采取比较自由与自然的表达形式;它反对新古典主义强调模仿古典,要求信任天才,并且更多地向民间文学学习。浪漫主义文艺的哲学基础是康德、席勒和费希特等人的唯心主义哲学。这种哲学是法国革命在德国思想家心里的反映。他们认为法国革命的精神准备不够,所以失败,因此,他们把资产阶级所崇奉的“自由”由政治领域搬到思维领域,企图证明精神自由是政治自由的前提。在他们的词汇里,“自由”变成道德意志的行使(康德),或是自在自为的(自觉的)存在(黑格尔)。他们把人提到精神发展的顶峰(黑格尔),把人的心灵提到客观世界的造物主的地位(康德)。人的尊严感提高了,但是提得最高的是个人的“自我”尊严感。浪漫主义文艺一般也把个人的“自我”提到超越一切的地位,所以它们的主要特征是主观性,它的主要成就是在抒情诗方面。

现实主义运动是在三十年代以后,作为对浪漫主义的反抗,约莫同时在英法俄等国出现的。现实主义最反对的是浪漫主义过分侧重主观幻想和抒情的倾向,因为民主革命的形势已有了进一步的发展,主观幻想和感伤情调容易使人脱离社会现实,麻痹革命斗争的意志。为着促进民主革命,有必要对现实的丑恶现象进行赤裸裸的揭露,来提高人们的认识,激发人们的义愤,所以现实主义要求忠实地客观地反映现实。在法国,现实主义的思想基础是孔德的实证哲学和泰纳运用实证主义于文艺领域的自然主义的美学理论。实证主义强调科学要凭观察的实验,从现象界事实中找出规律来,“事实”这一词是特别受到看重的,不过它是作为浮面的现象来理解的,因为孔德认为事物的本质,终极的原因和结果都是不可知的,所谓“规律”只是现象事实之间的并存和承续的关系,不涉及本质和因果的内在联系。孔德认为只是对并存和承续的关系的认识就可以指导实践,至于本质和因果的内在联系不但不可知,而且对目前行动也无补,就用不着深究,所以实证主义是不可知论和实用主义的拼凑。孔德在政治见解上是资产阶级贵族统治的维护者,阶级调和论者,并且要用“人道”(humanité)这个“伟大的存在”代替上帝,作为宗教崇拜的对象。这种“人道教”要“以爱为原则,秩序为基础,进步为目的”。很显然,孔德是资本主义社会生活理想的代言人。文艺批评家泰纳接受了这种实证哲学而特别强调自然环境和遗传对人物性格的决定作用。

在孔德和泰纳的影响之下,法国现实主义作家们号召把自然科学(特别是生物学和生理学)的方法应用于文艺领域,提出“不动情感”,“要证据”乃至于“实验”之类口号,现实主义在这个时期大半是批判性的,它揭露了当时社会的矛盾,但是提不出正确的解决方案来,所提出的不过是通过文化教育来改变人心,在政治上作点改良。法国现实主义由于以实证主义为思想基础,始终带有浓厚的自然主义色彩,就连它的现实主义大师巴尔扎克的作品里,关于自然环境的过分繁琐的细节描写也往往使人感到腻味。这就足以说明法国现实主义作家们没有能把文艺结合到民主革命运动中去,否则他们就不会对一些表面现象那样感觉兴趣。现实主义在俄国的发展就比较健康,因为从果戈里到托尔斯泰,它始终是和农民解放运动和民主革命斗争紧密结合在一起的。因此,它更富于现实生活气息,比较能从现象中揭示事物的本质,创造出一些个性鲜明的典型,特别是“小人物”的典型。在西欧,无论是浪漫主义派,还是现实主义派,都有些“为艺术而艺术”的宣扬者。而俄国现实主义者却始终对“纯艺术”派进行不调和的斗争,这特别表现在别林斯基和车尔尼雪夫斯基的文艺评论里。

十九世纪西方各派文艺作品里所表现的人道主义思想具有哪些突出的独特的内容呢?主要的是两个表面上像是彼此对立的因素:博爱主义和个人主义,其中以个人主义为最本质的因素。个人主义的极端发展是悲观主义和颓废主义。现在分述如下:

先说博爱主义,在十八世纪英国经验派休谟和博克等人的论著里，文艺表现同情的观点，已开始出现，而“同情”是作为人的生性中一种善良品质或是一种动物性的本能来理解的。在同时期的英国感伤派诗人和小说家们的作品里（例如哥尔德斯密斯的《威克斐尔德的牧师》和《荒村》），对工业革命后农村衰败现象以及穷苦人的不幸遭遇的同情也往往与感伤情调糅合在一起。但是“博爱”还没有成为十八世纪文艺的一种主要的主题思想。《人权宣言》还只提到“自由”和“平等”，只是在国旗上和公共纪念坊上嵌上“自由、平等、博爱”三个法文字，于是“博爱”就成为法国革命的三大口号之一。“博爱”在法文中原是 fraternité，本义是“兄弟般的友爱”，它可以是狭义的，只指某一集团或阶级成员之间的友谊，也可以是广义的，指对一切人，无分敌我，都一视同仁。如果取广义，博爱就来自基督教的一条教义：凡人都是上帝的子女，在上帝面前，彼此都是兄弟姊妹。事实上在十九世纪西方文艺作品中的“博爱”都是按照这条基督教义来理解的。因此，“人道主义”这一词获得了它本来所没有的而且本来应该和它区别开来的一个新的涵义，“人道主义”（Humanism）转化成了“慈善性的博爱主义”（Humanitarianism）。这是一个重大的转变，它仿佛是一种历史的嘲讽：本来用来反基督教的人道主义，现在却从基督教的武库里拿取“博爱”（加上“平等”）这个武器来保卫自己，基督教就因此借敌人之尸而还魂了。这究竟是什么一回事呢？原来资产阶级随着资本主义生产方式和剥削方式的发展，一方面内部日益分化，互相竞争，互相倾轧，互相吞并，另一方面广大劳动人民日益穷困，社会上罪恶现象日益猖獗，劳资的矛盾日益尖锐化，工人运动和农民运动日益蓬勃发展起来了。在这种情况之下，资产阶级文艺作家们才挂起“博爱”这面幌子，作为缓和阶级斗争的武器。流行的论调是这样：社会秩序的动荡不宁是由于劳资的纠纷，而劳资的纠纷又由于劳方和资方一样，都太自私，只顾自己的利益，不顾对方的利益，要医治自私，只有博爱这一剂万宝灵应丹。这种阶级调和的愿望在华兹华斯、狄更斯、雨果、乔治·桑、左拉，以及托尔斯泰等人的作品和言论里都直言不讳地提出来了。

从“博爱”这副西洋镜里，资产阶级诗人们望见了许多光辉灿烂的幻景，雪莱瞭望到单凭爱的威力，阶级就会消灭，人类就会大同：

人类从此不再有皇帝的统治，无拘无束，自由自在，
人类从此一切平等，没有阶级、民族和国家的区别；
每个人都是管理他自己的皇帝，
每个人都是公平、温柔和聪明。①

丁尼生也瞭望到战争消灭的“世界大家庭”：

于是战鼓不再轰鸣，战旗也都卷起，

① 雪莱：《普罗米修斯的解放》，第三幕第四场。

放在人类的议会厅里，全世界的联盟里。①

和平主义的幌子也是在“博爱”的名义下竖起来的。这在雨果的《在巴黎世界和平大会的演讲词》里表现得更清楚。十九世纪是殖民扩张的鼎盛时代，也是基督教各教派在“落后地区”的传教活动最活跃的时代。“博爱”成了传教士的敲门砖，也成了殖民主义者的遮羞布。他们据说都是看在上帝的份上，把文化带给落后的民族。于是“博爱”就带有慈善恩施的意味了。

近一百多年来的历史已拆穿了“博爱”这副西洋镜，单拿种族歧视为例就可以揭露它的欺骗性，从哥伦布发现美洲以来，贩卖黑奴的交易就一直在进行着，奴隶问题在标榜自由民主的美国里在政治上一直是个尖锐的问题。奴隶战争造成美国南北的分裂。在十八九世纪美国政治家的言论里和文学家的作品里，奴隶买卖和种族歧视一直是众所关心的主题。从杰弗逊、富兰克林和林肯一直到斯陀夫人（《汤姆大伯的小屋》的作者），马克·吐温和惠特曼，没有一个人不曾以“博爱”的名义，替黑人所受到的无人道的虐待鸣不平，话说起来往往是雄辩涛涛，娓娓动听的。1854 年林肯在伊利诺州的演说里，说他“痛恨奴隶制”，原因之一是奴隶制“使我们美国共和政体的典范在世界上丧失它的正义的影响，使自由制度的敌人能振振有词地辱骂我们是些伪君子”，足见“博爱”的幌子在当时就已被人看穿了，但是林肯所担心的那种不光彩的局面至今还未改变，类

① 丁尼生:《洛克斯莱大厅》。

似的话又从肯尼迪的口里说了出来,尽管美国担忧被人骂作伪君子的老爷们已经洒了一百多年的鳄鱼之泪。法国罗兰夫人临上断头台时才觉悟到一个真理,高呼道:“自由呀,自由呀!世间许多罪恶行为都是在你的名义下进行的!”“博爱”这尊菩萨也起了同样的作用。

十九世纪文艺中人道主义思想的另一个内容是个人主义。个人主义像是和博爱主义水火不相容的,何以它们又结合在一起呢?英国功利主义哲学家道沁和穆勒等人早已一语道破了此中秘密:利己主义(egoism)是利他主义(altruism,也有译作“博爱主义”)的根源,利人正是为利己(车尔尼雪夫斯基也有类似的论调)。这就是说,博爱主义是个人主义的手段,博爱主义是挂的羊头,个人主义是卖的狗肉。资产阶级损人利己的个人主义成了资产阶级人性中最本质的东西。个人主义思想是随着资本主义的发展而发展的。在文艺复兴时代,人道主义为着反封建反教会而要求个性的解放与扩张,虽已隐含个人主义的萌芽,但尚未发展成为个人主义。在十七八世纪,个人主义在个别文艺作品中渐露头角,例如《鲁滨孙漂流记》表现出个人独立奋斗的精神,《拉摩的侄儿》揭露了在金钱统治之下个人对社会道德的蔑视,感伤派的诗歌和小说显现出作家对个人主义情感的留恋。但是总的说来,个人主义思想在十七八世纪西方文艺作品里还不是一个突出的因素。新古典主义者所强调的是普遍人性,反对文艺反映个别现象,而且他们所标榜的理性也与个人主义不相容。如果追究阶级根源,这是由于资产阶级在争取政权的时期,还认识到阶级内部团结是胜利的保障,个人与社会的联系还较紧密,个人还能感觉到自己作为社会成员的利益。在对封建势力进行革命中,资产阶级的成员结成了一种统一战线。等到十九世纪,这种情况就有了急遽的转变。资产阶级已取得政权了,势力已经巩固了,阶级内部就日渐分化,资本主义的生产分工方式把个人固定在窄狭的岗位范围,资本主义的经济竞争的方式造成人与人互相欺凌,互相倾轧的局势。这一切因素都使得个人与社会的联系日渐削弱以至于完全破坏。个人脱离了社会,而且把社会看成是与自己对立的。这种情况尤其突出地出现在文艺领域。十九世纪的西方文学家和艺术家们大半既厌恶社会而又没有勇气投入改革社会斗争,于是像龟一样把头缩进自己的壳里,在幻想里把"自我"放大到超越一切,来享受阿Q式的精神胜利。

这时期的个人主义思想首先集中地表现在德国唯心哲学里。全部德国唯心哲学史都可以看作个人主义思想发展史,我们在这里只能提到对文艺影响特别深刻的两个人:一个是十九世纪初的消极浪漫派的发言人弗列德里希·施莱格尔,一个是十九世纪末宣扬"超人"哲学的尼采,施莱格尔发挥费希特哲学中"自我"创造"非自我"(客观世界)的思想,提出所谓"浪漫式的滑稽态度"说,作为消极浪漫主义文艺的理论基础,根据这种理论,艺术家的"自我"是绝对自由的。他可以自由地创造形象,也可以自由地消灭他所创造的形象,就在这种活动中实现他的自我。这种情况颇类似顽皮的孩子在沙滩上筑起沙堤来,随即把它毁掉,来让自己开心。黑格尔曾就这种滑稽态度作了一番很简赅的说明:"一个滑稽的艺术家在生活中所表现的这种巧妙本领就被了解成为一种神人似的神通广大,对于这种神通广大,一切事物都只是一种无实体的创造品,而自知不受一切事物拘束的创造者却不受这种创造品的约束,因为他能创造它,也能消灭它";"它就是自我集中于自我本身,对于这自我,一切约束都撕破了,他只愿在自我欣赏的福境中生活着"。[1]尽管黑格尔对这种不严肃的态度作了义正辞严的批判,它却被消极浪漫主义者奉为他们的基本信条。个人脱离社会而自禁于"自我"中被视为一种美德和艺术的神髓。

尼采把人的"追求权力的意志"看作维持生命的必需条件。"按照生命的概念,有生命就要有生长,生命必须扩大它的权力,必须为自己攫取新的权力"。因此,尼采把爱、同情、德行以及过去被认为善良品质的一切都列为"奴隶的道德",而他所要建立的则是"主子的道德",其中包括强权和暴力,勇敢乃至于狡猾和残酷,具有这些"主子的道德"的就是"超人"。很显然,这种"超人"哲学是个人主义思想的极端发展,是垄断资本主义世界中弱肉强食的现实情况的反映,也是法西斯统治的理论基础。到了尼采,人道主义发展到它自己的对立面:反人道主义。

施莱格尔和尼采两人的思想在十九世纪前后两期集中地体现了当时广泛流行的资产阶级人生观,而且对文艺都发生过深广的影响。在文艺领域本身,这些极端个人主义的思想也表现得很突出。它首先表现于文艺作品中一些顽强的个人主义的人物性格,例如斯汤达的《红与黑》中的于连,巴尔扎克的《驴

---

① 黑格尔:《美学》,卷一,82—83页。

皮记》里的瓦仑丹和《幻灭》中的吕西安，狄更斯的《远大前程》中的匹普，爱米丽·勃朗特的《呼啸山庄》中的希斯克立夫，以及易卜生所写的娜拉和赫达·盖伯勒之类叛逆的女性。其次它也表现于一些作家的理论方面的著作，例如由戈蒂耶首先提出而在十九世纪后期弥漫一世的“为艺术而艺术”，把个人在历史上的地位提到不恰当高度的卡莱尔的英雄主义以及王尔德所宣扬的以发展个人主义为目的的社会主义，如此等等。

个人主义的极端发展必然走到悲观主义，而悲观主义的直接后果也必然是颓废主义。以个人主义哲学闻名的麦克斯·施蒂尔纳在他的《个人和他的财产》(1845)里曾经说过，“我(也要把我的事业放在我自己身上)像上帝一样，是一切其他事物的空无，我是我的一切，我是唯一的人。……我既然把我的事业放在我自己这唯一的人身上，那就是放在无常的东西上面，放在可死的自我创造者和自我毁灭者的身上，我敢说：

> 我把我的大事放在空无上！

这是呓语，但含有真理，孤立的个人是一个抽象物，一种“空无”，是不会有生活和生活乐味的，他创造了自己，也就必然要毁灭自己。尼采是“超人”哲学的创始人，也是近代悲观主义和颓废主义的典型代表，这并不是一种偶合，文艺复兴时代的人一般都是充满热情与信心的，启蒙运动的人都有一个乐观主义的信条，叫做人类的“可完善化”(perfectibilité)，即人类的无穷进步。只有十九世纪的人才丧失了对社会和人生的信心，在十九世纪初,维特式的“顾影自怜”和拜伦式的倨傲慢世就已成为青年人争着模仿的时髦姿态。这时期的抒情诗很少不是哀声叹气的,法国消极浪漫派诗人维尼是个典型的代表,读他的诗篇,你会感到稀罕,哪里来的那么多的沉忧隐痛!对于他,过生活只是坐监牢,服满了刑期就死去,犯了什么罪,连自己也不知道。他倒得到了一条经验:

> 没有任何希望是一种可喜的现象,
> 抱有希望是我们最大的疯狂行为。

他宣布,“我爱人类的庄严的痛苦”,无希望反而可喜,痛苦成为可爱的庄严景象,这里就可以见出悲观主义与颓废主义的密切联系了。这种心情在西方有“世纪病”(mal du siècle)之称,足见它是十九世纪的一种特征,随着资本主义世界的社会矛盾逐渐加深,“世纪病”也就愈趋严重,在文艺中这种颓废心情的典型的表现是德国霍夫曼的《谢拉皮翁兄弟》、俄国陀思妥耶夫斯基的《卡拉马佐夫兄弟》和英国王尔德的《道林·格雷的肖像》之类小说以及法国波德莱尔的《罪恶之花》、魏尔伦的《无题浪漫曲》和兰波的《乌鸦》和《醉舟》之类象征主义的诗,还有一些作家在早期还表现出一些积极的因素,到晚期就落到悲观主义,易卜生就是一个著例。总之,在十九世纪西方文艺作品中,文艺复兴时期的那种蓬勃的朝气以及启蒙运动时期的那种健康爽朗的精神就已经一去不复返了,尽管它们在揭露社会病象,创造典型人物和推进诗歌小说的技巧上都有超过前代的成就。

结束语

从以上的粗略叙述中可以看出,人道主义从文艺复兴到十九世纪所经历过的发展过程中在各阶段具有不同的内容,起过不同的作用,因而具有不同的性质。在文艺复兴时代,它是作为反封建反教会的武器而提出的,它的主要内容是肯定人的地位和现世幸福生活的价值,其中最有价值的东西是人能借以认识自然而征服自然的思想。到了十七八世纪,资产阶级力量日渐强大,资产阶级革命的问题已提到日程上,人道主义就由一般文化思想战线上转而集中到政治战线上。于是人权、自由、平等和理性这些概念成为它的主要内容。资产阶级改变了剥削方式而没有改变剥削制度,想以一个阶级代表全民说话,所以自由平等之类概念仍有它们的局限性和欺骗性。但是这些思想促成了资产阶级革命,所以基本上还是进步的。到了十九世纪,西方各国资产阶级相继获得了或巩固了政权,阶级分化日益加剧,资产阶级和无产阶级的矛盾也日益尖锐化,于是人道主义一方面转化为博爱主义,作为阶级调和论的基础,另一方面突出地表现为个人主义以及它的直接后果,悲观主义和颓废主义。人道主义到此就演变成为它的对立面:反人道主义,因此也就变成极端反动了,这种情况到二十世纪就更变本加厉。

我们时时刻刻都不应忘记,上面所说的人道主义是一种资产阶级性的意识形态,而且这种人道主义到了十九世纪垄断资本主义由形成而进入帝国主义的时代,已由反封建的武器变成反无产阶级革命的武器了。现代修正主义者在全世界无产阶级革命事业蓬勃发展的形势之下,却大肆宣扬人道主义,甚至把共产主义和人道主义等同起来。资产阶级打着人道主义的幌子是为着维持资产阶级的利益,而现代修正主义却窃取这面幌子来出卖无产阶级利益;资产阶级企图以一个阶级来代替全民,而现代修正主义者企图以全民来淹没无产阶级,所以它的用心更为毒辣,它只能导致资产阶级与资本主义的复辟。

这不是历史的重演,这是资产阶级势力垂死前的回光返照。历史的车轮将会把现代修正主义和它所向往的资本主义一齐碾得粉碎。

我学美学的一点经验教训

和青壮年朋友见面谈心时，他们常问我，活到八十多岁了，一生都在学习和研究，有什么值得一谈的经验教训？

我首先谈到的，总是劝他们要坚持锻炼身体。从幼年起，我就虚弱多病，大半生都在和肠胃病、内痔、关节炎以及并发的失眠症作斗争。勉强读书学习，效率总是很低的，不过早晨总比午后好，睡眠和休息后总比疲劳困倦时好。从此我体会到英国人说的“健康的精神寄托于健康的身体”那句至理名言，懂得劳逸结合的重要。所以我养成了不工作就出外散步的习惯。在“文革”中我被“四人帮”关进牛棚，受尽精神上和肉体上的折磨，于是宿病齐发，又加上腰肢劳损，往往一站起来就不由自主地跌倒，一场大病几乎送了命。我对国家和个人的前途是乐观的，于是，下定决心坚持慢跑，打简易太极拳和做气功之类简单的锻炼，风雪寒暑无阻。这样，身体就逐渐恢复过来了。就现在说，我的健康情况比自己在青壮年时期较好，也比一般同年辈的同事们较好，因此精神也日渐振作起来了，工作量总是超过国家所规定的，例如去年除参加许多会议和指导两个研究生之外,还新写过一部八万字的《谈美书简》,校了近百万字的书稿清样,还写了五六万字的美学论文和翻译论文。关在牛棚里时,我天天疲于扫厕所,听训,受批斗,写检讨和外访资料,弄得脑筋麻木到白痴状态。等到1970年“第二次解放”后,医好了病,我又重理旧业,我发见脑筋也和身体一样,愈锻炼也就效率愈高,关在牛棚时那种麻木白痴状态已根本消失了。这一点切身经验,一方面使我羡慕青壮年朋友们比我幸福,还有一大段光阴可以利用;另一方面也深感到劳逸结合的原则在各级学校,特别在小学里,没有受到足够的重视,课程排得满满的,家庭作业也太繁太重,认为这不是培养人才而是摧残人才。

从锻炼成健康的身体中来锻炼出健康的精神,这是做一切工作所必遵循的一条辩证唯物主义的准则。不过我是毕生从事美学理论工作的,青壮年朋友们希望从我吸取经验教训的当然不仅在这条一般的原则,而主要还是在美学研究方面。在这方面我是走过崎岖曲折道路的,大半生都沉埋在我国封建时代的经典和西方唯心主义的美学和文学的论著里。到解放后,经过五十年代国内的美学批判讨论的刺激和鼓舞,我才逐渐接触到社会主义的新生事物和马列主义毛泽东思想。先是逐渐认识到自己过去美学思想的唯心主义的基本错误,后是马克思主义的历史辩证发展观点也使我逐渐认识到过去西方唯心主义美学传统毕竟不是无中生有,其中有些论点还可以一分为二,去伪存真,足资借鉴。我写《西方美学史》以及我译黑格尔的《美学》、莱辛的《拉奥孔》和《歌德谈话录》之类美学经典著作都是从这个观点出发的。成就和理想还有很大的距离。古话说得好:“前修未密,后起转精”,“补苴罅漏,张皇幽渺”,只有待诸后起者了。

从我自己走过的曲折的道路和观察到的我国美学界现实情况看,应该谈的主要有两点:一是"博学而守约";二是解放思想,坚持科学的谨严态度。

所谓"博学",就是把根基打广些;所谓"守约",就是"集中力量打歼灭战"。先说"博学",作为一个近代理论工作者,起码要有一般的近代常识,不但要有社会科学常识,也要有自然科学常识。在自然科学方面,美学必须有心理学的基础。多年来我们高等院校里根本没有开设心理学的学科,"文革"后虽是开设了,能教的人为数寥寥,愿学的人也不很多,而且教材和阅读资料都极端贫乏。学美学的人就没有几个懂得心理学的。要不然,在"反形象思维论"的论战中就不会闹那么多的缺乏心理学常识的笑话了。

在社会科学方面,美学不但对文艺的创作和理论两方面都要有历史发展的认识,而且还要密切结合当前社会生活和文艺动态,最重要的当然还是马克思主义经典著作。"指导我们思想的理论基础是马克思列宁主义"这个伟大号召挂在每个人的口头上,可是把它放在心坎上坚决要理解它和运用它的人还不能说很多。美学家之中还有人发表评论马克思的《1844 年经济学—哲学手稿》的文章,宣扬这部书对美学的用场寥寥可数,而且公开咒骂马克思主义的实践观点,仿佛马克思在这部经典著作里并没有明确地提出实践观点。所谓实践观点不过是苏联几个修正主义美学家捏造出来,借以偷运唯心主义的骗人伎俩,而我国某个美学教授主张实践观点也不过是他们的应声虫。也就是在这篇评论里,我们的美学家还再三提到马克思在

《政治经济学批判》第二章分析货币时谈到的金银的"审美属性",认为马克思也和他本人一样,肯定了"美单纯是客观事物的一种属性"那种观点。"审美属性"在原文是 ästhetischen Eigenschaften,头一个词有人译为"美学",把审美活动看成美学,当然不妥,而这位作者把"审美"和"美"等同起来,认为审美属性就是美这一客观属性。实际上"审美"作为一个范畴,既可以指美,也可以指丑;既可以指雄伟美,也可以指秀媚美;既可以指悲剧性的,也可以指喜剧性的。说金银有审美属性,不过是说金银可以起审美的作用或引起美感,并不是说金银本身就必然是美的。马克思在有关的一段里说的是:

> 金银的审美属性使它们成为满足奢侈,装饰,富丽排场,炫耀之类需要的天然材料。

能说马克思肯定了这些事物就是客观的美吗?马克思接着就说出金银具有审美属性的理由:

> 金银可以说表现出从地下发掘出时的本有光彩,银反射出一切光线的自然混合,金则反射出红这种最强的色彩,而色彩的感觉是一般美感中最通俗的一种。(引文较原文略有修改——引者)

说"审美"和"美感"就必然要有起美感和审美活动的主体(人)。能说马克思在这段话里肯定了美单纯是客观事物的一种属性吗?"不以人的意识为转移"吗?我们的美学家最爱引用这句话，丝毫不想一想：美感作为一种意识形态活动，说美感不以人的意志（或意识）为转移，符合马克思主义的辩证唯物史观的基本原则吗？用这种“一刀切”的办法不就势必否定阶级观点和历史发展观点吗？

“审美范畴”这场纠纷所涉及的基本知识也包括对外文的知识。上例就说明了不懂德文 ästhetischen 这个词的意义，就导致把它误认为和 schön（美）同义，从而认为具有“审美属性”的东西就具有“美”的客观属性。从此可见，不懂德文，就很难准确地理解马克思的经典著作，而不准确地理解和翻译就会歪曲原义，以讹传讹，害人不浅。生在现代，学任何科学都不能闭关自守，坐井观天，必须透过外文去掌握现代世界的最新的乃至最重大的资料。

学外文也并不是很难的事。再谈一点亲身经验，趁便也说明上文所提到的“守约”的道理。我在解放后快进六十岁了，才自学俄文，一面听广播，一面抓住《联共党史》、契诃夫的《樱桃园》和《三姊妹》、屠格涅夫的《父与子》和高尔基的《母亲》这几本书硬啃。每本书都读上三四遍：第一遍只求粗通大义；第二遍就要求透懂，抱着字典，一字一句都不肯放过，词义和语法都要弄通，这一遍费力最多，收效也较大；第三遍通读就侧重全书的布局和首尾呼应的脉络以及叙事状物的一些巧妙手法，多少从文学角度去看它。较爱好的《母亲》还读过四遍。无论是哪本书，我有时还选出几段来反复朗诵，到能背诵的程度。这些工作都是在课余抓时间做的，做了两年之后，我也可以捧着一部字典去翻译俄文书了。可惜“文革”中耽搁了十多年，学到手的已大半忘掉了。

上文还提到“解放思想,坚持科学的严谨态度”。这首先是“做老实人,说老实话,办老实事”的人生态度问题。大家已谈得很多。我要谈的是一个人何以要不“做老实人,说老实话,办老实事”的道理。你也可以说这是由于思想不解放,不过思想何以不解放?怎样才能解放呢?据我这样老弱昏聩的人来看,外因或外面的压力固然也起作用,但是起决定作用的还是内因。内因主要是人自己的惰性和顽固性。其实这是两个同义词,都是精神服从物质,走抵抗力最低的路。这是一条物理学规律。怎样才能不走抵抗力最低的路呢?那就要靠同时有较强的力量来牵制或抵挡最低的抵抗力,逼它让路。我回顾五十年代参加美学批判讨论中的一些朋友们,觉得有些人思想在发展,也有些人思想还处在僵化状态。我说他们思想僵化,并不是恶意攻击,而是一个逼他们脱离僵化的当头棒。

老化和僵化都是生机贫弱化的表现。要恢复生机,就要身体上和精神上都保持健康状态。要增强生机,就要医治生机贫弱化的病根,而这个病根正是“坐井观天”,“画地为牢”,“固步自封”。因此,我在做人和做学问方面都经常把姓朱的一位老祖宗朱熹的话悬为座右铭:“半亩方塘一鉴开,天光云影共徘徊。问渠那得清如许,为有源头活水来。”关键在这“源头活水”,它就是生机的源泉,有了它就可以防环境污染,使头脑常醒和不断地更新。一句话,要“放眼世界”,不断地吸收精神营养!

詩論

朱光潜 著

漓江出版社

图书在版编目(CIP)数据

诗论/朱光潜 著.—桂林:漓江出版社, 2012.4(2018.5 重印)
ISBN 978-7-5407-5215-6

Ⅰ.①诗… Ⅱ.①朱… Ⅲ.①诗歌理论 Ⅳ.①I052

中国版本图书馆 CIP 数据核字(2011)第 141270 号

责任编辑:郑纳新
封面设计:李　佳

出版人:刘迪才
漓江出版社有限公司出版发行
广西桂林市南环路 22 号　邮政编码:541002
网址:http://www.lijiangbook.com
全国新华书店经销
销售热线:0773-2583322

山东德州新华印务有限责任公司印刷
(山东省德州市经济开发区晶华大道 2306 号　邮政编码:253000)
开本:650mm×960mm　1/16
印张:20.5　字数:230 千字
2012 年 4 月第 2 版　2018 年 5 月第 3 次印刷
定价:42.80 元

抗战版序

在欧洲，从古希腊一直到文艺复兴，一般研究文学理论的著作都叫做诗学。“文学批评”这个名词出来很晚，它的范围较广，但诗学仍是一个主要部门。中国向来只有诗话而无诗学，刘彦和的《文心雕龙》条理虽缜密，所谈的不限于诗。诗话大半是偶感随笔，信手拈来，片言中肯，简练亲切，是其所长；但是它的短处在零乱琐碎，不成系统，有时偏重主观，有时过信传统，缺乏科学的精神和方法。

诗学在中国不甚发达的原因大概不外两种。一般诗人与读诗人常存一种偏见，以为诗的精微奥妙可意会而不可言传，如经科学分析，则如七宝楼台，拆碎不成片段。其次，中国人的心理偏向重综合而不喜分析，长于直觉而短于逻辑的思考。谨严的分析与逻辑的归纳恰是治诗学者所需要的方法。

诗学的忽略总是一种不幸。从史实看，艺术创造与理论常互为因果。例如亚理斯多德的《诗学》是归纳希腊文学作品所得的结论，后来许多诗人都受了它的影响，这影响固然不全是好的，也不全是坏的。次说欣赏，我们对于艺术作品的爱憎不应该是盲目的，只是觉得好或觉得不好还不够，必须进一步追究它何以好或何以不好。诗学的任务就在替关于诗的事实寻出理由。

在目前中国，研究诗学似尤刻不容缓。第一，一切价值都由比较得来，不比较无由见长短优劣。现在西方诗作品与诗理论开始流传到中国来，我们的比较材料比从前丰富得多，我们应该利用这个机会，研究我们以往在诗创作与理论两方面的长短究竟何在，西方人的成就究竟可否借鉴。其次，我们的新诗运动正在开始，这运动的成功或失败对中国文学的前途必有极大影响，我们必须郑重谨慎，不能让它流产。当前有两大问题须特别研究，一是固有的传统究竟有几分可以沿袭，一是外来的影响究竟有几分可以接收。这都是诗学者所应虚心探讨的。

写成了《文艺心理学》之后，我就想对于平素用功较多的一种艺术——诗——作一个理论的检讨。在欧洲时我就草成纲要。一九三三年秋返国，不久后任教北大，那时胡适之先生掌文学院，他对于中国文学教育抱有一个颇不为时人所赞同的见解，以为中国文学系应请外国文学系教授去任一部分课。他看过我的《诗论》初稿，就邀我在中文系讲了一年。抗战后我辗转到了武大，陈通伯先生和胡先生抱同样的见解，也邀我在中文系讲了一年《诗论》。我每次演讲，都把原稿大加修改一番。改来改去，自知仍是粗浅，所以把它搁下，预备将来有闲暇再把它从头到尾重新写过。它已经搁了七八年，再搁七八年也许并无关紧要。现在通伯先生和几位朋友编一文艺丛书，要拿这部讲义来充数，因此就让它出世。这是写这书和发表这书的经过。

我感谢适之、通伯两先生，由于他们的鼓励，我才有机会一再修改原稿，朱佩弦、叶圣陶和其他几位朋友替我看过原稿，给我很多的指示，我也很感激。

朱光潜

1942 年 3 月于四川嘉定

增订版序

这部小册子在抗战中由重庆国民图书出版社印行过二千册,因为错字太多,我把版权收回来以后就没有再印。从前我还写过几篇关于诗的文章,在抗战版中没有印行,原想将来能再写几篇凑成第二辑。近来因为在学校里任课兼职,难得抽出工夫重理旧业,不知第二辑何日可以写成,姑将已写成的加入本编。这新加的共有三篇,《中国诗何以走上律的路》上下两篇是对于诗作历史检讨的一个尝试,《陶渊明》一篇是对于个别作家作批评研究的一个尝试,如果时间允许,我很想再写一些像这一类的文章。

朱光潜

1947 年夏于北京大学

目　录

第一章　诗的起源

想明白一件事物的本质，最好先研究它的起源；犹如想了解一个人的性格，最好先知道他的祖先和环境。诗也是如此。许多人在纷纷争论“诗是什么”、“诗应该如何”诸问题，争来争去，终不得要领。如果他们先把“诗是怎样起来的”这个基本问题弄清楚，也许可以免去许多纠纷。

一　历史与考古学的证据不尽可凭

从历史与考古学的证据看，诗歌在各国都比散文起来较早。原始人类凡遇值得留传的人物事迹或学问经验，都用诗的形式记载出来。这中间有些只是应用文，取诗的形式为便于记忆，并非内容必须采用诗的形式，例如医方脉诀，以及儿童字课书之类。至于带有艺术性的文字，则诗的形式为表现节奏的必需条件，例如原始歌谣。中国最古的书大半都搀杂韵文，《书经》、《易经》、《老子》、《庄子》都是著例。古希腊及欧洲近代国家的文学史也都以诗歌开始，散文是后来逐渐演变出来的。

诗歌是最早出世的文学,这是文学史家公认的事实。它究竟起于何时?是怎样起来的呢?

从前一般学者研究这个问题,大半从历史及考古学下手。他们以为在最古的书籍里寻出几首诗歌,就算寻出诗的起源了。欧洲人以为荷马史诗是他们的"诗祖",因为它在记载下来的诗中间最古。近代学者又搜罗许多证据,证明荷马史诗是集合许多更古的叙事诗和民间传说而做成的。那么,西方诗的起源不在荷马而在他所根据的更古的诗了。

在中国,搜罗古佚的风气尤其发达。学者对于诗的起源有种种揣测。汉郑玄在《诗谱序》里以为诗起源于虞舜时代:

> 诗之兴也,谅不于上皇之世。大庭轩辕,逮于高辛,其时有亡,载籍亦蔑云焉。《虞书》曰:"诗言志,歌永言,声依永,律和声。"然则诗之道放于此乎!

他的意思是说,"诗"字最早见于《虞书》,所以,诗大抵起源于虞。这种推理显然很牵强。唐孔颖达在《毛诗正义》里便不以郑说为然:

> 舜承于尧,明尧已用诗矣。故《六艺论》云:"唐虞始造其初,至周分为六诗",亦指尧典之文,谓之造初,谓造今诗之初,非讴歌之初;讴歌之初,则疑其起自大庭时矣。然讴歌自当久远,其名曰"诗",未知何代,虽于舜世始见诗名,其名必不初起舜时也。

这话比较合理，虽也是捕风捉影，仍不失多闻阙疑的精神。从郑序出发，许多学者想在古书中搜罗实例，证明虞舜以前已有诗。梁刘勰在《文心雕龙·明诗》里根据《吕氏春秋》、《周礼》、《尚书大传》诸书所引古诗说：

> 昔葛天氏乐词云：玄鸟在曲，黄帝云门，理不空绮。至尧有大唐之歌，舜造南风之诗，观其二文，辞达而已。

后来许多选集家继刘勰的搜罗古佚的工作，如郭茂倩《乐府诗集》、冯惟讷《诗纪》诸书都集载许多散见于古书的诗歌。不过近来疑古风气大开，经考据家的研究，周以前的历史还是疑案。至于从前人搜罗古佚诗所根据的书，如古文《尚书》、《礼记》、《尚书大传》、《列子》、《吴越春秋》之类大半是晚出之书。于是《诗经》成为最可靠的古诗集本了，也就是中国诗的来源了。

在我们看，这种搜罗古佚的办法永远不会寻出诗的起源。它含有两个根本错误的观念：

一、它假定在历史记载上最古的诗就是诗的起源。

二、它假定在最古的诗之外寻不出诗的起源。

第一个假定错误，因为无论从考古学的证据或是从实际观察的证据看，诗歌的起源不但在散文之先，还远在有文字之先。英国人用文字把民歌记载下来，从十三世纪才起。现在英国所保存的民歌写本，据查尔德(Child)的考证，只有一种是十三世纪的，其余都在十五世纪之后。至于搜集民歌的风气，则从十七世纪珀西(Percy)开端，到十九世纪司各特(Scott)和查尔德诸人才盛行。但是这些民歌在经过学者搜集写定之前，早已流传众口了。如果我们根据最早的民歌写本或集本，断定在这写本或集本以前无民歌，这岂不是笑话？

第二个假定错误，因为诗的原始与否视文化程度而定，不以时代先后为准。三千年前的古希腊人比现在非澳两洲土著的文化高得远，所以荷马史诗虽很古，而论原始程度反不如非澳两洲土著的歌谣。就拿同一民族来说，现代中国民间歌谣虽比《商颂》、《周颂》晚二三千年，但在诗的进化阶段上，现代民歌反在《商颂》、《周颂》之前。所以我们研究诗的起源，与其拿荷马史诗或《商颂》、《周颂》做根据，倒不如拿现代未开化民族或已开化民族中未受教育的民众的歌谣做根据。从前学者讨论诗的起源，只努力搜罗在历史记载中最古的诗，把民间歌谣都忽略过去，实在是大错误。

这并非说古书所载的诗一定不可做讨论诗源的根据。比如《诗经》中《国风》大部分就是在周朝搜集写定的歌谣，具有原始诗的许多特点。虽然它们的文字形式及风俗、政教和近代歌谣所表现的不尽同；就起源说，它们和近代歌谣很类似，所以仍是研究诗源问题的好证据。就诗源问题而论，它们的年代先后实无关宏旨，它们应该和一切歌谣受同样待遇。

说到这里，我们不妨趁便略说现代中国文学史家对于《国风》断定年代的错误。既是歌谣，就不一定是同时起来或是一时成就的。文学史家一方面承认《国风》为歌谣集，一方面又想指定某《国风》属于某个时代，比如说《豳》、《桧》全系西周诗，《秦》为东西周之交之诗，《王》、《卫》、《唐》为东周初年之诗，《齐》、《魏》为春秋初年之诗，《郑》、《曹》、《陈》为春秋中年之诗（参看陆侃如、冯沅君《中国诗史》）。在我们看，这未免有些牵强附会。在同一部集里的歌谣时期固有先后，但是这种先后不能以歌谣所流行的区域而定。“周南”、“召南”、“郑”、“卫”、“齐”、“陈”等字只标明属于这些分集的歌谣在未写定之前流行的区域。在每个区域里的歌谣都各有早起的，有晚起的。我们不能因为某几首歌谣有历史线索可以推测年代，便断定全区域的歌谣都属于同一年代，犹如二十世纪出版的《北平歌谣》里虽有一首叫做《宣统回朝》，我们不能据此断定这部集里其他歌谣均起于民国时代。况且一般人所认为有历史线索可寻的几首诗如《甘棠》的召伯，《何彼秾矣》的齐侯之子也还是渺茫难稽。《国风》中含有断定年代所必据的内证根本就很少。

二　心理学的解释："表现"情感与"再现"印象

诗的起源实在不是一个历史的问题，而是一个心理学的问题。要明白诗的起源，我们首先要问："人类何以要唱歌做诗？"

对于这个问题，众口同声地回答："诗歌是表现情感的。"这句话也是中国历代论诗者的共同信条。《虞书》说："诗言志，歌永言。"《史记·滑稽列传》引孔子语："书以道事，诗以达意。"所谓"志"与"意"就含有近代语所谓"情感"（就心理学观点看，意志与情感原来不易分开），所谓"言"与"达"就是近代语所谓"表现"。把这个见解发挥得最透辟的是《诗·大序》：

> 诗者志之所之也。在心为志，发言为诗。情动于中而形于言，言之不足，故嗟叹之；嗟叹之不足，故永歌之；永歌之不足，不知手之舞之，足之蹈之也。情发于声；声成文，谓之音。

朱熹在《诗序》里引申这一段话，也说得很好：

> 或有问于予曰:“诗何为而作也?”予应之曰:“人生而静,天之性也;感于物而动,性之欲也。夫既有欲矣,则不能无思;既有思矣,则不能无言;既有言矣,则言之所不能尽,而发于咨嗟咏叹之余者,又必有自然之音响节奏而不能已焉。此诗之所以作也。”

人生本就有情感,情感天然需要表现,而表现情感最适当的方式是诗歌,因为语言节奏与内在节奏相契合,是自然的,“不能已”的。

这是一说,古希腊人又另有一种看法。他们的诗的定义是“模仿的艺术”(imitative art)。模仿的对象可以为心理活动(如情感、思想),也可以为其他自然现象。不过古希腊人具有心理学家所谓“外倾”(extroversion)的倾向,他们的文艺神阿波罗是以静观默索为至高理想的,他们的眼睛老是朝着外面看,最使他们感觉兴趣的是浮世一切形形色色。他们所谓“模仿”似像造形艺术一般偏重外界事物的印象。他们在悲剧中,虽然也涉及内心的冲突,但是着重点不在此,而在人与神的挣扎。在他们看,诗的主要功用在“再现”外界事物的印象。亚理斯多德在他的《诗学》里说得很清楚:

> 诗的普通起源由于两个原因,每个都根于人类天性。人从婴孩时期起,就自然会模仿。他比低等动物强,就因为他是世间最善于模仿的动物,从头就用模仿来求知。大家都喜模仿出来的作品。这也是很自然的。这第一点可以拿经验来证实:事物本身纵然也许看起来令人起不快之感,用

最写实的方法将它们再现于艺术，却使我们很高兴看，例如低等动物及死尸的形状。此外还另有一层理由：求知是最大的快乐，这不仅哲学家为然，普通人的能力虽较薄弱，也还是如此。我们欢喜看图画，就因为我们同时在求知，在明了事物的意义，比如说“那画的人就是某某”。如果我们从来没有看过所画的事物，那么，我们的快感就不是因为画是模仿它，而是因为画的手法、颜色等等了。

亚理斯多德在这里用心理学的观点，来解释诗的起源，以为最重要的有两层原因：一是模仿本能，一是求知所生的快乐。同时他也承认，艺术除开它的模仿内容，本身的形象如画中的形色配合之类，也可以引起快感。他处处以诗比画，他所谓“模仿”显然是偏重“再现”(representation)的。

总而言之，诗或是“表现”内在的情感，或是“再现”外来的印象，或是纯以艺术形象产生快感，它的起源都是以人类天性为基础。所以严格地说，诗的起源当与人类起源一样久远。

三　诗歌与音乐、舞蹈同源

就人类诗歌的起源而论，历史与考古学的证据远不如人类学与社会学的证据之重要，因为前者以远古诗歌为对象，渺茫难稽；后者以现代歌谣为对象，确凿可凭。我们应该以后者为主，前者为辅。从这两方面的证据看，我们可以得到一个极重要的结论，就是：诗歌与音乐、舞蹈是同源的，而且在最初是一种三位一体的混合艺术。

古希腊的诗歌、舞蹈、音乐三种艺术都起源于酒神祭典。酒神

(Dionysus)是繁殖的象征,在他的祭典中,主祭者和信徒们披戴葡萄及各种植物枝叶,狂歌曼舞,助以竖琴(Lyre)等各种乐器。从这祭典的歌舞中后来演出抒情诗(原为颂神诗),再后来演为悲剧及喜剧(原为扮酒神的主祭官和与祭者的对唱)。这是歌、乐、舞同源的最早证据(参看亚理斯多德《诗学》、欧里庇得斯《酒神的伴侣》、尼采《悲剧的诞生》诸书)。

近代西方学者对于非澳诸洲土著的研究,以及中国学者对于边疆民族如苗、瑶、萨、满诸部落的研究,所得到的歌、乐、舞同源的证据更多。

现在姑举最著名的澳洲土著《考劳伯芮舞》(Corroborries)为例。这种舞通常在月夜里举行。舞时诸部落集合在树林中一个空场上,场中烧着一大堆柴火。妇女们裸着体站在火的一边,每人在膝盖上绑着一块袋鼠皮。指挥者站在她们和火堆之中间,手里执着两条棍棒。他用棍棒一敲,跳舞的男子们就排成行伍,走到场里去跳。这时指挥者一面敲棍棒指挥节奏,一面歌唱一种曲调,声音高低恰与跳舞节奏快慢相应。妇女们不参加跳舞,只形成一种乐队,一面敲着膝上的袋鼠皮,一面拖着嗓子随着舞的节奏歌唱。她们所唱的歌词字句往往颠倒错乱,不成文法,没有什么意义,她们自己也不能解释。歌词的最大功用在应和跳舞节奏,意义并不重要。有意义可寻的大半也很简单,例如:

那永尼叶人快来了。
那永尼叶人快来了。
他们一会儿就来了。
他们携着袋鼠来。

踏着大步来。

那永尼叶人来了。

这是一首庆贺打猎的凯旋歌,我们可以想像到他们欢欣鼓舞的神情。其他舞歌多类此。题材总是原始生活中一片段,简单而狂热的情绪表现于简单而狂热的节奏。

此外澳洲还盛行各种模仿舞。舞时他们穿戴羽毛和兽皮做的装饰,模仿鸟兽的姿态和动作以及恋爱和战斗的情节。这种模仿舞带有象征的意味。例如霍济金生(Hodgkinson)所描写的《卡罗舞》(Kaaro)。这种舞也是在月夜举行。舞前他们先大醉大饱。舞者尽是男子,每人手执一长矛,沿着一个类似女性生殖器的土坑跳来跳去,用矛插入坑里去,同时做种种狂热的姿势,唱着狂热的歌调。从这种模仿舞我们可以看到原始歌舞不但是“表现”内在情感的,同时也是“再现”外来印象的(以上二例根据格罗塞《艺术的起源》)。

原始人类既唱歌就必跳舞,既跳舞就必唱歌。所以博托库多(Botocudo)民族表示歌舞只有一个字。近代欧洲文 ballad 一字也兼含歌、舞二义。抒情诗则沿用希腊文 Lyric,原义是说弹竖琴时所唱的歌。依阮元说,《诗经》的“颂”原训“舞容”。颂诗是歌舞的混合,痕迹也很显然。惠周惕也说“《风》、《雅》、《颂》以音别”。汉魏《乐府》有《鼓吹》、《横吹》、《清商》等名,都是以乐调名诗篇。这些事实都证明诗歌、音乐、舞蹈在中国古代原来也是一种混合的艺术。

这三个成分中分立最早的大概是舞蹈。《诗经》的诗大半都有乐,但有舞的除《颂》之外似不多。《颂》的舞已经过朝廷乐官的形式化,不复是原始舞蹈的面目。《楚辞·九歌》之类为祭神曲,诗、乐、舞仍相连。汉人《乐府》,诗词仍与乐调相伴,“舞曲歌词”则独立自成一类。

就诗与乐的关系说,中国旧有"曲合乐曰歌,徒歌曰谣"的分别(参看《诗经·魏风·园有桃》:"我歌且谣"的毛传)。"徒歌"完全在人声中见出音乐,"乐歌"则歌声与乐器相应。"徒歌"原是情感的自然流露,声音的曲折随情感的起伏,与手舞足蹈诸姿势相似,"乐歌"则意识到节奏、音阶的关系,而要把这种关系用乐器的声音表出,对于自然节奏须多少加以形式化。所以"徒歌"理应在"乐歌"之前。最原始的伴歌的乐器大概都像澳洲土著歌中指挥者所执的棍棒和妇女所敲的袋鼠皮,都极简单,用意只在点明节奏。《吕氏春秋·古乐》篇有"葛天氏之乐,三人掺牛尾投足以歌八阕"之说,与澳洲土著风俗相似。现代中国京戏中的鼓板,和西方乐队指挥者所用的棍子,也许是最原始的伴歌乐器的遗痕。

诗歌、音乐、舞蹈原来是混合的。它们的共同命脉是节奏。在原始时代,诗歌可以没有意义,音乐可以没有"和谐"(harmony),舞蹈可以不问姿态,但是都必有节奏。后来三种艺术分化,每种均仍保存节奏,但于节奏之外,音乐尽量向"和谐"方面发展,舞蹈尽量向姿态方面发展,诗歌尽量向文字意义方面发展,于是彼此距离遂日渐其远了。

四　诗歌所保留的诗、乐、舞同源的痕迹

诗歌虽已独立,在形式方面,仍保存若干与音乐、舞蹈未分家时的痕迹。最明显的是"重叠"。重叠有限于句的,例如:

江有汜,之子归,不我以,其后也悔。

有应用到全章的，例如：

麟之趾，振振公子，吁嗟麟兮！

麟之定，振振公姓，吁嗟麟兮！

麟之角，振振公族，吁嗟麟兮！

这种重叠在西方歌谣中也常见。它的起因不一致，有时是应和乐、舞的回旋往复的音节，有时是在互相唱和时，每人各歌一章。

其次是“迭句”（refrain）。一诗数章，每章收尾都用同一语句，上文“吁嗟麟兮”便是好例。有时一章数句，亦有每句之后用同一字或语句者，例如梁鸿的《五噫歌》。此格在西文诗歌中更普遍，在现代中国民歌中也常看见。例如《凤阳花鼓歌》每段都用“郎底郎底郎底当”收尾。绍兴乞歌有一种每节都用“顺流”二字收尾。原始社会中群歌合舞时，每先由一领导者独唱歌词，到每节收尾时，则全体齐唱“迭句”。希腊悲剧中的“合唱歌”（choric song）以及中国旧戏中打锣鼓者的“帮腔”与“迭句”都很类似。

第三是“衬字”。“衬字”在文义上为不必要，乐调曼长而歌词简短，歌词必须加上“衬字”才能与乐调合拍，如《诗经》、《楚辞》中的“兮”字，现代歌谣中的“咦”、“呀”、“唔”等字。歌本为“长言”，“长言”就是把字音拖长。中国字独立母音字少，单音拖长最难，所以于必须拖长时“衬”上类似母音的字如“呀”（ü）“咦”（e）“啊”（o）“唔”（oo）等以凑足音节。这种“衬字”格是中国诗歌所特有的。西文诗歌在延长字音时只须拖长母音，所以无“衬字”的必要。

最重要的是章句的整齐，一般人所谓“格律”。诗歌原与乐、舞不分，所以不能不牵就乐、舞的节奏，因为它与乐、舞原来同是群众的艺术，所以不能不有固定的形式，便于大家一致。如果没有固定的音律，这个人唱高，那个人唱低，这个人拉长，那个人缩短，就会嘈杂纷嚷，闹得一塌糊涂了。现代人在团体合作一事时，如农人踏水车，工人扛重载，都合唱一种合规律的“呀，啊啊”之类调子来调节工作的节奏，用力就一齐用力，松懈就一齐松懈。俄国伏尔加船夫歌就是根据这个原则做成的。诗歌的整齐章句原来也是因为应舞合乐便于群唱起来的。

与格律有关的是“韵”(rhyme)。诗歌在原始时代都与乐舞并行，它的韵是为点明一个乐调或是一段舞步的停顿所必需的，同时，韵也把几段音节维系成为整体，免致涣散。近代徽戏调子所伴奏的乐声每节常以锣声收，最普通的尾声是“的当嗤当嗤当晃”，“晃”就是锣声。在这种乐调里锣声仿佛有“韵”的功用。澳洲土著歌舞时所敲的袋鼠皮，京戏鼓书中的鼓板所发的声音除点明“板眼”(即节奏)之外，似常可以看作音乐中的韵。诗歌的韵在起源时或许是应和每节乐调之末同一乐器的重复的声音，有如徽调中的锣，鼓书中的鼓板，澳洲土著歌舞中的袋鼠皮。

诗歌所保留的诗、乐、舞同源的痕迹后来变成它的传统的固定的形式。把这个道理认清楚，我们将来讨论实质与形式的关系，就可以省去许多误会和纠葛了。

五　原始诗歌的作者

在起源时，诗歌是群众的艺术，鸟类以群栖者为最善歌唱，原始人类也在图腾部落的意识发达之后，才在节日聚会在一块唱歌、奏乐、跳舞，或以媚神，或以引诱异性，或仅以取乐。现代人一提到诗，就联想到诗人，就问诗是谁做的。在近代社会中，诗已变成个人的艺术，诗人已几乎自成一种特殊的职业阶级。每个诗人都有他的特殊的个性，不容与他人相混。我们如果要了解原始诗歌，必须先把这种成见抛开才行。原始诗歌都不标明作者的姓名，甚至于不流露作者的个性。英国的《贝奥武甫》(*Beowulf*)、法国的《罗兰之歌》(*Chanson de Roland*)、德国的《尼伯龙根之歌》(*Nibelungenlied*)究竟是谁作的呢？谁也不知道。希腊史诗从前人归原于荷马。近代学者对于荷马有无其人尚存疑问，至于希腊史诗则公认为许多民歌的集合体。原始诗歌所表现的大半是某部落或某阶级的共同的情感或信仰，所以每个歌唱者都不觉得他所歌唱的诗是属于某个人的。如果一首诗歌引不起共同的情趣，违背了共同的信仰，它就不能传播出去，立刻就会消灭的。

话虽如此说，我们近代人总得要追问：既有诗就必有诗人，原始诗歌的作者究竟是谁呢？近代民俗学者对于这个问题有两说：一说以为民歌是群众的自然流露，通常叫做“群众合作说”(the communal theory)；一说以为民歌是个人的艺术意识的表现，通常叫做“个人创作说”(the individualistic theory)。

持“群众合作说”者以德国格林兄弟(J. and W. Grimm)为最力，美国查尔德(Child)和加默里(Gummere)把它加以发挥修正。依这派的意见，凡群众都有一种“集团的心”，如德国心理学家冯特(Wundt)所主张的。这种“集团的心”常能自由流露于节奏。例如在原始舞蹈中，大家进退俯仰、轻重疾徐，自然应节合拍，决非先由某个人将舞蹈的节奏姿态在心里起一个草稿，然后传授于同群的舞者，好像先经过一番导演和预习，然后才正式表演。节奏既可自然地表现于舞蹈，也就可以自由地表现于歌唱，因为歌唱原来与舞蹈不分。

群众合作诗歌的程序有种种可能。有时甲唱乙和，有时甲问乙答，有时甲起乙续，有时甲作乙改，如此继续前进，结果就是一首歌了。这种程序最大的特色是临时口占(improvisation)，无须预作预演。

“群众合作说”在十九世纪曾盛行一时，现代学者则多倾向“个人创作说”。最显著的代表有语言学者勒南(Renan)、社会学者塔尔德(Tarde)、诗歌学者考茨涌斯基(Kawczynski)和路易丝·庞德(Louise Pound)诸人。这班人根本否认民歌起于群舞，否认“集团的心”存在，否认诗歌为自然流露的艺术。原始人类和现代婴儿都不必在群舞中才歌唱，独歌也是很原始的。“群众合作说”假定一团混杂的老少男女，在集会时猛然不谋而合地踏同样舞步，作同样思想，编同样故事，唱同样歌调，于理实为不可思议。“筑室道旁，三年不成”，何况做诗呢？据人类学、社会学和语言学的实证，一切社会的制度习俗，如语言、宗教、诗歌、舞蹈之类，都先由一人创作，而后辗转传授于同群。人类最善模仿，一人有所发明，众人爱好，互相传习，于是遂成为社会公有物。凡是我们以为由群众合作成的东西其实都是学来的，模仿来的。尤其是艺术。它的有纪律的形式不能不经过思索剪裁，决不仅是“乌合之众”的自然流露。

“群众合作说”与“个人创作说”虽相反，却未尝不可折衷调和。民歌必有作者，作者必为个人，这是名理与事实所不可逃的结论。但是在原始社会之中，一首歌经个人作成之后，便传给社会，社会加以不断地修改、润色、增删，到后来便逐渐失去原有面目。我们可以说，民歌的作者首先是个人，其次是群众，个人草创，群众完成。民歌都“活在口头上”,常在流动之中。它的活着的日子就是它的被创造的日子,它的死亡的日子才是它的完成的日子。所以群众的完成工作比个人草创工作还更重要。民歌究竟是属于民间的,所以我们把它认为群众的艺术,并不错误。

这种折衷说以美国基特里奇(Kittredge)教授在查尔德的《英苏民歌集绪论》中所解释的最透辟,现移译其要语如下:

> 一段民歌很少有,或绝对没有可确定的年月日。它的确定的创作年月日并不像一首赋体诗或十四行诗的那么重要。一首艺术的诗在创作时即已经作者予以最后的形式。这形式是固定的,有权威的,没有人有权去更改它。更改便是一种犯罪行为,一种损害;批评家的责任就在把原文校勘精确,使我们见到它的本来面目。所以一首赋体诗或十四行诗的创作只是一回就了事的创造活动。这种创造一旦完成,账就算结清了。诗就算是成了形,不复再有发展了。民歌则不然。单是创作(无论是口占或笔写)并未了事,不过是一种开始。作品出于作者之手之后,立即交给群众去用口头传播,不能再受作者的支配了。如果群众接受它,它就不复是作者的私物,就变成民众的公物。这么一来,一种新进程,即口头传诵,就起始了,其重要并不减于原来作者的创造活动。歌既由歌者甲传到歌者乙,辗转传下去,就辗转改变下去。旧章句丢掉,新章句加入,韵也改了,人物姓名也更换了,旁的歌谣零篇断简也混入了,收场的悲喜也许完全倒过来了,如果传诵到二三百年——这是常事——全篇语言结构也许因为它本来所用的语言本身发展而改变。这

么一来，如果原来作者听到旁人歌唱他的作品，也一定觉得全不是那么一回事了。这些传诵所起的变化，总而言之，简直就是第二重创作。它的性质很复杂，许多人在许久时期和广大地域中，都或有意或无意地参加第二重创作。它对于歌的完成，重要并不亚于原来个人作者的第一重创作。

把民歌的完成认为两重创作的结果，第一重创作是个人的，第二重创作是群众的，这个见解比较合理。查尔德搜集的英苏民歌之中，每首歌常有几十种异文，就是各时代、各区域在流传时修改的结果。

在中国歌谣里，我们也可见出同样的演进阶段。最好的例是周作人在《儿歌之研究》里所引的越中儿戏歌：

铁脚斑斑，斑过南山。南山里曲，里曲湾湾。新官上任，旧官请出。

这首歌现在仍流行于绍兴。据《古今风谣》，元朝至正年代燕京即有此谣：

脚驴斑斑，脚踏南山。南山北斗，养活家狗。家狗磨面，三十弓箭。

明朝此谣还流行，不过字略变，据《明诗综》所载：

狸狸斑斑，跳遍南山。南山北斗，猎回界口。界口北面，三十弓箭。

朱竹垞《静志居诗话》谈到此谣说：“此予童稚日偕闾巷小儿联背踏足而歌，不详何义，亦未有验。”朱竹垞是清初秀水人，可见此谣在清初已盛行南方。

朱自清在《中国歌谣》（清华大学讲义）里另引一首，也是现在流行的，不过与周作人所引的不同：

踢踢脚背，跳过南山。南山扳倒，水龙甩甩。新官上任，旧官请出。木读汤罐，弗知烂脱落里一只小拇指头。

我自己在四川北部也听到一首：

脚儿斑斑，斑上梁山。梁山大斗，一石二斗。每人屈脚，一只大脚。

这首儿歌从元朝（它的起源也许还要早些，这只就见诸记载的说）传到现在，从燕京南传到浙江，西传到四川（也许传到其他区域还有），中间所经过的变化当不仅如上所引。不过就已引诸例看，“第二重创作”的痕迹也很显然。

另外一个好例是董作宾所研究的《看见她》（详见北京大学《歌谣周刊》第六十二号至六十四号）。北京大学歌谣研究会所搜到的这首歌谣的异文有四十五种之多。它的流行区域至少有十二省之广。据董氏推测，它大概起源于陕西。在陕西三原流行的是：

你骑驴儿我骑马，看谁先到丈人家。丈人丈母没在家，吃一袋烟儿就走价。大嫂子留，二嫂子拉，拉拉扯扯到她家，隔着竹帘望见她：白白儿手长指甲，樱桃小口糯米牙。回去说与我妈妈，卖田卖地要娶她。

长江流域的《看见她》可以流行于南京的一首为例。

东边来了一个小学生，辫子拖到脚后跟，骑花马，坐花轿，走到丈人家。丈人丈母不在家，帘背后看见她：金簪子，玉耳挖，雪白脸，淀粉擦，雪白手，银指甲，梳了个元宝头，戴了一头好翠花；大红棉袄绣兰花，天青背心蝴蝶花。我回家，告诉妈：卖田卖地来娶她，洋钻手圈就是她！

此外四十余首各不同样。就“母题”说，情节大半一致；就词句说，长短繁简不一律。我们决难相信这四十几首歌谣是南北十余省民众自然流露而暗合的。在起源时它必有一个作者。后经口头传诵，经过许多次“第二重创作”，才产生许多变形。变迁的主因不外两种：一、各地风俗习惯的差别，二、各地方言的差别。

这一两个实例是从许多实例中选择出来的。它们可以证明歌谣在活着时都在流动生展。对于它的生命的维持，它所流行的区域中民众都有力量，所以我们说它是属于民众的，虽然“第一重创作”也许属于某一个人。

个人意识愈发达，社会愈分化，民众艺术也就愈趋衰落，民歌在野蛮社会中最发达，中国边疆诸民族以及澳、非两洲土著都是明证。在开化社会中歌谣的传播推广者大半是无知识的婴儿、村妇、农夫、樵子之流。人到成年后便逐渐忘去儿时的歌,种族到开化后也逐渐忘去原始时代的歌。所以有人说,文化是民歌的仇敌。近代学者怕歌谣散亡了,费尽心力把它们搜集写定,印行。这种工作对于研究歌谣者固有极大贡献,对于歌谣本身的发展却不尽是有利的。歌谣都"活在口头上",它的生命就在流动生展之中。给它一个写定的形式,就是替它钉棺材盖。每个人都可以更改流行的歌谣,但是没有人有权更改《国风》或汉魏《乐府》。写定的形式就是一种不可侵犯的权威。

第二章　诗与谐隐

德国学者常把诗分为民间诗(Volk-poesie)与艺术诗(Kunst-poesie)两类,以为民间诗全是自然流露,艺术诗才是根据艺术的意识与技巧,有意识地刻画美的形象。这种分别实在也只是程度上的而不是绝对的。民间诗也有一种传统的技巧,最显而易见的是文字游戏。

文字游戏不外三种:第一种是用文字开玩笑,通常叫做“谐”;第二种是用文字捉迷藏,通常叫做“谜”或“隐”;第三种是用文字组成意义很滑稽而声音很圆转自如的图案,通常无适当名称,就干脆地叫做“文字游戏”亦无不可。这三种东西在民间诗里极普通,在艺术诗或文人诗里也很重要,可以当作沟通民间诗与文人诗的桥梁。刘勰在《文心雕龙》里特辟“谐隐”一类,包括带有文字游戏性的诗文,可见古人对这类作品也颇重视。

一　诗与谐

我们先说“谐”。“谐”就是“说笑话”。它是喜剧的雏形。王国维在《宋元戏曲史》里以为中国戏剧导源于巫与优。“优”即以“谐”

为职业。在古代社会中，“优”(clown)往往是一个重要的官职。莎士比亚的戏剧中，优常占要角。英国古代王侯常有优跟在后面，趁机会开玩笑，使朝中君臣听着高兴。中国古代王侯常用优。《左传》、《国语》、《史记》诸书都常提到优的名称。优往往同时是诗人。汉初许多词人都以俳优起家，东方朔、枚乘、司马相如都是著例。优的存在证明两件事：第一，“谐”的需要是很原始而普遍的；其次，优与诗人、谐与诗，在原始时代是很接近的。

从心理学观点看，谐趣(the sense of humour)是一种最原始的普遍的美感活动。凡是游戏都带有谐趣，凡是谐趣也都带有游戏。谐趣的定义可以说是：以游戏态度，把人事和物态的丑拙鄙陋和乖讹当作一种有趣的意象去欣赏。

“谐”最富于社会性。艺术方面的趣味，有许多是为某阶级所特有的，“谐”则雅俗共赏，极粗鄙的人欢喜“谐”，极文雅的人也还是欢喜“谐”，虽然他们所欢喜的“谐”不必尽同。在一个集会中，大家正襟危坐时，每个人都有俨然不可侵犯的样子，彼此中间无形中有一层隔阂。但是到了谐趣发动时，这一层隔阂便涣然冰释，大家在谑浪笑傲中忘形尔我，揭开文明人的面具，回到原始时代的团结与统一。托尔斯泰以为艺术的功用在传染情感，而所传染的情感应该能团结人与人的关系。在他认为值得传染的情感之中，笑谑也占一个重要的位置。刘勰解释“谐”字说：“谐之言皆也；辞浅会俗，皆悦笑也。”这也是着重谐的社会性。社会的最好的团结力是谐笑，所以擅长谐笑的人在任何社会中都受欢迎。在极严肃的悲剧中有小丑，在极严肃的宫廷中有俳优。

尽善尽美的人物不能为谐的对象，穷凶极恶也不能为谐的对象。引起谐趣的大半介乎二者之间，多少有些缺陷而这种缺陷又不致引起深恶痛疾。最普通的是容貌的丑拙。民俗歌谣中嘲笑麻子、瘌痢、瞎子、聋子、驼子等等残疾人的最多,据《文心雕龙》:“魏晋滑稽,盛相驱扇。遂乃应玚之鼻方于盗削卵,张华之形比于握舂杵”,嘲笑容貌丑陋的风气自古就很盛行了。品格方面的亏缺也常为笑柄。例如下面两首民歌:

一个和尚挑水喝,两个和尚抬水喝,三个和尚没水喝。

门前歇仔高头马,弗是亲来也是亲;门前挂仔白席巾,嫡亲娘舅当仔陌头人。

寥寥数语,把中国民族性两个大缺点,不合群与浇薄,写得十分脱皮露骨。有时容貌的丑陋和品格的亏缺合在一起成为讥嘲的对象,《左传》宋守城人嘲笑华元打败仗被俘赎回的歌是好例:

睅其目,皤其腹,弃甲而复。于思于思,弃甲复来。

除这两种之外,人事的乖讹也是谐的对象,例如:

灶下养,中郎将;烂羊胃,骑都尉;烂羊头,关内侯。

——《后汉书·刘玄传》

十八岁个大姐七岁郎,说你郎你不是郎,说你是儿不叫娘,还得给你解扣脱衣裳,还得把你抱上床!

——卫辉民歌

都是觉得事情出乎常理之外,可恨亦复可笑。

谐都有几分讥刺的意味，不过讥刺不一定就是谐。例如：

不稼不啬，胡取禾三百廛兮？不狩不猎，胡瞻尔庭有悬貆兮？

——《魏风·伐檀》

一尺布尚可缝，一斗米尚可舂；兄弟二人不相容！

——《汉书·淮南王传》

二首也是讥刺人事的乖讹，不过作者心存怨望，直率吐出，没有开玩笑的意味，就不能算是谐。

这个分别对于谐的了解非常重要。从几方面看，谐的特色都是模棱两可。第一，就谐笑者对于所嘲对象说，谐是恶意的而又不尽是恶意的，如果尽是恶意，则结果是直率的讥刺或咒骂（如"时日曷丧，予及女偕亡！"），我们对于深恶痛疾的仇敌和敬爱的亲友都不容易开玩笑。一个人既拿另一个人开玩笑，对于他就是爱恶参半。恶者恶其丑拙鄙陋，爱者爱其还可以打趣助兴。因为有这一点爱的成分，谐含有几分警告规劝的意味，如柏格森所说的，凡是谐都是"谑而不虐"。

刘勰在《文心雕龙》里也说，"辞虽倾回，意归义正"。许多著名的讽刺家，像英国小说家斯威夫特（Swift）和勃特勒（Butler）一般人都是有心人。

其次，就谐趣情感本身说，它是美感的而也不尽是美感的。它是美感的，因为丑拙鄙陋乖讹在为谐的对象时，就是一种情趣饱和独立自足的意象。它不尽是美感的，因为谐的动机都是道德的或实用的,都是从道德的或实用的观点,看出人事物态的不圆满,因而表示惊奇和告诫。

第三,就谐笑者自己说,他所觉到的是快感而也不尽是快感。它是快感,因为丑拙鄙陋不仅打动一时乐趣,也是沉闷世界中一种解放束缚的力量。现实世界好比一池死水,可笑的事情好比偶然皱起的微波,谐笑就是对于这种微波的欣赏。不过可笑的事物究竟是丑拙鄙陋乖讹,是人生中一种缺陷,多少不免引起惋惜的情绪,所以同时伴有不快感。许多谐歌都以喜剧的外貌写悲剧的事情,例如徐州民歌:

乡里老,背稻草,跑上街,买荤菜。荤菜买多少?放在眼前找不到!

这是讥嘲呢?还是怜悯?读这种歌真不免令人"啼笑皆非"。我们可以说,凡是谐都有"啼笑皆非"的意味。

谐有这些模棱两可性,所以从古到今,都叫做"滑稽"。滑稽是一种盛酒器,酒从一边流出来,又向另一边转注进去,可以终日不竭,酒在"滑稽"里进出也是模棱两可的,所以"滑稽"喻"谐",非常恰当。

谐是模棱两可的,所以诗在有谐趣时,欢欣与哀怨往往并行不悖,诗人的本领就在能谐,能谐所以能在丑中见出美,在失意中见出安慰,在哀怨中见出欢欣,谐是人类拿来轻松紧张情境和解脱悲哀与困难的一种清泻剂,这个道理伊斯特曼(M. Eastman)在《诙谐意识》里说得最透辟:

穆罕默德自夸能用虔诚祈祷使山移到他面前来。有一大群信徒围着来看他显这副本领。他尽管祈祷，山仍是岿然不动。他于是说：

“好，山不来就穆罕默德，穆罕默德就走去就山罢。”我们也常同样地殚精竭思，求世事恰如人意，到世事尽不如人意时，我们说：“好，我就在失意中求乐趣罢。”这就是诙谐。诙谐像穆罕默德走去就山，它的生存是对于命运开玩笑。

“对于命运开玩笑”，这句话说得最好。我们读莎士比亚的悲剧时，到了极悲痛的境界，常猛然穿插一段喜剧，主角在紧要关头常向自己嘲笑，哈姆雷特便是著例。弓拉到满彀时总得要放松一下，不然弦子会折断的。山本不可移，中国传说中曾经有一个移山的人，他所以叫做“愚公”，就愚在没有穆罕默德的幽默。

“对于命运开玩笑”是一种遁逃，也是一种征服，偏于遁逃者以滑稽玩世，偏于征服者以豁达超世。滑稽与豁达虽没有绝对的分别，却有程度的等差。它们都是以“一笑置之”的态度应付人生的缺陷，豁达者在悲剧中参透人生世相，他的诙谐出入于至性深情，所以表面滑稽而骨子里沉痛；滑稽者则在喜剧中见出人事的乖讹，同时仿佛觉得这种发现是他的聪明、他的优胜，于是嘲笑以取乐，这种诙谐有时不免流于轻薄。豁达者虽超世而不忘怀于淑世，他对于人世，悲悯多于愤嫉。滑稽者则只知玩世，他对于人世，理智的了解多于情感的激动。豁达者的诙谐可以称为“悲剧的诙谐”，出发点是情感而听者受感动也以情感。滑稽者的诙谐可以称为“喜剧的诙谐”，出发点是理智，而听者受感动也以理智。中国诗人陶潜和杜甫是于悲剧中见诙谐者，刘伶和金圣叹是从喜剧中见诙谐者，嵇康、李白则介乎二者之间。

这种分别对于诗的了解甚重要。大概喜剧的诙谐易为亦易欣赏，悲剧的诙谐难为亦难欣赏。例如李商隐的《龙池》：

> 龙池赐酒敞云屏，羯鼓声高众乐停。夜半宴归宫漏永，
> 薛王沉醉寿王醒。

诗中讥嘲寿王的杨妃被他父亲明皇夺去，他在御宴中喝不下去酒，宴后他的兄弟喝得醉醺醺，他一个人仍是醒着，怀着满肚子心事走回去。这首诗的诙谐可算委婉俏皮，极滑稽之能事。但是我们如果稍加玩味，就可以看出它的出发点是理智，没有深情在里面。我们觉得它是聪明人的聪明话，受它感动也是在理智方面。如果情感发生，我们反觉得把悲剧看成喜剧，未免有些轻薄。

我们选一两首另一种带有谐趣的诗来看看：

> 人生寄一世，奄忽若飘尘。何不策高足，先据要路津？
> 无为守贫贱，轗轲常苦辛。 ——《古诗十九首》

> 白发被两鬓，肌肤不复实。虽有五男儿，总不好纸笔。
> ……天命苟如此，且进杯中物！
> ——陶潜《责子》

> 千秋万岁后，谁知荣与辱？但恨在世时，饮酒不得足。
> ——陶潜《挽歌辞》

这些诗的诙谐就有沉痛的和滑稽的两方面。我们须同时见到这

两方面，才能完全了解它的深刻。胡适在《白话文学史》里说：

> 陶潜与杜甫都是有诙谐风趣的人，诉穷说苦，都不肯抛弃这一点风趣。因为他们有这一点说笑话做打油诗的风趣，故虽在穷饿之中不至于发狂，也不至于堕落。

这是一段极有见地的话，但是因为着重在“说笑话做打油诗”一点，他似乎把它的沉痛的一方面轻轻放过去了。陶潜、杜甫都是伤心人而有豁达风度，表面上虽诙谐，骨子里却极沉痛严肃。如果把《责子》、《挽歌辞》之类作品完全看作打油诗，就未免失去上品诗的谐趣之精彩了。

凡诗都难免有若干谐趣。情绪不外悲喜两端。喜剧中都有谐趣，用不着说，就是把最悲惨的事当作诗看时，也必在其中见出谐趣。我们如果仔细玩味蔡琰《悲愤诗》或是杜甫《新婚别》之类作品，或是写自己的悲剧，或是写旁人的悲剧，都是“痛定思痛”，把所写的看成一种有趣的意象，有几分把它当作戏看的意思。丝毫没有谐趣的人大概不易做诗，也不能欣赏诗。诗和谐都是生气的富裕。不能谐是枯燥贫竭的征候。枯燥贫竭的人和诗没有缘分。

但是诗也是最不易谐，因为诗最忌轻薄，而谐则最易流于轻薄。古诗《焦仲卿妻》叙夫妇别离时的誓约说：

> 君当作磐石，妾当作蒲苇；蒲苇纫如丝，磐石无转移。

后来焦仲卿听到妻子被迫改嫁的消息，便拿从前的誓约来讽刺她说：

府君谓新妇:贺君得高迁!磐石方且厚,可以卒千年,蒲苇一时纫,便作旦夕间。

这是诙谐,但是未免近于轻薄,因为生离死别不该是深于情者互相讥刺的时候,而焦仲卿是一个殉情者。

同是诙谐,或为诗的胜境,或为诗的瑕疵,分别全在它是否出于至性深情。理胜于情者往往流于纯粹的讥刺(satire)。讥刺诗固自成一格,但是很难达到诗的胜境。像英国蒲柏(Pope)和法国伏尔泰(Voltaire)之类聪明人不能成为大诗人,就是因为这个道理。

二　诗与隐

刘勰在《文心雕龙》里以"隐"与"谜"并列;解"隐"为"遁辞以隐意,谲譬以指事","谜"为"回护其辞,使昏迷也;或体目文字,或图象品物"。但是他承认"谜"为魏晋以后"隐"的化身。其实"谜"与"隐"原来是一件东西,不过古今名称不同罢了。《国语》有"秦客为庾词,范文子能对其三","庾词"也还是隐语。

在各民族中谜语的起源都很早而且很重要。古希腊英雄俄狄浦斯(Oedipus)因为猜中"早晨四只脚走,中午两只脚走,晚上三只脚走"一个谜语,气坏了食人的怪兽,被忒拜人选为国王。《旧约·士师记》里记参孙(Samson)的妻族人猜中"肉从强者出,甜从食者出"一个谜语,就脱了围,得到奖赏。可见古代人对于谜语的重视。

中国的谜语可以说和文字同样久远。六书中的"会意"据许慎的解释是"比类合谊,以见指㧑,武信是也",这就是根据谜语原则。

"止戈为武,人言为信",就是两个字谜。许多中国字都可以望文生义,就因为在造字时它们就已有令人可以当作谜语猜测的意味。中国最古的有记载的歌谣据说是《吴越春秋》里面的"断竹,续竹;飞土,逐肉"。这就是隐射"弹丸"的谜语。《汉书·艺文志》载有《隐书十八篇》,刘向《新序》也有"齐宣王发隐书而读之"的话,可见隐语自古就有专书。《左传》有"智井"、"庚癸"两个谜语。从《史记·滑稽列传》和《汉书·东方朔传》看,嗜好隐语在古时是一种极普遍的风气。一个人会隐语,便可获禄取宠,东方朔便是好例。他会"射覆","射覆"就是猜隐语。一个国家有会隐语的臣子,在坛坫樽俎间便可取得外交胜利,范文子猜中了秦客的三个谜语,史官便把它大书特书。《三国志·薛综传》里有一段很有趣的故事。蜀使张奉以隐语嘲吴尚书阚泽,泽不能答,吴人引以为羞。薛综看这事有失体面,就用一个隐语报复张奉说:"有犬为独,无犬为蜀,横目勾身,虫入其腹。"此语一出,蜀使便无话可说,吴国的面子便争夺回来了。从这些故事和上文所引的希腊和犹太的两个故事看,可见刘勰所说的"隐语之用,被于纪传。大者兴治济身",并非夸大其词了。

隐语在近代是一种文字游戏,在古代却是一件极严重的事。它的最早应用大概在预言谶语。诗歌在起源时是神与人互通款曲的媒介。人有所颂祷,用诗歌进呈给神;神有所感示,也用诗歌传达给人。不过人说的话要明白,神说的话要不明白,才能显得他神秘玄奥。所以符谶大半是隐语。这种隐语大半是由神凭附人体说出来,所凭依者大半是主祭者或女巫。古希腊的"德尔斐预言"和中国古代的巫祝的占卜,都是著例。

在原始社会中梦也被认成一种预言。各国在古代常有占梦的专官,一国君臣人民的祸福往往悬在一句梦话的枢纽上。《旧约·创世记》载埃及国王梦见七瘦牛吞食七肥牛，七枯穗吞食七生穗，召群臣来解释，都踌躇莫知所对，只有一个外来的犹太人约瑟能断定它是七荒年承继七丰年的预兆。国王听了他的话，储蓄七丰年的余粮，后来七荒年果然来了，埃及人有积谷得免于饥荒。约瑟于是大得国王的信任。《左传》里也有桑田巫占梦的故事。占梦的迷信在有文字之前，可以说是最古的最普遍的猜谜的玩艺儿。

中国古代预言多假托童谣。童谣据说是荧惑星的作用。各代史书载童谣都不列于“艺文”而列于“天文”或“五行”，就因为相信童谣是神灵凭借儿童所说的话。郭茂倩在《乐府诗集》第八十八卷里搜集各代预言式的童谣甚多，大半都是隐语。《左传》卜偃根据“鹑之奔奔”一句童谣，断定晋必于十月丙子灭虢，是一个最早见于书籍的例。童谣有时近于字谜。例如《后汉书·五行志》所载汉献帝时京都童谣：“千里草，何青青？十日卜，不得生。”解释是“千里草为董，十日卜为卓。……青青茂盛之貌，不得生者亦旋破亡也。”当时人大概厌恶董卓专横，作隐语来咒骂他，或是在他失败之后，隐喻其事造为“预言”，把日期移早，以神其说。这里我们可以窥见造隐语的心理。它一方面有所回避，不敢直说，一方面又要利用一般人对于神秘事迹的惊赞，来激动好奇心。

隐语由神秘的预言变为一般人的娱乐以后，就变成一种谐。它与谐的不同只在着重点，谐偏重人事的嘲笑，隐则偏重文字的游戏。谐与隐有时混合在一起。《左传》宋守城人的歌：“睅其目，皤其腹，弃甲而复。于思于思，弃甲复来！”是讥刺华元的谐语，同时也是一个隐语，把华元的容貌品格事迹都隐含在内。民间歌谣中类似的作品甚多，例如：

侧……听隔壁，推窗望月……捐笆斗勿吃力，两行泪作一行滴。（苏州人嘲歪头）

啥？豆巴，满面花，雨打浮沙，蜜蜂错认家，荔枝核桃苦瓜，满天星斗打落花。（四川人嘲麻子）

就是谐、隐与文字游戏三者混合，讥刺容貌丑陋为谐，以谜语出之为隐，形式为七层宝塔，一层高一层，为纯粹的文字游戏。谐最忌直率，直率不但失去谐趣，而且容易触讳招尤，所以出之以隐，饰之以文字游戏。谐都有几分恶意，隐与文字游戏可以遮盖起这点恶意，同时要叫人发现嵌合的巧妙，发生惊赞。不把注意力专注在所嘲笑的丑陋乖讹上面。

隐常与谐合，却不必尽与谐合。谐的对象必为人生世相中的缺陷，隐的对象则没有限制。隐的定义可以说是“用捉迷藏的游戏态度，把一件事物先隐藏起，只露出一些线索来，让人可以猜中所隐藏的是什么”。姑举数例：

日里忙忙碌碌，夜里茅草盖屋。（眼）

小小一条龙，胡须硬似鬃。生前没点血，死后满身红。（虾）

王荆公读《辨奸论》有感。（《诗经》：“吁嗟洵兮，不我信兮！”）

从前文人尽管也欢喜弄这种玩艺儿，却不把它看作文学。其实有许多谜语比文人所做的咏物诗词还更富于诗的意味。英国诗人柯尔律治(Coleridge)论诗的想像,说它的特点在见出事物中不寻常的关系。许多好的谜语都够得上这个标准。

谜语的心理背景也很值得研究。就谜语作者说,他看出事物中一种似是而非、不即不离的微妙关系,觉得它有趣,值得让旁人知道。他的动机本来是一种合群本能,要把个人所见到的传达给社会,同时又有游戏本能在活动,仿佛猫儿戏鼠似的,对于听者要延长一番悬揣,使他的好奇心因悬揣愈久而愈强烈。他的乐趣就在觉得自己是一种神秘事件的看管人,自己站在光明里,看旁人在黑暗里绕弯子。就猜谜者说,他对于所掩藏的神秘事件起好奇心,想揭穿它的底蕴,同时又起一种自尊情绪,仿佛自己非把这个秘幕揭穿不甘休。悬揣愈久,这两种情绪愈强烈。几经摸索之后,一旦豁然大悟,看出事物关系所隐藏的巧妙凑合,不免大为惊赞,同时他也觉得自己的胜利,因而欢慰。

如果研究做诗与读诗的心理,我们可以发现上面一段话大部分可以适用。突然见到事物中不寻常的关系,而加以惊赞,是一切美感态度所共同的。苦心思索,一旦豁然贯通,也是创造与欣赏所常有的程序。诗和艺术都带有几分游戏性,隐语也是如此。

别要小看隐语,它对于诗的关系和影响是很大的。在古英文诗中谜语是很重要的一类。诗人启涅倍尔夫(Cunewual)就是一个著名的隐语家。中国古代亦常有以隐语为诗者,例如古诗:

藁砧今何在,山上复有山,何日大刀头,破镜飞上天。

就是隐写“丈夫已出,月半回家”的意思。上文所引的童谣及民间谐歌有许多是很好的诗,我们已经说过。但是隐语对于中国诗的重要还不仅此。它是一种雏形的描写诗。民间许多谜语都可以作描写诗看。中国大规模的描写诗是赋，赋就是隐语的化身。战国秦汉间嗜好隐语的风气最盛，赋也最发达，荀卿是赋的始祖，他的《赋篇》本包含《礼》、《知》、《云》、《蚕》、《箴》、《乱》六篇独立的赋，前五篇都极力铺张所赋事物的状态、本质和功用，到最后才用一句话点明题旨，最后一篇就简直不点明题旨。例如《蚕》赋：

此夫身女好而头马首者与？屡化而不寿者与？善壮而拙老者与？有父母而无牝牡者与？冬伏而夏游，食桑而吐丝，前乱而后治，夏生而恶暑，喜湿而恶雨，蛹以为母，蛾以为父，三伏三起，事乃大已。夫是谓之蚕理。

全篇都是蚕的谜语，最后一句揭出谜底，在当时也许这个谜底是独立的，如现在谜语书在谜面之下注明谜底一样。后来许多辞赋家和诗人词人都沿用这种技巧，以谜语状事物，姑举数例如下：

飞不飘飏，翔不翕习；其居易容，其求易给；巢林不过一枝，每食不过数粒。

——张华《鷦鹩赋》

镂五色之盘龙，刻千年之古字。山鸡见而独舞，海鸟见而孤鸣。临水则池中月出，照日则壁上菱生。

——庾信《镜赋》

光细弦欲上，影斜轮未安。微升古塞外，已隐暮云端。河汉不改色，关山空自寒。庭前有白露，暗满菊花团。

——杜甫《初月》

海上仙人绛罗襦，红梢中单白玉肤。不须更待妃子笑，风骨自是倾城姝。

——苏轼《荔枝》

过春社了，度帘幕中间，去年尘冷。差池欲住，试入旧巢相并。还相雕梁藻井，又轻语商量不定。飘然快拂花梢，翠尾分开红影。

——史达祖《双双燕》

以上只就赋、诗、词中略举一二例。我们如果翻阅咏物类韵文，就可以看到大半都是应用同样的技巧写出来的。中国素以谜语巧妙名于世界，拿中国诗和西方诗相较，描写诗也比较早起，比较丰富，这种特殊发展似非偶然。中国人似乎特别注意自然界事物的微妙关系和类似，对于它们的奇巧的凑合特别感到兴趣，所以谜语和描写诗都特别发达。

谜语不但是中国描写诗的始祖，也是诗中“比喻”格的基础。以甲事物影射乙事物时，甲乙大半有类似点，可以互相譬喻。有时甲乙并举，则为显喻（simile），有时以乙暗示甲，则为隐喻（metaphor）。显喻如古谚：

少所见，多所怪，见骆驼，言马肿背。

如果只言“见骆驼言马肿背”，意在使人知所指为“少见多怪”，则为“隐喻”，即近世歌谣学者所谓“歇后语”。“歇后语”还是一种隐语,例如"聋子的耳朵"(摆大儿),"纸糊灯笼"(一戳就破),"王奶奶裹脚"(又长又臭)之类。这种比喻在普通语中极流行。它们可以显示一般民众的"诗的想像力",同时也可以显示普通语言的艺术性。一个贩夫或村妇听到这类"俏皮话",心里都不免高兴一阵子,这就是简单的美感经验或诗的欣赏。诗人用比喻,不过把这种粗俗的说"俏皮话"的技巧加以精练化,深浅雅俗虽有不同,道理却是一致。《诗经》中最常用的技巧是以比喻引入正文,例如:

关关雎鸠,在河之洲。窈窕淑女,君子好逑。

螽斯羽,诜诜兮,宜尔子孙,振振兮。

蒹葭苍苍,白露为霜;所谓伊人,在水一方。

入首两句便是隐语,所隐者有时偏于意象,所引事物与所咏事物有类似处,"螽斯"例,这就是"比";有时偏重情趣,所引事物与所咏事物在情趣上有暗合默契处,可以由所引事物引起所咏事物的情趣,如"兼葭"例,这就是"兴";有时所引事物与所咏物既有类似,又有情趣方面的暗合默契,如"关雎"例,这就是"兴兼比"。《诗经》各篇作者原不曾按照这种标准去做诗,"比"、"兴"等等是后人归纳出来的,用来分类,不过是一种方便,原无谨严的逻辑。后来论诗者把它看得太重,争来辩去,殊无意味。

中国向来注诗者好谈"微言大义",从毛苌做《诗序》一直到张惠言批《词选》,往往把许多本无深文奥义的诗看作隐射诗,固不免穿凿附会。但是我们也不能否认,中国诗人好作隐语的习惯向来很深。屈原的"香草美人"大半有所寄托,是多数学者的公论。无论这种公论是否可靠，它对于诗的影响很大实毋庸讳言。阮籍《咏怀诗》多不可解处，颜延之说他“志在刺讥而文多隐避，百世之下，难以情测”。这个评语可以应用到许多咏史诗和咏物诗。陶潜《咏荆轲》、杜甫《登慈恩寺塔》之类作品各有寓意。我们如果丢开它们的寓意，它们自然也还是好诗，但是终不免没有把它们了解透彻。诗人不直说心事而以隐语出之，大半有不肯说或不能说的苦处。骆宾王《在狱咏蝉》说：“露重飞难进，风多响易沉”，暗射谗人使他不能鸣冤，清人咏紫牡丹说：“夺朱非正色，异种亦称王”，暗射爱新觉罗氏以胡人入主中原，线索都很显然。这种实例实在举不胜举。我们可以说，读许多中国诗都好像猜谜语。

隐语用意义上的关联为“比喻”，用声音上的关联则为“双关”（pun）。南方人称细炭为麸炭。射麸炭的谜语是“哎呀我的妻”！因为它和“夫叹”是同音双关。歌谣中用双关的很多，例如：

思欢久，不爱独枝莲，只惜同心藕（“莲”与“怜”，“藕”与“偶”双关）。

——《读曲歌》

雾露隐芙蓉，见莲不分明（“芙蓉”与“夫容”，“莲”与“怜”双关）。

——《子夜歌》

别后常相思，顿书千丈阙，题碑无罢时（“题碑”与“啼悲”双关）。

——《华山畿》

竹篙烧火长长炭，炭到天明半作灰（“炭”与“叹”双关）。

——粤讴句

东边日出西边雨，道是无晴却有晴（“晴”与“情”双关）。

——刘禹锡《竹枝词》

以上所举都属民歌或拟民歌。据闻一多说：周南“采采芣苢”的“芣苢”古与“胚胎”同音同义，则双关的起源远在《诗经》时代了。像其他民歌技巧一样，“双关”也常被诗人采用。六朝人说话很喜欢用“双关”。“四海习凿齿，弥天释道安”，“日下荀鸣鹤，云间陆士龙”，都是当时脍炙人口的隽语。北魏胡太后的《杨白花歌》也是“双关”的好例。她逼通杨华，华惧祸逃南朝降梁，她仍旧思念他，就做了这首诗叫宫人歌唱：

阳春二三月，杨柳齐作花。春风一夜入闺闼，杨花飘荡落南家。含情出户脚无力，拾得杨花泪沾臆。春去秋来双燕子，愿衔杨花入窠里！

唐以后文字游戏的风气日盛，诗人常爱用人名、地名、药名等等作双关语，例如：

鄙性常山野，尤甘草舍中。钩帘阴卷柏，障壁坐防风。客土依云贯，流泉架木通。行当归老矣，已逼白头翁。

——《漫叟诗话》引孔毅夫诗

除纤巧之外别无可取，就未免堕入魔道了。

总之，隐语为描写诗的雏形，描写诗以赋规模为最大，赋即源于隐。后来咏物诗词也大半根据隐语原则。诗中的比喻（诗论家所谓比、兴），以及言在此而意在彼的寄托，也都含有隐语的意味。就声音说，诗用隐语为双关。如果依近代学者佛雷泽（Frazer）和弗洛伊德（Freud）诸人的学说，则一切神话寓言和宗教仪式以至文学名著大半都是隐语的变形，都各有一个“谜底”。这话牵涉较广，而且中国诗和神话的因缘较浅，所以略而不论。

三　诗与纯粹的文字游戏

谐与隐都带有文字游戏性，不过都着重意义。有一种纯粹的文字游戏，着重点既不像谐在讥嘲人生世相的缺陷，又不像隐在事物中间的巧妙的凑合，而在文字本身声音的滑稽的排列，似应自成一类。

艺术和游戏都像斯宾塞（Spencer）所说的。有几分是余力的流露，是富裕生命的表现。初学一件东西都有几分困难，困难在勉强拿规矩法则来约束本无规矩法则的活动，在使自由零乱的活动来牵就固定的纪律与模范，学习的趣味就在逐渐战胜这种困难，使本来牵强笨拙的变为自然娴熟的。习惯既成，驾轻就熟，熟中生巧，于是对于所习得的活动有运用自如之乐。到了这步功夫，我们不特不以牵就规范为困难，而且力有余裕，把它当作一件游戏工具，任意玩弄它来助兴取乐。小儿初学语言，到喉舌能转动自如时，就常一个人鼓舌转喉作戏。他并没有和人谈话的必要，只是自觉这种玩艺所产生的声音有趣。这个道理在一般艺术活动中都可以见出。每种艺术都用一种媒介，都有一个规范，驾驭媒介和牵就规范在起始时都有若干困难。但是艺术的乐趣就在于征服这种困难之外还有余裕，还能带几分游戏态度任意纵横挥扫，使作品显得逸趣横生。这是由限制中争得的自由，由规范中溢出的生气。艺术使人留恋的也就在此。这个道理可适用于写字、画画，也可适用于唱歌、做诗。

比如中国民众游戏中的三棒鼓、拉戏胡琴、相声、口技、拳术之类，所以令人惊赞的都是那一副娴熟生动、游戏自如的手腕。在诗歌方面，这种生于余裕的游戏也是一个很重要的成分，在民俗歌谣中这个成分尤其明显，我们姑从《北平歌谣》里择举两例：

> 老猫老猫，上树摘桃。一摘两筐，送给老张。老张不要，气得上吊。上吊不死，气得烧纸。烧纸不着，气得摔瓢。摔瓢不破，气得推磨。推磨不转，气得做饭。做饭不熟，气得宰牛。宰牛没血，气得打铁。打铁没风，气得撞钟。撞钟不响，气得老鼠乱嚷。

> 玲珑塔，塔玲珑，玲珑宝塔十三层。塔前有座庙，庙里有老僧，老僧当方丈，徒弟六七名。一个叫青头愣，一个叫愣头青；一个是僧僧点，一个是点点僧；一个是奔葫芦把，一个是把葫芦奔。青头愣会打磬，愣头青会捧笙；僧僧点会吹管，点点僧会撞钟；奔葫芦把会说法，把葫芦奔会念经。

这种搬砖弄瓦式的文字游戏是一般歌谣的特色。它们本来也有意义，但是着重点并不在意义而在声音的滑稽凑合。如专论意义，这种叠床架屋的堆砌似太冗沓。但是一般民众爱好它们，正因为其冗沓。他们仿佛觉得这样圆转自如的声音凑合有一种说不出来的巧妙。

在上举两例中有几点值得特别注意：第一是“重叠”，一大串模样相同的音调像滚珠倾水似的一直流注下去。它们本来是一盘散沙，只借这个共同的模型和几个固定不变的字句联络起来，成为一个整体。第二是“接字”，下句的意义和上句的意义本不相属，只是下句起首数字和上句收尾数字相同，下句所取的方向完全是由上句收尾字决定。第三是“趁韵”，这和“接字”一样，下句跟着上句，不是因为意义相衔接，而是因为声音相类似。例如“宰牛没血，气得打铁；打铁没风，气得撞钟”。第四是“排比”，因为歌词每两句成为一个单位，这两句在意义上和声音上通常彼此对仗，例如“奔葫芦把会说法，把葫芦奔会念经”。第五是“颠倒”或“回文”，下句文字全体或部分倒转上句文字，例如“玲珑塔，塔玲珑”。

以上只略举文字游戏中几种常见的技巧，其实它们并不止此（上文所引的嘲歪头嘲麻子的歌都取宝塔式也是一种）。文人诗词沿用这些技巧的很多。“重叠”是诗歌的特殊表现法，《诗经》中大部分诗可以为例。词中用“重叠”的甚多，例如“咸阳古道音尘绝，音尘绝，西风残照，汉家陵阙”（李白《忆秦娥》），“团扇团扇，美人病来遮面”（王建《调笑令》）。“接字”在古体诗转韵时或由甲段转入乙段时，常用来做联络上下文的工具，例如：“愿作东北风，吹我入君怀。君怀常不开，贱妾当何依。”（曹植《怨歌行》）“梧桐杨柳拂金井，来醉扶风豪士家。扶风豪士天下奇，意气相倾山可移。”（李白《扶风豪士歌》）“趁韵”在诗词中最普通。诗人做诗，思想的方向常受韵脚字指定，先想到一个韵脚字而后找一个句子把它嵌进去。“和韵”也还是一种“趁韵”。韩愈和苏轼的诗里“趁韵”例最多。他们以为韵压得愈险，诗也就愈精工。“排比”是赋和律诗、骈文所必用的形式。“回文”在诗词中有专体，例如苏轼《题金山寺》一首七律，倒读顺读都成意义，观首联“潮随暗浪雪山倾，远浦渔舟钓月明”可知。这只是几条实例。凡是诗歌的形式和技巧大半来自民俗歌谣，都不免含有几分文字游戏的意味。诗人驾驭媒介的能力愈大，游戏的成分也就愈多。他们力有余裕，便任意挥霍，显得豪爽不羁。

从民歌看，人对文字游戏的嗜好是天然的、普遍的。凡是艺术都带有几分游戏意味，诗歌也不例外。中国诗中文字游戏的成分有时似过火一点。我们现代人偏重意境和情趣，对于文字游戏不免轻视。一个诗人过分地把精力去在形式技巧上做功夫，固然容易走上轻薄纤巧的路。不过我们如果把诗中文字游戏的成分一毫勾销，也未免操之过“激”。就史实说，诗歌在起源时就已与文字游戏发生密切的关联，而这种关联一直维持到现在，不曾断绝。其次，就学理说，凡是真正能引起美感经验的东西都有若干艺术的价值。巧妙的文字游戏，以及技巧的娴熟的运用，可以引起一种美感，也是不容讳言的。文字声音对于文学，犹如颜色、线形对于造形艺术，同是宝贵的媒介。图画既可用形色的错综排列产生美感（依康德看，这才是“纯粹美”），诗歌何尝不能用文字声音的错综排列产生美感呢？在许多伟大作家——如莎士比亚和莫里哀——的作品中，文字游戏的成分都很重要，如果把它洗涤净尽，作品的丰富和美妙便不免大为减色了。

第三章 诗的境界——情趣与意象

像一般艺术一样，诗是人生世相的返照。人生世相本来是混整的，常住永在而又变动不居的。诗并不能把这漠无边际的混整体抄袭过来，或是像柏拉图所说的“模仿”过来。诗对于人生世相必有取舍，有剪裁，有取舍剪裁就必有创造，必有作者的性格和情趣的浸润渗透。诗必有所本，本于自然；亦必有所创，创为艺术。自然与艺术媾合，结果乃在实际的人生世相之上，另建立一个宇宙，正犹如织丝缕为锦绣，凿顽石为雕刻，非全是空中楼阁，亦非全是依样画葫芦。诗与实际的人生世相之关系，妙处惟在不即不离。唯其“不离”，所以有真实感；唯其“不即”，所以新鲜有趣。“超以象外，得其圜中”，二者缺一不可，像司空图所见到的。

每首诗都自成一种境界。无论是作者或是读者，在心领神会一首好诗时，都必有一幅画境或是一幕戏景，很新鲜生动地突现于眼前，使他神魂为之钩摄，若惊若喜，霎时无暇旁顾，仿佛这小天地中有独立自足之乐，此外偌大乾坤宇宙，以及个人生活中一切憎爱悲喜，都像在这霎时间烟消云散去了。纯粹的诗的心境是凝神注视，纯粹的诗的心所观境是孤立绝缘。心与其所观境如鱼戏水，忻合无间。姑任举二短诗为例：

君家何处住，妾住在横塘。停船暂相问，或恐是同乡。

——崔颢《长干行》

空山不见人，但闻人语响。返景入深林，复照青苔上。

——王维《鹿柴》

这两首诗都俨然是戏景，是画境。它们都是从混整的悠久而流动的人生世相中摄取来的一刹那，一片段。本是一刹那，艺术灌注了生命给它，它便成为终古，诗人在一刹那中所心领神会的，便获得一种超时间性的生命，使天下后世人能不断地去心领神会。本是一片段，艺术予以完整的形象，它便成为一种独立自足的小天地，超出空间性而同时在无数心领神会者的心中显现形象。囿于时空的现象（即实际的人生世相）本皆一纵即逝，于理不可复现，像古希腊哲人所说的："濯足急流，抽足再入，已非前水。"它是有限的，常变的，转瞬即化为陈腐的。诗的境界是理想境界，是从时间与空间中执着一微点而加以永恒化与普遍化。它可以在无数心灵中继续复现，虽复现而却不落于陈腐，因为它能够在每个欣赏者的当时当境的特殊性格与情趣中吸取新鲜生命。诗的境界在刹那中见终古，在微尘中显大千，在有限中寓无限。

从前诗话家常拈出一两个字来称呼诗的这种独立自足的小天地。严沧浪所说的"兴趣"，王渔洋所说的"神韵"，袁简斋所说的"性灵"，都只能得其片面。王静安标举"境界"二字，似较概括，这里就采用它。

一　诗与直觉

无论是欣赏或是创造，都必须见到一种诗的境界。这里“见”字最紧要。凡所见皆成境界，但不必全是诗的境界。一种境界是否能成为诗的境界，全靠“见”的作用如何。要产生诗的境界，“见”必须具备两个重要条件。

第一，诗的“见”必为“直觉”（intuition）。有“见”即有“觉”，觉可为“直觉”，亦可为“知觉”（perception）。直觉得对于个别事物的知（knowledge of individual things），“知觉”得对于诸事物中关系的知（knowledge of the relations between things），亦称“名理的知”（参看克罗齐《美学》第一章）。例如看见一株梅花，你觉得“这是梅花”，“它是冬天开花的木本植物”，“它的花香，可以摘来插瓶或送人”等等。你所觉到的是梅花与其他事物的关系，这就是它的“意义”。意义都从关系见出，了解意义的知都是“名理的知”，都可用“A 为 B”公式表出，认识 A 为 B，便是知觉 A，便是把所觉对象 A 归纳到一个概念 B 里去。就名理的知而言，A 自身无意义，必须与 B、C 等生关系，才有意义，我们的注意不能在 A 本身停住，必须把 A 当作一块踏脚石，跳到与 A 有关系的事物 B、C 等等上去。但是所觉对象除开它的意义之外，尚有它本身形象。在凝神注视梅花时，你可以把全副精神专注在它本身形象，如像注视一幅梅花画似的，无暇思索它的意义或是它与其他事物的关系。这时你仍有所觉，就是梅花本身形象（form）在你心中所现的“意象”（image）。这种“觉”就是克罗齐所说的“直觉”。

诗的境界是用“直觉”见出来的，它是“直觉的知”的内容而不是

"名理的知"的内容。比如说读上面所引的崔颢《长干行》,你必须有一顷刻中把它所写的情境看成一幅新鲜的图画,或是一幕生动的戏剧,让它笼罩住你的意识全部,使你聚精会神地观赏它,玩味它,以至于把它以外的一切事物都暂时忘去。在这一顷刻中你不能同时起"它是一首唐人五绝","它用平声韵","横塘是某处地名","我自己曾经被一位不相识的人认为同乡"之类的联想。这些联想一发生,你立刻就从诗的境界迁到名理世界和实际世界了。

这番话并非否认思考和联想对于诗的重要。做诗和读诗,都必用思考,都必起联想,甚至于思考愈周密,诗的境界愈深刻;联想愈丰富,诗的境界愈美备。但是在用思考起联想时,你的心思在旁驰博骛,决不能同时直觉到完整的诗的境界。思想与联想只是一种酝酿工作。直觉的知常进为名理的知,名理的知亦可酿成直觉的知,但决不能同时进行,因为心本无二用,而直觉的特色尤在凝神注视。读一首诗和做一首诗都常须经过艰苦思索,思索之后,一旦豁然贯通,全诗的境界于是像灵光一现似地突然现在眼前,使人心旷神怡,忘怀一切,这种现象通常人称为"灵感"。诗的境界的突现都起于灵感。灵感亦并无若何神秘,它就是直觉,就是"想像"(imagination,原谓意象的形成),也就是禅家所谓"悟"。

一个境界如果不能在直觉中成为一个独立自足的意象,那就还没有完整的形象,就还不成为诗的境界。一首诗如果不能令人当作一个独立自足的意象看,那还有芜杂凑塞或空虚的毛病,不能算是好诗。古典派学者向来主张艺术须有"整一"(unity),实在有一个深理在里面,就是要使在读者心中能成为一种完整的独立自足的境界。

二 意象与情趣的契合

要产生诗的境界,“见”所须具的第二个条件是所见意象必恰能表现一种情趣,“见”为“见者”的主动,不纯粹是被动的接收。所见对象本为生糙零乱的材料,经“见”才具有它的特殊形象,所以“见”都含有创造性。比如天上的北斗星本为七个错乱的光点,和它们邻近星都是一样,但是现于见者心中的则为像斗的一个完整的形象。这形象是“见”的活动所赐予那七颗乱点的。仔细分析,凡所见物的形象都有几分是“见”所创造的。凡“见”都带有创造性,“见”为直觉时尤其是如此。凝神观照之际,心中只有一个完整的孤立的意象,一无比较,无分析,无旁涉,结果常致物我由两忘而同一,我的情趣与物的意态遂往复交流,不知不觉之中人情与物理互相渗透。比如注视一座高山,我们仿佛觉得它从平地耸立起,挺着一个雄伟峭拔的身躯,在那里很镇静地庄严地俯视一切。同时,我们也不知不觉地肃然起敬,竖起头脑,挺起腰杆,仿佛在模仿山的那副雄伟峭拔的神气。前一种现象是以人情衡物理,美学家称为“移情作用”(empathy),后一种现象是以物理移人情,美学家称为“内模仿作用”(innerimitation)(参看拙著《文艺心理学》第三、四章)。

移情作用是极端的凝神注视的结果,它是否发生以及发生时的深浅程度都随人随时随境而异。直觉有不发生移情作用的,下文当再论及。不过欣赏自然,即在自然中发现诗的境界时,移情作用往往是一个要素。“大地山河以及风云星斗原来都是死板的东西,我们往往觉得它们有情感,有生命,有动作,这都是移情作用的结果。比如云何尝能飞?泉何尝能跃?我们却常说云飞泉跃。山何尝能鸣？谷何尝能应？我们却常说山鸣谷应，诗文的妙处往往都从移情作用得来。例如‘菊残犹有傲霜枝’句的‘傲’，‘云破月来花弄影’句的‘来’和‘弄’，‘数峰清苦，商略黄昏雨’句的‘清苦’和‘商略’，‘徘徊枝上月，空度可怜宵’句的‘徘徊’、‘空度’和‘可怜’，‘相看两不厌，惟有敬亭山’句的‘相看’和‘不厌’，都是原文的精彩所在，也都是移情作用的实例。”(《文艺心理学》第三章)

从移情作用我们可以看出内在的情趣常和外来的意象相融合而互相影响。比如欣赏自然风景，就一方面说，心情随风景千变万化，睹鱼跃鸢飞而欣然自得，闻胡笳暮角则黯然神伤；就另一方面说，风景也随心情而变化生长，心情千变万化，风景也随之千变万化，惜别时蜡烛似乎垂泪，兴到时青山亦觉点头。这两种貌似相反而实相同的现象就是从前人所说的“即景生情，因情生景”。情景相生而且相契合无间，情恰能称景，景也恰能传情，这便是诗的境界。每个诗的境界都必有“情趣”(feeling)和“意象”(image)两个要素。“情趣”简称“情”，“意象”即是“景”。吾人时时在情趣里过活，却很少能将情趣化为诗，因为情趣是可比喻而不可直接描绘的实感，如果不附丽到具体的意象上去，就根本没有可见的形象。我们抬头一看，或是闭目一想，无数的意象就纷至沓来，其中也只有极少数的偶尔成为诗的意象，因为纷至沓来的意象零乱破碎，不成章法，不具生命，必须有情趣来融化它们，贯注它们，才内有生命，外有完整形象。克罗齐在《美学》里把这个道理说得很清楚：

> 艺术把一种情趣寄托在一个意象里，情趣离意象，或是意象离情趣，都不能独立。史诗和抒情诗的分别，戏剧和抒情诗的分别，都是繁琐派学者强为之说，分其所不可分。凡

是艺术都是抒情的,都是情感的史诗或剧诗。

这就是说,抒情诗虽以主观的情趣为主,亦不能离意象;史诗和戏剧虽以客观的事迹所生的意象为主,亦不能离情趣。

诗的境界是情景的契合。宇宙中事事物物常在变动生展中,无绝对相同的情趣,亦无绝对相同的景象。情景相生,所以诗的境界是由创造来的,生生不息的。以“景”为天生自在,俯拾即得,对于人人都是一成不变的,这是常识的错误。阿米儿(Amiel)说得好:“一片自然风景就是一种心情。”景是各人性格和情趣的返照。情趣不同则景象虽似同而实不同。比如陶潜在“悠然见南山”时,杜甫在见到“造化钟神秀,阴阳割昏晓”时,李白在觉得“相看两不厌,惟有敬亭山”时,辛弃疾在想到“我见青山多妩媚,料青山见我应如是”时,姜夔在见到“数峰清苦,商略黄昏雨”时,都见到山的美。在表面上意象(景)虽似都是山,在实际上却因所贯注的情趣不同,各是一种境界。我们可以说,每人所见到的世界都是他自己所创造的。物的意蕴深浅与人的性分情趣深浅成正比例,深人所见于物者亦深,浅人所见于物者亦浅。诗人与常人的分别就在此。同是一个世界,对于诗人常呈现新鲜有趣的境界,对于常人则永远是那么一个平凡乏味的混乱体。

这个道理也可以适用于诗的欣赏。就见到情景契合境界来说,欣赏与创造并无分别。比如说姜夔的“数峰清苦,商略黄昏雨”一句词含有一个情景契合的境界,他在写这句词时,须先从自然中见到这种意境,感到这种情趣,然后拿这九个字把它传达出来。在见到那种境界时,他必觉得它有趣,在创造也是在欣赏。这九个字本不能算是诗,只是一种符号。如果我不认识这九个字,这句词对于我便无意义，就失其诗的功效。如果它对于我能产生诗的功效，我必须能从这九个字符号中，领略出姜夔原来所见到的境界。在读他的这句词而见到他所见到的境界时，我必须使用心灵综合作用，在欣赏也是在创造。

因为有创造作用，我所见到的意象和所感到的情趣和姜夔所见到和感到的便不能绝对相同，也不能和任何其他读者所见到和感到的绝对相同。每人所能领略到的境界都是性格、情趣和经验的返照，而性格、情趣和经验是彼此不同的，所以无论是欣赏自然风景或是读诗，各人在对象（Object）中取得（take）多少，就看他在自我（Subject—ego）中能够付与（give）多少，无所付与便不能有所取得。不但如此，同是一首诗，你今天读它所得的和你明天读它所得的也不能完全相同，因为性格、情趣和经验是生生不息的。欣赏一首诗就是再造（recreate）一首诗；每次再造时，都要凭当时当境的整个的情趣和经验做基础，所以每时每境所再造的都必定是一首新鲜的诗。诗与其他艺术都各有物质的和精神的两方面。物质的方面如印成的诗集，它除着受天时和人力的损害以外，大体是固定的。精神的方面就是情景契合的意境，时时刻刻都在"创化"中。创造永不会是复演（repetition），欣赏也永不会是复演。真正的诗的境界是无限的，永远新鲜的。

三　关于诗的境界的几种分别

明白情趣和意象契合的关系，我们就可以讨论关于诗境的几种重要的分别了。

第一个分别就是王国维在《人间词话》里所提出的"隔"与"不

隔”的分别，依他说：

> 陶谢之诗不隔，延年则稍隔矣；东坡之诗不隔，山谷则稍隔矣。“池塘生春草”，“空梁落燕泥”等二句妙处唯在不隔。词亦如是。即以一人一词论，如欧阳公《少年游》咏春草上半阕云：“阑干十二独凭春，晴碧远连云，二月三月，千里万里，行色苦愁人”，语语都在目前，便是不隔；至云“谢家池上，江淹浦畔”，则隔矣。白石《翠楼吟》“此地宜有词仙，拥素云黄鹅，与君游戏。玉梯凝望久，叹芳草，萋萋千里”，便是不隔，至“酒祓清愁，花销英气”则隔矣。

他不满意于姜白石，说他“格韵虽高，然如雾里看花，终隔一层”。在这些实例中，他只指出一个前人未曾道破的分别，却没有详细说明理由。依我们看，隔与不隔的分别就从情趣和意象的关系上面见出。情趣与意象恰相熨贴，使人见到意象，便感到情趣，便是不隔。意象模糊零乱或空洞，情趣浅薄或粗疏，不能在读者心中现出明了深刻的境界，便是隔。比如“谢家池上”是用“池塘生春草”的典，“江淹浦畔”是用《别赋》“春草碧色，春水绿波，送君南浦，伤如之何”的典。谢诗江赋原来都不隔，何以入欧词便隔呢？因为“池塘生春草”和“春草碧色”数句都是很具体的意象，都有很新颖的情趣。欧词因春草的联想，就把这些名句硬拉来凑成典故，“谢家池上，江淹浦畔”二句，意象既不明晰，情趣又不真切，所以隔。

王氏论隔与不隔的分别，说隔如“雾里看花”，不隔为“语语都在目前”，似有可商酌处。诗原有偏重“显”与偏重“隐”的两种。法国十九世纪帕尔纳斯派与象征派的争执就在此。帕尔纳斯派力求

"显",如王氏所说的"语语都在目前",如图画、雕刻。象征派则以过于明显为忌,他们的诗有时正如王氏所谓"隔雾看花",迷离恍惚,如瓦格纳的音乐。这两派诗虽不同,仍各有隔与不隔之别,仍各有好诗和坏诗。王氏的"语语都在目前"的标准似太偏重"显"。近年来新诗作者与论者,曾经有几度很剧烈地争辩诗是否应一律明显的问题。"显"易流于粗浅,"隐"易流于晦涩,这是大家都看得见的毛病。但是"显"也有不粗浅的,"隐"也有不晦涩的,持门户之见者似乎没有认清这个事实。我们不能希望一切诗都"显",也不能希望一切诗都"隐",因为在生理和心理方面,人原来有种种"类型"上的差异。有人接收诗偏重视觉器官,一切要能用眼睛看得见,所以要求诗须"显",须如造形艺术。也有人接受诗偏重听觉与筋肉感觉,最易受音乐节奏的感动,所以要求诗须"隐",须如音乐,才富于暗示性。所谓意象,原不必全由视觉产生。各种感觉器官都可以产生意象。不过多数人形成意象,以来自视觉者为最丰富,在欣赏诗或创造诗时,视觉意象也最为重要。因为这个缘故,要求诗须明显的人数占多数。

显则轮廓分明,隐则含蓄深永,功用原来不同。说概括一点,写景诗宜于显,言情诗所托之景虽仍宜于显,而所寓之情则宜于隐。梅圣俞说诗须"状难写之景,如在目前;含不尽之意,见于言外",就是看到写景宜显,写情宜隐的道理。写景不宜隐,隐易流于晦;写情不宜显,显易流于浅。谢朓的"余霞散成绮,澄江静如练",杜甫的"细雨鱼儿出,微风燕子斜",以及林逋的"疏影横斜水清浅,暗香浮动月黄昏"诸句,在写景中为绝作,妙处正在能显,如梅圣俞所说的"状难写之景,如在目前"。秦少游的《水龙吟》入首两句"小楼连苑横空,下窥绣毂雕鞍骤",苏东坡讥他"十三个字只说得一个人骑马楼前过”,它的毛病也就在不显。言情的杰作如古诗“步出城东门,遥望江南路,前日风雪中,故人从此去”,李白的“玉阶生白露,夜久侵罗袜,却下水晶帘,玲珑望秋月”,王昌龄的“奉帚平明金殿开,且将团扇共徘徊。玉颜不及寒鸦色,犹带昭阳日影来”,诸诗妙处亦正在隐,如梅圣俞所说的“含不尽之意见于言外”。

王氏在《人间词话》里,于隔与不隔之外,又提出“有我之境”与“无我之境”的分别:

> 有有我之境,有无我之境。“泪眼问花花不语,乱红飞过秋千去”,“可堪孤馆闭春寒,杜鹃声里斜阳暮”,有我之境也;“采菊东篱下,悠然见南山”,“寒波澹澹起,白鸟悠悠下”,无我之境也。有我之境,以我观物,故物皆著我之色彩;无我之境,以物观物,故不知何者为我,何者为物。……无我之境,人唯于静中得之;有我之境,于由动之静时得之,故一优美,一宏壮也。

这里所指出的分别实在是一个很精微的分别。不过从近代美学观点看,王氏所用名词似待商酌。他所谓“以我观物,故物皆著我之色彩”,就是“移情作用”,“泪眼问花花不语”一例可证。移情作用是凝神注视,物我两忘的结果,叔本华所谓“消失自我”。所以王氏所谓“有我之境”其实是“无我之境”(即忘我之境)。他的“无我之境”的实例为“采菊东篱下,悠然见南山”,“寒波澹澹起,白鸟悠悠下”,都是诗人在冷静中所回味出来的妙境(所谓“于静中得之”),没有经过移情作用,所以实是“有我之境”。与其说“有我之境”与“无我之境”,似不如说“超物之境”和“同物之境”,因为严格地说,诗在任何境界中都必须有我,都必须为自我性格、情趣和经验的返照。“泪眼问花花不语”,“徘徊枝上月,空度可怜宵”,“数峰清苦,商略黄昏雨”,都是同物之境。“鸢飞戾天,鱼跃于渊”,“微雨从东来,好风与之俱”,“兴阑啼鸟散,坐久落花多”,都是超物之境。

王氏以为“有我之境”(其实是“无我之境”或“同物之境”),比“无我之境”(其实是“有我之境”或“超物之境”)品格较低,他说:“古人为词,写有我之境者为多,然未始不能写无我之境,此在豪杰之士能自树立耳。”他没有说明此优于彼的理由。英国文艺批评家罗斯金(Ruskin)主张相同。他诋毁起于移情作用的诗,说它是“情感的错觉”(pathetic fallacy),以为第一流诗人都必能以理智控制情感,只有第二流诗人才为情感所摇动,失去静观的理智,于是以在我的情感误置于外物,使外物呈现一种错误的面目。他说:

> 我们有三种人:一种人见识真确,因为他不生情感,对于他樱草花只是十足的樱草花,因为他不爱它。第二种人见识错误,因为他生情感,对于他樱草花就不是樱草花而是一颗星,一个太阳,一个仙人的护身盾,或是一位被遗弃的少女。第三种人见识真确,虽然他也生情感,对于他樱草花永远是它本身那么一件东西,一枝小花,从它的简明的连茎带叶的事实认识出来,不管有多少联想和情绪纷纷围着它。这三种人的身份高低大概可以这样定下:第一种完全不是诗人,第二种是第二流诗人,第三种是第一流诗人。

这番话着重理智控制情感,也只有片面的真理。情感本身自有它的真实性,事物隔着情感的屏障去窥透,自另现一种面目。诗的存在就根据这个基本事实。如依罗斯金说诗的真理(poetic truth)必须同时是科学的真理。这显然是与事实不符的。

依我们看,抽象地定衡量诗的标准总不免有武断的毛病。“同物之境”和“超物之境”各有胜境,不易以一概论优劣。比如陶潜诗“采菊东篱下,悠然见南山”为“超物之境”,“平畴交远风,良苗亦怀新”则为“同物之境”。王维诗“渡头余落日,墟里上孤烟”为“超物之境”,“落日鸟边下,秋原人外闲”则为“同物之境”。它们各有妙处,实不易品定高下。“超物之境”与“同物之境”亦各有深浅雅俗。同为“超物之境”,谢灵运的“林壑敛秋色,云霞收夕霏”,似不如陶潜的“山气日夕佳,飞鸟相与还”,或是王绩的“树树皆秋色,山山尽落晖”。同是“同物之境’,杜甫的“感时花溅泪,恨别鸟惊心”,似不如陶潜的“平畴交远风,良苗亦怀新”,或是姜夔的“数峰清苦,商略黄昏雨”。两种不同的境界都可以有天机,也都可以有人巧。

“同物之境”起于移情作用。移情作用为原始民族与婴儿的心理特色,神话、宗教都是它的产品。论理,古代诗应多“同物之境”,而事实适得其反。在欧洲从十九世纪起,诗中才多移情实例。中国诗在魏晋以前,移情实例极不易寻,到魏晋以后,它才逐渐多起来,尤其是词和律诗中。我们可以说,“同物之境”不是古诗的特色。“同物之境”日多,诗便从浑厚日趋尖新。这似乎是证明“同物之境”品格较低,但是古今各有特长,不必古人都是对的,后人都是错的。“同物之境”在古代所以不多见者,主要原因在古人不很注意自然本身,自然只是作“比”、“兴”用的,不是值得单独描绘的。“同物之境”是和歌咏自然的诗一齐起来的。诗到以自然本身为吟咏对象,到有“同物之境”,实是一种大解放,我们正不必因其“不古”而轻视它。

四　诗的主观与客观

诗的境界是情趣与意象的融合。情趣是感受来的，起于自我的，可经历而不可描绘的；意象是观照得来的，起于外物的，有形象可描绘的。情趣是基层的生活经验，意象则起于对基层经验的反省。情趣如自我容貌，意象则为对镜自照。二者之中不但有差异而且有天然难跨越的鸿沟。由主观的情趣如何能跳这鸿沟而达到客观的意象，是诗和其他艺术所必征服的困难。如略加思索，这困难终于被征服，真是一大奇迹！

尼采的《悲剧的诞生》可以说是这种困难的征服史。宇宙与人类生命，像叔本华所分析的，含有意志（will）与意象（idea）两个要素。有意志即有需求，有情感，需求与情感即为一切苦恼悲哀之源。人永远不能由自我与其所带意志中拔出，所以生命永远是一种苦痛。生命苦痛的救星即为意象。意象是意志的外射或对象化（objectification），有意象则人取得超然地位，凭高俯视意志的挣扎，恍然澈悟这幅光怪陆离的形象大可以娱目赏心。尼采根据叔本华的这种悲观哲学，发挥为"由形象得解脱"（redemption through appearance）之说，他用两个希腊神名来象征意志与意象的冲突。意志为酒神狄俄倪索斯（Dionysus），赋有时时刻刻都在蠢蠢欲动的活力与狂热，同时又感到变化（becoming）无常的痛苦，于是沉一切痛苦于酣醉。酣醉于醇酒妇人，酣醉于狂歌曼舞。苦痛是狄俄倪索斯的基本精神，歌舞是狄俄倪索斯精神所表现的艺术。意象如日神阿波罗（Apollo），凭高普照，世界一切事物借他的光辉而显现形象，他怡然泰然地像做甜蜜梦似地在那里静观自得，一切"变化"在取得形象之中就注定成了“真如”(being)。静穆是阿波罗的基本精神,造形的图画与雕刻是阿波罗精神所表现的艺术。这两种精神本是绝对相反相冲突的,而希腊人的智慧却成就了打破这冲突的奇迹。他们转移阿波罗的明镜来照临狄俄倪索斯的痛苦挣扎,于是意志外射于意象,痛苦赋形为庄严优美,结果乃有希腊悲剧的产生。悲剧是希腊人“由形象得解脱”的一条路径。人生世相充满着缺陷、灾祸、罪孽;从道德观点看,它是恶的;从艺术观点看,它可以是美的,悲剧是希腊人从艺术观点在缺陷、灾祸、罪孽中所看到的美的形象。

尼采虽然专指悲剧,其实他的话可适用于诗和一般艺术。他很明显地指示出主观的情趣与客观的意象之隔阂与冲突,同时也很具体地说明这种冲突的调和。诗是情趣的流露,或者说,狄俄倪索斯精神的焕发。但是情趣每不能流露于诗,因为诗的情趣并不是生糙自然的情趣,它必定经过一番冷静的观照和熔化洗练的功夫,它须受过阿波罗的洗礼。一般人和诗人都感受情趣,但是有一个重要分别。一般人感受情趣时便为情趣所羁縻,当其忧喜,若不自胜,忧喜既过,便不复在想像中留一种余波返照。诗人感受情趣之后,却能跳到旁边来,很冷静地把它当作意象来观照玩索。英国诗人华兹华斯(Wordsworth)尝自道经验说:“诗起于经过在沉静中回味来的情绪”(emotions recollected in tranquility),这是一句至理名言,尼采用一部书所说的道理,他用一句话就说完了。感受情趣而能在沉静中回味,就是诗人的特殊本领。一般人的情绪有如雨后行潦,夹杂污泥朽木奔泻,来势浩荡,去无踪影。诗人的情绪好比冬潭积水,渣滓沉淀净尽,清莹澄澈,天光云影,灿然耀目。“沉静中的回味”是它的渗沥手续,灵心妙悟是它的渗沥器。

在感受时,悲欢怨爱,两两相反;在回味时,欢爱固然可欣,悲怨亦复有趣。从感受到回味，是从现实世界跳到诗的境界，从实用态度变为美感态度。在现实世界中处处都是牵绊冲突，可喜者引起营求，可悲者引起畏避，在诗的境界中尘忧俗虑都洗濯净尽，可喜与可悲者一样看待，所以相冲突者各得其所，相安无碍。

诗的情趣都从沉静中回味得来。感受情感是能入，回味情感是能出。诗人于情趣都要能入能出。单就能入说，它是主观的；单就能出说，它是客观的。能入而不能出，或是能出而不能入，都不能成为大诗人，所以严格地说，"主观的"和"客观的"分别在诗中是不存在的。比如班婕妤的《怨歌行》，蔡琰的《悲愤诗》，杜甫的《奉先咏怀》和《北征》，李后主的《相见欢》之类作品，都是"痛定思痛"，入而能出，是主观的也是客观的。陶渊明的《闲情赋》，李白的《长干行》，杜甫的《新婚别》、《石壕吏》和《无家别》，韦庄的《秦妇吟》之类作品都是"体物入微"，出而能入，是客观的也是主观的。

一般人以为文学上"古典的"与"浪漫的"一个分别是基本的，因为古典派偏重意象的完整优美，浪漫派则偏重情感的自然流露，一重形式，一重实质。依克罗齐看，这种分别就起于意象与情趣可分离一个误解。他说："在第一流作品中，古典和浪漫的冲突是不存在的，它同时是'古典的'与'浪漫的'，因为它是情感的也是意象的，是健旺的情感所化生的庄严的意象。"在诸艺术中情感与意象不能分开的以音乐为最显著。英国批评家佩特(W. Pater)说："一切艺术都以逼近音乐为指归。"克罗齐引这句话而加以补充说："其实说得更精确一点，一切艺术都是音乐，因为这样说才可以见出艺术的意象都生于情感。"克罗齐否认"古典的"与"浪漫的"分别，其实就是否认"客观的"与"主观的"分别。

十九世纪中叶法国诗坛上曾经发生一次很热烈的争执，就是

“帕尔纳斯派”(Parnasse)对于浪漫主义的反动。浪漫派诗的特点在着重情感的自然流露,所谓“想像”也是受情趣决定。离开“自我”便无情趣可言,所以浪漫派诗大半可看成诗人的自供。帕尔纳斯派受写实主义的影响,嫌浪漫派偏重唯我主义,不免使诗变成个人怪癖的暴露。他们要换过花样来,提倡“不动情感主义”,把自我个性丢开,专站在客观地位描写恬静幽美的意象,使诗和雕刻一样冷静明晰(浪漫派要和音乐一样热烈生动,与此恰相反)。从这种争执发生之后,德国哲学家所常提起的“主观的”和“客观的”一个分别便被批评家拉到文学上面来,于是一般人以为文学原有两种:“主观的”偏重情感的“表现”,“客观的”偏重人生自然的“再现”。其实这两种虽各有偏向,并没有很严格的逻辑的分别。没有诗能完全是主观的,因为情感的直率流露仅为啼笑嗟叹,如表现为诗,必外射为观照的对象(object)。也没有诗完全是客观的,因为艺术对于自然必有取舍剪裁,就必受作者的情趣影响,像我们在上文已经说过的。左拉(Zola)本是倾向写实主义的,也说:“艺术作品只是隔着情感的屏障所窥透的自然一隅。”帕尔纳斯派在实际上也并未能彻底实现“不动情感主义”,而且他们的运动只是昙花一现,也足证明纯粹的“客观的”诗不易成立。

五　情趣与意象契合的分量

诗的理想是情趣与意象的忻合无间,所以必定是“主观的”与“客观的”。但这究竟是理想。在实际上“主观的”与“客观的”虽不是绝对的分别,却常有程度上的等差。情趣与意象之中有尼采所指出的隔阂与冲突。打破这种隔阂与冲突是艺术的主要使命,把它们完全打破,使情趣与意象融化得恰到好处,这是达到最高理想的艺术。完全没有把它们打破,从情趣出发者止于啼笑嗟叹,从意象出发者止于零乱空洞的幻想,就不成其为艺术。这两极端之中有意象富于情趣的,也有情趣富于意象的,虽非完美的艺术,究仍不失其为艺术。

克罗齐否认“古典的”与“浪漫的”分别,在理论上自有特见,但是在实际上,古典艺术与浪漫艺术确各有偏重,也无庸讳言。意象具有完整形式,为古典艺术的主要信条,拿这个标准来衡量浪漫艺术则大半作品都不免有缺陷,例如十九世纪初期诗人,柯尔律治和济慈诸人,有许多好诗都是未完成的断简零编。情感生动为浪漫派作品的特色,但是后来写实派作者却极力排除主观的情感而侧重冷静的忠实的叙述。“表现”与“再现”不仅是理论上的冲突,历史事实也很明显地证明作品方面原有这两种偏向。

姑就中国诗说,魏晋以前,古风以浑厚见长,情致深挚而见于文字的意象则如叶燮在《原诗》里所说的“土簋击壤穴居俪皮”,仍保持原始时代的简朴。有时诗人直吐心曲,几仅如嗟叹啼笑,有所感触即脱口而出,不但没有在意象上做功夫,而且好像没有经过反省与回味。我们试玩味下列诸诗:

彼黍离离,彼稷之苗。行迈靡靡,心中摇摇。知我者谓我心忧,不知我者谓我何求。悠悠苍天,此何人哉!

——《诗经·王风》

中谷有蓷,暵其干矣。有女仳离,慨其叹矣;慨其叹矣,遇人之艰难矣!

——《诗经·王风》

骄人好好，劳人草草。苍天苍天，视彼骄人，矜此劳人！

——《诗经·小雅》

陟彼北芒兮，噫！顾瞻帝京兮，噫！宫阙崔巍兮，噫！民之劬劳兮，噫！辽辽未央兮，噫！

——梁鸿《五噫歌》

公无渡河，公竟渡河。渡河而死，当奈公何！

——《箜篌引》

这些诗固然如上文所说的"痛定思痛"，在创作时悲痛情绪自成意象，但与寻常取意象来象征情绪的诗自有分别。《诗经》中比兴两类就是有意要拿意象来象征情趣，但是通常很少完全做到象征的地步，因为比兴只是一种引子，而本来要说的话终须直率说出。例如"关关雎鸠，在河之洲"，只是引起"窈窕淑女，君子好逑"，而不能代替或完全表现这两句话的意思。像"昔我往矣，杨柳依依；今我来思，雨雪霏霏"，情趣恰隐寓于意象，可谓达到象征妙境，但在《诗经》中并不多见。汉魏作风较《诗经》已大变，但运用意象的技巧仍未脱比兴旧规。就大概说，比多于兴，例如：

薤上露，何易晞！露晞明朝更复落，人死一去何时归！

——《薤露歌》

皑如山上雪，皎如云间月。闻君有两意，故来相决绝……

——卓文君《白头吟》

翩翩堂前燕，冬藏夏来见。兄弟两三人，流宕在异县。

——《艳歌行》

朝云浮四海，日暮归故山。行役怀旧土，悲思不能言……

——应玚《别诗》

以上都仅是“比”。“兴”例亦偶尔遇见，但大半仅取目前气象，即景生情，不如《诗经》中“兴”类诗之微妙多变化。例如：

大风起兮云飞扬，威加海内兮归故乡，安得猛士兮守四方！

——汉高帝《大风歌》

青青河畔草，郁郁园中柳。盈盈楼上女，皎皎当窗牖……

——《古诗十九首》

明月照高楼，流光正徘徊。上有愁思妇，悲叹有余哀……

——曹植《七哀诗》

开秋兆凉气，蟋蟀鸣床帷。感物怀殷忧，悄悄令心悲……

——阮籍《咏怀》

这些诗的起句，微有“兴”的意味，但如果把它们看作“直陈其事”的“赋”亦无不可。在汉魏时，诗用似相关而又不尽相关的意象引起本文正意，似已成为一种传统的技巧。有时这种意象成为一种附赘悬瘤，非本文正意所绝对必需，例如：

鸡鸣高树巅，狗吠深宫中。荡子何所之，天下方太平……

——古乐府《鸡鸣》

月没参横，北斗阑干。亲交在门，饥不及餐……

——古乐府《善哉行》

孔雀东南飞，五里一徘徊。十三能织素，十四学裁衣……

——《孔雀东南飞》

蒲生我池中，其叶何离离！傍能行仁义，莫若妾自知……

——古乐府《塘上行》

起首两句引子，都与正文毫不相干，它们的起源，与其说是“套”现成的民歌的起头，如胡适所说的，不如说是沿用《国风》以来的传统的技巧。《国风》的意象引子原有比兴之用，到后来数典忘祖，就不问它是否有比兴之用，只戴上那么一个礼帽应付场面，不合头也不管了。

汉魏诗中像这样漫用空洞意象的例子不甚多。从另一方面看，这时期的诗应用意象的技巧却比《诗经》有进步。《诗经》只用意象做引子，汉魏诗则常在篇中或篇末插入意象来烘托情趣，姑举李陵《与苏武诗》为例：

良时不再至，离别在须臾。屏营衢路侧，执手野踟蹰。

仰视浮云驰，奄忽互相逾。风波一失所，各在天一隅。长当从此别，且复立斯须。欲因晨风发，送子以贱躯。

中间“仰视浮云驰”四句，有兴兼比之用，意象与情趣偶然相遇，遇即䜣合无间。此外如魏文帝《燕歌行》在描写怨女援琴写哀之后，忽接上“明月皎皎照我床，星汉西流夜未央，牵牛织女遥相望，尔独何辜限河梁”四句，也有情景吻合之妙。这种随时随境用意象比兴的写法打破固定地在起头几句用比兴的机械，实在是一种进步。此外汉魏诗渐有全章以意象寓情趣，不言正意而正意自见的，班婕妤的《怨歌行》以秋风弃扇隐喻自己的怨情是著例。这种写法也是《国风》里所少有的。中国古诗大半是情趣富于意象。诗艺的演进可以从多方面看，如果从情趣与意象的配合看，中国古诗的演进可以分为三个步骤：首先是情趣逐渐征服意象，中间是征服的完成，后来意象蔚起，几成一种独立自足的境界，自引起一种情趣。第一步是因情生景或因情生文，第二步是情景吻合，情文并茂，第三步是即景生情或因文生情。这种演进阶段自然也不可概以时代分，就大略说，汉魏以前是第一步，在自然界所取之意象仅如人物故事画以山水为背景，只是一种陪衬；汉魏时代是第二步，《古诗十九首》、苏李赠答及曹氏父子兄弟的作品中意象与情趣常达到混化无迹之妙，到陶渊明手里，情景的吻合可算登峰造极；六朝是第三步，从大小谢恣情山水起，自然景物的描绘从陪衬地位抬到主要地位，如山水画在图画中自成一大宗派一样，后来便渐趋于艳丽一途了。如论情趣，中国诗最艳丽的似无过于《国风》，乃“艳丽”二字不加诸《国风》而加诸齐梁人作品者，正以其特好雕词饰藻，为意象而意象。

转变的关键是赋。赋偏重铺陈景物，把诗人的注意渐从内心变化引到自然界变化方面去。从赋的兴起,中国才有大规模的描写诗;也从赋的兴起,中国诗才渐由情趣富于意象的《国风》转到六朝人意象富于情趣的艳丽之作。汉魏时代赋最盛,诗受赋的影响也逐渐在铺陈词藻上做功夫,有时运用意象,并非因为表现情趣所必需而是因为它自身的美丽,《陌上桑》、《羽林郎》、曹植《美女篇》都极力铺张明眸皓齿艳装盛服,可以为证。六朝人只是推演这种风气。

一般批评家对于六朝人及唐朝温、李一派作品常存歧视。其实诗的好坏决难拿一个绝对的标准去衡量。我们说,诗的最高理想在情景吻合,这也只能就大体说。古诗有许多专从"情"出发而不十分注意于"景"的,魏晋以后诗有许多专从"景"出发,除流连于"景"的本身外,别无其他情趣借"景"表现的。这两种诗都不能算是达到情景䜣合无间的标准,也还可以成为上品诗。我们姑举几首短诗为例:

(一)公无渡河,公竟渡河,渡河而死,将奈公何!

——《箜篌引》

(二)奈何许,天下人何限,慊慊只为汝!

——《华山畿》

(三)昔我往矣,杨柳依依;今我来思,雨雪霏霏。

——《诗经》

(四)结庐在人境,而无车马喧。问君何能尔,心远地自偏。采菊东篱下,悠然见南山。山气日夕佳,飞鸟相与还,此中有真意,欲辨已忘言。

——陶潜《饮酒》

（五）江南可采莲，莲叶何田田！鱼戏莲叶间，鱼戏莲叶东，鱼戏莲叶西，鱼戏莲叶南，鱼戏莲叶北。

——《江南》

（六）敕勒川，阴山下，天似穹庐，笼盖四野。天苍苍，野茫茫，风吹草低见牛羊。

——《敕勒歌》

这六首诗之中，只有三四两首可算情景吻合，景恰足以传情。一二两首纯从情感出发，情感直率流露于语言。自然中节，不必寄托于景。五六两首纯为景的描绘，作者并非有意以意象象征情趣，而意象优美自成一种情趣。六首都可以说是诗的胜境，虽然情景配合的方法与分量绝不同。不过它们各自成一种新鲜的完整的境界，作者心中有值得说的话（情趣或意象）而说得恰到好处，它们在价值上可以互相抗衡，正是因为这个缘故。

我们的着重点在原理不在历史的发展，所以只就六朝以前古诗略择数例说明情趣与意象配合的关系。其实各时代的诗都可用这个方法去分析。唐人的诗和五代及宋人的词尤其宜于从情趣意象配合的观点去研究。

附　中西诗在情趣上的比较

诗的情趣随时随地而异，各民族各时代的诗都各有它的特色。拿它们来参观互较是一种很有趣味的研究。我们姑且拿中国诗和西方诗来说，它们在情趣上就有许多的有趣的同点和异点。西方诗和中国诗的情趣都集中于几种普泛的题材，其中最重要者有（一）人伦（二）自然（三）宗教和哲学几种。我们现在就依着这个层次来说：

（一）先说人伦　西方关于人伦的诗大半以恋爱为中心。中国诗言爱情的虽然很多，但是没有让爱情把其他人伦抹煞。朋友的交情和君臣的恩谊在西方诗中不甚重要，而在中国诗中则几与爱情占同等位置。把屈原、杜甫、陆游诸人的忠君爱国爱民的情感拿去，他们诗的精华便已剥丧大半。从前注诗注词的人往往在爱情诗上贴上忠君爱国的徽帜，例如毛苌注《诗经》把许多男女相悦的诗看成讽刺时事的。张惠言说温飞卿的《菩萨蛮》十四章为"感士不遇之作"。这种办法固然有些牵强附会。近来人却又另走极端把真正忠君爱国的诗也贴上爱情的徽帜，例如《离骚》、《远游》一类的著作竟有人认为爱情诗，我以为这也未免失之牵强附会。看过西方诗的学者见到爱情在西方诗中那样重要，以为它在中国诗中也应该很重要。他们不知道中西社会情形和伦理思想本来不同。恋爱在从前的中国实在没有现代中国人所想的那样重要。中国叙人伦的诗，通盘计算，关于友朋交谊的比关于男女恋爱的还要多，在许多诗人的集中，赠答酬唱的作品，往往占其大半。苏李、建安七子、李杜、韩孟、苏黄、纳兰成德与顾贞观诸人的交谊古今传为美谈，在西方诗人中为歌德和席勒、华兹华斯与柯尔律治、济慈和雪莱、魏尔伦与兰波诸人虽亦以交谊著，而他们的集中叙友朋乐趣的诗却极少。

恋爱在中国诗中不如在西方诗中重要，有几层原因。第一，西方社会表面上虽以国家为基础，骨子里却侧重个人主义。爱情在个人生命中最关痛痒，所以尽量发展，以至掩盖其他人与人的关系。说尽一个诗人的恋爱史往往就已说尽他的生命史，在近代尤其如此。中国社会表面上虽以家庭为基础，骨子里却侧重兼善主义。文人往往费大半生的光阴于仕宦羁旅，“老妻寄异县”是常事。他们朝夕所接触的不是妇女而是同僚与文字友。

第二，西方受中世纪骑士风的影响，女子地位较高，教育也比较完善，在学问和情趣上往往可以与男子䜣合，在中国得于友朋的乐趣，在西方往往可以得之于妇人女子。中国受儒家思想的影响，女子的地位较低。夫妇恩爱常起于伦理观念，在实际上志同道合的乐趣颇不易得。加以中国社会理想侧重功名事业，“随着四婆裙”在儒家看是一件耻事。

第三，东西恋爱观相差也甚远。西方人重视恋爱，有“恋爱最上”的标语。中国人重视婚姻而轻视恋爱，真正的恋爱往往见于“桑间濮上”。潦倒无聊，悲观厌世的人才肯公然寄情于声色，象隋炀帝李后主几位风流天子都为世所诟病。我们可以说，西方诗人要在恋爱中实现人生，中国诗人往往只求在恋爱中消遣人生。中国诗人脚踏实地，爱情只是爱情；西方诗人比较能高瞻远瞩，爱情之中都有几分人生哲学和宗教情操。

这并非说中国诗人不能深于情。西方爱情诗大半写于婚媾之前，所以称赞容貌诉申爱慕者最多；中国爱情诗大半写于婚媾之后，所以最佳者往往是惜别悼亡。西方爱情诗最长于“慕”，莎士比亚的十四行体诗，雪莱和布朗宁诸人的短诗是“慕”的胜境；中国爱情诗最善于“怨”，《卷耳》、《柏舟》、《迢迢牵牛星》，曹丕的《燕歌行》，梁玄帝的《荡妇秋思赋》以及李白的《长相思》、《怨情》、《春思》诸作是“怨”的胜境。总观全体，我们可以说，西诗以直率胜，中诗以委婉胜；西诗以深刻胜，中诗以微妙胜；西诗以铺陈胜，中诗以简隽胜。

（二）次说自然　在中国和在西方一样，诗人对于自然的爱好都比较晚起。最初的诗都偏重人事，纵使偶尔涉及自然，也不过如最初的画家用山水为人物画的背景，兴趣中心却不在自然本身。《诗经》是最好的例子。“关关雎鸠，在河之洲”只是作“窕窈淑女，君子好逑”的陪衬，“蒹葭苍苍，白露为霜”只是作“所谓伊人，在水一方”的陪衬。自然比较人事广大，兴趣由人也因之得到较深广的意蕴。所以自然情趣的兴起是诗的发达史中一件大事。这件大事在中国起于晋宋之交约当公历纪元后五世纪左右，在西方则起于浪漫运动的初期，在公历纪元后十八世纪左右。所以中国自然诗的发生比西方的要早一千三百年的光景。一般说诗的人颇鄙视六朝，我以为这是一个最大的误解。六朝是中国自然诗发轫的时期，也是中国诗脱离音乐而在文字本身求音乐的时期。从六朝起，中国诗才有音律的专门研究，才创新形式，才寻新情趣，才有较精妍的意象，才吸哲理来扩大诗的内容。就这几层说，六朝可以说是中国诗的浪漫时期，它对于中国诗的重要亦正不让于浪漫运动之于西方诗。

中国自然诗和西方自然诗相比，也像爱情诗一样，一个以委婉、微妙简隽胜，一个以直率、深刻铺陈胜。本来自然美有两种，一种是刚性美，一种是柔性美。刚性美如高山、大海、狂风、暴雨，沉寂的夜和无垠的沙漠；柔性美如清风皓月、暗香、疏影、青螺似的山光和媚眼似的湖水。昔人诗有“骏马秋风冀北，杏花春雨江南”两句可以包括这两种美的胜境。艺术美也有刚柔的分别，姚鼐《与鲁絜非书》已详论过。诗如李杜，词如苏辛，是刚性美的代表；诗如王孟，词如温李，是柔性美的代表。中国诗自身已有刚柔的分别，但是如果拿它来比较西方诗，则又西诗偏于刚，而中诗偏于柔。西方诗人所爱好的自然是大海，是狂风暴雨，是峭崖荒谷，是日景；中国诗人所爱好的自然是明溪疏柳，是微风细雨，是湖光山色，是月景。这当然只就其大概说。西方未尝没有柔性美的诗，中国也未尝没有刚性美的诗，但西方诗的柔和中国诗的刚都不是它们的本色特长。

诗人对于自然的爱好可分三种。最粗浅的是“感官主义”，爱微风以其凉爽，爱花以其气香色美，爱鸟声泉水声以其对于听官愉快，爱青天碧水以其对于视官愉快。这是健全人所本有的倾向，凡是诗人都不免带有几分“感官主义”。近代西方有一派诗人，叫做“颓废派”的，专重这种感官主义，在诗中尽量铺陈声色臭味。这种嗜好往往出于个人的怪癖，不能算诗的上乘。诗人对于自然爱好的第二种起于情趣的默契欣合。“相看两不厌，惟有敬亭山”，“平畴交远风，良苗亦怀新”，“万物静观皆自得，四时佳兴与人同”诸诗所表现的态度都属于这一类。这是多数中国诗人对于自然的态度。第三种是泛神主义，把大自然全体看作神灵的表现，在其中看出不可思议的妙谛，觉到超于人而时时在支配人的力量。自然的崇拜于是成为一种宗教，它含有极原始的迷信和极神秘的哲学。这是多数西方诗人对于自然的态度，中国诗人很少有达到这种境界的。陶潜和华兹华斯都是著名的自然诗人，他们的诗有许多相类似。我们拿他们俩人来比较，就可以见出中西诗人对于自然的态度大有分别。我们姑拿陶诗《饮酒》为例：

采菊东篱下，悠然见南山。山气日夕佳，飞鸟相与还。此中有真意，欲辨已忘言。

从此可知他对于自然，还是取“好读书不求甚解”的态度。他不喜“久在樊笼里”，喜“园林无俗情”，所以居在“方宅十余亩，草屋八九间”的宇宙里，也觉得“称心而言，人亦易足”。他的胸襟这样豁达闲适，所以在“缅然睇曾邱”之际常“欣然有会意”。但是他不“欲辨”，这就是他和华兹华斯及一般西方诗人的最大异点。华兹华斯也讨厌“俗情”，“爱丘山”，也能乐天知足，但是他是一个沉思者，是一个富于宗教情感者。他自述经验说：“一朵极平凡的随风荡漾的花，对于我可以引起不能用泪表现得出来的那么深的思想。”他在《听滩寺》诗里又说他觉到有“一种精灵在驱遣一切深思者和一切思想对象，并且在一切事物中运旋”。这种澈悟和这种神秘主义和中国诗人与自然默契相安的态度显然不同。中国诗人在自然中只能听见到自然，西方诗人在自然中往往能见出一种神秘的巨大的力量。

（三）哲学和宗教　中国诗人何以在爱情中只能见到爱情，在自然中只能见到自然，而不能有深一层的澈悟呢？这就不能不归咎于哲学思想的平易和宗教情操的淡薄了。诗虽不是讨论哲学和宣传宗教的工具，但是它的后面如果没有哲学和宗教，就不易达到深广的境界。诗好比一株花，哲学和宗教好比土壤，土壤不肥沃，根就不能深，花就不能茂。西方诗比中国诗深广，就因为它有较深广的哲学和宗教在培养它的根干。没有柏拉图和斯宾诺莎就没有歌德、华兹华斯和雪莱诸人所表现的理想主义和泛神主义；没有宗教就没有希腊的悲剧、但丁的《神曲》和弥尔顿的《失乐园》。中国诗在荒瘦的土壤中居然现出奇葩异彩，固然是一种可惊喜的成绩，但是比较西方诗，终嫌美中有不足。我爱中国诗，我觉得在神韵微妙格调高雅方面往往非西诗所能及，但是说到深广伟大，我终无法为它护短。

就民族性说，中国人颇类似古罗马人，处处都脚踏实地走，偏重实际而不务玄想，所以就哲学说，伦理的信条最发达，而有系统的玄学则寂然无闻；就文学说，关于人事及社会问题的作品最发达，而凭虚结构的作品则寥若晨星。中国民族性是最“实用的”，最“人道的”。它的长处在此,它的短处也在此。它的长处在此,因为以人为本位说,人与人的关系最重要,中国儒家思想偏重人事,涣散的社会居然能享到二千余年的稳定,未始不是它的功劳。它的短处也在此,因为它过重人本主义和现世主义,不能向较高远的地方发空想,所以不能向高远处有所企求。社会既稳定之后,始则不能前进,继则因其不能前进而失其固有的稳定。

我说中国哲学思想平易,也未尝忘记老庄一派的哲学。但是老庄比较儒家固较玄邃,比较西方哲学家,仍是偏重人事。他们很少离开人事而穷究思想的本质和宇宙的来源。他们对于中国诗的影响虽很大,但是因为两层原因,这种影响不完全是可满意的。第一,在哲学上有方法和系统的分析易传授,而主观的妙悟不易传授。老庄哲学都全凭主观的妙悟,未尝如西方哲学家用明了有系统的分析为浅人说法,所以他们的思想传给后人的只是糟粕。老学流为道家言,中国诗与其说是受老庄的影响,不如说是受道家的影响。第二,老庄哲学尚虚无而轻视努力,但是无论是诗或是哲学,如果没有西方人所重视的“坚持的努力”(sustained effort)都不能鞭辟入里。老庄两人自己所造虽深而承其教者却有安于浅的倾向。

我们只要把老庄影响的诗研究一番,就可以见出这个道理。中国诗人大半是儒家出身,陶潜和杜甫是著例。但是有四位大诗人受老庄的影响最深,替儒教化的中国诗特辟一种异境。这就是《离骚》、《远游》中的屈原(假定作者是屈原),《咏怀诗》中的阮籍,《游仙诗》中的郭璞,以及《日出入行》、《古有所思》和《古风》五十九首中的李白。我们可以把他们统称为“游仙派诗人”。他们所表现的思想如何呢?屈原说:

惟天地之无穷兮，哀人生之长勤。往者余弗及兮，来者吾不闻……漠虚静以恬愉兮，澹无为而自得。闻赤松之清尘兮，愿承风乎遗则。

——《远游》

阮籍在《咏怀诗》里说：

去者余不及，来者吾不留。愿登太华山，上与松子游。

郭璞在《游仙诗》里说：

时变感人思，已秋复愿夏。淮海变微禽，吾生独不化！虽欲腾丹谿，云螭非我驾。

李白在《古风》里说：

黄河走东溟，白日落西海，逝川与流光，飘忽不相待……君当乘云螭，吸景驻光彩。

这几节诗所表现的态度是一致的，都是想由厌世主义走到超世主义。他们厌世的原因都不外看待世相的无常和人寿的短促。他们超世的方法都是揣摩道家炼丹延年驾鹤升仙的传说。但是这只是一种想望，他们都没有实现仙境，没有享受到他们所想望的极乐。所以屈原说：

高阳邈以远兮，余将焉兮所程？

阮籍说：

采药无旋返，神仙志不符，逼此良可感，令我久踌躇。

郭璞说：

虽欲腾丹谿，云螭非我驾。

李白说：

我思仙人，乃在碧海之东隅。海寒多天风，白波连山倒蓬壶，长鲸喷涌不可涉，抚心茫茫泪如珠。

他们都是不满意于现世而有所渴求于另一世界。这种渴求颇类西方的宗教情操，照理应该能产生一个很华严灿烂的理想世界来，但是他们的理想都终于“流产”。他们对于现世的悲苦虽然都看得极清楚，而对于另一世界的想像却很模糊。他们的仙境有时在“碧云里”，有时在“碧海之东隅”，有时又在西王母所住的瑶池，据李白的计算，它“去天三百里”。仙境有“上皇”，服侍他的有吹笙的玉童，和持芙蓉的灵妃。王乔、安期生、赤松子诸人是仙界的“使徒”。仙境也很珍贵人世所珍贵的繁华，只看“玉杯赐琼浆”，“但见金银台”，就可以想像仙人的阔绰。仙人也不忘情于云山林泉的美景，所以“青溪千余仞”、“云生梁栋间”、“翡翠戏兰苕”都值得流连玩赏。

仙人最大的幸福是长寿,郭璞说“千岁方婴孩”,还是太短,李白的仙人却“一餐历万岁”。仙人都有极大的本领,能“囊括大块”、“吸景驻光彩”,“挥手折荒木”、“拂此西日光”。升仙的方法是乘云驾鹤,但有时要采药炼丹,向“真人”“长跪问宝诀”。

这种仙界的意象都从老庄虚无主义出发,兼采道家高举遗世的思想。他们不知道后世道家虽托老学以自重,而道家思想和老子哲学实有根本不能相容处。老子以为“人之大患在于有身”,所以持“无欲以观其妙”为处世金针,而道家却拼命求长寿,不能忘怀于琼楼玉宇和玉杯灵液的繁华。超世而不能超欲,这是游仙派诗人的矛盾。他们的矛盾还不仅此,他们表面虽想望超世,而骨子里却仍带有很浓厚的儒家淑世主义的色彩,他们到底还没有丢开中国民族所特具的人道。屈原、阮籍、李白诸人都本有济世忧民的大抱负。阮籍号称猖狂,而在《咏怀诗》中仍有“生命几何时,慷慨各努力”的劝告。李白在《古风》里言志,也说“我志在删述,垂辉映千春”。他们本来都有淑世的志愿,看到世事的艰难和人寿的短促,于是逃到老庄的虚无清静主义,学道家作高举遗世的企图。他们所想望的仙境又渺不可追,“虽欲腾丹谿,云螭非我驾”,仍不免“抚心茫茫泪如珠”,于是又回到人境,尽量求一时的欢乐而寄情于醇酒妇人。“欲远集而无所止兮,聊浮游以逍遥”,在屈原为愤慨之谈,在阮籍和李白便成了涉世的策略。这一派诗人都有日暮途穷无可如何的痛苦。从淑世到厌世,因厌世而求超世,超世不可能,于是又落到玩世,而玩世亦终不能无忧苦。他们一生都在这种矛盾和冲突中徘徊。真正大诗人必从这种矛盾和冲突中徘徊过来,但是也必能战胜这种矛盾和冲突而得到安顿。但丁、莎士比亚和歌德都未尝没有徘徊过,他们所以超过阮籍、李白一派诗人者就在他们得到最后的安顿,而阮李诸人则终止于徘徊。

中国游仙派诗人何以止于徘徊呢？这要归咎于我们在上文所说过的哲学思想的平易和宗教情操的淡薄。哲学思想平易，所以无法在冲突中寻出调和，不能造成一个可以寄托心灵的理想世界。宗教情操淡薄，所以缺乏“坚持的努力”，苟安于现世而无心在理想世界求寄托，求安慰。屈原、阮籍、李白诸人在中国诗人中是比较能抬头向高远处张望的，他们都曾经向中国诗人所不常去的境界去探险，但是民族性的累太重，他们刚飞到半天空就落下地。所以在西方诗人心中的另一世界的渴求能产生《天堂》、《失乐园》、《浮士德》诸杰作，而在中国诗人心中的另一世界的渴求只能产生《远游》、《咏怀诗》、《游仙诗》和《古风》一些简单零碎的短诗。

老庄和道家学说之外，佛学对于中国诗的影响也很深。可惜这种影响未曾有人仔细研究过。我们首先应注意的一点就是：受佛教影响的中国诗大半只有“禅趣”而无“佛理”。“佛理”是真正的佛家哲学，“禅趣”是和尚们静坐山寺参悟佛理的趣味。佛教从汉朝传入中国，到魏晋以后才见诸吟咏，孙绰《游天台山赋》是其滥觞。晋人中以天分论，陶潜最宜于学佛，所以远公竭力想结交他，邀他入“白莲社”，他以许饮酒为条件，后来又“攒眉而去”，似乎有不屑于佛的神气。但是他听到远公的议论，告诉人说它“令人颇发深省”。当时佛学已盛行，陶潜在无意之中不免受有几分影响。他的《与子俨等疏》中：

> 少学琴书，偶爱闲静，开卷有得，便欣然忘食。见树木交荫，时鸟变声，亦复欢然有喜。尝言五六月中，北窗下卧。遇凉风暂至，自谓是羲皇上人。

一段是参透禅机的话。他的诗描写这种境界的也极多。陶潜以后，中国诗人受佛教影响最深而成就最大的要推谢灵运、王维和苏轼三人。他们的诗专说佛理的极少，但处处都流露一种禅趣。我们细玩他们的全集，才可以得到这么一个总印象。如摘句为例，则谢灵运的“白云抱幽石，绿筿媚清涟”，“虚馆绝诤讼，空庭来乌鹊”，王维的“兴阑啼鸟散，坐久落花多”，“倚杖柴门外，临风听暮蝉”，和苏轼的“舟行无人岸自移，我卧读书牛不知”，“敲门都不应，倚杖听江声”诸句的境界都是我所谓“禅趣”。

他们所以有“禅趣”而无“佛理”者固然由于诗本来不宜说理，同时也由于他们所羡慕的不是佛教而是佛教徒。晋以后中国诗人大半都有“方外交”，谢灵运有远公，王维有瑗公和操禅师，苏轼有佛印。他们很羡慕这班高僧的言论风采，常偷“浮生半日闲”到寺里去领略“参禅”的滋味，或是同禅师交换几句趣语。诗境与禅境本来相通，所以诗人和禅师常能默然相契。中国诗人对于自然的嗜好比西方诗要早一千几百年，究其原因，也和佛教有关系。魏晋的僧侣已有择山水胜境筑寺观的风气，最早见到自然美的是僧侣（中国僧侣对于自然的嗜好或受印度僧侣的影响，印度古婆罗门教徒便有隐居山水胜境的风气，《沙恭达那》剧可以为证）。僧侣首先见到自然美，诗人则从他们的“方外交”学得这种新趣味。“禅趣”中最大的成分便是静中所得于自然的妙悟，中国诗人所最得力于佛教者就在此一点。但是他们虽有意“参禅”，却无心“证佛”，要在佛理中求消遣，并不要信奉佛教求彻底了悟，彻底解脱，入山参禅，出山仍然做他们的官，吃他们的酒肉，眷恋他们的妻子。本来佛教的妙义在“不立文字，见性成佛”，诗歌到底仍不免是一种尘障。

佛教只扩大了中国诗的情趣的根底，并没有扩大它的哲理的根底。中国诗的哲理的根底始终不外儒道两家。佛学为外来哲学，所以能合中国诗人口胃者正因其与道家言在表面上有若干类似。晋以后一般人尝把释道并为一事，以为升仙就是成佛。孙绰的《天台山赋》和李白的《赠僧崖公诗》都以为佛老原来可以相通，韩愈辟“异端邪说”，也把佛老并为一说。老子虽尚虚无而却未明言寂灭。他是一个彻底的个人主义者，《道德经》中大部分是老于世故者的经验之谈，所以后来流为申韩刑名法律的学问，佛则以普济众生为旨。老子主张人类回到原始时代的愚昧，佛教人明心见性，衡以老子的“绝圣弃知”的主旨，则佛亦当在绝弃之列。从此可知老与佛根本不能相容。晋唐人合佛于老，也犹如他们合道于老一样，绝对没有想到这种凑合的矛盾。尤其奇怪的是儒家诗人也往往同时信佛。白居易和元稹本来都是彻底的儒者，而白有“吾学空门不学仙，归则须归兜率天”的话，元在《遣病》诗里也说“况我早师佛，屋宅此身形”。中国人原来有“好信教不求甚解”的习惯，这种马虎妥协的精神本也有它的优点，但是与深邃的哲理和有宗教性的热烈的企求都不相容。中国诗达到幽美的境界而没有达到伟大的境界，也正由于此。

第四章 论表现——情感思想与语言文字的关系

意境为情趣意象的契合融贯,但是只有意境仍不能成为诗,诗必须将蕴蓄于心中的意境传达于语言文字,使一般人可以听到看到懂得。这个传达过程引起了“表现”、“实质与形式”、“情感思想与语言文字的关系”一些难问题。这些问题都是老问题,从亚理斯多德一直到现在,许多思想家都费过许多心血想解决它们,但仍然是纠缠不清,可见得它们并不像一般人所想像的那么容易。对于任何问题作精密思考,第一桩要事是正名定义,作浅近而却基本的分析工作。文艺方面许多无谓的争执和误解都起于名不正,义不定,条理没有分析清楚,以至于各方争辩所指的要点不能接头,思想就因而不能缜密中肯。本篇所以不惮繁琐,从浅近而基本的分析下手。

一 “表现”一词意义的暧昧

诗人和其他艺术家的本领都在见得到,说得出。一般人把见得到的叫做“实质”或“内容”,把说出来的叫做“形式”。换句话说,实质是语言所表现的情感和思想,形式是情感和思想借以流露的语言组织。艺术的功能据说是赋予形式于内容。依这样看,实质在先,形式在后;情感思想在内,语言在外。我们心里先有一种已经成就的情感和思想(实质),本没有语言而后再用语言把它翻译出来,使它具有形式。这种翻译的活动通常叫做“表现”(expression)。所谓表现就是把在内的“现”出“表”面来,成为形状可以使人看见。被表现者是情感思想,是实质,表现者是语言,是形式,这是流行语言习惯对于“表现”的定义。它对于情感思想和语言指出三种关系:一、被动与主动的关系,二、内外的关系,三、先后的关系。

美学家克罗齐把流行语言所指的“表现”叫做“外达”(l’estrinsecayione),近于托尔斯泰、阿贝克朗比(Abercrombie)和理查兹(Richards)诸人所说的“传达”(communication)。依他看,就艺术本身的完成说,传达并非绝对必要,必要的是在心里直觉到一个情感饱和的意象。情感与意象猝然相遇而䜣合无间,这种遇合就是直觉,就是表现,也就是艺术。创造如此,欣赏也是如此。所以“表现”变成情感与意象中间的关系。在心中直觉到一个完整的意象恰能涵蕴一种情感时,情感便已“表现”于意象。被表现者是情感,表现者是意象。情感意象未经心灵综合(即直觉)融贯为一体以前,只有零乱浑朴的实质,既经心灵综合融贯为一体,即具有形式。形式是直觉所产生的。既直觉成为艺术,实质与形式便不可分开;艺术之所以为艺术,即在实质与形式之不可分开。依这一个看法,表现即直觉,是在一瞬间在心中形成的,内容形式不可分的;内外的分别自不能成立,即先与后,主动与被动的分别也不甚重要了。至于把心里所直觉成的艺术用符号记载下来,目的是在传达给旁人看,或是留为自己后来看。这种目的是实用的,而不是艺术的,所以传达与艺术无关,传达出来的也只是“物理的事实”,不能算是艺术。

此外在康德以来的形式派美学中,“表现”还另有一个僻狭的意义。形式派美学家通常把艺术分为“表意的”(representative)和“形式的”(formal)两个成分。表意的成分是诉诸理解的,可引起联想的,有意义可求的,如图画中的人物和故事以及诗中的意义。形式的成分是直接近诸感官的,不假思索而一目了然的,如图画的形色分配以及诗中的声音节奏。“表意的成分”有时被形式派美学家称为“表现”,看成与“美”(beauty)对立,“美”完全见于“形式的成分”。艺术的特质据说是美,所以近代艺术在实施上和在理论上都倾向于抹煞“表意的成分”而尽量发展“形式的成分”。图画中“后期印象”运动以及诗中“纯诗”运动都是要用形色或声音直接撼动感官,把意义放在其次。形式派美学家有时也沿用流行语言所给的“表现”的意义,比如说:“纯粹的形式不表现任何意义”。这么一来,“表现”这个名词弄得非常暧昧。如沿用“表现”的流行意义来说明形式派的“表现”观,则艺术的实质是情感和思想(即“表意的成分”),形式是形色声音等等媒介的配合,“表现”就是用形色声音等等去传达情感和思想。拿诗为例来说,形式派的看法与流行的看法的分别是这样:依流行的看法,诗以语言(兼含音与义)表现情感和思想;依形式派和纯诗运动者的看法,诗以语言中一个成分——声音——表现情感和思想。

本文用意不在批评诸家的表现说,而在建设一种自己的理论。形式派的“表现”意义不但太僻狭,而且与本文的理论没有多大关系,姑且丢开不说。克罗齐的“表现”说到后来还要提到。为便利说明起见,我们先从批评“表现”的流行意义入手。

二 情感思想和语言的联贯性

在“表现”的许多意义之中,流行语言习惯所用的最占势力。这就是:情感思想(包涵意象在内)合为实质,语言组织为形式,表现是用在外在后的语言去翻译在内在先的情感和思想。这是多数论诗者共同采纳的意见。我们以为它不精确,现在来说明理由。

我们先要明白情感思想和语言的关系。心感于物(刺激)而动(反应)。情感思想和语言都是这“动”的片面。“动”蔓延于脑及神经系统而生意识,意识流动便是通常所谓“思想”。“动”蔓延于全体筋肉和内脏,引起呼吸、循环、分泌运动各器官的生理变化,于是有“情感”。“动”蔓延于喉、舌、齿诸发音器官,于是有“语言”。这是一个应付环境变化的完整反应。心理学家为便利说明起见,才把它分析开来,说某者为情感,某者为思想,某者为语言。其实这三种活动是互相联贯的,不能彼此独立的。

我们先研究思想和语言的联贯性。一般人以为思想全是脑的活动,“思想”与“用脑”几成为同义词。其实这是不精确的,在运用思想时,我们不仅用脑,全部神经系统和全体器官都在活动。我们常问人:“你在想什么?”他没有说而我们知道他在想,就因为他的目光、颜面筋肉以及全体姿态都现出一种特殊的样子。据说亚理斯多德运用思想时要徘徊行走,所以他的哲学派别有“行思派”(Peripatetician)的称呼。从前私塾学童背书,常左右摇摆走动,如果猛然叫他站住,他就背诵不出来。如果咬住舌头,阻止发音器官活动,而同时去背诵一段诗文,也觉很难。摇头摆脑抖腿是从前中国文人做文运思时所常有的习惯,这些实例都可证明思想不仅用脑,全体各器官都在动作。本来有机体的特征是部分与全体密切相关，部分动作，全体即必受影响。

在这些器官活动之中，语言器官活动对于思想尤为重要。小孩子们心里想到什么，口里就同时说出来。有些人在街上走路自言自语，其实他们是在思想。诗人做诗，常一边想，一边吟诵。有些人看书，口里不念就看不下去。依美国行为派心理学家的研究，一般人在思想时，喉舌及其他语言器官都多少在活动。比如想到树，口里常不知不觉地念“树”字，纵然不必高声念出来，喉舌各器官也必微作念“树”字的动作。来希列(K. S. Lashley)的实验可以为证。他叫受验者先低声背诵一句，用薰烟鼓把喉舌运动痕迹记载下来，然后再叫他默想同一句话的意义而不发声，也用薰烟鼓把喉舌运动痕迹记载下来。这两次蕉烟纸上所记载的痕迹虽一较明显，一较模糊，而起伏曲折的波纹却大致平行类似，从此可知思想是无声的语言，语言也就是有声的思想。思想和语言原来是平行一致的，所以在文化进展中，思想愈发达，语言也愈丰富，未开化的民族以及未受教育的民众不但思想粗疏幼稚，语言也极简单。文化日益增高，可以说是字典的日益扩大。各民族的思想习惯的差别在语言习惯的差别上也可以见出。中国思想与语言都偏于综合，西方思想与语言都偏于分析。

思想和语言既是同时进展，平行一致，不能分离独立，它们的关系就不是先后内外的关系，也不是实质与形式的关系了。思想有它的实质，就是意义，也有它的形式，就是逻辑的条理组织。同理，语言的实质是它与思想共有的意义，它的形式是与逻辑相当的文法组织。换句话说，思想语言是一贯的活动，其中有一方面是实质，这实质并非离开语言的思想而是它们所共有的意义，也有一方面是形式,这形式也并非离开思想的语言而是逻辑与文法(包含诗的音律在内)。如果说“语言表现思想”,就不能指把在先在内的实质翻译为在后在外的形式,它的意思只能像说“缩写字表现整个字”,是以部分代表全体。说“思想表现于语言”,意思只能像说“肺病表现于咳嗽吐血”,是病根见于征候。分析到究竟,“表现”一词当作它动词看,意义只能为“代表”(represent);当作自动词看,意义只能为“出现”(appear);当作名词看,意义很近于“征候”(symptom)。

如果我们分析情感与语言的关系,也可以得到同样的结论。本能倾向受感动时,神经的流传播于各器官,引起各种生理变化和心理反响,于是有情感。就有形迹可求者说,传播于颜面者为哭为笑,为皱眉、红脸等;传播于各肢体者为震颤、舞蹈、兴奋、颓唐等;传播于内脏者为呼吸、循环、消化、分泌的变化;传播于喉舌齿唇者为语言。这些变化——连语言在内——都属于达尔文所说的“情感的表现”。在情感伴着语言时(情感有不伴着语言的,正犹如有不伴着面红耳赤的),语言和哭笑震颤舞跳等等生理变化都是平行一贯的。语言也只是情感发动时许多生理变化中的一种。我们通常说“语言”,是专指喉舌齿唇的活动,其实严格地说,情感所伴着的其他许多生理变化也还是广义的语言,比如鸡鸣犬吠,可以说是应用语言,也可以说是流露情感。但是鸡犬的情感除鸣吠以外,还流露于种种其他生理变化,如摇头摆尾之类,这些也未尝不可和鸣吠同看成语言。

情感和语言的密切关系在腔调上最易见出。比如说“来”,在战场上向敌人挑战说的“来”,和呼唤亲爱者说的“来”,字虽一样,腔调绝不相同。这种腔调上的差别是属于情感呢?还是属于语言呢?它是同时属于情感和语言的。离开腔调以及和它同类的生理变化,情感就失去它的强度,语言也就失去它的生命。我们不也常常说腔调很能“传神”或“富于表现性”(expressive)吗？它“表现”什么呢？不消说地,它表现情感。但是它也是情感的一个成分,说它表现情感,只是说从部分见全体,从征候见病症,或是从缩写字见全体字。腔调同时是附属于语言的,语言对于情感的关系也正如腔调对于情感的关系,不过广狭稍有差别而已。伴着情感的语言必同时伴着腔调,只是情感的许多“征候”的一种。说“语言表现情感”也正如说“语言表现思想”,并非把在先在内的实质翻译为在后在外的形式,只是以部分代表全体。

总之,思想情感与语言是一个完整联贯的心理反应中的三方面。心里想,口里说;心里感动,口里说;都是平行一致。我们天天发语言,不是天天在翻译。我们发语言,因为我们运用思想,发生情感,是一件极自然的事,并无须经过从甲阶段转到乙阶段的麻烦。

我们根本否认情感思想和语言的关系是实质和形式的关系,实质和形式所连带的种种纠纷问题也就因而不成其为问题了。宇宙间任何事物都各有它的实质和形式,但是都像身体(实质)之于状貌(形式),分不开来的。无体不成形,无形不成体,把形体分开来说,是解剖尸骸,而艺术是有生命的东西。

我们把情感思想和语言的关系看成全体和部分关系,这一点须特别着重。全体大于部分,所以情感思想与语言虽平行一致,而范围大小却不能完全叠合。凡语言都必伴有情感或思想(我们说“或”因为诗的语言和哲学科学的语言多有所侧重),但是情感思想之一部分有不伴着语言的可能。感官所接触的形色声嗅味触等感觉,可以成为种种意象,做思想的材料,而不尽有语言可定名或形容。情感中有许多细微的曲折起伏,虽可以隐约地察觉到而不可直接用语言描写。这些语言所不达而意识所可达的意象思致和情调永远是无法可以全盘直接地说出来，好在艺术创造也无须把凡所察觉到的全盘直接地说出来。诗的特殊功能就在以部分暗示全体，以片段情境唤起整个情境的意象和情趣。诗的好坏也就看它能否实现这个特殊功能。以极经济的语言唤起极丰富的意象和情趣就是“含蓄”、“意在言外”和“情溢乎词”。严格地说，凡是艺术的表现（连诗在内）都是“象征”（symbolism），凡是艺术的象征都不是代替或翻译而是暗示（suggestion），凡是艺术的暗示都是以有限寓无限。

三　我们的表现说和克罗齐表现说的差别

我们的表现说着重情感思想和语言的联贯性以及实质和形式的完整性，在表面上颇似克罗齐的“直觉即表现”说而实有分别。现在来说明这个分别所在，同时把我们的主张说得更明白一点。

克罗齐的学说有一部分是真理，也有一部分是过甚其辞，应该分开来说。各种艺术就其为艺术而言，有一个共同的要素，这就是情趣饱和的意象；有一种心理活动，这就是见到（用克罗齐的术语来说，“直觉到”）一个意象恰好能表现一种情趣。这种艺术的单整性（unity）以及实质形式的不可分离，克罗齐看得最清楚，说得最斩截有力量。就大体说，这部分学说的价值是不可磨灭的。他的毛病，像一般唯心派哲学家的毛病一样，在把杂多事例归原到单一原理之后，不能再由单一原理演出杂多事例。他过分地着重艺术的单整性而武断地否认艺术可分类。这么一来，心里直觉到一种情趣饱和的意象，便算是已完成一件艺术作品，它可以是诗，可以是画，可以是任何其他艺术。这是“太极未分”的“直觉”阶段。艺术到了这阶段就算到了止关。至于取媒介符号把心里所直觉成的艺术作品记载下来,留一个可以展览或备忘的痕迹,使艺术成为叫做“诗”、“画”、“音乐”或其他名称的作品,这是“两仪始判”的“传达”阶段。这个阶段的存在起于意志欲望及实用目的,就不能算是艺术的。在传达阶段,艺术才有分类的可能,但亦不是逻辑的必要。

一般批评克罗齐者都不满意于他否认“传达”有艺术性,至于“表现”与“传达”分成两个截然不同的阶段,大家似都默认。其实他的学说的致命伤就在这一点。艺术创造决不能离开传达媒介。在克罗齐的美学中,“传达”无关于艺术创造(即直觉或表现),于是传达媒介,如形色之于图画,语言文字之于诗,声音之于音乐等,就根本变成非艺术的“物理的事实”。他虽未明言诗可不用语言文字,图画可不用形色,音乐可不用声音,却亦未明言就其为艺术而论,诗与语言文字,图画与形色,音乐与声音,总而言之一切艺术与其传达媒介,有何重要关系。他说,“表现没有凭借(means),因为它没有指归(end)”。所谓“凭借”似指媒介,所谓“指归”就是实用目的。这个结论固然像有很谨严的逻辑性,但是不能符合事实。每个艺术家都可以告诉克罗齐:诗所表现的不能恰是画或其他艺术所能表现的。这种分别就起于传达媒介。每个艺术家都要用他的特殊媒介去想像,诗人在酝酿诗思时,就要把情趣意象和语言打成一片,正犹如画家在酝酿画稿时,就要把情趣意象和形色打成一片。这就是说,“表现”(即直觉)和“传达”并非先后悬隔漠不相关的两个阶段,“表现”中已含有一部分“传达”,因为它已经使用“传达”所用的媒介。单就诗说,诗在想像阶段就不能离开语言,而语言就是人与人互相传达思想情感的媒介,所以诗不仅是表现,同时也是传达。这传达和表现一样是在心里成就的,所以仍是创造的一部分,仍含有艺术性。

至于把这种“表现”和“传达”所形成的“创作”用文字或其他符号写下来,只是“记载”(record)。记载诚如克罗齐所说的,无创造性,不是艺术的活动。克罗齐所说的“外达”只有两个可能的意义。如果它只是“记载”,从表现(直觉)到记载便不经过有创造性的“传达”,便由直觉到的情趣意象而直抵文字符号,而语言便无从产生,这是不可思议的。如果它指有创造性的“传达”加上记载,则他就不应否认它的艺术性。克罗齐对于此点始终没有分析清楚。

总之,克罗齐的表现说在谨严的逻辑烟幕之下,隐藏着许多疏忽与混淆。我们的表现说和它比较,至少有三个重要的异点:

(一)他没有认清传达媒介在艺术想像中的重要,我们把语言和情趣意象打成一片。在他的学说中语言没有着落,依我们它就有着落。

(二)他把“表现”(直觉)和“传达”看成截然悬隔的两个阶段,二者之中没有沟通衔接的桥梁;我们认为“表现”阶段便已含一部分“传达”,传达媒介是沟通两阶段的桥梁,这在诗中就是语言。

(三)他没有分清有创造性的“传达”(语言的生展)和无创造性的“记载”(以文字符号记录语言),而我们把这两件事分得很清楚。“传达”在他的学说中不是艺术的活动,在我们的学说中是很重要的艺术活动。

我们的表现说与流行说及克罗齐说的分别,如果用方程式表示,分别便一目了然。流行的表现说如下式:

艺术创作{
第一阶段:情感+意象=想像=艺术的酝酿。
第二阶段:想像+语言文字=表现=传达=翻译=艺术的完成

克罗齐的表现说可列为下式：

艺术创作 {
第一阶段：情感＋意象＝直觉＝表现＝创造
＝艺术活动
第二阶段：直觉＋语言文字＝外达＝物理的事实
≠艺术活动
}

我们的表现说则为下式：

艺术创造 {
第一阶段：情感＋意象＋语言＝表现（传达
＝艺术活动）。
第二阶段：艺术＋文字符号＝记载≠艺术活动。
}

式中"＝"为等号，"＋"为加号，"≠"为不等号，至于"（）"则借用符号名学中的"内涵"号。我们的学说的特点在把传达媒介看成表现所必用的工具，语言和情趣意象是同时生展的。我们的学说能否成立，就要看这个基本主张能否成立。它与常识颇有不少的冲突，下文取答难式，将可想像到的疑难详细剖析，同时把本文的意思说得更明白一点。

四　普通的误解起于文字

一般人对于传统常有牢不可破的迷信。一句话经过几千年人所公认，我们就觉得它总有几分道理。比如"意内言外"，"意在言先"，"情感思想是实质，语言是形式"，"表现是拿语言来传达已经成就的情感和思想"之类的话，都已经有很久远的历史，现在我们说它是误解，一般人会问："何以古今中外许多人都不谋而合地陷到这个误解中呢？"

这个问题很重要。许多人误解情感思想和语言的关系，就因为有一个第三者——文字——在中间搅扰。语言是思想和情感进行时，许多生理和心理的变化之一种，不过语言和其他生理和心理的变化有一个重要的差别，它们与情境同生同灭，语言则可以借文字留下痕迹来。文字可独立，一般人便以为语言也可以离开情感思想而独立。其实语言虽用文字记载，却不就是文字。在进化阶段上，语言先起，文字后起。原始民族以及文盲都只有语言而无文字。文字是语言的“符号”（symbol），符号和所指的事物是两件事，彼此可以分离独立。比如“饭桶”两个字音可以用“饭桶”两个汉字代表，也可以用注音符号或罗马字代表。同时，这个符号也可以当作一个人的诨名。从此可知语言和文字的关系是人为的，习惯的，而不是自然的。

有人也许要问：除了惊叹语类和谐声语类之外，语言又何尝不是人意制定、习惯造就的呢？比如“饭桶”两个字音和它所指的实物也并无必然关系。这个实物在各国语言中各有各的名称，便是明证。写下来的符号模样是文字，未写以前口里说的和心里想的也还是文字。语言和文字未必有多大差别吧？

这番话大体不错，不过分析起来，也还有毛病。口里说的声音或心里想的符号模样（字形），就其为独立的声音或符号模样而言，还是文字，还不能算是语言。我对于认不得的一句拉丁谚语仍旧可以发音，可以想像字形。它对于我是文字而不是语言。语言是由情感和思想给予意义和生命的文字组织。离开情感和思想，它就失其意义和生命。所以语言所用的文字，就其为文字而言，虽是人意制定，习惯造就的，而语言本身则为自然的，创造的，随情感思想而起伏生灭的。语言虽离不开文字，而文字却可离开语言，比如散在字典中的单字。语言的生命全在情感思想，通常散在字典中的单字都已失去它们在具体情境中所伴着的情感思想，所以没有生命。文字可以借语言而得生命，语言也可以因僵化为文字而失其生命。活文字都嵌在活语言里，死文字是从活语言所宰割下来的破碎残缺的肢体，字典好比一个陈列动植物标本的博物馆。比如"闹"字在字典中是一个死文字，在"红杏枝头春意闹"一句活语言里就变成一个活文字了。再比如你的亲爱者叫做"春"，你呼唤"春"时所伴的情感思想在字典中就找不着。"春"字在你口头是活语言，在字典中只是死文字。

语言对于情感思想是"征候"，文字对于语言只是"记载"。语言可有记载，而情感思想通常无直接的记载。但是情感思想并非不能有直接的记载。留声机蜡片上所留的痕迹，心理实验室中熏烟鼓上所留的痕迹，以及电气反应测验准上所指的度数，都是直接记载情感思想的。文字对于语言的关系其实还没有这些器具所记载的痕迹，对于情感思想之密切，因为同样语言可用不同的文字符号代替，而同样情感思想在上述各器具上所记载的痕迹是不能任意改动的。我们把这类痕迹和情感思想混为一事尚且不可，把文字和语言混为一事，于理更说不通了。

一般人误在把语言和文字混为一事，看见世间先有事物而后有文字称谓，便以为吾人也先有情感思想（事物）而后有语言；看见文字是可离情感思想而独立的，便以为语言也是如此。照这样看法，在未有活人说活话之前，在未有诗文以前，世间就已有一部天生自在的字典。这部字典是一般人所谓"文字"，也就是他所谓语言。人在说话做诗文时，都是在这部字典里拣字来配合成词句，好比姑娘们在针线盒里拣各色丝线绣花一样。这么一来，情感思想变成一项事，语言变成另一项事，两项事本无必然关系，可以随意凑拢在一起,也可以随意拆散开来了。世间就先有情感思想,而后用本无情感思想的语言来“表现”它们了,情感思想便变成实质,而语言配合的模样就变成形式了。他们不知道,语言的实质就是情感思想的实质,语言的形式也就是情感思想的形式,情感思想和语言本是平行一致的,并无先后内外的关系。如果他们肯细心分析,就会知道这是很明白的道理。

五 “诗意”、“寻思”与修改

反对者问:我们读第一流作品时,常觉作者“先得我心”。他所说的话都是自己心里所想说而说不出的。我们也常有“诗意”,因为没有做诗的训练和技巧,有话说不出,所以不能做诗,这不是证明情感思想和语言是两件事么?

我们回答:“诗意”根本就是一个极含糊的名词。克罗齐替自以为有“诗意”而不能做诗的人取了一个诨号:“哑口诗人”。其实真正诗人没有是哑口的,“诗意”是幻觉和虚荣心的产品。每人都有猜想自己是诗人的虚荣心,心里偶然有一阵模糊隐约的感触,便信任幻觉,以为那是十分精妙的诗意。我们对于一件事物须认识清楚,才能断定它是甲还是乙。对于心里一阵感触,如果已经认识得很清楚,就自然有语言能形容它,或间接地暗示它;如果认识并不清楚,就没有理由断定它是“诗意”,犹如夜里看见一团阴影,没有理由断定它是鬼怪一样。水到自然渠成,意到自然笔随。像“采菊东篱下,悠然见南山”,“敲门都不应,倚杖听江声”,“风乍起,吹皱一池春水”之类名句,有情感思想和语言的裂痕么?它们像是模糊隐约的情感思想变成明显固定的语言么?

反对者说：寥寥数例不能概括一切诗。有信手拈来的，也有苦心搜索的。在苦心搜索时，情感和意象先都很模糊隐约，似可捉摸又似不可捉摸。作者须聚精会神，再三思索推敲，才能使模糊隐约的变为明显固定的，不可捉摸的变为可捉摸的。凡有写作经验的人都得承认这话。

我们回答说，这话丝毫不错。思想本来是继续联贯地向前生展，是一种解决疑难、纠正错误的努力。它好比射箭，意在中的，但不中的也是常事。我们寻思，就是把模糊隐约的变为明显确定的，把潜意识和意识边缘的东西移到意识中心里去。这种手续有如照相调配距离，把模糊的，不合式的影子，逐渐变为明显的、合式的。诗不能全是自然流露，就因为搜寻潜意识和意识边缘的工作有时是必要的；做诗也不能全恃直觉和灵感，就因为这种搜寻有时需要极专一的注意和极坚忍的意志。但是我们要明白：这种工作究竟是"寻思"，并非情感思想本已明显固定而语言仍模糊隐约，须在"寻思"之上再加"寻言"的工作。再拿照相来打比喻，我们做诗文时，继续地在调配距离，要摄的影子是情感思想和语言相融化贯通的有机体。如果情感思想的距离调配合式了，语言的距离自然也就合式。我们并无须费照两次相的手续，先调配情感思想的距离而后再调配语言的距离。我们通常自以为在搜寻语言（调配语言的距离），其实同时还在努力使情感思想明显化和确定化（调配情感思想的距离）。

反对者说：我们做诗文时，常苦言不能达意，须几经修改，才能碰上恰当字句。"修改"的必要证明"寻思"和"寻言"是两回事。先"寻思"，后"寻言"，是普通的经验。

我们回答："修改"还是"寻思"问题的一个枝节。"修改"就是调配距离，但是所调配者不仅是语言，同时也还是意境。比如韩愈定贾岛的“僧推月下门”为“僧敲月下门”，并不仅是语言的进步，同时也是意境的进步。“推”是一种意境，“敲”又是一种意境，并非先有“敲”的意境而想到“推”字，嫌“推”字不适合，然后再寻出“敲”字来改它。就我自己的经验说，我作文常修改，每次修改，都发现在话没有说清楚时，原因都在思想混乱，把思想条理弄清楚了，话自然会清楚。寻思必同时是寻言，寻言亦必同时是寻思。

六　古文与白话

反对者说：你这番话似乎太偏重语言而看轻文字，以为语言是活的，文字是死的。你似乎主张做诗文必全用白话。从前有许多文学作品都不是用当时流行的语言，价值仍然不可磨灭。我们可以说，除着民歌以外（就是民歌是否全用当的流行语言也还是疑问），大部分中国诗文都是用古文写的。如果依你的情感思想语言一致说，恐怕它们都不能符合你的标准吧？你似乎在盲目附和白话运动。

我们回答说：我们不敢当这个罪名。以文字的古今定文字的死活，是提倡白话者的偏见。散在字典中的文字，无论其为古为今，都是死的；嵌在有生命的谈话或诗文中的文字，无论其为古为今，都是活的。我们已经说过，文字只是一种符号，它与情感思想的关联全是习惯造成的。你惯用现在流行的文字运思，可用它做诗文；你惯用古代文字运思，就用它来做诗文，也自无不可。从前读书人朝朝暮暮都在古书里过活，古代文字对于他们并不比现代文字难，甚至于比现代文字还更便利，所以古代文字对于他们可以变成活语言。这正如我们学外国文到很纯熟的地步，有时觉得用外国文传达情感思想，反比用中文较方便。不过这只是就作者说，如就读者说，用古代文字做诗文，对于未受古代文字训练的群众自然是一种不方便。这里我们又回到传达与社会影响的问题了。诗既以传达为要务，就不能不顾到群众了解的便利。还有一层，即从作者的观点看，现代人有现代人的生活方式和特殊情思，现代语言是和这种生活方式和情思密切相关的，所以在承认古文仍可用时，我们主张做诗文仍以用流行语言为亲切。

本来文字古今的分别也只是比较的而不是绝对的。我们现在用的文字大部分还是许慎的《说文解字》里所有的，并且有许多字的用法，现代和二千年前也并没有多大分别。现在所有的字大半是古代已有的，不过古代已有的字有许多在现代已不流行。古代文字有些能流传到现在，有些不能，原因一半在需要的变迁，一半也在习惯的变迁。习惯原可养成，所以一部分古字复活是语言发展史中所常见的自然现象，欧洲有许多诗人常爱用复活的古字。现代中国一般人说话所用的字汇实在太贫乏，除制造新字以外，让一部分古字复活也未始不是一种救济的办法。

现代人做诗文，不应该学周诰殷盘那样诘屈聱牙，为的是传达的便利。不过提倡白话者所标出的"做诗如说话"的口号也有些危险。日常的情思多粗浅芜乱，不尽可以入诗，入诗的情思都须经过一番洗炼，所以比日常的情思较为精妙有剪裁。语言是情思的结晶，诗的语言亦应与日常语言有别。无论在哪一国，"说的语言"和"写的语言"都有很大的分别。说话时信口开河，思想和语言都比较粗疏；写诗文时有斟酌的余暇，思想和语言也都比较缜密。散文应比说话精炼，诗更应比散文精炼。这所谓"精炼"可在两方面见出，一在意境，一在语言。专就语言说，有两点可以注意：第一是文法，说话通常不必句句谨遵文法的纪律，作诗文时文法的讲究则比较谨严。其次是用字，说话所用的字在任何国都很有限，通常不过数千字，写诗文时则字典中的字大半可采用。没有人翻字典去说话，但是无论在哪一国，受过教育的人读诗文也不免都常翻字典，这简单的事实就可以证明"写的语言"比较"说的语言"丰富了。

"写的语言"比"说的语言"也比较守旧，因为说的是流动的，写的就成为固定的。"写的语言"常有不肯放弃陈规的倾向，这是一种毛病，也是一种方便。它是一种毛病，因为它容易僵硬化，失去语言的活性；它也是一种便利，因为它在流动变化中抓住一个固定的基础。在历史上有人看重这种毛病，也有人看重这种方便。看重这种方便的人总想保持"写的语言"的特性，维持它和"说的语言"的距离。在诗的方面，把这种态度推到极端的人主张诗有特殊的"诗的文字"(poetic diction)。这论调在欧洲假古典主义时代最占势力。另外一派人看重"写的语言"守旧的毛病，竭力拿"说的语言"来活化"写的语言"，使它们的距离尽量地缩短。这就是诗方面的"白话运动"。中国诗现在还在"白话运动"期。欧洲文学史上也起过数次的白话运动。最重要的有两个：一个是中世纪行吟诗人和但丁(Dante)所提倡的，一个是浪漫运动期华兹华斯诸人所提倡的。但丁选定"土语"(the vulgar tongue)为诗，同时却主张丢去"土语"的土性，取各地"土语"放在一起"筛"过一遍，筛出最精纯的一部分来另造一种"精炼的土语"(the illustrious vulgar)为做诗之用。我觉得这个主张值得深思。

总之，诗应该用"活的语言"，但是"活的语言"不一定就是"说的语言"，"写的语言"也还是活的。就大体说，诗所用的应该是"写的语言"而不是"说的语言"，因为写诗时情思比较精炼。

第五章　诗与散文

在表面上，诗与散文的分别似乎很容易认出，但是如果仔细推敲，寻常所认出的分别都不免因有例外而生问题。从亚理斯多德起，这问题曾引起许多辩论。从历史的经验看，它是颇不易解决的。要了解诗与散文的分别，是无异于要给诗和散文下定义，说明诗是什么，散文是什么。这不是易事，但也不是研究诗学者所能逃免的。我们现在汇集几个重要的见解，加以讨论，看能否得到一个比较合理的看法。

一　音律与风格上的差异

中国旧有“有韵为诗，无韵为文”之说，近来我们发现外国诗大半无韵，就不能不把这句稍加变通，说“有音律的是诗，无音律的是散文”。这话专从形式着眼，实在经不起分析。亚理斯多德老早就说过，诗不必尽有音律，有音律的也不尽是诗。冬烘学究堆砌腐典滥调成五言八句，自己也说是在做诗。章回小说中常插入几句韵文，评论某个角色或某段情节，在前面也郑重标明“后有诗一首”的字样。一般人心目中的“诗”大半就是这么一回事。但是我们要明白:诸葛亮也许穿过八卦衣,而穿八卦衣的不必就真是诸葛亮。如全凭空洞的形式,则《百家姓》、《千字文》、医方脉诀以及冬烘学究的试帖诗之类可列于诗,而散文名著,如《史记》、柳子厚的山水杂记、《红楼梦》、柏拉图的《对话集》、《新旧约》之类,虽无音律而有诗的风味的作品,反被摈于诗的范围以外。这种说法显然是不攻自破的。

另外一种说法是诗与散文在风格上应有分别。散文偏重叙事说理,它的风格应直截了当,明白晓畅,亲切自然;诗偏重抒情,它的风格无论是高华或平淡,都必维持诗所应有的尊严。十七八世纪假古典派作者所以主张诗应有一种特殊语言,比散文所用的较高贵。莎士比亚在《麦克白》悲剧里叙麦克白夫人用刀弑君,约翰逊批评他不该用"刀"字,说刀是屠户用的,用来杀皇帝,而且用"刀"字在诗剧里都有损尊严。这句话虽可笑,实可代表一部分人的心理。在一般人看,散文和诗中间应有一个界限,不可互越,散文像诗如齐梁人作品,是一个大毛病;诗像散文,如韩昌黎及一部分宋人的作品,也非上乘。

这种议论也经不起推敲。像布封所说的,"风格即人格",它并非空洞的形式。每件作品都有它的特殊实质和特殊的形式,它成为艺术品,就在它的实质与形式能融贯混化。上品诗和上品散文都可以做到这种境界。我们不能离开实质,凭空立论,说诗和散文在风格上不同。诗和散文的风格不同,也正犹如这首诗和那首诗的风格不同,所以风格不是区分诗和散文的好标准。

其次,我们也不能凭空立论,说诗在风格上高于散文。诗和散文各有妙境,诗固往往能产生散文所不能产生的风味,散文也往往可产生诗所不能产生的风味。例证甚多,我们姑举两类:第一,诗人引用散文典故入诗,风味常不如原来散文的微妙深刻。例如《世说新语》:

桓公北征，经金城，见前为琅琊时种柳皆已十围，慨然曰：“木犹如此，人何以堪！”攀枝执条，泫然流涕。

这段散文，寥寥数语，写尽人物俱非的伤感，多么简单而又隽永！庾信在《枯树赋》里把它译为韵文说：

昔年种柳，依依汉南；今看摇落，凄怆江潭。桓大司马闻而叹曰：“树犹如此，人何以堪！”

这段韵文改动《世说新语》字并不多，但是比起原文，一方面较纤巧些，一方面也较呆板些。原文的既直截而又飘渺摇曳的风致在《枯树赋》的整齐合律的字句中就失去大半了。此外如辛稼轩的《哨遍》一词总括《庄子·秋水》篇的大意，用语也大半集《庄子》：

有客问洪河，百川灌雨，泾流不辨涯涘。于是焉河伯欣然喜，以为天下之美尽在己。渺溟，望洋东视，逡巡向若惊叹，谓：“我非逢子，大方达观之家，未免长见悠然笑耳！”

剪裁配合得这样巧妙，固然独具匠心，但是它总不免令人起假山笼鸟之感，《庄子》原文的那副磅礴诙谐的气概也就在这巧妙里消失了。

其次，诗词的散文序有时胜于诗本身。例如《水仙操》的序和正文：

伯牙学琴于成连，三年而成，至于精神寂寞，情之专一，未能得也。成连曰：“吾之学不能移人之情，吾师有方子春在东海中。”乃赍粮从之。至蓬莱山，留伯牙曰：“吾将迎吾师。”刺船而去，旬日不返。伯牙心悲，延颈四望，但闻海水汩没，山林窅冥，群鸟悲号，仰天叹曰：“先生将移我情！”乃援琴而作歌：“繄洞庭兮流斯护，舟楫逝兮仙不还。移形素兮蓬莱山，歍钦伤宫仙不还。”

序文多么美妙！歌词所以伴乐，原不必以诗而妙，它的意义已不尽可解，但就可解者说，却比序差得远了。此外如陶潜的《桃花源》诗，王羲之的《兰亭诗》，以及姜白石的《扬州慢》词，虽然都很好，但风味隽永，似都较序文逊一筹。这些实例很可以证明诗的风格不必高于散文。

二　实质上的差异

形式既不足以区分诗与散文，然则实质何如呢？有许多人相信，诗有诗的题材，散文有散文的题材。就大体说，诗宜于抒情遣兴，散文宜于状物叙事说理。摩越（J. M. Murry）在《风格论》里说：“如果起源的经验是偏于情感的，我相信用诗或用散文来表现，一半取决于时机或风尚；但是如果情感特别深厚，特别切己，用诗来表现的动机是占优胜的。我不能想像莎士比亚的十四行诗集可以用散文来写。”至于散文有特殊题材，他说得更透辟：“对于任何问题的精确思考，必须用散文，音韵拘束对于它必不相容。”“一段描写，无论是写一个国家，一个逃犯，或是房子里一切器具，如果要精细，一定要用散文。”“风俗喜剧所表现的心情，须用散文。”“散文是讽刺的最合式的工具。”征诸事实，这话也似很有证据。极好的言情的作品都要在诗里找,极好的叙事说理的作品都要在散文里找。

着重实质者并且进一步在心理上找诗与散文的差异,以为懂得散文大半凭理智,懂得诗大半凭情感。这两种懂是“知”(know)与“感”(feel)的分别。可“知”者大半可以言喻,可“感”者大半须以意会。比如陶潜的“采菊东篱下,悠然见南山”两句诗,就字句说,极其简单。如果问读者是否懂得,他们大半都说懂得。如果进一步问他们所懂得的是什么,他们的回答不外两种,不是干脆地诠释字义,用普通语言把它翻译出来,就是发挥言外之意。前者是“知”,是专讲字面的意义;后者有时是“感”,是体会字面后的情趣。就字义说,两句诗不致引起多大分歧,就情趣说,则仁者见仁,智者见智,就各各不同了。散文求人能“知”,诗求人能“感”。“知”贵精确,作者说出一分,读者便须恰见到一分,“感”贵丰富,作者说出一分,读者须在这一分之外见出许多其他东西,所谓举一反三。因此,文字的功用在诗中和在散文中也不相同。在散文中,它在“直述”(state),读者注重本义;在诗中它在“暗示”(suggest),读者注重联想。罗斯教授(J. L. Lowes)在《诗的成规与反抗》一书里就是这样主张。

在大体上,这番话很有道理,但是事实上也有很多反证,我们不能说,诗与散文的分别就可以在情与理的分别上见出。散文只宜于说理的话是一种传统的偏见。凡是真正的文学作品,无论是诗还是散文,里面都必有它的特殊情趣,许多小品文是抒情诗,这是大家公认的。再看近代小说,我们试想一想,哪一种可用诗表现的情趣在小说中不能表现呢?我很相信上面所引的摩越的话,一个作家用诗或用散文来表现他的意境,大半取决于当时的风尚。荷马和莎士比亚如果生在现代,一定会写小说;陀斯妥耶夫斯基、普鲁司特、劳伦斯诸人如果生在古希腊或伊丽莎白时代,一定会写史诗或悲剧。至于诗不能说理的话比较正确，不过我们也要明白，诗除情趣之外也都有几分理的成分，所不同者它的情理融成一片，不易分开罢了。我们能说希腊悲剧和莎士比亚悲剧里面没有“理”么？但丁的《神曲》和歌德的《浮士德》里面没有“理”么？陶潜的《形影神》以及朱熹的《感兴诗》之类作品里面没有理么？举一个很简单的例来说同样情理可表现于诗，亦可表现于散文。《论语》里“子在川上曰：‘逝者如斯夫，不舍昼夜。’”一段是散文；李白的《古风》里“前水复后水，古今相续流，新人非旧人，年年桥上游”几句是诗。在这两个实例里，我们能说散文不能表现情趣或是诗不能说理么？摩越说诗不宜于描写，大概受莱辛（Lessing）的影响，他忘记许多自然风景的描写是用诗写的；他说诗不宜于讽刺和作风俗喜剧，他忘记欧洲以讽刺和风俗喜剧著名的作者如阿里斯托芬、纠文纳儿和莫里哀诸人大半采用诗的形式。从题材性质上区别诗与散文，并不绝对地可靠，于此可见。

三　否认诗与散文的分别

音律和风格的标准既不足以区分诗与散文，实质的差异也不足为凭，然则我们不就要根本否认诗与散文的分别么？有些人以为这是唯一的出路。依他们看，与诗相对待的不是散文而是科学，科学叙述事理，诗与散文，就其为文学而言，表现对于事理所生的情趣。凡是具有纯文学价值的作品都是诗，无论它是否具有诗的形式。我们常说柏拉图的《对话集》、《旧约》，六朝人的书信、柳子厚的山水杂记、明人的小品文、《红楼梦》之类散文作品是诗，就因为它们都是纯文学。亚理斯多德论诗，就是用这种看法。他不把音律看作诗的要素，以为诗的特殊功用在“模仿”。他所谓“模仿”颇近于近代人所说的“创造”或“表现”。凡是有创造性的文字都是纯文学,凡是纯文学都是诗。雪莱说:“诗与散文的分别是一个庸俗的错误。”克罗齐主张以“诗与非诗”(poetry and non-poetry)的分别来代替诗与散文的分别。所谓“诗”就包含一切纯文学,“非诗”就包含一切无文学价值的文字。

这种看法在理论上原有它的特见,不过就事实说,在纯文学范围之内,诗和散文仍有分别,我们不能否认。否认这分别就不是解决问题而是逃避问题。如果说宽一点,还不仅纯文学都是诗,一切艺术都可以叫做诗。我们常说王维“诗中有画,画中有诗”。其实一切艺术到精妙处都必有诗的境界。我们甚至于说一个人,一件事,一种物态或是一片自然风景含有诗意。“诗”字在古希腊文中的意义是“制作”。所以凡是制作或创造出来的东西都可以称为诗,无论是文学,是图画或是其他艺术。克罗齐不但否认诗与散文的分别,而且把“诗”、“艺术”和“语言”都看作没有多大分别,因为它们都是抒情的,表现的。所以“诗学”、“美学”和“语言学”在他的学说中是一件东西。这种看法用意在着重艺术的整一性,它的毛病在太空泛,因过重综合而蔑视分析。诗和诸艺术,诗和纯文学,都有共同的要素,这是我们承认的。但是我们也应该知道,它们在相同之中究竟有不同者在。比如王维的画、诗和散文尺牍虽然都同具一种特殊的风格,为他的个性的流露,但是在精妙处可见于诗者不必尽可见于画,也不必尽可见于散文尺牍。我们正要研究这不同点是什么。

四　诗为有音律的纯文学

我们在上文已经说明过,诗与散文的分别既不能单从形式(音律)上见出,也不能单从实质(情与理的差异)上见出。在理论上还有第三个可能性,就是诗与散文的分别要同时在实质与形式两方面见出。如果采取这个看法,我们可以下诗的定义说:"诗是具有音律的纯文学。"这个定义把具有音律而无文学价值的陈腐作品,以及有文学价值而不具音律的散文作品,都一律排开,只收在形式和实质两方面都不愧为诗的作品。这一说与我们在第四章所主张的情感思想平行一致,实质形式不可分之说恰相吻合。我们的问题是:何以在纯文学之中有一部分具有诗的形式呢?我们的答案是:诗的形式起于实质的自然需要。这个答案自然还假定诗有它的特殊的实质。如果我们进一步追问:诗的实质的特殊性何在?何以它需要一种特殊形式(音律)?我们可以回到上文单从实质着眼所丢开的情与理的分别,我们可以说,就大体论,散文的功用偏于叙事说理,诗的功用偏于抒情遣兴。事理直截了当,一往无余;情趣则低徊往复,缠绵不尽。直截了当者宜偏重叙述语气,缠绵不尽者宜偏重惊叹语气。在叙述语中事尽于词,理尽于意;在惊叹语中语言是情感的缩写字,情溢于词,所以读者可因声音想到弦外之响。换句话说,事理可以专从文字的意义上领会,情趣必从文字的声音上体验。诗的情趣是缠绵不尽,往而复返的,诗的音律也是如此。举一个实例来说,比如《诗经》中的四句诗:

昔我往矣,杨柳依依;今我来思,雨雪霏霏。

如果译为现代散文,则为:

从前我走的时候,杨柳还正在春风中摇曳;现在我回来,天已经在下大雪了。

原诗的意义虽大致还在,它的情致就不知去向了。义存而情不存,就因为译文没有保留住原文的音节。实质与形式本来平行一贯,译文不同原诗,不仅在形式,实质亦并不一致。比如“在春风中摇曳”译“依依”就很勉强,费词虽较多而含蓄却反较少。“摇曳”只是呆板的物理,“依依”却含有浓厚的人情。诗较散文难翻译,就因为诗偏重音而散文偏重义,义易译而音不易译,译即另是一回事。这个实例很可以证明诗与散文确有分别,诗的音律起于情感的自然需要。

这一说——诗为有音律的纯文学说——比其他各说都较稳妥,我个人从前也是这样主张,不过近来仔细分析事实,觉得它也只是大概不差,并没有谨严的逻辑性。有两个重要的事实值得我们注意。

第一,有和无是一个绝对的分别,就音律而论,诗和散文的分别也只是相对的而不是绝对的。先就诗说,诗必有固定的音律,是一个传统的信条。从前人对它向不怀疑,不过从自由诗、散文诗等等新花样起来以后,我们对于它就有斟酌修改的必要了。自由诗起来本很早,据说古希腊就有它。近代法国诗人采用自由体的很多,从意象派诗人(imagistes)起来之后,自由诗才成为一个大规模的运动。它究竟是什么呢?据法国音韵学者格拉芒(Grammant)说,法文自由诗有三大特征:一、法文诗最通行的亚力山大格,每行十二音,古典派分四顿,浪漫派分三顿,自由诗则可有三顿以至于六顿。二、法文诗通常用 aabb 式“平韵”,自由诗可杂用 abab 式“错韵”,abba 式“抱韵”等等。三、自由诗每行不拘守亚力山大格的成规,一章诗里各行长短可以出入。照这样看,自由诗不过就原有规律而加以变化。在中国诗中,王湘绮的《八代诗选》中的杂言就可以当作自由诗。近代象征的自由诗不合格拉芒的三条件的很多,它们有不用韵的。英文自由诗通常更自由。它的节奏好比风吹水面生浪,每阵风所生的浪自成一单位,相当于一章。风可久可暂,浪也有长有短,两行三行四行五行都可以成章。就每一章说,字行排列也根据波动节奏(cadence)的道理,一个节奏占一行,长短轻重无一定规律,可以随意变化。照这样看,它似毫无规律可言,但是它尚非散文,因为它究竟还是分章分行,章与章,行与行,仍有起伏呼应。它不像散文那样流水式地一泻直下,仍有低徊往复的趋势。它还有一种内在的音律,不过不如普通诗那样整齐明显罢了。散文诗又比自由诗降一等。它只是有诗意的小品文,或则说,用散文表现一种诗的境界,仍偶用诗所习用的词藻腔调,不过音律就几乎完全不存在了。从此可知就音节论,诗可以由极谨严明显的规律,经过不甚显著的规律,以至于无规律了。

次就散文而论,它也并非绝对不能有音律的。诗早于散文,现在人用散文写的,古人多用诗写。散文是由诗解放出来的。在初期,散文的形式和诗相差不远。比如英国,从乔叟到莎士比亚,诗就已经很可观,散文却仍甚笨重,词藻构造都还不脱诗的习惯。从十七世纪以后,英国才有流利轻便的散文。中国散文的演化史也很类似。秦汉以前的散文常杂有音律在内。随便举几条例来看看:

> 今夫古乐,进旅退旅,和正以广,弦匏笙簧,会守拊鼓。始奏以文,复乱以武。治乱以相,讯疾以雅。君子于是语,于是道古,修身及家,平均天下。此古乐之发也。
>
> ——《礼记·乐记》

> 道冲而用之,或不盈。渊乎似万物之宗。挫其锐,解其

纷;和其光,同其尘,湛兮似若存。吾不知谁之子,象帝之先。

——《老子》

吾有大树,人谓之樗。其大本臃肿而不中绳墨,其小枝卷曲而不中规矩。立之途,匠者不顾。今子之言,大而无用,众所同去也。

——《庄子·逍遥游》

这都是散文,但是都有音律。中国文学中最特别的一种体裁是赋。它就是诗和散文界线上的东西:流利奔放,一泻直下,似散文;于变化多端之中仍保持若干音律,又似诗。隋唐以前大部分散文都没有脱诗赋的影响,有很明显地用韵的,也有虽不用韵而仍保持赋的华丽的词藻与整齐句法段落的。唐朝古文运动实在是散文解放运动。以后流利轻便的散文逐渐占优势,不过诗赋对于散文的影响到明清时代还未完全消灭,骈文四六可以为证。现在白话文运动还在进行,我们不能预言中国散文将来是否有一部分要回到杂用音律的路,不过想起欧战后起来的"多音散文"(polyphonic prose),这并非不可能。弗莱契(Fletcher)说它的重要"不亚于政治上的欧战,科学上镭的发明",虽未免过甚其词,它是一个值得注意的运动,却是无可讳言的。据罗威尔(A. Lowell)女士说:"多音散文应用诗所有的一切声音,如音节、自由诗、双声、叠韵、回旋之类;它可应用一切节奏,有时并且用散文节奏,但是通常不把某一种节奏用到很长的时间。……韵可以摆在波动节奏的终点,可以彼此紧相衔接,也可以隔很长的距离遥相呼应。"换句话说,在多音散文里,极有规律的诗句,略有规律的自由诗句以及毫无规律的散文句都可以杂烩在一块。我想这个花样在中国已“自古有之”，赋就可以说是最早的“多音散文”。看到欧美的“多音散文”运动，我们不能断定将来中国散文一定完全放弃音律，因为象“多音散文”的赋在中国有长久的历史，并且中国文字双声叠韵最多，容易走上“多音”的路。

总观以上所述事实，诗和散文在形式上的分别也是相对而不是绝对的。我们不能画两个不相交接的圆圈，把诗摆在有音律的圈子里，把散文摆在无音律的圈子里，使彼此壁垒森严，互不侵犯，诗可以由整齐音律到无音律，散文也可以由无音律到有音律。诗和散文两国度之中有一个很宽的叠合部分做界线，在这界线上有诗而近于散文，音律不甚明显的；也有散文而近于诗，略有音律可寻的。所以我们不能说“有音律的纯文学”是诗的精确的定义。

其次，这定义假定某种形式为某种实质的自然需要，也很有商酌的余地。我们先提出一个极浅近的事实，然后进一步讨论原理。先看李白的词：

> 箫声咽，秦娥梦断秦楼月。秦楼月，年年柳色，灞陵伤别。　乐游原上清秋节，咸阳古道音尘绝。音尘绝，西风残照，汉家陵阙。

再看周邦彦的词：

> 香馥馥，樽前有个人如玉。人如玉，翠翘金凤，内家装束。　娇羞爱把眉儿蹙，逢人只唱相思曲。相思曲，一声声是：怨红愁绿。

两首词都是杰作。在情调上，它们绝不相同。李词悲壮，有英雄气；周词香艳，完全是儿女气，但是在形式上它们同是填“忆秦娥”的调子，都押入声韵，句内的平仄也没有重要的差别。从此可知形式与实质并没有绝对的必然关系。无论在哪一国，固定的诗的形式都不很多，虽然所写的情趣意象尽管有无穷的变化。法文诗大半用押韵的亚力山大格，英文诗最通行的形式也只有平韵五节格（heroic couplet）及无韵五节格（blank verse）两种。欧洲诗格最谨严的莫如十四行体（sonnet），许多性质相差甚远的诗人都同用这格式去表现千差万别的意境。中国正统的诗形式也不过四言、五古、七古、五律、七律、绝句几种。词调较多，据万氏《词律》、毛氏《填词名解》诸书所载也不过三百余种，常用者不及其半。诗人须用这有限的形式来范围千变万化的情趣和意象。如果形式与实质有绝对的必要关系，每首诗就必须自创一个格律，决不能因袭陈规了。

我们在讨论诗的起源时已经详细说明过，诗的形式大半为歌、乐、舞同源的遗痕。它是沿袭传统的，不是每个诗人根据他的某一时会的意境所特创的。诗不全是自然流露。就是民歌也有它的传统的技巧，也很富于守旧性。它也填塞不必要的字句来凑数，用意义不恰当的字来趁韵，模仿以往的民歌的格式。这就是说，民歌的形式也还是现成的，外在的，沿袭传统的，不是自然流露的结果。

五　形式沿袭传统与情思语言一致说不冲突

这番话与上章情感思想语言平行一致说不互相冲突么？表面上它们似不相容，但是如果细心想一想，承认形式是沿袭的，与承认情感思想语言一致，并不相悖。第一，诗的形式是语言的纪律化之一种，其地位等于文法。语言有纪律化的必要，其实由于情感思想有纪律化的必要。文法与音律可以说都是人类对于自然的利导与征服，在混乱中所造成的条理。它们起初都是学成的习惯，在能手运用之下，习惯就变成了自然。诗人做诗对于音律，就如学外国文者对于文法一样，都是取现成纪律加以学习揣摩，起初都有几分困难，久而久之，驾轻就熟，就运用自如了。一切艺术的学习都须经过征服媒介困难的阶段，不独诗于音律为然。“从心所欲，不逾矩”是一切艺术的成熟境界，如果因牵就固定的音律，而觉得心中情感思想尚未能恰如其分地说出，情感思想与语言仍有若干裂痕，那就是因为艺术还没有成熟。

其次，诗是一种语言，语言生生不息，却亦非无中生有。语言的文法常在变迁，任何语言的文法史都可以证明，但是每种变迁都从一个固定的基础出发，而且它向来只是演化而不是革命。诗的音律与文法一样，它们原来都是习惯，但是也是做演化出发点的习惯。诗的音律在各国都有几个固定的模型，而这些模型也随时随地在变迁。每个诗人常在已成模型范围之内，顺着情感的自然需要而加以伸缩。从诗律变迁史看，这是以往历史所走的一条大道。比如在中国，由四言而五言，由五言而七言，由诗而赋而词而曲而弹词，由古而律，后一阶段都不同前一阶段，但常仍有几分是沿袭前一阶段。宇宙一切都常在变，但变之中仍有不变者在；宇宙一切都彼此相异，但异之中亦仍有相同者在。语言的变化以及诗的音律的变化不过是这公理中一个节目。诗的音律有变的必要，就因为固定的形式不能应付生展变动的情感思想。如果情感思想和语言可以不一致，则任何情感思想都可纳入几个固定的模型里，诗的形式便无变的必要。不过变必自固定模型出发，而变来变去，后一代的模型与前一代的模型仍相差不远,换句话说,诗还是有一个"形式"。这还是因为人类情感思想在变异之中仍有一个不变不易的基础。所以"形式"的存在与应用不能证明情感与语言不是平行一致的。

六 诗的音律本身的价值

关于诗的音律问题,我们要尊重历史的事实,不必一味武断。诗的疆域日渐剥削,散文的疆域日渐扩大,这是一件不容否认的历史的事实。荷马用史诗体写的东西,索福克勒斯和莎士比亚用悲剧体裁写的东西,现代人都用散文小说写;阿里斯托芬和莫里哀用有音律的喜剧形式写的东西,现代人用散文戏剧写;甚至于从前人用抒情诗写的东西,现代人也用散文小品文写。现在还有人用诗的形式来写信来做批评论文么?希腊罗马时代的学者和他们的模仿者用诗写信做论文却是常事。我想徐志摩如果生在六朝,他也许用赋的体裁写《死城》和《浓得化不开》。摩越在《风格论》里说一个作家采用诗或散文来表现他的情感思想,大半取决于当时的风尚。他以为在我们这个时代,爱好小说是健康的趣味,爱好诗有几分是不健康的趣味。这番话很有至理。

不过真理往往有两方面。诗的形式纵然是沿袭传统的,它一直流传到现在,也自然有它的内在价值。它将来也许不至完全被散文吞并。艺术的基本原则在"寓变化于整齐"。诗的音律好处之一,就在给你一个整齐的东西做基础,可以让你去变化。散文入手就是变化,变来变去,仍不过是无固定形式。诗有格律可变化多端,所以诗的形式比散文的实较繁富。

就作者说,牵就已成规律是一种困难,但是战胜技术的困难是艺术创造的乐事，读诗的快感也常起于难能可贵的纯熟与巧妙。许多词律分析起来多么复杂，但是在大词人手里运用起来，又多么自然！把极勉强的东西化成极自然，这是最能使我们惊赞的。同时，像许多诗学家所说的，这种带有困难性的音律可以节制豪放不羁的情感想像，使它们不至于一放不可收拾。情感想像本来都有几分粗野性，写在诗里，它们却常有几分冷静、肃穆与整秩，这就是音律所锻炼出来的。

有规律的音调继续到相当时间，常有催眠作用，“摇床歌”是极端的实例。一般诗歌虽不必尽能催眠，至少也可以把所写时意境和尘俗间许多实用的联想隔开，使它成为独立自足的世界。诗所用的语言不全是日常生活的语言，所以读者也不至以日常生活的实用态度去应付它，他可以聚精会神地观照纯意象。举一个例来说，《西厢记》里“软玉温香抱满怀，春至人间花弄色，露滴牡丹开”这段词其实是描写男女私事，颇近于淫秽，而读者在欣赏它的文字美妙、声音和谐时，往往忘其为淫秽。拿这段词来比《水浒》里潘金莲和西门庆的故事或者《红楼梦》里贾琏和鲍二家的故事，我们就立刻见出音律的功用。同理，许多悲惨、淫秽或丑陋的材料。用散文写，仍不失其为悲惨、淫秽或丑陋，披上诗的形式，就多少可以把它美化。比如母杀子，妻杀夫，女逐父，子娶母之类故事在实际生活中很容易引起痛恨与嫌恶，但是在希腊悲剧和莎士比亚的悲剧中，它们居然成为庄严灿烂的艺术意象，就因为它们表现为诗，与日常语言隔着一层，不致使人看成现实，以实用的态度去对付它们，我们的注意力被吸收于美妙的意象与和谐的声音方面去了。用美学术语来说，音律是一种制造“距离”的工具，把平凡粗陋的东西提高到理想世界。

此外，音律的最大的价值自然在它的音乐性。音乐自身是一种产生浓厚美感的艺术，它和诗的关系待下章详论。

第六章　诗与乐——节奏

在历史上诗与乐有很久远的渊源，在起源时它们与舞蹈原来是三位一体的混合艺术。声音、姿态、意义三者互相应和，互相阐明，三者都离不开节奏，这就成为它们的共同命脉。文化渐进，三种艺术分立，音乐专取声音为媒介，趋重和谐；舞蹈专取肢体形式为媒介，趋重姿态；诗歌专取语言为媒介，趋重意义。三者虽分立，节奏仍然是共同的要素，所以它们的关系常在藕断丝连的。诗与乐的关系尤其密切，诗常可歌，歌常伴乐。从德国音乐家瓦格纳（Wagner）宣扬“乐剧”运动以后，诗剧与乐曲携手并行，互相辉映，又参之以舞，诗、乐、舞在原始时代的结合似乎又恢复起来了。

论性质，在诸艺术之中，诗与乐也最相近。它们都是时间艺术，与图画、雕刻只借空间见形象者不同。节奏在时间绵延中最易见出，所以在其他艺术中不如在诗与音乐中的重要。诗与乐所用的媒介有一部分是相同的。音乐只用声音，诗用语言，声音也是语言的一个重要成分。声音在音乐中借节奏与音调的“和谐”（harmony）而显其功用，在诗中也是如此。

因为诗与乐在历史上的渊源和在性质上的类似，有一部分诗人与诗论者极力求诗与乐的接近。佩特在《文艺复兴论》里说：“一切艺术都以逼近音乐为指归。”他的意思是：艺术的最高理想是实质与形式混化无迹。这个主张在诗方面响应者尤多。有一派诗人，像英国的斯温伯恩（Swinburne）与法国的象征派，想把声音抬到主要的地位，魏尔伦（Verlaine）在一首论诗的诗里大声疾呼“音乐呵，高于一切！”（dela musique avant toute chose）一部分象征诗人有“着色的听觉”（colour-hearing）一种心理变态，听到声音，就见到颜色。他们根据这种现象发挥为“感通说”（correspondence，参看波德莱尔用这个字为题的十四行诗），以为自然界现象如声色嗅味触觉等所接触的在表面虽似各不相谋，其实是遥相呼应、可相感通的，是互相象征的。所以许多意象都可以借声音唤起来。象征运动在理论上演为伯列蒙（Abbé Brémond）的“纯诗”说。诗是直接打动情感的，不应假道于理智。它应该像音乐一样，全以声音感人，意义是无关紧要的成分。这一说与美学中形式主义不谋而合，因为语言中只有声音是“形式的成分”。近来中国诗人有模仿象征派者，音与义的争执闹得很热烈。在本章里我们从分析诗与乐的异同下手，来替音义孰重问题找一个答案。

诗与乐的基本的类似点在它们都用声音。但是它们也有一个基本的异点，音乐只用声音，它所用的声音只有节奏与和谐两个纯形式的成分，诗所用的声音是语言的声音，而语言的声音都必伴有意义。诗不能无意义，而音乐除较低级的“标题音乐”（programme music）以外，无意义可言。诗与乐的一切分别都是从这个基本分别起来的。这个分别本极浅近易解，却有许多人忘记它而陷于偏激与错误。我们先抓住这个基本异点，来分析诗与乐的共同命脉——节奏。

一 节奏的性质

节奏是宇宙中自然现象的一个基本原则。自然现象彼此不能全同,亦不能全异。全同全异不能有节奏,节奏生于同异相承续,相错综,相呼应。寒暑昼夜的来往,新陈的代谢,雌雄的匹偶,风波的起伏,山川的交错,数量的乘除消长,以至于玄理方面反正的对称,历史方面兴亡隆替的循环,都有一个节奏的道理在里面。艺术返照自然,节奏是一切艺术的灵魂。在造形艺术则为浓淡、疏密、阴阳、向背相配称,在诗、乐、舞诸时间艺术则为高低、长短、疾徐相呼应。

在生灵方面,节奏是一种自然需要。人体中各种器官的机能如呼吸、循环等等都是一起一伏地川流不息,自成节奏。这种生理的节奏又引起心理的节奏,就是精力的盈亏与注意力的张弛,吸气时营养骤增,脉搏跳动时筋肉紧张,精力与注意力亦随之提起;呼气时营养暂息,脉搏停伏时筋肉弛懈,精力与注意力亦随之下降。我们知觉外物时需要精力与注意力的饱满凝聚,所以常不知不觉地希求自然界的节奏和内心的节奏相应和。有时自然界本无节奏的现象也可以借内心的节奏而生节奏。比如钟表机轮所作的声响本是单调一律,没有高低起伏,我们听起来,却觉得它轻重长短相间。这是很自然的,呼吸、循环有起伏,精力有张弛,注意力有紧松,同一声音在注意力紧张时便显得重,在注意力松懈时便显得轻,所以单调一律的声音继续响下去,可以使听者听到有规律的节奏。

这个简单的事实可以揭示节奏的一个重要分别。节奏有“主观的”与“客观的”两种。我们所听到的钟表的节奏完全是主观的,没有客观的基础。有时自然现象本有它的客观的节奏,我们所听到的节奏不必与它完全相符合。比如一组相邻两音高低为1与3之比，另一组相邻两音高低为1与5之比，同一1音在前组听起来较高，在后组听起来较低，因为受邻音高低反衬的影响不同。这正犹如同一炮声在与枪声同听时和与雷声同听时所生的印象有高低之别一样。

主观的节奏的存在证明外物的节奏可以因内在的节奏改变。但是内在的节奏因外物的节奏改变也是常事。诗与音乐的感动性就是从这种改变的可能起来的，有机体本来最善于适应环境，而模仿又是动物的一种很原始的本能。看见旁人发笑，自己也随之发笑；看见旁人踢球，自己的腿脚也随之跃跃欲动；看见山时我们不知不觉地挺胸昂首；看见杨柳轻盈摇荡时，我们也不知不觉轻松舒畅起来。这都是极普遍的经验。外物的节奏也同样地逼着我们的筋肉及相关器官去适应它，模仿它。单就声音的节奏来说，它是长短、高低、轻重、疾徐相继承的关系。这些关系时时变化，听者所费的心力和所用的身心的活动也随之变化。因此，听者心中自发生一种节奏和声音的节奏相平行。听一曲高而急促的调子，心力与筋肉亦随之作一种高而急促的活动；听一曲低而柔缓的调子，心力与筋肉也随之作一种低而柔缓的活动。诗与音乐的节奏常有一种"模型"(pattern)，在变化中有整齐，流动生展却常回旋到出发点，所以我们说它有规律。这"模型"印到心里也就形成了一种心理的模型，我们不知不觉地准备着照这个模型去适应，去花费心力，去调节注意力的张弛与筋肉的伸缩。这种准备在心理学上的术语是"预期"(expectation)。有规律的节奏都必能在生理、心理中印为模型，都必能产生预期。预期的中不中就是节奏的快感与不快感的来源。比如读一首平仄相间的诗，读到平声时我们不知不觉地预期仄声的复返，读到仄声时又不知不觉地预期平声的复返。预期不断地产生，不断地证实，所以发生恰如所料的快慰。不过全是恰如所料，又不免呆板单调，整齐中也要有变化，有变化时预期不中所引起的惊讶也不可少。它不但破除单调，还可以提醒注意力，犹如柯尔律治所比譬的上楼梯，步步上升时猛然发现一步梯特别高或特别低，注意力就猛然提醒。

从上面的分析看，外物的客观的节奏和身心的内在节奏交相影响，结果在心中所生的印象才是主观的节奏，诗与乐的节奏就是这种主观的节奏，它是心物交感的结果，不是一种物理的事实。

二 节奏的谐与拗

身心的内在节奏与客观的节奏虽可互相改变，却有一个限度。就内在的节奏影响外物的节奏来说，我们可以从有规律的钟表声听出节奏，不能从闹市的嘈杂声中听出节奏；可以把钟表声听得比实际的高一点或低一点，不能把它听成雷声或蚊声。其次，就外物的节奏影响内在的节奏来说，它是依适应与模仿的原则把外物的节奏模型印到心里去，这种模型必须适合心的感受力，过高过长以及过于错杂的声音，或是过低过短过于单调的声音，都与身心的自然要求相违背。

理想的节奏须能适合生理、心理的自然需要，这就是说，适合于筋肉张弛的限度，注意力松紧的起伏回环，以及预期所应有的满足与惊讶，所谓“谐”和“拗”的分别就是从这个条件起来的。如果物态的起伏节奏与身心内在的节奏相平行一致，则心理方面可以免去不自然的努力，感觉得愉快，就是“谐”，否则便是“拗”。节奏的快感至少有一部分是像斯宾塞(Spencer)所说的，起于精力的节省。

从物理方面说，声音相差的关系本来只可以用数量比例表出，无所谓谐与拗，谐与拗是它对于生理、心理所生的影响。听音乐时，比如京戏或鼓书，如果演奏者艺术完美，我们便觉得每字音的长短、高低、疾徐都恰到好处，不能多一分也不能少一分。如果某句落去一板或是某板出乎情理地高一点或低一点，我们的全身筋肉就猛然感到一种不愉快的震撼。通常我们听音乐或歌唱时用手脚去“打板”，其实全身筋肉都在“打板”。在“打板”时全身筋肉与心的注意力已形成一个“模型”，已潜伏一种预期，已准备好一种适应方式。听见的音调与筋肉所打的板眼相合，与注意力的松紧调剂，与所准备的适应方法没有差讹，我们便觉得“谐”，否则便觉得“拗”。诗的谐与拗也是如此辨别出来的。比如“弃我去者昨日之日不可留，乱我心者今日之日多烦忧”两句诗念起来很顺口，听起来很顺耳。“顺口”、“顺耳”就是适合身心的自然需要，就是“谐”。如果把后句改为“今日之日多忧”或“今日之日多烦恼”，意义虽无甚更动，却马上觉得不顺口，不顺耳，那就是“拗”了。

每一曲音乐或是每一节诗都可以有一个特殊的节奏模型，既成为“模型”，如果不太违反生理、心理自然需要的话，都可以印到心里去，浸润到筋肉系统里去，产生节奏应有的效果。所以“谐”与“拗”不是看节奏是否很呆板地抄袭某种固定的传统的模型。从前讲中国诗词的人以为谨遵“仄仄平平仄，平平仄仄平”式的模型便是“谐”，否则便是“拗”，那是一种误解。他们把谐与拗完全看成物理的事实，不知道它们实在是对于生理、心理所生的影响。而且在诗方面，声音受意义影响，它的长短、高低、轻重等分别都跟着诗中所写的情趣走，原来不是一套死板公式。比如我们在第五章所引的李白和周邦彦的两首《忆秦娥》虽然同用一个调子，节奏并不一样。只有不懂诗的人才会把“音尘绝,西风残照,汉家陵阙”(李)和“相思曲,一声声是:怨红愁绿”(周)两段同形式的词句,念成同样的节奏。诗的节奏决不能制成定谱。即依定谱,每首诗的节奏亦决不是定谱所指示的节奏。蒲柏和济慈都用“五节平韵格”(heroic couplet),弥尔顿(Milton)和布朗宁(Browning)都用“无韵五节格”(blank verse),陶潜和谢灵运都用五古,李白和温庭筠都用七律,他们的节奏都相同么?这是一个极浅而易见的道理,我们特别提出,因为古今中外都有许多人离开具体的诗而凭空论地讲所谓“声调谱”。

乐的节奏可谱,诗的节奏不可谱;可谱者必纯为形式的组合,而诗的声音组合受文字意义影响,不能看成纯形式的。这也是诗与乐的一个重要的分别。

三　节奏与情绪的关系

声音与情绪的密切关系是古今中外诗人们所常谈论的。《乐记》中有一段话最透辟:

> 乐者音之所由生也,其本在人心之感于物也。是故其哀心感者其声噍以杀,其乐心感者其声啴以缓,其喜心感者其声发以散,其怒心感者其声粗以厉,其敬心感者其声直以廉,其爱心感者其声和以柔。六者非性也,感于物而后动。

在西方哲学中倡音乐表情说者以叔本华为最著。他的音乐定义是“意志的客观化”(the objectification of will),他所谓“意志”包含情绪在内。声音与情绪的关系是很原始普遍的。师襄鼓琴,游鱼出听，或仅是一种传说。据美国心理学者休恩（Schoen）的实验，则动物确实能随音调变动而生种种情绪与动作。每种音乐都各表现一种特殊的情绪。古希腊人就已注意到这个事实，他们分析当时所流行的七种音乐，以为E调安定，D调热烈，C调和蔼，B调哀怨，A调发扬，G调浮躁，F调淫荡。亚理斯多德最推重C调，以为它最宜于陶冶青年。近代英国乐理学家鲍威尔（E. Power）研究所得的结论亦颇相似（详见拙著《文艺心理学》附录第三章《声音美》）。这种事实的生理基础尚待实验科学去仔细探讨，不过粗略的梗概是可以推想的。高而促的音易引起筋肉及相关器官的紧张激昂，低而缓的音易引起它们的弛懈安适。联想也有影响。有些声音是响亮清脆的，容易使人联想起快乐的情绪；有些声音是重浊阴暗的，容易使人联想起忧郁的情绪。

以上只就独立的音调说。诸音调配合、对比、反衬、连续继承而波动，乃生节奏。节奏是音调的动态，对于情绪的影响更大。我们可以说，节奏是传达情绪的最直接而且最有力的媒介，因为它本身就是情绪的一个重要部分。我们生理、心理方面都有一种自然节奏，起于筋肉的伸缩以及注意力的张弛，已如上述。这是常态的节奏。情绪一发动，呼吸、循环种种作用受扰动，筋肉的伸缩和注意力的张弛都突然改变常态，原来常态的节奏自然亦随之改变。换句话说，每种情绪都有它的特殊节奏。人类的基本情绪大致相同，它们所引起的生理变化与节奏也自然有一个共同模型。喜则笑，哀则哭，羞则面红耳赤，惧则手足震颤，这是显而易见的。细微而不易察觉的节奏当亦可由此类推。作者（音乐家或诗人）的情绪直接地流露于声音节奏，听者依适应与模仿的原则接受这声音节奏，任其浸润蔓延于身心全部，于是依部分联想全体的原则，唤起那种节奏所常伴的情绪。这两种过程——表现与接受——都不必假道于理智思考，所以声音感人如通电流，如响应声，是最直接的，最有力的。

“情绪”原来含有“感动”的意思。情绪发生时生理、心理全体机构都受感动，而且每种情绪都有准备发反应动作的倾向，例如恐惧时有准备逃避的倾向，愤怒时有准备攻击的倾向。生理方面（尤其是筋肉系统）的这种动作的准备与倾向在心理学上叫做“动作趋势”（motor sets），节奏引起情绪，通常先激动它的特殊的“动作趋势”。我们听声音节奏，不仅须调节注意力，而且全体筋肉与相关器官都在静听，都在准备着和听到的节奏应节合拍地动作。某种节奏激动某种“动作趋势”，即引起它所常伴着的情绪。但是节奏是抽象的，不是具体的情境，所以不能产生具体的情绪，如日常生活中的愤怒、畏惧、妒忌、嫌恶等等，只能引起各种模糊隐约的抽象轮廓，如兴奋、颓唐、欣喜，凄恻、平息、虔敬、希冀、眷念等等。换句话说，纯粹的声音节奏所唤起的情绪大半无对象，所以没有很明显固定的内容，它是形式化的情绪。

诗于声音之外有文字意义，常由文字意义托出一个具体的情境来。因此，诗所表现的情绪是有对象的、具体的、有意义内容的。例如杜工部的《石壕吏》、《新婚别》、《兵车行》诸作所表现的不是抽象的凄恻，而是乱离时代兵役离乡别井、妻离子散的痛苦；陶渊明的《停云》、《归田园居》诸作所表现的不是抽象的欣喜与平息，而是乐道安贫与自然相默契者的冲淡胸怀与怡悦情绪。我们读诗常设身处地，体物入微，分享诗人或诗中主角所表现的情绪。这种具体情绪的传染浸润，得力于纯粹的声音节奏者少，于文字意义者多。诗与音乐虽同用节奏，而所用的节奏不同，诗的节奏是受意义支配的，音乐的节奏是纯形式的，不带意义的；诗与音乐虽同产生情绪，而所生的情绪性质不同，一是具体的，一是抽象的。这个分别是很基本的，不容易消灭的。瓦格纳想在乐剧中把这个分别打消，使诗与音乐熔于一炉。其实听乐剧者注意到音乐即很难同时注意到诗，注意到诗即很难同时注意到音乐。乐剧是一种非驴非马的东西，含有一个很大的矛盾。

四 语言的节奏与音乐的节奏

诗是一种音乐，也是一种语言。音乐只有纯形式的节奏，没有语言的节奏，诗则兼而有之。这个分别最重要。以上两节中已略陈端倪，现在把它提出来特别细加分析。

先分析语言的节奏。它是三种影响合成的。第一是发音器官的构造。呼吸有一定的长度，在一口气里我们所说出的字音也因而有限制；呼吸一起一伏，每句话中各字音的长短轻重也因而不能一律。念一段毫无意义的文字，也不免带几分抑扬顿挫。这种节奏完全由于生理的影响，与情感和理解都不相干。其次是理解的影响。意义完成时的声音须停顿，意义有轻重起伏时，声音也随之有轻重起伏。这种起于理解的节奏为一切语言所公有，在散文中尤易见出。第三是情感的影响。情感有起伏，声音也随之有起伏；情感有往复回旋，声音也随之有往复回旋。情感的节奏与理解的节奏虽常相辅而行，不易分开，却不是同一件事。比如演说，有些人先将讲稿做好读熟，然后登台背诵，条理尽管清晰，词藻尽管是字斟句酌来的，而听者却往往不为之动。也有些人不先预备，临时信口开河，随临时的情感兴会和思路支配，往往能娓娓动听，虽然事后在报纸上读记录下来的演讲词，倒可能很平凡芜琐。前一派所倚重的只是理解的节奏，后一派所倚重的是情感的节奏。理解的节奏是呆板的,偏重意义;情感的节奏是灵活的,偏重腔调。

照以上的分析看,语言的节奏全是自然的,没有外来的形式支配它。音乐的节奏是否也是如此呢?旧乐理学家的答复似乎是肯定的。英国斯宾塞和法国格雷特里(Gretry)都曾经主张音乐起于语言。自然语言的声调节奏略经变化,便成歌唱,乐器的音乐则从模仿歌唱的声调节奏发展出来。所以斯宾塞说:"音乐是光彩化的语言。"瓦格纳的乐剧运动就是根据"音乐表现情感"说,拿无文字意义的音乐和有文字意义的诗剧混合在一起。

这一派学说近来已为多数乐理学家所摈弃。德国华拉歇克(Wallashek)和斯徒夫(Stumpf)以及法国德拉库瓦(Delacroix)诸人都以为音乐和语言根本不同,音乐并不起于语言,音乐所用的音有一定的分量,它的音阶是断续的,每音与它的邻音以级数递升或递降,彼此成固定的比例。语言所用的音无一定的分量,从低音到高音一线连贯,在声带的可能性之内,我们可以在这条线上取任何音来使用,前音与后音不必成固定的比例。这只是指音的高低,音的长短亦复如此。还不仅此,我们已再三说过,语言都有意义,了解语言就是了解它的意义;纯音乐都没有意义,欣赏音乐要偏重声音的形式的关系,如起承转合、比称呼应之类。总之,语言的节奏是自然的、没有规律的、直率的,常倾向变化;音乐的节奏是形式化的、有规律的、回旋的,常倾向整齐。

诗源于歌,歌与乐相伴,所以保留有音乐的节奏;诗是语言的艺术,所以含有语言的节奏。就音节而论,诗是"相反者之同一",像哲学家所说的;自然之中有人为,束缚之中有自由,整齐之中有变化,沿袭之中有新创,"从心所欲"而却能"不逾矩"。诗的难处在此,妙处也在此。想把诗变成音乐,变成一种纯粹的声音组织,那是无异于斩头留尾,而仍想保持有机体的生命。音乐所不能明白表现的,诗可以明白表现,正因为它有音乐所没有的一个要素——文字意义。现在要把它所特有的要素丢开,让它勉强去做只有音乐所能做的事,无论它是否能做得到,纵然做得到,也不过使它变成音乐的附赘悬瘤。我们并非轻视诗的音乐成分。不能欣赏诗的音乐者对于诗的精微处恐终隔膜。我们所特别着重的论点只是:诗既用语言,就不能不保留语言的特性,就不能离开意义而去专讲声音。

五　诗的歌诵问题

诗的节奏是音乐的,也是语言的。这两种节奏分配的分量随诗的性质而异:纯粹的抒情诗都近于歌,音乐的节奏往往重于语言的节奏;剧诗和叙事诗都近于谈话,语言的节奏重于音乐的节奏。它也随时代而异:古歌而今诵;歌重音乐的节奏而诵重语言的节奏。

诵诗在西方已成为一种专门艺术。戏剧学校常列诵诗为必修功课,公众娱乐和文人集会中常有诵诗一项节目。诵诗的难处和做诗的难处一样,一方面要保留音乐的形式化的节奏,一方面又要顾到语言的节奏,这就是说,要在牵就规律之中流露活跃的生气。现在姑举我个人在欧洲所见到的为例。在法国方面,诵诗法以国家戏剧所通用者为标准。法国国家戏院除排演诗剧以外,常有诵诗节目。英国无国家戏院,老维克(Old Vic)戏院"莎士比亚班"诵诗剧的方法也是一个标准。此外私人集团诵诗的也不少。诗人蒙罗(Harold Monro)在世时(他死在一九三二年),每逢礼拜四晚邀请英国诗人到他在伦敦所开的"诗歌书店"里朗诵他们自己的诗。就我在这些地方所得的印象说，西方人诵诗的方法也不一律。粗略地说，戏院偏重语言的节奏，诗人们自己大半偏重音乐的节奏。这两种诵法有“戏剧诵”(dramatic recitation)和“歌唱诵”(singsong recitation)的称呼。有些诗人根本反对“戏剧诵”，以为诗的音律功用非在产生实际生活的联想，造成一种一尘不染的心境，使听者聚精会神地陶醉于诗的意象和音乐。语言的节奏太现实，易起实际生活的联想，使心神纷散。不过“戏剧诵”也很流行，它的好处在能表情。有些人设法兼收“歌唱式”与“戏剧式”，以调和语言和音乐的冲突。例如：

Tomórrow is our wédding day.

这句诗在流行语言中只有两个重音，如上文“ ′ ”号所标记的。但是就“轻重格”(iambic)的规律说，它应该轻重相间，有四个重音，如下式：

Tomórrow iś our wédding dáy.

如此读去，则本来无须着重的音须勉强着重，就不免失去语言的神情了。但是如果完全依流行语言的节奏，则又失去诗的音律性。一般诵诗者于是设法调和，读如下式：

Tomórrow is our wédding dáy.

这就是在音乐节奏中丢去一个重音(is)以求合于语言，在语言节奏中加上一个重音(day)，以求合于音律。这样办，两种节奏就可并行不悖了。这只是就极粗浅的说。诵诗的技艺到精微处有云行天空卷舒自如之妙。这就不易求诸形迹，所谓“神而明之，存乎其人”了。

中国人对于诵诗似不很讲究，颇类似和尚念经，往往人自为政，既不合语言的节奏，又不合音乐的节奏。不过就一般哼旧诗的方法看，音乐的节奏较重于语言的节奏，性质极不相近而形式相同的诗往往被读成同样的调子。中国诗一句常分若干“逗”(或“顿”)，逗有表示节奏的功用,近于法文诗的“逗”(cesure)和英文诗的“步”(foot)。在习惯上逗的位置有一定的。五言句常分两逗,落在第二字与第五字,有时第四字亦稍顿。七言句通常分三逗,落在第二字、第四字与第七字,有时第六字亦稍顿。读到逗处声应略提高延长,所以产生节奏,这节奏大半是音乐的而不是语言的。例如“汉文皇帝有高台”,“文”字在义不能顿而在音宜顿;“鸿雁不堪愁里听,云山况是客中过”,“堪”、“是”两虚字在义不宜顿而在音宜顿;“永夜角声悲自语,中天月色好谁看”,“悲”、“好”两字在语言节奏宜长顿,“声”、“色”两字不宜顿,但在音乐节奏中逗不落在“悲”、“好”而反落在“声”、“色”。再如辛稼轩的《沁园春》:

> 杯汝前来。老子今朝,点检形骸。甚长年抱渴,咽如焦釜,于今喜眩,气似奔雷。　　汝说刘伶,古今达者,醉后何妨死便埋。浑如此,叹汝于知己,真少恩哉。

这首词用对话体,很可以用语言的节奏念出来,但原来依词律的句逗就应该大加改变。例如“杯汝前来”应读为“杯,汝前来!”“老子今朝,点检形骸”应读为“老子今朝点检形骸”。“汝说刘伶古今达者”应读为“汝说:刘伶古今达者”。

新诗起来以后,旧音律大半已放弃,但是一部分新诗人似乎仍然注意到音节。新诗还在草创时代,情形极为紊乱,很不容易抽绎一些原则出来。就大体说,新诗的节奏是偏于语言的。音乐的节奏在新诗中有无地位,它应该不应该有地位,还须待大家虚心探讨,偏见和武断是无济于事的。

第七章　诗与画——评莱辛的诗画异质说

一　诗画同质说与诗乐同质说

苏东坡称赞王摩诘说："味摩诘之诗，诗中有画；观摩诘之画，画中有诗。"这是一句名言，但稍加推敲，似有语病。谁的诗，如果真是诗，里面没有画？谁的画，如果真是画，里面没有诗？希腊诗人西摩尼得斯（Simonides）说过："诗为有声之画，画为无声之诗。"宋朝画论家赵孟溁也说过这样的话，几乎一字不差。这种不谋而合可证诗画同质是古今中外一个普遍的信条。罗马诗论家贺拉斯（Horace）所说的"画如此，诗亦然"（Ut pictura，poesis）尤其是谈诗画者所津津乐道的。道理本来很简单。诗与画同是艺术，而艺术都是情趣的意象化或意象的情趣化。徒有情趣不能成诗，徒有意象也不能成画。情趣与意象相契合融化，诗从此出，画也从此出。

话虽如此说，诗与画究竟是两种艺术，在相同之中有不同者在。就作者说，同一情趣饱和的意象是否可以同样地表现于诗亦表现于画？媒介不同，训练修养不同，能做诗者不必都能作画，能作画者也不必都能做诗。就是对于诗画兼长者，可用画表现的不必都能用诗表现，可用诗表现的也不必都能用画表现。就读者说，画用形色是直接的,感受器官最重要的是眼;诗用形色借文字为符号,是间接的,感受器官除眼之外耳有同等的重要。诗虽可“观”而画却不可“听”。感官途径不同,所引起的意象与情趣自亦不能尽同。这些都是很显然的事实。

诗的姊妹艺术,一是图画,一是音乐。柏拉图在《理想国》里论诗,拿图画来比拟。实物为理式(idea)的现形(appearance),诗人和画家都仅模仿实物,与哲学探求理式不同,所以诗画都只是“现形的现形”,“模仿的模仿”,“和真实隔着两重”。这一说一方面着重诗画描写具体形象,一方面演为艺术模仿自然说。前一点是对的,后一点则蔑视艺术的创造性,酿成许多误解。亚理斯多德在《诗学》里对于他的老师的见解曾隐含一个很中肯的答辩。他以为诗不仅模仿现形,尤其重要的是借现形寓理式。“诗比历史更近于哲学”,这就是说,更富于真实性,因为历史仅记载殊象(现形),而诗则于殊象中见共象(理式)。他所以走到这种理想主义,就因为他拿来比拟诗的不是图画而是音乐。在他看,诗和音乐是同类艺术,因为它们都以节奏、语言与“和谐”三者为媒介。在《政治学》里他说音乐是“最富于模仿性的艺术”。照常理说,音乐在诸艺术中是最无所模仿的。亚理斯多德所谓“模仿”与柏拉图所指的仅为抄袭的“模仿”不同,它的涵义颇近于现代语的“表现”。音乐最富于表现性。以音乐比诗,所以亚理斯多德能看出诗的“表现”一层功用。

拟诗于画,易侧重模仿现形,易走入写实主义;拟诗于乐,易侧重表现自我,易走入理想主义。这个分别虽是陈腐的,却是基本的。柯尔律治说得好:“一个人生来不是柏拉图派,就是亚理斯多德派。”我们可以引申这句话来说:“一个诗人生来不是侧重图画,就是侧重音乐;不是侧重客观的再现,就是侧重主观的表现。”我们说“侧重”,

事实上这两种倾向相调和折衷的也很多。在历史上这两种倾向各走极端而形成两敌派的,前有古典派与浪漫派的争执,后有法国帕尔纳斯派与象征派的争执,真正大诗人大半能调和这两种冲突,使诗中有画也有乐,再现形象同时也能表现自我。

二 莱辛的诗画异质说

诗的图画化和诗的音乐化是两种根本不同的看法。比较起来,诗的音乐化一说到十九世纪才盛行,以往的学者大半特别着重诗与画的密切关联。诗画同质说在西方如何古老,如何普遍,以及它对于诗论所生的利弊影响如何,美国人文主义倡导者白璧德(Babbitt)在《新拉奥孔》一书中已经说得很详尽,用不着复述。这部书是继十八世纪德国学者莱辛的《拉奥孔》而作的。这是近代诗画理论文献中第一部重要著作。从前人都相信诗画同质,莱辛才提出很丰富的例证,用很动人的雄辩,说明诗画并不同质。各种艺术因为所使用的媒介不同,各有各的限制,各有各的特殊功用,不容互相混淆。我们现在先概括地介绍莱辛的学说,然后拿它作讨论诗与画的起点。

拉奥孔是十六世纪在罗马发掘出来的一座雕像,表现一位老人——拉奥孔——和他的两个儿子被两条大蛇绞住时的苦痛挣扎的神情。据希腊传说,希腊人因为要夺回潜逃的海伦后,举兵围攻特洛伊(Troy)城,十年不下。最后他们佯逃,留着一匹腹内埋伏精兵的大木马在城外,特洛伊人看见木马,视为奇货,把它移到城内,夜间潜伏在马腹的精兵一齐跳出来,把城门打开,城外伏兵于是乘机把城攻下。当移木马入城时,特洛伊的典祭官拉奥孔极力劝阻,说木马是希腊人的诡计。他这番忠告激怒了偏心于希腊人的海神波赛冬。当拉奥孔典祭时，河里就爬出两条大蛇，一直爬到祭坛边，把拉奥孔和他的两个儿子一齐绞死。这是海神对于他的惩罚。

这段故事是罗马诗人维吉尔（Virgil）的《伊尼特》（*Aeneid*）第二卷里最有名的一段。十六世纪在罗马发现的拉奥孔雕像似以这段史诗为蓝本。莱辛拿这段诗和雕像参观互较，发现几个重要的异点。因为要解释这些异点，他才提出诗画异质说。

据史诗，拉奥孔在被捆时放声号叫；在雕像中他的面孔只表现一种轻微的叹息，具有希腊艺术所特有的恬静与肃穆。为什么雕像的作者不表现诗人所描写的号啕呢？希腊人在诗中并不怕表现苦痛，而在造形艺术中却永远避免痛感所产生的面孔筋肉挛曲的丑状。在表现痛感之中，他们仍求形象的完美。“试想像拉奥孔张口大叫，看看印象如何……面孔各部免不了呈现很难看的狞恶的挛曲，姑不用说，只是张着大口一层，在图画中是一个黑点，在雕刻中是一个空洞，就要产生极不愉快的印象了。”在文字描写中，这号啕不至于产生同样的效果，因为它并不很脱皮露骨地摆在眼前，呈现丑象。

其次，据史诗，那两条长蛇绕腰三道，绕颈两道，而在雕像中它们仅绕着两腿。因为作者要从全身筋肉上表现出拉奥孔的苦痛，如果依史诗让蛇绕腰颈，筋肉方面所表现的苦痛就看不见了。同理，雕像的作者让拉奥孔父子裸着体，虽然在史诗中拉奥孔穿着典祭官的衣帽。“一件衣裳对于诗人并不能隐藏什么，我们的想像能看穿底细。无论史诗中的拉奥孔是穿着衣或裸体，他的痛苦表现于周身各部，我们可以想像到。”至于雕像却须把苦痛所引起的四肢筋肉挛曲很生动地摆在眼前，穿着衣，一切就遮盖起来了。

在这些地方，我们可以看出诗人与造形艺术家对于材料的去取

大不相同。莱辛推原这不同的理由,作这样的一个结论:

> 如果图画和诗所用的模仿媒介或符号完全不同,那就是说,图画用存于空间的形色,诗用存于时间的声音;如果这些符号和它们所代表的事物须互相妥适,则本来在空间中相并立的符号只宜于表现全体或部分在空间中相并立的事物,本来在时间上相承续的符号只宜于表现全体或部分在时间上相承续的事物。全体或部分在空间中相并立的事物叫做“物体”(body),因此,物体和它们的看得见的属性是图画的特殊题材。全体或部分在时间上相承续的事物叫做“动作”(action),因此,动作是诗的特殊题材。

换句话说,画只宜于描写静物,诗只宜于叙述动作。画只宜于描写静物,因为静物各部分在空间中同时并存,而画所用的形色也是如此。观者看到一幅画,对于画中各部分一目就能了然。这种静物不宜于诗,因为诗的媒介是在时间上相承续的语言,如果描写静物,须把本来是横的变成纵的,本来是在空间中相并立的变成在时间上相承续的。比如说一张桌子,画家只须用寥寥数笔,便可以把它画出来,使人一眼看到就明白它是桌子。如果用语言来描写,你须从某一点说起,顺次说下去,说它有多长多宽,什么形状,什么颜色等等,说了一大篇,读者还不定马上就明白它是桌子,他心里还须经过一次翻译的手续,把语言所表现成为纵直的还原到横列并陈的。

诗只宜叙述动作,因为动作在时间直线上先后相承续,而诗所用的语言声音也是如此,听者听一段故事,从头到尾,说到什么阶段，动作也就到什么阶段，一切都很自然。这种动作不宜于画，因为一幅画仅能表现时间上的某一点，而动作却是一条绵延的直线。比如说，“我弯下腰，拾一块石头打狗，狗见着就跑了”，用语言来叙述这事，多么容易，但是如果把这简单的故事画出来，画十幅、二十幅并列在一起，也不一定使观者一目了然。观者心里也还要经过一番翻译手续，把同时并列的零碎的片段贯串为一气呵成的直线。溥心畲氏曾用贾岛的“独行潭底影，数息树边身”两句诗为画题，画上十几幅，终于只画出一些“潭底影”和“树边身”。而诗中“独行”的“行”和“数息”的“数”的意味终无法传出。这是莱辛的画不宜于叙述动作说的一个很好的例证。

莱辛自己所举的例证多出于荷马史诗。荷马描写静物时只用一个普泛的形容词，一只船只是“空洞的”、“黑的”或“迅速的”，一个女人只是“美丽的”或“庄重的”。但是他叙述动作时却非常详细，叙行船从竖桅、挂帆、安舵、插桨一直叙到起锚下水；叙穿衣从穿鞋、戴帽、穿盔甲一直叙到束带挂剑。这些实例都可证明荷马就明白诗宜于叙述而不宜于描写的道理。

三　画如何叙述，诗如何描写

但是谈到这里，我们不免疑问：画绝对不能叙述动作，诗绝对不能描写静物么？莱辛所根据的拉奥孔雕像不就是一幅叙述动作的画？他所欢喜援引的荷马史诗里面不也有很有名的静物描写如阿喀琉斯的护身盾之类？莱辛也顾到这个问题，曾提出很有趣的回答，他说：

物体不仅占空间,也占时间。它们继续地存在着,在续存的每一顷刻中,可以呈现一种不同的形象或是不同的组合。这些不同的形象或组合之中,每一个都是前者之果,后者之因,如此则它仿佛形成动作的中心点。因此,图画也可以模仿动作,但是只能间接地用物体模仿动作。

就另一方面说,动作不能无所本,必与事物生关联。就发动作的事物之为物体而言,诗也能描绘物体,但是也只能间接地用动作描绘物体。

在它的并列的组合中,图画只能利用动作过程中某一顷刻,而它选择这一顷刻,必定要它最富于暗示性,能把前前后后都很明白地表现出来。同理,在它的承续的叙述中,诗也只能利用物体的某一种属性,而它选择这一种属性,必定能唤起所写的物体的最具体的整个意象,它应该是特应注意的一方面。

换句话说,图画叙述动作时,必化动为静,以一静面表现全动作的过程;诗描写静物时,亦必化静为动,以时间上的承续暗示空间中的绵延。

先说图画如何能叙述动作。一幅画不能从头到尾地叙述一段故事,它只能选择全段故事中某一片段,使观者举一可以反三。这如何可以办到,最好用莱辛自己的话来解释:

艺术家在变动不居的自然中只能抓住某一顷刻。尤其是画家,他只能从某一观点运用这一顷刻。他的作品却不是过眼云烟,一纵即逝,须耐人长久反复玩味。所以把这一顷刻和抓住这一顷刻的观点选择得恰到好处,须大费心裁。最合式的选择必能使想像最自由地运用。我们愈看,想像愈有所启发;想像所启发的愈多,我们也愈信目前所看到的真实。在一种情绪的过程中,最不易产生这种影响的莫过于它的顶点(climax)。到了顶点,前途就无可再进一步;以顶点摆在眼前,就是剪割想像的翅膀,想像既不能在感官所得印象之外再进一步,就不能不倒退到低一层弱一层的意象上去,不能达到呈现于视觉的完美表现。比如说,如果拉奥孔只微叹,想像很可以听到他号啕。但是如果他号啕,想像就不能再望上走一层;如果下降,就不免想到他还没有到那么大的苦痛,兴趣就不免减少了。在表现拉奥孔号啕时,想像不是只听到他呻吟,就是想到他死着躺在那里。

简单地说,图画所选择的一顷刻应在将达"顶点"而未达"顶点"之前。"不仅如此,这一顷刻既因表现于艺术而长存永在,它所表现的不应该使人想到它只是一纵即逝的"。最有耐性的人也不能永久地号啕,所以雕像的作者不表现拉奥孔的号啕而只表现他微叹,微叹是可以耐久的。莱辛的普遍结论是:图画及其他造形艺术不宜于表现极强烈的情绪或是故事中最紧张的局面。

其次,诗不宜于描写物体,它如果要描写物体,也必定采叙述动作的方式。莱辛举的例是荷马史诗中所描写的阿喀琉斯的护身盾(the shield of Achilles)。这盾纵横不过三四尺,而它的外层金壳上面雕着山川河海、诸大行星、春天的播种、夏天的收获、秋天的酿酒、冬天的畜牧、婚姻丧祭、审判战争各种景致。荷马描写这些景致时,并不像开流水账式地数完一样再数一样。他只叙述火神铸造这盾时如何逐渐雕成这些景致，所以本来虽是描写物体，他却把它变成叙述动作，令人读起来不觉得呆板枯燥。如果拿中国描写诗来说，化静为动，化描写为叙述几乎是常例，如“池塘生春草”，“塔势如涌出，孤高耸天宫”，“鬓云欲度香腮雪”，“千树压西湖寒碧”，“星影摇摇欲坠”之类。

莱辛推阐诗不宜描写物体之说，以为诗对于物体美也只能间接地暗示而不能直接地描绘，因为美是静态，起于诸部分的配合和谐，而诗用先后承续的语言，不易使各部分在同一平面上现出一个和谐的配合来。暗示物体美的办法不外两种：一种是描写美所生的影响。最好的例是荷马史诗中所写的海伦（Helen）。海伦在希腊传说中是绝代美人，荷马描写她，并不告诉我们她的面貌如何，眉眼如何，服装如何等等，他只叙述在兵临城下时，她走到城墙上面和特洛伊的老者们会晤的情形：

> 这些老者们看见海伦来到城堡，都低语道：“特洛伊人和希腊人这许多年来都为着这样一个女人尝尽了苦楚，也无足怪；看起来她是一位不朽的仙子。”

莱辛接着问道：“叫老年人承认耗费了许多血泪的战争不算冤枉，有什么比这能产生更生动的美的意象呢？”在中国诗中，像“回眸一笑百媚生，六宫粉黛无颜色”，“痛哭六军俱缟素，冲冠一怒为红颜”之类的写法，也是以美的影响去暗示美。

另一种暗示物体美的办法就是化美为“媚”（charm）。“媚”的定义是“流动的美”（beauty in motion），莱辛举了一段意大利诗为例，我们可以用一个很恰当的中文例来代替它。《诗经·卫风》有一章描写美人说：

> 手如柔荑，肤如凝脂，领如蝤蛴，齿如瓠犀，螓首蛾眉；巧笑倩兮，美目盼兮。

这章诗前五句最呆板，它费了许多笔墨，却不能使一个美人活灵活现地现在眼前。我们无法把一些嫩草、干油、蚕蛹、瓜子之类东西凑合起来，产生一个美人的意象。但是“巧笑倩兮，美目盼兮”两句，寥寥八字，便把一个美人的姿态神韵，很生动渲染出来。这种分别就全在前五句只历数物体属性，而后两句则化静为动，所写的不是静止的“美”而是流动的“媚”。

总之，诗与画因媒介不同，一宜于叙述动作，一宜于描写静物。“画如此，诗亦然”的老话头并不精确。诗画既异质，则各有疆界，不应互犯。在《拉奥孔》的附录里，莱辛阐明他的意旨说：“我想，每种艺术的鹄的应该是它性所特近的，而不是其他艺术也可做到的。我觉得普鲁塔克（Plutarch）的比喻很可说明这个道理：一个人用钥匙去破柴，用斧头去开门，不但把这两件用具弄坏了，而且自己也就失了它们的用处。”

四　莱辛学说的批评

莱辛的诗画异质说大要如上所述。他对于艺术理论的贡献甚大，为举世所公认。举其大要，可得三端：

一、他很明白地指出以往诗画同质说的笼统含混。各种艺术在相同之中有不同者在，每种艺术应该顾到它的特殊的便利与特殊的限制,朝自己的正路向前发展,不必旁驰博骛,致蹈混淆芜杂。从他起,艺术在理论上才有明显的分野。无论他的结论是否完全精确,他的精神是近于科学的。

二、他在欧洲是第一个看出艺术与媒介(如形色之于图画,语言之于文学)的重要关联的人。艺术不仅是在心里所孕育的情趣意象,还须借物理的媒介传达出去,成为具体的作品。每种艺术的特质多少要受它的特殊媒介的限定。这种看法在现代因为对于克罗齐美学的反响,才逐渐占势力。莱辛在一百几十年以前仿佛就已经替克罗齐派美学下一个很中肯的针砭了。

三、莱辛讨论艺术,并不抽象地专在作品本身着眼,而同时顾到作品在读者心中所引起的活动和影响。比如他主张画不宜选择一个故事的兴酣局紧的"顶点",就因为读者的想像无法再向前进;他主张诗不宜历数一个物体的各面形相,就因为读者所得的是一条直线上的先后承续的意象,而在物体中这些意象却本来并存在一个平面上,读者须从直线翻译回原到平面,不免改变原形,致失真相。这种从读者的观点讨论艺术的办法是近代实验美学与文艺心理学的。莱辛可以说是一个开风气的人。

不过莱辛虽是新风气的开导者,却也是旧风气的继承者。他根本没有脱离西方二千余年的"艺术即模仿"这个老观念。他说:"诗与画都是模仿艺术,同为模仿,所以同依照模仿所应有法则。不过它们所用的模仿媒介不同,因此又各有各的特殊法则。"这种"模仿"观念是希腊人所传下来的。莱辛最倾倒希腊作家,以为亚理斯多德的《诗学》无瑕可指,有如欧几里得的几何学。他说:"诗只宜于叙述动作。"因为亚理斯多德说过:"模仿的对象是动作。"亚里士斯多德所讨论的诗偏重戏剧与史诗,特别着重动作,固无足怪;近代诗日向抒情写景两方面发展,诗模仿动作说已不能完全适用。这种新倾向在莱辛时代才渐露头角,到十九世纪则附庸蔚为大国,或为莱辛所未料及。即以造形艺术论,侧重景物描写,反在莱辛以后才兴起。莱辛所及见的图画雕刻,如古希腊的浮雕瓶画,尤其是文艺复兴时代的叙述宗教传说的作品,都应该使他明白欧洲造形艺术的传统向来就侧重叙述动作。他抹煞事实而主张画不宜叙述动作,亦殊出人意外。

莱辛在《拉奥孔》里谈到作品与媒介和材料的关系,谈到艺术对于读者的心理影响,而对于作品与作者的关系则始终默然。作者的情感与想像以及驾驭媒介和锤炼材料的意匠经营,在他看,似乎不很能影响作品的美丑。他对于艺术的见解似乎是一种很粗浅的写实主义。像许多信任粗浅常识者一样,他以为艺术美只是抄袭自然美。不但如此,自然美仅限于物体美,而物体美又只是形式的和谐。形式的和谐本已存于物体,造形艺术只须把它抄袭过来,作品也就美了。因此,莱辛以为希腊造形艺术只用本来已具完美形象的材料,极力避免丑陋的自然。拉奥孔雕像的作者不让他号啕,因为号啕时的面孔筋肉挛曲以及口腔张开,都太丑陋难看。他忘记他所崇拜的亚理斯多德曾经很明白地说过艺术可用丑材料,他忽略他所推尊的古典艺术也常用丑材料如酒神侍从(satyrs)和人马兽(centaurs)之类,他没有觉到一切悲剧和喜剧都有丑的成分在内,他甚至于没有注意到拉奥孔雕像本身也并非没有丑的成分在内,而很武断地说:“就其为模仿而言,图画固可表现丑;就其为艺术而言,它却拒绝表现丑。”并且,就这句话看来,艺术当不尽是模仿,二者分别何在,他也没有指出。他相信理想的美仅能存于人体,造形艺术以最高美为目的,应该偏重模仿人体美。花卉画家和山水画家都不能算是艺术家,因为花卉和山水根本不能达到理想的美。

这种议论已够奇怪，但是“艺术美模仿自然美”这个信条逼得莱辛走到更奇怪的结论。美仅限于物体，而诗根本不能描写物体，则诗中就不能有美。莱辛只看出造形艺术中有美，他讨论诗，始终没有把诗和美联在一起讲，只推求诗如何可以驾驭物体美。他的结论是：诗无法可以直接地表现物体美，因为物体美是平面上形象的谐和配合，而诗因为用语言为媒介，却须把这种平面配合拆开，化成直线式的配合，从头到尾地叙述下去，不免把原有的美的形象弄得颠倒错乱。物体美是造形艺术的专利品，在诗中只能用影响和动作去暗示。他讨论造形艺术时，许可读者运用想像；讨论诗时，似乎忘记同样的想像可以使读者把诗所给的一串前后承续的意象回原到平面上的配合。从莱辛的观点看，作者与读者对于目前形象都只能一味被动地接收，不加以创造和综合。这是他的基本错误。因为这个错误，他没有找出一个共同的特质去统摄一切艺术，没有看出诗与画在同为艺术一层上有一个基本的同点。在《拉奥孔》中，他始终把“诗”和“艺术”看成对立的，只是艺术有形式“美”而诗只有“表现”（指动作的意义）。这么一来，“美”与“表现”离为两事，漠不相关。“美”纯是“形式的”，“几何图形的”，在“意义”上无所“表现”；“表现”是“叙述的”，“模仿动作的”，在“形式”上无所谓“美”。莱辛固然没有说得这样斩钉截铁，但是这是他的推理所不能逃的结论。我们知道，在艺术理论方面，陷于这种误解的不只莱辛一人，大哲学家如康德，也不免走上这条错路。一直到现在，“美”与“表现”的争论还没有了结。克罗齐的“美即表现”说也许是一条打通难关的路。一切艺术，无论是诗是画，第一步都须在心中见到一个完整的意象，而这意象必恰能表现当时当境的情趣。情趣与意象恰相契合，就是艺术，就是表现，也就是美。我们相信，就艺术未传达成为作品之前而言，克罗齐的学说确实比莱辛的强。至少，它顾到外界印象须经创造的想像才能成艺术，没有把自然美和艺术美误认为一事，没有使"美"与"表现"之中留着一条不可跨越的鸿沟。

艺术受媒介的限制，固无可讳言。但是艺术最大的成功往往在征服媒介的困难。画家用形色而能产生语言声音的效果，诗人用语言声音而能产生形色的效果，都是常有的事。我们只略读杜工部、苏东坡诸人题画的诗，就可以知道画家对于他们仿佛是在讲故事。我们只略读陶、谢、王、韦诸工于写景的诗人的诗集，就可以知道诗里有比画里更精致的图画。媒介的限制并不能叫一个画家不能说故事，或是叫一位诗人不能描写物体。而且说到媒介的限制，每种艺术用它自己的特殊媒介，又何尝无限制？形色有形色的限制，而图画却须寓万里于咫尺；语言有语言的限制，而诗文却须以有尽之言达无穷之意。图画以物体暗示动作，诗以动作暗示物体，又何尝不是媒介困难的征服。媒介困难既可征服，则莱辛的"画只宜描写，诗只宜叙述"一个公式并不甚精确了。

一种学说是否精确，要看它能否到处得到事实的印证，能否用来解释一切有关事实而无罅漏。如果我们应用莱辛的学说来分析中国的诗与画，就不免有些困难。中国画从唐宋以后就侧重描写物景，似可证实画只宜于描写物体说。但是莱辛对于山水花卉翎毛素来就瞧不起，以为它们不能达到理想的美，而中国画却正在这些题材上做功夫。他以为画是模仿自然，画的美来自自然美，而中国人则谓"古画画意不画物"，"论画以形似，见与儿童邻"。莱辛以为画表现时间上的一顷刻，势必静止，所以希腊造形艺术的最高理想是恬静安息（calm and repose），而中国画家六法首重"气韵生动"。中国向来的传统都尊重"文人画"，而看轻"院体画"。"文人画"的特色就是在精神上与诗相近,所写的并非实物而是意境,不是被动地接收外来的印象,而是熔铸印象于情趣。一幅中国画尽管是写物体,而我们看它,却不能用莱辛的标准,求原来在实物空间横陈并列的形象在画的空间中仍同样地横陈并列,换句话说,我们所着重的并不是一幅真山水,真人物,而是一种心境和一幅"气韵生动"的图案。这番话对于中国画只是粗浅的常识,而莱辛的学说却不免与这种粗浅的常识相冲突。

其次,说到诗,莱辛以为诗只宜于叙述动作,这因为他所根据的西方诗大部分是剧诗和叙事诗,中国诗向来就不特重叙事。史诗在中国可以说不存在,戏剧又向来与诗分开。中国诗,尤其是西晋以后的诗,向来偏重景物描写,与莱辛的学说恰相反。中国写景诗人常化静为动,化描写为叙述,就这一点说,莱辛的话是很精确的。但是这也不能成为普遍的原则。在事实上,莱辛所反对的历数事物形象的写法在中国诗中也常产生很好的效果。大多数写物赋都用这种方法,律诗与词曲里也常见。我们随便就一时所想到的诗句写下来看看:

大漠孤烟直,长河落日圆。

——王维《送使至塞上》

碧云天,黄叶地,秋色连波,波上寒烟翠。山映斜阳天接水。芳草无情,更在斜阳外。

——范仲淹《苏幕遮》

一川烟雨,满城风絮,梅子黄时雨。

——贺铸《青玉案》

疏影横斜水清浅，暗香浮动月黄昏。

——林逋《山园小梅》

枯藤老树昏鸦，小桥流水人家，古道西风瘦马。夕阳西下，断肠人在天涯。

——马致远《天净沙》

在这些实例中，诗人都在描写物景，而且都是用的枚举的方法，并不曾化静为动，化描写为叙述，莱辛能说这些诗句不能在读者心中引起很明晰的图画么？他能否认它们是好诗么？艺术是变化无穷的，不容易纳到几个很简赅固定的公式里去。莱辛的毛病，像许多批评家一样，就在想勉强找几个很简赅固定的公式来范围艺术。

第八章 中国诗的节奏与声韵的分析(上):论声

一 声的分析

声起于物体的震动。物体的震动酿成空气的震动,再由空气的震动引起耳的鼓膜的震动,成听觉而为声。这种震动如风起水涌,起伏成浪,所以有"声浪"或"音波"的称呼。在物体由震动而生"声浪",在知觉由声浪刺激而生声觉。声浪如水浪,有长短、高低、疏密各种分别,声的各种不同就是由此起来的。

第一是长短,亦称音长(length, quantity, duration)。比如按同一琴键,按一秒钟和按两秒钟所发的声音有分别。这种分别就是长短,起于音波震动时间的久暂,久生长音,暂生短音。音的长短在物理学上以时间计。在音乐上以拍子或板眼计,这是声音的最易了解的一个分别。

第二是高低,亦称音高(pitch)。比如弹第二协(octave)的C音和第三协的C音,或是笛子上吹"合"音和吹"凡"音,所用时间尽管相同,所发的声音仍有分别。这种分别就是高低,起于音波震动的快慢;震动快,震动数就多,声音就高;震动慢,震动数就少,声音就低。第二协C音(C_2)的震动数为129.33,第三协C音(C_3)的震动

数有 C_2 的两倍，为 258.65，所以 C_3 高于 C_2。

第三是重或强弱，亦称音势(stress, force)。比如按同一琴键，出力和不出力所发的声音不同，读同一个字，重读与轻读所发的声音不同。这种分别就是轻重，起于音波振幅的大小，大就重，小就轻。

以上三种分别在物理学上通常用下列图形表示：

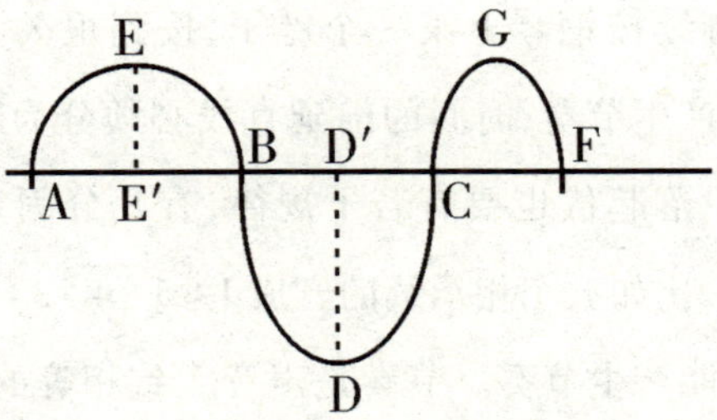

AEB，BDC = 波长 = 音长

AB、BC = 音波震动速度 = 音高

EE′、DD′ = 音波振幅 = 音势

此外还有一个音质(quality)的分别。比如一个高低长短轻重都相同的字音在钢琴上奏和在笛子上奏不同，一个高低长短轻重都相同的字音张三发的和李四发的不同。这种音质的分别起于发音体的构造状况不同。就音波说，它由于波纹的曲折式样不同，如上图 AEB 线和 CGF 线显然不一样。

灌声音于蜡片成为留声机片，就是根据这几条音波的道理。“留声片的刻纹便是声音的全体：它的疏与密，是声音高与低；深与浅，是强与弱；长与短，是长与短；高下间的曲折是本质。”(刘复《四声实验录》)

二　音的各种分别与诗的节奏

声音是在时间上纵直地绵延着，要它生节奏，有一个基本条件，就是时间上的段落（time - intervals）。有段落才可以有起伏，有起伏才可以见节奏。如果一个混整的音所占的时间平直地绵延不断，比如用同样力量继续按钢琴上某一个键子，按到很久无变化，就不能有节奏，如果要产生节奏，时间的绵延直线必须分为断续线，造成段落起伏。这种段落起伏也要有若干规律，有几分固定的单位，前后相差不能过远。比如五个相承续的音成 1∶5∶4∶3∶9 的比例，起伏杂乱无章，也不能产生节奏。节奏是声音大致相等的时间段落里所生的起伏。这大致相等的时间段落就是声音的单位，如中文诗的句逗，英文诗的行与音步（foot）。起伏可以在长短、高低、轻重三方面见出，这三种分别与节奏的关系可用下列线形表示：

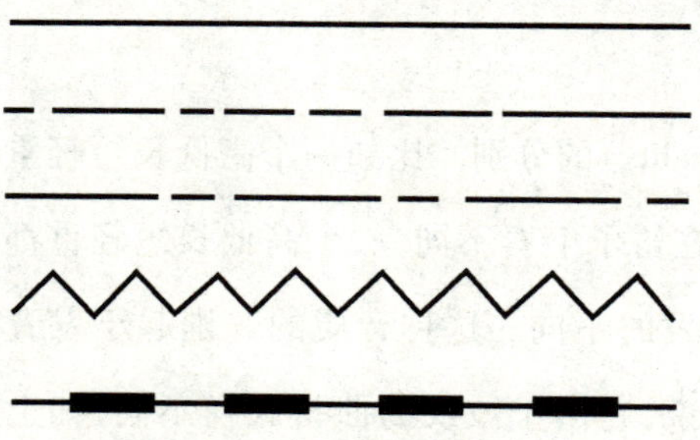

音波始终单调一律，无节奏。起伏杂乱无章，无节奏。长短相间见节奏。高低相间见节奏。轻重相间见节奏。

诗的节奏通常不外由这三种分别组成，至于音质与节奏有无关系，待下文再论。因为语言的性质不同，各国诗的节奏对于长短、高低、轻重三要素各有所侧重。古希腊诗与拉丁诗都偏重长短。读一个长音差不多等于读两个短音所占的时间。长短有规律地相间，于是现出很明显的节奏。例如维吉尔的名句：

Quadruipe – | dante pu – | trem Soni— | tu quatit | ungula | Campum.

含六音步，每步含三个音，第一音长，第二、三两音短。两短音等于长音，所以最后一音步虽仅含两音，因为都是长音，读起来所占的时间仍略等于其他音步。用"—"为长号，"⌣"为短号，拉丁诗的长短音式六音步格可以表示如下：

—⌣⌣—⌣⌣—⌣⌣—⌣⌣—⌣⌣——。

这种长短相间式是希腊诗和拉丁诗所共同的，所不同者拉丁诗音步中长音同时是重音，希腊诗音步中长音同时是高音。希腊文和拉丁文的长音都是固定的，所以一个音在音步中宜长在语气中也一定是长的，这就是说，音乐的节奏和语言的节奏冲突甚少。

在近代欧洲各国诗中，长短的基础已放弃，——朗费罗(Longfellow)、莫里斯(William Morris)诸人模仿希腊拉丁用长短格的尝试不算成功——代替它的是轻重，尤其是在日耳曼系语言中。比如英文，诗的音步以"轻重格"(iambic)为最普通。重音不一定比轻音长，至于高低则随读者视文义为准而加以伸缩，字音的本身并无绝对的固定的高低，因为音步的轻重有规律而语气的轻重无规律，在音步宜重的音在语气中不一定重，在音步宜轻的音在语气中也不一定轻，这就是说，音乐的节奏和语言的节奏有时不免冲突。例如莎士比亚的名句：

To be | or not | to be: | that is | the ques – | tion.

是用轻重五步格，第五步多一音，第一步、第三步的重音同时是长音，在读时比第二、第四音两音步都较长，但英文诗并不十分计较这种长短的分别。第四步的语气的重音应在第一音(that)，而音步的重音却落在第二音(is)。如果严格地依音律读，is应由轻音变为重音。本来轻而要变重，音调也须由低提高。不过就常例说，音的高低对于英文诗音律的影响甚微。这种以字音分步的办法通常叫做“音组制”(syllabic system)。近代英文诗有放弃“音组制”而改用“重音制”(accent system)的倾向，就是每行不管有几音步或多少字音，只管有多少重音。比如一行通常有五个重音，字音不必限于十个或十五个，多少可以自由伸缩，有时两重音之间可以隔四五个轻音。这样一来，长短对于英诗节奏的影响更微细了。

法文诗不用这种“音组制”或“重音制”而用“顿”(cesure)，每顿中字音数目不一定。法文诗最普通的格式是亚力山大格(Alexandrine)，每行十二音，分顿不分步。顿的数目与位置有古典格与浪漫格的分别，古典格每行有四顿，第六音与第十二音必顿，第六音(中顿)前后各有一顿，唯位置不固定。例如拉辛的名句：

Heureux | qui satisfait | de son hum – | ble fortune. |

浪漫格每行只有三顿，第十二音必顿，余两顿位置不固定。例如雨果的诗句：

Il vit un oeil | tout grand ouvert | dans les ténèbres. |

每顿字音数目不一律，所以不能看作“音步”。法文音调和英文音调的重要分别在英文多铿锵的重音，法文则字音轻重的分别甚微，几乎平坦如流水，无大波浪。不过读到顿的位置时，声音也自然提高延长着重，所以法文诗的节奏也是先抑后扬。例如上引拉辛的句子，依音律学家格拉芒(Grammant)的估定，音长、音势和音高合在一起成下列比例：

Heureux qui satisfait de son humble fortune.

2 $3\frac{1}{3}$ 1 1 1 3 1 1 3 1 1 3

所以法文诗的节奏起伏同时受音长、音势、音高三种影响,不像英文诗那样着重音势。换句话说,轻重的分别在法文诗中并不甚明显。

总之,欧洲诗的音律有三个重要的类型。第一种是以很固定的时间段落或音步为单位,以长短相间见节奏,字音的数与量都是固定的,如希腊拉丁诗。第二种虽有音步单位,每音步只规定字音数目(仍有伸缩),不拘字音的长短分量;在音步之内,轻音与重音相间成节奏,如英文诗。第三种的时间段落更不固定,每段落中字音的数与量都有伸缩的余地,所以这种段落不是音步而是顿,每段的字音以先抑后扬见节奏,所谓抑扬是兼指长短、高低、轻重而言,如法文诗。英诗可代表日耳曼语系诗,法诗可代表拉丁语系诗。

三　中国的四声是什么

我们费许多功夫讨论欧洲诗的音律,因为中国诗的音律性质究竟如何,最好用比较方法来说明。中国诗音律的研究向来分声(子音)韵(母音)两个要素。这两个要素是否能把中国诗的音律包括无余,此外是否还有其他要素,待下文详论,现在先分析声的性质。

声就是平上去入。我们在上文说过,声音上的节奏可以在长短、高低、轻重三方面见出。所谓平上去入究竟是长短,是高低还是轻重的分别呢?在实际上,每个人都不觉得辨别他所生长的区域中的四声有什么困难;但是分析起来,要断定四声的元素和分别,却是一件极难的事。这种困难有两个来源:第一是各区域发音的差异。我们通常笼统说“四声”,但是南音的四声是平上去入,北音无入声,四声是阴平阳平上去。如果再细分,广东有九声,浙江、福建有些地方有八声,江苏有些地方有七声,西南中部各省有五声,北方只有四声。如果拿长短、高低、轻重作标准来分四声，各区域的读法不一律（比如同是平声，北平人比成都人和武昌人读得较短，入声普通很短而长沙人读得很长），也很难得到普遍的结论。其次，每声在时间上都是绵延的，同是一声或是先高后低，先轻后重，或高低轻重成不规则的波纹，我们不能很单纯地拿高低轻重来形容它。这也是研究四声的困难原因之一。

先说长短。四声显然有长短的分别。有些人在长短以外就听不出四声有其他的分别。顾炎武在《音论》里说："平声最长，上去次之，入则诎然而止，无余音矣。"近人多持此说。钱玄同说："平上去入，因一音之留声有长短而分为四。"（《文字学·音篇》）吴敬恒说："声为长短……长短者音同而留声之时间不同。"易作霖并且拿拍子来说四声，他说："四声是什么？……它是'拍子关系'，譬如奏1音，奏一拍便像'都'，奏$\frac{1}{4}$拍便像'笃'，就时间上分出四种不同的声音，就是平上去入的四声。"

四声有长短的分别，大概无可讳言，不过这种长短的量实不能定，一则各区域发音不同，二则同一区域各人发音不同，甚至于一个人在不同状况之下，对于同一个字发音前后也不能一致。入声最短是通例，但据刘复的《四声实验录》，北平人学发的入声反比平声长，武昌、长沙的入声也特别长。北平的去声比平声长，长沙和浙江江山的去声比平声短。这是刘复所得的结果。但据高元的研究，北平阳平一拍，阴平半拍，上声一拍，去声$\frac{3}{4}$拍，去声实比阳平短。据英人琼斯（D. Jones）和广东胡炯堂的研究，广东平声与上去二声均成一拍与半拍之比；但照刘复的实验，它们相差似没有这样大。这些"结果"可以告诉我们两件事：第一，同是一声，各地长短不同；第二，许多测量结果常相冲突,可见声音长短不易测量,四声长短比例至今还是没有解决的问题。依这样看,四声虽似为长短的分别而实不尽是长短的分别,因为四声的长短并无定量。

次说高低。四声有高低的分别,从前人似乎都忽略过去。近代语音学者才见出它的重要。刘复以为高低是四声的最重要的分别,甚至于是唯一的分别。他说:“我认定四声是高低造成的……我们耳朵里所听见的各声的区别;只是高低起落的区别,实际上长短虽然有些区别,却不能算得区别。”至于轻重,他认为与四声绝对地无关(下文详论)。四声有高低的分别大概不成问题,成问题的是高低的测定。如果一个声音在它的习惯的音长之内,始终维持一律的音高,则高低容易断定。比如钢琴上第二协的C声与第三协的C音的分别不但是很明白,而且也很纯粹。四声的高低难判定,不但因为各地发音不同,尤其因为每声在它的习惯的音长之内,不能维持一律的音高,有时前高后低,有时前低后高,有时起伏不平。如果用线形表示,音高所走的路程不是平直线而是不规则的曲线。姑举刘复《四声实验录》所载的北平四声为例,其线形如下:

北平四声高低长短

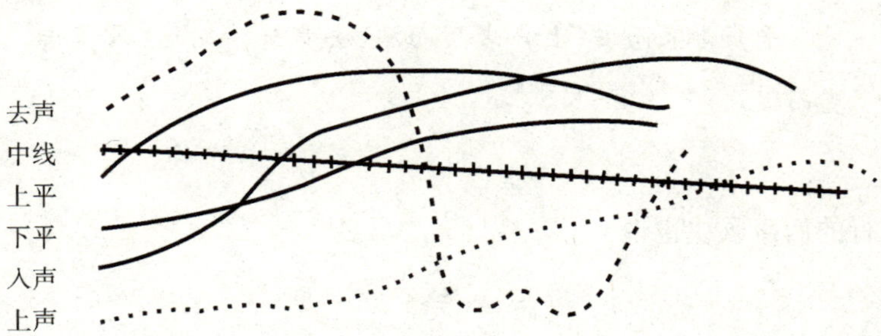

图中中线(+++……)居四声的最高点与最低点之中,其长表示时间长短

据赵元任的《国音新诗韵》,五声的标准读法如下:

> 阴声高而平。阳声从中音起,很快地扬起来,尾部高音和阴声一样。上声从低音起,微微再下降些,在最低音停留些时间,到末了高起来片刻就完。去声从高音起,一顺尽往下降。入声和阴声音高一样,就是时间只有它一半或三分之一那么长。

赵氏的阴声即刘氏的上平,阳声即下平。如果取赵氏的解释和刘氏的线图比较,我们可以看出,上平下平大致符合,其余三声都互有出入。如果取刘氏所实验的十二个地方四声所得的线图看,则各地四声的高低起伏,各不相同。不过有一点是很明白的,就是同一声音的高低前后不一律,我们不能概括地说某声高或某声低,只能说某声在某一个阶段高,某一个阶段低。因为各声内部都有较高较低部分,所以四声的分别也很难说完全在高低。

最后说轻重。从前人分别四声,大半着重轻重或强弱的标准。最早的关于四声的解释当推唐释神珙所引《元和韵谱》的话:

> 平声者哀而安,上声者厉而举,去声者清而远,入声者直而促。

流行的四声歌诀也说:

> 平声平道莫低昂,上声高呼猛烈强,去声分明哀远道,入声短促急收藏。

按这两段话的语气,似都以平去较轻,上入较重。顾炎武在《音论》里说:

其重其急则为入为上为去,其轻其迟则为平。

依这一说,则三个仄声都比平声较重。近人王光祈则以为"平声强于仄声"。(《中国诗词曲之轻重律》)

否认四声与轻重有关的也有人。据高元的研究,轻重在江苏七声上特别重要,在其他区域影响甚微。刘复《四声实验录》则绝对否认强弱或轻重与四声有关。他的理由是:"无论哪一声都可以读强,也都可以读弱,而其声不变。"这话似有语病。我们的问题不是某一声是否因读强读弱而变为另一声,而是某一音的四声有无强弱的比较。我们可以套刘氏话来说:"无论哪一声都可以读高,也可以读低,而其声不变。"男音低于女音,文字声音的高低可随意义伸缩,都是事实。我们能否据此否认声与高低有关呢?刘氏的实验把强弱完全丢开,我想是因为他所信任的浪纹计根本不能测声的强弱。强弱的痕迹相当于浪纹的深浅。浪纹计用细笔尖在薰烟的滑纸上画出声浪的纹,而画得又非常之快,如何能见出可测量的深浅呢?

就大体说,发四声时所出的力有强弱,所得的音自有轻重之分。读上入二声似比读平去二声较费力,所以较重如《元和韵谱》及四声歌诀所指示的。不过这还是臆测,各区域发音不同,同一声的轻重容易有出入,还待精细的测验去断定。总之,四声虽似有轻重的分别,而轻重的比例仍是问题。

高元谓四声为"在同一声(子音)韵(母音)中音长、音高、音势三种变化相乘之结果”。就目前而论,这也许是四声的最妥当的定义。不过这个定义对于诗音律研究有多大的价值,殊为问题,因为各声的音长、音高、音势都没有定量,而且随时随地更动。

四 四声与中国诗的节奏

以上分析四声,都仅就独立的音来说,问题已够复杂。在诗里音没有独立的,都与若干其他音合成一组而成句,四声的问题比较更复杂了。

第一,在音组里每音的长短高低轻重都可以随文义语气而有伸缩。意义着重时,声音自然随之而长而高而重;意义不着重时,声音也自然随之而短而低而轻。同是一个字,在这一音组里读长读高或读重,在另一音组里读低读短或读轻,全看行文口气。比如同是“子”字,在“子书”里比在“扇子”里;同是“又”字,在“他又来了”比在“他来了又去了”,都读得较长较高较重。在独立音上所推敲出来的长短、高低、轻重,在诗文里应用起来,可以完全变过。

其次,除意义轻重影响以外,一音组中每音的长短、高低、轻重,有时受邻音的影响而微有伸缩。这可分两层说:第一,两音相邻时由前一音滑入后一音,有顺有拗。大约双声而叠韵的两音读来最顺口,由甲声转入性质不同的乙声(例如由唇音转喉音),由甲韵转入性质不同的乙韵(例如由开口转撮口),则比较费力。如“玉女”的“玉”与“玉山”的“玉”,“堂堂”的第一个“堂”与“堂庙”“堂宇”的“堂”,都略有分别。第二,各国语言节奏大半有先抑后扬的倾向(英文 iambic 节奏最占势力,法文在顿上略扬,都可以为证)。中国语言中有许多叠音字,两字同声同韵,而长短高低轻重仍略有分别,例如

"关关"、"凄凄"、"萧萧"、"冉冉"、"荡荡"、"漠漠"之类都先抑后扬。这两层分别虽然甚微,但对于节奏仍有若干影响。

第三,如上节所分析,四声不纯粹是长短、高低或轻重的分别,平仄相间即不能认为长短、高低或轻重相间。加以诗的习惯,平不分阴阳,仄则包含上去入。在长短、高低、轻重三方面,阴阳平已有悬殊,上去入彼此相差尤远。如"平平"为一阴一阳,而"仄仄"为一上一入,则长与短、高与低、轻与重即不免经过几分抵消作用,结果使"平平"与"仄仄"在长短、高低、轻重上并无多大差别。

因为上述各种缘故,拿西方诗的长短、轻重、高低来比拟中国诗的平仄,把"平平仄仄平"看作"长长短短长","轻轻重重轻"或"低低高高低",一定要走入迷路。王光祈在《中国诗词曲之轻重律》里说:

> 在质的方面,平声则强于仄声。按平声之字,其发音之初,既极宏壮,而继续延长之际,又能始终保持固有之强度。因此,余将中国平声之字,比之近代西洋语言之重音,以及古代希腊文之长音,而提出平仄二声为造成中国诗词曲"轻重律"之说。

王氏为研究乐理学者,其言殊令人失望。在音势(并非"质")方面,平并不一定强于仄,已如前所述。平仄的分别不能以西诗长短轻重比拟,另有一事实可证明。在希腊拉丁诗中,一行不能全是长音或全是短音,在英文诗中,一行不能全是重音或全是轻音。假如全行只有一种音,就不会有节奏。但是在中文诗中,一句可以全是平声,如"关关雎鸠"、"修条摩苍天"、"枯桑鸣中林"、"翩何姗姗其来迟”之类，一句也可以全是仄声，如“窈窕淑女”、“岁月忽已晚”、“伏枕独展转”、“利剑不在掌”之类。这些诗句虽非平仄相间，仍有起伏节奏，读起来仍很顺口。古诗在句内根本不调平仄，而单就节奏说，古诗大半胜于律诗，因为古诗较自然而律诗往往为格调所束缚。从此可知四声对于中国诗的节奏影响甚微。王光祈以平仄二声作“轻重”以及其他类似的企图，在学理与事实上均无根据。

我们说四声对于中国诗的节奏影响甚微，说它比不上希腊拉丁文的长短和英文的轻重，并非说它毫无影响。凡是两个不同的现象有规律地更替起伏，多少都要产生节奏的效果。平与仄的分别究竟在哪里，固为问题；它们有分别，则不成为问题。这显然有分别的两种声音有规律地更替起伏，自然也要产生节奏。中国律诗就要把这种节奏制成固定的模型。这模型本来是死板的东西，它所定的形式的节奏在具体的诗里必随语言的节奏而变异。两首平仄完全相同的诗，节奏不必相同，所以声调谱之类作品是误人的（详见第六章）。

五　四声与调质

钱玄同、吴敬恒、高元诸人提倡注声字母，觉得四声不适用，主张废弃它们。胡适根据“由最古的广州话的九声逐渐减少，到后起的北部西部的四声”之事实，断定“这个趋势是应该再往前进的，是应该走到四声完全消灭的地位的”（高元《国音学·胡序》）。他在《谈新诗》一文里主张“推翻词谱、曲谱的种种束缚，不拘平仄，不拘长短”。

在我们看，语音的演变是一种自然现象，有风土习惯、生理构造以及心理性格诸要素在后面支配，决不是三数学者唱废弃或唱保守所能左右的。至于简单化是语音与文法的共同趋势,但因“简单化”而推测到“零化”,恐怕也是一个过于大胆的预言。比如英文文法,从盎格鲁萨克逊时代起,一直到现在,都在逐渐简单化,我们能由此断定英文文法会“走到完全消灭的地位”么?

我们研究语音,像研究任何自然现象一样,要接受事实,就事论事,武断和预言都是危险的事。就事实说,声音的分别是牢不可破地在那里。研究语音学者就要分析和解释这分别,研究诗者就要研究它在诗里有什么功用。从以上分析四声与长短、高低、轻重的关系所得的结果看,我们知道四声虽非毫无节奏性,但是这种节奏性并不十分明了确定。然则四声对于诗,除节奏以外,还有其他功用没有?诗的节奏,除略见于四声以外,还有其他成因没有?这是两个不同的问题,先讨论第一个。

在诗和音乐中,节奏与“和谐”(harmony)是应该分清的。比如磨坊的机轮声和铁匠铺的钉锤声都有节奏而没有和谐,古寺的一声钟和深林的一阵风声可以有和谐而不一定有节奏。节奏自然也是帮助和谐的,但和谐不仅限于节奏,它的要素是“调质”(tone quality)的悦耳性。这在单音和复音上都可以见出。节奏在声音上只是纵直的起伏关系,和谐则同时在几种乐音上可以见出,所以还含有横的关系。比如钢琴声与提琴声同奏,较与鼓声同奏为和谐,虽然节奏可相同。四声不但含有节奏性,还有调质(即音质)上的分别。凡是读书人都能听出四声,都知道某字为某声,丝毫没有困难,但是许多音韵学专家都不能断定四声的长短、高低、轻重的关系。这可证明四声最不易辨别的是它的节奏性,最易辨别的是它的调质或和谐性。

一般人以为四声是中国语言的特殊现象。这种见解不完全是对的。比如说英文母音,a长音就是上声,e、i、o、u长音都是去声,e、i、u短音都是入声。独立的母音没有平声,但是母音与鼻音(w、n)相拼时,如果不是重音,往往读成阴平,例如stephen之phen音,London之don音,phantom之tom音。子音万国音标式发音时大率为入声(如b读如博,p读如泼);用普通读法,b、c,l都近于上声,d、g、k、p都近于去声,f、s、m、n都以上声起,以阴平收。这种调质的分别在英文中叫做tone quality,在法文中叫做timbre。西方诗论家常把它称为“诗的非节奏的成分”(nonrhythmical element of verse)。

诗讲究声音,一方面在节奏,在长短、高低、轻重的起伏;一方面也在调质,在字音本身的和谐以及音与义的调协。在诗中调质最普通的应用在双声叠韵。双声(alliteration)是同声纽(子音)字的叠用。古英文诗不用韵脚,每行分前后两部分,前部必有一两个字与后部一两个字成双声,把散漫的音借同声纽的字联络贯串起来,例如:

Beowulf waes breme blaed wide sprang.

这句诗的前后两部用b和w的双声做联络线。这种双声有韵的功用,所以有时叫做“首韵”(beginning rhyme),与“尾韵”(end rhyme)相对。近代西方诗大半有脚韵,无须用双声作首韵,但仍常用双声产生和谐。中国字尽单音,所以双声字极多,例如《国风》第一篇里就有“雎鸠”、“之洲”、“参差”、“辗转”等双声字。

叠韵(assonance)是同韵纽(母音)字的叠用。古法文以叠韵为韵脚。例如《罗兰之歌》中用bise和dire成韵。近代西方诗于行尾母音相同之外,再加上母音后子音亦必相同一个条件,例如dire和cire成韵,bise和mise成韵,而dire和bise则不能成韵。近代中国语除含鼻音的字以外,凡字都以纯粹的母音收,所以西方诗用韵的后一个条件在中文里几无意义，而“叠韵”和“押韵”根本只是一回事，不过普通所谓“押韵”只限于押句尾一字罢了。中国文字大半以母音收，所以同韵字特别多，押韵和叠韵是最容易的事。

双声叠韵都是要在文字本身见出和谐。诗人用这些技巧，有时除声音和谐之外便别无所求，有时不仅要声音和谐，还要它与意义调协。在诗中每个字的音和义如果都互相调协，那是最高的理想。音律的研究就是对于这最高理想的追求，至于能做到什么地步，则全凭作者的天资高低和修养深浅。每国文字中都有些谐声字(onomatopoeic words)。谐声字在音中见义，是音义调协的极端例子。例如英文中的murmur、cuckoo、crack、dingdong、buzz、giggle之类。中国字里谐声字在世界中是最丰富的。它是“六书”中最重要最原始的一类。江、河、嘘、啸、呜咽、炸、爆、钟、拍、砍、唧唧、萧萧、破、裂、猫、钉……随手一写，就是一大串的例子。谐声字多，音义调协就容易，所以对于做诗是一种大便利。西方诗人往往苦心搜索，才能找得一个暗示意义的声音，在中文里暗示意义的声音俯拾即是。在西文诗里，评注家每遇一双声叠韵或是音义调协的字，即特别指点出来，视为难能可贵。在中文诗里则这种实例举不胜举。

音义调协不必尽在谐声字上见出。有时一个字音与它的意义虽无直接关系，也可以因调质暗示意义。就声纽说，发音部位与方法不同，则所生影响随之而异；就韵纽说，开齐合撮以及长短的分别也各有特殊的象征性。姑举例为证，“委婉”比“直率”、“清越”比“铿锵”、“柔懦”比“刚强”、“局促”比“豪放”、“沉落”比“飞扬”、“和蔼”比“暴躁”、“舒徐”比“迅速”，不但意义相反，即在声音上亦可约略见出差异。

音律的技巧就在选择富于暗示性或象征性的调质。比如形容马跑时宜多用铿锵疾促的字音；形容水流，宜多用圆滑轻快的字音。表示哀感时宜多用阴暗低沉的字音，表示乐感时宜用响亮清脆的字音。例如韩愈《听颖师弹琴歌》的头四句：

昵昵儿女语，恩怨相尔汝；划然变轩昂，勇士赴敌场。

“昵昵”、“儿”、“尔”以及“女”、“语”、“汝”、“怨”诸字，或双声，或叠韵，或双声而兼叠韵，读起来非常和谐；各字音都很圆滑轻柔，子音没有夹杂一个硬音、摩擦音或爆发音；除“相”字以外没有一个字是开口呼的。所以头两句恰能传出儿女私语的情致。后二句情景转变，声韵也就随之转变。第一个“划”字音来得非常突兀斩截，恰能传出一幕温柔戏转到一幕猛烈戏的突变。韵脚转到开口阳平声，与首二句闭口上声韵成一强烈的反衬，也恰能传出“猛士赴敌场”的豪情胜概。从这个短例看，我们可以见出四声的功用在调质，它能产生和谐的印象，能使音义携手并行。做诗虽不必依声调谱去调平仄，在实际上宜用平声的地方往往不能易以仄声字，宜用仄声的地方也不能随意换平声。例如白居易的《琵琶行》：

大弦嘈嘈如急雨，小弦切切如私语；嘈嘈切切错杂弹，
大珠小珠落玉盘。

第一句“嘈嘈”决不可换仄声字，第二句“切切”也决不可换平声字。第三句连用六个舌齿摩擦的音，“切切错杂”状声音短促迅速，如改用平声或上声、喉音或牙音，效果便绝对不同。第四句以“盘”字落韵，第三句如换平声“弹”字为去声“奏”字，意义虽略同，听起来就

不免拗。第四句“落”字也胜似“堕”、“坠”等字，因为入声比去声较斩截响亮。我们如果细心分析，就可见凡是好诗文，平仄声一定都摆在最适宜的位置，平声与仄声的效果决不一样。（最好的分析材料是状声的诗文，如《庄子·齐物论》人籁天籁段，《文选》“音乐”类的赋，李颀写听音乐的诗，欧阳修《秋声赋》，元曲里《秋夜梧桐雨》之类。）

平仄调和所生的影响并不亚于双声叠韵。胡适在《谈新诗》里着重双声叠韵而看轻平仄和韵脚。他说：

> 诗的音节全靠两个重要分子：一是语气的节奏，二是每句内部所用字的自然和谐。至于句末韵脚，句中的平仄，都是不重要的事。语气自然，用字和谐，就是句末无韵也不要紧。

下面他引了几首新诗，证明双声叠韵的重要。他的话似易引人误会他所说的“用字和谐”全在双声叠韵，而“句末韵脚，句中的平仄”，则为“用字和谐”以外的事，所以“不重要”。其实韵脚也还是一种叠韵，双声在古英文诗里也当作韵用过。双声、叠韵、押韵和调平仄，同是选配“调质”的技巧。如果论“和谐”，“句末韵脚，句中的平仄”，也似不比双声叠韵差一等。在同是“调质”的现象之中，取双声叠韵而否认押韵调平仄的重要，似欠公平。

总之，四声的“调质”的差别比长短、高低、轻重诸分别较为明显，它对于节奏的影响虽甚微，对于造成和谐则功用甚大。

第九章　中国诗的节奏与声韵的分析(中):论顿

一　顿的区分

中国诗的节奏不易在四声上见出,全平全仄的诗句仍有节奏,它大半靠着"顿"。它又叫做"逗"或"节"。它的重要从前人似很少注意过。"顿"是怎样起来的呢?就大体说,每句话都要表现一个完成的意义,意义完成,声音也自然停顿。一个完全句的停顿通常用终止符号"。"表示。比如说:

我来。

我到这边来。

我到这边来,听听这些人们在讨论什么。

这三句话长短不同,却都要到最后一字才停得住,否则意义就没有完成。第三句为复合句,包括两个可独立的意义。通常说话到某独立意义完成时,可以略顿一顿,虽然不能完全停止住。这种辅句的顿通常用逗点符号","表示。论理,我们说话或念书,在未到逗点或终止点时都不应停顿。但在实际上我们常把一句话中的字分成几组，某相邻数字天然地属于某一组，不容随意上下移动。每组自成一小单位，有稍顿的可能。比如上例第三句可以用“—”为顿号区分为下式：

我到—这边来，—听听—这些—人们—在讨论—什么。

这种每小单位稍顿的可能性，在通常说话中，说慢些就觉得出，说快些一掠就过去了。但在读诗时，我们如果拉一点调子，顿就很容易见出。例如下列诗句通常照这样顿：

陟彼—崔嵬，—我马—虺隤—。我姑—酌彼—金罍，—惟以—不永怀。

涉江—采芙—蓉，—兰泽—多芳—草。

花落—家僮—未扫，—鸟啼—山客—犹眠。

永夜—角声—悲自—语，—中天—月色—好谁—看。

五更—鼓角—声悲—壮，—三峡—星河—影动—摇。

这里我们要特别注意的就是说话的顿和读诗的顿有一个重要的分别。说话的顿注重意义上的自然区分，例如“彼崔嵬”、“采芙蓉”、“多芳草”、“角声悲”、“月色好”诸组必须连着读。读诗的顿注重声音上的整齐段落，往往在意义上不连属的字在声音上可连属，例如“采芙蓉”可读成“采芙—蓉”，“月色好谁看”可读成“月色—好谁看”，“星河影动摇”可读成“星河—影动摇”。粗略地说，四言诗每句含两顿，五言诗每句表面似仅含两顿半而实在有三顿，七言诗每句表面似仅含三顿半而实在有四顿,因为最后一字都特别拖长,凑成一顿。这样看来,中文诗每顿通常含两字音,奇数字句诗则句末一字音延长成为一顿,所以顿颇与英文诗"音步"相当。

说话的顿和读诗的顿不同,就因为说话完全用自然的语言节奏,读诗须搀杂几分形式化的音乐节奏。胡适在《谈新诗》里把诗的"顿挫段落"看成"自然的节奏",似还有商酌的余地。比如他所举的例:

风绽—雨肥—梅。

江间—波浪—兼天—涌。

这两句诗照习惯的旧诗读法,应该依他这样顿。但是这样顿法不能说是依意义的自然区分,因为就意义说,"肥"字和"天"字都是不应顿的。

诗里有一个形式化的节奏,我们不能否认;不过同时我们也须承认读诗者与做诗者都不应完全信任形式化的节奏,应该设法使它和自然的语言的节奏愈近愈好。我们在上列各例中完全用形式化的节奏去顿,这种顿法并非一成不变,每个读诗者都有伸缩的自由,比如下列顿法:

涉江—采芙蓉。

风绽—雨肥梅。

中天—月色好—谁看。

江间—波浪—兼天涌。

较近于语言节奏,也未尝不可用。有时如果严守形式化的节奏,与意义的自然区分相差太远,听起来反觉有些不顺,比如下列诸例,照习惯的顿法:

似梅—花落—地,—如柳—絮因—风。

送终—时有—雪,—归葬—处无—云。

静爱—竹时—来野—寺,—独寻—春偶—到溪—桥。

管城—子无—食肉—相,—孔方—兄有—绝交—书。

似不如顿成下式,较为自然:

似梅花—落地,—如柳絮—因风。

送终时—有雪,归葬处—无云。

静爱竹—时来—野寺,—独寻春—偶过—溪桥。

管城子—无食肉—相,—孔方兄—有绝交—书。

不过这些实例,在音节上究竟有毛病,因为语言节奏与音乐节奏的冲突太显然,顾到音就顾不到义,顾到义就顾不到音。在中文诗习惯,两字成一音组,这两字就应该同时是一义组。如果有三字成义组,无论在五言中还是在七言中,它最好是摆在句末,才可以免去头重脚轻的毛病。例如:

五言 { 涉江—采芙蓉。
似梅花—落地。

七言 { 暗香—浮动—月黄昏。
独寻春—偶过—溪桥。

前后两句相较，后句显然是头重脚轻，与语言的先抑后扬的普通倾向相违背。

二　顿与英诗“步”、法诗“顿”的比较

中文诗每顿通常含两个字音，相当于英诗的“音步”(foot)，已如上所述。但有一点它与英诗步不同。步完全因轻重相间见节奏，普通虽是先轻后重，而先重后轻亦未尝不可。中诗顿绝对不能先扬后抑，必须先抑后扬，而这种抑扬不完全在轻重上见出，是同时在长短、高低、轻重三方面见出。每顿中第二字都比第一字读得较长、较高、较重。就这一点说，中诗顿所产生的节奏很近于法诗顿。严格地说，中诗音步用“顿”字来称呼，只是沿用旧名词，并不十分恰当，因为在实际上声音到“顿”的位置时并不必停顿，只略延长、提高、加重。就这一点说，它和法文诗的顿似微有不同，因为法文诗到“顿”(尤其是“中顿”)的位置时往往实在是要略微停顿的。

在英诗的“步”和中诗、法诗的“顿”里，长短都没有定准。英诗每步含两字音的也可以偶尔夹入三单音步或一单音步以生变化，例如：

Shadowing | moré beau - | ty in | their ai - | ry brows.

第一音步含三音，是无疑地比第三音步两个短促而不着重的音较

长。法诗的顿长短往往悬殊更大，尤其是浪漫格，因为顿的数目固定而位置不固定。例如：

J' aime | la majestè | de la souffrance | humaine.

第三顿特别长，第一顿特别短，是很显然的。中诗的顿在字面上虽似少伸缩（大半两音），但读起来长短悬殊仍然很大，这全取决于语言的自然节奏以及字音本身的调质。例如：

念天地—之悠悠，—独怆然—而涕下。

第一句“念天地”顿不能有“之悠悠”顿那么长，第二句“独怆然”顿也不能有“而涕下”顿那么短。再如：

寻寻—觅觅，—冷冷—清清，—凄凄—惨惨—戚戚。

七个叠字虽各占一顿，而长短却略有不同，入声的叠字自然比平上声的叠字较短。

近来论诗者往往不明白每顿长短有伸缩的道理，发生许多误会。有人把顿看成拍子，不知道音乐中一个拍子有定量的长短，诗中的顿没有定量的长短，不能相提并论。

中文诗因为读时长短有伸缩和到顿必扬的两个缘故，四声的分别对于节奏的影响越显得微小。这件事实是研究中国诗的声律者所应特别注意的。它很明白地告诉我们：中国诗的节奏第一在顿的抑扬上看出，至于平仄相间，还在其次。明白这个道理，我们更可见拿平仄比拟英德文诗的“轻重律”，实在是牵强附会。

三 顿与句法

中国诗文旧有句读的分别。“读”读如“逗”,近于本篇所谓“顿”,但与“顿”微有不同。“顿”完全是音的停顿,“读”则兼为义的停顿。例如“关关雎鸠,在河之洲。窈窕淑女,君子好逑”。偶句为“句”,奇句则从前人误认为“句”而实为“读”。“句”(sentencc)必含有一完成意义,“读”可仅含一个意义不完成而可稍停顿的“辞句”(phrase)或“子句”(clause)。如只就音说,“关关”、“窈窕”等均可“顿”。不过严格说起,中文的“读”从古代起似就偏重音而不甚重义。上例“鸠”字于义亦本不应“顿”,所以读成“顿”者,仍是偏重声音段落。此外如“翩翩飞鸟,息我庭柯”,“幸有弦歌曲,可以喻中怀”,“何不策高足,先据要路津”,“结庐在人境,而无车马喧”,“彤庭所分帛,本自寒女出”,“遂令天下父母心,不重生男重生女”,“天台四万八千丈,对此欲倒东南倾”,例证甚多,数不胜数。

这样把一个于义不能拆开的句子拆为两部分,使声音能成为有规律的段落,是一个很有趣的现象。我们很可以拿它和西文诗的“上下关联格”(enjambement)来比较。西文诗单位是“行”(line),每行不必为一句,上行文义可以一直流注到下行去,总能完成它的意义。例如莎士比亚的:

...and blest are those
Whose blood and judgment are so well commingled
That they are not a pipe for fortune's finger
To sound what stop she please.

四行实只一句,每行最后一字于义均不能停顿,所以通常都连着下行一气读。最后终止点(即句子完成处)却不在行末而在行中腰。行末既不顿,何以要分行呢?这全是因为“无韵五节格”每行要五个音步,上行音步的数目够了,下文便移到下行写,余例推。这种分排何以能见节奏呢?就全在每行的五音步有轻重的抑扬。中文诗以句为单位,每句大半是四言、五言或七言。在大多数诗中,一句完了,意义也就完成,声音也就停顿。所以在表面看,中文诗似无“上下关联”的现象。但事实上仍是有的,上引诸例可以为证。它与西诗“上下关联格”所不同者,在西诗行末意义未完成时,声音即不可停顿,必须与下行一气连读;在中诗一“句”之末意义尽管未完成而声音仍必须停顿,至少在习惯的读法是如此,它合理与不合理却是另一问题。

在古代诗歌中,大半是奇“读”偶“句”,在《楚辞》中“读”后常加一衬字如“兮”之类,表示声音略停留延长。例如“惟草木之零落兮,恐美人之迟暮”,“忽反顾以流涕兮,哀高丘之无女”,“吾令丰隆乘云兮,求宓妃之所在”,这类句子都借衬字“兮”字把前后两部划得很分明。这些句子在意义上本可小顿,但《楚辞》中也有本来不可分拆的句子而用“兮”字拆开为两“顿”者,例如“穆将愉兮上皇”,“盖将把兮琼芳”,“旦余济兮江湘”,把动词和宾词拆开;“悲莫悲兮生别离”,“搴芙蓉兮木末”,“遗余佩兮澧浦”,把“兮”字当作前置词“于”字而与它的宾词拆开;“时不可兮骤得”,“荃独宜兮为民正”,把动词与副动词拆开;“令湘沅兮无波”,“望夫君兮归来”,“子慕予兮善窈窕”,把补足语和补足的部分拆开;“采芳洲兮杜若”,“抚长剑兮玉珥”,“望涔阳兮极浦”,把“兮”当作所有词“之”字而与所指名词分开,都是文义所不容许的,作者所以用这种句读者全以声韵段落为主。

这个倾向在词中尤其显然。词有谱调，到某字必顿，到某字必停，都依一定格律。但是词中的顿常仅表示声音段落，与意义无涉。例如“四十三年，望中犹记，烽火扬州路”顿于“记”字，“水精双枕，傍有堕钗横”顿于“枕”字，“那堪更被明月，隔墙送过秋千影”顿于“月”字，“梦随风万里，寻郎去处，又还被，莺呼起”顿于“里”字“被”字，“却笑东风，从此便熏梅染柳”顿于“风”字，“谩赢得青楼，薄幸名存”顿于“楼”字，“算只有并刀难剪，离愁千缕”顿于“剪”字，“一声声是，怨红愁绿”顿于“是”字，“这双燕何曾，会人言语”顿于“曾”字之类，都于词义为不通，于音律为必要。我们读惯了，听惯了，觉得声音过得去，连文义的破绽都忽略过去了。

以上所举许多实例可证明中国诗词有类似西诗“上下关联格”的句子，不过意义虽上下关联，而声音则于习惯的停顿处停顿。这种停顿完全是形式的，正如一般诗句两字成顿一样。西诗“上下关联”时上行之末无须停顿，而中诗“上下关联”时则上“句”之末必须停顿，这件事实也足证明顿对于中诗节奏的重要性。

四　白话诗的顿

旧诗的顿完全是形式的、音乐的，与意义常相乖讹。凡是五言句都是一个读法，凡是七言句都另是一个读法，几乎千篇一律，不管它内容情调与意义如何。这种读法所生的节奏是外来的，不是内在的，沿袭传统的，不是很能表现特殊意境的。自然，在能手运用之下，它也有几分弹性，可以使音与义达到若干程度的调协。不过无论如何，它只能在囚笼里绕圈子，不能有很大的自由。古体诗还可以在句法变化、长短伸缩、韵的转换上弥补这个缺陷，律诗就处处受拘束了。节奏不很能跟着情调走,这的确是旧诗的基本缺点。

补救这个缺陷,是白话诗的目的之一。它要解除传统束缚,争取自由与自然,所以把旧诗的句法、章法和音律一齐打破。这么一来,"顿"就根本成为问题。旧诗的"顿"是一个固定的空架子,可以套到任何诗上,音的顿不必是义的顿。白话诗如果仍分"顿",它应该怎样读法呢?如果用语言的自然的节奏,使音的"顿"就是义的"顿",结果便没有一个固定的音乐节奏,这就是说,便无音"律"可言,而诗的节奏根本无异于散文的节奏。那么,它为什么不是散文,又成问题了。如果照旧诗一样拉调子去读,使它有一个形式的音乐节奏,那就有更多的难点。第一,它还是没有补救旧诗的缺点,或者说,那还是用白话做的旧诗。第二,拉调子读流行的语言,听起来不自然,未免带有几分喜剧的意味。第三,像胡适在《谈新诗》里所说的:

> 白话里的多音字比文言多得多,并且不止两个字的联合,故往往有三个字为一节或四五个字为一节的。

这是事实,它的原因是文言省略虚字而白话不省略。白话文的虚字大半在"顿"的尾子上,例如下例:

> 门外—坐着—一个—穿破衣裳的—老年人。

虚字本应轻轻滑过,而顺着中国旧诗节奏先抑后扬的倾向,却须着重提高延长,未免使听者起轻重倒置的感觉了。而且各顿的字数相差往往很远,拉调子读起来,也很难产生有规律的节奏。

第十章　中国诗的节奏与声韵的分析（下）：论韵

一　韵的性质与起源

中国学者讨论诗的音节，向来分声、韵两层来说。四声的分析已见上文。韵有两种：一种是句内押韵，一种是句尾押韵。它们实在都是叠韵，不过在中文习惯里，句内相邻两字成韵才叫“叠韵”，诸句尾字成韵则叫作“押韵”。

韵与声是密切相关的。在古英文诗中，双声有韵的功用（详见第八章）。依阮元说，齐梁以前，“韵”兼包近代的“声”、“韵”两个意义。齐梁时有“有韵为文，无韵为笔”之说，但昭明太子所选的叫《文选》，里面不押韵的文章还是很多。阮氏在《文韵说》里根据这个事实下结论说：

> 梁时恒言所谓韵者固指押韵脚，亦兼指章句中之声韵，即古人所言之宫羽，今人所言之平仄也。……声韵流变而成四六，亦只论章句中之平仄，不复有押韵也。四六乃韵文之极致，不得谓之为无韵之文也。昭明所选不押韵脚之文，本皆奇偶相生，有声音者，所谓韵也。

这个学说很可注意，因为它很明白地指点出来，中国韵文之中有不押韵脚的一种，就是赋与四六之类。“韵”在古代兼包“声”、“韵”两义，尚另有一证。钟嵘《诗品》谓“若‘置酒高堂上’、‘明月照高楼’为韵之首”，他所谓“韵”显然是指“声”。不过阮氏谓昭明所选皆“韵文”，也还有疑义，因为“序”、“论”、“书”、“笺”诸类中有许多文章不但不押韵脚，也并不讲求“奇偶相生”。我们姑沿用“韵”的流行的意义，专指“押韵脚”。中国文字除鼻音外都以母音收，所谓同韵只是同母音。西文同韵字则母音之后的子音亦必相同。所以中文同韵字最多，押韵较易。

韵在中国发生最早。流传到现在的古籍大半都有韵。《诗经》为韵文，固不用说，即记事说理的著作，像《书经·大禹谟》“帝德广润”段，《伊训》“圣谟洋洋”段，《易经》中《彖》、《象》、《杂卦》诸篇，《礼记·曲礼》“行前朱鸟而后玄武”段，《乐记》“今夫古乐”和“夫古者天地顺而四时当”诸段以至《老子》、《庄子》都有用韵的痕迹。在古代文学中，最清楚的分别是伴乐与不伴乐，至于有韵无韵，还在其次。诗和散文的分别并不在韵的有无。诗皆可歌，歌必伴乐，散文不伴乐，但仍可有韵。

韵的起源如何，从前人说法颇多，最普遍的是韵文便于记忆。章学诚在《文史通义·诗教》中说：

演畴皇极，训诰之韵者也，所以便讽诵，志不忘也。……后世杂艺百家，诵拾名数，率用五言七字，演为歌谣，咸以便记诵，皆无当于诗人之义也。

不过这种说法只指出韵的一种功用，不一定可说明韵的起源。章氏所举的尽是说理记事的应用文，大半是“笔之于书”的。人类在发明文字之前已经开始唱歌、跳舞，已有一部分韵语文学“活在口头上”，所以诗歌的韵必在应用文的韵之前，韵的起源必须在原始诗歌里去找。原始诗歌的韵也未尝没有便于记忆一层功用，但它的主要的成因或许是歌、乐、舞未分时用来点明一节乐调和一段舞步的停顿，应和每节乐调之末同一乐器的重复的声音（详见第一章第五节）。所以韵是歌、乐、舞同源的一种遗痕，主要功用仍在造成音节的前后呼应与和谐。

二　无韵诗及废韵的运动

中国诗向来以用韵为常例。诗偶有不用韵者大半都有特殊原因。顾炎武在《日知录》里曾反对有韵与无韵的分别说：

> 古人之文，化工也。自然而合于音，则虽无韵之文而往往有韵；苟其不然，则虽有韵之文而时亦不用韵，终不以韵而害义也。三百篇之诗，有韵之文也。乃一章之中有二三句不用韵者，如“瞻彼洛矣，维水泱泱”之类是矣；一篇之中有全章不用韵，如《思齐》之四章五章，《召旻》之四章是矣；又有全篇无韵者如《周颂》：《清庙》、《维天之命》、《昊天有成命》、《时迈》、《武》诸篇是矣。说者以为当有余声，然以余声相协，而不入正文，此则所谓不以韵而害意者也。……太史公作赞，亦时一用韵，而汉人乐府反有不用韵者。据此则文有韵无韵，皆顺手自然。诗固用韵，而文亦未必不用

韵。东汉以降，乃以无韵属之文，有韵属之诗，判而二之，文章日衰，未始不因乎此。

顾氏的大旨在诗与文不应以有韵无韵分，因为诗可不用韵而文亦可用韵。在原理上这是不错的。不过就事实说，无韵诗在中国为绝少的特例，究不足以破原则。他所举的实例也有可置疑之点。二三句不用韵而其余皆用韵，仍是用韵的变格。《周颂》多阙文，而且题材风格近于应用文，与普通抒情诗有别。顾氏固不反对“余声相协”之说，所谓“余声相协”就是在词句本身上虽不用韵，而歌唱时仍补上一个协韵的余声。

中国历史上有两次废韵的尝试。第一次是六朝人用有律无韵的文章译佛经中有音律的部分（例如“偈”和“行赞”），第二次就是现代白话诗运动。译佛经者大半是印度和尚，以外国人用中文，总不免有些困难；而且佛经译笔大半着重忠实，本意不在于为诗，用韵很容易因迁就文字而失去真意，不用韵固无足怪（中土僧人自作“偈”，也尝用韵，《六祖坛经》可以为证）。宋人诗颇受佛经的影响，而且宋人大半欢喜文字游戏，所以苏东坡一班人也模仿过佛经的“偈”，但是从来没有看见一个诗人仿“偈”体做无韵诗。白话诗还在萌芽时期，它的废韵的尝试显然受西方诗的影响。不过白话诗用韵的也很多。以后新诗演变如何，我们不必作揣摩其词的预言。我们现在只讨论韵在以往的中国诗里何以那样根深蒂固。也许这个问题解决了，我们对于将来中国诗韵的关系如何，也可以推知大概。

三　韵在中文诗里何以特别重要

诗与韵本无必然关系。日本诗到现在还无所谓韵。古希腊诗全不用韵。拉丁诗初亦不用韵,到后期才有类似韵的收声,大半用在宗教中的颂神诗和民间歌谣。古英文只用双声为“首韵”而不押脚韵。据现有的证据看,诗用韵不是欧洲所固有的,而是由外方传去的。韵传到欧洲至早也在耶稣纪元以后。据十六世纪英国学者阿斯铿(Ascham)所著的《教师论》,西方诗用韵始于意大利,而意大利则采匈奴和高兹诸“蛮族的陋习”。阿斯铿以博学著名,他的话或不无所据。匈奴的影响达到欧洲西部在纪元后一世纪左右,匈奴侵入罗马则在第五世纪。韵初传到欧洲,颇风行一时。德国史诗《尼伯龙根之歌》以及法国的中世纪许多叙事诗都用韵。但丁的《神曲》是欧洲第一部伟大的有韵诗。文艺复兴以后,欧洲学者倾向复古,看到希腊拉丁古典名著都不用韵,于是骂韵是“野蛮人的玩艺儿”。弥尔顿(Milton)在《失乐园》序里,芬涅伦(Fénelon)在给法兰西学院的信里,都竭力攻击诗用韵。十七世纪以后,用韵的风气又盛起来。法国浪漫派诗人尤其欢喜在炼韵上做功夫。批评家圣伯夫(Sainte Beuve)作颂韵诗称韵为“诗中的唯一和谐”。诗人邦维尔(Bainville)在《法国诗学》里几乎把善于用韵看作诗人的最大能事。近代“自由诗”起来以后,韵又没有从前那样盛行。总观韵在欧洲的历史,它的兴衰有一半取决于当时的风尚。

诗应否用韵,与各国语言的个性也很密切相关。比如拿英诗与法诗相较,韵对于法诗比对于英诗较为重要。法诗从头到现在,除散文诗及一部分自由诗外,无韵诗极不易发现。自由诗大半仍用韵，据音韵学家格拉芒的意见，自由诗易散漫，全靠韵来联络贯串，才可以完整。英文诗长篇大著大半用无韵五节格（blank verse），短诗不用韵者虽较少见，却亦非绝对没有。如果以行为单位来统计英诗名著，则无韵的实较有韵的为多。作家想达到所谓“庄严体”者往往不肯用韵，因为韵近于纤巧，不免有伤风格，而且韵在每句末回到一个类似的声音，与大开大合的节奏亦不相容。弥尔顿的《失乐园》全不用韵。莎士比亚在悲剧里尽用“无韵五节格”。他的早年作品中还偶在每幕或每景收场时夹入几句韵语，到晚年就简直不用。法国最著名的悲剧作家高乃依（Corneille）和拉辛的作品中却没有一种不用韵，至于抒情诗作者如雨果、拉马丁（Lamartine）、马拉梅（Mallarmé）诸人一律用韵，更不用说。韵对于英、法诗的分别在这个简单的统计中就可以见出了。

这个分别的原因是值得推求的。法文音的轻重分别没有英文音的轻重分别那么明显。这可以说是拉丁系语音和日耳曼系语音的一个重要异点。英文音因为轻重分明，音步又很整齐，所以节奏容易在轻重相间上见出，无须借助于韵脚上的呼应。法文诗因为轻重不分明，每顿长短又不一律，所以节奏不容易在轻重的抑扬上见出，韵脚上的呼应有增加节奏性与和谐性的功用。

我们既明了韵对于英、法诗的分别和它的原因，就不难知道韵对于中国诗的重要了。以中文和英法文相较，它的音轻重不甚分明，颇类似法文而不类似英文。我们在第八章已经说过，中文诗的平仄相间不是很干脆地等于长短、轻重或高低相间，一句诗全平全仄，仍可以有节奏，所以节奏在平仄相间上所见出的非常轻微。节奏既不易在四声上见出，即须在其他元素上见出。上章所说的“顿”是一种，韵也是一种。韵是去而复返、奇偶相错、前后相呼应的。韵在一篇声音平直的文章里生出节奏，犹如京戏、鼓书的鼓板在固定的时间段落中敲打，不但点明板眼，还可以加强唱歌的节奏。中国诗的节奏有赖于韵，与法文诗的节奏有赖于韵，理由是相同的：轻重不分明，音节易散漫，必须借韵的回声来点明、呼应和贯串。

四声的研究最盛于齐梁时代，齐梁以前诗人未始不知四声的分别，不过在句内无意于调四声，只求其自然应节。他们却必用韵，而对于韵脚一字的平仄仍讲究很严，平押平，仄押仄，很少有破格的。这件事实也可证明韵对于中国诗的节奏，比声较为重要。

四　韵与诗句构造

就一般诗来说，韵的最大功用在把涣散的声音联络贯串起来，成为一个完整的曲调。它好比贯珠的串子，在中国诗里这串子尤不可少。邦维尔在《法国诗学》里说："我们听诗时，只听到押韵脚的一个字，诗人所想产生的影响也全由这个韵脚字酝酿出来。"这句话对于中文诗或许比对于西文诗还更精确。我们在第九章说过，西文诗常用"上下关联格"，上行连着下行一气读，行末一字既没有停顿的必要，我们就不必特别着重它，可以让它轻轻易易地滑了过去，它对于听觉的影响和行内其他字音相差不远，它有韵无韵是无关重要的。中文诗大半每"句"成一单位，句末一字在音义两方面都有停顿的必要。纵然偶有用"上下关联格"者，"句"末一字义不顿而音仍必须顿（详见第九章）。句末一字是中文诗句必顿的一个字，所以它是全诗音节最着重的地方。如果最着重的一个音，没有一点规律，音节就不免杂乱无章，前后便不能贯串成一个完整的曲调了。例如《佛所行赞经》是用五言无韵诗译的，我们试读几句看看：

尔时婇女众，庆闻优陀说，增其踊悦心，如鞭策良马，往到太子前，各进种种术，歌舞或言笑，扬眉露白齿，美目相眄睐，轻衣见素身，妖摇而徐步。诈亲渐习远。情欲实其心，兼奉大王言，漫行婇隐陋，忘其惭愧情。

就意象说，这种材料很可以写成好诗，就音节说，它是一盘散沙，读起来不能起和谐之感。我们试拿它和郭璞的《游仙诗》比较：

阊阖西南来，潜波涣鳞起。灵妃顾我笑，粲然启玉齿。蹇修时不存，要之将谁使。

这就可以见出韵对于中国诗的音节之重要了。

五　旧诗用韵法的毛病

从前中国诗人用韵的方法分古诗、律诗与词曲三种。古诗用韵变化最多，尤其是《诗经》。江永在《古韵标准》里统计《诗经》用韵方法有数十种之多。例如连句韵（连韵从两韵起一直到十二句止）、间句韵、一章一韵、一章易韵、隔韵、三句见韵、四句见韵、五句见韵、隔数句遥韵、隔章尾句遥韵、分应韵、交错韵、叠句韵等等（江氏举例甚多，可参考）其变化多端，有过于西文诗，汉魏古风用韵方法已渐窄狭，惟转韵仍甚自由，平韵与仄韵仍可兼用。齐梁声律风气盛行以后，诗人遂逐渐向窄路上走，以至于隔句押韵、韵必平声（注：律诗也偶有押仄韵者，但是例外）。一章一韵到底，成为律诗的定律。一韵到底的诗音节最单调,不能顺情景的曲折变化,所以律诗不能长,排律中佳作最少。词曲都有固定的谱调,不过有些谱容许转韵,而且词的仄声三韵可通用,曲则四声的韵都可通用,也较富于伸缩性。

中国旧诗用韵法的最大毛病在拘泥韵书,不顾到各字的发音随时代与区域而变化。现在流行的韵书大半是清朝的佩文韵、佩文韵根据宋平水刘渊所做的和元人阴时夫所考定的平水韵,而平水韵的一百零六韵则是合并隋(陆法言《切韵》)唐(孙愐《唐韵》)北宋(《广韵》)以来的二百零六韵而产生的。所以我们现在用的韵至少还有一大部分是隋唐时代的。这就是说,我们现在用韵,仍假定大半部分字的发音还和一千多年前一样,稍知语音史的人都知道这种假定是很荒谬的。许多在古代为同韵的字在现在已不同韵了。做诗者不理会这个简单的道理,仍旧盲目地(或则说聋耳地)把"温"、"存"、"门"、"吞"诸音和"元"、"烦"、"言"、"番"诸音押韵;"才"、"来"、"台"、"垓"诸音和"灰"、"魁"、"能"、"玫"诸音押韵,读起来毫不顺口,与不押韵无异。这种方法实在是失去用韵的原意。

这个毛病前人也有人看出的。李渔在《诗韵序》里有一段很透辟的议论:

以古韵读古诗,稍有不协,即叶而就之者,以其诗之既成,不能起古人而请易,不得不肖古人之吻以读之,非得已也。使古人至今而在,则其为声也,亦必同于今人之口。吾知所为之诗,必尽如"关关雎鸠,在河之洲。窕窈淑女,君子好逑"数韵合一之诗;必不复作"絺兮绤兮,凄其以风,我思古人,实合我心"之诗,使人叶"风"为"孚金反"之音,以就"心"矣;必不复作"鹑之奔奔,鹊之疆疆,人之无良,我以为兄”之诗，使人叶“兄”为“虚王反”之音，以就“疆”矣。我既生于今时而为今人，何不学《关雎》悦耳之诗，而必强效《绿衣》、《鹑奔》之为韵，以聱天下之牙而并逆其耳乎？

钱玄同在《新青年》里骂得更痛快：

那一派因为自己通了一点小学，于是做起古诗来，故意把押“同”、“蓬”、“松”这些字中间，嵌进“江”、“窗”、“双”这些字，以显其懂得古诗“东”、“江”同韵；故意把押“阳”、“康”、“堂”这些字中间，嵌进“京”、“庆”、“更”这些字，以显其懂得古音“阳”、“庚”同韵。全不想你自己是古人吗？你的大作个个字能读古音吗？要是不能，难道别的字都读今音，就单单把这“江”、“京”几个字读古音吗？

这理由是无可反驳的，诗如果用韵必用现代语音，读的韵才能产生韵所应有的效果。

第十一章 中国诗何以走上"律"的路(上):赋对于诗的影响①

一 自然进化的轨迹

中国诗的体裁中最特别的是律体诗。它是外国诗体中所没有的,在中国也在魏晋以后才起来。起来以后,它的影响就非常广大。在许多诗集中律诗要占一大部分。各朝"试帖诗"都以律诗为正体。唐以后的词曲实在都是律诗的化身。律诗的影响并且波及到散文方面,四六文是很明显的例证。

无论近人怎样唾骂律诗,它的兴起是中国诗的演化史上的一件重大事变,这是不能否认的。律诗极盛于唐朝,但是创始者是晋宋齐梁时代的诗人。唐朝诗人许多都是六朝诗人的私淑弟子。唐初四杰固不用说,杜甫很坦白地承认:

熟知二谢将能事,颇学阴何苦用心。

① 第十一、二章节题是编美学文集时由作才补入的。

不过唐朝从陈子昂起，也有一种排斥六朝的运动。陈子昂《与东方公书》说：

> 仆尝暇时观齐梁间诗，彩丽竞繁，而兴寄都绝，每以永叹。

李白的“佳句”，虽“往往似阴铿”，也“数典忘祖”，用“自从建安来，绮丽不足珍”一句话把六朝诗人不分皂白地骂尽。后来一般论诗者往往尾随陈子昂、李白，以“绮丽”二字看成六朝人的大罪状，一味推尊盛唐。他们好像以为唐诗是平地一声雷似的起来的。历史家分诗的时期，也往往把六朝归入一个段落，唐朝又归入另一段落，好像以为两段落中间有一个很清楚的分水线。这种卑六朝而尊唐的传统的看法不但是对于六朝不公平，而且也没有认清历史的连续性。平心而论，如果我们把六朝诗和唐诗摆在一个平面上去横看，六朝自较唐稍逊。六朝诗人才打新方向走，还在努力新风格的尝试，自然不免有许多缺点。但是如果把六朝诗和唐诗摆在一条历史线上去纵看，唐人却是六朝人的继承者，六朝人创业，唐人只是守成。说者常谓诗的格调自唐而始备，其实唐诗的格调都是从六朝诗的格调演化出来的。

文学史本来不可强分时期，如果一定要分，中国诗的转变只有两个大关键。第一个是乐府五言的兴盛，从《十九首》起到陶潜止。它的最大的特征是把《诗经》的变化多端的章法、句法和韵法变成整齐一律，把《诗经》的低徊往复一唱三叹的音节变成直率平坦。我们试来比较两首诗，一是《秦风·蒹葭》：

蒹葭苍苍，白露为霜。所谓伊人，在水一方。溯洄从之，道阻且长；溯游从之，宛在水中央。

蒹葭凄凄，白露未晞。所谓伊人，在水之湄。溯洄从之，道阻且跻；溯游从之，宛在水中坻。

蒹葭采采，白露未已。所谓伊人，在水之涘。溯洄从之，道阻且右；溯游从之，宛在水中沚。

一是《古诗十九首》的《涉江采芙蓉》：

涉江采芙蓉，兰泽多芳草。采之欲遗谁？所思在远道。还顾望旧乡，长路漫浩浩。同心而离居，忧伤以终老。

两诗相比较，便可领略出来这种转变的风味。两诗情感境界都略相似，而写法则完全不同。《蒹葭》要用三章来复述同一情节；而《涉江采芙蓉》只用一章写完一个意境；前者低徊往复，缠绵不尽，后者便一气到底，不再说回头话；前者章句长短有伸缩，后者则为整齐的五言。这个大转变是由于诗与乐歌的分离。《诗经》是大半伴乐可歌的；汉魏以后，诗逐渐不伴乐，不可歌。

第二个转变的大关键就是律诗的兴起，从谢灵运和“永明诗人”起，一直到明清止，词曲只是律诗的余波。它的最大特征是丢开汉魏诗的浑厚古拙而趋向精妍新巧。这种精妍新巧在两方面见出，一是字句间意义的排偶，一是字句间声音的对仗。我们试拿上面所引的《涉江采芙蓉》和薛道衡的《昔昔盐》相比较：

垂柳覆金堤，蘼芜叶复齐。水溢芙蓉沼，花飞桃李蹊。采桑秦氏女，织锦窦家妻。关山别荡子，风月守空闺。恒敛千金笑，长垂双玉啼。盘龙随镜隐，彩凤逐帷低。飞魂同夜鹊，倦寝忆晨鸡。暗牖悬蛛网，空梁落燕泥。前年过代北，今岁往辽西。一去无消息，那能惜马蹄。

便可知道这转变的意味。两诗都是写别后相思，汉人寥寥数语，不绕弯也不雕饰，一气直注，浑朴天然而意味无穷。薛道衡便四方八面地渲染，句句对称，句句精巧。他对于自然的观察也比汉魏人精细。他着重颜色和空气，着重常被人忽略的景致，着重景与情的协调。著名的“暗牖悬蛛网，空梁落燕泥”一联，最能见出这个新时代的精神。

这两个大转变之中，尤以律诗的兴起为最重要；它是由“自然艺术”转变到“人为艺术”，由不假雕琢到有意刻画。如果《国风》是民歌的鼎盛期；汉魏是古风的鼎盛期，或者说，民歌的模仿期；晋宋齐梁时代就可以说是“文人诗”正式成立期。由“自然艺术”到“人为艺术”，由民间诗到文人诗，由浑厚纯朴至精妍新巧，都是进化的自然趋势，不易以人力促进，也不易以人力阻止。我们嫌齐梁以后诗为声律所束缚，以至渐失古风；但试问声律纵不存在，齐梁以后诗就能恰如《国风》以及汉魏五言么？律诗有流弊，我们无庸讳言，但是不必因噎废食，任何诗的体裁落到平凡诗人的手里都可有流弊。律诗之拘于形式，充其量也不过如欧洲诗中之十四行体（sonnet）。我们能藐视彼特拉克、莎士比亚、弥尔顿、济慈诸人用十四行体所做的诗么？我们能够藐视杜甫、王维诸人用律体所做的诗么？

声律这样大的运动必定有一个进化的自然轨迹做基础，决不能像妇人缠小脚，是由少数人的幻想和癖嗜所推广成的风气。它当然也有一个存在的理由，研究诗学者应该寻出它的因果线索，不当仅如王凤洲批《纲鉴》，自居“老吏断狱”，说是说非。科学的第一要务在接收事实，其次在说明因果，演绎原理，至于维护与攻击，犹其余事。本篇就根据这个态度，讨论中国诗何以走上“律”的路。

二　律诗的特色在音义对仗

中国诗走上“律”的路，最大的影响是“赋”。赋本是诗中的一种体裁。汉以前的学者都把赋看作诗的一个别类。《诗经·毛序》以赋为诗的“六义”之一，《周官》列赋为“六诗”之一。班固在《两都赋》的“序”里说，“赋者古诗之流”。据《汉书·郊祀志》，赋与诗同隶于汉武帝所立的乐府。到齐梁时，刘勰在《文心雕龙》里仍承认“赋自诗出”。赋的鼎盛时代是从汉朝到梁朝，隋唐以后虽然代有作者，已没有从前那样蓬勃了。后人逐渐把诗和赋分开，把赋归到散文一方面去。比如姚鼐的《古文辞类纂》原是一部散文选，诗歌不在内而“词赋”却占很重要的位置。近来文学史家也往往沿袭这种误解，不把“词赋”放在“诗歌”项下来讲。胡适在《白话文学史》里把词赋完全丢去，还可以说是因为着重“白话文学”的缘故；陆侃如、冯沅君著《中国诗史》却也不留一点篇幅给词赋，似未免忽略词赋对于中国诗体发展的重要性了。

什么叫做赋呢？班固在《两都赋》序里所说的“赋者古诗之流”，和在《艺文志》里所说的“不歌而诵谓之赋”，是赋的最古的定义。刘勰在《诠赋》篇说：

赋者铺也。铺采摛文，体物写志也。

刘熙载在《艺概》里《赋概》篇说：

赋起于情事杂沓，诗不能驭，故为赋以铺陈之，斯于千态万状层见迭出者吐无不畅，畅无或竭。

赋的意义和功用已尽于这几段话了。归纳起来，它有三个特点：一、就体裁说，赋出于诗，所以不应该离开诗来讲。二、就作用说，赋是状物诗，宜于写杂沓多端的情态，贵铺张华丽。三、就性质说，赋可诵不可歌。二、三两点是赋所以异于一般抒情诗的，虽可分开说，实在互相关联。赋大半描写事物，事物繁复多端，所以描写起来要铺张，才能曲尽情态。因为要铺张，所以篇幅较长，词藻较富丽，字句段落较参差不齐，所以宜于诵不宜于歌。一般抒情诗较近于音乐，赋则较近于图画，用在时间上绵延的语言表现在空间上并存的物态。诗本是“时间艺术”，赋则有几分是“空间艺术”。

赋是一种大规模的描写诗。《诗经》中已有许多雏形的赋。例如《郑风·大叔于田》铺陈打猎的排场：“大叔于田，乘乘马，执辔如组，两骖如舞。叔在薮，火烈俱举，襢裼暴虎，献于公所。将叔无狃，戒其伤女。”以及《小雅·无羊》描写牛羊的姿态：“谁谓尔无羊？三百为群。谁谓尔无牛？九十其犉。尔羊来思，其角濈濈，尔牛来思，其耳湿湿。”“或降于阿，或饮于池，或寝或讹。尔牧来思，何蓑何笠，或负其糇，三十维物，尔牲则具。”如果出于汉魏以后人的手笔，这种题材就可以写成长篇的赋了。《大叔于田》可以参较司马相如的《上林赋》和扬雄的《羽猎赋》，《无羊》可以参较祢衡的《鹦鹉赋》和颜延之的《赭白马赋》。诗所以必流于赋者，由于人类对于自然的观察，渐由粗要以至于精微；对于文字的驾驭，渐由敛肃以至于放肆。在《诗经》中可以几句话写完的，到后来就非长篇大幅不办了。

诗既流为赋，纡徊往复的音节遂变为流畅直率。中国诗转变的第一大关键是由《诗经》到汉魏乐府五言，我们已经说过。这个转变之中有一个媒介，就是《楚辞》。《楚辞》是词赋的鼻祖，它还带有几分《国风》的流风余韵，但是它的音节已不像波纹线而像直线，它的技巧已渐离简朴而事铺张了。乐府五言大胆地丢开《诗经》的形式，是因为《楚辞》替它开了路。所以词赋对于诗的影响还不仅在律诗，古风也是由它脱胎出来的。

赋是介于诗和散文之间的。它有诗的绵密而无诗的含蓄，有散文的流畅而无散文的直截。赋的题材并非绝对需要韵文的形式。《荀子》的文章大半都很富丽，《赋篇》、《成相》虽用赋体，实在还和他的其他论文差不多。周秦诸子里有许多散文是可以用赋体写的，例如《庄子·齐物论》：

> 夫大块噫气，其名为风。是唯无作，作则万窍怒呺。而独不闻之翏翏乎？山林之畏佳，大木百围之窍穴，似鼻、似口、似耳、似枅、似圈、似臼、似洼者、似污者，激者、謞者、叱者、吸者、叫者、譹者、宎者、咬者，前者唱于而随者唱喁。泠风则小和，飘风则大和，厉风济则众窍为虚，而独不见之调调之刁刁乎？

这段散文在宋玉的手里就可以写成《风赋》，在欧阳修的手里就可以写成《秋声赋》了。赋是韵文演化为散文的过渡期的一种联锁线。

所以历来选家对于“词赋”一类颇费踌躇。它本出于诗，它的影响却同时流灌到诗和散文两方面。诗和散文的骈俪化都起源于赋，要懂得中国散文的变迁趋势，赋也是不可忽略的。

何以说诗和散文的骈俪化都起源于赋呢？赋侧重横断面的描写，要把空间中纷陈对峙的事物情态都和盘托出，所以最容易走上排偶的路。比如上文所引的《无羊》诗就已有排偶的痕迹。诗人固不必有意于排偶，但是既同时写牛又写羊，自然会拿它们来两两对较。文字排偶不过是翻译自然事物的排偶。我们如果把班固的《两都赋》、张衡的《两京赋》和左思的《三都赋》的写法略加分析，便可明白这个道理。它们都从东西南北、上下左右、四面八方地铺张，又竭力渲染每一方的珍奇富庶（如其东有什么什么，其西又有什么什么之类）。这样“双管齐下”，排偶是当然的结果。

本来各种艺术都注重对称。几上的花瓶，门前的石兽，喜筵上的红蜡烛，以至于墓道旁的松柏都是成双成对，如果是奇零的，观者就不免觉得有些欠缺。图画、雕刻、建筑都是以对称为原则。音乐本来有纵而无横，但抑扬顿挫也往往寓排偶对仗的道理。美学家以为这种排偶对仗的要求像节奏一样，起于生理作用。人体各器官以及筋肉的构造都是左右对称。外物如果左右对称，则与身体左右两方面所费的力量也恰相平衡，所以易起快感。文字的排偶与这种生理的自然倾向也有关系。

我们在第二章已经说过，赋源于隐，隐是一种谐，含有若干文字游戏的成分。在作赋猜谜时，人类已多少意识到文字本身的美妙，于是拿它来玩把戏。排偶对仗是自然的要求。他们发觉它的美妙，于是尽量地用它。如果艺术是精力富裕的流露，赋可以说是文字富裕的流露。律诗和骈体文也是如此。

西方诗人，就常例说，都比较中国诗人欢喜铺张。他们的许多中篇诗其实都只是“赋”，格雷（Gray）的《墓园吟》、弥尔顿的《快乐者》和《沉思者》、雪莱的《西风歌》、济慈的《夜莺歌》以及雨果的《高山听闻》和《拿破仑赎罪吟》诸作，都是好例。西方艺术也素重对称，何以他们的诗没有走上排偶的路呢？这是由于文字的性质不同。

第一，中文字尽单音，词句易于整齐划一。“我去君来”，“桃红柳绿”，稍有比较，即成排偶。西文单音字与复音字相错杂，意象尽管对称而词句却参差不齐，不易对称。例如雪莱的：

Music, when soft voices die,
Vibrates in the memory;
Odours, when sweet violets sicken,
Live within the sense they quicken,

和丁尼生的：

The long light shakes across the lakes,
And the wild cataract leaps in glory.

都是排偶，但是不能产生中国律诗的影响，就因为意象虽成双成对而声音却不能两两对称。比如“光”和“瀑”两字在中文里音和义都相对称，而在英文里 light 和 cataract 意虽相对而音则多寡不同，不能成对，犹如“司马相如”不能对“班固”，虽然它们都是专名。

第二，西文的文法严密，不如中文字句构造可自由伸缩颠倒，使两句对得很工整。比如“红豆啄余鹦鹉粒，碧梧栖老凤凰枝”两句诗，若依原文构造直译为英文或法文，即漫无意义，而在中文却不失其为精炼，就由于中文文法构造比较疏简有弹性。再如“疏影横斜水清浅，暗香浮动月黄昏”两句诗没有一个虚字，每个字都实指一种景象，若译为西文，就要加上许多虚字，如冠词、前置词之类。中文不但冠词和前置词可以不用，即主词动词亦可略去。在好诗里这种省略是常事，而且也很少发生意义的暧昧。单就文法论，中文比西文较宜于诗，因为它比较容易做得工整简练。

文字的构造和习惯往往能影响思想。用排偶文既久，心中就于无形中养成一种求排偶的习惯，以至观察事物都处处求对称，说到“青山”便不由你不想到“绿水”，说到“才子”便不由你不想到“佳人”。中国诗文的骈偶起初是自然现象和文字特性所酿成的，到后来加上文人求排偶的心理习惯，于是就“变本加厉”了。

艺术上的技巧都是由自然变成人为的。古人诗文本来就质朴自然，后人则连质朴自然都还要出力去学，其他可想而知。骈俪的演化也是如此。《诗经》里已偶有对句，例如“参差荇菜，左右流之；窈窕淑女，寤寐求之”，“觏闵既多，受侮不少”，“手如柔荑，肤如凝脂”，“昔我往矣，杨柳依依，今我来思，雨雪霏霏”之类。在这些实例中诗人意到笔随，固无心求排偶。到《楚辞》就逐渐有意于排偶了。例如《九歌》中的《湘君》：

> 采薜荔兮水中，搴芙蓉兮木末。心不同兮媒劳，恩不甚兮轻绝。石濑兮浅浅，飞龙兮翩翩。交不忠兮怨长，期不信兮告予以不闲。

接连几句排偶，决非出之无心，不过虽排偶尚不失质朴。汉人虽重词赋，而作者如司马相如、枚乘、扬雄诸人都只在整齐而流畅的韵文中偶作骈语，亦不求其精巧，例如枚乘的《七发》：

> 龙门之桐，高百尺而无枝。中郁结之轮菌，根扶疏以分

离。上有千仞之峰，下临百尺之溪。湍流溯波，又澹淡之。

这一段虽然也见出作者有意于排偶，但整齐之中仍寓疏落荡漾之致，富丽而不伤芜靡，排比而不伤板滞。后来班固、左思、张衡诸人乃逐渐向堆砌雕琢的路上走，但仍不失汉人浑朴古拙的风味。魏晋以后，风气变更，就一天快似一天了。例如鲍照的《芜城赋》：

若夫藻扃黼帐，歌堂舞阁之基；璇渊碧树，弋林钓渚之馆。吴蔡齐秦之声，鱼龙爵马之玩，皆薰歇烬灭，光沉响绝。东都妙姬，南国丽人，蕙心纨质，玉貌绛唇，莫不埋魂幽石，委骨穷尘，岂忆同舆之愉乐，离宫之苦辛哉！

就有几点与汉赋不同。第一，它很显然地炼字琢句，尤其是比喻格用得多，例如"璇渊碧树"、"玉貌绛唇"、"埋魂"之类。第二，它着重声色臭味的渲染，如"藻"、"黼"、"碧"、"绎"、"薰"、"烬"、"光"、"响"、"歌"、"声"之类，词赋的富丽就是由这种渲染起来的。第三，句法逐渐趋向四六的类型，这就是说，句的字数四六相间，上下相排偶。第四，声音方面也渐有对仗的趋势，尤其是句末的字，例如"基"与"馆"、"声"与"玩"之类。这几点都是"律赋"的特色。齐梁时律诗仍不多见，而律赋则连篇皆是。梁元帝、江淹、庾信、徐陵诸人的作品不但意精词妍，声音也像沈约所说的"前有浮声则后有切响"了。

总观词赋演化的痕迹可以分为三个阶段：

一、放大简短整齐的描写诗为长篇大幅的流畅富丽的韵文。就形式说，赋打破诗和散文的界限，或则说，它是诗演变为美术散文的关键。在这个阶段里，赋虽偶作骈语而不求精巧。在音调方面，它还没有有意求对称的痕迹。它的风格还保持古代文艺的浑厚质朴。例如汉赋。

二、技巧渐精到，意象渐尖新，词藻渐富丽，作者不但求意义的排偶，也逐渐求声音的对称和谐。例如魏晋的赋。

三、技巧成熟，汉魏古拙朴直的风味完全失去，但是词句极清丽，声音极响亮，声色臭味的渲染极浓厚，四六骈俪的典型成立，运用典故及比喻格的风气也日盛。在这个阶段里，古赋已变为律赋。例如宋齐梁陈诸代的作品。

这个演化次第中有一点最值得注意，就是讲求意义的排偶在讲求声音的对仗之前。意义的排偶在《楚辞》、汉赋里已常见，声音的对仗则到魏晋以后才逐渐成为原则。从这件事实看，我们可以推测声音的对仗实以意义的排偶为模范。词赋家先在意义排偶中见出前后对称的原则，然后才把它推行到声音方面去。意义所含的迹象大半关于视觉，声音则全关听觉。人类的听觉本较视觉为迟钝，所以在诗方面，声虽先于义，而关于技巧的讲求，则意义反在声音之前。

三　赋对于诗的三点影响

赋的演化大概如上所述，现在我们回头来说它对于诗的影响。关于这层，有三点最值得注意：

一、意义的排偶，赋先于诗。诗在很古时代就有对句，我们前已说过，但是它们不是从有意刻画得来的。如果我们顺时代次第，拿赋和诗比较，就可以见出赋有意地求排偶，比诗早。汉人作赋，接连数十句用骈语，已是常事。枚乘《七发》、班固《两都赋》、左思《三都赋》之类的作品，都是骈句多于散句。至于汉人的诗则骈句仅为例外。《上山采蘼芜》和《陌上桑》诸诗是不可多见的连用排比的诗，但是它们都是出于自然，而且也不是严格的骈语。《上山采蘼芜》拿新人和旧人对比，双管齐下，对称本是意中事。如果同样的材料落到赋家手里，一定没有那样质朴。本来是易落骈偶的材料，而诗人却没有落到骈偶，只此一端，可见汉人做诗还没有很受赋的影响。《陌上桑》的"青丝为笼系"一段虽已近于赋的铺张，但历数事物，本易重叠，如果拿它来比和它同时代的历数事物的赋（如左思《蜀都赋》"孔雀群翔，犀象竞驰"以下一段），工拙之分便显然易见了。魏晋间的赋去汉已远，而诗却仍有若干汉人的风骨。曹植的《洛神赋》和《七启》是何等纤丽的文字，而他的诗却仍有几分汉诗的浑厚古朴，虽然这种浑厚古朴已经是人为的，由模仿揣摩得来的。不过他究竟是以赋家而兼诗人，他的诗已是新时代的预兆。例如《情诗》里"始出严霜结，今来白露晞"已俨然是律句，《公宴诗》里连用四联对句，已开谢、鲍的端倪，"朱华冒绿池"一句每字都有雕琢痕迹。区区一字往往可以见出时代的精神，例如陆机的"凉风绕曲房"的"绕"字，张协的"凝霜竦高木"的"竦"字，谢灵运的"白云抱幽石，绿篠媚清泉"的"抱"字和"媚"字，鲍照的"木落江渡寒，雁还风送秋"的"渡"字和"送"字之类，都有意力求尖新，在汉诗中决找不出。《木兰词》的时代已不可考，但就"朔气传金柝，寒光照铁衣"、"当窗理云鬓，对镜贴花黄"诸句看，似非魏晋以前的作品。从谢灵运和鲍照起，诗用赋的写法日渐其盛。律诗第一步只求意义的对仗，鲍、谢是这个运动的两大先驱（当时虽无"律"的名称，"律"的事实却在那里）。在汉朝赋已重排偶而诗仍不重排偶，魏晋以后诗也向排偶路上走，而且集排偶大成的两位大诗人——谢灵运和鲍照——都同时是词赋家。从这个事实看,我们推测到诗的排偶起于赋的排偶,并非穿凿附会了。

二、声音的对仗,赋也先于诗。曹丕在《典论》里已辨明声音的清浊,陆机在《文赋》里已倡"声音迭代"之说,都远在沈约的"前有浮声则后有切响"之说之前。魏晋以后人所谓"文",与"笔"相对。"笔"就是散文,"文"则专指韵文,包括词赋诗歌在内。但是在陆机的时代实行"声音迭代"的理论者只有词赋,而诗歌则除韵脚以外,不拘拘于平仄的对称。陆机的《文赋》、鲍照的《芜城赋》之类都是大体已用平仄对称的声调,至于诗则谢灵运和鲍照诸人虽已用全篇排偶的写法,而对于声音则只计较句尾一字平仄,句内尚无有意求平仄对称的痕迹。"永明"诗人虽然讲究句内各字的声律,究竟不过是一种理论,沈约自己做诗,犯八病规则的就很多。句内的声音对仗由"永明"诗人开其端倪,到隋唐时才成为律诗的通例。

词赋讲究音和义的对称都先于诗,也有一个道理。词赋意在体物敷词,本以嘹亮妍丽为贵。诗的大旨在抒情,质朴古茂,自汉人已成为风气。词赋比一般诗歌离民间艺术较远,文人化的程度较深。它的作者大半是以词章为职业的文人,汉魏的赋就已有几分文人卖弄笔墨的意味。扬雄已有"雕虫小技"的讥诮。音律排偶便是这种"雕虫小技"的一端。但是虽说是"小技",趣味却是十足。他们越做越进步,越做越高兴,到后来随处都要卖弄它,好比小儿初学会一句话或是得到一个新玩具,就不肯让它离口离手一样。他们在辞赋方面见到音义对称的美妙,便要把它推用到各种体裁上去。艺术本来都有几分游戏性和谐趣。于难能处见精巧,往往也是游戏性和谐趣的流露。词赋诗歌的音义排偶便有于难能处见精巧的意味。要完全领会六朝人的作品,这一点也不可忽视。晋宋时代已有做"巧联”、“打诨”的玩艺,象“四海习鉴齿,弥天释道安”、“日下荀云鹤,云间陆士龙”之类的联语在当时都传为佳话。晋宋文人的趣味不难由此推知,而音律排偶的研究也自然是意中事了。

三、在律诗方面和在赋方面一样,意义的排偶也先于声音的对仗。“律诗”的名称到唐初才出现,一般诗史家以为它是宋之问和沈佺期两人所提倡起来的。但是律诗在晋宋时已成为事实。如果单说意义的排偶,我们在上文已经说过,《诗经》、《楚辞》里就有很多的例,汉魏诗更不必说。不过汉魏以前,排句在一首诗里仅偶占一小部分,对仗亦不求工整,它们大半出于自然,作者并不必有意于排偶,尤其没有把排偶悬为定格。全篇对仗工整的诗在谢灵运集里才常见。我们如果统计他的五言诗,便可以发现排句多于不排句。例如他的《登池上楼》:

潜虬媚幽姿,飞鸿响远音。薄霄愧云浮,栖川怍渊沉。进德智所拙,退耕力不任。徇禄反穷海,卧痾对空林。衾枕昧节候,褰开暂窥临。倾耳聆波澜,举目眺岖嵚。初景革绪风,新阳改故阴。池塘生春草,园柳变鸣禽。祁祁伤豳歌,萋萋感楚吟。索居易永久,离群难处心。持操岂独古,无闷征在今。

就俨然近似排律,所以还未走得严格的排律者,就因为意义虽排偶而声音却不平仄对仗,平常对平,仄常对仄。这种体格从谢灵运发端之后,在当时极流行。我们试翻阅鲍照、谢朓、王融诸人诗集,就可以见排偶的风气之盛。不过这种排偶都只限于意义。全篇意义排偶又加上声音对仗,俨然成为律诗的作品到梁时才出现。这个新运动的元勋——说来很奇怪——不是提倡四声八病的沈约而是与他同时的何逊。何逊的集中才开始有很工整的五律，例如：

秋风木叶落，萧瑟管弦清。望陵歌对酒，向帐舞空城。寂寂檐宇旷，飘飘帷幔清。曲终相顾起，日暮松柏声。

——《铜雀伎》

夕鸟已西渡，残霞亦半消。风声动密竹，水影漾长桥。旅人多忧思，寒江复寂寥。尔情深巩洛，予念返渔樵。何因宿归愿，分路一扬镳。

——《夕望江桥》

像这样音义都对称的诗在沈约的集中反不易寻出。何逊以后，五律的健将要推阴铿，虽然范云、王融、梁元帝诸人也常做五言律诗。梁代的五律与唐代的五律有一点不同，就是韵脚不一定押平声。谢灵运、鲍照（意义的排偶）和何逊、阴铿（声音的对仗）是律诗的四大功臣。唐人讲究律诗，受他们的影响最大，所以杜甫有“熟知二谢将能事，颇学阴何苦用心”之句。七律起来较晚，北周庾信的《乌夜啼》是最早的例子。到唐朝宋之问、沈佺期诸人的手里，它才成立一格。唐人所谓“律诗”包括绝句在内，因为它虽不必讲意义的排比，却常讲声音的对仗（有人说，“绝”意指“截”，绝句截取律诗的首联与第二联或末联）。陈隋时代已有很好的五绝，例如：

山中何所有？岭上多白云。只可自怡悦，不堪持赠君。

——陶宏景《答诏》

入春才七日，离家已二年。人归落雁后，思发在花前。

——薛道衡《人日思归》

都颇佳妙。像这一类作品摆在唐人集中已不易辨出了。

四 律诗的排偶对散文发展的影响

说来很奇怪，中国散文讲音义对仗，反在诗之前。《孟子》、《荀子》、《老子》诸书中常有连篇的排句。这大概是因为作者的思想丰富，同时顾到多方面的头绪，所以造语自然排偶，与词赋状物，易趋于排偶，同一道理。汉人著作，除史书外，大半仍骈多于散。这一方面是承继周秦诸子的遗风余韵，一方面也多少受词赋的影响。左丘明的《春秋传》和司马迁的《史记》之类史书是中国散文离开排偶而趋向直率的一个最大的原动力。这般作者在秦汉时代是反时代潮流的。史书所以最早有直率流畅的散文，也有一个道理，因为史专叙事，叙事的文章贵轻快，最忌板滞，而排偶最易流于板滞。清朝古文运动中的作者最推尊左国班马，就是因为这些"古典"所给的是最纯粹的散文。

文章的排偶在汉赋中规模大具。魏晋以后，它对于散文本来已具雏形的排偶又加以推波助澜。六朝散文受词赋的影响是很显然的。魏晋人在书牍里就已作很工整的骈语，例如曹丕《与朝歌令吴质书》：

高谈娱心，哀筝顺耳；驰骋北场，旅食南馆；浮甘瓜于清泉，沉朱李于寒水。

曹植《与杨德祖书》：

昔仲宣独步于汉南，孔璋鹰扬于河朔，伟长擅名于青土，公干振藻于海隅，德琏发迹于北魏，足下高视于上京。当此之时，人人自谓握灵蛇之珠，家家自谓抱荆山之玉。

我们试想想：前一例散文和《上山采薇》、《西北有浮云》诸诗同一作者，后一段散文与《箜篌引》、《名都篇》、《赠白马王彪》诸诗同一作者；诗和散文的风味相差几远！这种在散文中讲骈偶对仗的风气到齐梁时代更甚。从诏令疏表之类的应用文以至《文心雕龙》之类的著述文，都是以骈俪为常轨。我们只略翻阅当时的文集或选本，就可以知道散文的骈俪化——或则说“词赋化”——到了什么程度。

说魏晋以后的散文受词赋的影响而讲音义排偶，多数人也许承认；说魏晋以后的诗受词赋的影响而讲音义排偶，听者也许怀疑。但是事实在那里，用不着雄辩。意义的排偶和声音的对仗都发源于词赋，后来分向诗和散文两方面流灌。散文方面排偶对仗的支流到唐朝为古文运动所挡塞住，而诗文排偶对仗的支流则到唐朝因律诗运动（或则说“试帖诗”运动，试帖诗以律诗为常轨，自唐已然）而大兴波澜，几夺原来词赋正流的浩荡声势。这种演变的轨迹非常明显，细心追索，渊源来委便一目了然了。

第十二章　中国诗何以走上“律”的路(下)：声律的研究何以特盛于齐梁以后?

一　律诗的音韵受到梵音反切的影响

律诗有两大特色，一是意义的排偶，一是声音的对仗。我们在上文里所得的结论是：一、意义的排偶与声音的对仗都起于描写杂多事物的赋。二、在赋的演化中，意义的排偶较早起，声音的对仗是从它推演出来的，这就是说，对称原则由意义方面推广到声音方面。三、诗的意义排偶和声音对仗都是受赋的影响。“律赋”早于“律诗”，在律诗方面，声音的对仗也较意义的排偶稍后起。

从历史看，韵的考究似乎先于声的考究。中国自有诗即有韵，至于声的考究起于何时，向来没有定论，一般人以为它起于齐永明时代(第五世纪末)。《南史·陆厥传》说：

> (永明)时，盛为文章。吴兴沈约、陈郡谢朓、琅邪王融，以气类相推毂。汝南周颙善识声韵。约等文皆用宫商，将平上去入四声，以此制韵，有平头、上尾、蜂腰、鹤膝。五

字之中，音韵悉异；两句之内，角徵不同，不可增减。世呼为“永明体”。

周颙曾著《四声切韵》，沈约曾著《四声谱》，两书为声韵书始祖，可惜都不传。一般人以声律起于永明，大半根据这段史实。其实声的分别是中国语言所固有的，中国自有诗即有韵，亦即有声。我们现在所讨论的，不是韵是否先于声？而是韵的考究是否先于声的考究？声的考究可分两种：一种是考究韵脚的声，一种是考究句内每字的声。考究韵的声和考究韵一样古。打开《诗经》和汉魏人的作品看，平韵大半押平韵，仄韵大半押仄韵。例如《国风》第一篇诗《关雎》首二章，一律用平声韵，第三章一律用入声韵，第四章一律用上声韵，第五章一律用去声韵。这就是古人早已在韵脚字论声的证据。考究句内各字的声音则似从齐梁时起。齐梁时才有论声律的专著，齐梁诗人才在作品里讲声音的对仗。

声律的研究何以特盛于齐梁时代呢？上篇所讲的赋的影响是主因之一。赋到齐梁时代达到它的精妍的阶段，于意义排偶之外又讲究声音对仗。诗赋同源，声律的推敲由赋传染到诗，自是意料中事。这种演变是逐渐形成的，虽然到齐梁时才达到它的顶点，而萌芽则早伏于汉魏时代。在这长时期的演变中，诗赋又同时受一个很大的外来的影响，就是佛教经典的翻译和梵音研究的输入。佛教何时传入中国，世无定论；但是佛经的翻译从东汉时起，有《魏书·释老志》以及《隋书·经籍志》可据。明帝派遣蔡愔和秦景使印度，求得《四十二章经》，又带了几位印度和尚摄摩腾笠法兰回到洛阳，立白马寺，译佛经。以后印度和尚川流不息地赍经到中国来，作译经和传道工作。到了隋朝，佛经已译出二千三百九十部之多。这种大规模的印度文化的输入，在中国文化史上是第一件大事迹。它对于哲学、文学、艺术以及政治风俗的影响都还待历史家详细探讨，以往的书籍对于这一方面大半太疏略。我们现在只谈字音的研究。梵音的输入是促进中国学者研究字音的最大原动力。中国人从知道梵文起，才第一次与拼音文字见面，才意识到一个字音原来是由声母（子音）和韵母（母音）拼合成的。本来两字音读快时合成一音，在中文里是常见的现象。《尔雅》已有“不律谓之笔”之语。不过汉儒注书训音，只用“譬况假借”，如某字读若某音之类，并不曾根据合两音为一音的现象为反切。据《颜氏家训·音辞》篇和陆德明的《经典释文序录》，反切起于魏朝孙炎。据章太炎说，应邵注《汉书·地理志》，已有“垫音徒浃反”、“潼音长答反”之例，反切起于东汉。无论如何，反切在汉魏之交才起始，在当时仍是一件新发明的东西，所以“高贵乡公不解反语，以为怪异”（《颜氏家训·音辞》）。反切是应用拼音的方法于本非拼音的文字。如果不受拼音文字的启示，中国学者决难在本非拼音的中国文字中发现拼音的道理。所以反切是无疑地承受梵音的影响。反切起于汉魏之交，恰在印度和尚来中国和译佛经的风气大行之后，也可以证明造反切者是应用梵音的拼音于中文。郑樵《通志》说切韵之学起于西域，本是不错的话。陈澧《切韵考》以为反切起于汉而三十六子母起于唐，便断定《通志》错误，实在没有明白反切虽因三十六字母而有系统条理，却不必和字母同时起来。他没有明白反切就是拼音；而中国人知道拼音的道理是从梵音输入起始的。

反切是梵音影响中国字音研究的最早实例，不过梵音对于中国字音研究的影响还不仅限于反切。梵音的研究给中国研究字音学者一个重大的刺激和一个有系统的方法。从梵音输入起，中国学者才意识到字母复合的原则，才大规模地研究声音上种种问题。从东汉到隋唐的时期，字音研究的情形极类似我们现在的情形。清朝许多小学家虽极注意音韵，但是他们费了许多功夫的结果反不如现代学者略加涉猎所得的精密准确，就因为他们没有，而我们有西方语言学做榜样。对于字音之研究，六朝人比汉人进一层，也就因为汉人没有，而汉以后人有梵音做比较的资料。齐梁时代的研究音韵的专书都多少是受梵音研究刺激而成的。比如说四声分别，它决不是沈约的发明而是反切研究的当然的结果。反切之下一字有两重功用，一是指示同韵（同母音收音），一是指示同调质（同为平声或其他声）。例如“公，古红反”，“古”与“公”同用一个子音；“红”与“公”不仅以同样母音收声，而且这个母音必同属平声。四声的分别是中国字音所本有的；意识到这种分别而且加以条分缕析，大概起于反切；应用这种分别于诗的技巧则始于晋宋而极盛于齐永明时代。当时因梵音输入的影响，研究音韵的风气盛行，永明诗人的声律运动就是在这种风气之下酝酿成的。

二　齐梁时代诗求在文词本身见出音乐

赋的影响和梵音的影响之外，中国诗在齐梁时代走上“律”的路，还另有一个更重要的原因，就是乐府衰亡以后，诗转入有词而无调的时期，在词调并立以前，诗的音乐在调上见出；词既离调以后，诗的音乐要在词的文字本身见出。音律的目的就是要在词的文字本身见出诗的音乐。

永明声律运动起来之后，惹起许多反响。钟嵘在《诗品》里说：“古曰诗颂，皆被之金竹，故非调五音无以谐会。……今既不被管弦,亦何取于声律耶?”《诗品》中本多谬论,此其一端,古诗并未尝有意地“调五音”,正因其“被之金竹”,音见于金竹即不必见于文字;今诗“取声律”,正因其“不被管弦”,音既不见于管弦即须见于文字。要明白这个道理我们须略讲各国诗歌音义离合的进化公例。就音与义的关系说,诗歌的进化史可分为四个时期:

一、有音无义时期。这是诗的最原始时期。诗歌与音乐、舞蹈同源,共同的生命在节奏。歌声除应和乐、舞节奏之外,不必含有任何意义。原始民歌大半如此,现代儿童和野蛮民族的歌谣也可以作证。

二、音重于义时期。在历史上诗的音都先于义,音乐的成分是原始的,语言的成分是后加的。换句话说,诗本有调而无词,后来才附词于调;附调的词本来没有意义,到后来才逐渐有意义。词的功用原来仅在应和节奏,后来文化渐进,诗歌作者逐渐见出音乐的节奏和人事物态的关联,于是以事物情态比附音乐,使歌词不唯有节奏音调而且有意义。较进化的民俗歌谣大半属于此类。在这个时期里,诗歌想融化音乐和语言。词皆可歌,在歌唱时语言弃去它的固有节奏和音调,而牵就音乐的节奏和音调。所以在诗的调与词两成分之中,调为主,词为辅。词取通俗,往往很鄙俚,虽然也偶有至性流露的佳作。

三、音义分化时期。这就是“民间诗”演化为“艺术诗”的时期。诗歌的作者由全民众变为自成一种特殊阶级的文人。文人做诗在最初都以民间诗为蓝本,沿用流行的谱调,改造流行的歌词,力求词藻的完美。文人诗起初大半仍可歌唱,但是着重点既渐由歌调转到歌词,到后来就不免专讲究歌词而不复注意歌调,于是依调填词的时期便转入有词无调的时期。到这个时期,诗就不可歌唱了。

四、音义合一时期。词与调既分立，诗就不复有文字以外的音乐。但是诗本出于音乐，无论变到怎样程度，总不能与音乐完全绝缘。文人诗虽不可歌，却仍须可诵。歌与诵所不同的就在歌依音乐（曲调）的节奏音调，不必依语言的节奏音调；诵则偏重语言的节奏音调，使语言的节奏音调之中仍含有若干形式化的音乐的节奏音调。音乐的节奏音调（见于歌调者）可离歌词而独立；语言的节奏音调则必于歌词的文字本身上见出。文人诗既然离开乐调，而却仍有节奏音调的需要，所以不得不在歌词的文字本身上做音乐的功夫。诗的声律研究虽不必从此时起（因为词调未分时，词已不免有牵就调的必要），却从此时才盛行。在欧洲各国，诗人有意地求在文字本身上见出音乐，起源虽然都很早，但是技巧的成熟则在十九世纪，象征派所产生的"纯诗运动"把文字的声音看得比意义更重要，是诗人在文字本身求音乐的一个极端的例子。

这四个时期是各国诗歌进化所共经的轨迹。中国诗也是这个普遍公式中的一个实例。诗的有音无义的时期除少数现行儿歌之外，已无史迹可据；因为文字所记载的诗都限于有歌词的诗。见于文字记载的诗以《诗经》为最早。《诗经》里的诗大半可歌，歌必有调，调与词虽相谐合而却可分立，正如现在歌词与乐谱的关系一样。班固《艺文志》说：

> 《书》曰："诗言志，歌永言。"故哀乐之心感而歌咏之声发。诵其言谓之"诗"，咏其声谓之"歌"。

所谓"言"就是歌词，所谓"声"就是乐调。现在《诗经》只有"言"而无"声"，我们很难断定在《诗经》发生时代"言"与"声"的关系究竟如何。如果拿一般民俗歌谣与祭祀宴享诗来比拟，我们可以推测《诗经》时期还是音重于义时期。它的最大功用在伴歌音乐，离开乐调的词在起始时似无独立存在的可能。孔子删诗，已在“王迹息而诗亡”之后，所谓“诗亡”自然只能指“调亡”而不能指“词亡”。《史记》虽有“诗三百篇，孔子皆弦歌之”的传说，但就《论语》所载孔子论诗的话来看，他着重“不学诗，无以言”。诵诗须能“从政”、“专对”，诗的要旨在“思无邪”，学诗的功用在能“事父”、“事君”以及“多识于草木鸟兽之名”，他的兴趣似已偏重诗的词，带有几分文人的口味了。本来在他的时代，诗的乐调已散失，他所捉摸得着的也只有词。这就是说，《诗经》在孔子时代已由音重于义时期转到音义分化时期了。后来齐、鲁、韩三家诗学都偏重训诂解释，诗的乐调更无人过问了。

诗到汉朝流为乐府。班固在《汉书》记乐府起源如下：

> （武帝）立乐府，采诗夜诵，于是有代赵秦楚之讴。以李延年为协律都尉，多举司马相如等数十人造为诗赋，略论律吕以合八音之调，作十九章之歌。
>
> ——《礼乐志》

> 是时上方兴天地诸祠，欲造乐，令司马相如等作诗颂，延年辄承意弦歌所造诗，为之新声曲。
>
> ——《李延年传》

从这两段话看，“乐府”原来是一种掌音乐诗歌的衙门。它的职务不外三种：收集各地民歌（词与调兼收，调叫做“曲折”），制新词，谱新调。后来这个衙门所收集的和所制作的诗歌乐调便统称为"乐府"。乐府含有两大类材料:一是民间歌谣,如郭茂倩《乐府诗集》中的《鼓吹曲辞》、《横吹曲辞》、《相和歌辞》、《清商曲辞》、《杂曲歌辞》之类,一是文人乐师所做的歌功颂德、告神祈福的作品,如《乐府诗集》中的《郊庙歌辞》、《燕射歌辞》之类。这两种材料相当于《诗经》中的《风》和《雅》、《颂》。假如孔子迟生几百年,所谓"代赵秦楚之讴"自然纳入《代风》、《赵风》等等中,至于《安世房中歌》、《郊祀歌》之类则入《汉颂》了。

乐府在初期还是属于"音重于义"的时期。有调的虽不尽有词,有词的却必都有调。既有衙门专司其事,歌词就不像从前专靠口头传授,都要写在书本上了。写的方法或如近代歌词旁注工尺谱。沈约在《宋书》里推原汉《铙歌》难解的原因说:"乐人以声音相传,训诂不可复解。"明杨慎在《乐曲名解》替沈约的话下注解说:"凡古乐录,皆大字是词,细字是声,声词合写,故致然耳。"这大概是不错的话。当初原以声音为最重要,所以对于词的真确不留意保存。

乐府是酝酿汉魏五七言古诗的媒介。古诗既成立,乐府便由"音重于义"时期转入"音义分化"时期。乐府递化为古诗,最大的原因是乐府(衙门)中乐师与文人各有专职。制调者不制词,制词者不制调,于是调与词成为两件事,彼此有分立的可能。后来人兴味偏于音乐者或取调而弃词,兴味偏于文学者或取词而弃调。乐府初成立时,乐师本是主体,文人只是附庸。李延年是协律都尉,一切都由他统辖。乐府所收,大半词调俱备。宗庙祭祀乐歌,在起始时或沿《房中乐》、《文始舞》(这都是汉人沿用前朝乐调)诸乐的旧例,采用已有的乐调,但是已有的歌词不适宜于新朝代,有改造的必要。司马相如一般文人的职务原来大概就在依旧调谱新词。新情感和新事实不必尽可以旧乐调传出,所以有谱新调的必要。谱新调时往往必制词而后制调。据《汉书·李延年传》所说:“司马相如作诗颂,延年辄承意弦歌所造诗,为之新声曲。”可见乐师已听文人的调动,词在先而乐在后,词渐变为主体而乐调反降为附庸了。这个变动很重要,因为它是词离调而独立的先声。

乐府能否成功,全靠文人和乐师能否合作。像司马相如和李延年那样相得益彰,颇非易事。汉乐府制到哀帝时已废,文人虽无乐师合作,但仍有做诗的兴趣,于是索性不承认乐调为诗歌的必要伴侣,独立地去做不用乐调的诗歌了。汉魏间许多文人本来不隶籍乐府,也常仿乐府诗的体裁,采乐府诗的材料,甚至于用乐府诗的旧题目做诗,虽然这种诗和乐府的精神相差甚远,也还叫做“乐府”。“青青河畔草”诗本言远别相思,而题目却为《饮马长城窟》。唐元稹所以有“虽用古题,全无古义”,“如《出门行》不言离别,《将进酒》特书列女”之诮。这好比商人赁旧门面开新店,卖另一种货物,却仍打旧店主的招牌以招揽生意一样。汉魏人所以有这种把戏,是由于弃乐调而做诗的新运动还没有完全成功。一般人还以为诗必有乐调,所以在本来是独立的诗歌上冒上一个乐调的名称。汉魏以后,新运动完全成功,诗歌遂完全脱离乐调而独立了。诗离乐调而独立的时期就是文人诗正式成立的时期。总之,乐府递变为古风,经过三个阶段。第一是“由调定词”,第二是“由词定调”,第三是“有词无调”。这三个阶段后来在词和戏曲两方面也复演过。

诗既离开乐调,不复可歌唱,如果没有新方法来使诗的文字本身上见出若干音乐,那就不免失其为诗了。音乐是诗的生命,从前外在的乐调的音乐既然丢去,诗人不得不在文字本身上做音乐的功夫,这是声律运动的主因之一。齐梁时代恰当离调制词运动的成功时期,所以当时声律运动最盛行。齐梁是上文所说的音义离合史上的第四时期,就是诗离开外在的音乐,而着重文字本身音乐的时期。

现在我们总结上章和本章的话,对于“中国诗何以走上律的路”这个问题作一个简赅的答复:

一、声音的对仗起于意义的排偶,这两个特征先见于赋,律诗是受赋的影响。

二、东汉以后,因为佛经的翻译与梵音的输入,音韵的研究极发达。这对于诗的声律运动是一种强烈的刺激剂。

三、齐梁时代,乐府递化为文人诗到了最后的阶段。诗有词而无调,外在的音乐消失,文字本身的音乐起来代替它。永明声律运动就是这种演化的自然结果。

附　替诗的音律辩护——读胡适的《白话文学史》后的意见

作史都不能无取裁,胡适之先生的《白话文学史》像他的《词选》一样,所以使我们惊讶的不在其所取而在其所裁。我们不惊讶他拿一章来讲王梵志和寒山子,而惊讶他没有一字提及许多重要诗人,如陈子昂、李东川、李长吉之类;我们不惊讶他以全书五分之一对付《佛教的翻译文字》,而惊讶他讲韵文把汉魏六朝的赋一概抹煞,连《北山移文》、《荡妇秋思赋》、《闲情赋》、《归去来辞》一类的作品,都被列于僵死的文学;我们不惊讶他用二十页来考证《孔雀东南飞》,而惊讶他只以几句话了结《古诗十九首》,而没有一句话提及中国诗歌之源是《诗经》。但是如果我们能接收他的根本原则,采取他的观点,他的这部书却是中国文学史的有价值的贡献。他把民间文学影响文人诗词的痕迹用着颜色的笔勾出来了。尽管有许多人不满意这部书,这一点特色就够使它活一些年代了。但是我们看,他的根本原则是错误的。他的根本原则是什么呢?一言以蔽之,“做诗如说话”。这个口号不仅是《白话文学史》的出发点,也是近来新诗运动的出发点。《白话文学史》不过是白话诗运动中的一个重要事件!就许多事件说,做诗决不如说话。在这篇文章里我把“做诗不如说话”的理由说出来,以就教于胡先生和一般讲诗学者。

作者附记

向来论诗的人们对于“诗”字的意义都用得很含混,有些人把它看得太广,有些人把它看得太窄。就最广的意义说,语言本身就是诗,因为语言就是情思的表现,活语言都是创造的,带有技巧的。我们并且可以把一切艺术的表现都看作“语言”,诗就是一切艺术所公有的特质,所以我们说画中有诗,说瓦格纳的音乐含有很浓厚的诗意,甚至于说一个人或一件动作是带有诗的风味的。意大利学者克罗齐以为一切艺术都是直觉的抒情的表现,而语言也是其中之一种。他把语言学和美学看作一件东西。这是用“诗”字的最广义。

就次广的意义说,凡是纯文学都是诗。我们说柏拉图的《对话集》、《新旧约》或是柳子厚的山水杂记是诗时,就是因为这些作品都属于纯文学。英国诗人雪莱说过:“诗和散文的分别是一个鄙俗的分别。”克罗齐在《十九世纪欧洲文学论文集》里主张用“诗和非诗”的分别来代替“诗和散文”的分别。这都是用“诗”字的次广义。

这两种意义都是忽视形式而偏重实质的，它们在理论上都不可非难，不过在实际应用时有许多不便利，这就像遇到张三李四不肯呼他们为“张三”“李四”而只肯叫他们为“人”一样，太混太泛了。“诗”字还有一个最滥的意义，就是专从形式上分别诗和散文，把一切具有诗的形式的文字通叫做“诗”。冬烘学究堆砌腐典滥调，诙谐者嘲笑邻家的姑娘，凑成四句七言，自己也说是“做诗”。“诗”字的这样用法是最不合理的。如果依它，李白杜甫的诗集和《三字经》、《百家姓》、《七言杂字》以及医方脉诀之类的东西都是一样高低了。

在这篇文章里我们提议用“诗”字的最寻常的意义，把它专指具有音律的纯文学，专指在形式和实质双方都是诗的文学作品。这个意义确定了，我们现在来研究纯文学之中何以有一部分要用音律或诗的形式，并且研究这一类纯文学作品何以要别于散文。

我先要表明我的美学的立场，诗人的本领在见得到，说得出。通常人把见得到的叫做“实质”，把说得出的叫做“形式”。他们以为实质是语言所表现的情思，形式是情思所流露的语言，实质在先，形式在后，情思是因，语言是果，先有情思然后用语言把它表现出来。这是弥漫古今中外的一个大误解。许多关于诗的无谓的争论都是由它酿成的。我们先要打破这个误解。

诗有音义，它是语言和音乐合成的。要明白诗的性质，先要明白语言的性质和音乐的性质。音乐的性质到下文再讲，现在先讲语言的性质。语言是什么呢？一般语言学家说：“语言是表现思想和感情的。”这个定义细经分析是漫无意义的。它误在“表现”两个字。“表现”是一个及物的动词，它所指的动作须有主动者和被动者。比如说“猫吃鼠”，猫是主动者，鼠是被动者，而“吃”字则表示这个及物的动作。说“语言表现情思”时，语言和情思的关系是否如说“猫吃鼠”时猫和鼠的关系呢？语言是否把已在里面的东西翻到“表”面来“现”给人看呢？猫可离鼠而独立,语言却不能离情思而独立。什么叫做“思想”？它是心感于物时,喉舌及其他语言器官的活动(这是行为派心理学的主张,我从前反对它,近年来发现它和克罗齐的“直觉即表现”说暗合,对于这个问题再加了一番思考,觉得它是确实的)。什么叫做“感情”呢？它是心感于物时,各种器官(如筋肉血脉等等)变化的总称。旧心理学家说:“笑由于喜,哭由于悲。”詹姆斯把它反过来说:“喜由于笑,悲由于哭。”其实这两说都不精确,我们应该说:“笑就是喜,哭就是悲。”这就是说,情感和它的表现原来不是两件可分离的东西。语言是情感发生种种器官变化中之一种,它是喉舌及其他语言器官的变化。照这样看,语言与思想和感情的关系都非常密切;但是这种关系,一不是因果的关系,二不是空间上表里的关系,三不是时间上先后的关系;所以“情感在先,语言在后;情思是因,语言是果;情思是实质,语言是形式”的见解根本是一个错误的见解。在各种艺术之中,情思和语言,实质和形式,都在同一顷刻之内酝酿成功。世间没有无情思的语言,世间也没有无语言的情感。“以言达意”是一句不精确的话。

语言与情思的真正关系如此,何以多数人有“情思在先,语言在后;情思在里面,语言在表面;情思是原因,语言是结果”的误解呢？语言是情思发动时许多器官变化中之一种,但是它和其他器官变化有一点不同。其他器官变化与时境同时消灭,语言可借文字留下痕迹来。情思过去了,语言的声响消散了,文字还可以独立存在,一般人把有形声可求的符号通叫做文字,其实文字有死有活的分别。文字的生命是情思。通常散在字典中的单字都已失去它在特殊的具体的情境之中所伴的情思,它已经是没有血肉的枯骸,这是死文字。

每个人在特殊的具体的情境之中所说的话或是所做的诗文，都有情思充溢其中，这是活文字。活文字都离不开活语言，都离不开切己的情思，而死文字则是从活语言之中割宰下来的残缺的肢体，就是字典中的单字。比如说“莲”字。假如你的爱人叫做“莲”，你呼唤“莲”时所伴的情思是在字典里“莲”字脚下所寻不出的。“莲”字在你的口里是一个活文字，在字典里是一个死文字。一般人不知道文字有死活两种，以为文字就是字典中的单字，于是把死文字误认为一切文字。他们以为未有活人说的话做的诗文之前，世间先已有了一部字典。这部字典里的字就是他们所谓“文字”，也就是他们所谓“语言”。他们以为人在说话做诗文时就是在这部字典里取字来配合，好比姑娘们在针线篮里拣红线白线来绣花一样。这么一来，语言和情思便变成两件分立的东西，可随意拉拢起来，也可随意拆开来了，世间就可以先有独立的情思而后拿独立的语言来“表现”了。我们如果稍加思索，这种误解是显而易见的。

这番话像是题外话，其实是这篇文字的出发点。懂得情思和语言不可分离，实质和形式不可分离，它们中间并无“先后”“表里”“因果”种种关系。然后才可以进一步讨论诗要有音律，要与散文有别的道理。

诗和散文的分别不单在形式，也不单在实质；它是同时在形式和实质两方面见出来的。就形式说，散文的节奏是直率的无规律的，诗的节奏是低回往复的有规律的；就实质说，散文宜于叙事说理，诗宜于歌咏性情，流露兴趣。要明白诗和散文的分别，须先明白情趣和事理的分别。事理是直截了当，一往无余的；情趣是低回往复，缠绵不尽的。直截了当的事理宜用“叙述的语气”，缠绵不尽的情趣宜用“惊叹的语气”。在叙述语中事尽于辞，理尽于言；在惊叹语中语言只是情感的缩写字，情溢于辞，所以读者可凭想像而见出弦外之响。这是诗和散文的根本分别。

这个道理可以拿一个浅例来说明。比如看见一位年轻的美人，如果把这段经验当作“事”来叙，你说：“我看见一位年轻的美人。”话既说出，事就叙完了；如果把它当作“理”来说，你说“她年轻，所以漂亮”。话既说出，理也就说明了。你不必再说什么，人家就可以完全明白你的意义，人家也就不会在你的语言之外别求意义。但是如果你一见就爱了她，动了情感，你只说：“我遇见她”，只说“她年轻所以漂亮”，甚至于说，“我爱她”，就还不能算能了事，因为“我爱她”和其余两句话一样，还是在叙述一件事而不是吟咏一种情感。如果你真爱她，你此刻记念她，过一刻还是记念她。你想而又想，念而又念，你就要用一种特殊的语气才可以传出这种缠绵不尽的神情了。《左传》桓公二年有一条说：“宋华父督见孔父之妻于路，目逆而送之曰‘美而艳’！”这一段寥寥数字写尽华父督垂涎他人妻子的神情，在散文中可谓妙笔，而究竟不能说是诗，因为全文语气是“叙述的”而不是“惊叹的”。《诗经·郑风》有两章诗：

> 出其东门，有女如云。虽则如云，匪我思存！缟衣綦巾，聊乐我员。
>
> 出其闉阇，有女如荼。虽则如荼，匪我思且！缟衣茹藘，聊可与娱。

这两章诗所写的经验颇类似《左传》所记华父督的故事，但是它是诗，因为它的语气是“惊叹的”，它的音节是低回往复的，它不是叙一件事，而是流露一种感情。

在“叙述语”中作者可以不露切己的情感，甚至于可以说假话。比如你纵然不爱一个女子而说“我爱她”，别人不能单从这文字上看出你的情感的真伪和深浅。在“惊叹语”中情见乎词，别人可以单从文字上多少窥测出你的情感的程度。上例“出其东门”的作者距我们年代虽很远，我们虽无从知其历史，但是他对于那些如云如荼的女子，并没有十分深挚的情感，因为他只表示出和她们“娱”“乐”的希望，音节方面也见不出缠绵悱恻的神情。我们拿《诗经·周南》中四章诗和它比较看看：

> 采采卷耳，不盈顷筐。嗟我怀人，寘彼周行。
>
> 陟彼崔嵬，我马虺隤！我姑酌彼金罍，维以不永怀。
>
> 陟彼高冈，我马玄黄！我姑酌彼兕觥，维以不永伤。
>
> 陟彼砠矣，我马瘏矣。我仆痡矣！云何吁矣！

这诗也是描写爱情的，我们也无从知道作者的身世，但是我们知道她的情感比“出其东门”的作者深挚百倍。她的疲劳一章重似一章，她的声音一章凄婉似一章，最后她的力竭声嘶的情况更活跃欲现。这才是真情流露的文章。

然则诗绝对不叙事不说理么？诗有说理的，但是它的“理”融化在赤热的情感和灿烂的意象之中，它决不说抽象的未受情感饱和的理。诗也有叙事的，但是它的“事”也是通过情感的放大镜的，它决不叙完全客观的干枯的事。“哲学诗”和“史诗”，表面上虽似说理叙事，实际上都还是抒情。凡是号称“哲学诗”的作品，你如果从“哲学”观点去看，“理”往往很平凡甚至于荒谬，但是它们中间的上乘仍不失其为“诗”，因为作者毕竟是情胜于理的。这个道理我们只要稍留心英国十七世纪的“哲学派诗”和法国十九世纪维尼（A. de Vigny）的作品，便可以见出。至于叙事诗如《木兰辞》、《孔雀东南飞》、《长恨歌》等等的作者大半是对于豪情盛概的赞颂者或惋惜者，他们大半仍是用“惊叹的语气”。严格地说，一切艺术都是主观的，抒情的。

诗的生命在情趣。如果没有情趣，纵然有很高深的思想和很渊博的学问，也决不会做出好诗来，至多只能嚼名理或是翻书簏。严沧浪在他的诗话里说过一段很精辟的话：

> 夫诗有别材，非关书也；诗有别趣，非关理也。然非多读书，多穷理，则不能极其至。所谓不涉理路，不落言筌者，上也。诗者，吟咏情性也。盛唐诸人惟在兴趣……近代诸公乃作奇特解会，遂以文字为诗，以才学为诗，以议论为诗。夫岂不工，终非古人之诗也。盖于一唱三叹之音，有所歉焉。

“以文字为诗，以才学为诗，以议论为诗”三句话说尽中国许多诗人的通病，不独宋人为然。走上这条路的诗人上焉者仅可如韩昌黎做“押韵文”，下焉者则不免如文匠堆砌典故，卖弄寒酸。

胡适在《白话文学史》里批评韩昌黎说：

> 韩愈是个有名的文家，他用作文的章法来作诗，故意思往往能流畅通达，一扫六朝初唐诗人扭扭捏捏的丑态。这种“作诗如文”的方法，最高的境界往往可到“作诗如说话”

的地位,便开了宋朝诗人“作诗如说话”的风气。后人所谓“宋诗”,其实没有什么玄妙,只是“作诗如说话”而已。这是韩诗的特别长处。(四一四页)

胡先生的全部书都是隐约含着一个“作诗如说话”的标准,所以他特别赞扬韩愈和宋朝诗人的这一副本领。其实“作诗如作文”、“作诗如说话”都不是韩愈和宋朝诗人的“特别长处”。作文可如说话,作诗决不能如说话,说话象法国喜剧家莫里哀所说的,就是“做散文”,它的用处在叙事说理,它的意义贵直截了当,一往无余,它的节奏贵直率流畅(胡先生的散文就是如此)。做诗却不然,它要有情趣,要有“一唱三叹之音”,低回往复,缠绵不尽。《诗经》是诗中的最上品,如果拿“作诗如说话”的标准来批评它,就未免太不经济了。比如《王风》:

彼黍离离,彼稷之苗。行迈靡靡,中心摇摇。知我者谓我心忧,不知我者谓我何求!悠悠苍天,此何人哉!

彼黍离离,彼稷之穗。行迈靡靡,中心如醉。知我者谓我心忧,不知我者谓我何求!悠悠苍天,此何人哉!

彼黍离离,彼稷之实。行迈靡靡,中心如噎。知我者谓我心忧,不知我者谓我何求!悠悠苍天,此何人哉!

这诗第二三两章都只换两个字,只有“苗”“穗”“实”三个字指示时间的变迁,而“醉”“噎”两字只是为叶韵,于意义上无增加。说话时谁能这样重复?如果“作诗如说话”,一句话何必说至两次三次呢?作文和说话都只贵达意,要能做到胡先生所推尊的“流畅通达”,最忌重复;作诗所以言情,感情愈深刻愈缠绵,音节也因而愈低回往复,它的语音就义说是重复,而就性情说却不是重复,它要有严沧浪所推尊的“一唱三叹之音”。

照胡先生的话看,韩愈不仅是“文起八代之衰”,诗也是如此,韩愈“作诗如作文”,开宋人“作诗如说话”的风气,在后世影响很大,这是确实的话,胡先生说这是他的“特别长处”,则是以为他的影响是好的。但是这恰适得其反。韩愈可以说是严沧浪所谓“以文字为诗,以议论为诗,以才学为诗”的开山始祖。他是由唐转宋的一大关键,也是中国诗运衰落的一大关键。

诗本是趣味性情中事,谈到究竟,只能凭灵心妙悟,别人和我不同意时,我只能说是趣味的不同,很难以口舌争。所以关于“宋诗”,我只能用“印象派”批评家的办法,聊说私人的感想。尽管近代有许多人推尊“宋诗”,我自己玩味宋人作品时,总感觉到由唐诗到宋诗,味道是由浓而变淡,由广而变窄,由深而变浅的。诗本来不能全以时代论,唐人有坏诗,宋人也有好诗。宋诗的可取处大半仍然是唐诗的流风余韵,宋诗的离开唐诗而自成风气处,就是严沧浪所谓“以文字为诗,以议论为诗,以才学为诗”,就是胡先生所谓“做诗如说话”;“兴趣”和“一唱三叹之音”都是宋诗的短处(词不在内)。宋诗的“兴趣”是文人癖性的表现。这个癖性中最大的成分是“诙谐”,最缺乏的成分是“严肃”。酬唱的风气在宋朝最盛,在酬唱诗文人都喜欢显本领,苏东坡做诗好和韵,做词好用回文体,仍然是韩愈好用拗字险韵的癖性。他们多少是要以文字为游戏的,多少是要在文字上逞才气的,所以韵愈押得“工”,话愈说得俏皮,自己愈高兴,旁人愈赞赏。总而言之,宋人是多少带有几分“做打油诗”的精神去做诗的。苏东坡的名句如“忽闻河东狮子吼,柱杖落手心茫然”,“舟行无人岸自移,我卧读书牛不知”,“诗人老去莺莺在,公子归来燕燕忙”之类;黄山谷的名句如“管城子无食肉相,孔方兄有绝交书”,“在吾甚爱之,勿使牛砺角,牛砺角尚可,牛斗残我竹”之类都是好例。

做打油诗可如说话,因为它本来只是文字游戏,没有缠绵不尽的情感,不必有“一唱三叹之音”,它所以用声韵,还是以此为游戏。胡先生既然定了一个“作诗如说话”的标准,在历史上遍处找合这标准的作品,看见最合式的是打油诗,所以特别推重王梵志和寒山子,他说,“后世所传的魏晋诗人的几首白话诗,都不过是嘲笑之作,游戏之笔,如后人的‘打油诗’”。他甚至于附和钟嵘的陶诗“出于应璩”之说,“应璩是做白话谐诗的,左思也做过白话的谐诗,陶潜的白话诗如《责子》、《挽歌》也是诙谐的诗,故钟嵘说他出于应璩”。他在“杜甫”一章里也偏重杜甫的诙谐,并且把打油诗的历史渊源做过这样一段很是精彩的结束:

> 《北征》象左思的《娇女》,《羌村》最近于陶潜。钟嵘说陶诗出于应璩左思,杜诗同他们也都有点渊源关系。应璩做谐诗,左思的《娇女》也是谐诗,陶潜与杜甫都是有诙谐风趣的人,诉穷说苦都不肯抛弃这一点风趣。因为他们有这一点说笑话做打油诗的风趣,故虽在穷饿之中不至于发狂,也不至于堕落。这是他们几位的共同之点,又不仅仅是同做白话谐诗的渊源关系呵。(页三三四)

我们在上文说过,宋人也是多少带有几分做打油诗的精神去做诗的。在这一方面他们是韩愈的徒弟,而却不是陶潜杜甫的徒弟,因为他们偏向文字方面显诙谐,陶潜杜甫则只是在极严肃的人生态度之中偶露一点诙谐风趣。但是宋人也微合“作诗如说话”的标准，所以胡先生在批评韩愈时也颇称赞他们。

诗本来都要有几分诙谐，但是骨子里却要严肃深刻。它要有几分诙谐，因为一切艺术都和游戏有密切关系，都是在实际人生之外另辟一个意象世界来供观赏；它骨子里要严肃深刻，因为它须是至性深情的流露。过于诙谐的人不能做诗，过于严肃的人也不能做诗，陶潜杜甫都是把这两种成分配合得很适宜的。陶潜的《挽歌》和《责子》在集中不能算是代表作品，尤其不能完全以“打油诗”看待，虽然陶诗常常有谐趣。杜甫的《北征》和《羌村》也是如此。这几首诗在胡先生看只有诙谐，其实它们都是极严肃极沉痛的哀歌。宋人大半缺乏这种沉痛和严肃，但是也只在缺乏沉痛和严肃时才做出类于打油诗的作品，他们也有时能够达到很豪放或是很委婉的境界，尤其是在词的方面。

诙谐像柏格森所说的，出于理智，入于理智，不是情感的流露。我们不把打油诗认为诗，和柏格荪不把喜剧认为纯粹的艺术，是一个道理。打油诗不是诗，我们就不能因为做打油诗如说话，而断定做诗如说话，胡先生的错误在认王梵志寒山子诸人的打油诗为诗，以为做这些打油诗既可如说话，做诗自亦不过尔尔。他又摭拾陶杜集中几首（或是几句）带有谐趣的诗，以一鳞一爪概一鱼一鸟，说陶杜的精神正从此种“做诗如说话”处见出。我们把胡先生所认为打油诗的陶潜的《挽歌》：

有生必有死，早终非命促。昨暮同为人，今旦在鬼录。魂气散何之？枯形寄空木。娇儿索父啼，良友抚我哭；得失不复知，是非安能觉！千秋万岁后，谁知荣与辱；但恨在世时，饮酒不得足。

和最为人所传诵的王梵志的打油诗：

梵志翻著袜，人皆道是错。乍可刺你眼，不可隐我脚。

比较比较，看它们相差几远！胡先生引《挽歌》为谐诗的例子而密圈“但恨在世时，饮酒不得足”。大概是说它所以谐就是谐在这两句，这样解法不但把《挽歌》全章的严肃沉痛的语气都失去，连陶潜的性情品格都被误解了。

做诗决不能如说话。既可以用话说出来就不用再做诗。诗的情思是特殊的，所以诗的语言也是特殊的，每一种情思都只有一种语言可以表现（我把“表现”当作一个不及物的动词用如英文的appear），增一字则太多，减一字则太少，换一种格调则境界全非。在各国文学中，某种格调宜于表现某种情思，某种体裁宜于产生某种效果，往往都有一定原则。《后山诗话》里有一条说：“杜之诗，韩之文，法也。诗文各有体，韩以文为诗，杜以诗为文，故不工耳。”专就韵文说，五古宜于朴茂，七古宜于雄肆，律诗宜于精细的刻画，绝句宜于抓住一纵即逝的片段的情景。诗与词的分别尤易见出。词只宜于清丽小品，以惯于做词的人去做诗，往往没有气骨；以惯于做诗的人去做词，往往失之鲁莽生硬。王直方《诗话》中有一条说：“东坡尝以所作小词示无咎、文潜曰：‘何如少游？’二人皆对云：‘少游诗似小词，先生小词似诗。’”这实在是确论。

凡诗都不可译为散文，也不可译为外国文，因为诗中音义俱重，义可译而音不可译。成功的译品都是创造而不是翻译。英人费兹杰拉德所译的奥马康颜的《劝酒行》差不多是译诗中唯一的成功，但是这部译诗实在是创作，和波斯原文出入甚多。在胡先生所举的佛教翻译文学的实例中，我寻不出一首可以叫做“诗”的“偈”。这就是由于“偈”本来为便于记忆而用诗的形式，本来未必是诗，加以印度原文的音节在译文中完全不能见出。

记得郭沫若先生曾选《诗经》若干首译为白话文，成《卷耳集》，手头现无此书可考，想来一定是一场大失败。诗不但不能译为外国文，而且不能译为本国文中的另一体裁或是另一时代的语言，因为语言的音和义是随时变迁的，现代文的音节不能代替古代文所需的音节，现代文的字义的联想不能代替古文的字义的联想。比如《诗经》：

昔我往矣，杨柳依依；今我来思，雨雪霏霏！

四句诗看来是极容易译为白话文的。如果把它译为：

从前我去时，杨柳还在春风中摇曳；现在我回来，已是雨雪天气了。

总算可以勉强合于“做诗如说话”的标准，却不能算是诗。一般人或许说译文和原文的实质略同，所不同者只在形式。其实它们的实质也并不同。译文把原文缠绵悱恻、感慨不尽的神情失去了，因为它把原文低徊往复的音节失去了。专就义说，“依依”两字就无法可译，译文中“在春风中摇曳”只是不经济不正确的拉长，“摇曳”只是呆板的物理，而“依依”却带有浓厚的人情。原文用惊叹的语气，译文是叙述的语气。这种语气的分别以及用字构句的分别都由于译者的情思不能恰如作者的情思。如果情思完全相同,则所用的语言也必完全相同。善谈诗的人在读诗可以说是在用诗人自己的语言去译诗人的情思,这也是一种创造的工作。诗不可译,即此一端,就可以见出做诗不如说话了。

以上所说的话是关于诗有音律而散文无音律的基本原理,以及我对于“做诗如说话”一说的批评。现在来讨论几个关于音律本身的重要问题,并且研究中国诗何以走到讲声讲韵的一条路上来的道理。

中文诗的音乐在声与韵,在历史上韵的考究先于声的考究,我们先讲韵。中国旧有“有韵为诗,无韵为文”之说,“诗”和“韵文”差不多是同义字。其实“韵文”只是一种诗的形式,不足以赅括“诗”。中国文学演化的痕迹,和世界文学相较,有许多反乎常轨的地方,韵就是其中之一端。韵在中国文学史中发生最早,现存的古书大半有韵。《诗经》固不用说,即叙事说理的述作,如《书经》、《易经》、《老子》都有用韵的痕迹。据说日本诗到现在还无所谓韵。在西方文学中,希腊拉丁诗都不用韵,韵起于中世纪,据说是由匈奴传去的。韵初到欧洲时颇盛行。法国和德国最早的史诗(在第十世纪以后做成的)都有韵的痕迹。但丁的《神曲》(十四世纪)就是一部用韵而成功的诗。十六世纪以后,学者受文艺复兴的影响,看见希腊拉丁诗不用韵,于是对于韵颇施攻击,弥尔顿在《失乐园》的序里便有骂韵的话。近代诗用韵又颇流行,但是仍尝有攻击韵的运动,法国哲学家芬涅伦(Fénelon)《给法兰西学院书》便是著例。在英文中想做“庄严体”的诗人都不肯用韵。莎士比亚的悲剧和弥尔顿的《失乐园》都是用无韵五节格做成的。法文诗间有不用韵的,但是用韵是常事。

日本诗和西方诗都可以不用韵，中文诗也可以不用韵么？韵在中国是常和诗相连的，自有诗即有韵；声的考究乃后起，和西方的演化次第恰相反。有人说古采莲诗是中国唯一不用韵的诗，其实它开头两句“江南可采莲，莲叶何田田”，就是用韵的。中国历史上只有两次反韵的运动。第一次是唐人译佛经的“偈”用有规律的文字而不用韵，第二次是近代白话诗的运动。此外诗人没有不用韵的。宋人的诗受佛经的影响，他们尝遍五花八门的文字的游戏，却没有仿“偈”体做过一首不用韵的诗。白话诗在初出时尝不用韵，但是后来又有复韵的倾向。我们可以说：唐人译经偈和白话诗初期不用韵，都是有意要革旧创新，并非顺着语言的自然的倾向，中国语言的自然倾向是朝韵走的。这是一件事实，我们要寻出解释这事实的理由。

诗和音乐一样，生命全在节奏(rhythm)。节奏就是起伏轻重相交替的现象，它是非常普遍的，例如呼吸循环的一动一静，四时的交替，团体工作的同起同止，都是顺着节奏。我们在说话时，声调顺情思的变化而异其轻重长短，某处应说重些，某处应说轻些，某字应说长些，某字应说短些，都不能随意苟且，这种轻重长短的起伏就是语言的节奏。散文和诗都一样要有节奏，不过散文的节奏是直率流畅不守规律的，诗的节奏是低回往复遵守规律的。这种分别我们在上文已详细说过。中文诗和西文诗都有节奏，不过它们有一个重大的分别，西文诗的节奏偏在声上面，中文诗的节奏偏在韵上面，这是由于文字构造的不同。西文字多复音，一字数音时各音的轻重自然不能一致，西文诗的音节(metre)就是这种轻重相间的规律，例如英文中最普通的十音句(pentametre)的音节取“轻重轻重轻重轻重轻重”

式;法文中最普通的十二音句(alexandrine)的音节分“古典式”和“浪漫式”两种。“古典式”十二音之中有四个重音,第二第四两重音必定落在第六音和第十二音上面,其余两重音可任意移动;“浪漫式”十二音之中只有三个重音,除第三重音必定落在最后的一音(即第十二音)上面之外,重音的位置是可随意更换的,不过通常都避免把重音放在第六音上面,因为怕和“古典式”相混。观此可知西文诗的节奏在音节轻重相间上(声)见得最明显。中文字尽单音,每字的音都是独立的,见不出轻重的分别。比如读“明月照高楼”我们不能特别把某字音特别着重,读成“重轻轻重重”式或是“轻重重轻轻”式,而西文诗的音节却恰如此轻重相间。中文诗相当于西文诗音节者为“声”。声通常分平上去入,上去入三声合为仄声。“声”是什么一回事呢?从音学的观点来分析它,它是三种分别合成的。第一是长短的分别,由平声到入声,音调渐由长而短。第二是高低的分别,由平声到入声,音调渐由低而高。第三是“音色”的分别,平声主音所带的辅音和仄声主音所带的辅音震动度数多寡不同。“音色”与轻重无关,与轻重有关者只是长短高低。西方古代希腊拉丁诗在长短音相间上见出音节,近代语言以重轻代长短。重音略当于长音,轻音略当于短音,重音通常较高,轻音通常较低。中文字平声专就低说,应该是很轻,但是因为它长,所以失其为轻;仄声字专就高说应该是很重,但是因为它短,所以失其为重。一言以蔽之,中文诗的节奏不像西文诗,在声的轻重上见得不甚显然。

其次,西文诗的单位是行。每章分若干行,每行不必为一句,一句诗可以占不上一行,也可以连占数行。行只是音的阶段而不是义的阶段,所以诵读西文诗时,到每行最末一音常无停顿的必要。每行末一音既无停顿的必要,所以我们不必特别着重它;不必特别着重它，所以它对于节律的影响较小，不必一定要有韵来帮助谐和。中文诗则不然。它常以四言五言七言成句，每句相当于西文诗的一行而却有一个完足的意义。句是音的阶段，也是义的阶段；每句最末一字是义的停止点也是音的停止点，所以通读中文诗时到每句最末一字都须略加停顿，甚至于略加延长，每句最末一字都须停顿延长，所以它是全诗音乐最着重的地方。如果在这一字上面不用韵，则到着重的一个音上，时而用平声，时而用仄声，时而用开口音，时而用合口音，全诗节奏就不免乱杂无章了。中文诗大半在双句用韵而单句不当用韵，这有两个理由，一方面是要寓变化于整齐，一方面要继续不断地把注意力放松放紧，以收一轻一重的效果。我们可以说，中文诗的轻重的节奏是在单句不押韵，双句押韵上见出。韵在中文诗中是必要的，所以它发生得最早，所以一两次反韵的运动都不能扭转这自然的倾向。法文诗音节的重轻没有英文诗音节的重轻那样明显，所以法文诗用韵比英文诗用韵较普遍，这是我们学说的一个旁证。

中文诗用韵以显出节奏，是中国文字的特殊构造所使然。历来诗人用韵的方法分律古两种。律诗多在双句用平声韵，单句则只开首一句时或用韵。古诗用韵的变化较多，它可以句句用韵，一韵到底，可以如律诗在双句用韵，但不必限于平声。它的最大的特点在能换韵。中文诗偏在韵上见节奏，律诗一韵到底，节奏最为单调，不能顺着情感的变化而变化，所以律诗不能长。排律中佳作最少，因为容易板滞。古诗可换韵，所以节奏有变化，能曲肖情感的起伏或思路的转变。例如李东川的《古意》：

男儿事长征，少小幽燕客。赌胜马蹄下，由来轻七尺。

杀人莫敢前，须如猬毛磔。黄云陇底白云飞，未得报恩不能归。辽东小妇年十五，惯弹琵琶解歌舞。今为羌笛出塞声，使我三军泪如雨！

这首诗的情感和意象凡经三次转折，每一转折都换一韵。“黄云陇底”二句猛然在五言仄韵句之后换七言平韵句，尤堪玩味。平声比较深长激昂，恰好传出这位“幽燕客”的豪情胜概。后面情感转凄婉，所以又回到仄韵。再如李长吉的《六月》诗：

裁生罗，伐湘竹，帔拂疏霜簟秋玉。炎炎红镜东方开，晕如车轮上徘徊，啾啾赤帝骑龙来。

这六句诗前三句写凉的意象，后三句写热的意象。前三句用仄韵，后三句忽叠用三个平韵。恰好形容六月天的太阳轰轰烈烈的忽然从东方跳出来的情景。我们在上文提过古采莲诗：

江南可采莲，莲叶何田田！鱼戏莲叶间，——鱼戏莲叶东，——鱼戏莲叶西，——鱼戏莲叶南，——鱼戏莲叶北。

这首诗头两句用韵而后面忽然不用韵，有人以为它是中国唯一的无韵诗，其实与其说它是无韵诗，不如说它后半每句一换韵。这种没有定准的音节恰能描写鱼戏时飘忽不定的情趣。连用平声字收句，最末一句忽然用一个声音短促的仄声“北”字收句，尤足以状鱼戏时忽然而止的神情。

这里我们只随意拈出几个短例，说明韵能帮助传情的道理，在大家作品中我们随处都可以见出这个道理。

韵的存在理由如此。现在来讲声。我们在上文已分析过声的元素,说明过中文诗的节奏在声的轻重上见得不甚显然的道理,我们并没有说声绝对不能表出节奏。平仄相间是一种秩序的变化,有变化就有节奏,不过在中文诗中,声的节奏没有韵的节奏那样鲜明。从历史上看,韵的考究似乎先于声的考究,中国自有诗即有韵,至于声的起源究竟在何时,向来没有定论,多数人以为它起于齐沈约。其实声是语言所本有的,有诗即有韵,有诗也即有声。我并非讨论韵是否先于声,我只讨论韵的考究是否先于声的考究。声的考究可分两种:一种是考究韵的声,一种是考究每字的声。考究韵的声和考究韵一样古。打开《诗经》和汉魏诗人的作品看,平韵总是压平韵,仄韵总是压仄韵,这是极好的证据。考究每字的声则似从齐梁时起,齐梁时才有论音律的专著,齐梁诗人作品才多类于律诗的音节。我们在下文所说的声指每字的声,不单指韵的声。

从谢朓沈约之后,做诗考究声律逐渐成为风气。律诗论平仄固然甚严,依王渔洋的《古诗平仄论》说,古体诗也须调平仄。至于后世词曲对于声律苛求更甚,平声要论阴阳,仄声要论上去入,甚至于要辨“清”“浊”,要辨“开”“齐”“合”“撮”。但是声律的影响虽大,而攻击之者从钟嵘到胡适亦常振振有词。文字大半顺自然的轨迹而演化,声律这样大的运动当然不能象缠小脚一样,由一两个人的幻想遂推广成为风气,它当然也有一个存在的理由。讲历史的人应该理出前因后果的线索,不当学王凤洲批《纲鉴》,自居“老吏断狱”,说是说非。他们不应该只骂齐梁人拿声律来束缚诗,应该考求声律在齐梁时代何以猛然盛行,应该问它的存在理由是什么。我在这里提出一个答案来,虽然不敢自以为是,或可以聊备一说。钟嵘在《诗品》里说：

> 古曰诗颂，皆被之金竹。故非调五音，无以谐会。……今既不被管弦，亦何取乎声律耶？

《诗品》中往往有谬论，此其一端。古诗并未尝调五音，正因其"被之金竹"，今诗取声律，正因其不被管弦。要明白这个道理，我们须先明白诗和音乐离合的历史。

我们在上文说过，诗有音有义，它是语言和音乐合成的，要明白诗的性质必须先研究语言的性质和音乐的性质。语言的性质已经分析过。音乐的性质非本文所能详论，现在只能就其和诗相关系处略说几句。音乐能否与语言相离呢？这是历来乐理学家争论最剧烈的一个问题。据一派学者说，音乐的起源就在语言。语言的声调随情思而起伏，语言的背面已有一种潜在的音乐，音乐家不过就语言所已有的音乐而加以铺张润色。最初的音乐是歌唱，歌唱是语言的情感化，乐器所弹奏的音乐则起于歌唱。照这样说，音乐是从诗歌里出来的，和诗歌一样是表现情感的。这在乐理上通常叫做"表现说"，哲学家叔本华和斯宾塞，音乐家瓦格纳都是此说的代表，但是近来一般形式派和科学派的乐理学家对此说极不满意。依德国汉斯立克（Hanslick）说，音乐虽能激动情感，却不能"表现"情感，它只是一种形式美。音乐既非情感的表现，就不能说是起于语言。据德国华拉歇克（Wallaschek）的研究，野蛮民族所唱的歌调常毫无意义，他们欢喜唱它听它，都只是因为它音调和谐。儿歌也是如此。谷鲁斯（E. Grosse）在他的《艺术起源论》里也说："原始的抒情诗最重的成分是音乐，至于意义还在其次。"德国斯徒夫（Stumpf）和法国德拉库瓦(Delacroix)都反对音乐起于语言说。依他们看,乐调的高低有定准,语调的高低无定准。音乐所用的音是有定量的,音阶是断续的;语言所用的音是无定量的,音阶是一线联贯而不是断续的,所以语言不能产生音乐,音乐是离语言而独立的。依这一说,诗歌起源于音乐,语言是后加入的成分。

拿野蛮民族的歌调来看,后一说的证据比较充分,在历史上诗的音先于义,音乐的成分是原始的,语言的成分是后加的。原始人民的情感生活较重于理智生活,照理说原应如此。后来理智渐开,诗的"义"的成分也逐渐扩大。我们分析诗的音和义的离合,可以得到四个时期:

(一)诗有音无义。这是最原始的诗,儿歌和野蛮民族的歌谣属于此类。它还没有和音乐分开。

(二)诗以义就音。这是诗的正式成立期。较进化的民族歌谣属于此类。语言参入音乐里去,但是把自己本来音调丢开而迁就从前已有的歌调,音乐为主,语言为辅。

(三)诗重义轻音。这是在做诗者由全民众而变为个人的时期,诗人于是逐渐抛开从前已有的歌调而做独立的诗歌,诗于是逐渐变成不可歌的,音乐的成分于是和语言的成分逐渐相分离。这时候起始有无诗的调,有无调的诗。

(四)诗重文字本身的音。这是在做诗成为文人阶级的特别职务的时期。诗与乐曲完全分开。从前诗的音乐大半在乐曲上见出,现在不用乐曲,诗人于是设法在文字本身上见出音乐。从前诗的语言须依乐曲歌唱,现在它只能诵读。诵读的节奏不完全是语言本身的,也不完全是音乐的,它是语言节奏和音乐节奏的调和。艺术在这个时期由自然流露的,变而为自觉的有意造作的,所以声律的考究最大。

这是诗和音乐离合的一个公式,中国诗也只是这个公式中一个实例。诗有音无义时期在中国现已不可考,但是一般“戏迷”对于京戏的嗜好,仍然可以帮助我们想像到原始人民如何爱好乐调,不顾文词。中国诗的历史从以义就音的时期起。《诗经》和汉朝的“乐府歌辞”大半是可歌的,歌各有曲调,曲调与诗词虽相谐合而却可分立,正如现在歌词和乐谱一样。诗以义就音时每收句尾一音是最关键,句中各字音的高低长短可以随曲调而转移,平声字唱高些唱短促些可以变成仄声字,仄声字唱长些也可以变为平声字。所以汉魏以前诗只考究韵而不很考究声。

汉魏是中国诗转变的一个大关键,它是由以义就音到重义轻音的过渡时期。汉魏以前诗的作者是民众,所以不著作者姓名;汉魏以后诗的作者大半是文人,作者姓名大半可考。汉魏以前诗大半是情感的自然流露,浑厚天成;汉魏以后诗大半是文人仿拟古诗和民歌而作的,是有意于艺术的锤炼的,所以渐见工巧。严沧浪说魏晋以前诗无名句可指,魏晋以后诗才有名句可指,其原因即在于此。汉魏以前诗大半可歌,大半各有乐曲;汉魏以后诗,逐渐脱离乐曲独立,不可歌唱。这最后一个分别尤其重要,它就是音律的起源,唐元稹在《乐府古题序》里面说:

《诗》讫于周,《离骚》讫于楚。是后,诗之流为二十四名:赋、颂、铭、赞、文、诔、箴、诗、行、咏、吟、题、怨、叹、章、篇、操、引、谣、讴、歌、曲、词、调,皆诗人六义之余,而作者之旨。由操而下八名,皆起于郊祭、军宾、吉凶、苦乐之际。在音声者,因声以度词,审调以节唱。句度短长之数,声韵平上之差，莫不由之准度。而又别其在琴瑟者为“操”“引”，采民甿者为“讴”“谣”，备曲度者，总得谓之“歌”“曲”“词”“调”，斯皆由乐以定词，非选词以配乐也。由诗而下九名，皆属事而作，虽题号不同，而悉谓之为诗，可也。后之审乐者，往往采取其词，度为歌曲，盖选词以配乐，非由乐以定词也。而纂撰者，由诗而下十七名，尽编为“乐录”、“乐府”等题，除“铙吹”、“横吹”、“郊祀”、“清商”等词在《乐志》者，其余《木兰》、《仲卿》、《四愁》、《七哀》之辈，亦未必尽播于管弦，明矣。后之文人，达乐者少，不复如此配别，但遇兴纪题，往往兼以句读短长，为歌诗之异。

唐朝人做诗还有沿用古乐府旧题目的，元稹似乎反对这种办法，所以有这一段文章，说明“歌”和“诗”的分别。他以为后世文人既不懂得古乐府的乐曲，就不应该拿那些乐曲的题目来做诗的题目，以至“虽用古题，全无古义”，“如‘出门行’不言离别，‘将进酒’特书列女”之类。元稹所说的“诗之流为二十四名”，是汉魏时期的事，他所说的“由操而下八名”可统称为“歌”，是真正的乐府，是都有乐曲的；他所说的“由诗而下九名”可统称为“诗”，是今诗的起源，是本来没有乐曲而后人加上乐曲的。汉魏在诗方面是承先启后的，一方面保存古诗谐乐的遗风，元稹所说的“由操而下八名”属于此类；一方面却特辟蹊径，只在“属事而作”，不必“由乐定词”。在汉魏时这种新运动还没有完全成功，一般人还以为诗必有乐曲，所以往往替本来无乐曲的诗制一个乐曲。但是汉魏以后，新运动遂完全成功，诗遂完全脱离乐曲而独立，连“选词以配乐”都少有人顾到了。有些诗人仍然用古乐府的题目来做题目。这好比接盘商人打老招牌开新店，新店的货物和旧店的货物全是两件事。

诗既然离开乐曲，既然不可歌，如果没有新方法来使诗的文字本身上见出若干音乐，那就不免失其为诗，而做诗就不免变成说话了。音乐是诗的生命，从前乐曲的音乐既然丢去，诗人于是不得不在诗的本身上求音乐，这是声律发生的原因。齐梁恰当乐府和今诗代替的时期，所以声律的运动，特盛于齐梁。齐梁是上文所说的诗音义离合史上的第四时期，就是诗重文字本身音乐的时期。

西方诗的发展史，也很可以和中文诗参照互证。在中世纪时诗人大半是“歌者”，例如法国的《罗兰之歌》和其他史诗都是这般“歌者”根据查理大帝的功业的传说而做成的。他们游行无定，到一处即敲封建地主的门，登堂唱一段诗歌，以赚些许酒肉。较阔气的王侯身边还有这种歌者随从以供行酒炙肉时的娱乐。他们大概很像中国说书家（我在儿时还尝听到这般民众艺术家在街头或是到屋里来献技，可惜他们也随我所留恋的旧时代过去了！），在歌诗或说故事时，都依附一种很简朴的乐调的。近代北欧和苏格兰民间也还有很流行的 ballad，这种“民歌”故事都极简单，语言都极朴实，大半附有乐调，有时还附有一种跳舞。但是就大体说，欧洲诗从十六世纪以后就已到了上文所说的第四时期，诗人大半有意为诗，诗词本身以外无乐调，而专在本身现出音乐了。法国雨果、英国丁尼生都是在音律方面擅长的。

西方诗和中国诗都已到了在文字本身求音乐的时期，但是有一大异点，是值得我们特别唤起注意的，这就是诵诗的艺术。诗从不可歌之后，西方有诵诗的艺术的起来，而中国则对此太缺乏研究，没有诵诗的艺术，诗只是哑文字；有诵诗的艺术，诗才是活语言。

做诗不如说话，诵诗更不如说话。诗是语言和音乐合成的。语言有语言的节奏，音乐有音乐的节奏。语言的节奏贵直率流畅，诗的节奏贵低徊缠绵，这两种节奏是互相冲突的。诗究竟应该用那一种节奏去诵呢？法国诵诗法向来以国家戏院的演诵法为准。英国戏院通常不诵诗，“老维克”（Old Vic）戏院演诵诗剧的方法是比较可靠的。现代英国诗人蒙罗（H. Monro）组织一诵诗团体于伦敦，每礼拜四晚专请现代英国诗人诵他们自己的作品或是从前诗人的作品。就我在这些地方听诵诗所得的印象说，戏院大半偏重音乐的节奏，诗人自己有偏重音乐的节奏者；有设法调和音乐的节奏和语言的节奏者，从来没有听过纯用语言的节奏者，连下等戏院的丑角念谐诗（类似打油诗）时也不纯用语言的节奏。这个道理最好用一个短例来说明。比如英文《醉汉骑马歌》中：

(1) To - morrow is our wedding day

一句诗在流行语言中只有两个较重的音，如（1）式长短标所指示的。如果完全用语言的节奏诵这句诗，则完全失去诗的有规律的节奏。这篇诗是用“轻重格”（iambic）写的，论音律应该有四个轻重相间的音节，如（2）式：

(2) To - morrow is our wedding day

如果依此式诵读，则本来无须着重的音（如 is）须着重，就不免把语言的活跃的神情嵌在呆板的圈套里了。我们如何调剂这两种节奏的衝突呢？一般善诵诗的人大半把它读如（3）式：

(3) To - morrow is our wedding day

这就是在音乐的节奏中丢去一个重音 is 以求合于语言，在语言的节奏中添上一个重音 day 以求合于音乐。这样办，语言和音乐便两不相妨了。

照这样看，诗虽不可歌，仍须可诵，而诵则必有离语言本身而独立的音节，不能如说话。中国从前私塾读书本来都是朗诵，都带有若干歌唱的意味，文人诵诗也是如此，照理应该有一种诵诗的艺术发达起来，而考之事实则大不然。塾童念书和文人诵诗，大半都是用一种很呆板的千篇一律的调子，对于快慢高低的节奏，从来不加精细的推敲。我翻过许多论诗论文的著作，只见出从前人很欢喜"吟""啸"，却没有见到一部专书讲"吟""啸"的方法，大概他们也都是"以意为之"。现行的一般念书诵诗的调子究竟怎样起来的也可不考。胡适之先生似乎以为它起于和尚诵经。他说：

> 大概诵经之法，要念出音调节奏来，是中国古代所没有的。这法子自西域传进来，后来传遍中国，不但和尚念经有调子；小孩念书，秀才读八股文章，都哼出调子来，都是印度的影响。

诵诗有调子，也许还是受从前歌诗的影响，胡先生说它是"中国古代所没有的"，不知有何根据。不过后来学童秀才所"哼"的调子受了和尚诵经的影响，也许是事实。

诵经式的调子实在是太单调了。它固然未尝没有存在的理由，诗的音节应该带有若干催眠性，使听者忘去现实世界而聚精会神于艺术的美，这个道理柏格森已经说得很透辟；不过它究竟太忽略语言的节奏了。诗的神情有许多要在诵读时高低急徐的变化上见出。比如汉武帝《李夫人歌》：

> 是耶！非耶！立而望之，翩何姗姗其来迟！

末句连用七个平声字,音节本很慢的,通读时应该在声调上能表出诗中犹疑期望的神情。再比如《木兰辞》也是研究诵诗最好的实例。这首诗全首的音节是极快的,尤其是“万里赴戎机”以下六句,和“耶娘闻女来”以下十二句;但是“不闻耶娘唤女声,但闻黄河流水声溅溅”和“不闻耶娘唤女声,但闻燕山胡骑声啾啾”四句要慢。全首诗的语气是欢喜的,尤其是“耶娘闻女来”一段,但开章“唧唧复唧唧”以下十六句却须带有若干忧愁的神气。这些地方如果一律用念经的调子去哼,就不是诵诗了。

欣赏之中都寓有创造。写在纸上的诗只是一种符号,要懂得这种符号,只是识字还不够,要在字里见出意象来,听出音乐来,领略出情趣来。诵诗时就要把这种意象、音乐和情趣在声调中传出。这种功夫实在是创造的。读者如果不能做到这步田地,便不算能欣赏,诗中一个个的字对于他便只像漠不相识的外国文,他便只见到一些纵横错杂的符号而没有领略到“诗”。能诵读是欣赏诗的要务。西方人对这门艺术研究得极精微,我们中国人虽讲究做诗的音律而不讲究诵诗的音律,这是诗的音律逐渐僵死化的主要原因。希望研究音律的人在这方面多做点工夫,写几部专门讲究诵诗的方法和理论的书,以备一般读诗的人参考。

第十三章　陶渊明

一　他的身世、交游、阅读和思想

大诗人先在生活中把自己的人格涵养成一首完美的诗，充实而有光辉，写下来的诗是人格的焕发。陶渊明是这个原则的一个典型的例证。正和他的诗一样，他的人格最平淡也最深厚。凡是稍涉猎他的作品的人们对他不致毫无了解，但是想完全了解他，却也不是易事。我现在就个人所见到的陶渊明来作一个简单的画像。

他的时代是在典午大乱之后，正当刘裕篡晋的时候。他生在一个衰落的世家，是否是陶侃的后人固有问题，至少是他的近房裔孙。当时讲门第的风气很盛，从《赠长沙公》和《命子》诸诗看，他对于他自己的门第素很自豪。他的祖父还做过不大不小的官。他的父亲似早就在家居闲（据《命子》诗，安城太守之说似不确。他序他的先世都提到官职，到了序他的父亲只有“淡焉虚止，寄迹风云，冥兹愠喜”数语）。他的母亲是当时名士孟嘉的女儿。他还有一个庶母，弟敬远和程氏妹都是庶出。他的父亲和庶母都早死，生母似活得久些。弟妹也都早死，留下有侄儿靠他抚养。他自己续过弦，原配在他三十岁左右死去。续娶翟氏，帮他做农家操作。他有五个儿子，似还有“弱女”，不同母。他在中年遭了几次丧事，还遭了一次火，家庭担负很不轻，算是穷了一生。他从早年就爱生病，一直病到老。他死时年才五十余（旧传渊明享年六十三，吴汝纶定为五十一，梁启超定为五十六，古直定为五十二，从作品的内证看，五十一二之说较胜），却早已“白发被两鬓”，可见他的身体衰弱。

当时一般社会情形很不景气，他住在江西浔阳柴桑，和一般衰乱时代的乡下读书人一样，境况非常窘迫。在乡下无恒业的读书人大半还靠种田过活，渊明也是如此。但是田薄岁歉（看“炎火屡焚如，螟蜮恣中田，风雨纵横至，收敛不盈廛”诸句可知），人口又多，收入不能维持极简单的生活，以致“冬无蕴葛，夏渴瓢箪”。渊明世家子，本有些做官的亲戚朋友，迫于饥寒，只得放下犁头去求官。他的第一任官是京口镇军参军，那时他才二十三岁左右（晋安帝隆安三年己亥），过了两年，他奉使到江陵（辛丑），那时镇江陵的是桓玄，正上表请求带兵进京（建康）解孙恩之围，恰逢孙恩的兵已退，安帝下诏书阻止桓玄入京，渊明到江陵很可能就是奉诏止玄。就在这年冬天，他的母亲去世。他居了两年忧，到了二十八岁那年（甲辰），又起来做建威参军，第二年三月奉使入都，八月补彭泽令，冬十一月就因为不高兴束带见督邮，解印绶归田。以后他就没有出来做官。总计起来，他做官的时候前后不过六年，除去中间丁忧两年，实际只有四年。他再起那一年，天下正大乱，桓玄造反，刘裕平了他。此后十五六年之中，刘裕在继续扩充他的势力。到了渊明四十四岁那年（庚申）刘裕便篡位，晋便改成宋。从渊明二十九岁弃官，到他五十一岁死，二十余年中，他都在家乡种田，生活依然极苦，虽然偶得朋友的资助，还有挨饿乞食的时候。晚年刘裕有诏征他做著作郎，他没有就。

一个人的性格成就和他所常往来的朋友亲戚们很有关系。渊明一生平常往来的人大约可分四种。第一种是政治上的人物。有的是他的上司。他做镇军参军时,那镇军可能为刘牢之;做建威参军时,那建威可能是刘敬宣;他奉使江陵时,镇江陵的是桓玄,有人还疑心他在桓玄属下做过官。有的是仰慕他而想结交他的。第一是江州刺史王宏,想结交他,苦无路可走,听说他要游庐山,于是请他的朋友庞通之备酒席候于路中,二人正欢饮时,王宏才闯到席间,因而结识了他。此后两人常有来往,王宏常送他的酒,资助他的家用。集中《于王抚军座送客一首》大概就是在王宏那里写的。其次是继王宏做江州刺史的檀道济,亲自去拜访渊明,劝他做官,他不肯,并且退回道济所带来的礼物。但是这一类人与渊明大半说不上是朋友,真正够上做朋友的只有颜延之。延之做始安太守过浔阳时,常到渊明那里喝酒,临别时留下二万钱。渊明把这笔款子全送到酒家。延之在当时也是一位大诗人,名望比渊明高得多。他和渊明交谊甚厚,渊明死后,他做了一篇有名的诔文。

第二种朋友是集中载有赠诗的,像庞参军、丁柴桑、戴主簿、郭主簿、羊长史、张常侍那一些人,大半官阶不高,和渊明也相知非旧,有些是柴桑的地方官,有些或许是渊明做官时的同僚,偶接杯酒之欢的。这批人事迹不彰,对渊明也似没有多大影响。

最有趣味而也最难捉摸他们与渊明关系的是第三种人,就是在思想情趣与艺术方面可能与渊明互相影响的。头一个当然是莲社高僧慧远。他瞧不起显达的谢灵运,而结社时却特别写信请渊明,渊明回信说要准他吃酒才去,慧远居然为他破戒置酒,渊明到了,忽“攒眉而去”。他对莲社所持奉的佛教显然听到了一些梗概,却也显然不甚投机。其次就是慧远的两个居士弟子,与渊明号称“浔阳三隐”的周续之和刘遗民。这三隐中只有渊明和遗民隐到底，遗民讲禅，渊明不喜禅，二人相住虽不远，集中只有两首赠刘柴桑的诗，此外便没有多少往来的痕迹。续之到宋朝应召讲学，陪讲的有祖企谢景夷，也都是渊明的故友，渊明做了一首诗送他们三位，警告他们“马队非讲肆，校书亦已勤”，结尾劝他们“从我颖水滨”，可见他们与渊明也是“语默异势”。最奇怪的是谢灵运。在诗史上陶、谢虽并称，在当时谢的声名远比陶大。慧远嫌谢“心乱”，不很理睬他，但他还是莲社中要角。渊明和他似简直不通声气，虽然灵运在江西住了不少的时候，二人相住很近。这其实也不足怪，灵运不但“心乱”而讲禅，名位势利的念头很重，以晋室世家大臣改节仕宋，弄到后来受戮辱。总之，渊明和当时名士学者算是彼此“相遗”，在士大夫的圈子里他很寂寞，连比较了解他的颜延之也是由晋入宋，始终在忙官。

和渊明往来最密，相契最深的倒是乡邻中一些田夫野老。他是一位富于敏感的人，在混乱时代做过几年小官，便发誓终身不再干，他当然也尝够了当时士大夫的虚伪和官场的恶浊，所以宁肯回到乡间和这班比较天真的人们“把酒话桑麻”。看“农务各自归，闲暇辄相思。相思则披衣，言笑无厌时”几句诗，就可以想见他们中间的真情和乐趣。他们对渊明有时“壶浆远见候”，渊明也有时以“只鸡招近局”。从各方面看，渊明是一个富于热情的人，甘淡泊则有之，甘寂寞则未必，在归田后二十余年中，他在田夫野老的交情中颇得到一些温慰。

渊明的一生生活可算是“半耕半读”。他说读书的话很多：“少学琴书，偶爱闲静，开卷有得，便欣然忘食”，“好读书，不求甚解，每有会意，便欣然忘食”，“乐琴书以销忧”，“委怀在琴书”等等，可见读书是他的一个重要的消遣。他对于书有很深的信心，所以说“得知千载上，正赖古人书”。他读的是一些什么书呢？颜延之在诔文里说他“心好异书”，不过从他的诗里看，所谓“异书”主要的不过是《山海经》之类。他常提到的却大半是儒家的典籍，例如“少年罕人事，游好在六经”，“诗书敦宿好”，“言谈无俗调，所说圣人篇”。在《饮酒》诗最后一首里，他特别称赞孔子删诗书，嗟叹狂秦焚诗书，汉儒传六经，而终致慨“如何绝世下，六籍无一亲”。从他这里援引的字句或典故看，他摩挲最熟的是《诗经》、《楚辞》、《庄子》、《列子》、《史记》、《汉书》六部书；从偶尔谈到隐逸神仙的话看，他读过皇甫谧的《高士传》和刘向的《列仙传》那一类书。他很爱读传记，特别流连于他所景仰的人物，如伯夷、叔齐、荆轲、四皓、二疏、杨伦、邵平、袁安、荣启期、张仲蔚等，所谓“历览千载书，时时见遗烈”者指此。

渊明读书大抵采兴趣主义，我们不能把他看成一个有系统的专门学者。他自己明明说：“好读书，不求甚解”，颜延之也说他“学非称师”。趁此我们可略谈他的思想。这是一个古今聚讼的问题。朱晦庵说：“靖节见趣多是老子”，“旨出于老庄”。真西山却不以为然，他说：“渊明之学正自经术中来。”最近陈寅恪先生在《陶渊明之思想与清淡之关系》一文里作结论说：

> 渊明之思想为承袭魏晋清谈演变之结果，及依据其家世信仰道教之自然说而创设之新自然说。惟其为主自然说者，故非名教说，并以自然与名教不相同。但其非名教之意仅限于不与当时政治势力合作，而不似阮籍、刘伶辈之佯狂任诞。盖主新自然说者不须如旧自然说之积极抵触名教也。又新自然说不似旧自然说之养此有形之生命，或别学神仙，惟求融合精神于运化之中，即与大自然为一体。因其如此，既无旧自然说形骸物质之滞累，自不至与周孔入世之

名教说有所触碍。故渊明之为人实外儒而内道，舍释迦而宗天师者也。

这些话本来都极有见地，只是把渊明看成有意地建立或皈依一个系统井然、壁垒森严的哲学或宗教思想，像一个谨守绳墨的教徒，未免是“求甚解”，不如颜延之所说的“学非称师”，他不仅曲解了渊明的思想，而且他也曲解了他的性格。渊明是一位绝顶聪明的人，却不是一个拘守系统的思想家或宗教信徒。他读各家的书，和各人物接触，在于无形中受他们的影响，像蜂儿采花酿蜜，把所吸收来的不同的东西融会成他的整个心灵。在这整个心灵中我们可以发现儒家的成分，也可以发现道家的成分，不见得有所谓内外之分，尤其不见得渊明有意要做儒家或道家。假如说他有意要做某一家，我相信他的儒家的倾向比较大。

至于渊明是否受佛家的影响呢？寅恪先生说他绝对没有，我颇怀疑。渊明听到莲社的议论，明明说过它“发人深省”，我们不敢说“深省”的究竟是什么，“深省”却大概是事实。寅恪先生引《形影神》诗中“甚念伤吾生，正宜委运去，纵浪大化中，不喜亦不惧，应尽便须尽，无复独多虑”几句话，证明渊明是天师教信徒。我觉得这几句话确可表现渊明的思想，但是在一个佛教徒看，这几句话未必不是大乘精义。此外渊明的诗里不但提到“冥报”而且谈到“空无”（“人生似幻化，终当归空无”）。我并不敢因此就断定渊明有意地援引佛说，我只是说明他的意识或下意识中可能有一点佛家学说的种子，而这一点种子，可能像是熔铸成就他的心灵的许多金属物中的寸金片铁；在他的心灵焕发中，这一点小因素也可能偶尔流露出来。我们到下文还要说到，他的诗充满着禅机。

二　他的情感生活

诗人与哲学家究竟不同，他固然不能没有思想，但是他的思想未必是有方法系统的逻辑的推理，而是从生活中领悟出来，与感情打成一片，蕴藏在他的心灵的深处，到时机到来，忽然迸发，如灵光一现，所以诗人的思想不能离开他的情感生活去研究。渊明诗中如“结庐在人境，而无车马喧，问君何能尔，心远地自偏”，“即事如已高，何必升华嵩”，“贫富常交战，道胜无戚颜”，“形迹凭化往，灵府长独闲”诸句都含有心为物宰的至理；儒家所谓“浩然之气”，佛家所谓“澄圆妙明清净心”，要义不过如此；儒佛两家费许多言语来阐明它，而渊明灵心迸发，一语道破，我们在这里所领悟的不是一种学说，而是一种情趣，一种胸襟，一种具体的人格。再如“有风自南，翼彼新苗”，“平畴交远风，良苗亦怀新”，“鸟哢欢新节，泠风送余善”，“众鸟欣有托，吾亦爱吾庐”，“采菊东篱下，悠然见南山，山气日夕佳，飞鸟相与还”，诸句都含有冥忘物我，和气周流的妙谛；儒家所谓“赞天地之化育，与天地参”，梵家谓“梵我一致”，斯宾诺莎的泛神观，要义都不过如此；渊明很可能没有受任何一家学说的影响，甚至不曾像一个思想家推证过这番道理，但是他的天资与涵养逐渐使这么一种“鱼跃鸢飞”的心境生长成熟，到后来触物即发，纯是一片天机。了解渊明第一须了解他的这种理智渗透情感所生的智慧，这种物我默契的天机。这智慧，这天机，让染着近代思想气息的学者们拿去当作“思想”分析，总不免是隔靴搔痒。

诗人的思想和感情不能分开，诗主要的是情感而不是思想的表现。因此，研究一个诗人的感情生活远比分析他的思想还更重要。

谈到感情生活，正和他的思想一样，渊明并不是一个很简单的人。他和我们一般人一样，有许多矛盾和冲突；和一切伟大诗人一样，他终于达到调和静穆。我们读他的诗，都欣赏他的“冲澹”，不知道这“冲澹”是从几许辛酸苦闷得来的，他的身世如我们在上文所述的，算是饱经忧患，并不像李公麟诸人所画的葛巾道袍，坐在一棵松树下，对着无弦琴那样悠闲自得的情境。我们须记起他的极端的贫穷，穷到“夏日长抱饥，寒夜无被眠，造夕思鸡鸣，及晨愿乌迁”。他虽不怨天，却坦白地说“离忧凄目前”；自己不必说，叫儿子们“幼而饥寒”，他尤觉“抱兹苦心，良独内愧”。他逼得要自己种田，自道苦衷说：“田家岂不苦？弗获辞此难！”他逼得去乞食，一杯之惠叫他图“冥报”。穷还不算，他一生很少不在病中，他的诗集满纸都是忧生之嗟。《形影神》那三首诗就是在思量生死问题；“一世异朝世，此语良不虚”，“未知从今去，当复如此不？”“求我盛年欢，一毫无复意”，“民生鲜长在，矧伊愁苦缠”，“从古皆有没，念之中心焦”，以及许多其他类似的诗句都可以见出迟暮之感与生死之虑无日不在渊明心中盘旋。尤其是刚到中年，不但父母都死了，原配夫人也死了，不能不叫他“既伤逝者，行自念也”。这世间人有谁能给他安慰呢？他对于子弟，本来“既见其生实欲其可”，而事实上“虽有五男儿，总不爱纸笔”，使他嗟叹“天运”。至于学士大夫中的朋友，我们前已说过，大半和他“语默殊势”，令他起“息交绝游”的念头。连比较知己的像周续之、颜延之一班人也都转到刘宋去忙官，他送行说：“语默自殊势，亦知当乖分”，“路若经商山，为我稍踌躇”，这语音中有多少寂寞之感！

这里也可以见出一般人所常提到的“耻事二姓”的问题虽不必过于着重，却也不可一笔抹煞。他心里痛恨刘裕篡晋，这是无疑的，不但《述酒》、《拟古》、《咏荆轲》诸诗可以证明，就是他对于伯夷、叔齐那些“遗烈”的景仰也决不是无所为而发。加以易姓前后几十年中——渊明的大半生中——始而有王恭、孙恩之乱，继而有桓玄、刘裕之哄，终而刘裕推翻晋室，兵戈扰攘，几无宁日。渊明一个穷病书生，进不足以谋国，退不足以谋生，也很叫他忧愤。我们稍玩索“八表同昏，平路伊阻”、“终日驰车走，不见所问津”、“壑舟无须臾，引我不得住”诸诗的意味，便可领略到渊明的苦闷。

渊明诗篇篇有酒，这是尽人皆知的，像许多有酒癖者一样，他要借酒压住心头极端的苦闷，忘去世间种种不称心的事。他尝说：“常恐大化尽，气力不及衰，拨置且莫念，一觞聊可挥”，“泛此忘忧物，远我遗世情”，“数斟已复醉，不觉知有我，安知物为贵”，“天运苟如此，且进杯中物”，酒对于他仿佛是一种武器，他拿在手里和命运挑战，后来它变成一种沉痼，不但使他“多谬误”，而且耽误了他的事业，妨害他的病体。从《荣木》诗里“志彼不舍（学业），安此日富（酒），我之怀矣，但焉内疚”那几句话看，他有时颇自悔，所以曾有一度“止酒”。但是积习难除，到死还恨在世时“饮酒不得足”。渊明和许多有癖好的诗人们（例如阮籍、李白、波斯的奥马康颜之类）的这种态度，在近代人看来是“逃避”，我们不能拿近代人的观念去责备古人，但是“逃避”确是事实。逃避者自有苦心，让我们庆贺无须饮酒的人们的幸福，同时也同情于“君当恕醉人”那一个沉痛的呼声。

世间许多醉酒的人们终止于刘伶的放诞，渊明由冲突达到调和，并不由于饮酒。弥补这世间缺陷的有他的极丰富的精神生活，尤其是他的极深广的同情。我们一般人的通病是囿在一个极狭小的世界里活着，狭小到时间上只有现在，在空间上只有切身利益相关系的人与物；如果现在这些切身利害关系的人与物对付不顺意，我们就活活地被他们扼住颈项，动弹不得，除掉怨天尤人以外，别无解脱的路径。渊明像一切其他大诗人一样，有任何力量不能剥夺的自由，在这“樊笼”以外，发现一个“天高任鸟飞”的宇宙。第一是他打破了现在的界限而游心于千载，发现许多可“尚友”的古人。《咏贫士》诗中有两句话透漏此中消息：“何以慰吾怀，赖古此多贤。”这就是说，他的清风亮节在当时虽无同调，过去有同调的人们正复不少，使他自慰“吾道不孤”。他好读书，就是为了这个缘故，他说“历览千载书，时时见遗烈”，而这些“遗烈”可以使他感发兴起。他的诗文不断地提到他所景仰的古人，《述酒》与《扇上画赞》把他们排起队伍来，向他们馨香祷祝，更可以见出他的志向。这队伍里不外两种人，一是固穷守节的隐士，如荷蓧丈人、长沮、桀溺、张长公、薛孟尝、袁安之类，一是亡国大夫积极或消极地抵抗新朝，替故主复仇的，如伯夷、叔齐、荆轲、韩非、张良之类，这些人们和他自己在身世和心迹上多少相类似。

在这里我们不妨趁便略谈渊明带有侠气，存心为晋报仇的看法。渊明侠气则有之，存心报仇似未必，他不是一个行动家，原来为贫而仕，未尝有杜甫的“致君尧舜上，再使风俗醇”那种近于夸诞的愿望，后来解组归田，终身不仕，一半固由于不肯降志辱身，一半也由于他惯尝了“樊笼”的滋味，要“返自然”，庶几落得一个清闲。他厌恶刘宋是事实，不过他无力推翻已成之局，他也很明白。所以他一方面消极地不合作，一方面寄怀荆轲、张良等“遗烈”，所谓“刑天舞干戚”，虽无补于事，而“猛志固常在”。

渊明的心迹不过如此，我们不必妄为捕风捉影之谈。渊明打破了现在的界限，也打破了切身利害相关的小天地界限，他的世界中人与物以及人与我的分别都已化除，只是一团和气，普运周流，人我物在一体同仁的状态中各徜徉自得，如庄子所说的“鱼相与忘于江湖”。他把自己的胸襟气韵贯注于外物，使外物的生命更活跃，情趣更丰富；同时也吸收外物的生命与情趣来扩大自己的胸襟气韵。这种物我的回响交流，有如佛家所说的“千灯相照”，互映增辉。所以无论是微云孤鸟，时雨景风，或是南阜斜川，新苗秋菊，都到手成文，触目成趣。渊明人品的高妙就在有这样深广的同情；他没有由苦闷而落到颓唐放诞者，也正以此。中国诗人歌咏自然的风气由陶、谢开始，后来王、孟、储、韦诸家加以发挥光大，遂至几无诗不状物写景。但是写来写去，自然诗终让渊明独步。许多自然诗人的毛病在只知雕绘声色，装点的作用多，表现的作用少，原因在缺乏物我的混化与情趣的流注。自然景物在渊明诗中向来不是一种点缀或陪衬，而是在情趣的戏剧中扮演极生动的角色，稍露面目，便见出作者的整个的人格。这分别的原因也在渊明有较深厚的人格的涵养，较丰富的精神生活。

渊明的心中有许多理想的境界。他所景仰的“遗烈”固然自成一境，任他“托契孤游”；他所描写的桃花源尤其是世外乐土。欧阳公尝说晋无文章，只有陶渊明的《归去来辞》。依我的愚见，《桃花源记》境界之高还在《归去来辞》之上。渊明对于农业素具信心，《劝农》、《怀古田舍》、《西田获早稻》诸诗已再三表明他的态度。《桃花源记》所写的是一个理想的农业社会，无政府组织，甚至无诗书历志，只“有良田美池桑竹之属，阡陌交通，鸡犬相闻，其中往来种作，男女衣著，悉如外人，黄发垂髫，并怡然自乐”。这境界颇类似卢梭所称羡的“自然状况”。渊明身当乱世，眼见所谓典章制度徒足以扰民，而农业国家的命脉还是系于耕作，人生真正的乐趣也在桑麻闲话，樽酒消忧，所以寄怀于“桃花源”那样一个淳朴的乌托邦。

渊明未见得瞧得起莲社诸贤的“文字禅”，可是禅宗人物很少有比渊明更契于禅理的。渊明对于自然的默契，以及他的言语举止，处处都流露着禅机。比起他来，许多谈禅的人们都是神秀，而他却是惠能。姑举一例以见梗概。据晋书《隐逸传》：“他性不解音，而蓄素琴一张，弦徽不具。每朋酒之会，则托而和之，曰：‘但识琴中趣，何劳弦上声。’”这故事所指示的，并不是一般人所谓“风雅”，而是极高智慧的超脱。他的胸中自有无限，所以不拘泥于一切迹象，在琴如此，在其他事物还是如此。昔人谓“不着一字，尽得风流”为诗的胜境，渊明不但在诗里，而且在生活里，处处表现出这个胜境，所以我认为他达到最高的禅境。慧远特别敬重他，不是没有缘由的。

总之，渊明在情感生活上经过极端的苦闷，达到极端的和谐肃穆。他的智慧与他的情感融成一片，酿成他的极丰富的精神生活。他的为人和他的诗一样，都很淳朴，却都不很简单，是一个大交响曲而不是一管一弦的清妙的声响。

三　他的人格与风格

渊明是怎样一个人，上文已略见梗概。有一个普遍的误解我们须打消，自钟嵘推渊明为“隐逸诗人之宗”，一般人都着重渊明的隐逸一方面；自颜真卿做诗表白渊明眷恋晋室的心迹以后，一般人又看重渊明的忠贞一方面。渊明是隐士，却不是一般人所想像的孤高自赏，不食人间烟火气，像《红楼梦》里妙玉性格的那种隐士；渊明是忠臣，却也不是他自己所景仰的荆轲、张良那种忠臣。在隐与侠以外，渊明还有极实际极平常的一方面。这是一般人所忽视而本文所特别要表明的。隐与侠有时走极端，“不近人情”；渊明的特色是在处处都最近人情，胸襟尽管高超而却不唱高调。他仍保持着一个平常人的家常便饭的风格。法国小说家福楼拜认为人生理想在“和寻常市民一样过生活，和半神人一样用心思”，渊明算是达到了这个理想。他的高妙处我们不可仰攀，他的平常处我们却特别觉得亲切。他尽管是隐士，尽管有侠气，在大体上还是“我辈中人”。他很看重衣食以及经营衣食的劳作，不肯像一般隐者做了社会的消耗者，还在唱“不事家人生产”的高调。他一则说：“衣食终须纪，力耕不吾欺。”再则说：“人生归有道，衣食固其端；孰是都不营，而以求自安？”本着这个主张，他从幼到老，都以种田为恒业。他实实在在自己动手，不像一般隐士只是打“躬耕”的招牌。种田不能过活，他不惜出去做小官，他坦白地自供做官是“为饥所驱”，“倾身营一饱”，也不像一般求官者有治国平天下的大抱负，种田做官都不能过活，他索性便求邻乞食，以为施既是美德，受也就不是丑事。在《有会而作》那首诗里，他引《檀弓》里饿者不食嗟来之食以至于饿死的故事，深觉其不当，他说：“常善粥者心，深恨蒙袂非；嗟来何足吝？徒没空自遗。”在这些地方我们觉得渊明非常率真，也非常近人情。他并非不重视廉洁与操守，可是不像一般隐者矫情立异、沾沾自喜那样讲廉洁与操守。他只求行吾心之所安，适可而止，不过激，也不声张。他很有儒家的精神。

不过渊明最能使我们平常人契合的还是在他对人的热情。他对于平生故旧，我们在上文已经说过，每因“语默殊势”而有不同调之感，可是他觉得“故者无失其为故”，赠诗送行，仍依依不舍，殷殷属望，一片忠厚笃实之情溢于言表，两《答庞参军》、《示周祖谢》、《与晋殷安别》、《赠羊长史》诸诗最足见出他于朋友的厚道。在家人父子兄弟中，他尤其显得是一个富于热情的人。他的父亲早弃世，他在《命子》诗中有"瞻望弗及"之叹。他的母亲年老,据颜延之的诔文,他的出仕原为养母("母老子幼,就养勤匮,远惟田生致亲之义,追悟毛子棒檄之怀")。他出去没有多久,就回家省亲,从《阻风于规林》那两首诗看,他对于老母时常眷念,离家后致叹于"久游念所生",回家时"计日望旧居",到家后"一欣侍温颜",语言虽简,情致却极深挚。弟敬远和程氏妹都是异母生的,程氏妹死了,渊明弃官到武昌替她料理后事,在祭妹与祭弟文中,他追念早年共甘苦患难的情况,焦虑遗孤们将来的着落,句句话都从肺腑中来,渊明天性之厚从这两篇祭文、《自祭文》以及《与子俨等疏》最足以见出,这几篇都是绝妙文字,可惜它们的名声为诗所掩。

渊明在诗中表现最多的是对于子女的慈爱。"大欢惟稚子","弱女虽非男,慰情聊胜无","稚子戏我侧,学语未成音,此事真复乐,聊用忘华簪",随便拈几个例子,就可以令人想像到渊明怎样了解而且享受家庭子女团聚的乐趣。如果对于儿童没有深厚的同情,或是自己没有保持住儿童的天真,都决说不出这样简单而深刻的话。渊明的长子初生时,他自述心事说:"厉夜生子,遽而求火,凡百有心,奚特于我?既见其生,实欲其可。"可见其属望之殷。他做了官,特别遣一个工人给儿子,写信告诉他说:"汝旦夕之费,自给为难,今遣此力,助汝薪水之劳。此亦人子也,可善遇之。"寥寥数语,既可以见出做父母的仔细,尤可见出人道主义者的深广的同情。"此亦人子也,可善遇之",这是何等心肠!它与"落地成兄弟,何必骨肉亲"那两句诗都可以摆在释迦或耶稣的口里。谈到他的儿子,他们似不能副他的期望,他半诙谐半伤心地说:"天运苟如此,且进杯中物!"他临死时还向他们叮咛嘱咐:"汝辈稚小家贫,每役柴水之劳,何时可免,念之在心,苦何可言!然汝等虽不同生,当思四海皆兄弟之义。”最后以兄弟同居同财的故事劝勉他们。杜甫为着渊明这样笃爱儿子,在《遣兴》诗里讥诮他说:“陶潜避俗翁,未必能达道。……有子贤与愚,何其挂怀抱?”其实工部开口便错,渊明所以异于一般隐士的正在不“避俗”,因为他不必避俗,所以真正地“达道”。所谓“不避俗”是说“不矫情”,本着人类所应有的至性深情去应世接物。渊明的伟大处就在他有至性深情,而且不怕坦白地把它表现出来。趁便我们也可略谈一般人所聚讼的《闲情赋》。昭明太子认为这篇是“白璧微瑕”,在这篇赋里渊明对于男女眷恋的情绪确是体会得细腻之极,给他的冲淡朴素的风格渲染了一点异样的鲜艳的色彩;但是也正在这一点上我们可以看出渊明是一个有血肉的人,富于人所应有的人情。

总之,渊明不是一个简单的人,这就是说,他的精神生活很丰富。他的《时运》诗序中最后一句话是“欣慨交心”,这句话可以总结他的精神生活。他有感慨,也有欣喜;唯其有感慨,那种欣喜是由冲突调和而彻悟人生世相的欣喜,不只是浅薄的嬉笑;唯其有欣喜,那种感慨有适当的调剂,不只是奋激佯狂,或是神经质的感伤。他对于人生悲喜剧两方面都能领悟。他的性格大体上很冲和平淡,但是也有它的刚毅果敢的一方面,从不肯束带见督邮,听莲社的议论攒眉而去,却退檀道济的礼物诸事可以想见。他的隐与侠都与这方面性格有关。他有时很放浪不拘形迹,做彭泽令“公田悉令吏种秫稻(酿酒用的谷)”;王宏叫匠人替他做鞋,请他量一量脚的大小,“他便于坐伸脚令度”;醉了酒,便语客:“我醉欲眠卿可去。”在这些地方他颇有刘伶、阮籍的气派。但是他不耻事家人生产,据《宋书·隐逸传》:“他弱年薄宦,不洁去就之迹”,可能在桓玄下面做过官;他孝父母,爱弟妹,爱邻里朋友尤其酷爱子女;他的大愿望是“亲戚共一处,子孙还相保”。他的高超的胸襟并不损于他的深广的同情,他的隐与侠也无害于他的平常人的面貌。

因为渊明近于人情,而且富于热情,我相信他的得力所在,儒多于道。陈寅恪先生把魏晋人物分名教与自然两派,以为渊明“既不尽同嵇康之自然,更有异何曾之名教,且不主名教自然相同之说如山(涛)王(戎)辈之所为。盖其已身之创解乃一种‘新自然说’,“新自然说之要旨在委运任化”,并且引“立善常所欣,谁当为汝誉”两句诗证明渊明“非名教”。他的要旨在渊明是道非儒。我觉得这番话不但过于系统化,而且把渊明的人格看得太单纯,不免歪曲事实。渊明尚自然,宗老庄,这是事实;但是他也并不非名教,薄周孔,他一再引“先师遗训”(他的“先师”是孔子,不是老庄,更不是张道陵),自称“游好在六经”,自勉“养真衡门下,庶以善自名”,遗嘱要儿子孝友,深致慨于“如何绝世下,六籍无一亲”。——这些都是铁一般的事实,却不是证明渊明“非名教”的事实。

我们解释了渊明的人格,就已经解释了他的诗,所以关于诗本身的话不必多说,他的诗正和他的人格一致,也不很单纯,我们姑择一点来说,就是它的风格。一般人公认渊明的诗平淡。陈后山嫌它“不文”,颇为说诗者所惊怪。其实杜工部早就有这样看法,他赞美“陶谢不枝梧”,却又说,“观其著诗篇,颇亦恨枯槁”。大约欢喜雕绘声色锻炼字句者,在陶诗中找不着雕绘锻炼的痕迹,总不免如黄山谷所说的“血气方刚时,读此如嚼枯木”。阅历较深,对陶诗咀嚼较勤的人们会觉得陶诗不但不枯,而且不尽平淡。苏东坡说它“质而实绮,癯而实腴”,刘后村说它“外枯而中膏,似淡而实美”,姜白石说它“散而庄,淡而腴”,释惠洪引东坡说,它“初视若散缓,熟视有奇趣”,都是对陶诗作深一层的看法。总合各家的评语来说,陶诗的特点在平、淡、枯、质，又在奇、美、腴、绮。这两组恰恰相反的性质如何能调和在一起呢？把他们调和在一起，正是陶诗的奇迹；正如他在性格方面把许多不同的性质调和在一起，是同样的奇迹。

把诗文风格分为平与奇、枯与腴、质与绮两种，其实根于一种错误的理论，仿佛说这两种之中有一个中和点（如磁铁的正负两极之中有一个不正不负的部分），没有到这一点就是平、枯、质；超过了这一点便是奇、腴、绮。诗文实在不能有这种分别，它有一种情感思想，表现于恰到好处的意象语言，这恰到好处便是“中”，有过或不及便是毛病。平、枯、淡固是“不文”，奇、腴、绮也还是失当，蓬首垢面与涂脂敷粉同样不能达到真正的美。大约诗文作者内外不能一致时，总想借脂粉掩饰，古今无须借脂粉掩饰者实在寥寥。这掩饰有时做过火，可以引起极强烈的反感，于是补偏救弊者不免走到蓬首垢面的另一极端，所以在事实上平、枯、质与奇、腴、绮这种的分别确是存在，而所指的却都是偏弊，不能算是诗文的胜境。陶诗的特色正在不平不奇、不枯不腴、不质不绮，因为它恰到好处，适得其中；也正因为这个缘故，它一眼看去，却是亦平亦奇、亦枯亦腴、亦质亦绮。这是艺术的最高境界。可以说是“化境”，渊明所以达到这个境界，因为像他做人一样，有最深厚的修养，又有最率真的表现。“真”字是渊明的唯一恰当的评语。“真”自然也还有等差，一个有智慧的人的“真”和一个头脑单纯的人的“真”并不可同日而语，这就是Spontaneous与naive的分别。渊明的思想和情感都是蒸馏过、洗炼过的。所以在做人方面和在做诗方面，都做到简练高妙四个字。工部说他“不枝梧”，这三个字却下得极有分寸，意思正是说他简练高妙。

渊明在中国诗人中的地位是很崇高的。可以和他比拟的，前只有屈原,后只有杜甫。屈原比他更沉郁,杜甫比他更阔大多变化,但是都没有他那么醇,那么炼。屈原低徊往复,想安顿而终没有得到安顿,他的情绪、想像与风格都带着浪漫艺术的崎岖突兀的气象;渊明则如秋潭月影,澈底澄莹,具有古典艺术的和谐静穆。杜甫还不免有意雕绘声色,锻炼字句,时有斧凿痕迹,甚至有笨拙到不很妥帖的句子;渊明则全是自然本色,天衣无缝,到艺术极境而使人忘其为艺术。后来诗人苏东坡最爱陶,在性情与风趣上两人确有许多类似,但是苏爱逞巧智,缺乏洗炼,在陶公面前终是小巫见大巫。

附录一

给一位写新诗的青年朋友

朋友,你的诗和信都已拜读。你要我“改正”并且“批评”,使我很惭愧。在这二十年中我虽然差不多天天都在读诗,自己却始终没有提笔写一首诗,作诗的辛苦我只从旁人的作品中间接地知道,所以我没有多少资格说话。谈到“改正”我根本不相信诗可以经旁人改正,只有诗人自己知道他所写的与所感所想的是否恰相吻合,旁人的生活经验不同,观感不同,纵然有胆量“改正”,所改正的也另是一回事,与原作无干。至于“批评”,我相信每个诗人应该是他自己的严厉的批评者。拉丁诗人贺拉斯劝人在作品写成之后把它摆过几月或几年不发表,我觉得那是一个很好的忠告。诗刚做成,兴头很热烈,自己总觉得它是一篇杰作,如果你有长进的可能,经过一些时候冷静下来,再拿它仔细看看,你就会看出自己的毛病,你自己就会修改它。许多诗人不能有长进,就因为缺乏这点自我批评的精神。你不认识我,而肯寄诗给我看,询取我的意见,这种谦虚我不能不有所报答,我所说的话有时不免是在热兴头上泼冷水,然而我不迟疑,我相信诚恳的话是一个真正诗人所能接受的,就是有时不甚入耳,也是他所能原宥的。你要我回答,你所希望于我的当然不只是一套恭维话。

我讲授过多年的诗，当过短期的文艺刊物的编辑，所以常有机会读到青年朋友们的作品。这些作品中分量最多的是新诗，一般青年作家似乎特别喜欢做新诗。原因大概不外两种：第一，有些人以为新诗容易做，既无格律拘束，又无长短限制，一阵心血来潮，让情感“自然流露”，就可以凑成一首。其次，也有一些人是受风气的影响，以为诗在文学中有长久的崇高的地位，从事于文学总得要做诗，而且徐志摩、冰心、老舍许多人都在做新诗。诗是否容易做，我没有亲切的经验，不过据我研究中外大诗人的作品所得的印象来说，诗是最精妙的观感表现于最精妙的语言，这两种精妙都绝对不容易得来的，就是大诗人也往往须费毕生的辛苦来摸索。做诗者多，识诗者少。心中存着一分“诗容易做”的幻想，对于诗就根本无缘，做来做去，只终身做门外汉。再其次，学文学是否必须做诗，在我看，也是一个问题。我相信文学到了最高境界都必定是诗，而且相信生命如果未至末日，诗也就不会至末日。不过我也相信每一时代的文学有每一时代的较为正常的表现方式。比如说，荷马生在今日也许不写史诗，陀思妥耶夫斯基生在古代也许不写小说。在我们的时代，文学的最正常的表现的方式似乎是散文、小说而不是诗。这也并不是我个人的意见，西方批评家也有这样想的。许多青年白费许多可贵的精力去做新诗，幼稚的情感发泄完了，才华也就尽了。在我个人看，这种浪费实在很可惜。他们如果脚踏实地练习散文、小说，成就也许会好些。这话自然不是劝一切人都莫做诗，诗还是要有人做，只是做诗的人应该真正感觉到自己所感所想的非诗的方式决不能表现。如果用诗的方式表现的用散文也还可以表现，甚至于可以表现得更好，那么，诗就失去它的“生存理由”了。我读过许多新诗，我很深切地感觉到大部分新诗根本没有“生存理由”。

诗的“生存理由”是文艺上内容和形式的不可分性。每一首诗，犹如任何一件艺术品，都是一个有血有肉的灵魂，血肉需要灵魂才现出它的活跃，灵魂也需要血肉才具体可捉摸。假如拿形式比血肉而内容比灵魂，叫做“诗”的那种血肉是否有一种特殊的灵魂呢？这问题不像它现在表面的那么容易。就粗略的迹象说，许多形式相同的诗而内容则千差万别。多少诗人用过五古、七律或商籁？可是同一体裁所表现的内容不但甲诗人与乙诗人不同，即同一诗人的作品也每首自具一个性。就内在的声音节奏说，外形尽管同是七律或商籁，而每首七律或商籁读起来的声调，却随语言的情味意义而有种种变化，形成它的特殊的音乐性。这两个貌似相反的事实告诉我们的不是内容与形式无关，而是一般人把七律、商籁那些空壳看成诗的形式是一种根本的错误。每一首诗有每一首诗的特殊形式，而这特殊形式，是叫做七律、商籁那些模型得着当前的情趣贯注而具生命的那种声音节奏；正犹如每个人有每个人的特殊面貌，而这特殊面貌是叫做口鼻耳目那些共同模型得到本人的性格点化而具个性的那种神情风采。一首诗有凡诗的共同性，有它所特有的个性，共同性为七律、商籁之类模型，个性为特殊情趣所表现的声音节奏。这两个成分合起来才是一首诗的形式，很显然的两成分之中最重要的不是共同性而是个性。

七律、商籁之类躯壳虽不能算是某一诗的真正形式，而许多诗是用这些模型铸就的却是事实。这些模型是每个民族经过悠久历史所造成的，每个民族都出诸本能地或出诸理智地感觉到叫做“诗”的那一种文学需要经过这些模型铸就。这根深蒂固的传统有没有它的理由呢？这问题实在就是：散文之外何以要有诗？依我想，理由还是在内容与形式的不可分性。七律、商籁之类模型的功用在节奏的规律化，或则说，语言的音乐化。情感的最直接的表现是声音节奏，而文字意义反在其次。文字意义所不能表现的情调常可以用声音节奏表现出来。诗和散文如果有分别，那分别就基于这个事实。散文叙述事理，大体上借助于文字意义已经很够；它自然也有它的声音节奏，但是无须规律化或音乐化，散文到现出规律化或音乐化时，它的情趣的成分就逐渐超出理智的成分，这就是说，它逐渐侵入诗的领域。诗咏叹情趣，大体上单靠文字意义不够，必须从声音节奏上表现出来。诗要尽量地利用音乐性来补文字意义的不足，七律、商籁之类模型是发挥文字音乐性的一种工具。这话怎样讲呢？拿诗和散文来比，我们就会见出这个道理。散文没有固定模型做基础，音节变来变去还只是“散”；诗有固定模型做基础，从整齐中求变化，从束缚中求自由，变化的方式于是层出不穷。这话乍听起来似牵强，但是细心比较过诗和散文的音乐性者都会明白这道理是真确的，诗的音乐性实在比散文的丰富繁复，正犹如乐音比自然中的杂音较丰富繁复是一个道理。乐音的固定模型非常简单——八个音阶，但这八个音阶高低起伏与纵横错综所生的变化是多么繁复？诗人利用七律、商籁之类模型来传出情趣所有的声音节奏，正犹如一个音乐家利用八音阶来谱成交响曲。

新诗比旧诗难作，原因就在旧诗有“七律”、“五古”、“浪淘沙”之类固定模型可利用，一首不甚高明的旧诗纵然没有它所应有的个性，却仍有凡诗的共同性，仍有一个音乐的架子，读起来还是很顺口；新诗的固定模型还未成立，而一般新诗作者在技巧上缺乏训练，又不能使每一首诗现出很显著的音节上的个性，结果是散漫芜杂，毫无形式可言。把形式作模型加个性来解释，形式可以说就是诗的灵魂，做一首诗实在就是赋予一个形式与情趣，“没有形式的诗”实在是一个自相矛盾的名词。许多新诗人的失败都在不能创造形式，换句话说，不能把握住他所想表现的情趣所应有的声音节奏，这就不啻说他不能做诗。

你的诗不算成功——恕我直率——如同一般新诗人的失败一样，你没有创出形式，我们读者无法在文字意义以外寻出一点更值得玩味的东西。你自以为是在做诗，实在还是在写散文，而且写不很好的散文，你把它分行写，假如像散文一样一直写到底，你会觉得有很大的损失么？我欢喜读英文诗，我鉴别英文诗的好坏有一个很奇怪的标准。一首诗到了手，我不求甚解，先把它朗诵一遍，看它读起来是否有一种与众不同的声音节奏。如果音节很坚实饱满，我断定它后面一定有点有价值的东西；如果音节空洞零乱，我断定作者胸中原来也就很空洞零乱。我应用这个标准，失败时候还不很多。读你的诗，我也不知不觉在应用这个标准，老实说，读来读去，我就找不出一种音节来，因此，我就很怀疑你的诗后面根本没有什么值得说的话。从文字意义上分析了一番，果不其然！你对明月思念你的旧友，对秋风叶落感怀你的身世，你装上一些貌似漂亮而实俗恶不堪的词句，再“啊”地“呀”地几声，加上几个大惊叹号，点了一行半行的连点，笔停了，你欣喜你做成了一首新诗。朋友，恕我坦白地告诉你，这是精力的浪费！

我知道，你有你的师承。你看过“五四”时代作风的一些新诗，也许还读过一些欧洲浪漫时代的诗。“五四”时代作家和他们的门徒勇于改革和尝试的精神固然值得敬佩，但是事实是事实，他们想学西方诗，而对于西方诗根本没有深广的了解；他们想推翻旧传统，而旧传统桎梏他们还很坚强。他们是用白话写旧诗，用新瓶装旧酒。他们处在过渡时代，一切都在草创，我们也无用苛求，不过我们要明白那种诗没有多大前途，学它很容易误事。他们的致命伤是没有在情趣上开辟新境，没有学到一种崭新的观察人生世相的方法，只在搬弄一些平凡的情感，空洞的议论，虽是白话而仍很陈腐的词藻。目前报章杂志上所发表的新诗，除极少数例外，仍然是沿袭"五四"时代的传统，虽然在表面上题材和社会意识有些更换。诗不是一种修辞或雄辩，许多新诗人却只在修辞或雄辩上做功夫，出发点就已经错误。

"五四"时代和现在许多青年诗人所受到的西方诗影响，大半偏于浪漫派如拜伦、雪莱之流。他们的诗本未可厚非，他们最容易被青年人看成模范，可是也最不宜于做青年人的模范。原因很简单，浪漫派的唯我主义与感伤主义的气息太浓，学他们的人很容易作茧自窒，过于信任"自然流露"，任幼稚的平凡的情感无节制地无洗炼地和盘托出；拿旧诗来比，很容易堕入风花雪月怜我怜卿的魔道。诗和其他艺术一样，必有创造性与探险性，老是在踏得稀烂的路轨上盘旋，决无多大出息。我对于写实主义并不很同情，但是我以为写实的训练对于青年诗人颇有裨益，它可以帮助他们跳开小我的圈套，放开眼界，去体验不同的人物在不同的情境中所有的不同的生活情调。这种功夫可以锐化他们的敏感，扩大他们的"想像的同情"，开发他们的精神上的资源。总而言之，青年诗人最好少做些"泄气"式的抒情诗，多做一些带有戏剧性的叙述诗和描写性格诗。他们最好少学些拜伦和雪莱，多学些莎士比亚和现代欧美诗。

提到"学"字，我可以顺便回答你所提出的一个问题：作诗是否要多读书？"学"的范围甚广，我们可以从人情世故物理中学，可以从自己写作的辛苦中学，也可以从书本中学，读书只是学的一个节目，一个不可少的而却也不是最重要的节目。许多新诗人的毛病在不求玩味生活经验，不肯耐辛苦去自己摸索路径，而只在看报章杂志上一些新诗，揣摩他们，模仿它们。我有一位相当有名的做新诗的朋友，一身都在模仿当代新诗人，早年学徐志摩，后来学臧克家，学林庚，学卞之琳，现在又学宣传诗人喊口号。学来学去，始终没有学到一个自己的本色行当。我很同情他的努力，却也很惋惜他的精力浪费。“学”的问题确是新诗的一个难问题，我们目前值得学的新诗范作实在是太少。大家像瞎子牵瞎子，牵不到一个出路。凡事没有不学而能的，艺术尤其如此。“学”什么呢？每个青年诗人似乎都在这问题上彷徨。伸在眼前的显然只有三条路：第一条，是西方诗的路。据我看，这条路可能性最大。它可以教会我们一种新鲜的感触人情物态的方法，可以指出我们变化多端的技巧，可以教会我们尽量发挥语言的潜能。不过诗不能翻译，要了解西方诗，至少须精通一种西方语言。据我所知道的，精通一国语言而到真正能欣赏它的诗的程度，很需要若干年月的耐苦。许多青年诗人或是没有这种机会，或是没有这种坚强的意志。第二条，是中国旧诗的路。有些人根本反对读旧诗，或是以为旧诗不值得读，或是以为旧诗变成一种桎梏，阻碍自由创造。我的看法却不如此。我以为中国文学只有诗还可以同西方抗衡，它的范围固然比较窄狭，它的精炼隽永却往往非西方诗所可及。至于旧诗能成桎梏的话，这要看学者是否善学，善学则到处可以讨经验，不善学则任何模范都可以成桎梏。每国诗过些年代都常经过革命运动，每种新兴作风对于旧有作风都必定是反抗，可是每国诗也都有一个一线相承、绵延不断的传统，而这传统对于反抗它的人们的影响反而特别大。我想中国诗也不是例外。很可能几千年积累下来的宝藏还值得新诗人去发掘。第三条，是流行民间文学的路。文学本起自民间，由民间传到文人而发挥光大，而形式化、僵硬化，到了僵硬化的时代，文人的文学如果想复苏，也必定从新兴的民间文学吸取生气。西方文学演变的痕迹如此，中国文学演变的痕迹也是如此。目前研究民间文学的提倡很值得注意和同情。不过学民间文学与学西诗旧诗同样地需要聪慧的眼光与灵活的手腕，呆板的模仿是误事的。同时我们也不要忘记民间文学有它的特长，也有它的限制。像一般人所模仿的鼓书戏词已不能算是真正的民间文学，它是到了形式化和僵硬化的阶段了，在内容和形式上实多无甚可取，还有一部分人爱好它，并不是当作文学去爱好它，而是当作音乐去爱好它，拿它来作宣传工具，固无不可；如果说拿它来改善新诗，我很怀疑它会有大成就。大家在谈“民族形式”，在主张“旧瓶装新酒”，思想都似有几分糊涂。中国诗现在还没有形成一个新的“民族形式”，“民族形式”的产生必在伟大的“民族诗”之后，我们现在用不着谈“民族形式”，且努力去创造“民族诗”。未有诗而先有形式，就如未有血肉要先有容貌，那是不可想像的。至于“旧瓶新酒”的比喻实在有些不伦不类。诗的内容与形式的关系并不是酒与瓶的关系。酒与瓶可分立；而诗的内容与形式并不能分立。酒与瓶的关系是机械的，是瓶都可以装酒；诗的内容与形式的关系是化学的，非此形式不能表现此内容。如果我们有新内容，就必须创造新形式。这形式也许有时可从旧形式脱化，但绝对不能是呆板的模仿。应用“旧瓶”是朝抵抗力最低的路径走，是偷懒取巧。

最后，新诗人常欢喜抽象地谈原则，揣摩风气地依傍门户，结果往往于主义和门户之外一无所有。诗不是一种空洞的主义，也不是一种敲门砖。每个新诗人应极力避免这些尘俗的引诱，保存一种自由独立的精神，死心塌地地做自己的功夫，摸索自己的路径，开辟自己的江山。大吹大擂对于诗人是丧钟,而门户与主义所做的勾当却只是大吹大擂。

朋友,这番话,我已经声明过,难免是在热兴头上泼冷水。我希望你打过冷颤之后,可以抖擞精神,重新做一番有价值的事业!

附录二

诗的实质与形式（对话）

对话者：

秦希——拥护形式者。

鲁亮生——拥护实质者。

褚广建——主张实质形式一致者。

孟时——一个无成见的人，但遇事喜欢“打个呵欠问到底”。

秦：提起中国新诗，真叫人失望。旧有的形式，我们放弃了；至于新的形式哩，新的就根本没有固定的形式。我们尝试了二十年，到如今还没有摸上一条正路。做诗总得要像诗，你看现在的新诗不但不能歌唱，连念起来也都不顺口。

鲁：你以为诗的好坏完全可以在形式上看得出么？

秦：虽不说“完全”，它大致是可以在形式上看得出的。我想多数人都和我同意，现在中国新诗失败，就因为它没有形式。

褚：我就不敢同意，新诗的形式固然很乱，它的实质也不见得有怎样好。许多新诗人所表现的情趣根本还是旧诗词的那些滥调，不过表面上扮一个新样子。他们自认原来裹成了小脚，后来才放的；其实他们的脚还是残损的，不过他们塞棉花穿上高跟鞋，混在“摩登”队里就自以为“摩登”了。

孟:老兄这话也未免过火一点,平心而论,有几位新诗人所表现的确实是新的意境,新的情趣。

褚:我明白你的意思,你是说现在中国也有人在写“象征派”式的诗,在模仿英国的艾略特或是法国的什么人。老实说,我根本就不相信诗可以模仿,尤其不相信一个十足地道的中国人,能够和艾略特或是法国的什么诗人真正有同样的情趣和感觉:因为遗传、环境、教育种种因素就根本不同。中国人学外国人做诗,至多也不过像中国女子穿西装,摆摆“洋气”罢了。

鲁:我对于褚先生的话有一点很表同情,就是做诗还是要有实质,要有内容。这话在唱“为艺术而艺术”和“为诗而诗”的高调者听起来,也许有些刺耳朵。

秦:鲁先生,我虽然不是你所骂的唱高调者,却很情愿接受你的挑战。艺术美是一种形式美,我以为这是无可置疑的。诗人所写的情感和思想都是一般人所能经验或了解的,所不同者,一般人不能把他们所感到或想到的表现于艺术的形式,诗人却有这副本领。我们读大诗人的作品,常觉到:“这恰是我心里所要说的话,我说不出而他说出来了。”有时我们觉到他们的内容很平凡,只是他们的形式真正美妙。比如每个人都偶尔觉得人生没有意味,莎士比亚《哈姆雷特》和《麦克白》的独语里也常表现“人生没有意味”这个平凡的感想,可是他的词藻多么丰富,音调多么铿锵,神韵和气魄多么动人!从此可知诗之所以为诗,不在所说的话实质如何,而在这话说出来的方式如何。实质好比生铜生铁,做诗好比拿生铜生铁来熔铸锤炼成为钟鼎。钟鼎的模样就是所谓“形式”。实质是天生自在的,形式是创造出来的,是实质原来所没有的。实质是自然,形式是艺术。说诗重形式其实就是说艺术重创造，就是说艺术不是生糙的自然。如果你是诗人，日常情境就可以写成好诗；如果你不是诗人，找大题目来撑门面，你尽管把天堂搬下来，仍然是空虚俗滥。近代还有些诗人故意找丑陋的材料做诗，诗也做得很好。

孟：秦先生这番话提醒我的一个感想。近来我很爱读六朝人的作品，我读得并不多，只是《六朝文絜》和《文选》里面所选的一部分。我的第一个印象好像走到一个春天的花园里，眼前全是一片花花绿绿锦绣灿烂的世界，真是好看，心里也真觉得舒服，但是一到我设法抓住它的后面的实质时，它就渺无踪影地从手指缝里溜去了。它好像一片在空中浮荡的极浓郁的云彩花卉和枝叶，没有着土的根。“言之无物”，看之又似有物。在这种作品里，我觉得秦先生重形式的话似乎很对，不知道鲁先生的意见以为如何？

鲁：我根本不欢喜六朝人的作品。我觉得诗人和文匠有很大的分别。要做好诗须先是一个诗人。诗是情感和思想的自然流露。第一流诗人比一般人都较富于情感和想像力，积于中者深厚然后形于外者雄伟，往往不假雕琢，自成机杼。所以学诗须先从培养性情学问下手，做诗也要择大题目，要“言之有物”，要抓住人类的普遍的永恒的情趣。实质空洞而专讲形式者是文匠而不是诗人。“为文艺而文艺”是文艺颓废时代的窄狭主张，充类至尽，它必然使艺术囚在象牙之塔里，和人生社会断绝关系。这种艺术没有不浮靡肤浅的。说诗重实质，其实就是说艺术不能离开人生。我不满意像六朝的那样花花公子似的文学，就因为它言之无物，和人生隔离太远。

秦：依你这样说，文学的价值不就全在实质么？你大概以为只有像韩愈的《原道》和贾谊的《治安策》之类的作品才算是文学。你不觉得诗人和思想家究竟有个分别么？

鲁:我们现在只说诗。诗是表现情感和思想的,情感有深浅,思想有巨细,诗的价值高低即应以这种深浅巨细为标准。你刚才提起莎士比亚,我且问你一句话:拿他的一首十四行诗来比他的《哈姆雷特》或《李尔王》,你以为它们都应该等量齐观么?题材的大小和篇幅的长短不能影响到诗的价值么?

秦:如果两种作品在形式上都达到最完美的境界,他们就无可比较,它们的价值是绝对的。莎士比亚的一首十四行诗做到抒情诗所能做到的极境,他的《李尔王》也做到悲剧所能做到的极境,我们就不能说此胜于彼。我们只能说,它们所表现的是两种不同的境界,正犹如《李尔王》和《麦克白》所表现的是两种不同的境界,好比太羹玄酒,浓淡不同;玉环飞燕,肥瘦各异,但各有胜境,我们正无庸强分优劣。

鲁:在我看,你这种绝对价值论是走不通的。我另举一例来说。比如歌德的《浮士德》一部诗剧费过作者的毕生的精力,不但把作者整个的人格、思想、学问、经验等都表现出来,而且把文艺复兴以后欧洲人的热情和徘徊不安的状况,以至于近代整个的时代精神和人生理想都包括无遗。同时,歌德晚年也写一首短诗,叫做《流浪者的夜歌》,以寥寥数语表现他由浪漫式的狂飙突进,皈依到古典式的静穆和谐那一种心情,就形式说,这两个作品都各造极境。但是我们决不能因为它们的形式都完美,便断定它们在价值上没有等差。《浮士德》无疑地比《流浪者的夜歌》较伟大,因为它的实质比较深广。这是大家公认的事实,不是空洞的美学理论所能推倒的。

孟:许多事不想不谈都没有问题,一想一谈,问题就来了。听你两位的话似乎都很有道理,形式重要,实质也并非不重要。但是专重形式,就不免犯不分诗人与文匠的毛病;专重实质,又不免犯不分诗人与学者的毛病。有什么方法可以解决这个冲突呢？这倒要请教我们的美学家褚先生。

褚:秦先生和鲁先生的话都对,只是他们说话太笼统一点。我们应该把欣赏和批评两种态度分开来说。专就欣赏的态度说,秦先生的话是对的。在欣赏的一刹那中,心灵完全为所欣赏的意象占住,意象完全孤立绝缘,没有其他意象来搅扰,心灵无作比较的活动,所以题材的大小和篇幅的长短诸问题都不闯入意识;如闯入意识,欣赏的态度便变为批评的态度,情趣的回流交感便变为理智的剖析了。《浮士德》和《流浪者的夜歌》在为欣赏的对象时,在读者的心境沉没在诗境时,都只是孤立绝缘的意象,它们的价值是绝对的,不容比较的。但是就批评的态度说,鲁先生的话是对的。批评总不免要估定价值,价值必有高低比较才能见出。比较高低,则题材大小和篇幅长短自不能不影响到我们的判断。从这个观点看,《浮士德》自然比《流浪者的夜歌》的价值较高,因为它的实质比较宽广,和人生的接触点比较多,引起欣赏的可能性也比较大。

鲁:褚先生的话很可以证明实质比形式重要,因为形式都美时,作品价值仍有高低,这种高低就只能在实质见出了。我们谈价值就是在批评,并不是只就欣赏那一片刻的心领神会来说。

褚;你可不要误会我的意思。我根本否认在艺术上实质和形式可以分开来说。真正的艺术必能混化实质和形式的裂痕。实质提高,形式也自然因之提高。一般人以为《浮士德》和《流浪者的夜歌》的差别只在实质,也是一种讹见。内容较深广,篇幅较大,前后关系较复杂,形式上的和谐自然也较难能可贵。

孟:你否认实质和形式可以分开,是不是把形式看成实质所固有而且所必有的,换句话说,是不是把形式看成实质的自然表现?

褚:形式是自然的,固有的,而不是人为的,附加的。

鲁、秦、孟三人听这话都很惊异、怀疑、踌躇,孟接着说——这话倒是有些奇怪!

褚:有什么奇怪?

孟:如果你的话不错,形式和实质就应该在同时发生,没有先后的关系了。

秦:并且它们也就没有内外的关系了。

褚:你二位所说的恰是我的意思。

秦:但是我们一般人都相信形式是"表现"实质的,实质是被形式所"表现"的。诗人的本领在见得到,说得出。见得到的是实质,说得出的是形式。换句话说,实质是语言所表现的情感和思想,形式是情感和思想所流露的语言。依这样看,实质在先,形式在后;情感和思想在内,语言在外。我们心里先有一种已经成就的情感和思想,这是实质;然后再找语言把它翻译出来,可以传达给别人知道,这就是形式;这种翻译的手续就是表现。所谓"表现"就是把在里面的现到外面来,它着重情感、思想和语言的内外的关系,同时也涵着它们的先后的关系。

褚:你的主张很可以代表一般人的常识,但是它根本是一个误解。如果不打破这个误解,我们对于诗学上种种问题就永不能作明晰精确的思考。

孟:怎样见得它是误解?看你来打破它吧。

褚:如果诸位不嫌啰嗦,且让我们来把诗的要素分析清楚,看哪个要素相当于形式,哪个要素相当于实质,然后再进一步研究他们的关系如何。

秦:这似乎不必要,我刚才不已经把“实质”、“形式”和“表现”三个名词的定义下得很清楚了么?

褚:不错,但是你的看法只是许多看法中的一种。也还有人谈“实质”、“形式”、“表现”诸名词时,所用的意义和你所用的完全不同。

鲁:我们倒很情愿知道你所说的其他意义。

褚:说话最怕笼统和悬空,我们最好举一个实例来分析,比如李白的《玉阶怨》是人人熟悉的:

玉阶生白露,夜久侵罗袜,却下水精帘。玲珑望秋月。

请问诸位,在这一首诗里我们一眼就看到的是什么?

孟:二十个字。“文字”是诗的一个因素,那是很显然的。

褚:文字并不是一个必要的因素。诗不一定要用文字写出来。在没有文字以前就已经有诗歌。现代民歌大半仍未用文字记载。

秦:纵然没有文字记载,既是一首诗歌,总是可以在心里想着,或是在口头念着,这其实还是用文字。

褚:这不是用文字,是用语言。不过这个分别我们暂时可以丢开,叫它“文字”也好,叫它“语言”也好。不过它包含“意义”和“声音”两个要素,这一点我们大概都承认。

鲁:那是不成问题的。语言总得有内容。

秦:可别忘记,一切语言虽然都有意义和声音,却不都是诗,诗的语言是特殊的。形式的因素总不能丢开。

褚:二位的话都对,诗的语言要有一种特殊的内容,也要有一种特殊的形式。为方便起见,我们姑且分头来说。先说内容,请问鲁先生,它的特殊在什么地方呢?

鲁:诗的语言是情趣饱和的语言。比如《玉阶怨》的语言和“二加二等于四”、“孔子是周朝哲学家”之类的语言不同,就在一个有情趣,一个只记载枯燥的事实。

孟:这个分别似乎还不圆满。情趣饱和的语言也不一定就是诗。比如说“我爱你!”“我真高兴!”你也是说出你的心情,但是那不能算诗。所以诗的情趣和其他情趣也应该有一个分别。

褚:这个分别是不难找出的。诗的情趣一定要借一个具体的、新鲜的、明显的“意象”表示出来,比如《玉阶怨》就托出一幅画或一幕戏摆在我们的眼前,虽未明言“怨”而怨自见。我们可以说,诗是情趣的意象化,或是意象的情趣化。

孟:这个分别也还是不圆满,一切纯文学都是情趣和意象的化合体,比如说小说、散文、戏剧、小品文之类。依我看来,褚先生所说的情趣的意象化还是偏重内容方面。诗的情趣和散文的情趣不同。诗的情趣要表现于一种有规律的声音组合,普通散文的情趣则不需要有规律的音节。我们可以说,诗不仅是情趣的意象化,尤其要紧的是情趣的形式化。

秦:我完全赞成孟先生的话。

褚:谈到诗和散文的分别,问题就扯远了。如果大家高兴,我们将来再费点工夫来专研究这个分别,现在我提议回到本题,就是实质和形式的关系。这个根本问题解决了。诗和散文的问题也就不难迎刃而解了。我们刚才分析《玉阶怨》,得到几种要素。让我们想想看。

鲁:情趣,意象,语言,文字;语言又分意义和声音两项。

褚:是的,这种分析非常浅近,却亦非常重要。许多混乱的思想就起于缺乏这种浅近的基本的分析。比如实质与形式的问题向来被人闹得一团糟，就因为用这两个名词的人们，大半没有弄清楚它们究竟指诗中哪两个因素。因此，它们中间关系——“表现”——也就没有一个精确的意义。

秦：你这话至少不能应用到我身上来。我已经一再说过，语言是表现情感和思想的。语言是表现者，情趣和意象是被表现者。实质兼指情趣和意象，形式指语言。我说的话丝毫没有含糊。

褚：你这些定义与流行语言的习惯很合，不过大有商酌的余地。这一层暂且按下不谈，先谈其他的可能的定义。诸位都知道谈到诗和艺术的学理，我们不应该忽略现代最大的美学家克罗齐，虽然我们不必完全赞成他的学说。依他看，诗人心中直觉到一个情趣饱和的意象，情趣便已表现于意象。情趣是被表现者，是“实质”；意象是表现者，是“形式”。“表现”是情趣与意象化合时的直觉活动，就是想像，也就是创造。这种活动全部都在心里完成。至于把在心里已想好了的诗用文字写出来，只是传达，并非表现。

孟：我想起实质与形式的另一种解释。从康德派形式美学家一直到现代“纯诗”派诗学家都把诗的声音看成“形式的成分”，意义看成“表意的成分”。诗的声音有如图画中的形色配合，诗的意义有如图画中的故事。依这班学者看，音乐是最形式的艺术，也是最高级的艺术，因为它不借助于内容的联想，用声音的形式直接地打动心灵。诗的最高理想在逼近音乐，以声音直接地暗示情趣和意象，极力避开理智了解的路径，这是说，把意义放在第二层。如此则情趣和意象是实质，声音是形式，表现是情趣、意象与声音的关系了。

鲁：还不仅此。一般人常把写或印出来的文字看成诗的具体的“形式”，所谓“表现”只是用文字记载心里所想的，或是口头所说的，而“实质”则为未加辨别的情趣、意象和语言。

褚：诸位现在想想，“实质”、“形式”、“表现”三个名词有几多意义！流行语言的意义如秦先生所主张的是一种，克罗齐所主张的另是一种，“纯诗”派所主张的又另是一种，最后，鲁先生所提起的粗浅常识又另是一种。如果要把头绪理清楚，我们最好列一个表看看：

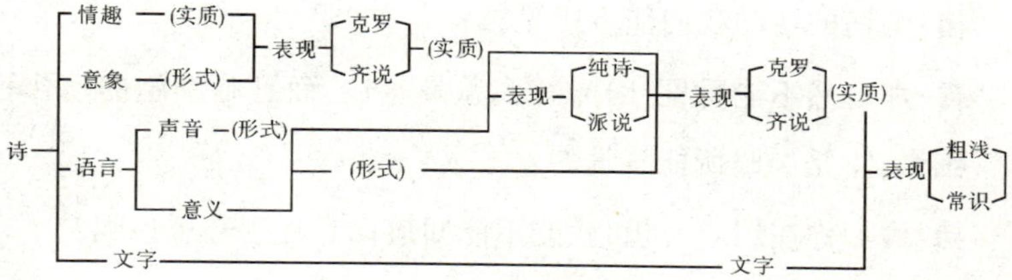

秦：在这许多定义中，我们最好把不能成立的丢开。第一，粗浅常识的表现说不能成立，因为诗歌并不绝对地需要用文字写出来或印出来。其次，“纯诗”派的主张也太过激，因为诗用语言，究竟不能离开理智所了解的意义。第三，克罗齐的学说也似是而非，诗哪能离开语言呢？一切艺术都有情趣和意象，但是诗和其他艺术究竟有一分别，这个分别就在诗用语言为表现情趣和意象的媒介。所以我所提出的定义是最精确的，就是：情趣和意象合为实质，语言为形式，表现是用在外在后的语言翻译或传达在内在先的情趣和意象。这是多数诗学家所公认的事实。

褚：你批评别人的话暂且按下不谈。你自己的主张诚然如你所说的，是多数人所同意的；但是我以为它是错误的。想证明这是错误，要说的话很长，我们须把情感、思想和语言的关系分析得很清楚。诸位不觉得厌倦吧？

秦、鲁、孟(同声回答):只要你说得有理,我们都很愿静听。

褚:我们先研究思想和语言的关系。请问诸位:我们用什么器官作思想的活动?

秦:用脑筋,这是心理学的常识。

褚:在思想时,脑筋以外的器官都不活动么?

鲁:如果真是用心思想,我们常须静坐不动。

褚:脑筋的活动我们能看得见么?

鲁:那自然不能看见,因为有头盖骨遮住,而且脑细胞的动作也非常细微,不是肉眼所能察觉的。

褚:假如你在用心思想,我能不能知道你是在用心思想呢?

鲁(迟疑半刻):有时能够,我们常问人"你在想什么?"

褚:脑筋的活动既不能看见,我们何以知道别人在思想呢?

秦:人在思想时,目光、颜面、筋肉以及身体姿态各方面都现出一个特殊的样子,与平时不同,所以别人一看到就知道他在思想。

褚:然则你说思想只用脑筋,别的器官都不活动,不是错了么?

孟:其他器官的活动不是思想本身,只是思想的——思想的外形或是思想的征候。

褚:这种分别是牵强的。如果我们看得见脑筋的活动,那不也还是思想的外形或征候么?我不知道你见过私塾学童"背书"没有,他们背书时,常左右摇摆走动,如果叫他们站住,他们就背诵不出来。可见身体动作对于思想的关系很密切。严格地说,我们运用思想时,全部神经系统以及全体各器官都在作一种与平时不同的活动,尤其是语言器官。行为派心理学家甚至于说,思想就是语言器官的活动。

鲁:这话未免太离奇了。

褚:一点也不离奇。比如说想到“树”时,口里常不知不觉地在念(树)字。小孩子想到什么,口里就同时说出来。诗人做诗常一边想,一边吟哦。有些人看书,口里不念就看不下去。有些人纵然不把所想的很清楚地念出来,喉舌及其他语言器官也微作念的活动。美国心理学家做了许多实验可以为证。单举一个例来说:来希列(K. S. Lashley)叫试验者先低声背诵一句话,用薰烟鼓把喉舌运动的痕迹记载下来;后来再叫他默想该句话的意义而不发声,也用薰烟鼓把喉舌运动的痕迹记载下来。这两次薰烟纸上所记载的痕迹虽一较明显,一较模糊,而曲折起伏的波纹却大致相似。从此可知思想只是无声的语言,语言也就是有声的思想。语言固不能离开思想而单独进行,思想也不能离开语言而单独进行了。思想和语言原来是一致的,所以在文化进展中,思想越发达,语言也越丰富。野蛮民族与未受教育的民众,不但思想粗疏幼稚,语言也极简单。近代文化的日益增高,可以说是字典的日益扩大。

秦:你这番话很有道理,但是只能证明思想和语言一致,并不能证明语言不是表现思想的。

褚:如果你细心想一想,思想和语言既是一致的,并行的,不能相离的,那末,你说“语言表现思想”就不能指把在先在内的翻译为在后在外的了,思想与语言的关系也就不是实质与形式的关系了。思想与语言同时进行,思想不全是在内的,语言也不全是在外的。

鲁:你否认思想和语言的关系为实质与形式的关系,我倒有些茫然。

褚:思想有实质,你也许承认?

鲁:思想到的意义便是实质。

褚:思想也有形式,你相信不相信?

鲁:除非你是指名学上的思想律。

褚:是的,思想有条理;条理,就是形式。同理,语言的意义是它的实质,语言的文法组织是它的形式。总之,思想和语言是一致的活动,其中有一方面是实质(即意义),这实质并非离开语言的思想;也有一方面是形式(即思想的条理和语言的组织法),这形式也并非离开思想的语言。这两方面犹如人的骨肉和形状,并不能分离独立,或是用这个"表现"那个。我这样解释思想和语言的关系,诸位觉得有什么不圆满的地方么?

秦、鲁、孟(都很迟疑地):我们还觉得这种说法有些奇怪,不过暂时也想不出理由来反驳你,待我们以后想想看。现在你且说明你对于情感和语言的意见。

褚:我相信诸位越加思索,就越不觉得我的话奇怪。说到情感,请问诸位,它究竟是什么呢?

秦:比如喜、怒、哀、惧、愁、怜惜、焦急等等都是情感。

褚:那是情感的实例,不是它的定义。

孟:情感在中文和在外文都含有"动"的意思。照心理学说,人生来有种种本能,外物刺激到某种本能,引起它的活动,都伴着一种特殊的情感。比如见到老虎,逃避的本能就活动起来,因此引起生理上种种变化,就主观的感觉说,这种活动和它所伴随的生理变化,就是情感。

褚:你这个解释好极了。心有本能,感于物(刺激)而动(反应),这一动便是情感。情感发生时我们常说:"我很受感动。"这感动由神经系统传播于身体各部器官。传播于颜面者为哭为笑,为面红耳赤;传播于肢体者为震颤,为舞蹈,为兴奋,为颓唐;传播于内脏各器官者为循环、呼吸、消化、分泌诸作用的变化;传播于喉舌唇齿者为语言。这是动物应付环境变化的一个完整贯串的经验。心理学为便于说明起见,说某者为情感,某者为语言。其实语言只是整个的情感反应中的一部分。

秦:不过情感有不伴随语言的,语言也有不伴随情感的。

褚:诚然,但是这只是程度的问题。情感大半需要语言,诗的语言则必须伴随着情感。我们现在是研究情感语言相伴随时,情感和语言的关系。

孟:依你说,情感伴随着语言时,语言和哭笑、兴奋、颓唐、震颤、舞蹈种种生理变化都是平行的,相同的,是不是?

褚:你所说的恰是我的意思。语言是情感发动时许多生理变化的一种,其他许多生理变化也还是广义的语言,它们和语言都属于达尔文所说的"情感的表现",不过这里所谓表现只是指征候,并非指由内而外,由先而后的翻译。比如鸡鸣犬吠,可以说是应用语言,也可以说是流露情感。但是鸡犬的情感除鸣吠之外,还可以流露于种种筋肉活动和内脏变化。所以情感与语言的关系,也并非实质与形式的关系,而是全体与部分的关系。

孟:但是说"情感表现于语言",是多么自然的一句话,依你说,这话不就是不通么?

褚:看你怎样解释"表现"两个字。如果把它看作由内而外、由先而后的翻译,由甲阶段转到与甲本无关系的乙阶段,那自然是错误。如果它是名词时把它看作"征候",是动词时把它看作"流露",你说"语言表现情感"或"语言是情感的表现",自无不可。我们如果研究语言的腔调,就可以明白这个道理。比如说"来!"在战场上向敌人挑战所用的腔调,和在家庭里呼唤亲爱的人所用的腔调绝不相同。这种不同的腔调是属于情感呢?还是属于语言呢?请问诸位。

鲁:那当然属于情感。

秦:依我看,它属于语言。

褚:二位都对。腔调是属于情感的,也是属于语言的。离开腔调以及和它同类的生理变化,情感就失去它的强度,语言也就失去它的生命。我们不也常说腔调很能"传神"或"富于表现性"(expressive)么?

孟:是的,但是腔调"表现"什么呢?

褚:说它表现情感固可,说它表现语言,使语言的意义更明显,也并非不通。我们通常说语言"表现"情感,正犹如说腔调"表现"语言,只是从部分见全体,从缩写字见出整个字,从流露的一部分见出未流露的一部分,并非先有情感,而后拿本无情感的语言把它从里面"现"到表面来。

孟:现在我明白你的意思了,依你说,思想、情感和语言都是一个完整连贯的心理反应中的各部分,并不是可以分离独立的三件事物。我们不能把思想和情感看作实质,语言看作形式,更不能把语言对于思想和情感的关系看作由内而外、由先而后的翻译。说"语言表现思想和情感",只能像说从缩写字见出整个字,或是像从发冷发热断定一个人有疟疾。这番话我现在觉得很对。但是如果你不嫌啰嗦,我心里还有一点怀疑。你知道我对于传统常有一种迷信,一句话经过几千年人所公认的,我常觉得它中间总有几分道理。比如"意内言外"、"意在言先"、"情感思想是实质,语言是形式"和"表现是拿语言来传达已经成就的思想和情感"之类的话,都已经有很久远的历史。你现在证明它们是误解,我所想问的就是:何以古今中外许多人都不谋而合地陷到这个误解里去呢?

褚:你这个问题非常重要。许多人误解情感、思想和语言的关系，就因为有“文字”这个第三者在中间搅扰。语言是思想和情感进行时，许多生理和心理变化的一种，但是语言和其他生理和心理变化有一个重要的异点。它们与情境同生同灭，语言则可以借文字留下痕迹来。情感和思想过去了，语言的声音和姿势消失了，文字还可以独立存在。

鲁：这个异点就是你的学说的致命伤。语言必须应用文字，文字可以独立，语言也就可以离开情感、思想而独立了。

褚：语言虽应用文字，却不就是文字。在进化阶段上，语言先起，文字后起。原始民族以及开化民族中的文盲都只有语言而无文字。文字只是语言的“符号”(symbol)。符号是以甲代乙的记号。用甲代乙，因为甲比乙较便或是比乙较易于捉摸。例如国旗、书签、人名、招牌、商标之类都是符号。符号和它所指的事物是两件事，彼此可以分离独立。比如“饭桶”两个字的声音可以用“饭桶”来代表，也可以用注音字母或罗马字来代表。同时，这个符号也可以拿来作一个人的诨号。从此可知语言和文字的关系是人为的，习惯的，而不是自然的，必然的。换句话说，文字是人意制定的，习惯造就的。

孟：我觉得你这话有毛病。除着惊叹语类和谐声语类之外，语言又何尝不是人意制定的习惯造就的呢？比如想到“饭桶”或说到“饭桶”时，这两个字音（离开文字符号来说）和它所指的实物也并无必然关系。它本来也还是一种符号。“饭桶”两字的声音固然可以用许多可能的符号来代替它，叫做“饭桶”的实物也可以用许多不同的声音来代替它，在印度、波斯、英国、俄国各国中它各有各的名称，便是明证。我们要知道，写下来或印下来的符号模样是文字，未写未印以前口里说的声音和心里想的符号模样也还是文字。

褚：你这话大体不错，不过分析起来，也还有毛病。未写未印以前,口里说的声音或是心里想到的符号模样,就其为独立的声音或符号模样而言,还是文字,但是还不能算语言。语言是由情感和思想给予意义和生命的文字组织。这种文字组织因各时各境的情感和思想而得意义和生命。对于那种情感和思想就不能说是“符号”。如果要用比喻来说明,它只能说是“征候”(symptom),如咳嗽、吐血对于肺病为征候一样。征候与病有必然关系,符号与所指事物则无必然关系。语言所用的文字,就其为文字而言,是人意制定的,习惯造就的;语言本身则为自然的,创造的,随情感、思想而起伏生灭的。我们不能因为语言所用的文字是人意制定的,习惯造就的,便说语言本身也是如此。

鲁:我还不大明白。语言总离不开文字,你把它们分为两件事,恐怕有牵强吧?

褚:语言虽离不开文字,文字却可以离开语言,比如散在字典中的文字。语言的生命全在情感和思想,通常散在文典中的文字都已失去它们在具体情境中所伴着的情感和思想,所以没有生命。文字可以借语言而得生命,语言也可以因僵化为文字而失其生命。活文字都嵌在活语言里面,死文字是从活语言所宰割下来的破碎残缺的肢体,字典好比一个陈列动物标本的博物馆。比如“闹”字,在字典中是一个死文字,在“红杏枝头春意闹”一句活语言里就变成一个活文字了。再比如你的爱人叫做“春”,你呼唤“春!”时所伴随的情感和思想是在字典里“春”字之下所找不着的。“春”字在你口里是活语言,在字典里只是死文字。

秦:你对于语言和文字的分别说得很明白透彻,不过你刚才说“许多人误解情感、思想和语言的关系,就因为有‘文字’这个第三者在中间搅扰”,这一点我还不很明白。

褚：一般人误在把文字和语言混为一事，看见世间先有事物而后有文字称谓，便以为吾人先有情感、思想而后有语言；看见文字是可离开情感、思想而独立的，便以为语言也是如此。照这种看法，在未有活人说活话之前，在未有诗文之前，世间就已有一部天生自在的字典，这部字典是一般人所谓"文字"，也就是他们所谓"语言"。人在说话和做诗文时，都是在这部字典里拣字来配合成词句，好比姑娘们在针线盒里拣各色丝线来绣花一样。这么一来，情感、思想变成一项事，语言变成另一项事，两项事本无必然的关系，可以随意凑拢在一起，也可以随意拆散开来了。世间就先有情感和思想，而后拿本无情感和思想的语言来"表现"它们了。情感和思想便变成实质，而语言配合的模样就变成形式了。他们不知道，语言的形式就是情感和思想的形式，语言的实质也就是情感和思想的实质。情感、思想和语言是平行的，一致的：它们的关系是全体与部分而不是先与后或是内与外。我这个看法和一般人的成见颇多冲突。但是他们如肯细心作基本的缜密的分析，就知道我的话是对的。

谈到这里，他们都有些困倦。秦、鲁、孟三人对于褚的话将信将疑，要求休息一会儿，一则进些茶点提醒精神，一则有余暇可考虑褚的话，预备重整旗鼓，再作论战。到了他们再聚谈原问题时，秦、鲁、孟三人都觉得自己心里有极充足的理由，可以驳倒褚的情感、思想、语言一致的怪论。

秦：依你的主张，我们只要有情感和思想就不患没有语言。但是我们读第一流文学作品时，常觉作者所说的话都是自己心里所想说而说不出的。我们也常有"诗意"，因为没有做诗的训练和技巧，所以做不出诗来。这不是证明情感、思想和语言是两件事么？向来论诗者都说，诗人的要务在赋予情感、思想以艺术的形式，在把心里所感所想的用最经济最有力的语言说出来。现在你说这种大家公认的学说错误，恐怕是要立异为高吧？

褚：你所说的“诗意”根本就是一个极含糊的名词。你知道克罗齐对于自以为有“诗意”而不能做诗的人所起的诨号么？那是“哑口诗人”，是幻觉和虚荣心的产品。每个人都有猜想自己是诗人的虚荣心，心里偶尔有一阵模糊隐约的感触，便信任幻觉，以为那是十分精妙的诗意。我们对于一件事物须认识得清楚，才能断定它是甲还是乙。对于心里一阵感触，如是已经认识得很清楚，就自然有语言能形容它，就能直接地或间接地把它说出来；如果认识并不清楚，就没有理由断定它是“诗意”。水到自然渠成，意到自然笔随，像“采菊东篱下，悠然见南山”、“敲门都不应，倚杖听江声”、“风乍起，吹皱一池春水”之类的诗词，有情感思想和语言的裂痕么？它们像是模糊隐约的情感思想变成明显固定的语言么？

秦：你所举的寥寥几个例子并不能概括一切诗词。诗有信手拈来的，也有苦心搜索来的。在苦心搜索时，情感和意象先都很模糊隐约，似可捉摸又似不可捉摸。我们须聚精会神，再三思索推敲，才能使模糊隐约的变为明显固定的，不可捉摸的变为可捉摸的。我想凡稍有写作经验的人们都得承认我这话。

褚：你的话丝毫不错。思想本来继续连贯地向前进行，是一种解决疑难纠正错误的努力。它好比射箭，意在中的，但是不中的也是常事。我们寻思，就是把模糊隐约的变为明显确定的，把潜意识和意识边缘的东西移到意识中心里去。这种手续有如照相调配距离，把模糊的不合式的影子逐渐变为明显的合式的。诗不能全是自然的流露，就因为搜寻潜意识和意识边缘的工作有时是必要的；做诗也不能全恃直觉和灵感，就因为这种搜寻有时需要极专一的注意和极坚忍的意志。但是我们要明白，这种工作究竟还是“寻思”，并非情感、思想本已明显固定而语言仍模糊隐约，须在“寻思”之上再作“寻言”的工作。再拿照相的比喻来说，我们在做诗文时，继续地在调配距离，要摄的影子是情感、思想和语言相融化贯通的有机体；如果情感、思想的距离合式了，语言的距离自然也就合式。我们并无须费照两次相的手续，先调配情感、思想的距离，而后调配语言的距离。我们通常自以为是在搜寻语言（调配语言的距离），其实同时还是在努力使情感、思想明显化和确定化（调配情感、思想的距离）。

秦：我还是不大相信你这话。情感、思想的距离调配好了，再进一步调配语言的距离，在我看，这是一个极普遍的写作经验。我们做诗文时常苦言不能达意，须几经修改，才能碰上恰当的字句。“修改”的必要就是寻言不同寻思的铁证。

褚：“修改”其实还是“寻思”问题的一部分。修改就是调配距离，但是所调配的不仅是语言，同时也还是意境（指情感、思想的混合体）。比如韩愈定贾岛的“僧推月下门”为“僧敲月下门”，并不仅是语言的进步，同时也是意境的进步。“推”是一种意境，“敲”又另是一种意境，并非允有“敲”的意境而想到“推”字，嫌“推”字不能达意，然后再寻“敲”字来代替它。就我自己的经验说，我作文常常修改，每次修改，都发现话没有说清楚，其实都由于思想混乱。把思想条理弄清楚了，话自然会清楚。寻思必同时是寻言，寻言也必同时是寻思，没有比这更好的证据可以证明情感、思想和语言的连贯性了。

孟：褚先生，我所怀疑的是你的美学基础。依你说，实质与形式，情感、思想与语言，都在同一刹那中酝酿成熟，你似乎赞成克罗齐的“艺术即直觉,直觉即表现”之说:那末,你就难免和他陷于同样的错误,把艺术完全看成心里面的活动,把“传达”(这就是一般人所谓“表现”,例如把想好了的诗写出来)完全看成非艺术的活动了。

褚:克罗齐忽视“传达”的毛病我也看得很清楚,不过他的学说有一部分是真理,有一部分是过甚其辞,我们应该分别开来说。在诗的方面,“传达”有两个意义:一是把心里所想的歌诵出来,使旁人听得见,如民俗歌谣;一是把心里所想的用文字符号记载下来,使旁人看得见,如文人的作品。依克罗齐看,就诗的创造说,“传达”并非绝对必要,必要的是在心里想出一个叫做“诗”的意境(这就是情感意象相融化的有机体),这种“想”就是“直觉”、“想像”或“创造”,也就是“表现”。至于把心里想好了的诗用文字媒介传达出来,是后来的第二步的工作,不能算“创造”或“表现”。在大体上说,我是赞成这个意见的。不过有两个重要点我却和克罗齐不同意。第一,在想像时,诗人要用他的特殊的传达媒介——文字——来想,和画家及其他艺术家想的方法不同,所以“表现”(即“想像”)和“传达”并不完全是截然两段的事。第二,诗就是一种语言,语言原来就是人与人互相传达情感、思想的媒介。人有做诗的必要,一方面是要流露情思,一方面也是要传达情思,博取社会的同情。想像而预备传达,和想像而不预备传达,心里背景大不相同。想像而预备传达,想像本身就不免多少受社会的影响。这也是证明“表现”和“传达”不可完全分开。诗人决不会永远是“自言自语者”,像克罗齐所说的。

孟:你提起诗人用文字做特殊媒介来传达他的思想,和其他艺术家不同,这又引起另一个疑难了。可想像的不尽是可传达的。有许多颜色上的细微分别不尽能用颜料描绘出来,有许多声音上的细微分别不尽能用乐调谱出来,有许多情绪的细微起伏和思致的细微曲折不尽能用语言形容出来；虽然我们对于这些细微的东西尽可以察觉到或是想像到。再拿各种艺术来比较说，画可以表现诗所不能表现的形色，乐可以表现诗所不能表现的交响的声音节奏，但是诗却可以叙述画和乐所不能叙述的言动事迹。就未传达以前的艺术想像说，诗、画、乐等等艺术的实质（即意境）大致相差总不甚远；就既传达以后的艺术作品说，它们的形式悬殊就很大。这个事实不可以证明实质和形式究竟是两回事么？

褚：你这个问题很中肯，我还有些应该说而未说的话可以趁这个机会补充出来。我说情感、思想和语言平行一致，并非说它们的范围恰相叠合。我承认语言只是情感、思想整个的反应中一部分，从语言见情感、思想，也犹如从面貌姿态等见情感、思想，只是从部分见全体，从缩写字见整个字。意境（情思的整体）只有一部分能见于语言，做诗就要选择这能用语言传达的一部分，拿它来象征或暗示全体。在心里所直觉的可以无限制，经语言传达出来的却须受语言的限制。直觉的阶段是诗可以和其他艺术相同的（这也不必尽然），在所直觉的意象中抉择可用语言传达的一部分，则为诗所以异于其他艺术的。各种艺术有分别，就因为它们在传达媒介上有分别。关于这一层，我很反对克罗齐。他因为看轻传达，便否认艺术可分类。这么一来，心里直觉到一种情趣饱和的意象，便已算是做成一件艺术作品，可以叫做“诗”，可以叫做“画”，也可以叫做任何其他艺术了。

鲁：你这个学说还有一个难点，就是情感、思想不可假造而语言却可假造。心里感到“哈哈！”口里仅可说“哎哟！”情感、思想和语言如何是一致呢？

褚：你所说的“语言可假造”，其实只是说字典中的死文字可任意乱用。小人可以冒充道学家讲仁义道德，冬烘学究可以拉调子哼《诗经》、《左传》，说他们在模仿对于他们无正确意义的声响则可，说他们在用语言则不可。心里感到“哈哈”而口里假说“哎哟”时，声调、姿势以及其他情感和思想的“征候”仍必露几分破绽。因为这个道理，我们常可以看出一首诗是否为无病呻吟，看出它所表现的是真纯的情感还是浅薄的感伤。诗的好坏就看它的情感、思想和语言是否一致，看它有没有乱用文字的嫌疑。一首诗的语言肤浅粗俗或是堆砌繁芜时，我们就可以断定作者的情感原来就很平凡，思想原来就很空洞。如果语言和情感、思想不是一致的，我们就无从根据语言推测作者的情感和思想，尤其不能断定他的语言是否恰合宜于他的情感和思想，断定他有无说谎造假的毛病，因为这些只有他自己才能知道。

秦：你这番话又提醒我的另一个疑问。向来批评家都承认诗文在风格上有平淡浓丽的分别。比如就古代作家说，我们都承认陶渊明平淡，温飞卿浓丽；就我们认识的现在作家说，我们都承认周作人平淡，徐志摩浓丽。这种风格上的分别似乎全在语言方面见出。平淡派作家喜欢用平淡的字句，浓丽派作家喜欢用浓丽的字句。如果依你的学说，文学上便不应该有风格上的差别，因为语言都做到恰到好处为止，令人觉到平淡或浓丽，就未免见出语言和情感、思想的裂痕了。

褚：我承认诗文确有风格上的差别，但是否认这种差别全在语言方面，语言方面固然有平淡浓丽的分别，情感、思想方面同时也有这种分别。陶渊明派作家的思想、情感本来就偏向平淡，所以他们的语言自然平淡；温飞卿派作家思想、情感本来就偏向浓丽，所以他们的语言自然浓丽。风格并不是可以矫揉造作的。许多作家的错误就在误信风格可以矫揉造作，不是周作人而要想学周作人的平淡，不是徐志摩而要想学徐志摩的浓丽，捧心效颦，所以令人觉得俗滥。就两种风格来说，假装浓丽比假装平淡较容易，流弊也较大；因为堆砌浓丽的词句就可以假装浓丽；堆砌平淡的词句并不就能假装平淡，它还要一点收敛镇静的功夫。一般人假装，也容易走浓丽的路，好比穷人摆富贵架子究竟比富贵人摆穷人架子较寻常。许多人本不能做诗而要冒充诗人，于是把诗人所常用的漂亮字句偷来堆砌成诗的形式，以为这就是诗了。从前做试帖诗、四六文的人们如此，现在有好些新诗人也还是如此。在我想，创造诗和欣赏诗，第一件要事是认清诗和“修辞”(rhetoric)的分别，不幸得很，许多新诗人所给我们的大半是“修辞”，是穷人摆的富贵架子。

鲁:你这番话我倒十分同意，没有实质而在形式上做功夫，总不能写出好诗。

褚:不过你别误会了我的意思，我并不是说假装平淡和浓丽的人们是实质形式可分开的证据。我的着重点是：他们是在造假，在乱用文字，并不能算是做诗。语言有它的风格，思想和情感也有它们的风格。风格并不全是形式问题，它的好坏只能在实质形式融贯与否见出。

秦:我对于你的学说还有一点不很满意。你似乎太偏重语言而看轻文字，以为语言是活的，文字是死的。你似乎主张做诗文一定要全用白话。从前有许多文学作品都不是用当时流行的语言。但是它们的价值仍然不可磨灭。我们可以说，除着民歌以外(就是民歌是否全用当时流行语言也还是疑问)，大部分中国诗都是用已死的古文字写的。如果依你的“情感、思想和语言一致”说，恐怕它们都不能符合你的标准吧？在我看来，你似乎盲目附和白话诗运动。

褚:这个罪名,我实在不敢当。以文字的古今定文字的死活,是提倡白话者的偏见。散在字典中的文字,无论其为古为今,都是死的;嵌在有生命的谈话或诗文中的文字,无论其为古为今,都是活的。我们已经说过,文字只是一种符号,它与情思的关系全是习惯造成的。你惯用现代流行的文字运思,可用它作诗文或说话;你惯用古代文字运思,就用它来作诗文或说话,自亦无不可。从前读书人朝朝暮暮都在古书里过活,古代文字对于他们并不比现代文字难,甚至于比现代文字还更便利,所以古代文字对于他们可以变成活语言。这正如我们学外国文到很熟的地步,有时反觉用外国文发表思想,反比中文较方便一样。不过这只是就作者说,如就读者说,用古代文字做诗文,对于未受古代文字训练的群众自然是一种不方便。这里我们又回到传达与社会影响的问题了。诗既预备传达,就不能不顾到群众了解的便利。

秦:在我看来,文字的古今分别也只是比较的而不是绝对的。我们现在用的文字,大部分还是许慎的《说文解字》里所有的,并且有许多字的用法,现代和两千年前也并没有多大的分别。现在所有的字大半是古代已有的,不过古代已有的字有许多在现代已不流行。古代文字有些能传到现在,有些不能流传到现在,原因一半在需要的变迁,一半也在习惯的变迁。习惯原可养成,所以我想古代文字部分地复活,也并非不可能。你的意见以为如何?

褚:不但可能,而且是语言发展史中所常见的自然现象。欧洲有许多诗学家,都主张做诗在必要时不妨采用古字。比如近代英文诗不但常用古代英文字,有时并且设法使古希腊字和古拉丁字复活。现在中国一般人说话所用的文字实在太贫乏,让一部分古字古语复活,也未尝不是一种救济的办法。

秦:你这番话都专指文字,我想现在做诗时文字的选择固然重要,但是更重要的是文字的组织。像你所说的,文字嵌在有生命的词句中才有生命。古字的采用我们可以赞成,古语的组织法我们是否应该仿效,又另是一问题。你以为我们做诗,是应该用流行语言的组织法,还是可以像复活古字似的,复活古代语言的组织法呢?换句话说,做诗是否应该用白话,或是参用古文?

褚:这也还是思想习惯问题。从前的老先生们惯用古文思想,惯用古文作诗文,现在如果勉强他们用白话写诗文,他们也许反觉不自由。这最好随他们的便。好在这种人在我们的时代中已逐渐减少了。我刚才说过,既传达就不能不顾虑读者了解的便利,我们不应该学周诰殷盘那样诘屈聱牙,那是不成问题的。不过我想提倡白话运动者标出"做诗如说话"的标准也有些危险。日常的情思多粗浅芜乱,不尽可以入诗;入诗的情思都须经过一番洗炼,所以比日常的情思较为精妙有剪裁。语言是情思的结晶,诗的语言亦自应与日常的语言有别,无论在哪一国,"说的语言"和"写的语言"都有很大的分别。说时信口开河,思想和语言都比较粗疏;写时有斟酌的余暇,思想和语言都比较缜密。散文已比说话精炼,诗又比散文精炼。这所谓"精炼"可在两方面见出,一在意境,一在语言。专就语言说,有两点可以注意。第一是文法,说话通常不必句句都谨遵文法的纪律,作诗文则对于文法的讲究比较谨严。第二是用字。说话所用的字在任何国家都很有限,通常都不过数千字,写诗文则字典中的字大半都可采用。没有一个人要翻字典去说话,但是无论在哪一国,受过教育的人读诗文也不免偶尔要翻字典。这简单的事实就可以证明"写的语言"应比"说的语言"较丰富了。"写的语言"比"说的语言"也较守旧,因为说的是流动的,写的就成了固定的。"写的语言”常有不肯放弃陈规的倾向，这是一种毛病，也是一种便利。它是一种毛病，因为它容易僵硬化，失去语言的活性；它也是一种便利，因为它在流动变化中要抓住一个固定的基础。在历史上有人看重这种毛病，也有人看重这种便利。看重这种便利的人总想保持“写的语言”的特性，维持它和“说的语言”的距离。在诗的方面，把这种态度推到极端的人主张诗有特殊的“诗的文字”（poetic diction）。这个论调在欧洲假古典主义时代最占势力。另外一派人看重“写的语言”守旧性的毛病，总想竭力拿“说的语言”来活化“写的语言”，使它们中间的距离尽量地缩短。这就是诗方面的“白话运动”。中国现在还在白话运动期。欧洲文学史上也起过数次的白话运动。最重要的有两个，一个是中世纪行吟诗人和但丁所提倡的，一个是浪漫运动期华兹华斯诸人所提倡的。但丁选定“土语”为诗的语言，同时却主张丢去“土语”的土性，取各地土语放在一块“簸”过一遍，簸出最精纯的一部分，另造一种“精炼的土语”（the illustrious vulgar）为诗文之用。我觉得这个主张值得深思。总之，我的意思是：诗应该用“活的语言”，但是“活的语言”不一定就是“说的语言”，“写的语言”也还是活的。就大体说，诗所用的应该是“写的语言”而不是“说的语言”，因为写诗时情思根本就比较精炼。我的话已经说明白了没有？

孟：你解释实质和形式，情思和语言的关系的话很透彻，我已经明白了，并且在大体上赞同你的意思。不过你这个学说是否可以用来解释诗的形式以及诗和散文的分别，我觉得还有问题。我希望我们将来有机会再聚谈一次。（褚、秦、鲁都表示同意。）

附录三

诗与散文(对话)

对话者如前:

秦:——传统派的代表,主张诗与散文以音律与风格分。

鲁:——侧重实质者,主张诗与散文各有特殊的题材。

褚:——美学家,主张诗与纯文学同义,形式起于实质的自然需要。

孟:——调和派,主张诗为有音律的纯文学,形式不尽是自然的。

褚:诗与散文问题实在还是实质与形式问题的一部分。上次我们已经证明实质和形式平行一致,这次的问题就不难迎刃而解了。

孟:我却没有你那样乐观。头一层,我们的根本问题还没有解决:诗究竟是什么呢?

秦:就形式说,我们很容易定出一个标准来。诗有音律,散文没有音律。它们自然还有其他分别,但是这个是最显著而且最重要的分别。

鲁:这个标准是靠不住的。亚理斯多德老早就说过,诗不必尽有音律,有音律的也不尽是诗。冬烘学究堆砌腐典滥调成五言八句,自己也说是在做诗。章回小说中常插入几句韵文,评论某个角色或某段情节，在前面郑重标明“后人有诗一首”的字样。一般人心目中的“诗”大半是这么一回事。但是我们要知道，诸葛亮虽然穿过八卦衣，而穿八卦衣的不必就是诸葛亮。如果依秦先生的话，《百家姓》、《千字文》、医方脉诀以及冬烘学究的试帖诗和打油诗都可以和《诗经》、《楚辞》、《杜工部集》并驾齐驱，而柏拉图的《对话集》和《旧约》、《史记》、《汉魏丛书》中许多杰作以及《红楼梦》之类作品反被贬于“非诗”之列了。依我看来，诗的形式空洞不足为凭，最重要的还是实质。虽然褚先生反对实质形式分立，在事实上它们却常分立，《百家姓》、《千字文》之类只有诗的形式而无诗的实质，便是明证。

秦：我不相信你能够找出一个精确的标准在实质上分别诗和散文，难道诗有诗的题材，散文有散文的题材么？

鲁：这是不成问题的。有些题材只宜于做诗，有些题材只宜于做散文。就大体说，诗宜于抒情遣兴，散文宜于状物叙事说理。这并非我一个人的私见，许多诗学家都是这样想。比如英国摩越教授（Middleton Murry）是著名的主张诗和散文可交相替代者，也承认诗较宜于言情，散文较宜于说理。他说：“如果起源的经验是偏于情感的，我相信用诗或用散文来表现，大半取决于时机或风尚；但是如果情感特别地深厚，特别地切己，用诗来表现的动机是占优胜的。我不能想像莎士比亚的十四行诗集可以用散文来写。”至于散文有特殊的题材，他说得更透辟。让我引他的几句结论，如果要知道详细的理由，我们可以读他的《风格论》第三章。他说：“对于任何问题的精确思考必须用散文，音韵的限制对于它一定是不相容的。”“一段描写，无论是写一个国家，一个逃犯，或是房子里一切器具，如果要精细，一定要用散文。”“风俗喜剧所表现的心情须用散文”，“散文是讽刺的最合适的工具”。如果拿已往文学作品做一个统计，我们也可以知道摩越教授的话大致不错。极好的言情的作品都要在诗里找，极好的叙事说理的作品都要在散文里找。这种基本的分别在读者的了解方面也可以见出。懂得散文大半凭理智，懂得诗大半凭情感。这两种“懂”是“知”(know)与“感”(feel)的分别。可“知”者大半可以言喻，可“感”者大半须以意会。比如陶潜的“采菊东篱下，悠然见南山”两句诗。就字句说，极其简单，如果问人说：“你懂得么?”凡是识字者大概都说懂得。如果进一层追问他所懂的是什么，他的回答不外两种，一种是很干脆地诠释字义，用白话文把它翻译出来，一种是发挥言外之意。前者是“知”，是专讲字面的意义；后者有时是“感”，是体会字面后的情趣。就字义说，这两句诗不致引起若何分歧；就情趣说，则仁者见仁，智者见智，各各不同了。散文求人能“知”，诗求人能“感”。“知”贵精确，作者说出一分，读者便恰见到那一分；“感”贵丰富，作者说出一分，读者须在这一分之外见出许多其他的东西。因此，文字的功用在诗和散文中也不相同。在散文中，文字的功用在“直述”(state)，读者注重它的本义；在诗中，文字的功用在“暗示”(suggest)，读者注重它的联想。这个分别罗斯教授(J. L. Lowes)在《诗中的成规与反抗》里说得最明白。

孟：别再引经据典，你的意思我们明白了。你的话在原理上只是大致不差，实在也有很多的反证。老实说，我不相信散文只宜于说理的话。凡是真正的文学作品，无论是诗或散文，里面都有它的特殊的情趣。许多小品文是抒情诗，这是大家都承认的。再看近代小说，我们试想一想，哪一种可用诗表现的情趣在小说里不能表现呢？我很相信摩越教授的话，一个作家用诗或用散文来表现他的意境，大半取决于当时的风尚。荷马和莎士比亚如果生在现代，一定会写小说;陀思妥耶夫斯基、普鲁司特、劳伦斯诸人如果生在古希腊或伊丽莎白时代,一定会写史诗或悲剧。至于诗不能说理的话比较近于真理,但也有例外。历史上有许多很好的说理的诗,陶潜的《形影神》和朱熹的《感兴》诗都是著例。如果说宽一点,凡是诗,除情趣之外,都有若干理的成分在内,不过情理融成一片,我们不能把理分开来说罢了。你能够说希腊悲剧和莎士比亚的悲剧里面没有“理”么?你能够说但丁的《神曲》和歌德的《浮士德》里面没有“理”么?你能够说《天问》、《杜工部集》、《白香山集》里面没有“理”么?我可以举一个很简单的例子,来说明同样情理可表现于诗,亦可表现于散文。《论语》里“子在川上曰:‘逝者如斯夫,不舍昼夜!’”是散文,李白的“前水复后水,古今相续流;新人非旧人,年年桥上游”是诗。在这两个实例中,我们能够说散文不能表现情趣或是诗不能说理么?所以我觉得从实质上分诗与散文也有难点。

秦:孟先生的话很有理。宇宙间万事万物经过诗人的心灵妙用,都可以变成诗的材料。从前人以为有些材料不能入诗,那全是迷信。古典派学者都说诗只应表现人类的普遍的永恒的情趣,但是近代诗人往往欢喜写很个别很飘忽渺茫的情趣,也不失其为精妙。德国学者莱辛(Lessing)以为诗不宜描写静止体态,但是中国许多伟大的自然诗人所写的大半是静止体态。摩越教授说诗不宜于讽刺和风俗喜剧,他忘记欧洲以讽刺和风俗喜剧著名的作者,如阿里斯托芬、纠文纳儿、莫里哀、蒲柏诸人大半采用诗的形式。诗和散文的分别不能在实质上见出,这是无疑义的。我还是觉得我的意见不错。诗人所写的情理,一般人还是能经验和了解的,所以不同的,是他能够把普通的情理纳在艺术的形式里去。我在开始时所说的音律是形式的一种,它是最易捉摸的。此外还有一种不易捉摸的形式的成分，就是“风格”。散文的风格要直截了当，明白晓畅。有些人在散文里堆砌华丽的词藻，假扮兴奋或感伤的声调，以为散文愈像诗，它的风格就愈提高。其实这是穷人摆富贵架子，做散文应该就像说话，要有几分家常便饭的味道，“像诗”是散文的一个大毛病。诗的风格却不能太家常，太家常就令人觉得平凡干枯。它华丽也好，清淡也好，庄严也好，优美也好，却都要保持诗的尊严的身份，不能落入俗套。许多提高风格的技巧，如“拟人格”、华丽字句、精当典故、情感化的声调之类，在散文为大病，在诗则为人所习用。依我看，拿音律和风格合在一起来看，诗和散文的分别是最容易辨明的。

褚：我觉得你这个主张有两大弱点。第一，你误解“风格”的性质；第二，你似乎犯了尊诗卑散文的俗见。先说“风格”，它并不是一种空洞的形式，或是矫揉造作出来的气派。你大概记得布丰（Buffon）的名言：“风格即人格。”换句话说，它就是作者性格情趣的特殊模样，理想的风格是情感思想和语言恰恰相称，混化无迹。上品诗和上品散文都可以做到这种境界。所以我们不能离开实质，凭空立论，说诗和散文在风格上不同。诗和散文的风格不同，也正犹如这首诗和那首诗的风格不同，所以风格不是区分诗与散文的好标准。其次，你以为诗在风格上比散文高一级，也是很大的偏见。诗和散文各有妙境，诗固往往能产生散文所不能产生的风味，散文也往往可以产生诗所不能产生的风味。例证甚多，我姑且举两个。

（一）诗人引用散文典故入诗，韵味常不及原来散文的深刻微妙。例如《世说新语》：

> 桓公北征，经金城，见前为琅琊时种柳皆已十围，慨然曰：“木犹如此，人何以堪！”攀枝执条，泫然流涕。

一段散文，寥寥数语，写尽人物俱非的伤感，多么简单而隽永！庾子山在《枯树赋》里把它译为韵文说：

昔年种柳，依依汉南；今看摇落，凄怆江潭。桓大司马闻而叹曰："树犹如此，人何以堪！"

这段韵文改动《世说新语》的字句并不多，但是它一方面比原文纤巧，一方面也比原文呆板。原文的既真切而又飘渺摇曳的风致，在《枯树赋》的整齐合律的字句中就失去大半了。此外如辛稼轩的《哨遍》一首词，它总括庄子《秋水篇》的大意，用语也大半集庄子的陈句，但是庄子原文的那副磅礴诙谐的气概却不复存在。我们念一段来看看：

有客问洪河，百川灌雨，泾流不辨涯涘。于是焉河伯欣然喜，以为天下之美尽在己。渺溟，望洋东视，逡巡向若惊叹，谓"我非逢子，大方达观之家，未免长见悠然笑耳！"

这样剪裁配合得巧妙，固然独具匠心，但是它总不免令人起假山笼鸟之感，庄子的雄肆就在这巧妙里消失了。

（二）诗词的散文序往往胜于诗词本身。例如《水仙操》的序和词：

伯牙学琴于成连，三年而成，至于精神寂寞，情之专一，未能得也。成连曰："吾之学不能移人之情，吾师有方子春在东海中。”乃赍粮从之。至蓬莱山，留伯牙曰：“吾将迎吾师。”刺船而去，旬日不返。伯牙心悲，延颈四望，但闻海水汩没，山林窅冥，群鸟悲号，仰天叹曰：“先生将移我情！”乃援琴而作歌：

繄洞庭兮流斯护，舟楫逝兮仙不还。移形素兮蓬莱山，欨钦伤宫仙不还。

序文多么美妙！歌词所以伴乐，原不必以诗而妙，它的意义已不尽可解，但就可解的说，却比序文差得远了。此外如陶潜的《桃花源诗》，王羲之的《兰亭诗》以及姜白石的《扬州慢》词，虽然都是杰作，但就我个人的口胃说，它们本身都不如散文序美妙。这些实例很可以证明诗不必尽比散文高，秦先生的“风格”标准不能应用来区分诗与散文了。

鲁：这个问题确实是难了，音律和风格的标准靠不住，实质的标准诸位以为也靠不住，那末，我们不就要根本否认诗和散文的分别么？

褚：依我想，这是唯一的出路。我记不得是谁说的，与诗相对待的不是散文而是科学，科学叙述事理，诗与散文，就其为文学而言，表现对于事理所生的情趣。凡是作品有纯文学价值的都是诗，无论它是否具有诗的形式。我们常说柏拉图的《对话集》、《旧约》、六朝人的书信、柳子厚的山水杂记、明人的小品文、《红楼梦》之类散文作品是诗，就因为它们都是纯文学。亚理斯多德论诗，仿佛也是用这种看法。他不把音律看作诗的要素，以为诗的特殊功用在“模仿”。他所谓“模仿”，就是我们所说的“创造”或“表现”。凡有创造性和表现性的文字都是纯文学，凡是纯文学都是诗。雪莱说，“诗与散文的分别是一个庸俗的错误”。克罗齐主张以“诗与非诗”的分别代替“诗与散文”的分别。我很赞成他的办法。

孟:你这番话在理论上原有它的道理,不过就事实说,在纯文学范围之内,诗和散文仍有分别,我们是不能否认的。你的办法不是解决问题而是逃避问题。如果说宽一点,还不仅纯文学都是诗,一切艺术都可以叫做诗。我们常说“王维诗中有画,画中有诗”。其实一切艺术到精妙处都必有诗的境界。我们甚至于说一个人,一件事或是一片自然风景含有诗意。你刚才提起克罗齐,如果我没有误解他的话,他把“诗”、“艺术”、“语言”都看作同义字,因为它们都是抒情的、创造的。所以“诗学”、“美学”和“语言学”在他的学说中是一件东西。在古希腊文中,“诗”的意义是制作,所以凡是“制作”或“创造”出来的东西都可以称为“诗”,无论是文学,是图画或是其他艺术。把诗解作“纯文学”,和把诗解作“艺术”一样,毛病在太空泛。诗和艺术,诗和纯文学,都有共同的要素,这是我们承认的;但是我们也应该知道:它们在相同之中究竟有不同者在。比如王维的画、诗和散文尺牍虽然都同具一种特殊的风格,而在精妙处,可以见于诗的不必尽可以见于书,也不必尽可以见于散文尺牍。我们正要研究这不同点究竟是什么。在我看,诗是“具有音律的纯文学”。这个定义把具有音律而非纯文学的陈腐作品以及是纯文学而不具音律的散文作品都丢开,只收在形式和实质两方面都不愧为诗的作品,这是一个最寻常的也是最精确的定义。

褚:你这个调和的见解也还有问题。有和无是一个绝对的分别,我觉得就音律而论,诗和散文的分别也只是相对的而不是绝对的。

孟:你是否指诗的音律可以随时变化?

褚:不仅指变化。诗有固定的音律,是一个传统的信条。从前人对它向不怀疑,不过从自由诗、散文诗和多音散文等等新花样出来以后,我们对于这个传统的信条就有斟酌修改的必要了。自由诗出来本很早,据说古希腊就有它。近代法国诗人采用自由诗的体裁的也很多。从"意象派诗人"(imagistes)起来之后,自由诗才成为一个大规模的运动。自由诗究竟是什么呢?它的定义很不容易下。据法国音韵学专家格拉芒(Grammant)说,法文自由诗有三大特征。第一,法文诗最通行的亚力山大格每行十二音,古典派分四顿,浪漫派分三顿,自由诗则可有三顿以至于六顿。第二,法文诗通常用 aabb 式"平韵",自由诗可杂用 abab 式"错韵"、abba 式"抱韵"等等。第三,自由诗每行不拘亚力山大格的成规,一章诗里各行长短可以相间。照这样看,自由诗不过就原有规律而加以变化。不过近代象征派诗人的自由诗,不合格拉芒的三条件也很多,它们有不用韵的。英文自由诗通常比较更自由,让我念一首来看看:

The grass is beneath my head;
and I gaze
at the thronging stars
in the night.
They fall…they fall…
I am overwhelmed,
and afraid.
Each leaf of the aspen
is caressed by the wind,
and each is crying.
And the perfume

of invisible roses
deepens the anguish.
Lot a strong mesh of roots
feed the crimson of roses
upon my heart;
and then fold over the hollow
Where all the pain was.

F. S. Flint

这首诗在章法上没有固定的规律。它好比风吹水面生浪，每一阵风所生的浪自成一单位，相当于一章。风可久可暂，浪也有长有短，三行、四行、五行都可以成章。就每一章说，字行排列也根据波动节奏（cadence）的道理，一个节奏占一行，长短轻重无一定的规律，可以随意变化。照这样看，它似毫无规律可言，但是我们不能称它为散文，因为它究竟还是分章分行，章与章，行与行，仍有起伏呼应的关系。它不像散文那样流水式的直泻下去，却仍有低徊往复的趋势。我们可以说，自由诗实在还有一种内在的音律，不过没有普通诗的那样整齐明显罢了。散文诗又比自由诗降一等，它只是有诗意的小品文，或则说，用散文表现一个诗的境界，仍用若干诗所习用的词藻腔调，不过音律就几乎完全不存在了。从此可知，就音律论，诗可以由极严整明显的规律，经过不甚显著的规律，以至于无规律了。

秦：我不赞成这话，因为像“自由诗”、“散文诗”之类的新花样根本就不能叫做“诗”。

褚：这恐怕是你的偏见，艺术是创造的，与时俱新的，不断地打破成规定律的。我们不能拿外在的已成的种类体裁观念，作测量新兴作品的标准。你在脑筋里先假定凡诗都有平整明显的音律，看见自由诗和散文诗不符合你的成见，便根本否认它们是诗，这是走上批评的绝路。无论你承认不承认，自由诗和散文诗的存在，是一件确凿的事实；研究诗学，就不能不接受这件事实。这件事实所告诉我们的是：由有到无，诗的音律多寡有许多程度上的差别。

秦：纵然退一步承认诗可以由有音律到无音律，我们也不能说诗与散文无分别，因为散文是绝对没有音律的。

褚：这更是误解了。我们要知道，诗的起源比散文较早。原始人类凡遇值得留传的事迹或学问经验，都用诗的形式来记载，以便于记忆。到后来，因为诗的形式太笨重板滞，才逐渐设法使它活跃流动有弹性，于是散文才逐渐演化出来。散文由诗解放出来，并非一朝夕之故。在萌芽期，散文的形式都和诗相差不远。比如说英国，从乔叟到莎士比亚，诗就已经很可观，散文却仍甚笨重，词藻、构造都还不脱诗的习惯。从十七世纪以后，英国才有流利轻便的散文。中国散文的演化史也很类似。秦汉以前的散文常杂有音律在内。随便举几个例来看看。

> 今夫古乐，进旅退旅，和正以广，弦匏笙簧，会守拊鼓。始奏以文，复乱以武。治乱以相，讯疾以雅。君子于是语，于是道古，修身及家，平均天下。此古乐之发也。
>
> 《礼记·乐记》

> 道冲而用之，或不盈。渊乎似万物之宗。挫其锐，解其纷；和其光，同其尘，湛兮似或存。吾不知谁之子，象帝之先。
>
> 《老子》

吾有大树,人谓之樗;其大本拥肿而不中绳墨,其小枝卷曲而不中规矩。立之涂,匠者不顾。今子之言,大而无用,众所同去也。

《庄子·逍遥游》

这都是散文,但是都有音律。中国文学中最特别的一个体裁是赋。它是跨诗和散文界线的东西。它流利奔放,一泻直下,似散文,于变化多端之中保持音律,又似诗。我们可以说,隋唐以前大部分散文都没有脱离诗赋的影响,有很明显地用韵的,也有虽不用韵而仍保持诗赋的华丽词藻与整齐句法的,到唐以后,流利轻便的散文才逐渐占优势,不过诗赋对于散文的影响,到明清时代还未完全消灭。如果我们顾到这个事实,就可见散文绝对无音律的话不可靠了。

秦:你所指的是过去的散文,现在散文已演化到无音律的阶段了,恐怕你的话就不能适用了吧?

褚:你的非难应分两层回答。头一层,我们讨论诗和散文,应着眼全局,应搜罗所有的事实。我们不专论某一时代的诗,也就不能把散文的范围限制到近代。其次,白话文运动还在进行,我们不能预言中国散文,将来是否有一部分要回到杂用音律的路。不过这并非不可能。你不看见欧战后的"多音散文"(polyphonic prose)运动么?弗莱契(Fletcher)说它的重要"不亚于政治上的欧战,科学上的镭的发明"。这虽然是过甚其词,它是一个值得注意的运动,却是无可讳言的。据罗威尔(E. Lowel)女士说,"多音散文应用诗所有的一切声音,如节音、自由诗、双声、叠韵、押韵、回旋之类,它可应用一切节奏,有时并且用散文节奏,但是通常都不把某一种节奏连用到很长的时间。……韵可以摆在波动节奏的终点,可以彼此紧密相衔接,也可隔很长的距离遥相呼应”。换句话说,在多音散文里,极有规律的诗句,略有规律的自由诗句,以及毫无规律的散文句可以杂烩在一块。我想这个花样在中国已“自古有之”,赋就可以说是最早的多音散文,庾信的《哀江南赋》、欧阳修的《秋声赋》和苏轼的《赤壁赋》都可以为例。看到欧洲的“多音散文”运动,我们不能说将来中国散文一定完全放弃音律,因为像“多音散文”的赋在中国有很久的历史和深远的影响,并且中国文字双声叠韵多,容易走上“多音”的路。

秦:这全是揣测之词,恐怕不足为凭。

褚:我的揣测能否成事实并不能影响到我的基本主张。我的基本主张是诗和散文的音律相对论。我们不能画两个圆圈,把诗摆在有音律的圈子里,把散文摆在无音律的圈子里,使彼此间壁垒森严,互不侵犯。诗可以由整齐音律到无音律,散文也可以由无音律到有音律。诗和散文两国度之中有一个很宽的界线,在这界线上有诗而近于散文,音律不甚明显的;也有散文而近于诗,略有音律可寻的。所以我不相信“有音律的纯文学”是诗的精确的定义。

孟:你的推理和证据都很有力,我很愿意放弃我的原来的主张。我向来反对做学问持成见。不过我们通常都觉得自己的成见是无可置疑的真理,到了几个见解不同的朋友们聚在一块仔细讨论,就发现成见往往是偏见。比如我们今天的讨论就破除了几个流行的成见。讨论到这个阶段,秦先生应该放弃“诗和散文以音律风格分”一个成见,鲁先生应该放弃“诗和散文各有特殊题材”一个成见,我也要放弃“诗为有音律的纯文学”一个成见了。我们所得到的结果是:无论就实质说或是就形式说,诗和散文都只有程度上的分别而没有绝对的分别,它们的疆域有一部分是互相叠合的。我们每个人虽然都放弃了自己珍视许久的成见,却也都得到实在可珍贵的收获,所得究竟超过所失,这是大可引以自慰的。

秦:我也愿意宣告放弃我的形式主义,不过问题并没有完全解决。承认了音律不是诗的绝对必要的元素,"大部分诗何以有音律?"还是一个重要的问题。

鲁:这话倒很对。我虽然承认诗和散文的疆域有一部分互相叠合,却也不得不承认它们有一部分不互相叠合,不得不承认有音律的一部分诗和无音律的一部分散文究竟有分别。何以有一部分诗有它的特殊形式呢?

褚:我看这个问题倒不难解决。我们在上次已经说明实质形式平行一致的道理,现在就可以拿这个道理来解释何以有一部分诗与散文有分别。为说话方便起见,我们姑且从语言的习惯,把有音律的一部分诗简称为"诗",把无音律的一部分散文简称为"散文",诸位同意么?

秦:同意,不过我们要记着我们所讨论的是两极端的部分,所得的结论不必可以应用到诗和散文相邻近的部分。褚先生,让我们听你的意见吧。

褚:诗的形式——音律——是实质的自然需要。换句话说,某种实质非有诗的形式不能表现出来。诗和散文的分别不仅是形式上的分别,也是实质上的分别。刚才秦先生拥护形式的话和鲁先生拥护实质的话本来各有片面的道理,因为它们都是片面的,所以显得错误。如果我们把这两方面的话合在一块来讲,那就圆满了。就形式说,散文的音节是直率的,无规律的;诗的音节是循环的,有规律的。就实质说,散文宜于叙事说理,诗宜于抒情遣兴。

孟:你忘记我们刚才已证明诗可无音律;散文也可有音律,诗可叙事说理,散文也可抒情遣兴。

褚:那是不错的。我已声明过,我们现在只就有音律的诗和无音律的散文来说,你所说的那些都可列在例外。普通的意义的诗和散文实在起于情趣与事理的分别。事理直截了当,一往无余;情趣则低徊往复,缠绵不尽。直截了当的宜用叙述的语气,缠绵不尽的宜用惊叹的语气。在叙述语中事尽于词,理尽于意;在惊叹语中,语言是情感的缩写字,情溢于词,所以读者可因声音想到弦外之音。这是诗和散文的根本分别。

秦:你这番话太抽象一点,请举一两个实例来说。

褚:比如看见一位年轻的美人,你如果把这番经验当作“事”来叙,你说,“我看见一位年轻的美人”;如果把它当作“理”来说,你说,“她年轻,所以健美”。这两句话既说出,“事”就已叙过了,“理”就已说明了,你不必再说什么,旁人就可以完全明白你的意思。但是如果你爱她,你只说“我爱她”却不能了事,因为这句话还只是把情当作事叙,文字声音本身并没传出你的缠绵不尽的情感。做诗就要于文字意义之外,在声音上见出情感。音律的讲究就是这样起来的。比如《诗经·卷耳》:

> 采采卷耳,不盈顷筐。嗟我怀人,置彼周行。陟彼崔嵬,我马虺隤。我姑酌彼金罍,维以不永怀。陟彼高冈,我马玄黄。我姑酌彼兕觥,维以不永伤。陟彼砠矣,我马瘏矣,我仆痡矣,云何吁矣!

我们在文字声音上就可以见出作者渴望自慰与失望的心情。她的期望与疲劳一层深似一层，声音也一章凄恻似一章，到最后一章，她的力竭声嘶的嗟叹仿佛在我们的耳里旋转。你拿这诗和“我爱你”式的空头话比一比，就可以感觉到它是真情流露的文字，它的生命就全在它的低徊往复的音节上。如用散文来写，它决不能产生这样深刻的印象。再比如《诗经》中：

昔我往矣，杨柳依依；今我来思，雨雪霏霏。

这四句诗如果译为现代的散文，则为：

从前我去时，杨柳还正在春风中摇曳；现在我回来，已是雨雪天气了。

原诗的意义虽大致还在，它的情致却不知走向何处去了。义存而情不存，就因为译文没有保留住原文的音节。实质与形式本来平行一致，译文不同原诗，不仅在形式，实质亦并不一致。比如“在春风中摇曳”译“依依”就很勉强，费词虽较多而涵蓄却较少。“摇曳”只是板呆的物理，“依依”却含有浓厚的人情。诗较散文难翻译，就因为诗偏重音而散文偏重义，义易译而音不易译。这些实例都足证明诗的音律起于情感的自然需要。

孟：依你的意思，诗的形式完全是自然的，内在的，与实质有必然关系的，是不是？

褚：那恰是我的意思。

孟：那也恰是我和你不同意的。你上次说实质与形式平行一致，我曾经表示怀疑，以为它能否解释诗的形式，还有问题。那时我没有说理由，今天我想把理由说出来。我先提出一个极浅近的事实，然后再进一步讨论原理，比如说李白的：

箫声咽，秦娥梦断秦楼月。秦楼月，年年柳色，灞陵伤别。　乐游原上清秋节，咸阳古道音尘绝。音尘绝，西风残照，汉家陵阙。

和周邦彦的：

香馥馥，樽前有个人如玉。人如玉，翠翘金凤，内家妆束。　娇羞爱把眉儿蹙，逢人只唱相思曲。相思曲，一声声是：怨红愁绿。

两首词都是杰作。它们在形式上有无分别呢？

鲁：没有分别，它们都是填"忆秦娥"的调子。但是在情调上它们却大不相同。李白的悲壮，有英雄气；周邦彦的香艳，有儿女气。我还相信空洞的形式无关紧要，要紧的还是实质。

孟：我们现在不讨论实质和形式哪一个较重要，我们要证明的是：形式与实质并非有绝对的必然关系。无论在哪一国，诗的形式都不很多，所写的情趣尽管有无穷的变化。中国正统的诗形式举指头就可数得尽，五古、七古、五律、七律、绝句……难道用这几种形式来表现的情趣意境也就只有这几种吗？请问褚先生。

褚：这倒是事实，刚才我自觉很有把握，现在却有些茫然了。待我想一想，先听你说吧。

孟：根本问题在音律的性质和起源。我们讨论了半天的"音律”,还没有把“音律”的定义下好,什么叫做“音律”呢?

褚:音律就是有规律的音节,音节就是声音方面的节奏。

孟:我们还应追问节奏是什么。

褚:节奏是一切艺术的灵魂,在跳舞则为纵横、急徐相照映,在绘画则为浓淡、疏密、明暗相配称,在建筑则为方圆、长短、疏密相错综,在音乐和语言则为高低、抑扬、长短相呼应。

孟:节奏是自然的还是人为的呢?

褚:它是自然的。人体中各种机能如呼吸循环等等都是一起一伏地川流不息,所以节奏是生理的自然需要。我们常不知不觉地求自然界的节奏和内心的节奏相应和。有时自然界本无节奏的现象,也可以借知觉而生节奏。比如钟表的机轮所作的声响本是单调一律,我们听起来,却觉得它高低长短相间。这也是很自然的。呼吸循环有起伏,所以精力有张弛,注意力有勤懈。同一声音,在注意力紧张时便显得重,在注意力松懈时便显得轻。如果物态的伸缩与注意力的起伏恰相平行,则心理可以免去不自然的努力,这就是诗中所谓“谐”,否则就是“拗”。节奏的快感即起于精力的节省。凡是语言都有它的节奏,都顺着情感思想的节奏前进。

孟:你解释节奏的话很透辟,但是它只能应用到语言的节奏,不能应用到音乐的节奏。语言的节奏是自然的,音乐的节奏则不全是自然的,大半是经过形式化的。你刚才谈声音的节奏时,把音乐和语言相提并论,足见你没有把语言的节奏和音乐的节奏分清楚。

秦:这倒是闻所未闻,请你把这种分别详细解析给我们听。

褚:先分析语言的节奏。它是三种影响合成的。第一是发音器官的构造。呼吸有一定的长度,在“一口气”里我们所能说出的字音也因而有限制;呼吸有起伏,每句话中各字音的长短轻重也因而不能一律。念一段毫无意义的文字，也免不着带几分抑扬顿挫，这种节奏完全起于发音器官的构造，与情感和理解都不相干。其次是理解的影响。意义完成时声音须停顿，意义着重时声音须提高，意义不着重时声音须降低。这种起于理解的节奏为一切语言所共有，在散文中尤易见出。第三是情感的影响。起于情感的节奏虽常与理解的节奏相辅而行，不能分开，实在却不是一件事。它不仅见于高低起伏，在情感所伴的生理变化都可以见出。比如演说，有些人先将底稿做好读熟，然后登台背诵，条理尽管清晰，词藻尽管是字斟句酌来的，而听者却往往不为所动。也有些人不先预备，临时随情感支配，信口开河，往往能娓娓动听，虽然事后看记录下来的演讲词，它很平凡芜琐。这就因为前一派演说家偏重理解的节奏，后一派偏重情感的节奏。理解的节奏是机械的，偏重意义；情感的节奏是有机的，偏重声音所伴的腔调和姿势。

秦：照你这样分析，音乐的节奏似乎和语言中情感的节奏相仿佛，因为它也随情感起伏。

孟：这是旧乐理学家的看法。例如英国斯宾塞（Speneer）和法国格雷特里（Grétry）诸人都曾经主张音乐起于语言。自然语言的声调节奏略加变化，便成歌唱，乐器的音乐则为模仿歌唱的声调节奏所发展出来的，所以斯宾塞说："音乐是光彩化的语言。"德国大音乐家瓦格纳（Wagner）发挥这个主张，创"音乐表现情感"说，拿无文字意义的音乐和有文字意义的戏剧混合在一起，开近代"乐剧"的先河。但是这一派学说在现代已为多数乐理学家所摈弃，德国乐理学专家华拉歇克（Wallaschec）和斯徒夫（Stumpf）以及法国文艺心理学者德拉库瓦（Delacroix）诸人，都以为音乐和语言根本不同，音乐并不起于语言。音乐所用的音有一定的分量，它的音阶是断续的，每音与它的邻音以级数递升或递降,彼此成固定的比例。语言所用的音无一定的分量,从低音到高音一线连贯,在声带的可能性之内,我们可在这条线上取任何音来用,前音与后音不必成固定的比例。这是指音的高低,音的长短亦复如此。还不仅此,语言都有意义,了解语言就是了解它的意义;纯音乐都没有意义,欣赏音乐要偏重声音的形式的关系,如起承转合之类。总之,语言的节奏是直率的,常倾向变化;音乐的节奏是回旋的,常倾向整齐;语言的节奏没有规律,音乐的节奏有规律;语言的节奏是自然的,音乐的节奏是形式化的。

鲁:对不起,我看不出你这番分析语言节奏和音乐节奏的长篇大论和诗有什么关系。

孟:关系大得很。许多讨论音律的人们都隔靴搔痒,就因为没有抓住这两种节奏的重要分别。请问诸位,诗的节奏是哪一种节奏呢?

褚:诗还是一种语言,它的节奏自然就是语言的节奏。

秦:我看不然,语言无固定的规律,诗却有固定的规律。所以诗的节奏比较近于音乐的节奏。

孟:你们俩的话都对,诗的节奏是语言的节奏,也是音乐的节奏。

鲁:这话可有些神秘了。依你刚才的分析,语言的节奏是自然的,无规律的;音乐的节奏是形式化的,有规律的;它们本身是背道而驰的,如何能合在一起呢?

孟:"相反者之同一",像哲学家所说的。诗的难处在此,诗的妙处也在此。做诗和散文不同,散文须完全用语言的节奏,诗则于语言的节奏之外另加上音乐的节奏。所以褚先生的实质形式合一说可应用于散文,不可完全应用于诗。散文的形式是自然的,诗的形式却不全是自然的，有几分是人为的，外来的，习惯的，沿袭传统的。

褚：我还很怀疑你这番话。诗虽常沿用固有的形式，却不能为它所拘束。每个大诗人对于普通的形式都加以若干变化，好迁就他的特殊的情感。所以形式虽是人为的，传统的，在好诗里面却变成自然的，特创的。换句话说，诗虽用音律，却须保留语言的特性。

孟：你这话完全不错，不过不能推翻"诗的形式是人为的，传统的"这个基本原则。你的意思是说，诗的形式在整齐之中要有变化。你要知道，变化须从整齐出发。整齐是音乐的形式化的节奏，变化是语言的自然的节奏。无论如何，你没有方法把有音律诗中的形式化的节奏丢开，而且也绝不能把它看成自然的。你须得承认有音律诗在自然中有不自然，在变化中有规律，在创造中有沿袭，这就是说，在语言的节奏之外还有音乐的节奏。

秦：我完全同意你的主张。不过我还有一个疑问：诗的节奏须在歌诵时才可以见出。语言的节奏和音乐的节奏既不同，它们在歌诵中如何可以并行不悖呢？

褚：你问得非常好，我很可以趁这个机会证明诗的节奏同时是语言的也是音乐的。歌与诵不同。诗在原始时代都可歌唱，都必伴有乐调，所以歌词虽用语言，而语言的节奏则为音乐的节奏所掩。换句话说，歌诗几全用音乐的节奏而很少用语言的节奏，所以一个字在语言意义上原来虽不重要，而在伴乐歌唱时可以提得很高，拖得很长；一个字在语言意义上原来虽重要，而在伴乐歌唱时也可以降得很低，缩得很短。诗到近代已逐渐离开从前所伴的乐调而不复可歌唱，但仍须可诵。诗由歌的变为诵的，语言的节奏便逐渐占优势,但是音乐的节奏也并未完全消失。诵诗在西方已成为一种专门艺术。戏剧学校常把它列为必修功课。公众娱乐以及文人集会中常有诵诗一项节目。诵诗的难处和做诗的难处一样,一方面要保留音乐的形式化的节奏,一方面又要顾到语言的节奏,这就是说,要在呆板的规律之中流露活跃的生气。

秦:我还是不明白这种"相反者之同一"如何可以实现,请举一个实例来说吧。

孟:我不妨就我在欧洲所见到的来说。在法国方面,诵诗法以国家戏院所通用的为准。英国无国家戏院,"老维克"(Old Vic)戏院"莎士比亚班"诵诗剧的方法也是一个标准。此外私人团体诵诗的也很多。诗人蒙罗(Harold Monro)在世时(他死于一九三二年),每逢礼拜四晚,邀请英国诗人到他所开的"诗歌书店"里朗诵他们自己的诗。就我在这些地方所得的印象说,西方人诵诗的方法也不一律。粗略的说,剧场偏重语言的节奏,诗人们自己大半偏重音乐的节奏。有些诗人根本反对戏剧式的诵法。他们以为诗的音律功用在把实际生活联想催眠,造成一种一尘不染的心境,使我们能聚精会神地陶醉于诗的意象和音乐。语言的节奏则太现实,易引起实际生活联想。不过戏剧式的诵读也很流行,它的好处在能表情。有些人设法兼收"歌唱式"与"戏剧式",以调和语言和音乐的冲突。例如英文中:

To - mòrrow is our wèdding day.

——流行语言

这一句诗在流行语言中只有两个重音,如上文所标记的。但是就"轻重格"的规律说,它应该轻重相间,有四个重音,如下式:

To - mòrrow ìs our wèdding dày.

——固定形式

如此读法，则本来无须着重的音须勉强着重，语言的神情就不免失去了。但是如果完全依流行语言的节奏，则又失去音乐的节奏。一般诵诗者于是设法调和，读如下式：

To－mòrrow is our wèdding dày.

——折衷式

这就是在音乐的节奏中丢去一个重音（is），以求合于语言；在语言的节奏中加上一个重音（day），以求合于音乐。这样办，两种节奏就可并行不悖了。这只是就极粗浅的说。诵诗的技艺到精微处，往往有云行天空舒卷自如之妙，这就不可以求诸形迹，所谓"神而明之，存乎其人"了。

鲁：你所说的是外国诗，中文诗恐怕不能在音乐的节奏中保留语言的节奏吧？

孟：中国人对于诵诗向来不很讲究，所采的大半类似和尚念经的方法，往往人自为政，既不合语言的节奏，又不合音乐的节奏。不过就一般哼旧诗的方法说，音乐的节奏较重于语言的节奏。我们知道，中国诗一句常分几"逗"（即顿），这种"逗"有表示节奏的功用，如法文诗中的"顿"，英文诗中的"节"。"逗"的位置在习惯上有一定的，比如五言句通常分两"逗"，落在第二字与第五字，有时第四字亦稍顿。七言句通常分三"逗"，落在第二字、第四字与第七字，有时第六字亦稍顿。"逗"所表示的节奏大半是音乐的而不是语言的。例如"汉文皇帝有高台"，"文"字在义不宜顿而在音宜顿；"鸿雁不堪愁里听，云山况是客中过"，"堪"、"是"两虚字在义不宜顿而在音宜顿；"永夜角声悲自语，中天月色好谁看"，"悲"，"好"两字在语言的节奏宜长顿，"声"、"色"两字不宜顿。但在音乐的节奏中，"逗"不落在"悲"、"好"两字而反落在"声"、"色"两字。再如辛稼轩的《沁园春》：

杯汝前来，老子今朝，点检形骸。甚长年抱渴，咽如焦釜。于今喜眩，气似奔雷。　　汝说刘伶，古今达者，醉后何妨死便埋。浑如许，叹汝于知己，真少恩哉。

这首诗用对话体，很可以用语言的节奏念出来，但是原来的句读就应该改变。例如“杯汝前来”应读为“杯，——汝前来！”“老于今朝，检点形骸”应读为“老子今朝检点形骸”。“汝说刘伶，古今达者”应读为“汝说：‘刘伶古今达者。’”关于中国诗如何念法，我们还要仔细研究，我不敢说冒昧话，也许调和音乐的节奏和语言的节奏是一条出路。我这里所要证明的是：无论是外国诗或中国诗，除语言的自然的节奏之外，都有一个音乐的形式化的节奏。褚先生的“实质形式平行一致”说，只能适用于语言的节奏，不能适用于音乐的节奏。诗的音乐的节奏是外来的，习惯的，人为的，不是实质所绝对必需的——至少在近代诗是如此。

褚：音乐的节奏既非诗的实质所绝对必需的，然则它是怎样起来的呢？

孟：可能的解释很多。有人以为原始人类用有音律的语言来记载一切值得流传的经验学问，原为它便于记忆。但是我想最大的原因，是在原始时代诗歌、音乐、跳舞是一种混合的群众的艺术。因为诗歌与乐舞不分，它要迁就乐舞的节奏；因为它与乐舞是群众的艺术，固定的形式便于在合作时大家能一致。如果没有固定的音律，你想想看，这个人唱高，那个人唱低；这个人拉长，那个人缩短；不是要嘈杂纷嚷，闹得一塌糊涂么？现在人在团体合作一事时，例如农人踏水车，工人举重载，都合唱一种合规律的“呀，啊啊！”调子来调节工作的节奏，用力就一齐用力，松懈就一齐松懈。诗的音律起源，我想也不过是如此。诗歌现已独立，但仍保留许多应和乐舞的痕迹，例如重叠、和声、衬字、用韵、整齐的句法章法等等。我们可以说，诗的形式大部分是沿袭传统的，不是每个诗人根据他的某一时会特殊的情趣所凭空制造出来的。我最不相信“诗是自然流露”的话。如果诗是自然流露，我们要找真正自然流露的诗，一定要到民歌里去找。但是就形式说，民歌也有它的传统的技巧，也很富于守旧性。它也常填塞不必要的字句来凑数，也常用在意义上不恰当的字来趁韵，也常模仿已往的民歌的格式。这就是说，民歌的形式也还是现成的，外在的，沿袭传统的，不是自然流露的结果。我想没有更好的证据，可以证明褚先生的“实质形式平行一致”说不能应用于诗了。

褚：依你那么说，诗的形式变成像盲肠一类的东西了。现在诗既不应和乐舞，又不是群众的艺术，我们是否可以像割盲肠似的把诗的形式割去呢？

孟：中音律的毒而害盲肠炎的诗人也并不少，对于他们施割的手术也许是一种救济。关于诗的音律问题，我们正可不必武断，要尊重历史的事实。诗的疆域日渐剥削，散文的疆域日渐扩大，这是一件不容否认的历史的事实。荷马用史诗体裁写的东西，索福克勒斯和莎士比亚用悲剧体裁写的东西，现代人都用散文小说写；阿里斯托芬和莫里哀用有音律的喜剧形式写的东西，现代人用散文戏剧写；甚至于从前人用抒情诗写的东西，现代人用散文小品文写。我们现在还有人用诗的形式来写信么？来做批评论文么？我可以数出许多希腊罗马和假古典时代学者，用诗写信，用诗做批评论文。我想徐志摩如果生在六朝，他一定用赋的体裁写《浓得化不开》和《死城》；周作人如果生在另一个时代，也许《雨天的书》变成类似《范石湖诗集》的作品。摩越教授说，一个作家采用诗或散文来表现他的情感思想，大半取决于当时风尚。他以为在我们这个时代，爱好小说是健康的趣味，爱好诗是有几分不健康的趣味。我很赞成他的话。

秦:你如果要提倡废除诗的形式,我可要提出抗议。诗的形式纵然是沿袭传统的,它流传到现在,自然有它的好处。艺术的基本原则是“寓变化于整齐”。诗的音律好处就在给你一个整齐的东西做基础,可以让你变化。散文入手就是变化,变来变去,仍不过是那一种一盘散沙。诗有格律可变化多端,所以诗的形式实在比散文的更繁富。就作者说,迁就已成规律是一种困难,但是战胜技巧上的困难是艺术创造的乐事。同时,像许多诗学家所说的,这种带有困难性的音律,可以节制蛮野的情感和想像,使它们不至一放不可收拾。就读者说,规律可以在心中产生预期。比如读一首平仄相间的律诗,读到平时不知不觉地预期仄的复返,读到仄时又不知不觉地预期平的复返。预期不断地产生,不断地证实,所以发生“恰如所料”的快慰。自然,整齐中也要有变化,有变化时预期不中所引起的惊讶也不可少,它不但可以破除单调,还可以提醒注意力。音律本身伴有一种美感,所以它有存在的价值。

褚:我们见到的音律的功用还不仅此。它还能够把实用的联想“催眠”,使我们聚精会神地观照纯意象。许多悲惨、淫秽或丑陋的材料,用散文写,仍不失其为悲惨、淫秽或丑陋,用诗写,就多少可以把它们美化。比如母亲杀儿子,妻子杀丈夫,女儿逐父亲和儿子娶母亲之类的故事,在实际生活中很容易引起痛恨和嫌恶,但是希腊悲剧和莎士比亚的悲剧中,它们居然成为极庄严灿烂的艺术的意象,就因为它们披上诗的形式,不致使人看成现实,以实用的态度对付它们。《西厢记》、《花间集》、《清真词》里有许多淫词,读者往往忘其为淫,就因为注意力被引到美妙的意象与和谐的声音方面去了。用美学术语来说,音律是一种制造“距离”的工具,把平凡粗陋的现实提高到理想世界。

孟:诸位的话都很对,如果时间允许,我还可以引许多前人赞美音律的话来补充,不过这大可不必。平心而论,我也很舍不得丢开诗的形式。

依我看,诗和语言的关系最密切,语言是生生不息的,却亦非无中生有。语言的文法常在变迁,我们不能否认;但是每种变迁都从一个固定的基础出发。诗的形式应该和语言的文法一样看待。它们原来都是习惯,却也都是做进化出发点的习惯。诗的形式在各国固然都有一些固定的模型,但是这些模型却也随时随地在变迁。每个诗人似乎都宜于在习惯已养成的范围之内,顺着情感的自然需要而加以伸缩。如果我们略研究诗的形式变迁史,也可以看出这是已往历史所走的一条大道。比如在中国,由四言而五言,由五言而七言;由诗而骚,而赋,而词,而曲;由古而律,后一阶段都不同前一阶段,但仍有几分是沿袭前一阶段。所以我主张诗的形式应随时变迁,却也不赞成完全抛弃传统。我相信真正的诗人都能做到"从心所欲,不逾矩"的功夫。

鲁:你刚才提起散文侵略诗的疆域,如果它不退兵,恐怕将来会把诗的国度整个的吞并下去吧?那么,我们对于诗的音律的留恋也就要遭打击了。

孟:我们是现代人,说现代话,谁知道将来?你我都不是预言家,现在已经谈到唇焦舌敝了,将来的事让将来的人去理会吧!

一九三二年

后记

《诗论》自一九四七年以后，一直没有单独印行。去年，三联书店建议我将《诗论》重版，对他们的盛意我十分感谢。

在我过去的写作中，自认为用功较多，比较有点独到见解的，还是这本《诗论》。我在这里试图用西方诗论来解释中国古典诗歌，用中国诗论来印证西方诗论；对中国诗的音律、为什么后来走上律诗的道路，也作了探索分析。

这次准备重版的过程中，在朋友们的帮助下，发现了几篇我在三十年代中期写的、早已忘记的文章，我将其中两篇：《中西诗在情趣上的比较》和《替诗的音律辩护》增补了进去，分别附于相应章节之后。对过去版本中的一些文字讹错，承张隆溪同志帮助，也一一做了订正。

对朋友们的热心帮助，在此，我一并表示衷心的感谢。

朱光潜

一九八四年四月二十一日

文藝心理學

朱光潜 著

漓江出版社

图书在版编目(CIP)数据

文艺心理学/朱光潜 著.—桂林:漓江出版社, 2012.4(2018.5 重印)
ISBN 978-7-5407-5302-3

Ⅰ.①文… Ⅱ.①朱… Ⅲ.①文艺心理学 Ⅳ.①I0-05

中国版本图书馆 CIP 数据核字(2011)第 168011 号

责任编辑:厍文妍
封面设计:李　佳

出版人:刘迪才
漓江出版社出版发行
广西桂林市南环路 22 号　邮政编码:541002
网址:http://www.lijiangbook.com
全国新华书店经销
销售热线:0773-2583322

山东德州新华印务有限责任公司印刷
(山东省德州市经济开发区晶华大道 2306 号　邮政编码:253000)
开本:650mm×960mm　1/16
印张:21　字数:250 千字
2012 年 4 月第 2 版　2018 年 5 月第 2 次印刷
定价:48.80 元

作者自白

这是一部研究文艺理论的书籍。我对于它的名称,曾费一番踌躇。它可以叫做《美学》,因为它所讨论的问题通常都属于美学范围。美学是从哲学分支出来的,以往的美学家大半心中先存有一种哲学系统,以它为根据,演绎出一些美学原理来。本书所采的是另一种方法。它丢开一切哲学的成见,把文艺的创造和欣赏当作心理的事实去研究,从事实中归纳得一些可适用于文艺批评的原理。它的对象是文艺的创造和欣赏,它的观点大致是心理学的,所以我不用《美学》的名目,把它叫做《文艺心理学》。这两个名称在现代都有人用过,分别也并不很大,我们可以说,"文艺心理学"是从心理学观点研究出来的"美学"。

这部书还是我在外国当学生时代写成的。原来预备早发表,所以朱佩弦先生(朱自清,字佩弦——编者注)的序还是 1932 年在伦敦写成的。后来自己觉得有些地方还待修改,一搁就搁下了四年。在这四年中我拿它做讲义在清华大学讲过一年,今年又在北京大学的《诗论》课程里择要讲了一遍。每次讲演,我都把原稿更改过一次。只就分量说,现在的稿子较四年前请朱佩弦先生看过的原稿已超过三分之一。第六、七、八、十、十一诸章都完全是新添的。

在这新添的五章中，我对于美学的意见和四年前写初稿时的相比，经过一个很重要的变迁。从前，我受从康德到克罗齐一线相传的形式派美学的束缚，以为美感经验纯粹地是形象的直觉，在聚精会神中我们观赏一个孤立绝缘的意象，不旁迁他涉，所以抽象的思考、联想、道德观念等等都是美感范围以外的事。现在，我觉察人生是有机体；科学的、伦理的和美感的种种活动在理论上虽可分辨，在事实上却不可分割开来，使彼此互相绝缘。因此，我根本反对克罗齐派形式美学所根据的机械观和所用的抽象的分析法。这种态度的变迁我在第十一章——《克罗齐派美学的批评》——里说得很清楚。我两次更改初稿，都以这个怀疑形式派的态度去纠正从前尾随形式派所发的议论。我对于形式派美学并不敢说推倒，它所肯定的原理有许多是不可磨灭的。它的毛病在太偏，我对于它的贡献只是一种“补苴罅漏”。做学问持成见最误事。有意要调和折衷，和有意要偏，同样地是持成见。我本来不是有意要调和折衷，但是终于走到调和折衷的路上去，这也许是我过于谨慎，不敢轻信片面学说和片面事实的结果。

现在一般人对于研究文艺理论，似乎还存有一种不应有的轻视。创作者说：“我没有你那些文艺理论，还是能创作；你有了那些文艺理论，还是不能创作。”欣赏者说：“文艺的美妙和神秘是不能用科学方法分析的，你把它加以科学方法的分析，结果是使‘七宝楼台，拆碎不成片段’。”这些话固然都“持之有故，言之成理”，但是研究文艺理论者并不必因此而消灭他的生存权。他可以作如下的辩护：

一切事物都有研究的价值。科学并不把世间事物划为“应研究的”和“不应研究的”两种。除非是自甘愚昧,除非是强旁人跟着他自甘愚昧,文艺创作者和欣赏者没有理由非薄旁人对于文艺做科学的活动,这就是说,根据创作和欣赏的事实,寻求关于文艺的原理。

一个人研究一种学问,原因不外两种:一种是那种学问对于他有直接的实用,像儿童心理学对于教育家;一种是它虽没有直接的实用,而它的问题却易引起好奇心,人要研究它,好比小孩子们要钻进迷径里去寻出路,只因为这事本身有趣。关于文艺理论的研究,我们纵退一步承认它对于创作和欣赏无实用,也不能就因此把它一笔勾销。它既有问题,就能刺激好奇心,就能引起研究的兴趣。

何况文艺理论的研究,对于创作和欣赏并非毫无实用哩!先就创作说,“眼高”固然有“手低”的,“眼低”而“手高”的似乎并不多见。文艺到现代大致已离开“自然流露”而进到“有意刻画”的阶段,这就是说,它已经变成有“自意识”的活动了。每个艺术家迟早都不免要思量到内容与形式、艺术与人生、写意与写实种种问题上去。他个人在实际经验中所体验得来的,像达·芬奇的《画论》、歌德和爱克曼的《谈话录》、罗丹的《艺术论》、福楼拜的《书信集》之类,固然十分可宝贵;但是每个艺术家不一定都有工夫和兴趣,尤其不一定都有冷静的分析力,去作理论的建设。如果他稍稍留心治文艺理论者所得的结果,也许对于平常自己所思量的问题不至持褊狭的甚至于错误的见解。在文艺方面,错误的见解流弊之大,并不亚于低劣的手腕。

说到欣赏,文艺理论的研究简直是不可少的。既云欣赏,就不能不明白“价值”的标准和艺术的本质。如果你没有决定怎样才是美，你就没有理由说这幅画比那幅画美；如果你没有明白艺术的本质，你就没有理由说这件作品是艺术，那件作品不是艺术。世间固然也有许多不研究美学而批评文艺的人们，但是他们好像水手说天文，看护妇说医药，全凭粗疏的经验，没有严密的有系统的学理做根据。我并不敢忽视粗疏的经验，但是我敢说它不够用，而且有时还误事。

趁这个机会，我不妨略说个人的经验。从前我绝没有梦想到我有一天会走到美学的路上去。我前后在几个大学里做过十四年的学生，学过许多不相干的功课，解剖过鲨鱼，制造过染色切片，读过建筑史，学过符号名学，用过熏烟鼓和电气反应表测验心理反应，可是我从来没有上过一次美学课。我原来的兴趣中心第一是文学，其次是心理学，第三是哲学。因为欢喜文学，我被逼到研究批评的标准、艺术与人生、艺术与自然、内容与形式、语文与思想诸问题；因为欢喜心理学，我被逼到研究想象与情感的关系、创造和欣赏的心理活动以及趣味上的个别的差异；因为欢喜哲学，我被逼到研究康德、黑格尔和克罗齐诸人讨论美学的著作。这么一来，美学便成为我所欢喜的几种学问的联络线索了。我现在相信：研究文学、艺术、心理学和哲学的人们如果忽略美学，那是一个很大的欠缺。

本书附载《近代实验美学》三篇，略述近代心理学家做美学实验所走的路径、所用的方法和所得的结果。这些都是枯燥的事实，但是我相信科学家最重要的训练是学会看重枯燥的事实，和在枯燥的事实中寻出趣味，所以这三篇对于文艺心理学者或许不无裨补。

本书泛论文艺，我另外写了一部《诗论》，应用本书的基本原理去讨论诗的问题，同时，对于中国诗作一种学理的研究。

这部书的完成靠许多朋友的帮助。第一是朱佩弦先生，他在欧洲旅途匆忙中替我仔细看过原稿，做了序，还给我许多谨慎的批评。第六章《美感与联想》就是因为他对于原稿不满意而改作的。其次是夏丏尊先生，他在这个书业不景气的年头，让这部比较专门的书有出版的机会。最后是内子今吾，她在本书起稿时给我许多鼓励，稿成后又辛辛苦苦地一再校正错误。趁这个机会，我向他们表示感谢。

一九三六年春天在北平

再版附记

这部书印行之后，承许多读者给以好评，有些学校哲学系和艺术系专修科已采用它为课本。这些鼓励引起我让它出再版的意思。第一版中有错字20余，已承北京大学同学刘禹昌君替我勘正。常风君劝我加上一个参考书目录，使有志作进一步研究的人们有途径可寻。我原有一个很详细的书目，怕它占篇幅太多，所以没有付印。读者既然觉得这是本书的一个缺陷，我所以趁再版的机会设法来弥补它。现在附加的书目力求简要，因为书开得太多了，徒眩读者的心目，反而阻碍进一步研究的企图。

一九三七年二月北平慈慧殿

目 录

第一章　美感经验的分析（一）

——形象的直觉

近代美学所侧重的问题是："在美感经验中你们的心理活动是什么样？"至于一般人所喜欢问的"什么样的事物才能算是美"的问题还在其次。这第二个问题也并非不重要，不过要解决它，必先解决第一个问题：因为事物能引起美感经验才能算是美，我们必先知道怎样的经验是美感的，然后才能决定怎样的事物所引起的经验是美感的。

什么叫做美感经验呢？这就是我们在欣赏自然美或艺术美时的心理活动。比如在风和日暖的时节，眼前尽是娇红嫩绿，你对着这灿烂浓郁的世界，心旷神怡，忘怀一切，时而觉得某一株花在向阳带笑，时而注意到某一个鸟的歌声特别清脆，心中恍然如有所悟。有时夕阳还未西下，你躺在海滨一个崖石上，看着海面上金黄色的落晖被微风荡漾成无数细鳞，在那里悠悠蠕动。对面的青山在蜿蜒起伏，仿佛也和你一样在领略晚兴。一阵凉风掠过，你才猛然从梦境惊醒。"万物静观皆自得，四时佳兴与人同。"你只要有闲工夫，竹韵、松涛、虫声、鸟语、无垠的沙漠、飘忽的雷电风雨，甚至于断垣破屋，本来呆板的静物，都能变成赏心悦目的对象。不仅是自然造化，人的工作也可发生同样的快感。有时你整日为俗事奔走,偶然间偷得一刻余闲,翻翻名画家的册页,或是在案头抽出一卷诗、一部小说或是一本戏曲来消遣,一转瞬间你就跟着作者到另一世界里去。你陪着王维领略"兴阑啼鸟散,坐久落花多"的滋味。武松过冈杀虎时,你提心吊胆地挂念他的结局;他成功了,你也和他感到同样的快慰。秦舞阳见秦始皇变色时,你心里和荆轲一样焦急;秦始皇绕柱而走时,你心里又和他一样失望。人世的悲欢得失都是一场热闹戏。

这些境界,或得诸自然,或来自艺术,种类千差万别,都是"美感经验"。美学的最大任务就在分析这种美感经验。要知道近代美学对于此种分析所得的结论,我们不能不把美学和哲学的渊源指点出来。

美学是从哲学分支出来的。从休谟(Hume 1711—1776)、康德(Kant 1724—1804)一直到现在,近代哲学都偏重知识论。知识论的根本问题就是:我们如何知道宇宙事物的存在?这个问题引起近代哲学家特别注意到以心知物时的心理活动。比如说我们知道这张桌子,"知"的方式是否只有一种呢?据近代哲学家的分析,对于同一事物,我们可以用三种不同的"知"的方式去知它。最简单最原始的"知"是直觉(intuition),其次是知觉(perception),最后是概念(conception)。拿桌子为例来说。假如一个初出世的小孩子第一次睁眼去看世界,就看到这张桌子,他不能算是没有"知"它。不过他所知道的和成人所知道的绝不相同。桌子对于他只是一种很混沌的形象(form),不能有什么意义(meaning),因为它不能唤起任何由经验得来的联想。这种见形象而不见意义的"知"就是"直觉"。假如这个小孩子在看到桌子时同时看到他的父亲伏在桌上写字,或是听到人提起"桌子"的名称,到第二次他看见这张桌子时，他就会联想到他的父亲写字或是“桌子”这个名称，桌子对于他于是就有意义了，它是与父亲写字和“桌子”字音有关系的东西。这种由形象而知意义的知就是通常所谓“知觉”。在知觉的阶段，意义不能离开形象，知的对象还是具体的个别的事物。假如这个小孩子逐渐长大，看到的桌子逐渐多，其中有圆的，有方的，有黄色的，有黑色的，有木制的，有石制的，有供写字用的，有供开饭用的，形形色色不同，但是因为同具桌子所必有的要素，它们统叫做“桌子”。此时小孩子不免常把一切桌子所同具的要素悬在心目中想，这就是说，离开个别的桌子的形象而抽象地想到桌子的意义。做到这一步，他对于桌子就算是有一个“概念”了。概念就是超形象而知意义的知，它是经验的总结账，知的成熟，科学的基础。

在理论上，这三种知的发展过程，直觉先于知觉，知觉先于概念。但是在实际经验中它们常不易分开。知觉绝不能离直觉而存在，因为我们必先觉察到一件事物的形象，然后才能知道它的意义。概念也绝不能离知觉而存在，因为对于全体属性的知必须根据对于个别事例的知。反过来说，知觉也不能离概念而存在，因为知觉是根据以往经验去解释目前事实，而以往经验大半取概念的形式存在心中。比如说“这是一张桌子”时，我们是在知觉桌子，同时也是在用概念，因为“桌子”是全类事物的共名，就是一个概念。因此近代哲学家常否认知觉和概念可分割开来。现代意大利美学家克罗齐(Croce)在他的《美学》里开章明义就说：“知识有两种，一是直觉的(intuitive)，一是名理的(logical)。”他所谓“名理的知识”就兼指知觉与概念。

据以上的分析，知的方式根本只有两种：直觉的和名理的。这个分别极重要，我们必先明白这个分别然后才能谈美感经验的特征。像克罗齐所说的，直觉的知识是“对于个别事物的知识”(knowledge of individual things)，名理的知识是“对于诸个别事物之间的关系的知识”(knowledge of the relations between them)。一切名理的知识都可以归纳到“A为B”的公式。比如说“这是一张桌子”，“玫瑰是一种花”，“直线是两点之间最短的距离”。这个“A为B”公式中B必定是一个概念，认识“A为B”就是知觉A，就是把一个事物“A”归纳到一个概念“B”里去。看见A而不能说它是某某，就是对于A没有名理的或科学的知识。就名理的知识而言，A自身无意义，它必须因与B有关系而得意义。我们在寻常知觉或思考中，绝不能在A本身上站住，必须把A当着一个踏脚石，跳到与A有关系的事物上去。直觉的知识则不然。我们直觉A时，就把全副心神注在A本身上面，不旁迁他涉，不管它为某某。A在心中只是一个无沾无碍的独立自足的意象(image)。A如果代表玫瑰，它在心中就只是一朵玫瑰的图形。如果联想到“玫瑰是木本花”，就失其为直觉了。这种独立自足的意象或图形就是我们所说的“形象”。

直觉与名理的知识有别，如上所述。从康德以来，哲学家大半把研究名理的一部分哲学划为名学和知识论，把研究直觉的一部分划为美学。严格地说，美学还是一种知识论。“美学”在西文原为aesthetic，这个名词译为“美学”还不如译为“直觉学”，因为中文“美”字是指事物的一种特质，而aesthetic在西文中指心知物的一种最单纯最原始的活动，其意义与intuitive极相近。本书为便利了解起见，仍沿用“美学”这个译名，不过读者须先明白本书所谓“美感的”，和“直觉的”意义相近。“美感的经验”就是直觉的经验，直觉的对象是上文所说的“形象”，所以“美感经验”可以说是“形象的直觉”。这个定义已隐寓在 aesthetic 这个名词里面。它是从康德以来美学家所公认的一条基本原则,我们现在把它详加解说。

就上文所引的美感经验实例看,无论是艺术或是自然,如果一件事物叫你觉得美,它一定能在你心眼中现出一种具体的境界,或是一幅新鲜的图画,而这种境界或图画必定在霎时中霸占住你的意识全部,使你聚精会神地观赏它,领略它,以至于把它以外一切事物都暂时忘却。这种经验就是形象的直觉。形象是直觉的对象,属于物;直觉是心知物的活动,属于我。在美感经验中心所以接物者只是直觉,物所以呈现于心者只是形象。心知物的活动除直觉以外,我们前已说过,还有知觉和概念。物可以呈现于心者除形象以外,还有许多与它相关的事项,如实质、成因、效用、价值等等。在美感经验中,心所以接物者只是直觉而不是知觉和概念;物所以呈现于心者是它的形象本身,而不是与它有关系的事项,如实质、成因、效用、价值等等意义。

这番话很抽象,现在举一个实例来说明。比如说你在看一棵梅花。同是一棵梅花,可以引起三种不同的态度。看到梅花,你就想到它的名称,在植物分类学中属于某一门某一类,它的形状有哪些特征,它的生长需要哪些条件,经过哪些阶段,这里你所取的是科学的态度。其次,看到梅花,你就想起它有什么实用,值多少钱,想拿它来做买卖或是赠送亲友,这里你所取的是实用的态度。科学的态度只注重梅花的实质、特征和成因;除开实质、特征和成因,梅花对于科学家便无意义。实用的态度只注重梅花的效用,除开效用,梅花对于实用人便无意义,但是梅花除了实质、特征、成因、效用等等以外,是否还有什么呢?换句话说,假如你不认识梅花,对于它没有丝毫的知识,不知道它的名称、特征、效用等等,你能否还看见什么呢？你当然还可以看见叫做“梅花”的那么一种东西在那里，这就是说，你还可以看见梅花本来的形象。在实际上我们认识梅花太熟了，知道它和其他事物的关系太多了，一看见它就不免引起许多关于它的联想，就想到它的实质、特征、效用等等，以至于把它的本来形象都完全忘掉或忽略过去了。通常我们对于一件事物，经验愈多，知识愈丰富，联想也就愈复杂，如果要丢开它的一切关系和意义，也就愈困难。老子说：“为学日益，为道日损。”这句话很可以应用到美感经验上去。学是经验知识，道是直觉形象本身的可能性。对于一件事物所知的愈多，愈不易专注在它的形象本身，愈难直觉它，愈难引起真正纯粹的美感。美感的态度就是损学而益道的态度。比如见到梅花，把它和其他事物的关系一刀截断，把它的联想和意义一齐忘去，使它只剩一个赤裸裸的孤立绝缘的形象存在那里，无所为而为地去观照它，赏玩它，这就是美感的态度了。在科学态度中，梅花因与其他事物有关系而得意义；在实用态度中，梅花因其可效用于人而生价值。在美感态度中它除去与其他事物有关系以及可效用于人两点之外，自有意义，自有价值，梅花对于科学家和实用人都倚赖旁的事物而得价值，所以它的价值是“外在的”(extrinsic)，对于审美者则独立自足，别无倚赖，所以它的价值是“内在的”(intrinsic)。

从心理学观点看，刺激、知觉、反应三者是一气贯串的。刺激是知觉的成因，知觉是反应动作的预备，一般知觉都含有实用性。宇宙中事事物物本来都是零乱复杂。从微生物的观点看，世界只是一团混沌，除了某者为营养、某者为灾害一个分别之外，它不觉得四围事物别有什么精微的意义。如果生物全像微生物那样简单，许多分别都决不会存在。人体组织较复杂，需要较多，适应环境的方法也较周详。为便利实用起见，人逐渐根据经验把四围的事物分类立名，说天天吃的东西叫做“饭”，天天穿的东西叫做“衣”，某种感觉叫做“红”，某种形体叫做“大”，于是事物才有所谓“意义”。“意义”本来大半都起于实用。在许多人看，衣服除了是穿的，饭除了是吃的以外，就别无意义。所谓“知觉”就是感官接触某种事物时，心里明白它的意义。明白它的意义，其实就是明白它的效用。一旦明白了它的效用，就可以对它起适用的反应动作。

就这种意义说，一般动物都可以说是有“知觉”。猫见着鼠，知道它是可吃的；鼠见着猫，知道它是吃鼠的；于是一个追捕，一个逃遁。人对于外物的态度也有若干类似，不过有一个重要的异点。动物知觉事物时立刻就依本能的冲动，发为反应动作。从刺激到知觉，从知觉到反应动作，都是直率仓皇的，中间不容有片刻的停顿。人却有反省的本领。所谓反省，就是把所知觉的事物悬在心眼里，当作一幅图画来观照。人能反省，所以能镇压住本能的冲动，在从知觉到反应的悬崖上勒缰驻马，去玩索心所知的物和物所感的心。这副反省的本领是人类文化的发轫点，科学、哲学、宗教、艺术、政治等等都是从这副本领出来的。这副反省的本领用之于实用方面则为“谋定而后动”，用之于科学方面则为冷静的思考，用之于美感的方面则为康德所说的“无所为而为的观赏”(disinterested contemplation)。

在美感的态度中，我们也是在从知觉到反应动作的悬崖上勒缰驻马，把事物摆在心目中当作一幅图画去玩索。不过审美者的目的不像实用人，不去盘问效用，所以心中没有意志和欲念；也不像科学家，不去寻求事物的关系条理，所以心中没有概念和思考。他只是在观赏事物的形象。唯其偏重形象，所以不管事物是否实在,美感的境界往往是梦境,是幻境。把流云看成白衣苍狗,就科学的态度说,为错觉;就实用的态度说,为妄诞荒唐;而就美感的态度说,则不失其为形象的直觉。

美感经验是一种极端的聚精会神的心理状态。全部精神都聚会在一个对象上面,所以该意象就成为一个独立自足的世界,这个道理德国心理学家闵斯特堡(Munsterberg)在他的《艺术教育原理》里发挥得最透辟,现在引一段来印证:

> 如果你想知道事物本身,只有一个方法,你必须把那件事物和其他一切事物分开,使你的意识完全为这一个单独的感觉所占住,不留丝毫余地让其他事物可以同时站在它的旁边。如果你能做到这步,结果是无可疑的:就事物说,那是完全孤立;就自我说,那是完全安息在该事物上面,这就是对于该事物完全心满意足,总之,就是美的欣赏。

有人说,“艺术要摆脱一切然后才能获得一切”。艺术所摆脱的是日常繁复错杂的实用世界,它所获得的是单纯的意象世界。意象世界尽管是实用世界的回光返照,却没有实用世界的牵绊,它是独立自足,别无依赖的。比如一个画家在聚精会神地欣赏一棵古松,那棵古松对于他便成为一个独立自足的世界。在观赏的一刹那中,他忘却这棵古松之外还另有一个世界。目前意象世界仿佛是一种梦境,如果另外世界的事物闯进意识中来,便不免使他从梦境中惊醒了。比如在观赏古松时,如果他猛然想到它可以避风息凉或是造桥架屋,这一念之动中他就搬了一回家,跑回到实用世界中去了。不但如此，在凝神观照时，古松的是非真假也被置于度外，心里决无暇想到图画中的古松和山上长的古松有虚实的分别。作为美感对象时，无论是画中的古松或是山上的古松，都只是一种完整而单纯的意象。真实虚伪的肯定或否认，如“此松是实的”，“此松是假想的”之类，仍属于名理的知识，它的对象是关系条理而不是形象本身。意象的孤立绝缘是美感经验的特征。在观赏的一刹那中，观赏者的意识只被一个完整而单纯的意象占住，微尘对于他便是大千；他忘记时光的飞驰，刹那对于他便是终古。

“用志不纷，乃凝于神。”美感经验就是凝神的境界。在凝神的境界中，我们不但忘去欣赏对象以外的世界，并且忘记我们自己的存在。纯粹的直觉中都没有自觉，自觉起于物与我的区分，忘记这种区分才能达到凝神的境界。我们在上文把美感经验中的我和物分开来说，只是为解释便当起见，其实美感经验的特征就在物我两忘，我们只有在注意不专一的时候，才能很鲜明地察觉我和物是两件事。如果心中只有一个意象，我们便不觉得我是我，物是物，把整个的心灵寄托在那个孤立绝缘的意象上，于是我和物便打成一气了。关于这一点，叔本华在他的《意志世界与意象世界》卷三里说过下面一段很透辟的话：

> 如果一个人凭心的力量，丢开寻常看待事物的方法，不受充足理由律（the law of sufficient reason）的控制去推求诸事物中的关系条理，——这种推求的最后目的总不免再效用于意志，——如果他能这样地不理会事物的“何地”“何时”“何故”以及“何自来”（where，when，why，whence），只专心观照“何”（what）的本身；如果他不让抽

> 象的思考和理智的概念去盘踞意识，把全副精神专注在所觉物上面，把自己沉没在这所觉物里面，让全部意识之中只有对于风景、树林、山岳或是房屋之类的目前事物的恬静观照，使他自己“失落”在这事物里面，忘去他自己的个性和意志，专过“纯粹自我”（pure subject）的生活，成为该事物的明镜，好像只有它在那里，并没有人在知觉它，好像他不把知觉者和所觉物分开，以至二者融为一体，全部意识和一个具体的图画（即意象——引者）恰相叠合；如果事物这样地和它本身以外的一切关系绝缘，而同时自我也和自己的意志绝缘——那么，所觉物便非某某物而是“意象”（idea）或恒古长存的形象，……而沉没在这所觉物之中的人也不复是某某人（因为他已把自己“失落”在这所觉物里面）而是一个无意志，无痛苦，无时间的纯粹的知识主宰（pure subject of knowledge）了。

叔本华以为人生大患在有我，我的主宰为意志。人人都是他自己的意志的奴隶，有意志于是有追求挣扎，有追求挣扎于是有悲苦烦恼。在欣赏文艺时我们暂时忘却自我，摆脱意志的束缚，由意志世界移到意象世界，所以文艺对于人生是一种解脱。

物我两忘的结果是物我同一。观赏者在兴高采烈之际，无暇区别物我，于是我的生命和物的生命往复交流，在无意之中我以我的性格灌输到物，同时也把物的姿态吸收于我。比如观赏一棵古松，玩味到聚精会神的时候，我们常不知不觉地把自己心中的清风亮节的气概移注到松，同时又把松的苍劲的姿态吸收于我，于是古松俨然变成一个人，人也俨然变成一棵古松。总而言之，在美感经验中，我和物的界限完全消灭，我没入大自然，大自然也没入我，我和大自然打成一气，在一块生展，在一块震颤。

美感经验就是形象的直觉。这里所谓“形象”并非天生自在一成不变的，在那里让我们用直觉去领会它，像一块石头在地上让人一伸手即拾起似的。它是观赏者的性格和情趣的返照。观赏者的性格和情趣随人随时随地不同，直觉所得的形象也因而千变万化。比如古松长在园里，看来虽似一件东西，所现的形象却随人随时随地而异。我眼中所见到的古松和你眼中所见到的不同，和另一个人所见到的又不同。所以那棵古松就呈现形象说，并不是一件唯一无二的固定的东西。我们各个人所直觉到的并不是一棵固定的古松，而是它所现的形象。这个形象一半是古松所呈现的，也有一半本是观赏者当时的性格和情趣而外射出去的。明白这层道理，我们就可以明白直觉与形象是相因为用的。我们在上文说“直觉属于我，形象属于物”，原是一种粗浅的说法。严格地说，直觉除形象之外别无所见，形象除直觉之外也别无其他心理活动可见出。有形象必有直觉，有直觉也必有形象。直觉是突然间心里见到一个形象或意象，其实就是创造，形象便是创造成的艺术。因此，我们说美感经验是形象的直觉，就无异于说它是艺术的创造。

作者补注：西文中的 aesthetic，在我早期的论著中，都译作“美感”，后来改译为“审美”。后者较妥。丑，也属于审美范畴。本章谈到的“知识论”，即现在较通用的“认识论”。

一九八一年七月读校样时写

第二章 美感经验的分析(二)

——心理的距离

一

美感起于形象的直觉,不带实用目的,既如前述,现在我们可以讨论从这个原理产生出来的一个很重要的学说。一般人站在实用世界里面,专心去满足实际生活的需要,忘记这个世界是可以当作一幅图画供人欣赏的。在美感经验中,我们所对付的也还是这个世界,不过自己跳脱实用的圈套,把世界摆在一种距离以外去看。阿尔卑斯山谷里的一条汽车路上风景极好,路旁插着一个标语牌劝告游人说:“慢慢走,欣赏啊!”一般人在这车如流水马如龙的世界里,都像阿尔卑斯山下的汽车,趁着平路拼命向前跑;不过也有些比较幸运的人们偶尔能听“慢慢走”的劝告,驻脚流连一会儿,来欣赏阿尔卑斯山的奇景。在这一驻脚之间,他对于阿尔卑斯山的态度就已完全变过,他原来只把它当作一个很好的开汽车兜风的地方,现在却把它推远一点当作一幅画来看。

英国心理学家布洛(Bullough)仔细研究过这个道理,推演了一条原则出来,叫做“心理的距离”(psychical distance),这个原则不仅把从前关于美感经验的学说都包括无余，而且对于文艺批评也寻出个很适用的标准，我们现在把它详细介绍出来。

什么叫做“心理的距离”呢？我们最好举一个实例来说明。

比如说海上的雾。乘船的人们在海上遇着大雾，是一件最不畅快的事。呼吸不灵便，路程被耽搁，固不用说；听到若远若近的邻船的警钟，水手们手慌脚乱地走动，以及船上的乘客们的喧嚷，时时令人觉得仿佛有大难临头似的，尤其使人心焦气闷。船像不死不活地在驶行，茫无边际的世界中没有一块可以暂时避难的干土，一切都任不可知的命运去摆布，在这种情境中最有修养的人也只能做到镇定的程度。但是换一个观点来看，海雾却是一种绝美的景致。你暂且不去想到它耽误了程期，不去想到实际上的不舒畅和危险，你姑且聚精会神地去看它这种现象，看这幅轻烟似的薄纱，笼罩着这平谧如镜的海水，许多远山和飞鸟被它盖上一层面网，都现出梦境的依稀隐约，它把天和海联成一气，你仿佛伸一只手就可握住在天上浮游的仙子。你的四围全是广阔、沉寂、秘奥和雄伟，你见不到人世的鸡犬和烟火。你究竟在人间还是在天上，也有些犹豫不易决定。这不是一种极愉快的经验么？

这两种经验的分别完全起于观点的不同。在前一种经验中，海雾是实用世界中的一片段，它和你的知觉、情感、希望以及一切实际生活需要都连瓜带葛地固结在一块，成了你的工具或是你的障碍。你的全部实际生活逼得你不得不畏危险，逼得你不得不求平安，所以你不得不讨厌这耽误程期带危险性的海雾。换句话说，你和海雾的关系太密切了，距离太接近了，所以不能用“处之泰然”的态度去欣赏它。在后一种经验中，你把海雾摆在实用世界以外去看，使它和你的实际生活中间存有一种适当的“距离”，所以你能不为忧患休戚的念头所扰，一味用客观的态度去欣赏它。这就是美感的态度。

二

“距离”含有消极的和积极的两方面。就消极的方面说，它抛开实际的目的和需要；就积极的方面说，它着重形象的观赏。它把我和物的关系由实用的变为欣赏的。就我说，距离是“超脱”；就物说，距离是“孤立”。从前人称赞诗人往往说他“潇洒出尘”，说他“超然物表”，说他“脱尽人间烟火气”，这都是说他能把事物摆在某种“距离”以外去看。反过来说，“形为物役”，“凝滞于物”，“名缰利锁”，都是说把事物的利害看得太“切身”，不能在我和物中间留出“距离”来。

人们迫于生存竞争的需要，通常都把全副精力费于饮食男女的营求，这丰富华严的世界除了可效用于生活需要之外，便无其他意义，所以美感上的“距离”往往极难维持。一个海边农夫当别人称赞他的门前海景美时，常会羞涩地转过身来指着屋后的菜园说：“门前虽然没有什么可看的，屋后这一园菜却还不差。”我们大多数人谁不像这位海边农夫呢？一看到瓜果就想到它是可以摘来吃的，一看到瀑布就想到它的水力可以利用来发电，一看到图画或雕刻就估算它值多少钱，一看到美人就起占有的冲动。一般事物对于我们都有一种“常态”，所谓“常态”就是糖是甜的，屋子是居住的，女人是生孩子的之类的意义，都是在实用经验中积累的。这种“常态”完全占住我们的意识，我们对于“常态”以外的形象便视而不见，听而不闻。经验日益丰富，视野也就日益窄隘。所以有人说，我们对于某种事物见的次数愈多，所见到的也就愈少。

但是偶然之间，我们也间或能像叔本华所说的，“丢开寻常看待事物的方法”，见出事物的不平常的一面，于是天天遇见的、素以为平淡无奇的东西，例如破墙角伸出来的一枝花，或是林间一片阴影，便陡然现出奇姿异彩，使我们惊讶它的美妙。这种陡然的发现常像一种“灵感”或“天启”，其实不过是由于暂时脱开实用生活的约束，把事物摆在适当的“距离”之外去观赏罢了。我们在游历时最容易见出事物的美。东方人陡然站在西方的环境中，或是西方人陡然站在东方的环境中，都觉得面前事物光怪陆离，别有一种美妙的风味。这就因为那个新环境还没有变成实用的工具，一条街还没有使你一眼看到就想起银行在哪里，面包店在哪里；一棵不认得的树还没有使你知道它是结果的还是造屋的，所以你能够只观照它们的形象本身，这就是说，它们和你的欲念和希冀之中还存有一种适当的“距离”。池塘中园林的倒影往往比实在的园林好看，也是因为存在“距离”的缘故。

艺术家和诗人的长处就在能够把事物摆在某种“距离”以外去看。他们看一条街只是一条街，不是到某银行或是某商店去的指路标；看一棵树只是一棵树，不是结果实的或是架屋造桥的材料。在艺术家的心目中，这个世界只是许多颜色、许多线形和许多声音所纵横组合而成的形象。我们一般人和科学家替这个世界寻出许多分别，定出许多名称，立出许多意义，来做实用生活的指导。艺术家们把这些分别、这些名称和这些意义都忽略过去，专以情趣为标准，重新把这个世界的颜色、形状和声音组合出条理来，另成一种较可满意的世界。他们把事物的价值完全换过，极平常的事物经过他们的意匠经营,可以变成很美的印象。莫奈(Monet)、凡·高(Van Gogh)诸大画家往往在一张椅子或是一只苹果中,表现出一个情趣深永的世界来。我们通常以为我们自己所见到的世界才是真实的,而艺术家所见到的仅为幻象。其实究竟哪一个是真实,哪一个是幻象呢?一条路还是自有本来面目,还是只是到某银行或某商店去的指路标呢?这个世界还是有内在的价值,还是只是人的工具和障碍呢?

三

就超脱目前实用的效果说,科学家也和艺术家一样能维持“距离”。科学家的态度纯是客观的,他的兴趣纯是理论的。所谓“客观的态度”就是把自己的成见和情感丢开,从“理论的”角度来看待事物。但是艺术家的“超脱”和科学家的“超脱”并不相同。科学家须超脱到“不切身的”(impersonal)地步。艺术家一方面要超脱,一方面和事物仍存有“切身的”关系。科学是一种最不切身的(就是说最重客观的)活动;艺术却是一种最切身的(就是说最重主观的)活动。我们在上章已经说过,观赏美的形象时须“失落自我”,何以现在又说艺术是最“切身的”活动呢?这两句话不但不冲突,而且归根到底还只是一句话,就是说,艺术不能脱离情感。情感是“切身的”,在美感经验中,情感专注在物的形象上面,所以我忘其为我。所谓“距离”是指我和物在实用观点上的隔绝,如果就美感观点说,我和物几相叠合,距离再接近不过了。

艺术是最切身的,是要能表现情感和激动情感的,所以观赏者对于所观赏的作品不能不了解。如果他完全不了解,便无从发生情感的共鸣,便无从欣赏。了解是以已知经验来诠释目前事实。如果对于某种事物完全没有经验,便不能完全了解它。庄子说:“瞽者无以与乎文章之观,聋者无以与乎钟鼓之声。岂惟形骸有聋盲哉?夫知亦有之。”生来没有恋爱经验的人读恋爱小说,总不免隔雾看花,有些模糊隐约。反过来说,我们愈能拿自己的经验来印证作品,也就愈能了解它,欣赏它。我们每读到好诗文时,就惊讶作者“先得我心”,觉得非常快慰。亚里士多德所以说艺术的快感起于认识,起于发现“那就是那个”的感觉。希腊雕刻家造神像时,还是以凡人为模型。但丁描写地狱,也还是拿我们的世界做蓝本。凡是艺术作品都是旧材料的新综合,唯其是旧材料,所以旁人可以了解;唯其是新综合,所以见出艺术家的创造和实用世界有距离。比如“吹皱一池春水”一句词所用的字都是人人所认识的,“皱”和“春水”的景象也是人所常见的,不过把这六个字综合在一起却是冯延巳的新创。艺术能超脱实用目的,却不超脱经验。艺术家尽管自己不落到人情世故的圈套里,可是从来没有一个真正的大艺术家不了解人情世故;艺术尽管和实用世界隔着一种距离,可是从来也没有一个真正的大艺术作品不是人生的返照。观赏者的经验各个不同,了解的能力也不一致,艺术趣味的分歧也即由于此。

照这样看,在美感经验中,我们一方面要从实际生活中跳出来,一方面又不能脱尽实际生活;一方面要忘我,一方面又要拿我的经验来印证作品,这不显然是一种矛盾么?事实上确有这种矛盾,这就是布洛所说的“距离的矛盾”(the antinomy of distance)。创造和欣赏的成功与否,就看能否把“距离的矛盾”安排妥当,“距离”太远了,结果是不可了解;“距离”太近了,结果又不免让实用的动机压倒美感，“不即不离”是艺术的一个最好的理想。这个原理很重要，我们来把它详加研究。

莎士比亚写过一部关于夫妻猜疑的悲剧，叫做《奥赛罗》(*Othello*)。假如一个人素来疑心妻子不忠实，受过很大的痛苦，他到戏院里去看演这部戏，一定比寻常人较能了解奥赛罗的境遇和情感。戏中情节愈和他自己的经验相符合，他的了解也就愈深刻。照理，他应该是一个最能欣赏这部悲剧的人，但是事实往往不然。这种暗射到切身经验的情节最容易使他想起自己和妻子处在类似的境遇，忘记目前只是一场戏，忘记去玩索剧中人物的行动，他不是在看戏而是在自伤身世了。他固然也觉到很强烈的情感，但是这种情感起于实际上的猜忌，不是起于欣赏戏的美。他不能在自己和戏剧之中维持一种适当的“距离”，所以戏剧对于他由艺术品一变而为拨动猜忌的导火线。如果他能够维持“距离”，把剧中情节完全当作一幅画看，虽然拿自己的经验来了解它，却不因此触动自己的心事，借他人的酒来泄自己的闷，那么，以他来欣赏《奥赛罗》，实在比寻常人较占便宜，因为他能了解寻常人所不能了解的纤微奥妙。不过在猜忌中看猜忌戏，不回头把自己的戏在心中复演一遍，却不是一件易事。《奥赛罗》对于猜疑妻子的丈夫“距离”实在太近了。艺术的理想是距离近而却不至于消灭。距离近则观赏者容易了解，距离不消灭则美感不为实际的欲念和情感所压倒。

欣赏者对于所欣赏事物的态度通常分为“旁观者”和“分享者”两类，“旁观者”置身局外，“分享者”设身局中(详见第三章)，分享者往往容易失去我和物中应有的距离。一个观剧者看见演曹操的戏，看到曹操的那副老奸巨猾的样子，不觉义愤填胸，提起刀走上台去把那位扮演曹操的角色杀了。一般人看戏虽不至于此，却也常不知不觉地把戏中情节看成真实的。有一个演员演一个穷发明家,发明的工作快要完成时,炉中火熄了,没有钱去买柴炭,大有功亏一篑的趋势,观众中有一个人郑重其事地捧一块钱去送他,向他说:"拿这块钱买炭去罢!"在一般演戏者看,扮演到使观众忘其为戏时,技艺已算到家了,但是观众在忘其为戏时便已失去美感的态度,像上文杀曹操和送钱买炭的人都是由美感的世界回到实用的世界里去了。看戏到兴酣采烈之际鼓掌叫好,一方面虽是表示能欣赏,同时却也已离开欣赏的态度而回到实用的态度。这都是"距离"的消失。

四

不但在欣赏方面有这种"距离的矛盾",在创造方面也是如此。从一方面说,作者如果把自己的最切身的情感描写出来,他的作品就不至于空疏不近情理。但是从另一方面说,他在描写时却不能同时在这情感中过活,他一定要把它加以客观化,使它成为一种意象,他自己对于这情感一定要变成一个站在客位的观赏者,换一句话说,他一定要在自己和这情感之中辟出一个"距离"来,法国心理学家德拉库瓦(Delacroix)在他的《艺术心理学》里说:

> 感受和表现完全是两件事。纯粹的情感,刚从实际生活出炉的赤热的情感,在表现于符号、语言、声音或形象之先,都须经过一番返照。雷奴维埃(Renouvier)以为艺术家须先站在客位来观照自己,然后才可以把自己描摹出

> 来，表现出来，这是很精当的话。艺术家如果要描写自己切身的情感须先把它外射出来，他须变成一个自己的模仿者。托马斯·曼(Thomas Mann)说："生糙的热烈的情感向来是很平凡的不中用的……强烈的情感并无艺术的意味。艺术家一旦还到人的地位来在情感中过活时，就失其为艺术家了。"

艺术家之所以为艺术家，不仅在能感受情绪，而尤在能把所感受的情绪表现出来；他能够表现情绪，就由于能把切身的情绪摆在某种"距离"以外去观照。所以通常所谓"主观的"、"写自传的"艺术家实在还是客观的。我们普通人也常感到强烈的悲喜，常常告诉人说："我可惜不是文学家，不然，我的经验可以写成一部极好的小说。"我们何以有情感而不能表现于艺术作品呢？这就由于不能在自己和自己的情感中留出"距离"来，不能站在客观的地位去观照自己的生活。凡艺术家都须从切身的利害跳出来，把它当作一幅画或是一幕戏来优游赏玩。这本来要有很高的修养才能办到。

五

懂得"距离"的道理，文艺上许多问题就可以迎刃而解了。

在近代文艺思想上，形式和内容的冲突是很剧烈的。一方面我们有浪漫运动所遗传下来的"为艺术而艺术"的口号。这个口号的涵义甚多，最重要的就是侧重形式而看轻内容，以为美仅在形式，而内容的好坏则无关紧要。另一方面我们又有弗洛伊德

(Freud)派心理学者的文艺为欲望升华说,依这一说,文艺能感动人,就因为它能使隐意识中的欲望得到化装的满足。文艺既与欲望有关,就不能不与内容有关,假如许多作品之中如果不含有满足性欲"情意综"(complexes)的材料,它们的势力就绝不至有那样广大。这两说都很言之成理,究竟谁是谁非呢?根据"距离"的原则说,它们都各走极端,艺术不能专为形式,却也不能只是欲望的满足。艺术是"切身的",表现情感的,所以不能完全和人生绝缘。偏重形式的艺术总不免和人生"距离"得太远,不能引起观赏者的兴趣。但是美感经验的特点在"无所为而为地观赏形象"。无论是创造或是欣赏,我们都不能同时在所表现的情感中过活,一定要站在客位把这种情感当作一幅图画去观赏。如果作者写性欲小说,读者看性欲小说,都是为着满足自己的性欲,那就和为着饿去吃饭,为着冷去穿衣一样,只是实用的活动而不能算是美感经验了。艺术的内容尽管有关性欲,可是我们在创造或欣赏的那一顷刻中,却不能同时在受性欲冲动的驱遣,要在客位把它当作形象看。弗洛伊德派的错处在把艺术和本能情感的"距离"缩得太小。

六

在近代文艺运动中写实主义和理想主义的争执也颇激烈。写实主义偏重模仿自然,要在实际生活中寻材料,用客观的方法表现出来。它最忌讳掺杂主观的情感和想象。理想主义以为艺术和自然是相对的;它是人为的,创造的,虽拿自然做材料,却须凭主观的情感和想象加以选择配合;艺术要把自然加以理想化,不能像照相那样呆板。我们既明白“距离”的原则，这两派的争执也就不难解决了。艺术是一种精神的活动，要拿人的力量来弥补自然的缺陷，要替人生造出一个避风息凉的处所。它和实际人生之中应该有一种“距离”。主观的经验须经过客观化而成意象，才可表现于艺术。至于经验的选择也不免有意地或无意地受情感和想象的支配。所以严格地说，凡是艺术都必带有几分理想性，都必是反对极端的写实主义的。极端的写实主义在理论上很难成立。写实者也还是人而不是照相机，既然是人就无法把情感和想象完全丢开。所以写实主义根本不免带有若干理想主义。一般写实派作者的弊病在把“距离”摆得太近，甚至于完全失去“距离”。比如戏剧家把目前群众正闹得很热烈的问题做题材，来编一部剧本，他也许因此博得很大的欢迎，但是群众的浓厚的趣味是以目前问题为主而不是以剧本为主，他们的活动仍然是实用的而不是美感的。作者在实际生活中虽是得到一场胜利，而在艺术上却不一定是成功。

我们天天看得见的事物比较难以引起美感，就因为它和我们的“距离”太近，所带的实用的牵绊太多。比如一幅写实派的描写巫峡或是西湖的画，在没有见过巫峡或西湖的人们看，总带有若干美的意味，但是在西湖或巫峡的本地人看，它的趣味就不免比较淡薄些。这就因为距离的远近不同。写实派的作品通常都把“距离”摆得太近，容易引起关于实际生活的联想，以至扰乱美感，但是这种作品未始不可以被人看成理想的。同是一个作品，在熟悉内容的人看是写实的，在未曾经过其中情节的人看却是理想的；在拘泥实际的人看是写实的，在能超脱的人看则可以变成理想的。一般人常从道德的观点批评艺术家，说某人的作品淫秽，某人的作品伤风败俗，其实真正艺术家偶尔用淫秽的材料时，往往并不想到它在实际上是否淫秽，只把它当作一幅画看。一般人看到淫秽的形象便想到淫秽的事实，拨动淫秽的念头，就由于不能在艺术品和实际生活之中保存应有的“距离”。

写实派的弊病在“距离”不及，理想派的弊病则在“距离”太过，纯任理想而藐视现实，结果往往不是空疏，就是荒渺无稽，使人无法了解，所以不能引起兴趣，打动情感。理想主义的最普遍的毛病是普泛化（generalisation）和抽象化（abstraction）。关于这两种写法，布洛曾经说过一段很精当的话：

> 普泛化和抽象化的作品缺点在应用的范围太空泛，不能引起人们的切身的情趣；它太少个别事物的具体性，应用到一切人都没有什么差别。它想取悦于一切人，结果却是不能取悦于任何人。欧几里得几何学中的公理不属于任何人，就因为一切人都要承认它是真的。像爱国、友谊、爱情、希望、生和死一类的普泛的概念对于张三、李四和对于我都是一般的痛痒。我或则不能感到它们和我有什么切身的关系，或则虽然能够感到切身的关系，它们又很明显地具体地变成我的爱国、我的友谊、我的爱情、我的希望、我的生和死。一个公理或是一个普遍的理想，因为是从普泛化来的，对于我的“距离”太远了，使我完全不能具体地领略它；倘若我能够具体地领略它，我又落到实际生活里去，它和我的“距离”又太近了，因此，理想派艺术的弊病就在它的距离本来太过，在应用到各个人身上去时又嫌不及。

七

理想主义和写实主义对于“距离”一个是太过，一个是不及。凡是艺术都要有几分近情理，却也都要有几分不近情理。它要有几分近情理，“距离”才不至于过远，才能使人了解欣赏；要有几分不近情理，“距离”才不至于过近，才不致使人由美感世界回到实用世界去。我们在上文说过，凡是艺术都要带有若干理想性，都是反写实主义的。这并非说现实界的东西绝对不能拿来做艺术的材料。现实界的事物虽然和实用的关联太密，“距离”太近，但是经过艺术家的剪裁，它也可以落到适宜的“距离”上面。英国诗人济慈(Keats)所作的《圣亚格尼斯的前夕》，是写一对情人在夜间私奔的故事。它的题材是一股极热烈的爱情，并且有描写肉体美的地方，“距离”似乎太近了，可是济慈把背景写得非常阴冷，以一件人间性极重的事摆在一个超人间性的轮廓里，便成一幅清幽严肃的图画，不至叫读者引动性欲的凡念。这是一个善于制造“距离”的好例。《西厢记》写张生初和莺莺定情的词是：“软玉温香抱满怀，春至人间花弄色，露滴牡丹开。”这其实只是说交媾，“距离”再近不过了。但是王实甫把这种淫秽的事迹写在很幽美的意象里面，再以音调很和谐的词句表现出来，于是我们的意识遂被这种美妙的形象和声音占住，不想到其他的事，自然也有人读这几句词因而动淫欲的，这是由于他们自己的艺术的趣味薄弱，错处并不在王实甫。概括地说，韵文比散文“距离”较远，所以许多很淫秽的事表现于散文仍然是近于淫秽，表现于诗词就比较“雅驯”些；许多很悲惨的事表现于散文仍然是近于悲惨,表现于诗词就比较和平些。“关雎乐而不淫,哀而不伤”,也就是因为这个道理。同是描写淫秽事迹的文字,上文所引的《西厢记》词句就比《水浒》里潘金莲和西门庆的故事以及《红楼梦》里秦钟和智能、宝玉和袭人、贾琏和鲍二家的一类故事比较地不露痕迹些,虽然这几段散文也算是艺术上的杰作了。《红楼梦》所写的全是儿女私情,可是作者要把它摆在“金玉姻缘”一个神秘的轮廓里面,《列那狐的故事》是讽刺中世纪封建制度中人物的,可是作者要把它摆在动物界的轮廓里;《格列佛游记》是讥诮英国政治风俗的,可是作者要把它摆在大人国和小人国的轮廓里,用意都在制造“距离”。莎士比亚的悲剧中情节本来大半都极悲惨,例如哈姆雷特的饮鸩,麦克白的暗杀,朱丽叶的惨死,如果在实际生活中发生,一定使人毛骨悚然,可是摆在艺术的炉中炼过,本来的辣性也就消净了(参见第十六章)。

艺术家的剪裁以外,空间和时间也是“距离”的两个要素。愈古愈远的东西愈易引起美感。这和旅行家到新地方容易见出事物的美是一个道理。比如卓文君的私奔,海伦后的潜逃,在百世之下虽然传为佳话,在当时人看,却是一种秽行丑迹。当时人受种种实际问题的牵绊,不能把这桩事情从极繁复的社会习惯和利害观念中划出,专当作一个意象来观赏。我们时过境迁,所以比较自由,能够纯粹以美感的态度对付它。艺术是有时间性和空间性的。同是一个作品,在某一时代中因为“距离”太近,看起来是写实的,过一个时代因为“距离”较远,实际的牵绊被人遗忘了,所留的全是一幅图画,就变成富于浪漫色彩的作品。荷马的史诗是一个好例。文艺好比老酒,年代愈久,味道愈醇。但是时空的“距离”如果太远,我们缺乏了解所必需的经验和知识,也就无从欣赏。极古的作品要有注解，有时虽有注解，我们仍然嫌它艰晦。现在一般人读《楚辞》或阮籍《咏怀诗》就不免有些费解了。地方色彩过重的作品也是如此。要真正了解外国文学往往是一件极难的事。所以同一作品，就内容说，当时人和本国人比后世人和外国人欣赏较易；就实际的牵绊容易压倒美感态度说，当时人和本国人却也比后世人和外国人欣赏较难。初读外国诗的人往往觉得字字珠玑，极平常的字句也似乎有很大的价值；可是下过几十年功夫之后，外国诗的情感和音节终于仍有不可彻底了解的地方，这就是由于“距离的矛盾”。

八

各种艺术的性质不同，“距离”也生来就有远近。“距离”最近的是戏剧，因为它用极具体的方法把人情世故表现在眼前。这最容易使人离开美感世界而回想到实用世界，所以戏剧家想出许多方法来把“距离”推远，从前人作戏剧大半取时代很远的材料。近代作者才取现代社会问题入剧本，但是仍采用种种方法使它和现实界不相混淆。美国奥尼尔（Eugene O'Neill）的《奇怪的插曲》（*Strange Interlude*）里面的角色，在台上凭着旁人把自己的心中隐事低声说出，就是一个好例。古希腊和中国旧戏的角色往往戴面具或穿高跟鞋，表演时用歌唱的声调。一般戏台都和观众隔开。这都是推远“距离”的方法。造形艺术中以雕刻的距离为最近，因为它表现立体，和实物几乎没有分别。历来雕刻家也有许多推远“距离”的方法。埃及雕刻往往把人体加以抽象化，不表现个性。希腊雕刻大半只表现静态，近代雕刻家才逐渐在线纹和姿势上暗示运动，但是多数人仍主张运动的暗示应减至最低限度。雕像的体积往往比实物较大或较小，通常都安置在台座上面。这都是为着避免过于近似实物的毛病。图画只能表现平面，所以“距离”较大。西方古代画艺和中国的一样不用远近阴影，对于形象也只求神骨的妙肖而不求骸体的逼真。中世纪的东欧派和波斯艺术家把人物的形象加以不自然的延长或缩短，作为建筑帐幕的装饰。近代画的技巧日渐进步，写实的色彩也逐渐浓厚，画家的目的几乎不外在引起幻觉，于是画艺的“距离”便日渐由远而近了。

九

艺术和实际人生之中本来要有一种“距离”，所以免不了几分形式化，免不了几分不自然。演戏用歌唱的声调，雕刻用抽象化的人体，图画改变人物的本来面目，诗用音韵，都是因为这个道理。近代技巧的进步逐渐使艺术逼近实在和自然，这在艺术上不一定是进步。中国新进艺术家看到西方艺术的技巧很完善，画一匹马就活像一匹马，布一幕月夜深林的戏景就活像月夜深林，以为这真是绝大本领，拿中国艺术来比，真要自惭形秽。其实西方艺术本来固然有长处，中国艺术本来也固然有短处，但是长处并不在逼近自然，短处也并不在不自然。西方艺术的写实运动从文艺复兴以后才起，到十九世纪最盛。一般人仍然被这个传统的写实的习惯固囿住，所以“皇家学会”派的画家大半还在“妙肖自然”方面下功夫。但是现代真正的艺术家却是向一个新方向走。这个新方向完全是反写实主义的。后期印象(post-impressionism)派的大师塞尚(Cézanne)是最好的代表。看他的作品,你绝对看不出写实派的浮面的逼真,第一眼你只望见颜色和形体的谐和的配合,要费一番审视,才能辨别它所表现的是一片崖石或是一座楼台。他们的理想是要使造形艺术逼近音乐,完全在形式方面见出美来,不带“表意的成分”。在学理方面,贝尔(Clive Bell)的名著《艺术论》是值得注意的。这种反写实的运动发生之后,学者对于从前诸名家的作品也逐渐加以新评价。从前人只知推重十六世纪的意大利派,现在许多学者却把中世纪的拜占庭(Byzantine)派和意大利的“原始派”(primitifs)的作品看得更珍重。从此可知西方人已逐渐觉悟技巧的进步和艺术的进步是两件事了。

从欧洲艺术的新倾向看,我们觉得在这里应该替中国旧艺术作一个辩护。骂旧戏拉着嗓子唱高调不近情理的人们,如果看到瓦格纳(Wagner)的歌剧,也许他恍然大悟这种玩艺儿原来不是中国所特有的。如果他们再稍稍费点工夫研究古希腊的剧艺,也许知道戴面具、打花脸、穿高跟鞋,也不一定是野蛮艺术的特征。在图画雕刻方面,远近阴影原来是技巧上的一大进步,这种技巧的进步原来可以帮助艺术的进步,但是无技巧的艺术终于胜似非艺术的技巧。中世纪诸大教寺的雕像的作者原来未尝不知道他们所雕的人体长宽的比例不近情理,然而他们的作品并不因此而失其价值。就技巧论,现在一个普通的学徒也许比乔托(Giotto)还更高明,但是乔托的作品终于不朽。中国从前画家本有“远山无皱,远水无波,远树无枝,远人无目”的说法,但是画家精义并不在此。看到吴道子的人物或是关同的山水而嫌他们不用远近阴影,这种人对于艺术只是“腓力斯人”(Philistines)而已。

总之，艺术的某种习惯既然造成很悠久的历史，纵然现代的时尚叫我们觉得它有些离奇，它自己却未尝没有存在的理由。本章所说的“距离”就是它的存在的理由之一。戏剧的化装，雕刻的抽象化，图画的缺乏远近阴影，诗的音韵之类，都可以叫我们把日常实用世界忘去，无沾无碍地来谛视美的形象。

作者补注：本章第八节中谈到的“造形艺术”，西文原为 plastic art，通常译作“造型艺术”，其实起于误解。该词原义侧重制造“形象”而没有制造“典型”的意思。本文集一律改用“造形艺术”。

一九八一年七月读校样时写

第三章　美感经验的分析(三)

——物我同一

一

在凝神观照时,我们心中除开所观照的对象,别无所有,于是在不知不觉之中,由物我两忘进到物我同一的境界。比如我们在第一章所举的欣赏古松的例,看古松看到聚精会神时,我一方面把自己心中清风亮节的气概移注到松,于是松俨然变成一个人;同时也把松的苍老劲拔的情趣吸收于我,于是人也俨然变成一棵古松。这种物我同一的现象就是近代德国美学家讨论最剧烈的"移情作用"。有人拿美学上的移情作用说和生物学上的天演说相比,以为它们有同样的重要,并且把移情作用说的倡导者立普斯(Lipps)称为美学上的达尔文。在一般德国美学家看,他是美学上的最基本的原则,差不多一切美学上的问题都可以拿它来解答。不过诸家对于移情作用的解释各个不同,有时并且互相矛盾。在本章和次章中,我们想把一些纷乱的问题提纲挈领地整理清楚。

说粗浅一点,移情作用是外射作用(projection)的一种。外射作用就是把在我的知觉或情感外射到物的身上去,使它们变为在物的。先说知觉的外射。事物有许多属性都不是它们所固有的，它们大半起于人的知觉。本来是人的知觉，因为外射作用便成为物的属性。比如桌上摆着一个苹果，我一眼看到，就知道它红，香，甜，圆滑，沉重。我们通常把红、香、甜等等都看成苹果的属性，以为它本来就有这些属性；纵然没有人知觉它，这些属性也还是在那里，但是严格地说，这种常识是不精确的。苹果本来只有使人感受红、香、甜种种知觉的可能性，至于红却起于视觉，香却起于嗅觉，甜却起于味觉，其他仿此。单拿红色来说，这是若干长的光波射到眼球网膜上所生的印象。如果光波长一点或短一点，或是视网膜换一个模样，红的色觉便不会发生。有一种色盲根本就不能辨红色，就是视觉健康的人在黄昏或黑暗中也看不清红花的颜色。再比如说沉重。从前我用手提过同样的东西，那时候皮肤和筋肉都发生一种特殊感觉，这种皮肤感觉和筋肉感觉，与当时的视觉发生了关联，以后我遇见这样的东西就联想起从前用手提它时所得的皮肤和筋肉感觉，于是知道它像什么样的"沉重"。我觉得它重，你也许觉得它轻，重量感觉是和膂力成反比例的。此外还有许多似乎在物的属性，用心理学研究起来，都是由知觉外射出来的。从此可知严格地说，我们应该说："我觉得这个苹果是红的，香的，甜的，沉重的，圆滑的。"通常我们把"我觉得"三字省略去，于是"我觉得它如此如此"就变成"它如此如此"了。我们不说"我觉得天气热"或是"天气叫我发热"而直说"天气热"，不说"我觉得路太长，时间太久"而直说"路太长，时间太久"。这都是把我的知觉外射为物的属性。习久成自然，我们反觉得把话说得精确一点有些离奇。常识与科学、哲学的冲突大半起于此。

次说情感、意志、动作等等心理活动的外射。我们对于人和物的了解和同情，都因为有“设身处地”或“推己及物”一副本领。本来每个人都只能直接地了解他自己的生命，知道自己处某种境地，有某种知觉、情感、意志和活动，至于知道旁人旁物处某种境地有同样知觉、情感、意志和活动时，则全凭自己的经验而推测出来的。《庄子·秋水》篇有这样一段故事：“庄子与惠子游于濠梁之上。庄子曰：‘儵鱼出游从容，是鱼之乐也。’惠子曰：‘子非鱼，安知鱼之乐？’庄子曰：‘子非我，安知我不知鱼之乐？”’这个道理可以推广到一切己身以外的人和物，如果不凭自己的经验去推测，人和物的情感是无从了解的，这种推测自然有时错误。小孩子常和玩具谈话，不肯让人去敲打它，有时还让它吃饭睡觉。这也是因为他“设身处地”地体验玩具的情感和需要。我们成人也并没有完全脱离去这种心理习惯。诗人和艺术家看世界，常把在我的外射为在物的，结果是死物的生命化，无情事物的有情化。这个道理我们在下文还要举例详解。

移情作用只是一种外射作用，换句话说，凡是外射作用不尽是移情作用。移情作用和一般外射作用有什么分别呢？它们有两个最重要的分别。第一，在外射作用中物我不必同一，在移情作用中物我必须同一，我觉得花红，红虽是我的知觉，我虽然把我的知觉外射为花的属性，我却未尝把我和花的分别忘去，反之，突然之间我觉得花在凝愁带恨，愁恨是我外射过去的，如果我真有凝神观照，我绝无暇回想花和我是两回事。第二，外射作用由我及物，是单方面的；移情作用不但由我及物，有时也由物及我，是双方面的。我看见花凝愁带恨，不免自己也陪着花愁恨，我看见山耸然独立，不免自己也挺起腰杆来。概括地说，知觉的外射大半纯是外射作用，情感的外射大半容易变为移情作用。

二

移情作用在德文中原为Einfühlung。最初采用它的是德国美学家费肖尔(R. Vischer)、美国心理学家蒂庆纳(Titchener),把它译为empathy。照字面看,它的意义是“感到里面去”,这就是说,“把我的情感移注到物里去分享物的生命”。黑格尔(Hegel)说过:“艺术对于人的目的在让他在外物界寻回自我。”这话已隐寓移情说,洛慈(Lotze)在他的《缩形宇宙论》里说得更清楚:

> 凡是眼睛所见到的形体,无论它是如何微琐,都可以让想象把我们移到它里面去分享它的生命。这种设身处地地分享情感,不仅限于和我们人类相类似的生物,我们不仅能和鸟鹊一齐飞舞,和羚羊一齐跳跃,或是钻进蚌壳里面,去分享它在一张一翕时那种单调生活的况味,不仅能想象自己是一棵树,享受幼芽发青或是柔条临风的那种快乐;就是和我们绝不相干的事物,我们也可以外射情感给它们,使它们别具一种生趣。比如建筑原是一堆死物,我们把情感假借给它,它就变成一种有机物,楹柱墙壁就俨然成为活泼泼的肢体,现出一种气魄来,我们并且把这种气魄移回到自己的心中。

这是移情说的雏形,到了立普斯的手里就变成美学上一条最基本的原理。立普斯如何解释移情作用,待下文详说,现在我们多举事例，来证明移情作用是一种最普遍的现象。

最明显的例是欣赏自然。大地山河以及风云星斗原来都是死板的东西，我们往往觉得它们有情感，有生命，有动作，这都是移情作用的结果。比如云何尝能飞？泉何尝能跃？我们却常说云飞泉跃。山何尝能鸣？谷何尝能应？我们却常说山鸣谷应。诗文的妙处往往都从移情作用得来。例如“菊残犹有傲霜枝”句的“傲”，“云破月来花弄影”句的“弄”，“数峰清苦，商略黄昏雨”句的“清苦”和“商略”，“徘徊枝上月，空度可怜宵”句的“徘徊”、“空度”、“可怜”；“相看两不厌，唯有敬亭山”句的“相看”和“不厌”，都是原文的精彩所在，也都是移情作用的实例。

在聚精会神的观照中，我的情趣和物的情趣往复回流。有时物的情趣随我的情趣而定，例如自己在欢喜时，大地山河都随着扬眉带笑，自己在悲伤时，风云花鸟都随着黯淡愁苦。惜别时蜡烛可以垂泪，兴到时青山亦觉点头。有时我的情趣也随物的姿态而定，例如睹鱼跃鸢飞而欣然自得，对高峰大海而肃然起敬，心情浊劣时对修竹清泉即洗刷净尽，意绪颓唐时读《刺客传》或听贝多芬的《第五交响曲》便觉慷慨淋漓。物我交感，人的生命和宇宙的生命互相回还震荡，全赖移情作用。

移情作用有人称为“拟人作用”（anthropomorphism）。拿我做测人的标准，拿人做测物的标准，一切知识经验都可以说是如此得来的。把人的生命移注于外物，于是本来只有物理的东西可具人情，本来无生气的东西可有生气，所以法国心理学家德拉库瓦教授把移情作用称为“宇宙的生命化”（animation de l’univers）。从理智观点看，移情作用是一种错觉，是一种迷信。但是如果没有它，世界便如一块顽石，人也只是一套死板的机器，人生便无所谓情趣，不但艺术难产生，即宗教亦无由出现了。诗人、艺术家和狂热的宗教信徒大半都凭移情作用替宇宙造出一个灵魂，把人和自然的隔阂打破，把人和神的距离缩小。这种态度在一般人看，带有神秘主义，其实“神秘主义”并无任何神秘，不过是相信事物里面藏有一种不可思议的意蕴。本来事物自身无所谓“意蕴”。意蕴都是人看出来的，所谓“仁者见仁，智者见智”。分析起来，神秘主义的来源仍是移情作用。从在一草一木中见出生气到极玄奥的泛神主义，从认定一件玩具有灵魂到推想整个宇宙有主宰，范围广狭虽有不同，道理却是一样。在物我同一中物我交感，物的意蕴深浅常和人的性分深浅成正比例。深人所见于物者深，浅人所见于物者亦浅。一朵花对于我只是一朵花，对于你或许是凝愁带恨，对于另一人或许是“欣欣向荣”。英国诗人华兹华斯说：“一朵微小的花对于我可以唤起不能用泪表达出来的那么深的思想。”一朵花如此，一切事物也都如此。

各民族的神话和宗教大半都起于拟人作用，这就是推己及物，自己觉得一切举动有灵魂意志或心做主宰，便以为外物也是如此，于是风有风神，水有水神，桥有桥神，谷有谷神了。多神教就是如此起来的。推广一点说，全体宇宙的运行也似乎是心灵意志的表现，宇宙也似应有一种主宰，于是多神教就起来了。神和宇宙的关系向来有两种看法。一种看法把神放在宇宙之外，他和宇宙的关系好比匠人和作品，或是船长和船一样。他站在虚空里转运法轮，于是宇宙才能运行。老子说：“天地不仁，以万物为刍狗”，李白说：“谁挥鞭策驱四运？”就是用这种看法。另一种看法以为宇宙全体是神的表现，神无处不在，大而时代的推移，山河的更改，小而昆虫的蠕动，草木的荣枯，都只是一个神的“显圣”。这就是泛神主义。

近代许多西方诗人都用这种看法。歌德、华兹华斯和雪莱是显著的例子。无论如何,神都是人所创造的,都是他自己的返照,都是拟人作用或移情作用的结果。

三

移情作用对于文艺的创造也有很大的影响。在文学家的传记笔录里,我们常遇到描写移情经验的文字。法国女小说家乔治·桑(George Sand)在她的《印象和回忆》里说:

> 我有时逃开自我,俨然变成一棵植物,我觉得自己是草,是飞鸟,是树顶,是云,是流水,是天地相接的那一条水平线,觉得自己是这种颜色或是那种形体,瞬息万变,去来无碍。我时而走,时而飞,时而潜,时而吸露。我向着太阳开花,或栖在叶背安眠。天鹨飞举时我也飞举,蜥蜴跳跃时我也跳跃,萤火和星光闪耀时我也闪耀。总而言之,我所栖息的天地仿佛全是由我自己伸张出来的。

象征派诗人波德莱尔(Baudelaire)也说:

> 你聚精会神地观赏外物,便浑忘自己存在,不久你就和外物混成一体了。你注视一棵身材婷匀的树在微风中荡漾摇曳,不过顷刻,在诗人心中只是一个很自然的比喻,在你心中就变成一件事实:你开始把你的情感欲望和

哀愁一齐假借给树，它的荡漾摇曳也就变成你的荡漾摇曳，你自己也就变成一棵树了。同理，你看到在蔚蓝天空中回旋的飞鸟，你觉得它表现“超凡脱俗”一个终古不磨的希望，你自己也就变成一个飞鸟了。

艺术家们不但看自然景物时能够这样“体物入微”，就是对于自己所创造的人物和情境也往往如此。法国小说家福楼拜(Flaubert)在他的信札里曾有这么一段话描写他写《包法利夫人》的经过：

写书时把自己完全忘去，创造什么人物就过什么人物的生活，真是一件快事。比如我今天就同时是丈夫和妻子，是情人和他的姘头，我骑马在一个树林里游行，当着秋天的薄暮，满林都是黄叶，我觉得自己就是马，就是风，就是他们俩的甜蜜情语，就是使他们的填满情波的眼睛眯着的太.阳。

此外文艺创作家的同样的自供不胜枚举。福楼拜素来被人认为是写实派的大师，他描写极客观的情境，也还是设身处地，亲领身受地分享其中人物的生命，可见文艺上客观和主观的分别是很勉强的。

移情作用对于创造文艺的影响还可以在另一方面见出。文学的媒介是语言文字。语言文字的创造和发展往往与艺术很类似。照克罗齐看，语言自身便是一种艺术，语言学和美学根本只是一件东西。不说别的，单说语言文字的引申义。在各国语言文字中引申义大半都比原义用得更广。引申义大半起源于类似联想和移情作用，尤其是在动词方面。例如“吹”、“打”、“行”、“走”、“站”、“诱”等原来都表示人或其他动物的动作，现在我们可以说“风吹雨打”、“这个办法行”、“电走了”、“车站住了”、“花香诱蝶”等等。古文中引申义更多，例如“子路拱之”的“拱”引申为“众星拱北辰”的“拱”，“招我以弓”的“招”引申为“言易招尤”的“招”，“鲤趋而过庭”的“趋”引申为“世风愈趋愈下”的“趋”，“我欲仁斯仁至矣”的“欲”引申为“星影摇摇欲坠”的“欲”。这些引申义现在已用成习惯，我们不复觉其新鲜，但是创始者创一个引申义时，大半都带有几分艺术的创造性。整个的语言的生展就可以看成一种艺术。

四

在艺术的欣赏中，移情作用也是一个重要的成分。例如写字，横、直、钩、点等等笔画原来都是墨涂的痕迹，它们不是高人雅士，原来没有什么“骨力”、“姿态”、“神韵”和“气魄”。但是在名家书法中我们常觉到“骨力”、“姿态”、“神韵”和“气魄”。康有为在《广艺舟双楫》中说字有十美：“一日魄力雄强，二日气象浑穆，三日笔法跳越，四日点画峻厚，五日意态奇逸，六日精神飞动，七日兴趣酣足，八日骨法洞达，九日结构天成，十日血肉丰美。”这十美除第九以外大半都是移情作用的结果，都是把墨涂的痕迹看作有生气有性格的东西。这种生气和性格原来存在观赏者的心里，在移情作用中他不知不觉地把字在心中所引起的意象移到字的本身上面去。字所以能引起移情作用者，因为它像一切其他艺术一样，可以表现作者的性格和临池时的兴趣，它也可以说是“抒情的”。颜鲁公的字就像颜鲁公,赵孟頫的字就像赵孟頫。不但如此,同是一个书家,在正襟危坐时写的字是一种意态,在酒酣耳热时写的字又是一种意态;在风日清和时写的字是一种意态,在风号雨啸时写的字又是一种意态。某境界的某种心情都由腕传到笔端上去,所以一点一画变成性格和情趣的象征,使观者觉得生气蓬勃。作者把性格和情趣贯注到字里去,我们看字时也不知不觉地吸收这种性格和情趣,使在物的变成在我的。例如看颜鲁公的字那样劲拔,我们便不由自主的耸肩聚眉,全身的筋肉都紧张起来,模仿它的严肃;看赵孟頫的字那样秀媚,我们也不由自主的展颐扬眉,全身筋肉都弛懈起来,模仿它的袅娜的姿态。

移情作用并不限于眼睛看得见的形体。比如音乐纯粹是一种形式的艺术,我们只能听出抑扬顿挫开合承转的关系,但是也能在这种纯为形式的关系之中寻出情感来,说某种曲调悲伤,某种曲调快活。这是什么缘故呢?立普斯在《美感的移情作用》一文中讨论“节奏”(rhythm)的道理,曾对于这个问题给了一个有趣的答案。所谓“节奏”是各种艺术的一个普遍的要素,形体的长短大小相错杂,颜色的深浅浓淡相调和,都是节奏。不过在音乐中节奏用得最广。音乐的节奏就是长短高低宏纤急缓相继承的关系,这些关系时时变化,听者所费的心力和心理的活动也随之变化。因此,听者心中自发生一种节奏和音乐的节奏相平行。听一曲高而缓的调子,心力也随之作一种高而缓的活动;听一曲低而急的调子,心力也随之作一种低而急的活动。这种高而缓或低而急的心力活动常蔓延浸润,使全部心境和它同调共鸣。高而缓的节奏容易引起欢欣鼓舞的心情,低而急的节奏容易引起抑郁凄恻的心情。这些情调原来在我,在物我同一的境界中,我们把在我的情调外射出去,于是音乐也有情调了。

写字和听音乐只是两个实例,其他艺术所引起的移情作用可以由此类推。

五

从以上许多实例看,我们可以见出移情作用为用之广。现在我们再进一步来研究它的原因。我们已经说过,在凝神观照中物我由两忘而同一,于是我的情趣和物的姿态往复回流。这话已略将移情作用的原因指出,不过还嫌笼统,我们应该把它再说清楚一点。

移情说发源于立普斯。他的学说大半以几何形体所生的错觉为根据。它的精华全在《空间美学》(*Raum aesthetik*)一部书里,现在我们引用他所常举的一个实例来说明他对于移情作用的见解。

比如说希腊"多利克式"(Doric)石柱。古希腊的神庙建筑通常都不用墙,让一排一排的石柱来撑持屋顶的压力,这种石柱往往很高大,外面刻着凸凹相间的纵直的槽纹。照物理学说,我们看石柱时应该觉得它承受重压顺着地心吸力而下垂,但是看"多利克式"石柱,我们却往往觉得它耸立飞腾,现出一种出力抵抗不甘屈挠的气概。这里有两个问题:第一,我们何以不觉得它下垂?第二,我们何以觉得它上腾?

先解决第一个问题。这里我们首先要明白物体本身和形象的分别。比如石柱上下粗细一律时,就物体本身说,它的力量强弱也应该上下一律;可是就形象说,它的中腰却好像比上下较细弱。这种错觉的发生，是因为柱的中腰在受重压时是最易弯曲或折断的部分。希腊建筑家往往把石柱的中腰雕得比上下较粗壮，以弥补这种细弱的错觉。它本来是中腰略粗（就物体本身说），看起来却仍是上下一律（就形象说）。这种形象立普斯称之为“空间意象”（spatial image）。在观赏石柱时，我们只以它的“空间意象”为对象，并非以它的物体本身为对象，所以对于物体本来下垂的事实便无暇顾到了。换句话说，下垂属于石柱本身，不下垂属于它的形象或“空间意象”。

同理，石柱使我们觉得它耸立上腾的也是它的“空间意象”而不是它的本身。这里我们可以引用立普斯自己的话来说明：

> 石柱在耸立时，耸立的动作是谁发出来的呢？是做成石柱的那堆顽石么？不是，它不是石柱本身而是石柱所呈现给我们的“空间意象”；它是线、面和形，而不是线、面、形所围成的物体。作伸张和收缩的姿态者也是这些线、面和形。

不过我们何以觉得这些线、面、形所成的“空间意象”作耸立上腾种种动作，却又另是一个问题。立普斯的答案是“类似联想”。知觉者都是凭以往经验解释目前事实。我们最原始、最切身的经验就是自己的活动以及它所生的情感，我们最原始的推知事物的方法也就是根据自己的活动和情感，来测知我以外一切人物的活动和情感。我们不知道鼠被猫追捕时的情感，但是记得起自己处危境的恐惧；我们不知道一条线在直立着和横排的时候有什么不同，但是记得起自己在站着和卧着时的分别。以己测物，我们想象到鼠被追的恐怖；同理，我们也想象线在直立时和我们站着时一样紧张，在横排时和我们在卧着时一样弛懈安闲。我们觉得石柱耸立上腾，出力抵抗，也是因为这个道理。我们也硬着颈项挨过艰难困苦，亲领身受过出力抵抗时的一种特殊的身心的紧张。这种经验已凝结为记忆，变为“自我”的一部分。现在目前的石柱不也是在那里撑持重压么？不是仿佛在挺起腰杆向上面的重压说“你要压倒我，我偏要腾起来”么？我和石柱就出力抵抗一点经验说，有些类似。这个类似点就成为移情作用的媒介。石柱的姿态引起我出力抵抗的记忆，在聚精会神中，我们忘记物我的分别，于是出力抵抗、耸立上腾虽本来是我心中的意象，就移到石柱身上去了。

我见石柱而想起耸立上腾、出力抵抗的况味时，心中只是有这么一种抽象观念呢？还是同时局部地或全部地复演这些动作呢？我是否觉到耸立上腾、出力抵抗的“运动的冲动”（motor impulse）呢？这个问题是立普斯和旁人争论的焦点所在，我们在下章还要详论，现在只说立普斯自己的主张。他是一位极端厌恶“身心平行”说者，反对拿生理来解释心理，所以否认移情作用伴有任何筋肉运动的感觉。依他说，移情作用是一种美感经验。在美感经验中，筋肉感觉愈明了，自我意识也就愈清醒，美感也就愈淡薄。比如看一座《掷铁饼者》的雕像，我们如果觉到很强烈的筋肉感觉，注意力就不免由形象转到自己的身体，就不能算是享美了。移情作用全以观念为媒介，石柱所引起的是耸立上腾、出力抵抗的观念，我们所移授于石柱的也还是这种观念，自己并不必耸起肩膀，挺起腰杆来。

照这样说，移情作用不全是一种联想作用么？立普斯又竭力声明这是误解。可引起联想的事物只能唤起某情感的记忆而不能

"表现"那个情感,它和那个情感的关系是偶然的。可引起移情作用的事物不但能唤起某情感的记忆,而且还能"表现"那个情感,它和那个情感的关系是必然的。比如有一座阴暗的房屋是一个亲爱的亡友住过的,我如果因哀悼亡友而觉得它凄惨,那只是联想;我如果因为它本身的线纹、色调、形状而觉得它凄惨,那才是移情。引起移情作用的事物必定是一种情趣的象征,例如松菊耐寒,象征劲节;火焰炙人,象征热情。法国美学家巴希(Victor Basch)把移情作用叫做"象征的同情"(sympathie symbolique),就是因为这个道理。

六

移情作用是否尽是美感经验呢?美感经验是否尽带移情作用呢?这两个问题也是美学家所常争论的。立普斯一派学者如谷鲁斯(K. Groos)、浮龙·李(Vernon Lee)等把美感经验和移情作用看成一件事。依立普斯看,移情作用所以能引起美感,是因为它给"自我"以自由伸张的机会。"自我"寻常都囚在自己的躯壳里面,在移情作用中它能打破这种限制,进到"非自我"(non-ego)里活动,可以陪鸢飞,可以随鱼跃。外物的形象无穷,生命无穷,自我伸张的领域也就因而无穷。移情作用可以说是由有限到无限,由固定到自由。这是一种大解脱,所以能发生快感。但是这种快感何以就是美感呢?立普斯的移情对象能"表现"情感说已见上文,那就是一部分理由。他还有一说,与克罗齐的形象直觉说很相近。他再三地解释过,"自我"和"非自我"同一时,所谓"自我"并非"实用的自我”而是“观赏的自我”(contemplative ego),所谓“非自我”并非物体本身而是它的“空间意象”或“形象”,所谓“同一”并非以“实用的自我”与“非自我”的物体相同一,而是以“观赏的自我”与“非自我”的形象相同一。“自我”和“非自我”都是净化过来的,所以它们的同一所生的不是寻常快感而是美感。立普斯绕大弯子说话,玄秘气很重,其实归根到底,他的主张还是像我们在第一章所说的:“在美感经验中,心所以接物者只是直觉而不是知觉和概念;物所以呈现于心者是它的形象本身而不是与它有关系的事项,如实质、成因、效用、价值等等意义。”话到此为止,立普斯的学说是大致不差的,但是他还有其他更玄秘的话。比如他论悲剧的美感时,否认谷鲁斯的模仿说,以为“模仿痛苦仍不外是自己感受痛苦”。“我固然要在自己心中把剧中悲苦的实境创造出来,但是不像持模仿说者那样办法,我创造它是用同情,是用移我于物,在物见我的情感。”他又说:“使我觉得畅快的并不是浮士德(Faust)的绝望而是我自己的同情。”依他看,我所同情的人物虽不必实有其人,但从伦理观点看,必定是我所赞许的,所以我在分享他的情感时才能意识到“自我价值”(self-value)。一切美感之中,依立普斯说,都含有“自我价值”的意识。这里他已离开科学立场,无缘无故地把道德观念拉进美感来,而且“自我价值”意识说与“物我同一”说也互相矛盾。物我的界限既忘去,我们何以觉到“自我价值”呢?

一般持移情说者都跟着立普斯把移情作用和美感经验看成同义词。美国学者杜卡斯(Ducasse)在他的《艺术哲学》里竭力反对这种看法。依他看,移情作用是一种极普遍的现象,凡是知觉到或是想象到别的人物在发动作或受动作时,我们都要用移情作用:

但是知觉或想象动作是一回事，以美感态度来观照这知觉到或想象到的动作却另是一回事。无移情作用，即不能对于别人的动作起美感的观照，因为觉到别人的动作根本要靠移情作用。……但是无移情作用也可以有美感的观照，例如颜色臭味之类，几乎不能引起移情作用，但能引起美感的观照。线形、动态（motion）等也是如此，虽然我们的自然倾向是常把事物看成活动的。就另一方面说，我们可以有（而且是在大部分移情实例中常有）移情作用，而对于移情作用所使我觉到的事物并不起美感的观照，因为我们注意及知觉别人所作的所受的事，通常不是为美感而是为实用或随意取乐。

杜卡斯的大意是说：美感经验只有在对象为可发动作或受动作的事物时，才必须有移情作用；如果它是静物如颜色、线形、臭味之类，即不必有移情作用。杜卡斯的毛病在不用“移情作用”的习惯义，只把它看成一种“知”的过程，与“情”根本无涉。而且他对于近代实验美学似乎没有注意到，否则他应该明白一切事物，连颜色、线形等等在内，都可以起移情作用，例如红色可以看成热烈的，蓝色可以看成平静的，直线可以看成刚劲的，横线可以看成安逸的之类。

不过美感态度不一定带移情作用却是事实。移情作用只是一种美感经验，不能起移情作用也往往可以有很高的审美力。德国美学家弗莱因斐尔斯（Muller Freienfels）把审美者分为两类，一为“分享者”（mitspieler, participant），一为“旁观者”（zuschauer, contemplator）。“分享者”观赏事物，必起移情作用，把我放在物里，设身处地，分享它的活动和生命。“旁观者”则不起移情作用，虽分明察觉物是物，我是我，却仍能静观形象而觉其美。这和尼采的意见暗合。尼采分艺术为两种，一种是狄俄尼索斯式（Dionysian 酒神的），专在自己的活动中领略世界的美，例如音乐、跳舞；一种是阿波罗式（Apollonian 日神的），专处旁观的地位以冷静的态度去欣赏世界的美，例如图画、雕刻。前者是分享，后者是旁观。

这两种人谁最富于审美力呢？持移情说者当然袒护“分享者”。其实这是偏见。英国学者罗斯金（Ruskin）在《近代画家》里所说的“情感的误置”（pathetic fallacy）就是“移情作用”的别名。据他说，第一流诗人都看清事物的本来面目，第二流诗人才有有“情感的误置”，把自己的情感误移于外物。这种分别我们在《诗论》里讨论“有我之境”与“无我之境”时另加详论，现在只举演戏和看戏为例，证明“旁观者”如果不比“分享者”的艺术的趣味较高，至少也可以并驾齐驱。

从名演员的传记看，戏有两种演法。一种是取“分享者”的态度，忘记自己在演戏，仿佛自己变成所扮演的角色，分享他或她的情感，一切动作姿势言笑全任当时情感支配，自然流露，出于不得已。法国著名女演员莎拉·邦娜（Sarab Bernhardt）就是如此。她说：“通常我们可以把人生忧患一齐丢开，在演戏的那几点钟内，把自己的性格脱去，另穿上一个性格，在另一生活的梦境中往复周旋，把一切都忘去。”她谈到在伦敦演拉辛（Racine）的悲剧《斐德尔》（*Phédre*）的经验说：“我悲痛，我哭泣，我哀求，我呼号，这一切全是真的；我的痛苦是人所不能堪的，我的泪是酸辛热烈的。”当时法国著名的男演员安托万（Antoine）的演法也是如此。他谈到演易卜生的《群鬼》时曾经说过：“从第二幕以后，我什么都忘去了，忘记观众,忘记戏所生的印象;幕闭后,我还是在呜咽,还是垂头丧气,过了一些时候才能恢复原状。”另一种演法是取旁观者的态度,时时明白自己是在演戏,表情尽管非常生动自然,而一举一动一言一笑却都是用心揣摩得来的,,表面上尽管慷慨淋漓,而心里却非常冷静。中国演旧戏的人们大半是如此,扮演一个角色都先须经过长期的学习训练,怎样笑,怎样掀胡须,都有一定不移的“家法”。十八世纪英国著名演莎士比亚戏剧的演员伽立克(Garrick)也是最好的例。他有一次演理查(Richard),演到兴酣局紧时,神色生动,如出自然,他的女配角见到他那副可怕的样子,在台上吓慌了,他却仍能以眼示意,叫她镇定些。十九世纪意大利著名的女演员杜斯(La Duse)也说她无论表演到如何生动时,心里依然是冷静的。

这两种演法根本不同,在分享者起移情作用,演什么角色就变成什么角色,旁观者不起移情作用,演任何角色都意识到他自己。这两种究竟哪一种比较优胜呢? 十八世纪法国哲学家狄德罗(Diderot)在《谈演员的矛盾》(*Paradoxe sur le Comédien*)中,竭力主张演员须能很冷静地控制自己,时时听着自己的声音,瞟着自己的姿态动作,切忌分享所扮演的人物的情感。这个主张后来演为戏艺中的所谓“不动情感”(insensibilité)主义,影响颇大。不过也有人辩护“分享者”的演法,以为狄德罗的主张太偏,俄国著名导演柯米沙耶夫斯基(Komisarjevsky)说:“一个戏角如果瞟着自己表演,决不能感动观众,或是有若何创造的意味。”在我们看,上述两派都各有极成功者,两种演法各有长短,演者应顾到自己性之所近,不必勉强走哪一条路。不过有一点是很显然的,在舞台上创造性格时,冷静的有意的揣摩也可以成功,移情作用并非必要的条件。

看戏者也有分享者和旁观者两种。分享者看戏如看实际人生，到兴致淋漓时自己同情于某一个人物，便把自己当作那个人物，他成功时陪他欢喜，他失败时陪他懊丧。比如看《哈姆雷特》，男子往往把自己看成哈姆雷特，女子往往把自己看成皇后或奥菲丽雅。有些人可以同时分享几个人物的情感。比如看《哈姆雷特》，无论是男是女，注意到哈姆雷特时便变成哈姆雷特，注意到奥菲丽雅时便变成奥菲丽雅。演员出没无常，观赏者的移情对象也转变无常。此外也有些人虽不把自己看成一个角色，却闯进戏里去凑热闹，仿佛他自己也是戏中角色之一，或者戏中角色是他的实际世界中的仇人或友人。一位英国老太婆看《哈姆雷特》到最后决斗的一幕，大声警告哈姆雷特说："当心呀，那把剑是上过毒药的！"这一班人看戏最起劲，所得的快感也最大。但是这种快感往往不是美感，因为他们不能把艺术当作艺术看，艺术和他们的实际人生之中简直没有距离，他们的态度还是实用的或伦理的。真正能欣赏戏的人大半是冷静的旁观者，看一部戏和看一幅画一样，能综观全局，细察各部，衡量各部的关联，分析人物的情理。这种活动当然仍是科学的而不是美感的。但是经过这番衡量分析以后，整个作品所现的形象才愈加明显，美者愈见其美，所得的美感也愈加浓厚。

总之，移情作用与物我同一虽然常与美感经验相伴，却不是美感经验本身，也不是美感经验的必要条件。

第四章　美感经验的分析(四)

——美感与生理

一

尼采说过,美学只是一种应用生理学。我们在上章说过,立普斯竭力反对杂用生理学的解释于美学。究竟美学和生理学有无关系呢?近代多数美学家的答复都是肯定的。立普斯讲移情作用虽绝口不说它的生理的基础,但是继起的学者所讨论最烈的却恰在这一点。对于这个问题贡献最多的要推谷鲁斯、闵斯特堡和浮龙·李三个人。闵斯特堡的学说可以说是替立普斯的移情说寻出了一个生理的基础,我们先来介绍它。

闵斯特堡的美感对象"孤立说",我们在第一章已经介绍过。他的移情说就从孤立说出发。他平生对于心理学偏重"动"的方面,想力矫前人偏重"知"的方面的积习。"知觉"和"运动"是相依为命的,运动都要伴有知觉,知觉也都要伴有运动。知觉所伴着的运动往往不仅限于某感觉器官,而广播到全身去。单拿视觉来说,物体在空中时,不但眼球要向上翻转,即全身筋肉也要向上运动,取仰视的姿势。物体偏左偏右或偏下时,全身也要作"适应"的运动。适应运动的目的在把被感觉的事物放在最适宜的视域里面，使它发生最明显的印象。在运动时，运动神经流先须经过激动，由神经中枢放散到运动器官上去。这种运动神经流的激动和放散，通常叫做“运动的冲动”(motor impulse)。(这个名词应该译为“动机”，因为“动机”用来指有意识的行为原动力已成习惯，所以这里用“运动的冲动”。)运动就是运动的冲动实现于动作。但是运动的冲动不必尽实现于动作，它总共有三种可能。

最普通的是“遏止”(inhibition)。心无二用，体也无二用。筋肉已伸张时就不能同时作弯屈的运动，全体器官都是如此。某运动的冲动开始时，如果运动器官已在作另一种动作，它就不免被遏止。比如我坐在房子里读书，听到外面路上有声音，想起来出去看看，这就是一种运动的冲动。如果我专心读书，这种去看的冲动就要被遏止；如果好奇心胜利，我终于起来出去看，读书的冲动也就被遏止了。我们平时感官所受的刺激甚多，引起冲动的甚少，冲动实现于运动的更少，都是被遏止的缘故。

冲动的第二种可能就是实现于动作。比如我看到一件东西，随即伸手去捉它，或是提脚去踢它，或是作其他有益实用的动作。这种动作都有实用的目的。目的都在将来，都在事物本身以外。所以在通常的动作中，我不过把目前事物做达到目的的桥梁，我心里想到这事物以外的目的，又想到自己在发生动作，并不聚精会神地看这事物本身。

但是此外还有第三种可能，便是美感经验中的移情。在美感经验中所观赏的形体在意识中完全“孤立”，意识中除它以外便没有任何观念和它同时并存。因为没有第二个观念可以遏止它，所以运动的冲动被形象激动之后，便自由向运动器官发散。但是冲动时在放散到运动器官时都引起动作，在美感经验中冲动虽放散到运动器官而却不至引起动作，因为动作都有实用的目的，意识全为形象所占住时，便想不到实用的目的。这种未受遏止而却亦未实现于动作的冲动是美感中一个要素，它发生一种运动感觉，我们仿佛觉得紧张，觉得力量的流动，觉得作运动的准备，并且觉到运动所拟取的方向。我们觉得所睹的形象中有气力流转，觉得它在运动，便是这种运动感觉的外射。形象在意识中既完全孤立，我除它以外便不想到任何事物，自己的运动和运动感觉自然也被遗忘。如果念头一转到自己或自己的运动感觉，形象在意识中便失其为孤立了。因此，我不把运动感觉归原到己体而把它们外射到形象上去。这就是移情作用的由来。闵斯特堡在《艺术教育原理》里说："形象仿佛有气魄和力量，都起于冲动所生的感觉。实在是我们自己在伸缩筋肉，我们却以为是线在伸屈，在耸立腾起，在向下压或是向上冲。总而言之，如果目睹的形象真是孤立，意识中真没有其他观念，运动的冲动就不会引导起使我们明知其出于己体的运动，本来在我心中的力量感觉便被认为线的力量了。"

这番话只解释移情作用，而没有解释移情作用所伴着的美感。何以有些形象使我们欢喜，有些形象使我们嫌恶呢？依闵斯特堡说，形象能否引起美感，就看它在意识中能否孤立；它在意识中能否孤立，就看它是否适合我们的身体组织。他在《艺术教育原理》里又说：

凡是线形都应该配得恰合身体的天然的力量，应该能表现我们的筋肉机能的和谐。身体中神经流的贯注本有天然的节奏，如果线形逆着这天然的节奏来感动我们，我们的注意就不免被引到自己的身体,形象在意识中就不能孤立,我们就觉得运动感觉系属于自己了。举一个例来说,身体是左右对称的,天然的运动倾向也是左右平衡;因此我们也要线形配得左右相对,不偏不倚。但是身体上下是不对称的,我们对于筋肉力量的分配,觉得下半身应稳定,上半身应轻便;因此我们不要线形上下对称,它的下部也要现出稳定的样子,上部也要现出轻巧灵活的样子。

在我们意识中引起的运动的冲动愈丰富繁复,线形的美感的价值也愈高。不过最简单的对称的图形也就很美,因为它的线纹所表现的力量完全和身体中天然的力量相吻合。

从心理学观点看,凡是单线或复合线的形式美都可以拿配称身体中天然的运动力量这个道理来说明。不过我们应该不要忘记,只有线形在意识中完全孤立时,这番话才真确;如果它一旦和其他事物的观念夹杂在一起,运动的反应就被认为自己的活动而不复是线形的力量了。

二

闵斯特堡的形象吻合身体组织说,在近代美学思想中影响颇大,浮龙·李、兰格斐尔德以及帕弗尔的学说都与它很相近,却都没有它清楚。他所谓运动系专指为求知觉更加明了的器官适应运动。谷鲁斯教授也着重移情作用所伴着的运动，不过他所说的运动是指对于形象运动的模仿。我们在上章已提及立普斯攻击模仿说，模仿说的倡导者便是谷鲁斯。

模仿是动物的最普遍的冲动，看见旁人发笑，自己也随之发笑；看见旁人踢球，自己的脚也随之跃跃欲动；看见瓦匠弯腰像要堕地的样子，自己也觉得战战兢兢，这是日常的经验。凡是知觉都要以模仿为基础。看见圆形物体时，眼睛就模仿它，作一个圆形的运动。电车移动时我们说它“走”，筋肉方面也感受到类似行走的冲动。寺钟响时我们的筋肉也似一松一紧，模仿它的节奏。寻常知觉都要伴着若干模仿，不过谷鲁斯以为美感的模仿和寻常知觉的模仿微有不同。寻常知觉的模仿大半实现于筋肉动作，美感的模仿大半隐在内而不发出来。谷鲁斯把它称为“内模仿”(inner imitation)。

“内模仿”可以说是“象征的模仿”。象征作用是一切记忆的基础。以往经验凝结为记忆之后，再现于意识时便无须和盘托出，其中一个微细的节目就可以代替它，象征它。比如我在西湖住过些日子，在那里增加许多经验，对于它发生一种特殊的情趣，都在记忆里结集成一个整体。后来我只听到西湖的名字或是只吃到西湖产的莼菜，便在这种特殊情趣里再生活一次，西湖的名字或莼菜合成为全部西湖经验的象征。“内模仿”也是以局部活动象征全体活动。比如说模仿石柱的腾起，我们并不必伸腰耸肩作上腾的姿势，只要筋肉略一蠕动，甚至于只起一种运动的冲动，就可以引起上腾的情感了。有人反对“内模仿”说，以为我们观察事物所发的运动往往不是模仿的。谷鲁斯说知觉圆形就是用眼睛模仿圆形，据斯屈拉东(Stratton)的实验,我们观察曲线时眼球运动是起伏无常的,并不循曲线的轨道。反对模仿说者往往拿这个实验做论证。其实这个实验并不能推翻“内模仿”说。因为“内模仿”原来不是全部模仿,眼球的起伏断续的运动未尝不可象征曲线的运动。兰格斐尔德的意见就是如此。

谷鲁斯以为“内模仿”是美感经验的精髓,其实就是“移情作用”。我们可以说,立普斯所说的“移情作用”偏重由我及物的一方面,谷鲁斯所说的“内模仿”偏重由物及我的一方面。要明了它的意义,我们最好把他的名著《动物的游戏》中所举的实例移译在这里:

> 一个小孩子在路上看见许多小孩子在戏逐一个同伴,站住旁观了几分钟,越看越高兴,最后也跟着他们追逐。在我看来,这几分钟的旁观就是对于那运动现象的最初步的美感的观赏。这里已经有“内模仿”,不过它只是真的外模仿的准备。再如一个小孩子参加一个复杂的游戏,假扮囚虏,须站在那里不动,一直等到同党的人来营救他。在等待时他对于旁人行动的注意的谛视就是一种较纯粹的美感的观赏,因为模仿的倾向被游戏规则所遏止,不能实现于动作。但是他一旦恢复行动的自由,就马上跟着他们一齐玩了。再如一个人在看跑马,真正的模仿当然不能实现,他不但不愿离开他的座位,而且他有许多理由不能去跟着马跑,所以他只心领神会地在模仿马的跑动,在享受这种内模仿所生的快感。这就是一种最简单、最基本、最纯粹的美感的观赏了。再比如说看戏。扮演的动作和

声调原来不过使我们明了剧中所表现的心理的变迁，但是我们的体肤却有基本模仿演员的姿态。我们在听故事时，故事所用的字不过是一种符号，但是我们却能感到它们所表现的情感，像诗人席勒所说的："英雄正流盼，美人亦低眉。"有时我们在书上读到一个故事也能发生内模仿。唐璜（Don Juan）的例就可以证明这种模仿本能的强烈，他要把书本子中的理想实现于事实。此外像好读描写海上生活的书籍的少年们常想当水手，读《少年维特之烦恼》的人们想自杀，都是模仿的好例。像这后面几个例子已经是"超过美感以外"（extra aesthetic）的移情作用了，和宗教上对于圣徒奇迹的模仿，以及狂热者从暗示得来的"圣迹"一类现象都是根本相同的。

它们是"超过美感以外的"，因为模仿的冲动既实现于动作，注意力就不免离开形象而返观自我。谷鲁斯把移情作用分为三级。在第一级中观赏形象所生的运动冲动的感觉没有定所，我们不觉得它们属于自我，仿佛它们原来就在形象里面。在第二级中这些感觉虽然很弱，对于意识却发生若干影响，我们依稀隐约地觉到形象的活动和情感是由我外射出去的。在第三级中运动冲动过于强烈，我们明知它们出于自我，所以外射的活动不复发生。第一级就是通常所说的美感的移情作用，第三级已不复有移情作用，至于第二级是否存在颇可置疑，因为我们既意识到自我的外射，在我的情感就很难认为物有了。

据一般心理学家的研究，就知觉时所起的意象说，人可以分为两类。一种人知觉事物时立刻就起运动意象。比如看打网球，眼睛还没有看出球场中的形样，手足的筋肉便已感到打网球的运动感觉。这种人属于“运动类”(motor-type)。另有一种人知觉事物时立刻就起视觉或听觉的意象。比如听说打网球，目中就现出一幅打网球的画景来，筋肉却不起任何变化。这种人属于“知觉类”(sensorial-type)。谷鲁斯自己属于“运动类”，所以在早年著作中以为无论何人在美感经验中都必带“内模仿”，而“内模仿”也都必带筋肉活动。后来因为受立普斯的批驳，他才把从前的学说略加更改。他承认他从前所说的话只能应用于“运动类”的人们，“内模仿”有时是很残缺不全的冲动，不必尽带筋肉的动作，不过他仍以为“运动类”的人们比“知觉类”的人们较富于欣赏力。“内模仿”无论是否带有筋肉的活动，却都伴有冲动的感觉，这种冲动的感觉就是美感的要素。

三

谷鲁斯以外，移情说的重要宣传者要推英人浮龙·李(Vernon Lee)。不过她的主张前后颇不一致。她在早年和汤姆生(C. Anstruthen Thomson)合著一文，叫做《美和丑》。那时候她还没有读过立普斯和谷鲁斯的著作，她的主张有许多地方却和这两位德国学者暗合。她注意到移情现象，她也注意到模仿，同时她又想把当时颇盛行的“兰格—詹姆斯情绪说”应用到美学方面。《美和丑》的理论是浮龙·李的，理论所根据的事实是汤姆生的。汤姆生属于上文所说的“运动类”，在观赏形象时，不但筋肉发生运动，即呼吸循环诸器官也起很明显的反应。比如她在《美和丑》中自省看花瓶的经验所写的报告就是一个好例。她说：

这里有一个花瓶，是古玩中和近代农家器皿中所常见的。看这花瓶时我特别感觉到它是一个整体。我的身体感觉是很平静、很匀称的，各部分都互相呼应。眼睛注视瓶底时，我的脚紧按在地上；看到瓶体向上升起时，我的身体也随之向上升起；看到瓶腰逐渐扩大时，我微觉头部有一种压力向下垂引。瓶是左右对称的，两肺的活动也因而左右平衡。瓶腰的曲线左右同时向外突出，眼光移到瓶腰最粗部时，我随即作吸气运动，看到曲线凹入时，我随即作呼气运动，于是两肺都同时弛懈起来，一直看到瓶颈由细转粗时，我又微作吸气运动。瓶的形样又使我左右摆动以保持平衡，左边的曲线把身体的重心移到左边，右边的曲线又把它移回到右边。看到瓶的形象，周身同时发生一串极匀称的适应运动，我觉得瓶子是一个和谐的整体，就因为这些适应运动齐全而和谐。

这番话显然和谷鲁斯的“内模仿”说很相近。以观赏花瓶时我们仿佛就把自己的身体变成一个花瓶。不过它和谷鲁斯的学说有一个重要的异点。谷鲁斯偏重筋肉的运动的冲动，浮龙·李则同时顾到呼吸循环种种有机感觉。她见到观赏形象时呼吸循环种种器官也要起变化，所以想拿“兰格—詹姆斯情绪说”来解释美感。“兰格—詹姆斯情绪说”是怎么一回事呢？情绪发动时身体上都要起变化，例如喜笑时展颐，悲哀时垂泪，恐惧时脸色变白，羞耻时脸色变红。一般心理学家都以为情绪是因，身体变化是果。兰格

(Lange)和詹姆斯(W. James)却把这个因果次第倒转过来。在他们看,事物的印象直接引起身体上的有机变化,这些变化所生的感觉之总和就是情绪。所以笑不由于喜,喜实由于笑,逃遁不是因为恐惧,恐惧实因为逃遁。这个情绪说在十九世纪后半期很风行。浮龙·李受了它的影响,以为美感也是如此。比如上文所说的看花瓶时所起的各种身体变化就是美感的成因。她以为采纳"兰格—詹姆斯情绪说",我们就可以寻出一个辨别美丑的标准。凡是形象,能引起有益于生命的身体变化,就可发生快感,就是美的;不能引起有益于生命的身体变化,就可发生不快感,就是丑的。

这个学说能否成立,就要看"兰格—詹姆斯情绪说"能否成立。"兰格—詹姆斯情绪说"虽曾风行一时,现在却已为多数心理学家所摈弃。它的缺点在把情绪看作完全是一种知的活动,把"情的方面"(affective side)忽略去了。一种印象要和器官有利害关系,要能打动我们的情趣,然后才能引起身体变化。情趣不存在,身体变化就无从发生。器官感觉是完全属于知的心理活动,如果要变成情绪,一定先要加上"情"的成分。浮龙·李的美感说也正坐此弊,美感也绝不只是器官感觉所构成的。她后来读立普斯和谷鲁斯的著作,思想为之一变,立普斯曾批驳过她的学说,她自己觉得错误,于是把"兰格—詹姆斯情绪说"抛开。她自己承认是立普斯的嫡传弟子,曾跟着立普斯批评谷鲁斯的模仿说,可是她仍然着重美感所伴着的生理的变化。

立普斯反对生理的解释,她既然相信他,却又着重生理的变化;谷鲁斯主张移情必带模仿,她既然反对他,却又承认生理的变化和线形的组合相呼应,这不是自相矛盾么?为免去这种矛盾起见,她特别着重"线形运动"(movement of lines)和"人物运动"(human movement)的分别。这种分别是否能成立,是否能帮助她逃开矛盾,我们待下文再说,现在先来解释她的意思。要了解她所说的线形运动和人物运动的分别,我们最好把她在《美和丑》中所引的汤姆生的看雕像自省的报告移译在这里:

我在看雕像的运动时,要用身体去临摹的并不是它所表现的人物运动。我看 Hermes 时没有作抱儿姿势的倾向,看 *Apoxyomenos* 时没有作揩去肘上油垢的运动的倾向,看《临死的角斗者》也没有倒下地的倾向。这些雕像所以使我感动的并不是它们所表现的动作。我只顾到艺术作品的情趣,至于它所含的人物的情趣,我却不过问。这个意思可以拿一个实例来说明。比如我在谛视《米罗爱神》雕像时,我并不说:“好一个美人,可惜她没有胳膊!”我只说:“她好像一只轻艇在浮动。”我的身体随着她的线纹而左右摆动以维持平衡(她微倾左半身,我微倾右半身,我站在她对面,所以保持平衡的方法和她相反)。我看她觉得愉快,因为我觉得她又是女子,又是扬帆的轻艇,这种混合使她现出那副镇定而庄严的神情。我和她的关联以我的运动的冲动为媒介。她的衣裳和身体都一样和我有关联,都在运动,都在保持平衡。她看来并不像是一个穿着死衣的活女子,她和她的衣裳混成一个整体。她的脚上显然有一种压力,我的脚也随之按压在地上,她的大理石的身躯显然是向上耸立,我的身躯也随之向上耸立,她的美丽的头现出一种很轻微的压力,我的头也随之向下沉坠。这些运动固然可以说是模仿的,但是我模仿《米罗爱神》时作这些运动，模仿文艺复兴时代的牌坊或是中世纪的圣杯时也还是作这些运动。这些运动就是一切艺术的基础。

从这段话看，我们可以说，人物运动是具体的，例如吃饭、走路、穿衣等等；线形运动是抽象的，例如上举、下压、斜倾、平衡、曲折等等。人物运动可同时具线形运动，而线形运动却没有人物运动所附带的具体的意义。依浮龙·李说，我们在移情作用中所模仿的是线形运动而不是人物运动。我们在上文所引的谷鲁斯的“内模仿”的实例都是人物动作的模仿。所以浮龙·李反对谷鲁斯的“内模仿”说。她何以要把线形运动的模仿和人物运动的模仿分开，而单提出线形运动的模仿作为美感的活动呢？我们在她的著作中可以寻出两层理由。

第一层理由是美丑的标准。线形运动的模仿和人物运动的模仿都发生运动感觉和器官感觉，不过性质却有差别，前者是美感而后者却不必是美感。比如模仿走路所生的筋肉感觉和实际走路时所生的筋肉感觉在性质上并无二致，我们不能说它美也不能说它丑。至于模仿线形运动时，则所生的运动感觉可以随线形是否适合身体组织而有快或不快的分别。对称的线形合于对称的身体，所以发生快感；上重下轻的线形不合于上轻下重的身体，所以发生不快感。发生快感的线形就是美的，发生不快感的线形就是丑的。照这样说，我们就有一个辨别美丑的标准了。我们在上文见过闵斯特堡的学说，浮龙·李的美感说和它颇近似，都着重知觉的适应运动。

其次，线形运动的模仿是移情作用的必要条件，人物运动的模仿则须先有移情作用而后才能发生。比如面前有一座山像从平地爬起来。爬起来是一种人物运动。山本不能爬起来而我把它看成爬起来的,这是移情作用的结果。如果我模仿它的爬起(人物运动),我须先把它看成爬起来的。所以人物运动的模仿须在移情作用已发生之后。但是我们如何把它看成爬起来的呢?这却是模仿线形运动的结果。山本来有两条线纹从平地起逐渐向上斜矗交会。我看它时,眼睛和身体都须顺着这两条斜线向上运动,这就是说,我须模仿这种线形的运动。这种模仿所生的运动感觉和我自己爬起来时的运动感觉相同,所以提醒记忆中爬起的意象。在聚精会神中我们忘记自己的存在,以把这种爬起的感觉归到山的身上去,这就是移情作用。所以移情作用要借线形运动的模仿为基础。所谓"模仿"都须有一个模型。模型为人物时,我们固然可以同时模仿它的线形和它的动作姿势。模型为无生命的物体时,我们只有线形可模仿。无生命的物体本来也可以看成有生命,可是这须先经过移情作用。谷鲁斯把"内模仿"看成移情作用,好像是说无生命的物体在移情作用之先已有动作姿势可做模仿的模型。在立普斯和浮龙·李看,这是于理说不通的。

四

统观上文,我们可以见出"移情作用"和"内模仿"的问题是很复杂的。各家的学说往往互相冲突,究竟谁是谁非呢?我们现在最好再举一个实例来说明,一方面把本章和上一章所介绍的学说作一个总结,一方面指出它们的争论的焦点所在,看看能否寻一个比较满意的结论出来。

我们姑且再拿立普斯所举的石柱为例。石柱本来是无生气的，顺着压力向地心下垂的。但是我们在观赏石柱时，却觉得它昂然耸立上腾，露出一种出力抵抗不甘挠屈的神情。这个现象就是立普斯所说的“移情作用”。它是怎样发生的呢？

立普斯以为这个问题可以纯粹用心理学来解释。石柱承受重压仍然站着不倒，这个印象在我的记忆中唤起出力抵抗和上腾的观念。观念的唤起是由于类似联想，观念的外射是由于物我同一。

多数学者却以为移情作用的生理的基础不可抹煞。不过同是用生理的解释者意见亦复不一致。谷鲁斯说，移情作用就是内模仿。我观赏石柱时暗地模仿它的腾起，结果于是有运动感觉。这种运动感觉微弱“无定所”，所以外射到石柱身上去。

这个“内模仿”说被立普斯批驳，浮龙·李亦不以为然。你必先把石柱看成腾起的，然后才能模仿腾起的运动，所以先有移情作用而后才能有内模仿。谷鲁斯误在把所模仿的模型看成人物运动，其实它只是线形运动。比如看石柱，我们的眼睛和身体顺着石柱的线纹由下而上，同时呼吸循环诸器官也起变化，作仰视的适应。这种线形运动的模仿所生的感觉引起腾起的观念。线形的美丑以合不合身体组织为准。这个学说着重伴着知觉的适应运动，和闵斯特堡的主张相同。

这些学者们对于“移情作用”之前的心理状况是同意的，他们都以为要有移情作用，先要有物我同一，意识到自己的活动时，移情作用就不能发生，我们可以把这一点看作已经公决的议案。一般学者们所争辩的在移情作用发生时心理状况和生理状况如何。这个问题可以分为两个：

（一）移情作用是否像立普斯所主张的，纯以观念为媒介，不要借助于生理的解释呢？这就是说，它只是一种观念联想呢，还是这种联想必须伴有运动的冲动和感觉呢？

（二）假使我们必须借助于生理的解释，是采谷鲁斯的"内模仿"说，还是采浮龙·李的"线形运动"说呢？或者我们再追问一句：人物运动的模仿和线形运动的模仿是否真有分别呢？谷鲁斯的学说和浮龙·李的学说是否真两不相容呢？

第一个问题是比较容易解决的。我们在这里无解决身心关系问题的必要，单从近代心理学说观点看，像"耸立"、"腾起"、"出力抵抗"一类的观念都是"运动的意象"（motor image）。在运动的意象复现于记忆时，以往运动经验至少也须有一部分复现出来。比如想到"耸立"时，我们虽不必实地作耸立的运动，至少也要感觉到一种耸立的冲动，筋肉及其他器官至少也须经过一种很微细的变化。这种身体变化不能不返照到意识，因此就不能不影响到全部美感经验。既然如此，我们便不能把生理的问题一笔抹煞。所以立普斯所说的纯粹的心理学的解释是不能成立的。要懂得美感的移情作用，就要懂得它所伴着的生理的变化。

至于人物运动和线形运动的分别是很牵强的。模仿人物运动时和模仿线形运动时所用的器官组织根本并无二致。人物运动，如果抽象地看，也就是线形运动。比如燕子贴水斜飞时，我们的视线随着它移转，筋肉也随着它紧张弛懈，这单是模仿人物运动呢？还单是模仿线形运动呢？浮龙·李攻击"内模仿"说时，以为我们先要把石柱看成腾起的，然后可模仿腾起的运动，所以人物运动的模仿必以移情作用为条件，而移情作用又必以线形运动的模仿为条件。这种辩驳虽然言之成理，其实不能成立。在美感经验中我们既纯以直觉观赏形象,形象是否有生气,运动是否为人物的或线形的,我们就无暇顾及了,我们只觉得形象是在那里运动而已。如果用推理作用来辨明这些分别,我们就已经从幻梦中惊醒,美感经验就不免随之消失了。在观赏形象时我们所发出的运动或冲动,无论其为模仿人物的抑为模仿线形的,原因都在运动的意象复现于记忆,目的都在增进知觉的明显。眼球向上转动去看空中飞鸟,或是手臂陪着雕像作伸手的姿势,以至于浮龙·李所说的身体各器官随着山的线形而变化,表面虽似不同,道理都是一样,都是伴着知觉的适应运动。无论是人物运动或是线形运动,适合身体组织时都可发生快感,不适合身体组织时都可以发生不快感。我们固然欢喜左右平衡的线形,不欢喜上重下轻的线形;可是我们也欢喜轻巧灵便的动作,不欢喜笨拙的动作。无论是模仿人物运动或是模仿线形运动,所生的感觉如果不太强烈,以至破坏物我的同一,都可以增进美感;如果太强烈,使我们觉得它出于己体,都可以减杀美感。浮龙·李的分别实在没有顾到这些事实。

鲍申葵(Bosanquet)在他的《美学三讲》里批评浮龙·李,认为她把线形看得太重。好像除线形以外,美感的形便无其他要素似的,其实色调的和谐也属于美感形象而却不能纳入线形。浮龙·李所以偏重线形者,和立普斯厌听模仿说一样,都是受当时美学思想上的形式主义的影响。形式主义以为艺术的要素全在形式的配合,内容完全不关紧要。比如看一幅画时,你不必问画中人物是谁,他们在做什么事,或是画的背后有什么寓意,你只看它的形色如何配合,就能够引起美感。倘若你因为画的人物是但丁或是拿破仑,画中事实是耶稣临刑或是圣母升天,才感觉到趣味,那就不是美感了。由此例推,人物运动自然也是属于“内容”而不是属于

“形式”的,所以浮龙·李要把它一笔勾销。

在我们看,艺术上的形式和内容,线形运动和人物运动,都是不能勉强分开的。浮龙·李的学说和谷鲁斯的学说其实并非两不相容。兰格斐尔德(Langfeld)大体采谷鲁斯的“内模仿”说,而同时又不废线形与身体组织适合说,是很可以注意的。他在《美感的态度》里说:

> 走进一个博物院里,我们猛然碰见一座伸着手的希腊雕像,也许把它误认作一个人在伸手给我们握,不由自主地起伸手的冲动,但是雕像本身其实并没有含预备握手的姿势,所以我的这一动作不能说是和雕像线纹运动相谐和。这个出自误解的态度所以不是美感的,和我们欣赏雕像时所应取的态度完全不同。欣赏雕像时我们也有伸手的倾向,但是目的在去领略线纹的价值,这是“陪”雕像伸手,和前面的“向”雕像伸手不同。“陪”雕像伸手的运动是和雕像相谐和的。

他后来又说:

> 我们碰见一件事物可以取两种不同的运动的态度,一种是在事物里面的适应,属于美学;一种是向着事物的适应,不属于美学。比如看见一棵树在日光里面荡漾,我们也许起伸手去阻止它的冲动,这种态度是防卫的;也许起陪着它一齐摇摆的冲动,这是为着亲尝它的荡漾的滋味。

所谓陪着雕像伸手，陪着树摇摆，就是谷鲁斯所说的“内模仿”，浮龙·李所说的“人物运动的模仿”，但是这种模仿是要“领略线纹的价值”。后来他说：“事物如果要引起快感，必定要能引起完整的移情反应，因为神经系统构造需要这种完整。完整（unity）是美的要素也就是因为这个道理。”照这样看，他的主张又近于闵斯特堡和浮龙·李的。我们既然否认模仿人物运动和模仿线形运动的分别，所以觉得兰格斐尔德的主张颇能调和谷鲁斯和浮龙·李的争执，并非自相矛盾。

第五章　关于美感经验的几种误解

一

我们现在总结以上四章对美感经验的分析，可以得到下列几个结论：

（一）美感经验是一种聚精会神的观照。我只以一部分“自我”——直觉的活动——对物，一不用抽象的思考，二不起意志和欲念；物也只以一部分——它的形象——对我，它的意义和效用都暂时退避到意识阈之外。我只是聚精会神地观赏一个孤立绝缘的意象，不问它和其他事物的关系如何。

（二）要达到这种境界，我们须在观赏的对象和实际人生之中辟出一种适当的距离。艺术的成功或失败，就靠它对于观赏者的距离远近何如。距离太近，它容易引人回到实际人生里去，便失其为孤立绝缘的意象。距离太远，它又不能引起兴趣，使人难了解欣赏。

（三）在聚精会神地观赏一个孤立绝缘的意象时，我们常由物我两忘走到物我同一，由物我同一走到物我交注，于无意之中以我的情趣移注于物，以物的姿态移注于我。但是这种移情作用虽常伴着美感经验，而却非美感经验的必要条件。有些艺术趣味很高的人常愈冷静愈见出形象的美。

（四）在美感经验中，我们常模仿在想象中所见到的动作姿态，并且发出适应运动，使知觉愈加明了。因此，筋肉及其他器官起特殊的生理变化。我们在聚精会神时，虽不必很明显地意识到筋肉运动的感觉及其他生理变化，但是它们可以影响到美感经验。

（五）形象并非固定的。同一事物对于千万人即现出千万种形象，物的意蕴深浅以观赏者的性格分深浅为准。直觉就是凭着自己情趣性格突然间在事物中见出形象，其实就是创造；形象是情趣性格的返照，其实就是艺术。形象的直觉就是艺术的创造。因此，欣赏也寓有创造性。

这些结论得到了，我们现在可以进一步讨论关于美感经验的几个普遍的误解。

第一个误解是美感与快感的混淆。喝一杯好酒，看见一个中意的女子，你称赞"美"；读一首诗，看一幅画，或是听一曲音乐，你也还是同样地称赞"美"。这两类经验显然不是一致的。它们虽然都生快感，而两种快感不一定都是美感。许多人因为不能分别快感和美感，便索性否认它们有分别，以为快感就是美感，美感也就是快感。十九世纪英国学者罗斯金曾经很坦白地说过："我从来没有看见过一座希腊女神的雕像比得上一位血色鲜丽的英国姑娘一半美。"如果快感就是美感，血色鲜丽的英国姑娘的引诱力当然比希腊女神的雕像的较强大。但是罗斯金所说的英国姑娘的"美"和希腊女神的雕像的"美"，两个"美"字的意义是否相同呢？荷兰画家伦勃朗（Rambrandt）所画的满面皱纹的老太婆以及《红楼梦》里的刘姥姥，都没有什么风姿可邀罗斯金的青眼，比血肉鲜丽的英国姑娘相去自然不能以道里计，可是在艺术上仍不失其为美。反之，许多血色鲜丽的英国姑娘或任何国的姑娘做了平凡画匠的模特儿，或是印在纸烟、香水广告牌上时，不一定就叫人起美感。从此可知美感与寻常快感究竟是两回事。

有些美学家见到快感不尽是美感，于是替它们勉强定出一个分别来，却又往往不尽如人意。英国“享乐派美学”(Hedonistic Aesthetic)就犯了这个毛病。倍恩(Bain)说，美感是可以使许多人共享的，寻常快感则为各个人所独有。美的东西人人都觉得美，使你生快感的东西对于我或许是索然无味。他忘记天下之口有同嗜，酒美时同饮者常无异议，而上品的艺术则往往有曲高和寡的弊病。格兰·亚伦(Grant Allen)以为美感限于耳、目两种“高等感官”(higher senses)，至于舌、鼻、皮肤、筋肉、内脏等“低等感官”则不能发生美感。他没有说出充足的理由来。如论事实，这种分别实在是很勉强。美感与筋肉感觉有密切关系，我们在第四章已经说过。著名画评家贝冉孙(Berensen)在《佛罗伦萨画家论》里便以为要欣赏佛罗伦萨画家的线纹的力量，我们要用筋肉感觉去领会。其他“低等感官”也未尝不可发生美感。例如“暗香浮动月黄昏”，“三杯两盏淡酒，怎敌他晚来风急”，“客去茶香余舌本”，“冰肌玉骨，自清凉无汗”，这些名句所描写的是何种感觉呢？近代有一派诗人专门想从感官方面打动情趣。颜色和声音固然是他们所看重的，气味及筋肉感觉也并不被轻视。我们只稍读济慈或波德莱尔的诗便知道。如果格兰·亚伦的话靠得住，生来就聋盲的人们就不能有美感，但是生来就聋盲的女作家海伦·凯勒(Helen Keller)却以美感锐敏著名。美国美学家马夏尔(H. R. Marshall)以为寻常快感复现于记忆时，就失其本质；而美感则在复现于记忆时，仍与原来实际所经验的没有差别。例如美酒的快感是不能回忆起来的，而艺术的快感则可以回忆起来。其实寻常快感和美感在复现于记忆时，是否像实际所经验的一般活跃，随人而异，不能定为标准。饕餮者回想起一种美味，津津乐道，不亚于实在尝它。这里我们可以引一段法国美学家顾约（I. M. Guyau）在《现代美学问题》第一卷第六章中的一段话来证明：

> 我们每个人大概都可以回想起一些享受美味的经验，与美感的享受无殊。有一年夏天，在比利牛斯山里游行大倦之后，我碰见一个牧羊人，向他索乳，他就跑到屋里取了一瓶来。屋旁有一小溪流过，乳瓶就浸在那溪里，浸得透凉像冰一样。我饮这鲜乳时好像全山峰的香气都放在里面，每口味道都好，使我如起死回生，我当时所感到那一串感觉，不是“愉快”两字可以形容。这好像是一部田园交响曲，不从耳里听来而从舌头尝来。……味感实在带有美感性，所以也产生一种较低的艺术，烹调的艺术。柏拉图拿烹调和修辞学相比，实在不仅是一种开玩笑的话。

顾约说这番话，原来要证明格兰·亚伦的高等感官与低等感官说的错误。他自己虽然也还是错误，因为他还是把快感和美感混在一起。不过他的话很可以证明寻常快感不能回忆说的错误。如果说寻常快感到再现于记忆时每每变成美感，倒有几分真理。顾约在比利牛斯山饮乳时所享受的只是快感，到他著书时回忆那种风味，便杂有几分美感在里了。

如果把美感经验看成形象的直觉，它和寻常快感的分别就不难寻出了。

第一，美感是不沾实用，无所为而为的，寻常快感则起于实用要求的满足。例如美酒所得的快感由于味感得到所需要的刺激，和饱食暖衣的感觉同为实用的，与观赏形象无关。有时喝酒自然也可以成为一种艺术，但是艺术的滋味不在饮酒所得的口腹方面的快感，而在饮酒使人忘去现实而另辟一天地，陶潜、刘伶、李白之流都是用酒来把实际人生的距离推远，酒对于他们只是造成美感经验的工具。至于看美人所生的快感可以为美感，也可以不为美感。如果你觉得她是一个可希求的配偶，你所谓“美”就只是说满足性欲的条件。如果你能超脱本能的冲动，只把她当作线纹匀称的形象看，丝毫不动欲念，那就和欣赏雕像或画像一样了。美感的态度不带意志，所以不带占有欲。许多收藏书画古董的人往往把占有某人的墨迹或某朝的铜器作为夸口的事，这种人大半只有满足占有欲所生的快感而不能有美感。

第二，美感是性格的返照，是我的情趣和物的情趣往复回流，是被动的也是主动的。寻常快感完全受外来的刺激支配，我的情趣和物的姿态并不能融成一气，所以只能说是被动的。美感经验同时是主动的和被动的，兰格斐尔德有一个很好的比喻：“美感的态度好比顺水行舟，随流曲折。就随着水流动移说，我们是主动的；就对于移舟的水力不加抵抗说，我们是被动的。如果我们要逆流行驶，或是故意要转一个弯，那就失其为美感态度了。”

第三，我们在享受寻常快感时，意识中很明显地觉到自己是在享受快感。在美感经验中意识中只有一个孤立绝缘的意象，如果同时想到“我现在觉得愉快”，注意力就由意象本身转到意象所生的影响，心中便有两件事，一是所欣赏的意象，一是它使我愉快一件事实,所欣赏的意象便不复孤立绝缘,而我的活动也不复是直觉的而是名理的了。我们对于一件艺术品或是一幅自然风景,欣赏的浓度愈大,就愈不觉得自己在欣赏它,愈不觉得它所生的感觉是愉快的。如果自己觉到快感,就好比提灯寻影,灯到影灭,美感的态度便已消失了。美感所伴的快感在当时都不觉得,到过后才回忆起来。比如读一首诗或是看一幕戏,当时我们只是心领神会,如鱼得水,无暇他及,后来回想,才觉得这一番经验很愉快。

这种分别本来浅而易见,但是现代有两派从心理学观点研究美学的人们却因为不明白这种很浅易的分别而走入迷途。第一就是弗洛伊德派学者。他们把文艺看作欲望的化装的满足。比如婴儿生来对于母亲有性爱,被道德观念压抑下去,仍设法要求满足。希腊的俄狄浦斯(Oedipus)弑父娶母的神话和索福克勒斯根据这神话所写的悲剧,就是这种性爱的化装的表现。我们并不否认原始的欲望是文艺的一个很大的原动力,但是我们否认原始欲望的满足就是艺术所给我们的特殊感觉。弗洛伊德派的文艺观还是要纳到"享乐派美学"里去,它的错误在把欲望满足的快感看成美感,或是于这种快感以外,在文艺中没有见出所谓"美感"是怎么一回事。文艺的内容尽管有关性欲,可是我们在创造或欣赏时,却不能同时意识到性欲的驱遣以及它的满足,必须把弗洛伊德派所称的"化装的表现"当作一种独立自足的意象看。

此外,德国和美国近来的许多研究"实验美学"的心理学家,也犯着同样的毛病。他们把造形艺术分剖为零碎的颜色及线形,把音乐分剖为零碎的音调,然后拿这些零碎的颜色线形和音调来测验观者或听者,问他们欢喜哪一种,讨厌哪一种,哪一种所生的心理和生理变化何如。测验过几十人或几万人后,他们于是把结果造成统计，说某种颜色对于某种人、某种年龄是最美的，某种线形对于某种人、某种年龄是最丑的。他们忘记艺术品美在全体的整一与和谐，这种全体并不等于部分之和。拿拆开来的颜色线形和音调来论定整个艺术作品的美丑，也无异于从斩碎的肢体中寻求活人的生命。其次，他们忘记一种颜色线形或音调使人愉快或不愉快，大半由于生理作用。对于生理最愉快的东西虽然容易引起美感，而它本身不一定就是美的。他们的错误在把快感混为美感。

二

在凝神观照中，我们不但无暇察觉到经验是否愉快，并且也无暇去判断对象的美丑，所以美感态度与批评态度有别。康德把讨论美学的一部分哲学叫做《判断力批判》(*Critique of Judgment*)，又铸了“美感的判断”(Aesthetic Judgment)一个名词来称呼美感观照，酿成后来学者的许多误会。美感观照是一种极单纯的直觉活动，对于所观照的对象并不加肯定或否定，所以不用判断。判断或批评是名理的活动，是以理智去判别是非美丑，与直觉有别。在批评时我是我而作品是作品，我不能沉醉在作品里面。批评的态度要冷静，要脱离沉醉的状态，对于所观照事物加以公平正直的估价。本来“批评”两个字的意义向来没有定准，“判别是非美丑”一个意义至少是多数人所采取的。一般人所谓批评就是“司法式”的批评。这种批评和美感态度绝对不能同时存在，因为它所根据的标准大半是一些陈腐的格律，而不是自己的切身的经验。一个人只要记得“悲剧不宜掺杂喜剧”、“剧情宜单整不宜繁复”、“悲剧的主角应该是有微瑕的善人”之类的条文,便可以去批评莎士比亚,不必问他自己在莎士比亚的作品中是否得到什么好处。一般人所谓“批评的态度”须用理智,真正的美感的态度则全凭直觉;批评的态度须预存美丑的标准,美感的态度则忌杂有任何成见;批评的态度把我放在作品之外去评判它的美恶,美感的态度则把我放在作品中间去分享它的生命。这两种活动根本不同,所以克罗齐说“诗人在为批评家时便失其为诗人”。

在文艺方面,理想的批评必有欣赏做基础。欣赏就是美感的态度。一个人必先自有艺术的经验然后才可以批评艺术。十六世纪英国诗人琼森(Ben Jonson)说得好:“只有诗人,而且并非一切诗人,只有第一流诗人,才有批评诗人的本领。”近人艾略特(T. S. Eliot)也说:“理想的批评家就是作者自己。”如果自己没有艺术的经验,不了解创作的甘苦,只根据几条死板的规律来说是说非,总不免是隔靴搔痒。因此,近代美学家如克罗齐、斯宾干(Spingarn)等主张所谓“创造的批评”。照他们看,在整个的艺术活动之中,创造和欣赏与批评是一气贯串的。创造和欣赏根本只是一回事,都是突然间心中直觉到一种形象或意象,批评则是创造和欣赏的回光返照,见到意象之后反省这种意象是否完美。《旧约》的《创世记》开端说上帝已创造了世界,放眼一看,见着它很完美,这是一个最好的批评实例。真正的批评家都应该像创造世界的上帝一样,看见自己的作品而察觉它美或不美。如果批评者不是著作者自己,他也必须先把所批评的作品变成自己的。做到这步,他才能从作品里层窥透它的脉搏气息,才能寻出它的内在的价值,不只是拿外来的标准和义法去测量它。创造是造成一个美的境界,欣赏是领略这种美的境界,批评则是领略之后加以反省。领略时美而不觉其美，批评时则觉美之所以为美。不能领略美的人谈不到批评，不能创造美的人也谈不到领略。批评有创造欣赏做基础，才不悬空；创造欣赏有批评做终结，才底于完成。就批评为“创造的批评”而言，它和美感的态度虽然有直觉和反省的分别，却彼此互相补充。

三

我们分析美感经验时，再三说明它是单纯的直觉，不带任何名理的思考。这一点最易引起误会。有人会问：要欣赏一件文艺作品，绝不能不先了解它的意义，如果要了解它的意义，我们如何能不用名理的思考呢？比如读一首诗，我们绝不能马上就把它当作一个意象悬在心眼前，必定先懂得每字每句的意义，分析它的音韵方面的技巧，知道诗人在某种情境之下做成这首诗，这就是用名理的思考，这就是取科学的态度了。我们回答说，这番话丝毫不错，不过和我们的主旨并不冲突。我们只说美感经验和名理的思考不能同时并存，并非说美感经验之前后不能有名理的思考。美感经验之前的名理的思考就是了解，美感经验之后的名理的思考就是批评，这几种活动虽相因为用，却不容相混。

谈到这里，我们可以附带地讨论一个相关的问题。美感经验既全在欣赏形象而不旁迁他涉，它和历史的知识有无关系呢？要解决这个问题，我们须回到艺术和人生的问题。从一方面说，艺术生于直觉，直觉的对象全在形象本身，与实际人生无涉，所以欣赏作品和了解作者的生平是两件不相同的事。从另一方面说，艺术是情感的表现，与生活经验息息相关，欣赏作品又不能不了解作者生平的遗际。近代美学家如克罗齐、贝尔（Clive Bell）等都侧重第一个观点。贝尔在《艺术论》里说：

> 欣赏艺术，我无须知道作者的生平。我断定这幅画比那幅画好，实在不用历史的帮助。但是我如果要解释一个作者的艺术何以日渐退化，知道他害过大病或是娶了一位太太，每天都要他做饭，倒是有些用处。看出他的退化，这纯粹是美感判断；来解释这种退步的原因，这却是历史家的事。

贝尔的话是针对现代传记研究的风气而发的。这种风气从法国泰纳（Taine）和圣伯夫（Sainte-Beuve）两位批评家以后才盛行。据泰纳说，造成各国文学的三大主动力是时代、环境和民族性，要了解一国文学，必先把这三件事了解清楚。这三件事通常都属于历史的范围。圣伯夫则特别注重泰纳所忽略的一个要素，就是作者自己的个性。他以为文学和生物学一样，是一种"研究心灵的自然科学"。所以他特别注重作者的生平，虽然一件很微细的琐事轶闻他也不肯放松。从他以后，有一派学者专门在传记上做功夫，例如英国的斯特雷奇（Lytton Stretchy）、法国的莫洛亚（André Maurois）、德国的路德维希（E. Ludwig），都是从传记入手去研究文学的。此外弗洛伊德派心理学者也看重作者生平和作品的关系。他们以为文艺是欲望的满足，作者不满意于现实世界，才创造理想世界以弥补缺陷，因此要了解作品，必须知道作者的内心生活，尤其是他的隐意识的生活。

历史派和美学派的见解和方法似乎都太偏，彼此可以互相补充。了解和欣赏虽是两回事;但是二者不可缺一,了解是欣赏的预备,欣赏是了解的成熟。只就欣赏说,作者的史迹是题外事;但就了解说,作者的史迹却非常重要。所以遇到一种艺术作品,我们应作两种疑问:第一,这件作品所表现的情感如何发生?它的动机何在?它与作者生平有何关系?作者是否受过旁人的影响?他创造这种作品时的经过如何?其次我们应问这种作品是不是艺术?它能否引起美感经验?我在欣赏它时心境起何种变化?第一类问题是历史的和心理学的,第二类问题是美学的。圣伯夫派学者只言历史,弗洛伊德派学者只言心理学,所以只注意到第一类问题。克罗齐派学者只言美学,所以只注意到第二类问题。其实这两类问题都不可偏废。未了解绝不足以言欣赏;只了解而不能欣赏,也只做到史学的功夫,没有走进文艺的领域。

举一个实例来说。从前注诗家往往好牵强附会,在每首诗里都要见出"微言大义",把恋爱诗也解作忠君爱国。这固然是错误,但是往日中国士大夫确有在作品中隐寓家国之感的习惯,我们不能一概否认。比如陶潜的诗是直截平淡的,要了解他,似乎不要多少的历史的帮助,但是如果我们不知道他痛恨刘裕篡晋一件史实以及晋朝社会环境和士大夫的习气,对于《归去来辞》、《桃花源记》、《饮酒》、《咏荆轲》诸作就不免有些隔膜。从此可知作者生平的事实和欣赏他的作品并非毫无关系。一般富于考据癖的学者的错误不在从历史传记入手研究文学,而在穿凿附会与忘记文学之为艺术。他们以为作者一字一句都有来历,于是拿史实来牵强附会,曲为之说。例如《红楼梦》有多少"考证"和"索隐"?它的主人究竟是纳兰成德,是清朝某个皇帝,还是曹雪芹自己?这些问题被"红学家"闹个不休,他们忘记艺术是创造的,虽然可以受史实的影响，却不必受史实的支配。一个意象世界原不必实有其事。尤其可笑的是他们因考据而忘欣赏，既然把作品的史实考证出来以后，便以为能事已尽，而不进一步把作品当作艺术去欣赏。考证的目的原来在帮助了解，了解的目的原来在帮助欣赏。考证而不欣赏，无异于种而不获。这种“功成而不居”的精神原可佩服，不过从美感观点看，究竟是一种缺陷。

第六章　美感与联想

承认美感经验为形象的直觉，我们还可以解决另一个纠纷的问题，就是美感与联想的关系。联想是一种最普遍的作用，通常分为两种。一种是类似联想，例如看到菊花想起向日葵，因为它们都是花，都是黄色，在性质上有类似点。一种是接近联想，例如看到菊花想起中山公园，又想起陶渊明的诗，因为我在中山公园里看过菊花，在陶渊明的诗里也常遇到提起菊花的句子，两种对象虽不同，而在经验上却曾相接近。这两种联想有时混在一起，例如看到菊花想起陶渊明，一方面是一种接近联想，因为陶渊明常做菊花诗；一方面也是一种类似联想，因为菊花有高人节士的气概，和陶渊明的性格很类似。

凡是两个观念联在一起想时都用联想，例如说“人是动物”、“这个声音像是张三的”、“妻就是老婆”、“美感经验是形象的直觉”、“流云如白衣苍狗”、“衣在箱子里”等等。从此可知凡是可以用一个完全语句表示的知识都是联想作用的结果。这就是说，联想是知觉、概念、记忆、思考、想象等等心理活动的基础，意识在活动时就是联想在进行。从前哲学家如霍布斯（Hobbes）、詹姆斯诸人把思想分为有意旨的（voluntary thought）和联想的（associative thought）两种。“联想的思想”是自由起伏飘忽不定的。例如我此刻从菊花想起，想到中山公园，由中山公园想到溥心畬的画展、檀柘寺、蛇、《古舟子咏》中一行诗、鸦片烟等等。从菊花到鸦片烟虽似牛头不对马嘴，其中联想线索前后相承，却有关系可寻；虽有关系可寻，却都是偶然的。换一个时间，换一个环境，我也许可以由菊花想起许多其他事物。梦中的思想往往完全是联想的。“有意旨的思想”也是由甲到乙由乙到丙逐渐前进，但是在辗转前进时步步受一个主旨控制，它所走的方向是由主旨指定的。甲和乙、乙和丙相承是以必然关系为线索的。日常思考都是用这种“有意旨的思想”。其实“有意旨的思想”也还脱离不了联想，所不同者不过是一个是有定向、有必然关系的联想，一个是飘忽的偶然的联想罢了。现在我们沿旧习惯，说联想作用时单指飘忽的偶然的联想，就是与“有意旨的思想”有别的“联想的思想”。

在观照自然或艺术时，我们最容易起联想，因为我们暂时丢开实际生活的种种牵制，心里没有一个主旨指定思路的方向，平时可以限制联想的种种力量都暂时失其作用。一般人觉得一件事物美时，大半因为它能唤起甜美的联想。最简单的实例是颜色的偏好。我们对于颜色，往往因民族、年龄、性别、教育不同而各有所偏好，有人偏好红色，有人偏好青色。据一派心理学家看，这都是由于联想作用。例如红是火和血的颜色，所以看到红令人觉得温暖，感到热情。青是田园草木的颜色，所以看到青色令人联想到乡村生活的安闲。再比如看画，图画的美本来在颜色、线纹、阴影诸成分的谐和配合所现出的意象。多数人看画却不着重这一点而着重画里的故事。乡下人欢喜把孟姜女、薛仁贵、桃园三结义、安天会的图糊在壁上做装饰，并不是因为能欣赏那些木板雕刻，而是因为它们可以引起许多有趣的故事的联想。这种心理习惯是很普遍的，所以往日画家都喜欢用历史宗教的题材。例如《拿破仑的结婚》、《乾隆南巡》、《耶稣临刑》之类的图画虽然本身不一定有什么价值，却为多数人所爱看。詹姆斯说，有一位老修道妇站在一幅耶稣临刑图前合掌仰视，悠然神往。旁人问她那幅画如何，她回答说："真美！你看上帝是多么仁慈，让自己的儿子去牺牲，来赎全人类的罪孽！"在音乐方面联想的势力更大。据近代实验美学的结果，纯粹的音乐嗜好是极稀罕的，许多人喜欢音乐，都不是因为欣赏声音的和谐，而是因为欢喜它所唤起的视觉的意象。我们在实验报告里摘一两节出来看：

> 我仿佛坐在皇后的大厅里。一位穿红袍的女子在拉提琴，另外一个女子在伴着琴声唱歌，那位拉琴者的面容很凄惨，她生平一定有什么失意的事。
>
> ——剑桥大学 Meyers 教授的实验报告

> 听瓦格纳的《林间微响》时我很明显地看见一丛青绿的橡树和棕榈，橡树高低如普通的橡树，棕榈有时高达三四米。……我隐约听见橡树的最高枝有一只夜莺在歌唱。……我想那只夜莺是黄色夹黑色，但是我并没有看见它。
>
> ——巴黎大学 Delacroix 教授的实验报告

中国许多诗人描写音乐的诗也可当作实验报告看。例如李颀的《听董大弹胡笳》：

> 空山百鸟散还合，万里浮云阴且晴。嘶酸雏雁失群

夜，断绝胡儿恋母声……幽音变调忽飘洒，长风吹林雨堕瓦。迸泉飒飒飞木末，野鹿呦呦走堂下。

韩愈《听颖师弹琴》：

昵昵儿女语，恩怨相尔汝。划然变轩昂，勇士赴敌场。浮云柳絮无根蒂，天地阔远随飞扬。喧啾百鸟群，忽见孤凤凰。跻攀分寸不可上，失势一落千丈强。

白居易的《琵琶行》：

大弦嘈嘈如急雨，小弦切切如私语。嘈嘈切切错杂弹，大珠小珠落玉盘。间关莺语花底滑，幽咽泉流冰下难。

同样的实例甚多，不胜枚举。这些名句所描写的都只是音乐所唤起的联想而不是音乐本身。

这种联想所生的情感是不是美感呢？从前英国有一派心理学家用联想解释一切美感经验。这种见解流行很久，到康德时才受动摇。康德分美为“纯粹的”(pure beauty)和“有依赖的”(dependent beauty)两种。“纯粹的美”只在颜色、线形、声音诸元素的谐和的组合中见出。这种美的对象完全是一种不具意义的模型(pattern)。我们看这种模型时，心灵的活动最自由，不受真、善、效用、目的种种观念的限制。最好的例是不表物形的阿拉伯式的图案、音乐、云彩、瀑布、星辰等。“有依赖的美”则于形式之外别具意义，使人由形式旁迁到意义上去。例如人和其他生物的美都夹杂有目的、效用等实用的观念在内。我们赞美一匹马,因为它活泼、雄壮、轻快;赞美一棵橡树,因为它茂盛、挺拔、坚强。这些观念都是由实有生活得来的,因如此等类的性质而觉得一种事物美,那种美就不是纯粹的而是有依赖的。依康德看,除了不表物形的图案画、刺绣、建筑、瓷器、音乐之外,艺术作品大半是模仿的(imitative)。它们的价值不外在模仿是否逼真以及所模仿的事物性质是否在生命上有价值两点见出。这种价值都是"外在的",实在不足据以为凭来断定作品本身的美丑。因联想而见到事物的美,自然更不是纯粹的美了。

美感是否有关联想的问题与形式和内容的问题密切相关。康德是偏重形式而忽视内容的。他的学说在近代影响极大。近代艺术无论在理论方面或在实施方面,都在倾向形式主义。向来学者欢喜把艺术分为两个成分,一个是"内容",又称"表现的成分"(representative element)或"联想的成分"(associative element);一个是"形式",又称"形式的成分"(formal element)或"直接的成分"(immediate element)。比如说图画、题材或故事属于"表现的成分",颜色、线形、阴影配合属于"形式的成分"。再比如说诗,我们读一首诗所了解的意义是"表现的成分",它的音节则为"形式的成分"。

近代艺术特别着重"形式的成分",操之过激者甚至于反对艺术含有任何"表现的成分"。在理论方面,形式主义的始祖当然是康德。后来的哲学家如叔本华、尼采、克罗齐诸人特别着重艺术的自由独立,不牵涉到科学伦理种种问题,他们所主张的其实还是变相的形式主义。在文人方面,佩特(Walter Pater)以为一切艺术都以逼近音乐为指归,因为在音乐里内容和形式混化无迹。他像是主张内容和形式有同等的重要，其实仍是偏重形式，因为音乐的最高境界是只见形式而不见内容的。前章所引过的贝尔的《艺术论》更是一种极端的形式派的宣言。

就实施方面说，图画中的后期印象主义几乎把"表现的成分"减低到零度。比如看一幅塞尚的画，你起初只望见许多颜色、线形凑合在一起，成为一种很和谐的"模型"，须费过一番审视和猜度，才知道所画的是房子还是崖石。立体派的画也可以说是想以形式来化除内容。本来是一个人体，却用许多小立方形、椭圆形等等堆砌成一种"模型"，使你一眼看到就觉得那模样好看，而忽略它所表现的是人体。在音乐方面，从瓦格纳把音乐配合戏剧成为"乐剧"之后，"表现的成分"才渐增多，近代的理论和实施都是向瓦格纳起反动。依乐理学家汉斯立克(Hanslick)看，音乐只是拿许多高低长短不同的音，组成一种很美的形式。在其他艺术之中，形式之后都有意义，在音乐中则形式之后绝对没有什么意义。音乐的美完全是形式的美。舒曼(Schumann)反对在音乐里寻意义，更加剧烈。他说："批评家老是想知道音乐家无法用文字表现出来的东西，他们对于所谈的问题往往十分没有懂得一分。天！将来有一天人们不问我们在神圣的作品之后隐寓什么意义么？把第五阶音辨清楚罢，别再来扰我们的安宁！"近代音乐自然也还有描写风物和叙述故事的，但是大半不是上品。在诗歌方面，法国近来的"纯诗运动"(La Poésie Pure)就是一种极端的形式主义的表现。依照伯列蒙(Abbé Brémond)说，诗应该像音乐一样，在未令人明了意义之前，就能用声音像通电流似的直接地打动读者或听者的心灵。因此，诗的重要成分在声音不在意义，这就是说，在形式不在内容。英国斯温伯恩(Swinburne)和法国象征派诗人做诗，就是把声音看得特别重要。

在这种形式主义弥漫全世界的时代，联想作用在美感经验中的位置自然大受打击。一般学者反对联想与美感有关，理由不外四种：

（一）在美感经验中我们聚精会神于一个孤立绝缘的意象上面，不旁迁他涉，联想则最易使精神涣散，注意力不专，使心思由美感的意象本身移到许多其他事物上面去。拿牛希济的“记得绿罗裙，处处怜芳草”两句词为例来说，在审美时，我看到芳草，就一心一意地领略芳草的情趣；在联想时，我看到芳草，就想到绿罗裙，又想到穿罗裙的美人，既想到穿罗裙的美人，心思就已不复在芳草了。康德所说的“有依赖的美”就是由形象本身联想到它的价值效用所见到的美。凡是联想都是“有依赖的”。

（二）联想由甲到乙，由乙到丙，关系全是偶然的，没有艺术的必然性。比如一幅画以西湖秋月为题材，如果观者不专注意画的本身而信任联想，则甲可因西湖而联想到鲤鱼，乙可以因夜月而联想到从前在月夜中游过的采石矶。鲤鱼、采石矶和《西湖秋月》画漫不相关，不能形成一个艺术的整体。

（三）注重联想就是注重内容。许多人读诗看画，大半先问它的内容如何，所谓内容就是情节。他们以为有些情节可以唤起堂皇典丽的联想，有些情节只能唤起丑陋平凡的联想，所以艺术应该慎择题材。题材选得好，再装上堂皇典丽的内容，人家一看，自然就联想到一些很美的意象。但是内容并不能决定艺术的好坏。许多画家同时画一棵树，许多小说家同时描写一个社会，他们的成绩并不能相提并论。如果你不是艺术家，纵有极好的内容，也不能创造好作品出来。反之，如果你是艺术家，极平凡的题材可以点铁成金。印象派大师如莫奈、凡·高诸人不是往往在一张椅子、一个苹果或是几间破屋之中表现出情深意永的世界么？以题材的联想来打动观众，只是取巧偷懒，并不是艺术家的勾当。

（四）从近代实验美学的结果看，联想最丰富的人大半欣赏力也最低。尤其在音乐方面，对于音乐有修养的人大半只注意到声音的起承转合，不想到意义，也不发生视觉的幻象（参看本书《近代实验美学》中所引的实验报告）。

这些攻击联想的话都很言之成理，但是终有不惬人心处。换一个观点看，联想对于艺术的重要实在不能一概抹煞，因为知觉和想象都以联想为基础，无论是创造或是欣赏，知觉和想象都必须活动，尤其在诗的方面。普列斯柯特在他的《诗的心理》（*Prescott*：*The Poetic Mind*）里援引霍布斯的"有意旨的思想"，和梦极相似。诗境往往是一种梦境，在这种境界中，诗人愈能丢开日常"有意旨的思想"，愈信任联想，则想象愈自由，愈丰富。柯尔律治（Coleridge）在吃鸦片烟之后睡眼蒙眬之中，做成他的名诗《忽必烈汗》，是一个最好的例证。我们将来在讲创造的想象时还要详细说明这个道理。诗人在做诗时，自己固然仿佛在梦境里过活，还要设法"催眠"读者，使读者也走到梦境里，欣赏他所创造的世界。"催眠"的方法不外两种，一种是以低回往复的音乐，一种是以迷离恍惚的意象。这个道理法国美学家苏里阿在《艺术中的暗示》（*Paul Souriau*：*La Suggestion dans l'Art*）里说得最清楚。如果丢开联想，不但诗人无从创造诗，读者也无从欣赏诗了。

我们如果仔细研究法国象征派的理论，可以更加明了诗和联想的关系。从一方面说，象征派提倡"纯诗"，主张诗应该以音乐直接地打动感官，不借重于寻常理智的了解，所以把内容所引起的联想减到最低限度。从另一方面说，他们又主张各种感官可以默契旁通，视觉意象可以暗示听觉意象，嗅觉意象可以旁通触觉意象，乃至于宇宙间万事万物无不是一片生灵贯注，息息相通，“香气、颜色、声音，都遥相呼应”（用波德莱尔的题为《感通》[Correspondances]中的诗句），所以诗人择用一个适当的意象可以唤起全宇宙的形形色色来。兰波（Rimbaud）也曾用《母音》为题做过一首十四行诗，渲染 AEIOU 五音所引起的视觉意象，例如写 I 音的两行：

I，灿烂的深红，淋漓的喷血，
盛怒或沉醉而忏悔时的朱唇的笑。

由 I 音联想到红色、鲜血和美人的笑容，I 音不过是一个导火线，深红、鲜血、朱唇的笑容是由这导火线所迸发出来的光辉四射的意象世界。

诗的微妙往往在联想的微妙，这个道理我们在中国诗里也可以看出。例如李贺的《正月》：

上楼迎春新春归，暗黄着柳宫漏迟。薄薄淡霭弄野姿，寒绿幽风生短丝。锦床晓卧玉肌冷，露脸未开对朝暝。官街柳带不堪折，早晚菖蒲胜绾结。

八句诗把整个的早春景象描写得淋漓尽致。它的每个意象似乎都经过推敲来的，用意在用不同的富于代表性的事物刺激各种感官，使每种感官都觉得眼前是正月天气。我们眼睛看到的是暗黄，淡霭，寒绿，短丝，刚发芽的柳，露脸未开的花和还不能打绾结的菖蒲，皮肤所感到的是幽风，晓卧的冷和薄薄淡霭以及“露脸未开对朝暝”的整个的氛围空气。写早春，尤其是写宫中的早春，只能着重视觉、触觉和温度感觉，因为鸟鹊还未开始歌唱，声音也容易打破早春的清寂幽寒的风味。我们只听到迟缓的宫漏，但是在诗本身的音乐中，也仿佛觉得早春的情趣毕竟还是可以用耳来领略。只玩味“薄薄淡霭弄野姿，寒绿幽风生短丝”两句，你如果只见到颜色，感到气温而听不见什么，你就失去此诗的许多的美妙。这种声音的影响虽不易分析，但是细心总可以觉得出来。也许第一句的清脆淡远的风味是由“薄薄”叠字、首六字全用仄声以及“霭”、“野”两个柔和而响亮的上声所传出来的，第二句的纡迟、阴森、幽静的风味是连用“幽”、“风”、“生”、“丝”四个阴平声所传出来的。

再如李商隐的《锦瑟》：

> 锦瑟无端五十弦，一弦一柱思华年。庄生晓梦迷蝴蝶，望帝春心托杜鹃。沧海月明珠有泪，蓝田日暖玉生烟。此情可待成追忆？只是当时已惘然。

全诗以五六两句为最精妙，但与上下文的联络似不明显，尤其是第六句像是表现一种和暖愉悦的气象，与悼亡的主旨不合。向来注者不明白诗与联想的道理，往往强为之说，闹得一塌糊涂。他们说：“玉生烟，已葬也，犹言埋香瘗玉也”，“沧海蓝田言埋韫而不得自见”，“五六赋华年也”，“珠泪玉烟以自喻其文采”（见朱鹤龄《李义山诗集笺注》萃文堂三色批本）。这些说法与上下文都讲不通。其实这首诗五六两句的功用和三四两句相同，都是表现对于死亡消逝之后，渺茫恍惚，不堪追索的情境所起的悲哀。情感的本来面目各人只可亲领身受而不可直接地描写，如须传达给别人知道，须用具体的间接的意象来比拟。例如秦少游要传出他心里一点凄清迟暮的情感，不直说而用“杜鹃声里斜阳暮”的景致来描绘。李商隐的《锦瑟》也是如此。庄生、蝴蝶，固属迷梦；望帝、杜鹃，亦仅传言。珠未尝有泪，玉更不能生烟。但沧海月明，珠光或似泪影，蓝田日暖，玉霞或似轻烟。此种情景可以想象揣拟，断不可拘泥地求于事实。它们都如死者消逝之后，一切都很渺茫恍惚，不堪追索；如勉强追索，亦只“不见长安见尘雾”，仍是迷离隐约，令人生哀而已。所以第七句说“此情可待成追忆？”四句诗的佳妙不仅在唤起渺茫恍惚不堪追索的意象，尤在同时能以这些意象暗示悲哀。“望帝春心”和“月明珠泪”两句尤其显然。五六两句胜似三四两句，因为三四两句实言情感，犹着迹象，五六两句把想象活动区域推得更远，更渺茫，更精微。一首诗中的意象好比图画的颜色阴影浓淡配合在一起，烘托一种有情致的风景出来。李商隐和许多晚唐诗人的作品在技巧上很类似西方的象征派，都是选择几个很精妙的意象出来，以唤起读者的多方面的联想。这种联想有时切题，也有时不切题。就切题的方面说，“沧海月明”二句表现消逝渺茫的悲哀如上所述。但我们平时读这两句诗时常忽略这切题的一方面，珠泪玉烟两种意象本身已很美妙，我们的注意乃大半专注在这美妙的意象本身。从这个实例看，诗的意象有两重功用，一是象征一种情感，一是以本身的美妙打动心灵。这第二种功用虽是不切题的，却自有存在的价值。

从这些实例看，我们可以知道联想对于诗的重要。诗只是一个实例，其他艺术可以类推。比如欧洲纪元后第一世纪到十五世纪的图画雕刻大半以宗教故事为题材。那时候的画家和雕刻家有些是僧侣,有些是靠僧侣过活的,他们本来的用意在用艺术来宣传宗教。当时人民多不识字,不能读《圣经》,但是图画雕刻是有目共赏的,所以把《圣经》的故事用图画雕刻翻译出来。当时人看到这种图画和雕刻,立刻就联想到耶稣的圣迹,美的欣赏只是附带的。我们现在把欧洲纪元后第一世纪到十五世纪一千多年的宗教艺术纯粹地当作艺术看,已失当时作者的本意。依极端的形式派学者的主张,我们应该把它纯粹地当作艺术看,把宗教的联想一齐丢开。这种办法实无异于丢开艺术的灵魂而专研究它的形体。罗马时代避难的教徒在地窟的壁上画一只羊,中世纪雕刻家在"哥特式"大教寺的门上雕一幕《创世记》,或是文艺复兴时代意大利画家在僧院墙壁上画一幅《最后的晚餐》,他们动一刀一笔,都有宗教的热忱在驱遣。我们如果能联想起许多历史和宗教的知识,把当时产生那种艺术的背景和心理在想象里再造出来,对于那种艺术的了解不更深刻么?所得的美感不更浓厚么?不比只顾到一眼就看到的颜色、线纹的配合较进一层么?欣赏不能不借助于联想,因为它不能不借助于了解。我们在前章已经说过,了解是欣赏的必有的预备,但不就是欣赏。联想也是如此,所以联想有助美感,与美感为形象的直觉两说并不冲突。在美感经验之中,精神须专注于孤立绝缘的意象,不容有联想,有联想则离开欣赏对象而旁迁他涉。但是这个意象的产生不能不借助于联想,联想愈丰富则愈深广,愈明晰。一言以蔽之,联想虽不能与美感经验同时并存,但是可以来在美感经验之前,使美感经验愈加充实。

来在美感经验之前的联想也不可以一概论,有些可以帮助美感,有些可以扰乱美感。举一个很简单的例来说明,比如林逋的"疏影横斜水清浅,暗香浮动月黄昏"两句咏梅诗,把梅花的神理风韵都传出来了。它每个字都表现一个意象，每个意象都可以引起种种联想。如果单看“疏”字，我们可以联想到五服之外的亲属，或是“禹疏九河”，或是上皇帝的奏疏，其他仿此。在看这两句诗时，我们如果因“疏”字而起这些纷乱的联想，自然离诗太远。实际上我们并不起这些联想，因为“疏”字不是独立的，它与“影”字相连。这个“影”字引导我们对于“疏”字的联想只朝一个指定的方向走，就是“稀疏”的“疏”。“疏影”也可以引起无数的联想，如几株杨柳的疏影或是几个行人的疏影。在实际上我们也不这样联想，因为“疏影”也不是独立的，它是嵌在一首《咏梅花》诗里面，全诗字句语气都引导我们对于“疏影”的联想只朝一个指定的方向走，就是梅花的疏影。从此可知艺术作品中些微部分都与全体息息相通，都受全体的限制。全体有一个生命一气贯注，内容尽管复杂，都被这一气贯注的生命化成单整。这就是艺术上的“寓杂多于整一”(variety in unity)这条基本原理，也就是批评学家和心理学家所常争论的想象(imagination)和“幻想”(fancy)的分别。“幻想”是杂乱的，飘忽无定的，有杂多而无整一的联想，例如因“疏”字联想到“禹疏九河”、“今年黄河水灾”、“水灾捐”等等，“想象”是受全体生命支配的有一定方向和必然性的联想，例如上文林逋的梅花诗所唤起的整个境界。联想在为幻想时有碍美感，在为想象时有助美感。

这个道理可以拿近代实验美学的结果来证明。英国心理学家布洛(即倡“心理的距离”说者)试验各种人对于颜色的反应，发现有一类人偏好某种颜色，大半因为它所引起的联想。联想又有分别，比如同是青色，甲联想到草木，乙联想到他曾经喝过的青色药水。甲的联想带有几分客观性，因为多数人见到青色都联想到草木，乙的联想却全是主观的偶然的；所以甲比乙对于青色的反应较近于美感经验。但是只是客观性一个条件还不够。如果甲真正对于青色得到美感,他的从联想内容(草木)得来的情感须能和从颜色本身(青色)得来的情感相融化,使颜色恰能表现联想内容的精髓。依布洛看,联想有"融化的"(fused)和"不融化的"(non-fused)两种。"融化的联想"就是上文所说的"想象",可助美感;"不融化的联想"就是"幻想",与美感无关。据剑桥大学马尧斯教授的实验,音乐也是如此。如果音乐所联想起的情景与音乐本身能融化成一气,它就能增大音乐所引起的美感,不比偶然的散漫的联想,有破坏美感意象孤立的毛病。

我们在第三章里讲过移情作用和联想的关系。比如姜白石的"数峰清苦,商略黄昏雨"两句词是把山看成人,把人的情感移到山身上去,这实在还是一种类似联想,不过我们的意识不察觉到这种联想的进行而已。立普斯要说明移情作用不仅是类似联想,提出能"表现"和不能"表现"的分别。比如一座房子如果因为是亡友的住所,使你觉得它凄惨,那只是联想;如果它因为线纹、颜色的配合而使你觉得凄惨,它就算是能"表现"凄惨的情感,就能起移情作用。立普斯所谓"表现"就是布洛所谓"融化",甲物能"表现"乙物情感,就因为甲和乙能相"融化"成一整体,也就是因为由甲到乙的联想有必然关系,不仅出于幻想。

第七章　文艺与道德（一）

——历史的回溯

一

在持文艺独立自主者看，文艺与道德绝无关系；在道德家看，文艺的价值必以其所含道德的教训为准。这两派人都不觉得文艺与道德的关系能够成为问题。但是不喜拘执成见而好平心静气地寻求真理的人们一定觉得这真是一个最难的问题。在他们的长期寻求中，他们一定有时倾向文艺自主说，有时倾向文艺含道德教训说，有时觉得两说各有利弊，苦于彷徨无所依归。在本篇中我们先把这个问题作一个简单的历史的回溯。看清各家的争点所在，和这个问题的复杂性以后，我们再进一步参较事实作理论的建设。

在中国方面，从周秦一直到现代西方文艺思潮的输入，文艺都被认为是道德的附庸。这种思想是国民性的表现。中国民族向来偏重实用，他们不欢喜把文艺和实用分开，也犹如他们不欢喜离开人事实用而去讲求玄理。“文”只是一种“学”，而“学”的目的都在“致用”。一个人的第一要务是效用于家国；没有机会效用于家国，或是于效用家国之外还有剩余的时间和精力，才去弄文学，所以孔子说:“行有余力,则以学文。”扬雄以文章为“雕虫小技,壮夫不为”。《国语》、《离骚》、《孙子兵法》、《史记》以及许多诗文名著,据说都是不得志的“贤者”的“发愤之作”。

这并非说中国人不尚文,世界上没有比中国人更尚文的民族,不过中国人尚文,不是看重它本身的美,而是看重它的效用。最浅显的效用是动听。“言之无文,行之不远。”话要说得漂亮,人家才相信你的道理。孔子劝人学诗,因为“不学诗,无以言”,虽学诗而“使于四方,不能专对”,仍是无用。但是诗文的最大的效用在有益于世道人心。孔子赞美《关雎》,因为它“乐而不淫,哀而不伤”;劝小子学诗,因为“诗可以兴,可以观,可以群,可以怨,迩之事父,远之事君,多识于草木鸟兽之名”。诗是一种“教”,它的教义是“温柔敦厚”。儒家在历代都居独尊的地位,向来论诗文者大半只是替孔子所说的几句老话下注脚。

孔子袒护诗文,全从道德政治着想,以为诗文是道德政治中所必须有的一个节目。两汉以后,文人和诗人逐渐成为一种特殊的职业阶级。多数作者对于道德政治本没有什么兴趣或创见,因为要维持他们的职业的尊严,便硬说他们的胸中原来有一番大道理,他们的作品是有益于世道人心的。这种习惯的养成与汉以后帝王“尊经”有关。文学的最高的理论既是六经,而六经的主旨既在启发微言大义,则继起的文学自不能“言之无物”。持此说最早的人是扬雄。他说:“书不经,非书也;言不经,非言也。”言必学经,所以他把自己的《法言》比《论语》,《太玄》比《易经》。魏晋时风气稍转变,文学逐渐离开经学的束缚,几乎要走上独立自主的路。一时代表文艺思想的著作如曹丕的《典论·论文》、曹植的《与杨德祖书》和《与吴质书》,以及陆机的《文赋》之类,都很少汉人的道学气和经学气。陆机的《文赋》尤其值得注意，因为他纯粹地从文学观点去讨论文学，丝毫不拿道德来装饰门面。梁昭明太子编《文选》，不列经史子的文章，一方面打破汉人尊经的思想，同时也对纯文学运动加以有力的推助。不过汉人尊经明道的思想也并未完全消灭。桓范的《世要论·序作》篇里有这一段话："夫著作书论者，乃欲阐宏大道，述明圣教，推演事理，尽极情类，记是贬非，以为法式。"这还是扬雄的老话。齐梁时有两部重要的批评著作，恰好代表当时文学上两种相反的倾向。一部是刘勰的《文心雕龙》，代表传统的"文必明道"的思想。他开章明义，便是《原道》，接着就是《征圣》《宗经》。《原道》篇的结论是"道沿圣以垂文，圣因文而明道"，和"辞之所以能鼓天下者，乃道之文也"。另外一部是钟嵘的《诗品》，代表重纯文学的倾向。像陆机的《文赋》，他纯粹地站在文学立场言文学。他攻击永嘉以后的诗，因为它们"理过其辞，淡乎寡味"或"平典似道德论"。就大体说，在六朝时，纯文学的势力比较浩大，诗文都比较少经学气和道学气，但是六朝文学后来为世所诟病，也恰在这一点。唐人菲薄六朝文学，不是说它"采丽竞繁，兴寄都绝"，就是说它"绮丽不足珍"，意思只是说它除漂亮话以外，没有什么道德的教训。韩愈的最大的功劳，据一般人看，就在挽救六朝的绮靡，恢复文道的一贯。其实他继扬雄之后，开了一般中国文人的恶习气，就是本来只是一个玩弄辞章的文人，好为大言以欺世，说他自己是周公、孔圣人的继承者。从韩愈以后，"文以载道"、"言之有物"就成为一般文人的门面语了。清朝桐城派文人把学问分成考据、义理、辞章三项，以为无论是学者或是文人，这三种功夫都不可缺一。所谓"义理"仍是从前人所说的"道"。宋朝学者偏重理学，往往疑文学害道。程颐的《语录》里有这一段："或问作文害道？

程子曰，害也。凡为文不专意则不工，专意则志局于此，又安得与天地同其大也。《书》曰：‘玩物丧志’，为文亦玩物也。”这番话和欧洲中世纪教会攻击文艺的主张，几同一鼻孔出气。

“文以载道”说经过许多文人的滥用，现出一种浅薄俗滥的气味，不免使人“皆掩鼻而过之”。但是我们不要忘记这种俗滥的学说实在反映一种意义很深的事实。就大体说，全部中国文学后面都有中国人看重实用和道德的这个偏向做骨子。这是中国文学的短处所在，也是它的长处所在；短处所在，因为它钳制想象，阻碍纯文学的尽量发展；长处所在，因为它把文学和现实人生的关系结得非常紧密，所以中国文学比西方文学较浅近、平易、亲切。西方文艺和西方宗教一样，想于现世以外求解救，要造另一世界来代替现世，所以特重想象虚构。中国文艺和中国伦理思想一样，要在现世以内得解救，要把现世化成理想世界，所以特重情感真挚，实事求是。中国伟大的诗人如屈原、陶潜、阮籍、杜甫、李白等都是要极简朴、极真诚地把他们的忧生忧世忧民的热情表白出来，绝对没有想象虚构的俳优气。在中国文学中，道德的严肃和艺术的严肃并不截分为二事。这一个优点不是“文以载道”说所能包括，也不是对于“文以载道”说的厌恶所能抹煞的。

二

在西方各国，文与道德的问题闹得更剧烈。古希腊人把诗人和立法者看成一样的重要，以为他们都是教导人向好处走。柏拉图对于这种传统的思想极怀疑。在他的名著《理想国》第十卷里，他把诗人们加上桂冠，洒上香水，向他们说了一段很客气的话之后，把他们一齐赶出理想国的境外。在他看，诗人有两大罪状。第一，感官所接触的世界是虚幻的，理智所领悟的世界才是真实的。感官世界只是“理式”(ideas)世界的模仿；诗和其他艺术又是感官世界的模仿，所以和真实隔着两重。换句话说，诗和其他艺术所说给我们听的，不是真理而是谎话。我们愈信诗，愈迷信谎话，愈难寻求真理。第二，一个完全的善人都要能以理智控制情感，诗和其他艺术都容易使人丢开理智而放任情感。我们愈喜诗，愈失理智，愈易变成情感的奴隶。柏拉图尤其不肯宽容荷马，因为一国要想强盛，对于它素所崇拜的神和英雄必定表示极端的敬仰，荷马及其他诗人所描写的神和人简直是一样无恶不作，所描写的英雄简直和平常人一样骄傲、怯懦、愚蠢。这样打破国家的信仰中心，就是危害国家的命脉。总之，诗和其他艺术的影响是不道德的，摇惑人心的，所以诗人和艺术家都不应在一个理想国里有立足地。柏拉图这篇攻击诗人的罪状是后来关于文艺和道德一切争执的发轫点。

亚里士多德是柏拉图的最大的弟子，他的《诗学》似乎处处针对着他的老师的学说，竭力替诗辩护。柏拉图骂诗说谎，他却以为诗有诗的真理，比较历史更富于哲学的意蕴，因为历史只记载已然的特殊的事实，而诗却须表现必然的普遍的真理。这就是说，诗并非感官世界的模仿，它要超过感官世界，指出事物的必然关系来，使人一见到就觉得它深中情理。其次，柏拉图骂诗放任情感，他却以为情感是人性中所固有的，要想心理健康，我们应该给情感以适当的发泄的机会。比如悲剧的功用就在“用引起哀怜和恐怖的情节，来发散这些情绪”。人生来就有哀怜和恐怖等等情绪，如果不让它们发散，淤积起来即可以酿成苦闷及其他心理的变态。悲剧给它们发散的机会，于是它们就不会扰乱心理的健康。一般诗的功用也就在解放情感。亚里士多德可以说是艺术独立自主说的始祖，不把诗看成一种教训。他在《诗学》第二十五章里郑重地声明道："评诗的标准和政治及其他技艺的标准绝不相同。"这句话仿佛是说柏拉图不应该从政治和道德的观点去嘲笑荷马。他在《诗学》中提起欧里庇得斯(Euripides)不下二十次，其中贬多于褒，但是每次贬他，都着重艺术上的缺点，始终没有从伦理的观点骂他一句。讨论戏剧结构时，他说一般人都喜看善有善报恶有恶报的结局，但是这种趣味实在很低下，看到惩报公平所生的快感实在不是美感。从这几点看，亚里士多德显然不承认艺术应含有道德的教训。

在古代文艺思潮中，亚里士多德是孑然孤立的。他以前和他以后，多数学者都以为文艺和道德不能分离。罗马批评家贺拉斯(Horace)在文艺中见出两重功能，第一是教训，其次才是发生快感。这种见解后来成为假古典派的金科玉律。从第四世纪起一直到第十五世纪止，一千多年中欧洲人都完全被耶稣教牢笼住。耶稣教在中世纪最重苦行。人们都要牺牲现世的快乐去谋来世的解救。文艺的欣赏是一种现世的快乐，所以是一种罪孽。这种苦行主义虽然没有把艺术的冲动完全压制下去，中世纪一千多年的文艺却深深地染上宗教的色彩。诸大教寺的图画雕刻都是"寓言的"(allegorical)，都要在虚构的意象之后隐寓一种宗教理想或道德教训。文学也是如此。当时伟大的作家如但丁(Dante)、薄伽丘(Boccaccio)、彼特拉克(Petrarch)等都自以为微言大义的启发者。他们都相信文艺和道德是密切相关的。

从但丁时代起，文艺复兴的势力已渐露头角。文艺复兴有多方面，最重要的是精神的解放，是由中世纪耶稣教的苦行主义和来世主义，回到古希腊的现世主义和享乐主义。文艺复兴时代的人生理想是完全人，所谓完全人要在多方面尽量地发展人的可能性。人性中美的要求与善和真的要求是平等的，我们不应该让善和真的要求把美的要求抹煞去。这种自由发展的精神产生了薄伽丘、乔叟（Chaucer）、莎士比亚和塞万提斯（Cervantes）一班伟大的作者。文艺在这个时代如春雷爆发，万卉齐新，一般人对于文艺也猛然发生一种狂热。但是这种新精神的爆发对于教会的权威极不利，于是一般教会中人如意大利的莎伏那罗拉（Savonarola）、法国的波舒哀（Bossuet）、英国的高生（Gosson），都竭力攻击诗和戏剧，以为当时人心不古，世道衰微，都是艺术所惹的祸事。在意大利有一班人激于宗教的虔诚，把许多珍贵的图画和古希腊悲剧的写本都扔到火坑里去。在英国有所谓“清教徒（puritan）的反动”，看见文学的影响不利于道德，主张把它一律废去。锡德尼（Sidney）想替诗争一口气，做成他的名著《为诗辩护》，但是他的立场仍是伦理的。清教徒骂文学伤风败俗，他不说文学自有独立存在的价值，却引许多例证说明文学究竟是有益于世道人心的。清教徒在十七世纪握过短期的政权，那时候英国所有戏院都被政府禁闭。大诗人弥尔顿（Milton）也屈服在这种清教徒的影响之下，自称著《失乐园》的用意是“向人类宣明神道”。除宗教的势力之外，还有假古典主义的影响。它也是卫护道德的。十七世纪法国悲剧家如高乃依（Corneille）和拉辛都谨守贺拉斯的文艺寓教训的信条，用戏剧来宣传英雄主义或宗教信仰。在英国方面，琼森不满意于莎士比亚，就因为他不守“诗的公道”，让善恶不得公平的报惩。

在柏拉图以后，托尔斯泰以前，从道德观点讨论文艺者以卢梭为最重要。在他看来,文艺和科学都是文化腐化自然人的利器。达兰贝尔(d'Alembert)提倡在日内瓦设戏院时,卢梭写了一封万言的长信去劝阻他。他以为人性本来好善恶恶,戏剧却往往使罪恶显得可爱,德行显得可笑,所以它的影响是最危险的。瑞士人如果要保持山国居民的朴素天真,最好不要模仿近代"文化城市"去设戏院来伤风败俗。卢梭的见解和柏拉图与托尔斯泰的见解先后辉映。

三

就大概说,从古希腊一直到十九世纪,文艺寓道德教训,是欧洲文艺思想中一个主潮;到了十九世纪,它才产生动摇。使它动摇的有两种势力。

第一是浪漫主义所附带的"为文艺而文艺"(art for art's sake)的信条。浪漫主义就是自由主义,轻理智而重情感和想象,所以对于从前的浅狭的道德观是一个重大的打击。"为文艺而文艺"一句话起于雨果(V. Hugo),但是它的热烈的布道人是戈蒂耶(Gautier)。他在《艺术家》(*L'Artiste*)里宣告主张说:

> 我们相信艺术的独立自主。艺术对于我们不是一种工具,它自身就是一种鹄的。在我们看,一个艺术家如果关心到美以外的事,就失其为艺术家了。我们始终不了解意思(l'idée)和形式(la forme)何以能分开。形式美就是意思美,因为如果无所表现,形式算得什么呢?

后来在他自己的《诗序》里,他的态度更为剧烈。他说:

> 这诗有什么用处?美就是它的用处。这还不够么?花、香气、鸟儿以及一切还没有因效用于人而丧失本来面目者都是如此。就大概说,一件东西有用便不美。一沾实用,一落入实际生活,它就由诗变为散文,由自由变为奴属。艺术可以一言蔽之,它就是自由,是奢侈,是余裕,是闲逸中的心灵开展。图画、雕刻、音乐都绝对没有什么用场。刻得精致的宝石,稀罕的玩具和新奇的装饰都是世间多余之物。但是谁愿意把它们涂销呢?所谓幸福并不在凡是实用不可少的东西我应有尽有,不受苦并不就是享福。用处最少的东西就是最令人高兴的东西。世间有,而且永远有,一般爱艺术的人们觉得安格尔(Ingres)和德拉库瓦(Eugène Delacroix)的油画以及布朗热(Boulanger)和德康((Decamps)的水彩画比火车轮船还更有用。

从这个观点看,艺术家应该专在形式上做功夫,不管内容是否合乎道德。左拉(Zola)常骂以道德教训讨好群众的作家为投机分子。他在《文学中的道德》一文里说:

> 在拿道德作投机勾当者以外,才寻出真正作家,他们只服从脾胃,不存心劝善,也不存心劝恶。

在《淫秽文学》一文里,他又说:

作家写得不好，就是罪大恶极。文学中“罪恶”一词别无意义。……一个写得好的词句也就是一种德行。

“为文艺而文艺”的主张本发源于法国。后来海涅(Heine)把它传到德国去，惠司勒(Whistler)、王尔德(Wilde)和佩特把它传到英国去，酿成所谓“唯美主义”，于是它风靡一世，从前艺术寓道德教训之说便为人所唾弃了。

“为文艺而文艺”在十九世纪文人的心目中只是一种信仰，并没有什么深奥的理论的根据。但是当时还只有一种较深厚的热力，给从前文艺必寓道德教训说以更大的打击，这就是从康德到克罗齐一线相承的唯心主义的美学。这派美学从美感经验的分析证明艺术和道德是两种不同的活动。道德是实用的，起于意志的；美感经验是直觉的，不涉意志欲念的。像游戏一样，它是剩余精力的自由流露，是“无所为而为的观赏”，所以与道德实用无关。这个道理克罗齐说得最明白。他在《美学纲要》里说：

艺术不是意志活动所产生的。造成好人的善良意志不能造成一个艺术家。它既然不是意志活动所产生的，就与道德上的分别无关。……一个艺术家固然可以在想象中表现一个从道德观点可褒或可贬的行动；但是他的表现，因为只是一种想象，不应该因此受褒或受贬。世间没有一条刑律可以定一个意象的死刑或判它下狱，世间也没有一个头脑清楚的人对它下道德的判断。判定但丁的弗朗西丝卡(Francesca)为不道德的，或是莎士比亚的考狄利娅(Cordelia)为道德的,——这些角色对于但丁和莎士比亚纯为艺术的,好比音乐的音调一样,——实无异于判定一个三角形为不道德的,或是一个方形为道德的。

唯心派美学家中过激者不但否认文艺可以用道德的标准来衡量,并且主张人生和整个宇宙都必须以艺术的眼光去看,而不能以道德的眼光去看。尼采就是这样想。他说宇宙全是罪孽,人生全是苦痛,如从道德的观点去看它们,它们简直就应该毁灭。但是如果从艺术的观点看,这罪恶贯盈的世界和人生实在是一幅惊心动魄的庄严灿烂的图画。在他看,一切艺术,尤其是古希腊的悲剧,就是苦于道德观的日暮途穷,把世界翻成艺术的意象来解救苦恼。

四

文艺界的"为艺术而艺术"的呼声,和美学界的"无所为而为的观赏"的理论,虽然是闹得气焰冲天,可是终于没有把从前文艺寓道德教训的信条完全打倒。十九世纪还有些很大的思想家和艺术家仍然很忠实地相信文艺和道德不能分家。没有一个诗人比雪莱(Shelley)更富于革命性,更爱护艺术,但是也没有一个诗人比雪莱更相信文艺负有重大的道德的使命。他的最苦心经营的长诗都含有改善人类的道德的目的。其实并不仅是雪莱,十九世纪比较伟大的作者没有一个甘心坐在象牙之塔里面,而不睁着一双哀怜的眼睛看着十字街头的。席勒、雨果、华兹华斯、托尔斯泰、易卜生……这些名字不都是确凭确据么?我们没有数歌德,他是一般人所认为不甚关心世事的，但是谁说在《浮士德》里面歌德不曾有意地要表现一种健康的人生观呢？

把这件事实记在心里，我们就知道托尔斯泰的《何谓艺术》一书并不是一种反时代潮流的作品。它是欧洲人的数千年的传统思想的总汇。像柏拉图一样，他的话说得过火一点，所以人家觉得奇怪。向来哲学家分真、善、美为三事，以为真属于哲学科学范围，善属于伦理宗教范围，美属于艺术范围。倡艺术独立自主说者大半附和此说。艺术无关真与善，因为它的目的在美。我们一般人也承认美是艺术所特别追求的。托尔斯泰要根本推翻这种见解。他说：

> 就主观方面说，美是供给我们特殊快感的。就客观方面说，美是绝对完全的东西，我们承认它绝对完全，只因为从这种绝对完全的表现中，我们得到一种快感。……总之，在一切"美"中使我们愉快者不引起欲望。……我们如果要了解艺术的意义，一定要否认艺术活动的目的在美或快感。

然则艺术的目的究竟在哪里呢？我们先要明白艺术的性质。艺术像语言一样，是传达的工具。语言传达思想，艺术则传达情感。托尔斯泰接着说：

> 在自己的心中回想起一种自己经验过的情感，回想起之后，于是用动态、线条、颜色或是语言表出的形式把它传达出来，使旁人也可以经验到同样的情感，——这就是

艺术活动。艺术是一种"人的活动",它的要义可以一言以蔽之:一个人有意地用具体的符号,把自己所曾生活过的情感传给旁人;旁人受这些情感传染,也感觉到这些情感。

因此,艺术有消除隔阂,把人类的情感融成一片的功效。"传染力愈强,艺术也就愈有价值。"艺术的传染性有三个条件:一、所传达的情感的个性强弱,二、传达情感的形式显晦,三、艺术家的真诚的程度,就是说,他对于所传达的情感自己是否很强烈地感觉到。这三个条件之中以第三种为最重要。但是这些条件只就艺术本身而言,此外艺术的取材(就是它所传达的情感),也可以判定艺术的价值。就耶稣教的国家说,托尔斯泰以为值得传达的情感一定能"巩固人和人以及人和上帝的团结"。

耶稣教艺术,这就是说,我们时代的艺术,应该有普遍性,应该把人类团结起来。只有两种情感可以团结人类:第一,认识神与人的亲子关系,和人与人的兄弟关系所生的情感;其次,一切人都可感觉到的普通生活的情感,像嬉笑、哀怜、欢愉、静穆等情感。只有这种情感可以做艺术的好材料。

艺术的目的在融合情感,不在设立界限,所以最简朴的小百姓所能了解的艺术才是最高的艺术。托尔斯泰拿这些标准衡量近代欧洲艺术,以为它腐化已达极点。"艺术既成为职业的对象,它的命脉——真诚——就丧失殆尽了。"一般人所公认为伟大的作家,像希腊三大悲剧家、但丁、莎士比亚、拉斐尔、米开朗基罗、巴赫(Bach)、贝多芬之流,都被托尔斯泰所唾骂,因为他们缺乏宗教的深沉,偏重性欲及其他无价值的情感。最后他说:

> 每个有理性有道德的人应该步柏拉图以及耶教和回教的教师的后尘,把这个问题重新这样地解决:宁可不要艺术,也莫再让现在流行的腐化的虚伪的艺术继续下去。

总之,艺术的目的在宣传道德和宗教,并不在产生美感。近代艺术只求替有闲阶级制造遣闲工具,满足骄奢淫逸者的快感欲,对于社会是一种有罪的浪费。托尔斯泰要把艺术从象牙之塔搬到十字街头。他和英国罗斯金和莫里斯(William Morris)诸人都是反对当时"为艺术而艺术"的风尚。这种风尚,在他们看,最容易使艺术走到职业化和阶级化的路,结果是由于与人生隔绝而腐化。这个思潮在现代很强盛。法国一般从社会学观点研究美学者,和俄国主张文艺大众化者,大半直接地或间接地承受托尔斯泰的影响。

托尔斯泰是一位虔敬的耶教信徒,不免把宗教的成见应用到艺术理论上去。但是近代科学家中也有些人深深地觉到文艺和道德的密切关系,虽然他们对于道德并没有什么成见。英国心理学派批评家理查兹(Richards)就是如此。在他看,谈到究竟,艺术总须有价值。"价值"起于事物对于人生的关系。离开人生,便不能有所谓"价值"。艺术家的任务就在保存和推广人生中最有价值的经验。什么是最有价值的经验呢?人类生来有无数自然冲动(impulses)。这些自然冲动如食欲、性欲、名欲、利欲、哀怜、恐惧、欢欣、愁苦之类往往互相冲突。在实际生活中我们让某一种冲动自由实现,便须把所有的相反的冲动一齐压抑住或消灭去。但是压抑或消灭不是理想的办法,它是一种可惜的损耗。道德的问题就在如何使相反的冲动调和融洽,并行不悖;就在对于它们加以适宜的组织(organization)。“对于人类可能性损耗最少的就是最好的组织。”换句话说,在最有价值的经验中,最多数的相反的冲动和兴趣能得最大量的调和,遭最少量的损耗和压抑。活动愈多方,愈繁复,愈自由,愈不受阻碍,则生命亦愈丰富。据理查兹说,艺术的经验是最丰富的经验,因为在想象的世界里,实际生活的种种限制不存在,自然的冲动虽往往彼此互相冲突,我们却可把它们同时放在一个调和的系统里,不必借压抑一部分冲动才可以给另一部分冲动以自由发展的机会。举一个例来说,哀怜和恐惧两种情绪本来带着两种相反的冲动,哀怜的冲动是趋就,恐惧的冲动是避免。悲剧可以同时引起哀怜和恐惧,所以同时给两种相反的冲动以自由发展的机会。艺术作品愈伟大,它所调和的冲动也就愈繁复;用寻常语言来说,就是想象愈丰富,意义愈深广。世间事有因都有果,一个人如果真正了解一部有价值的文艺作品,他的性情和思想必定经过若干改变。一个人如果在读了一部书以后和在未读它以前完全是一样,气质毫无变化,那只有两种可能的解释,不是他自己有缺点,就是那一部书有缺点。说文艺与道德应分开的人们,不但不了解道德,也并没有了解文艺。

理查兹的学说一方面应用弗洛伊德派心理学,一方面也反映近代的人生观。弗洛伊德派心理学告诉我们,自然冲动是不能勉强压抑下去的,如果把它们勉强压抑下去,会酿成种种心理的变态。被压抑的欲望在绕弯子寻出路时,于是有文艺。理查兹虽不附和文艺为欲望的升华说,却承认压抑自然冲动是一种生机的损耗。其次,就人生哲学说,从柏拉图到中世纪耶稣教的大师都主张用理智去节制本能和情感。耶稣教的苦行主义简直把本能和情感当作罪孽的根源,要把它们完全消灭去。从文艺复兴以后,人们才逐渐放弃苦行主义的压抑政策,求人生多方面的尽量的自由发展。歌德的《浮士德》是这种近代人生观的结晶。理查兹以为我们如果要尽量地发展人的可能性,须走文艺的路,因为在文艺中相反的冲动可以调和。

关于文艺与道德问题的学说甚多,本篇只举其荦荦大者。从这个简单的历史的回溯看,我们可以见出这个问题虽然闹了几千年之久,到现在仍是没有公认的结论。留心这个问题的人们尚有精心探讨的必要,不是武断或盲从所可了事的。

第八章　文艺与道德(二)

——理论的建设

一

在历史上文艺与道德的问题闹了二千余年之久,许多伟大的思想家和艺术家都卷入战团,到今天还没有得到一个结局。这件事实固然显出问题的繁难,同时也引起我们怀疑从前人讨论这问题的态度和方法都有很大的缺陷。就态度说,他们都先很武断地坚持一种信仰而后找理由来拥护它。就方法说,他们对于文艺和道德的关系,不是笼统地肯定其存在,就是笼统地否认其存在。其实就某种观点看,文艺与道德密切相关,是不成问题的;就另一种观点看,文艺与道德应该分开,也是不成问题的。从前人的错误在没有认清文艺和道德在哪几方面有关系,在哪几方面没有关系,于是"文艺与道德有关"和"为文艺而文艺"两说便成为永远不可调和的冲突。在本篇里我们想平心静气地把这两说衡量一下,看它们的长短所在,然后参较事实,仔细分析文艺与道德的关系,求出一个较可满意的结论。

文艺寓道德教训说在历史上占势力最长久,而在近代也最为人所唾弃。它在种种方面都叫人不满意。第一,从心理学方面说,它根本误解美感经验。在创造或欣赏的一顷刻中,我们心中只有一个独立自足的完整意象。这种意象完全是想象的,我们不能拿评判实事实物的标准来评判它。天上的一片云或是园中的一朵花,在我们无所为而为地观赏时,便自成一世界,既不能教忠教孝,也不能诲奸诲淫。凡是艺术作品所表现的意象都是如此,它和实际人生是隔着一个距离的。艺术的任务在忠实地表现人生,不在对于人生加以评价。评价是伦理范围里的事,与艺术无直接关系。从道德观点看,《红楼梦》里的贾政比贾赦、尤三姐比尤二姐都较易博得同情;但是从艺术观点看,他们应该等量齐观,作者把他们都写得尽情尽理。我们欣赏贾赦、尤二姐以及西门庆、潘金莲之类的人物,并非因为在道德上同情他们,乃是因为他们在艺术上是成功的作品。

其次,从哲学方面看,文艺寓道德教训说根据的人生观太狭隘。人性本来是多方的,需要也是多方的。人性中本有饮食欲,渴而无所饮,饥而无所食,固然是一种缺乏;人性中本有求知欲而没有科学和哲学活动,本有美的嗜好而没有艺术的活动,也未始不是一种缺乏。真和美的需要也是人生中一种饥渴,——精神上的饥渴。柏拉图和耶教徒把想象和情感看成人性中的危险物,想用理智把它们压制下去。它们能否受压制还是一个问题,纵或能受压制,也还是剥削一部分天性去培养另一部分天性,究竟不是一种理想的办法。健康的人生观应该能容许多方面的调和的发展。压抑、剥削、摧残,最多只能造成畸形的发展,最后总不免流于褊狭虚伪。我们细看历史,就可以发现在一种文化兴旺的时候,健康的人生观和自由的艺术总是并行不悖,古希腊史诗和悲剧时代、中国的西汉和盛唐时代以及英国莎士比亚时代可以为证；一种文化到衰败的时候，才有狭隘的道德观和狭隘的“为艺术而艺术”主义出现，道德和文艺才互相冲突，结果不但道德只存空壳，文艺也走入颓废的路，古希腊三世纪以后，中国齐梁时代以及欧洲十九世纪后半期可以为证。

道德上有训练，有修养，艺术上也有训练，有修养。这两种修养都可以使人达到孔子所说的“思无邪”的境界。从道德观点说，“思无邪”是胸有把握，不至为邪念所引诱。从艺术观点说，它是专心致志地无所为而为地欣赏一个孤立绝缘的意象，注意力不旁迁他涉。一个人如果因看见内容涉及淫秽事迹的作品（如《西厢记》、《红楼梦》、《金瓶梅》之类）而动淫欲，他不但是道德的罪人，对于艺术也是孽蠹。我们对于一般人所斥为淫秽的作品可以持两种态度：一种是索性不看它或是把它毁去，免得它引动邪欲凡念；一种是尽管看它，它淫而我不淫。前者是“风幡不动，贤者心自动”，后者是“风幡虽动，贤者心不动”。请问道德家，这两种态度哪一种较合于道德的理想呢？从前怕艺术伤风败俗而主张把它消灭或加以道德化的人们都不免是“风幡不动，贤者心自动”。他们的心地本来不纯洁，愈易引诱所以愈怕引诱，以为把引诱的来源割断，就可以一清百清。其实心术不正，什么地方不是引诱？一个人要保持贞洁，不一定要做太监，做了太监，也不一定就能保持贞洁。孔子究竟是一个修行有素的人，所以他删诗定乐时，肯把桑间濮上之音和清庙明堂之什并存不废。“才不才亦各言其子，淫不淫亦各言其志。”诗既在言志，我们就只能看它言得是否入情入理，不应问“志”的本身何如。

情感自由和思想自由一样，是不应受压迫而且也不能受压迫的。文艺是情感的自由发展的区域。情感的势力实在比理智的更强大，所以文艺对于人的影响非常深广。道德家看到这种影响，往往用两种方法来驾驭它。

第一种方法是利用。在历史上道德、宗教和政治都利用过文艺做宣传品。中国唐宋以后的古文家要用文载道，西方假古典派作者要借诗歌、戏剧作教训的工具，结果是文艺走上很褊狭、陈腐、肤浅的路。欧洲中世纪耶教徒要利用文艺宣传宗教，结果到文艺复兴时代，文艺变成解放精神、打破宗教束缚的主要的原动力。法国大革命时代当局要利用文艺宣传平等、自由，结果是文艺衰落。以近代最伟大的骚动和改革做背景而没有产生一种伟大的文艺作品，实在是一件可诧异惋惜的事。据布吕纳介（Brunetière）的研究，法国革命时带宣传性的戏剧极发达，但是在当时轰动一时的剧本大半都平凡幼稚，现在已没有一部值得我们注意。据历史的教训看，利用文艺为宣传工具只有两种结果，不是像中世纪宗教艺术向利用者倒戈，就是像假古典时期和法国革命时期，文艺因不能自由发展而僵死。

道德家的第二种驾驭文艺的方法是压迫，或美其名曰“检查”、“审定”。柏拉图是第一个主张文艺要经国家审定的人，不过他的理想国并未实现，他的文艺主张也徒托空言。中世纪耶教徒一方面想利用文艺，同时也设法钳制文艺，但是说来很奇怪，最放任不羁的也莫过于中世纪欧洲文艺。虽然在表面上它有时涂了一些宗教的色彩做护身符，大概和外国人的卖给中国的货物上大书“提倡国货”的字样同一伎俩，英国清教徒当政时以为戏剧伤风败俗，严加禁止，但是查理二世复辟以后，戏剧复兴，偏要触犯清教徒所忌讳的猥亵佻达的言貌。近代各国政府多设专门机关去检查审定文艺作品。福楼拜的《包法利夫人》和波德莱尔的诗集《罪恶之花》都受法国政府检举过,惹起轰动一时的诉讼。乔伊斯(J. Joyce)和劳伦斯(Lawrence)的几种名著也被英国政府禁止过。但是这些被禁止的书籍销行反而更广。政府的干涉恰好替它们做了广告。“防民之口,甚于防川。”有远见的政治家和道德家最好让思想和情感自由流露,如设堤防去阻止它们,一旦到堤防决口时,它们便不免泛滥横流,走到另一极端,影响反更坏。到了最后,文艺作品的检查审定者还是人民自己。哪一个时代没有一些无艺术价值而且有害世道人心的作品?但是这些作品中哪一部后来不遭自然淘汰?一般负检查审定文艺作品之责的官吏不幸大半都不是理想的文艺的裁判者,他们不是见地狭隘,就是趣味低下,结果不但是无补于世道人心,而且引起一般人对于文艺与道德的讨论生极强烈的反感。现在我们拿文艺和道德相提并论,仿佛自觉犯了替审定检查诸公张目的嫌疑,一般人也不免起“掩鼻而过之”的态度。这种反感实可惋惜,因为它酿成许多偏见。

二

我们在分析美感经验时,大半采取由康德到克罗齐一线相传的态度。这个态度是偏重形式主义而否认文艺与道德有何关联的。把美感经验划成独立区域来研究,我们相信“形象直觉”、“意象孤立”以及“无所为而为地观赏”诸说大致无可非难。但是根本问题是:我们应否把美感经验划为独立区域,不问它的前因后果呢?美感经验能否概括艺术活动全体呢?艺术与人生的关系能否在美感经验的小范围里面决定呢？形式派美学的根本错误就在忽略这些重要的问题。

第一，我们须明白美感经验只是艺术活动全体中的一小部分。美感经验是纯粹的形象的直觉，直觉是一种短促的、一纵即逝的活动；艺术的完成则需要长时期坚持的努力。比如做诗，诗的精华在情趣饱和的意象。这种意象突然间很新鲜地涌现于作者的眼前，他觉得它有趣，把它抓住记载下来，于是有诗。美感经验只限于意象突然涌现的一顷刻。但是做诗却不如此简单。在意象未涌现以前，作者往往须苦心构思，才能寻到它。纵然它有时不招自来，也必须在潜意识中经过长期的酝酿。在意象涌现的一顷刻中，诗人心中固然只直觉到一个孤立绝缘的意象，对于它不加以科学的思考或伦理的评价。但是直觉之后，思考判断自然就要跟着来。作者得到一个意象不一定就用它，须斟酌它是否恰到好处；假如不好，他还须把它丢开另寻较满意的意象。这种反省与修改虽不是美感经验，却仍不失其为艺术活动。美感经验只能有直觉而不能有意志及思考；整个艺术活动却不能不用意志和思考。在艺术活动中，直觉和思考更替起伏，进行轨迹可以用断续线表示。形式派美学在这条断续线中取出相当于直觉的片段，把它叫做美感经验，以为它是孤立绝缘的，这在方法上是一种大错误，因为在实际上直觉并不能概括艺术活动全体，它具有前因后果，不能分离独立。形式派美学既然把美感经验划为独立区域，看见在这片刻的直觉中文艺与道德无直接关系，便以为在整个的艺术活动中道德问题也不能闯入，这也未免是以偏概全，不合逻辑。

其次，纵使我们退一步想，假定美感经验与艺术活动完全相等，如形式派所主张的，我们也要明白这种等于艺术活动全体的美感经验决不能划为独立区域。人在生理和心理两方面都是完整的有机体，其中部分与部分，以及部分与全体都息息相关，相依为命。我们固然可以指出某一器官与某另一器官的分别，但是不能把任何器官从全体宰割下来，而仍保存它的原有的功能。我们不能把割碎的四肢五官堆砌在一块成为一个活人，生命不是机械，部分之和不一定等于全体，因为此外还有全体所特有的属性。同理，我们固然可以在整个心理活动中指出“科学的”、“伦理的”、“美感的”种种分别，但是不能把这三种不同的活动分割开来，让每种孤立绝缘。在实际上“美感的人”同时也还是“科学的人”和“伦理的人”。文艺与道德不能无关，因为“美感的人”和“伦理的人”共有一个生命。形式派美学在把“美感的人”从整个的有机的生命中分割出来时，便已把道德问题置于文艺范围之外。我们如果承认这种分割合理，便须附带地否认文艺与道德的关系。但是这种分割与“人生为有机体”这个大前提根本相冲突。承认人生为有机体，便不能不否认艺术活动可以孤立绝缘，便不能不承认文艺与道德有密切的关系。形式派美学的错误在过信十九世纪以前所盛行的机械观和分析法，这个毛病我们将来批评克罗齐派美学时还要详加讨论。

以上专论形式派美学对于文艺与道德问题的误解，此外十九世纪后半期文人所提倡的“为文艺而文艺”，在理论上更多缺点。喊这个口号的人们不但要把艺术活动和其他活动完全分开，还要把艺术家和社会人生绝缘，独辟一个阶级，自封在象牙之塔里，礼赞他们的唯一尊神——美。这种人和狭隘的清教徒恰走两极端，但是都要摧残一部分人性去发展另一部分人性。这种畸形的性格发展绝不能产生真正伟大的艺术，因为从历史看，伟大的艺术都是整个人生和社会的返照，来源丰富，所以意蕴深广，能引起多数人发生共鸣。“为文艺而文艺”的倡和者把艺术和人生的关系斩断，专在形式上做功夫，结果总不免流于空虚纤巧。戈蒂耶和王尔德的成就我们是看得见的。

三

在以上两节中我们发现“为道德而艺术”和“艺术独立自主”两个相反的主张各有各的真理，也各有各的毛病。为在事实中求理论的佐证起见，我们最好朝另一个方向去研究，就是拿以往艺术作品来分析，看它们和道德的关系究竟如何。以文艺与道德关系为标准，作品可以分为三类：（一）有道德目的者，（二）一般人所认为不道德者，（三）有道德影响者。

（一）所谓有道德目的，就是作者有意要在作品中寓道德教训。这类作品中有具极大艺术价值的，如《新旧约》、中世纪的《耶教艺术》、但丁的《神曲》、班扬的《天路历程》、弥尔顿的《失乐园》、雨果的《悲惨世界》、托尔斯泰的小说以及易卜生、萧伯纳诸人的戏剧都是显著的例；也有没有艺术价值的，如华兹华斯的宣传教义的十四行诗（ecclesiastical sonnet）、假古典时代的教训诗（didactic poem）、法国革命时代带宣传性的戏剧、中国的无数的“善书”和“阴骘文”都是最显著的例。从这些证据看，我们不能因为作者有道德目的，就断定他的作品好或坏。

（二）一般人所谓不道德的作品定义非常难下。通常大半指材料或内容中有不道德的事迹。像《金瓶梅》、《九尾龟》、法国皮耶路易的《爱神》、英国劳伦斯的《虹》和《恰特里夫人的情人》之类都被人称为“淫书”。照柏拉图看，荷马的史诗和希腊的悲剧，都是不道德的，因为它们把神和英雄描写得像平常人一样可以犯罪作恶，破坏国民的中心信仰。琼森常不满意于莎士比亚，因为他的悲剧里没有道德目的，使善恶同归于尽。法国政府禁止波德莱尔的《罪恶之花》第一版，因为“里面有些题材最好是丢去不写”，如死尸恶臭裸体美之类。德国政府禁止《西线平静无战事》影片，因为它会教青年厌恶战争，妨碍国家主义。从这些实例看，我们可见从题材内容断定作品的道德或不道德，很少有作品可以宣告无罪。人生本来有许多不道德的事情，自然难免不反映到艺术作品里去。人世不是天堂，所以艺术品不尽是洁白无瑕的仙子的行赞。其次，以上所举的作品在艺术上大半都有很高的价值，一般人或是一部分人虽然以为它们是不道德的，作者们自己却否认有什么不道德的目的。材料内容的道德与不道德并不足以决定作品的艺术的价值。但丁在《神曲·地狱》里何尝没有描写奸盗邪淫？歌德在《浮士德》里何尝没有描写恶魔大逆？但是原来丑劣的材料都经艺术熔铸成为美妙的形象。艺术的功用就在征服丑劣的自然，世间固然有些不道德的作品，如坊间流行的许多淫书，宣传狭义的爱国主义和揶揄外国人的影片，甚至于提倡狭义的英雄主义的小说，都应该以舆论的力量去淘汰。作者们大半有意迎合群众的心理弱点，借艺术的旗帜，干市侩的勾当，不仅在道德上是罪人，从艺术观点看，他们尤应受谴责。他们的作品根本不是艺术，所以不能作道德与艺术的论证。

（三）有道德影响与有道德目的应该分清。有道德目的是指作者是有意宣传一种主义，拿文艺来做工具。有道德影响是指读者读过一种艺术作品之后在气质或思想方面生较好的变化。有道德目的的作品固然有时可生道德影响。一切喜剧和讽刺小说都不免有几分道德目的，都要使人知道个人言动笑貌和社会制度习惯的缺点可笑，应该设法避免。这类作品如果在艺术上成功，无形中都可以产生道德影响。法国如果没有拉伯雷（Rabelais）、莫里哀（Molière）和伏尔泰（Voltaire）诸讽刺作家，人情风俗的变迁也许另是一样。有道德目的的作品不一定就生道德影响，很少有人因为读善书、阴骘文而变成真正的君子。有时狭隘的道德目的反而产生不道德的影响，《水浒》的作者何尝不说要教人忠孝节义，但是许多强盗流氓都是要模仿梁山泊的好汉。最可注意的是没有道德目的的作品往往可以发生最高的道德影响。莎士比亚的悲剧是最好的例。就目的说，莎士比亚绝对没有什么道德主张要宣传；就内容说，悲剧的事迹如女逐父，夫杀妻，臣叛君，弟弑兄之类大半是不道德的。但是在真正了解一部悲剧之后，我们并不颓丧，反而觉得感发兴起，一方面情感仿佛经过一番净化和尊严化，一方面对于人生世相也得一种深刻的观照。粗略地说，凡是第一流艺术作品大半都没有道德目的而有道德影响，荷马史诗、希腊悲剧以及中国第一流的抒情诗都可以为证。它们或是安慰情感，或是启发性灵，或是洗涤胸襟，或是表现对于人生的深广的观照。一个人在真正欣赏过它们以后，与在未读它们以前，思想气质不能是完全一样的。

四

我们关于文艺与道德问题的主张大要在上文已可见出，现在把纷乱的线索理清楚，作一个总结束。

关于任何学问，答案的误谬往往由于问题的暧昧。从前许多学者对于文艺与道德的关系发出许多错误议论，就因为"文艺与道德有无关系"这个问题太笼统。为精确起见，它应该分为下列几个问题：

（一）在美感经验中，从作者的观点与读者的观点看，文艺与道德有何关系？

（二）在美感经验前，从作者的观点与读者的观点看，文艺与道德有何关系？

（三）在美感经验后，从作者的观点与读者的观点看，文艺与道德有何关系？

我们现在逐条研究。

（一）在美感经验中，无论是创造或是欣赏，心理活动都是单纯的直觉，心中猛然见到一个完整幽美的意象，霎时间忘去此外尚有天地，对于它不作名理的判断，道德问题自然不能闯入。西门庆引诱潘金莲原是不道德的行为，武松拒绝潘金莲的引诱原是道德的行为，但在《水浒》和《金瓶梅》的作者和读者看，这两面文章同样地有趣，同样地入情入理。使人觉得有趣和入情入理，武松、西门庆和潘金莲在艺术上都是成功的角色。在觉得有趣和入情入理的那一顷刻，作者和读者都只用直觉观赏纯意象，无暇从道德的观点去褒奖武松或是谴责西门庆和潘金莲。我们还可以进一步说，艺术的作品是否成功，就要看它能否使人无暇取道德的态度，而专把它当作纯意象看，觉得它有趣和入情入理。就美感经验本身说，我们赞成形式派美学的结论，否认美感与道德观有关系。

（二）一个人不能终身都在直觉或美感经验中过活，艺术的活动不仅限于短促的一纵即逝的美感经验。一个艺术家在突然得到灵感、见到一个意象（即直觉或美感经验）以前，往往经过长久的预备。在这长久的预备期中，他不仅是一个单纯的“美感的人”，他在做学问，过实际生活，储蓄经验，观察人情世故，思量道德、宗教、政治、文艺种种问题。这些活动都不是形象的直觉，但在无形中指定他的直觉所走的方向。稍纵即逝的直觉嵌在繁复的人生中，好比沙漠中的湖泽，看来虽似无头无尾，实在伏源深广。一顷刻的美感经验往往有几千万年的遗传性和毕生的经验学问做背景。道德观念也是这许多繁复因素中一个重要的节目。莎士比亚和荷马不同，歌德或易卜生又和莎士比亚不同，这不仅由于形式技巧的变迁，他们所表现的人生观照和了解也不一致。有些作家无意于表现道德观而道德观自现，莎士比亚和陶潜可以为证；也有些作家很坦白地自认有意表现道德观而亦无伤于文艺，托尔斯泰和萧伯纳可以为证。说在美感经验以前，文艺与道德密切相关，实无异于说艺术与时代背景和作者个性有关。这个道理本极平凡浅显，但是“为文艺而文艺”说的倡和者却把它忽略过去了。

其次，就读者方面说，一个人的道德的修养和见解，往往也可影响到他对于文艺的趣味。同是一个艺术作品对于甲引起美感态度，对于乙则引起道德态度。琼森嫌莎士比亚的《李尔王》（*King Lear*）最后一幕中孝女考狄利娅死得太惨，不忍卒读，到后来他编著这部悲剧，才勉强把它读下去。看戏者常愤恨秦桧卖国，替岳飞抱不平，看小说者常希望在结局时有情人终成眷属。这些都是道德态度，就艺术观点说，以道德态度应付艺术，是趣味低劣的表现，是人类的一种弱点。但是就实际经验看，这种弱点非常普遍。艺术本应引起美感态度而却引起道德态度，是失其应有的功用，所以艺术家不能不顾到人类的这个普遍的弱点，设法使他的作品不受它影响。这里我们要回到“距离”说了。艺术与道德的距离须配得恰到好处,这是美感经验成立的必要条件。如果一件作品引起道德上的反感,如《李尔王》对于琼森;或是引起道德上的同情,如看戏者愤恨秦桧,替岳飞抱不平,美感经验就根本不能成立了。

(三)在美感经验以后,文艺与道德的问题更为复杂。我们一方面要顾到价值的标准,一方面要顾到文艺所产生的道德的影响。

先说价值的标准。我们评判艺术作品的价值,应该纯粹地从文艺观点着眼,还是同时要顾到道德的观点呢?依形式派美学说,文艺自成一独立区域,自有价值,评判价值的标准应该完全在它本身中寻出,道德的标准是外来的,不能应用。英人布拉德雷在《牛津诗歌演讲集》(*Bradley*: *Oxford Lectures on Poetry*)里《为诗而诗》篇里说得最清楚:

> “为诗而诗”一个公式对于诗的经验怎样解说呢?依我看,它说以下数事:第一,这种经验自身就是一种目的,有一种内在价值;值得有,并不为它本身以外的缘故。第二,它的诗的价值就只限于这种内在价值。诗尽管有外在价值,比如说它可以效用于文化或宗教,可以传教训,慰情感,助成一种美举,或是替诗人得利,得名,得良心上的安慰。那么,更好,就让我们为这些缘故把诗看得有价值。但是就其为一种可喜的想象的经验而言,诗的价值不能直接地因它的外在价值决定,它应该完全从诗的本身判定。这两条原则以外,我们还可以再加一条,虽然这并不必要:无论诗人自己在做诗时或是读者在体验诗时,考虑到外在目的,就难免降低诗的价值。因为这种考虑容易把

诗从它自己的特殊空气中拉出来，以至变化它的本质。

理查兹在《文学批评原理》里对于这种“为诗而诗”的议论曾加辩驳，我们大致同意。所谓外在价值，如文化、宗教、教训、慰情感、得名利等等，实在不能等量齐观。名利固然不能决定诗的价值，至如文化、宗教、教训、情感诸因素对于诗的价值却非毫无影响。文艺作品原来不可以一概论，有可以完全从文艺本身定价值的，如陶潜的《桃花源记》，韩愈的《毛颖传》，谢灵运和王维的写景诗以及柳宗元的山水杂记之类纯粹的想象的或状物的作品都属于这一类（这类文学在中国实在稀少）；也有不能完全从文艺本身定价值的，如屈原的《离骚》，阮籍、杜甫、白居易、陆游、元好问诸人的诗，大部分元曲，以及一般讽刺作品，在这些实例中，作者原来有意或无意地渗透一种人生态度或道德信仰到作品里去，我们批评它的价值时，就不能不兼顾到那种人生态度或道德信仰的价值。比如我们批评屈原和杜甫的诗，不能把他们的人格和忧世忠君的热忱看作与他们的艺术毫无关系。所以一般“为文艺而文艺”的倡和者所反对的以道德的标准去评定文艺的价值，也还是有斟酌的余地。

其次，文艺能发生道德的影响，连形式派美学家也并不否认，他们所着重的有两件：一、作者不应该顾到这种影响；二、读者不应该以这种影响去评判文艺的价值。这两条我们已经讨论过，现在回到道德的影响本身来研究。文艺能产生怎样的道德的影响呢？

第一，就个人说，艺术是人性中一种最原始、最普遍、最自然的需要。人类在野居穴处时代便已有图画诗歌，儿童在刚离襁褓时便作带有艺术性的游戏。嗜美是一种精神上的饥渴，它和口腹的饥渴至少有同样的要求满足权。美的嗜好满足，犹如真和善的要求得到满足一样，人性中的一部分便有自由伸展的可能性。汩丧天性，无论是在真、善或美的方面，都是一种损耗，一种残废。从前人论文艺的功能，不是说它在教训，就是说它在娱乐，给人教训又不在供人娱乐的。作者自己的“表现”的需要有时比任何其他目的更重要。情感抑郁在心里不得发泄，近代心理学告诉过我们，最容易酿成性格的乖僻和精神的失常。文艺是解放情感的工具，就是维持心理健康的一种良剂。古代人说：“为道德而艺术”，近代人说：“为艺术而艺术”，英国小说家劳伦斯说：“为我自己而艺术”（art for my own sake）。真正的大艺术家大概都是赞同劳伦斯的。

艺术虽是“为我自己”，伦理学家却不应轻视它在道德上的价值。人比其他动物高尚，就是在饮食男女之外，还有较高尚的营求，艺术就是其中之一。“生命”其实就是“活动”。活动愈自由，生命也就愈有意义，愈有价值。实用的活动全是有所为而为，受环境需要的限制；艺术的活动全是无所为而为，是环境不需要人活动而人自己高兴去活动。在有所为而为时，人是环境需要的奴隶；在无所为而为时，人是自己心灵的主宰。我们如果研究伦理思想史，就可以知道柏拉图、亚里士多德和中世纪耶教大师们，就学说派别论，彼此相差很远，但是谈到“最高的善”，都以为它是“无所为而为的观赏”（disinterested contemplation）。这样看，美不仅是一种善，而且是“最高的善”了。

第二，就社会说（读者在内），艺术的功用，像托尔斯泰所说的，在传染情感，打破人与人的界限。我们一般人都囿在习惯所划定的狭小世界里，对于此外的世界都是痴聋盲哑，视而不见，听而不闻，食而不知其味。艺术家比较常人优胜，就在他们的情感比较真挚，感觉比较锐敏，观察比较深刻，想象比较丰富。他们不但能见到比较广大的世界，而且引导我们一般人到较广大的世界里去观赏。像一位英国学者所说的，艺术家“借他们的眼睛给我们去看”(lend their eyes for us to see)。希腊悲剧家和莎士比亚使我们学会在悲惨世界中见出灿烂华严，阿里斯托芬和莫里哀使我们学会在人生乖讹中见出谑浪笑傲，荷兰画家们使我们学会在平凡丑陋中见出情趣深永的世界。在拜伦(Byron)以前，欧洲游人没有赞美过威尼斯，在特纳(Turner)以前，英国人没有注意到泰晤士河上有雾。没有谢灵运、陶潜、王维一班诗人，我们何曾知道自然中有许多妙境？没有普鲁斯特(Proust)、劳伦斯一班小说家，我们何曾知道人心有许多曲折？艺术是启发人生自然秘奥的灵钥，在“山重水复疑无路”时，它指出“柳暗花明又一村”。

这种启发对于道德有什么影响呢？它伸展同情，扩充想象，增加对于人情物理的深广真确的认识。这三件事是一切真正道德的基础。从历史看，许多道德信条到缺乏这种基础时，便为浅见和武断所把持，变为狭隘、虚伪、酷毒的桎梏，它的目的原来说是在维护道德，而结果适得其反，儒家的礼教，耶教的苦行主义，日本的武士道，都可以为证。雪莱在《诗的辩护》中说得最好：

> 道德的大原在仁爱，在脱离小我，与非我所有的思想行为和身体的美妙点相同一。一个人如果要真是一个大好人，必须能深刻地广阔地想象；他必须能设身处一个别人或许多别人的地位，人类的忧喜苦乐须变成他的忧喜苦乐。达到道德上的善，顶大的津梁就是想象；诗从这种根本地方下手，所以能发生道德的影响。

总之,道德是应付人生的方法,这种方法合适不合适,自然要看对于人生了解的程度何如。没有其他东西比文艺能给我们更深广的人生观照和了解,所以没有其他东西比文艺能帮助我们建设更完善的道德的基础。苏格拉底的那句老话是多么简单,多么惹人怀疑,同时,它又是多么深永而真确!

"知识就是德行!"

作者补注:讨论文艺与道德关系的七、八两章,是在北洋军阀和国民党专制时代写的,其中"道德"实际上就是指"政治"。

一九八一年七月读校样时写

第九章　自然美与自然丑

——自然主义与理想主义的错误

一

在日常语言中“美”、“丑”两个字用来形容自然和用来形容艺术，简直没有分别。其实“自然美”和“自然丑”与“艺术美”和“艺术丑”应该分开来说。这种看法虽然与常识相冲突，但是要真正了解美的本质，我们必须把艺术的美丑和自然的美丑分清。本章先说自然美与自然丑的意义。

“自然”(nature)的意义本来很混。假古典派学者以为自然就是“真理”或“人性”，蒲柏(Pope)说：“研究古人就是研究自然”，因为古人在他们的作品中已经把真理和人性表现得透辟无余了。现在一般人把“自然”看成与“人”相对的，人以外的事物，如天地星辰、山川草木、鸟兽虫鱼之类，统称为“自然”。有时“自然”与“人为”相对，人也归在“自然”里，人工造作的就不是“自然”。但是这种意义也不十分精当，一片自然风景里也可以包括城郭楼台在内。我们现在姑且用一个最概括的意义，说自然就是现实世界，凡是感官所接触的实在的人和物都属于自然。

从来学者对于自然的态度可略分为两种,“自然主义”(naturalism)和“理想主义”(idealism)(注意:这专就对于自然的态度而言,不是指艺术的作风,所以这里所说的“自然主义”和法国小说家左拉所倡的“自然主义”是两回事。我们这种用法的根据是法国美学家拉罗[Lalo]的《美学导言》)。

自然主义起源比较近。各民族在原始时代对于自然都不很能欣赏。应用自然景物于艺术,似以中国为最早,不过真正爱好自然的风气到陶潜、谢灵运的时代才逐渐普遍。《诗经》应用自然,和古代图画应用自然一样,只把它当背景或陪衬,所以大半属于“兴”,“兴”就是从观察自然而触动关于人事的情感。从晋唐以后,因为诗人、画家和僧侣的影响,赞美自然才变成一种风尚。在西方古代文艺作品中描写自然景物的非常稀罕。西方人爱好自然,可以说从卢梭起,浪漫派作家又加以推波助澜,于是“回到自然”的呼声便日高一日。

中国艺术家欣赏自然,和西方人欣赏自然似乎有一个重要的异点。中国人的“神”的观念很淡薄,“自然”的观念中虽偶杂有道家的神秘主义,但不甚浓厚。中国人对待自然是用乐天知足的态度,把自己放在自然里面,觉得彼此尚能默契相安,所以引以为快。陶潜的“众鸟欣有托,吾亦爱吾庐”,“平畴交远风,良苗亦怀新”诸句最能代表这种态度。西方人因为一千余年的耶稣教的浸润,“自然”和“神”两种观念常相混合。他们欣赏自然,都带有几分泛神主义的色彩。人和自然仿佛是对立的。自然带着一种神秘性横在人的眼前,人捧着一片宗教的虔诚向它顶礼。神是无处不在的,整个自然都是神的表现,所以它不会有什么丑恶。在卢梭看,自然本来尽善尽美,有人于是有社会,有文化;有了社会和文化,丑恶就跟着来了。诗人华兹华斯也是这样想。他在一首诗里向书呆子们劝告:“站到光明里来,让自然做你的师保”,“自然所赋予的智慧是甜蜜的,好事的理智把事物意义弄得面目全非,我们用解剖去残杀。”这种泛神主义的自然观决定了艺术家对于自然的态度。自然既是尽善尽美,最聪明的办法就是模仿自然。“模仿自然”本是西方艺术史中一个很古老的理想,古希腊人的艺术的定义就是“模仿”,柏拉图反对艺术,就因为它只模仿感官世界。这种艺术观在历代都有攻击者和拥护者。近代作家中拥护“艺术模仿自然”说者以罗斯金为最力。依他看,人工造作的东西无论如何精巧,都不能比得上自然。他说:“我从来没有见过一座希腊女神的雕像,有一个血色鲜丽的英国姑娘的一半美。”最自然的就是最常见的,最常见的就是最美的。“凡是美的线形都是从自然中最常见的线形抄袭来的。”例如希腊有柱无墙平顶式的建筑是模仿剪去枝叶的树林,“哥特式”尖顶多雕饰的建筑是模仿连枝带叶的树林,罗马圆顶式的建筑是模仿天空和地平线。因此,罗斯金劝建筑家们到树林里去从自然研究建筑原理。自然既已尽美,所以艺术家模仿自然,最忌以己意加以选择。他说:“人在这个世界里所能成就的最伟大的事业,就是睁着眼睛去看,然后把所见的东西老老实实地说出来。”“完美的艺术都能返照全体自然,不完美的艺术才有所不屑,有所取舍。”“纯粹主义者拣选精粉,感官主义者杂取秕糠,至于自然主义者则兼容并包,是粉就拿来制糕饼,是草就拿来做床垫。”

罗斯金的论调并非孑然孤立的。法国古典派画家安格尔告诉他的学徒说:“你须去临摹,像一个傻子去临摹,像一个恭顺的奴隶去临摹你眼睛所见到的。”十九世纪法国雕刻家罗丹的《艺术论》也差不多和罗斯金一鼻孔出气。他说:“我在什么地方学雕刻?在深林里看树，在路上看云，在作业室里研究模型；我处处都在学，只是不在学校里学。”他劝我们说：“第一件要事就是坚信自然全美，记得这个原理，然后睁开眼睛去观察。”“我们的不幸都由于要跟着蠢人们去涂抹自然的本来面目。”他说他自己向来不曾有意地改变自然。“如果我要改变我所见到的，加以润饰，我必定不能作出有价值的东西。”左拉所提倡的自然主义虽专指艺术作风，与罗斯金的带有宗教色彩的自然主义有别，但对于艺术与自然的关系，见解亦颇相同。这种自然主义是写实主义的后身。它以为艺术像科学一样，应该是“实验的”，凡所描写都要拿出证据来，这种证据必定是自然所供给的。左拉看到他的小说《小酒店》编成剧本表演时，兴高采烈地说：“简直和真的一样！人们来的来，去的去，有些坐在桌子旁边，有些站在柜台前面，简直就是一个小酒店的样子！”他这样洋洋自得，就因为觉得他的艺术妙肖自然。写实主义和自然主义现在虽已过去，它们的余波却仍未尽消灭。

在罗斯金、罗丹和一般自然主义者看，自然本来就尽善尽美，艺术家唯一的成功捷径就在模仿整个的自然，丝毫不用选择。这种理论显然有许多难点，美丑是相对的名词，有比较然后有美丑。如果把自然全体都看成一样美，就没有分别美丑的标准，就否认美丑有比较，那么，“美”也就漫无意义了。

艺术的功用如果在忠顺地模仿自然，既有自然，何须艺术呢？法国画家卢梭（Theodore Rousseau）有一次在山里临摹一棵大橡树，一个过路的乡下人问他在干什么，他很诧异地说：“你分明看见，我是在临摹那棵大橡树呀！”那位乡下人仍是莫名其妙，继续问他：“那有什么用处呢？橡树不是已经长在那儿么？”波斯有一位画家画了一条鱼，自己很得意，一个乡下人见到，颇不以为然：“上帝造鱼都给它一条性命,你给它一个身体,不给它性命,这不是造孽么?”这些乡下人的话看来虽愚蠢可笑,其实含有至理。艺术的功用原在弥补自然的缺陷,如果自然既已完美,艺术便成赘疣了。

妙肖自然并不是艺术的最高的成就,所以摄影不能代图画,蜡人不能代雕刻,电影不能代戏剧。如果妙肖自然是艺术的最高的成就,则艺术纵登峰造极,也终较自然为减色。什么音乐可以模仿急风迅雷,什么雕刻可以模仿高峰大海呢?画家塞尚告诉左拉说:“我本来也想临摹自然,但是终于做不到。我不能‘再造’太阳,但是我能‘表现’太阳,这对于我也就行了。”左拉自己是自然主义的领袖,他也承认“艺术作品只是隔着情感的屏障所窥透的自然一隅”。说“隔着情感的屏障”,便承认艺术不能离开作者的个性,说“自然一隅”便非抄袭自然全体。写实派以福楼拜的成就最大,他就这样地骂写实主义:

> 大家所共称的写实主义与我毫不相干,虽然他们硬要拉我做一个主教。自然主义者所追求的都是我所鄙视的,他们所喝彩的都是我所厌恶的。在我看来,技巧细节,地方掌故,以及事物在历史上的真确,都卑卑不足道,我所到处寻求的只是美。

从种种方面看,自然主义都是很难成立的。

二.

与自然主义相对峙的是理想主义。在理想派看,自然并不全美，美与丑相对，有比较然后有美丑，美自身也有高下等差，艺术对于自然，应该披沙拣金，取长弃短。理想主义比自然主义较胜一筹，因为它虽不否认艺术模仿自然，却以为这种模仿并不是呆板的抄袭，须经过一番理想化。理想化有两种意义。一种是指凭着想象和情感，将自然事物重新加以组织、整理和融会贯通，使所得的艺术作品自成一种完整的有机体，其中部分与全体有普遍的必然的关联。因此，艺术作品虽自然（natural）而却不是生糙的自然（nature），它表现出艺术家的理想性格和创造力。就这个意义说，理想主义是对的，凡是艺术都带几分理想性，因为它都带有几分创造性和表现性。这种见解发源于亚里士多德。他在《诗学》里说诗比历史更是“哲学的”（意思是说更真），因是历史只记载已然的个别的事物，诗则须表现必然普遍的真理，前者是模仿殊相，后者是模仿共相。用近代语言来翻译，他的意思是说历史只记载自然界繁复错乱的现象，诗和艺术则更进一层把自然现象后面的原理，用具体的形式表现出来。

后人误解亚里士多德所说的“共相”（universals），以为“共相”就是“类型”（type），于是理想主义的另一种意义就起来了。所谓“理想”（ideal）就是“类型”，类型就是最富于代表性的事物，“代表性”就是全类事物的共同性。依这一说，艺术所应该模仿的不是自然中任何事物而是类型。比如说画马，不能只着眼某一匹马，须把一切马的特征画出，使人看到所画的马便觉得一切的马都恰是这样。同理，艺术所表现的人物都不应只能适合于某一时某一地，要使人随时随地都觉得它近情近理。如果“天下老鸦一般黑”，你画老鸦就一定把它画成黑的；纵然你偶然遇到白的或灰的老鸦，也千万不要理会它，因为那不是“类型”。这种理想主义在各种艺术的古典时代最流行。比如希腊造形艺术表现人物大半都经过两重理想化。第一，它选择模型，就着重本来已合理想的人物，男子通常都是力士，女子通常都是美人。第二，在表现本来已合理想的形体时，希腊艺术家又加上一重理想化，把普遍的精要的提出，个别的琐细的丢开。他们的女神和力士大半都有一个共同的模样（即类型）。个性是古典艺术所不甚重视的。文艺复兴时代意大利画家受希腊影响甚深，所以他们所表现的男子也大半魁梧奇伟，女子也大半明媚窈窕。十七世纪以后，在希腊时代出于艺术家本能的，在假古典派作家便变成一种很鲜明的主义。在诗的方面如布瓦洛（Boileau）和蒲柏（Pope），在画的方面如雷诺兹（Reynolds）和安格尔（Ingres），在雕刻方面为温克尔曼（Winckelmann），都主张艺术忽略个性而侧重类型。

理想派的艺术在以往占过很久的势力，不过从浪漫主义和写实主义代兴以后，它就逐渐消沉了。近代艺术所着重的不是类型而是个性。在近代学者看，类型是科学和哲学对于具体事物加以抽象化的结果，实际上并不存在。艺术的使命在创造具体的形象，具体的形象都要有很明显的个性。一个模样可以套上一切人物时，就不能很精妥地适用于任何个别的人物。许多人物的共同性，在古典派认为精要，在近代人看，则不免粗浅、平凡、陈腐。鼻子是直的，眼睛是横的，这是古典派所谓“类型”。但是画家图容肖像，如果只把直鼻横眼一件平凡的事实表现出来，就不免千篇一律。画家的能事不在能把鼻子画得直，眼睛画得横，而在能表现每个直鼻子横眼睛所以异于其他直鼻子横眼睛的。莎士比亚的夏洛克（Shylock），莫里哀的阿尔巴贡（Harpagon），巴尔扎克的葛朗台（Grandet），以及吴敬梓的严贡生都是守财奴，却各有各的本色特性，所以都很新鲜生动。如果艺术只模仿类型，则从莎士比亚创造夏洛克之后，一切文学家都可以搁笔，不用再写守财奴了。

粗浅、平凡和陈腐都是艺术所切忌的。诗人维尼（Alfred de Vigny）在《牧羊人的屋》里说：

爱好你所永世不能见到两回的。

象征派诗人魏尔兰（Verlaine）也说：

不要颜色！只要毫厘之差的阴影！

这些劝告在近代人心里已留下很深的印痕。在文艺趣味方面，人类心灵欢喜到精深微妙的境界去探险，从前人的"类型"和普遍性已经不能引人入胜了。

三

从表面看，自然主义和理想主义似乎相反，其实它们都承认自然中原来就有所谓"美"，所不同者自然主义以为美在自然全体，理想主义以为美仅在类型。它们都以为艺术美是自然美的拓本，所不同者自然主义忌选择，理想主义则重选择。理想主义仍重模仿，所以在实际上仍是一种精炼的自然主义。德拉库瓦教授在他的《艺术心理学》里有一段话批评这两种不同的艺术观，说得很精当：

写实主义和理想主义有一个共同的假设:艺术是天生自在的,或是在经验的实在界里,或是在超经验的实在界里。艺术家的能事只在把现成的提取出来。其实艺术永不会是天生自在的,无论是经验的或是超经验的实在界里都没有现成的艺术。艺术就是创造,是人力。艺术的意象向来不是自然事物的拓本,它是艺术家创造出来熔化事物的。人把所见到的形象摆在心里反省一过,加以意匠经营,融会贯通,然后把心中所得的图画外射出去,使它具有形体。这是人的作品实现于外物界,并非自然本身的作品。

这番道理是自然主义和理想主义所共同忽视的。自然只是死物质,艺术却须使这种死物质具有生动的形式。自然好比生铁,艺术作品则为熔铸锤炼而成的钟鼎。艺术家的心灵就是熔铸的洪炉和锤炼的铁斧。熔铸锤炼之后才有形式,才有美。艺术不但不模仿自然,并且还要变化自然,所以如果我们用模仿自然的标准去衡量艺术,没有一件上流作品不露有几分不自然。我们在说"距离"时(参看第二章)已举过许多实例,现在再引歌德和爱克曼的谈话来说明艺术改变自然的道理。歌德有一天拿一幅吕邦斯(Rubens)的木刻画给爱克曼看,让他指出画的好处。

歌德——你看这画中的事物,像羊群,草,车,马,回家的工人等等,光线是从哪一方来的?

爱克曼——光线是从我们这方投影到画的里层去的。回家的工人们都在最丰满的光线里,这样产生的印象顶好。

歌德——你看这种好印象是怎样产生的?

爱克曼——因为背景阴暗,所以人物愈现得明显。

歌德——那阴暗的背景是怎样画出来的?

爱克曼——人物旁边有一丛树投射一片很浓的阴影,所以背景现得阴暗。呃,这倒有些奇怪!人物由我们这方投影到画的里层去,而树林却由画的里层投影到我们这方来。光线从两个相反的方向发出来。这种办法绝对地与自然相反了。

歌德微笑——要点就在这里。这些地方正显出吕邦斯是一位大画家,显出他的自由心灵能超越自然,使自然迁就他的卓越的心裁。那两重光线实在是违背自然,你的话不错,但是它虽然是反乎自然,却也是超乎自然。我说它是大画家的大胆的笔法,他用天才证明艺术不全受自然所定下的必然法则所奴使,但自有它的特殊法则。……艺术家对于自然有两重关系,他同时是自然的主人和奴隶。他是它的奴隶,因为他必须使用人世的工具,才能叫人懂得;他是它的主人,因为他奴使这些人世的工具,使它们效用于他的卓越的心裁。艺术家要使观众见到一种总印象,这种总印象在自然中寻不着,它是他自己的心的产品,或者说,他的心被一股灵气所鼓动的结果。如果我们随意浏览这张画,里面一切事物都使我们觉得自然,觉得它仿佛是自然的拓本。这样美的画在自然中向来见不着,普尚(Poussin)和劳冉(Claude Lorrain)的风景画也是如此,我们都觉得它们自然,但是在自然中却寻不着它们。

歌德的这番话把艺术和自然的关系很具体地指出，像他的许多关于文艺的话一样，是最值得寻思的。凡是真正艺术都极自然，但都不是自然的拓本，因为在自然中见不着它。

如果艺术的功用在模仿自然，则自然美一定产生艺术美，自然丑也一定产生艺术丑。但是事实与此恰相反。自然美可以化为艺术丑，许多香水、纸烟广告上的美人画就是好例。以人而论，面孔倒还端正，眉目倒还清秀；以画而论，则大半恶劣不堪。自然丑也可以化为艺术美。莎士比亚的全部悲剧都描写恶人和恶事，莫里哀的全部喜剧都描写丑人和丑事，但在艺术上都是登峰造极的作品。从前艺术家大半都怕用丑材料，近代艺术家才知道化自然丑为艺术美为难能可贵。荷兰画家伦勃朗欢喜描写老朽，西班牙画家浮勒斯克兹欢喜描写残废。雕刻家罗丹和爱朴斯丹（Epstein）尤其喜欢用丑陋的模型。罗丹说：

> 俗人往往以为现实界中他们所公认为丑的东西都不是艺术的材料。他们想禁止我们表现他们所不欢喜的自然事物。这其实是大错。在自然中人以为丑的东西在艺术可以变成极美。人以为丑的事物不外是残废，羸弱，令人联想到疾病，不合康强原则的，例如矮子，跛子，破烂的穷人，恶人，罪人，不道德的人以及扰乱社会的，失常态的人所有的性格和行为，弑亲者，叛国者和不问良心的野心家等，都是丑的。这些人物只能撞灾惹祸，大家给他们一个罪名，本很合理。但是大艺术家们和大文学家们对于这些丑人物却仍一律采用。他们仿佛有幻术家的魔棍，能化

丑为美:这是一种点金术,一剂仙方。

从以上所引的事实和理论看,我们可以得到两个结论:

(一)艺术的美丑和自然的美丑是两回事。

(二)艺术的美丑不是模仿自然的美丑所得来的。

四

我们说“自然美”和“自然丑”时,“美”和“丑”的意义究竟如何呢?它不外下列两种:

(一)“美”是使人发生快感的,“丑”是使人发生不快感的。例如论简单的线形,有规律的曲线美,无规律的曲线丑;论简单的颜色,饱和的红色美,不饱和的红色丑;论简单的音调,和谐的美,嘈杂的丑。这种分别完全起于生理作用。外物刺激感官时,如果适合生理构造,我们便愉快,便觉得它美,否则便不愉快,便觉得它丑。艺术常利用这种自然美,但是它本身不就是艺术美。许多单调的音乐,听起来很悦耳,但是不能引起深刻的情绪。许多颜色调和的图画,看起来很爽快,但是毫无意味。许多甜蜜的小说,读起来暂时很快意,但是毫无艺术价值。

(二)“美”是事物的常态,“丑”是事物的变态。说“自然美”和“自然丑”时,通常大半用这个意义。法国学者孟德斯鸠有一段话把这个意义解释得最清楚:

毕非尔神父说美就是最普遍的东西集合在一块所成

> 的。这个定义如果解释起来,实在是至理名言。他举例说,美的眼睛就是大多数眼睛都像它那副模样的,口鼻等也是如此。这并非说丑的鼻子不比美的鼻子更普遍,但是丑的种类繁多,每种丑的鼻子却比美的鼻子为数较少。这正像一百人之中如果有十人穿绿衣,其余九十人的衣服颜色都彼此不同,则绿衣终于最占势力一样。

比如说鼻子,它通常都是从上面逐渐高到下面,所以最美的鼻子如"悬胆"。如果鼻子上下一样粗细如腊肠,或是鼻孔朝天,那就太稀奇古怪了。稀奇古怪便是失常态。通常人说一件事物丑,其实不过是因为它稀奇古怪。宋玉描写理想的美人说:"增之一分则太长,减之一分则太短,著粉则太白,施朱则太赤。"凡美的事物都安不上"太"字,一安上"太"字就不免有些丑了。"太"就是超过常态,就是稀奇古怪。

人物都以常态为美。健全是人体的常态,耳聋、口吃、面麻、颈肿、背驼、足跛等等都不是常态,所以显得丑。一般生物的常态是生气蓬勃,活泼灵巧,所以就自然美而论,猪不如狗,鱼不如蛇,樗不如柳,老年人不如少年人。非生物也是如此。山的常态是巍峨,所以巍峨最易显出山的美;水的常态是浩荡明媚,所以浩荡明媚最易显出水的美。同理,花宜清香,月宜皎洁,春风宜温和,秋风宜凄厉。常态所以使人觉得美,与实用观念有关。凡是一种形状或性质在全类事物中最普遍,它对于该类事物一定有特殊利益,这也还是应用生物学上"适者生存"一条原理。例如康健圆满是人体美的要件,多病多愁的脆弱的女子有时也显得美,这并不能打破原则,因为女子惹人怜才易惹人爱,脆弱对于女子还是有生物的特殊功能。康德以为自然美很少有纯粹的,就因为自然事物易引起实用的联想,由实用联想而觉到事物美(例如由康健而觉到人体美),那种美只能算是"有倚赖的"(参看第六章)。这第二种意义的"自然美"有时也为艺术所利用。它就是古典主义所推尊的"类型"。但是它与艺术究竟有别。许多描写类型的作品都很平凡、粗浅、陈腐,可以为证。

第十章 什么叫做美

一

艺术的美丑既不是自然的美丑,它们究竟是什么呢?

有人问圣·奥古斯丁:“时间究竟是什么?”他回答说:“你不问我,我本来很清楚地知道它是什么;你问我,我倒觉得茫然了。”世间许多习见周知的东西都是如此,最显著的就是“美”。我们天天都应用这个字,本来不觉得它有什么难解,但是哲学家们和艺术家们摸索了两三千年,到现在还没有寻到一个定论。听他们的争辩,我们不免越弄越糊涂。我们现在研究这个似乎易懂的字何以实在那么难懂。

我们说花红、胭脂红、人面红、血红、衣服红、珊瑚红等等,红是这些东西所共有的性质。这个共同性可以用光学分析出来,说它是光波的一定长度和速度刺激视官所生的色觉。同样地,我们说花美、人美、风景美、声音美、颜色美、图画美、文章美等等,美也应该是所形容的东西所共有的属性。这个共同性究竟是什么呢?美学却没有像光学分析红色那样,把它很清楚地分析出来。

美学何以没有做到光学所做到的呢?美和红有一个重要的分

别。红可以说是物的属性，而美很难说完全是物的属性。比如一朵花本来是红的，除开色盲，人人都觉得它是红的。至如说这朵花美，各人的意见就难得一致。尤其是比较新比较难的艺术作品不容易得一致的赞美，假如你说它美，我说它不美，你用什么精确的客观的标准可以说服我呢？美与红不同，红是一种客观的事实，或者说，一种自然的现象，美却不是自然的，多少是人凭着主观所定的价值。“主观”是最分歧、最渺茫的标准，所以向来对于美的审别，和对于美的本质的讨论，都非常分歧。如果人们对于美的见解完全是分歧的，美的审别完全是主观的、个别的，我们也就不把美的性质当作一个科学上的问题。因为科学目的在于杂多现象中寻求普遍原理，普遍原理都有几分客观性，美既然完全是主观的，没有普遍原理可以统辖它，它自然不能成为科学研究的对象了。但是事实又并不如此。关于美感，分歧之中又有几分一致，一个东西如果是美的，虽然不能使一切人都觉得美，却能使多数人觉得美。所以美的审别究竟还有几分客观性。

研究任何问题，都须先明白它的难点所在，忽略难点或是回避难点，总难得到中肯的答案。美的问题难点就在它一方面是主观的价值，一方面也有几分是客观的事实。历来讨论这个问题的学者大半只顾到某一方面而忽略另一方面，所以寻来寻去，终于寻不出美的真面目。

大多数人以为美纯粹是物的一种属性，正犹如红是物的一种属性。换句话说，美是物所固有的，犹如红是物所固有的，无论有人观赏或没有人观赏，它永远存在那里。凡美都是自然美。从这个观点研究美学者往往从物的本身寻求产生美感的条件。比如就简单的线形说，柏拉图以为最美的线形是圆和直线，画家霍加斯

(Hogarth)以为它是波动的曲线,据德国美学家斐西洛(Fechner)的实验,它是一般画家所说的"黄金分割"(golden section)即宽与长成一与一点六一八之比的长方形。希腊哲学家毕达哥拉斯(Pythagoras)以为美的线形和一切其他美的形象都必显得"对称"(symmetry),至于对称则起于数学的关系,所以美是一种数学的特质。近代数学家莱布尼兹(Leibniz)也是这样想,比如我们在听音乐时都在潜意识中比较音调的数量的关系,和谐与不和谐的分别即起于数量的配合匀称与不匀称。画家达·芬奇(Leonardo da Vinci)以为最美的人颜面与身材的长度应成一与十之比。每种艺术都有无数的传统的秘诀和信条,我们只略翻阅讨论各种艺术技巧的书籍,就可以看出在物的本身寻求美的条件的实例多至不胜枚举。这些条件也有为某种艺术所特有的,如上述线形美诸例;也有为一切艺术所共有的,如"寓整齐于变化"(unity in variety)、"全体一贯"(organic unity)、"入情入理"(verisimilitude)诸原则。一般人认为一件事物如果使人觉得美时,它本身一定具有上述种种美的条件。

美的条件未尝与美无关,但是它本身不就是美,犹如空气含水分是雨的条件,但空气中的水分却不就是雨。其次,就上述线形美实验看,美的条件也言人人殊;就论各种艺术技巧的书籍看,美的条件是数不清的。把美的本质问题改为美的条件问题,不但是离开本题,而且愈难从纷乱的议论中寻出一个合理的结论。具有美的条件的事物仍然不能使一切人都觉得美。知道了什么是美的条件,创作家不就因而能使他的作品美,欣赏家也不就因而能领略一切作品的美。从此可知美不能完全作一种客观的事实,主观的价值也是美的一个重要的成因。这就是说,艺术美不就是自然美,研究美不能像研究红色一样，专门在物本身着眼，同时还要着重观赏者在所观赏物中所见到的价值。我们只问“物本身如何才是美”还不够，另外还要问“物如何才能使人觉到美”或是“人在何种情形之下才估定一件事物为美”？

二

以上所说的在物本身寻求美的条件，是把艺术美和自然美混为一事，把美看成一种纯粹的客观的事实。此外有些哲学家专从价值着眼。所谓“价值”都是由于物对于人的关系所发生出来的。比如说“善”（good）是人从伦理学、经济学种种实用观点所定的价值，“真”（truth）是人从科学和哲学观点所定的价值。“美”本来是人从艺术观点所定的价值，但是美学家们往往因为不能寻出美的特殊价值所在，便把它和“善”或“真”混为一事。

“善”的最浅近的意义是“用”（useful）。凡是善，不是对于事物自身有实用，就是对于人生社会有实用。就广义说，美的嗜好是一种自然需要的满足，也还算是有用，也还是一种善。不过就狭义说，美并非实用生活所必需，与从实用观点所见到的“善”是两种不同的价值。许多人却把美看作一种从实用观点所见到的善。我们在第二章里所说的海边农夫以为门前海景不如屋后一园菜美，是以有用为美的最好的实例。在色诺芬（Xenophon）的《席上谈》里有一段关于苏格拉底的趣事。有一次希腊举行美男子竞赛，当大家设筵庆贺胜利者时，苏格拉底站起来说最美的男子应该是他自己，因为他的眼睛像金鱼一样突出，最便于视；他的鼻孔阔大朝天，最便于嗅;他的嘴宽大,最便于饮食和接吻。这段故事对于美学有两重意义:第一,它显示一般人心中所以为美的大半是指有用的;第二,它也证明以实用标准定事物的美丑,实在不是一种精确的办法,苏格拉底所自夸的突眼、朝天鼻孔和大嘴虽然有用,仍然不能使他在美男子竞赛中得头等奖。

我们在讨论文艺与道德时(参看第七章),也提到许多人想把“美的”和“道德的”混为一事,我们的结论是这两种属性虽有时相关而却不容相混。现在我们无须复述旧话,只作一句总结说:“美”和“有用的”、“道德的”和各种“善的”都有分别。

有一派哲学家把“美”和“真”混为一事。艺术作品本来脱离不去“真”,所谓“全体一贯”、“入情入理”诸原则都是“真”的别名。但是艺术的真理或“诗的真理”(poetic truth)和科学的真理究竟是两回事。比如但丁的《神曲》或曹雪芹的《红楼梦》所表现的世界都全是想象的,虚构的,从科学观点看,都是不真实的。但是在这虚构的世界中,一切人物情境仍是入情入理,使人看到不觉其为虚构,这就是“诗的真理”。凡是艺术作品大半是虚构(fiction),但同时也都是名学家所说的假然判断(hypothetical judgment)。例如“泰山为人”本不真实,但是“若泰山为人,则泰山有死”则有真实。艺术的虚构大半也是如此,都可以归纳成“若甲为乙,则甲为丙”的形式,我们不应该从科学观点讨论甲是否实为乙,只应问在“甲为乙”的假定之下,甲是否有为丙的可能。柏拉图和亚里士多德的争执即起于此种分别。柏拉图见到“甲为乙”是虚构,便说诗无真理;亚里士多德见到“若甲为乙,则甲为丙”在名学上仍可成立,所以主张诗自有“诗的真理”。我们承认一切艺术都有“诗的真理”,因为假然判断仍有必然性与普遍性;但是否认“诗的真理”就是科学的真理，因为假然判断的根据是虚构的。

我们所说的不分美与真的哲学家们所指的“真”，并非“诗的真理”而是科学或哲学的真理。多数唯心派哲学家都犯了这个毛病，尤其是黑格尔。据他说，“概念（idea）从感官所接触的事物中照耀出来，于是有美”，换句话说，美就是个别事物所现出的“永恒的理性”。美的特质为“无限”（infinitude）和“自由”（freedom）。自然是有限的，受必然律支配的，所以在美的等差中位置最低。同是自然事物所表现的“无限”和“自由”也有程度的差别，无生物不如生物，生物之中植物不如动物，而一般动物又不如人，美也随这个等差逐渐增高。最无限、最自由的莫如心灵，所以最高的美都是心灵的表现。模仿自然，决不能产生最高的美，只有艺术里面有最高的美，因为艺术纯是心灵的表现。艺术与自然相反，它的目的就在超脱自然的限制而表现心灵的自由。它的位置高低就看它是否完全达到这个目的。诗纯是心灵的表现，受自然的限制最少，所以在艺术中位置最高；建筑受自然的限制最多，所以位置最低。

英国学者司特斯（Stace）在他的《美的意义》里附和黑格尔的学说而加以发挥。在他看，美也是概念的具体化。概念有三种。一种是“先经验的”（a priori concepts），即康德所说的“范畴”，如时间、空间、因果、偏全、肯否等等，为一切知觉的基础，有它们才能有经验。一种是“后经验的知觉的概念”（empirical perceptual concepts），如人、马、黑、长等等。想到这种概念时，心里都要同时想到它们所代表的事物，所以不能脱离知觉。它们是知觉个别事物的基础，例如知觉马必用“马”的概念。另一种是“后经验的非知觉的概念”（empirical non-perceptual concepts），例如“自由”、“进化”、“文明”、“秩序”、“仁爱”、“和平”等等。我们想到这些概念时，心中不必同时想到它们所代表的事物，所以是“非知觉的”，游离不着实际的。这种“后经验的非知觉的概念”表现于可知觉的个别事物时，于是有美。无论是自然或是艺术，在可以拿“美”字来形容时，后面都写有一种理想。不过这种理想须与它的符号（即个别事物）融化成天衣无缝，不像在寓言中符号和意义可以分立。

哲学家讨论问题，往往离开事实，架空立论，使人如坠五里雾中。我们常人虽无方法辩驳他们，心里却很知道自己的实际经验，并不像他们所说的那么一回事。美感经验是最直接的，不假思索的。看罗丹的《思想者》雕像，听贝多芬的交响曲，或是读莎士比亚的悲剧，谁先想到“自由”、“理想”之类抽象的名词都是哲学家们的玩艺儿，艺术家们并不在这些上面劳心焦思。

三

统观以上种种关于美的见解，可以粗略地分为两类。一类是信任常识者所坚持的，着重客观的事实，以为美全是物的一种属性，艺术美也还是一种自然美，物自身本来就有美，人不过是被动的鉴赏者。一类是唯心派哲学家所主张的，着重主观的价值，以为美是一种概念或理想，物表现这种概念或理想，才能算是美，像休谟在他的《论文集》第二十二篇中所说的：“美并非事物本身的属性，它只存在观赏者的心里。”我们已经说过，这两说都很难成立。如果美全在物，则物之美者人人应觉其为美，艺术上的趣味不应有很大的分歧；如果美全在心，则美成为一种抽象的概念，它何必附丽于物，固是问题，而且在实际上，我们审美并不想到任何抽象的概念。

我们介绍唯心派哲学家对于美的见解时，没有谈到康德，康德是同时顾到美的客观性与主观性两方面的，他的学说可以用两条原则概括起来：

（一）美感判断与名理判断不同，名理判断以普泛的概念为基础，美感判断以个人的目前感觉为基础，所以前者是客观的，后者是主观的。

（二）一般主观的感觉完全是个别的，随人随时而异。美感判断虽然是主观的，同时却像名理判断有普遍性和必然性。这种普遍性和必然性纯赖感官，不借助于概念。物使我觉其美时，我的心理机能（如想象、知解等）和谐地活动，所以发生不沾实用的快感。一人觉得美的，大家都觉得美（即所谓美感判断的必然性和普遍性），因为人类心理机能大半相同。

康德超出一般美学家，因为他抓住问题的难点，知道美感是主观的，凭借感觉而不假概念的；同时却又不完全是主观的，仍有普遍性和必然性。依他看，美必须借心才能感觉到，但物亦必须具有适合心理机能一个条件，才能使心感觉到美。不过康德对于美感经验中的心与物的关系似仍不甚了解。据他的解释，一个形象适合心理机能，与一种颜色适合生理机能，并无分别；心对美的形象，和视官对美的颜色一样，只处于感受的地位。这种感受是直接的，所以康德走到极端的形式主义，以为只有音乐与无意义的图案画之类，纯以形式直接地打动感官的东西才能有“纯粹的美”，至于带有实用联想的自然物和模仿自然的艺术都只能具“有依赖的美”。因为它们不是纯粹由感官直接感受而要借助于概念的（参看第六章）。这种学说把诗、图画、雕刻、建筑一切含有意义或实用联想的艺术以及大部分自然都摈诸“纯粹的美”范围之外，显然不甚圆满。他所以走到极端的形式主义者，由于把美感经验中的心看作被动的感受者。

美不仅在物，亦不仅在心，它在心与物的关系上面；但这种关系并不如康德和一般人所想象的，在物为刺激，在心为感受；它是心借物的形象来表现情趣。世间并没有天生自在、俯拾即是的美，凡是美都要经过心灵的创造。我们在第一章已详细分析过，在美感经验中，我们须见到一个意象或形象，这种“见”就是直觉或创造；所见到的意象须恰好传出一种特殊的情趣，这种“传”就是表现或象征，见出意象恰好表现情趣，就是审美或欣赏。创造是表现情趣于意象，可以说是情趣的意象化；欣赏是因意象而见情趣，可以说是意象的情趣化。美就是情趣意象化或意象情趣化时心中所觉到的“恰好”的快感。“美”是一个形容词，它所形容的对象不是生来就是名词的“心”或“物”，而是由动词变成名词的“表现”或“创造”，这番话较笼统，现在我们把它的涵义抽绎出来。

第一，我们这样地解释美的本质，不但可以打消美本在物及美全在心两个大误解，而且可以解决内容与形式的纠纷。从前学者有人主张美与内容有关，有人认为美全在形式，这问题闹得天昏地暗，到现在还是莫衷一是。“内容”、“形式”两词的意义根本就很混沌，如果它们在艺术上有任何精确的意义，内容应该是情趣，形式应该是意象：前者为“被表现者”，后者为“表现媒介”。“未表现的”情趣和“无所表现的”意象都不是艺术，都不能算是美，所以“美在内容抑在形式”根本不成为问题。美既不在内容，也不在形式，而在它们的关系——表现——上面。

其次，我们这种见解看重美是创造出来的，它是艺术的特质，自然中无所谓美（“自然美”一词另有意义，详见第九章）。在觉得自然为美时，自然就已告成表现情趣的意象，就已经是艺术品。比如欣赏一棵古松，古松在成为欣赏对象时，绝不是一堆无所表现的物质，它一定变成一种表现特殊情趣的意象或形象。这种形象并不是一件天生自在、一成不变的东西。如果它是这样，则无数欣赏者所见到的形象必定相同。但在实际上甲与乙同在欣赏古松，所见到的形象却甲是甲乙是乙，所以如果两个人同时把它画出，结果是两幅不同的图画。从此可知各人所欣赏到的古松的形象其实是各人所创造的艺术品。它有艺术品所常具的个性，因为它是各人临时临境的性格和情趣的表现。古松好比一部词典，各人在这部词典里选择一部分词出来，表现他所特有的情思，于是有诗，这诗就是各人所见的古松的形象。你和我都觉得这棵古松美，但是它何以美？你和我所见到的却各不相同。一切自然风景都可以作如是观。陶潜在“悠然见南山”时，杜甫在见到“造化钟神秀，阴阳割昏晓”时，李白在觉得“相看两不厌，唯有敬亭山”时，辛弃疾在想到“我见青山多妩媚，青山见我应如是”时，都觉得山美，但是山在他们心中所引起的意象和所表现的情趣都是特殊的。阿米儿（Amiel）说：“一片自然风景就是一种心境”，唯其如此，它也就是一件艺术品。

第三，离开传达问题（参看第十一章）而专言美感经验，我们的学说否认创造和欣赏有根本上的差异。创造之中都寓有欣赏，欣赏之中也都寓有创造。比如陶潜在写“采菊东篱下，悠然见南山”那首诗时，先在环境中领略到一种特殊情趣，心里所感的情趣与眼中所见的意象猝然相遇，默然相契。这种契合就是直觉、表现或创造。他觉得这种契合有趣，就是欣赏。唯其觉得有趣，所以他借文字为符号把它留下印痕来,传达给别人看。这首诗印在纸上时只是一些符号。我如果不认识这些符号,它对于我就不是诗,我就不能觉得它美。印在纸上的或是听到耳里的诗还是生糙的自然,我如果要觉得它美,一定要认识这些符号,从符号中见出意象和情趣,换句话说,我要回到陶潜当初写这首诗时的地位,把这首诗重新在心中"再造"出来,才能够说欣赏。陶潜由情趣而意象而符号,我由符号而意象而情趣,这种进行次第先后容有不同,但是情趣意象先后之分究竟不甚重要,因为它们在分立时艺术都还没有成就,艺术的成就在情趣意象契合融化为一整体时。无论是创造者或是欣赏者都必须见到情趣意象混化的整体(创造),同时也都觉得它混化得恰好(欣赏)。

最后,我们的学说肯定美是艺术的特点。这是一般常识所赞助的结论,我们所以特别提出者,因为从托尔斯泰以后,有一派学者以为艺术与美毫无关系。托尔斯泰把艺术看成一种语言,是传达情感的媒介。这种见解与现代克罗齐、理查兹诸人的学说颇有不谋而合处。就"什么叫做艺术"这个问题的答案说,托尔斯泰实在具有特见。他的错误在没有懂得"什么叫做美",他归纳许多十九世纪哲学家所下的美的定义说:"美是一种特殊的快感。"他接受了这个错误的美的定义,看见它与"艺术是传达情感的媒介"这个定义不相容,便说艺术的目的不在美。近来美国学者杜卡斯(Ducasse)在他的《艺术哲学》里附和托尔斯泰,也陷于同样的错误。托尔斯泰和杜卡斯等人忘记情感是主观的,必客观化为意象,才可以传达出去。情趣和意象相契合混化,便是未传达以前的艺术,契合混化的恰当便是美。察觉到美寻常都伴着不沾实用的快感,但是这种快感是美的后效,并非美的本质。艺术的目的直接地在美,间接地在美所伴的快感。

四

如果“美”的性质不易明白，“丑”的定义更难下得精确。“美”字的相反字是“不美”，“不美”却不一定就是“丑”。许多事物不能引起我们的好恶，我们对于它们只是漠不关心，它们对于我们也只是不美不丑。所以在美学中，“丑”不完全是消极的，应该有一种积极的意义。它的积极的意义是什么呢?

一般人所说的丑大半不外指第九章所说的“自然丑”的两种意义。它或是使人生不快感，如无规律的线形和嘈杂的声音；或是事物的变态，如人的残缺和树的臃肿。我们已经见过，这两种意义的“丑”与“艺术丑”之“丑”应该有分别，因为这些自然丑都可以化为艺术美。

此外“丑”对于一般人也许还另有一个意义，就是难了解欣赏的美。一位英国老太婆看见埃及的金字塔，很失望地说：“我向来没有见过比它更丑拙的东西!”一般人的艺术趣味大半是传统的，因袭的，他们对于艺术作品的反应，通常都沿着习惯养成的抵抗力最小的途径走。如果有一种艺术作品和他们的传统观念和习惯反应格格不入，那对于他们就是丑的。凡是新兴的艺术风格在初出世时都不免使人觉得丑，假古典派对于“哥特式”(gothic)艺术的厌恶，以及许多其他史例，都是明证。但是这种意义的“丑”起于观赏者的弱点，并非艺术本身的“丑”。

我们所要明白的就是艺术本身的“丑”究竟是怎么一回事。这个问题为许多近代美学家所争辩过。据克罗齐说:美是“成功的表现”(successful expression),丑是“不成功的表现”(unsuccessful expression)。这两句结论中第一句是我们所承认的,但是第二句关于“丑”的话却有一个大难点。把“丑”和“美”都摆在美学范围里并论时,就是承认“丑”和“美”同样是一种美感的价值。但是“不成功的表现”就不算是艺术,就是美感经验以外的东西,那么,“丑”(美感经验以外的价值)就不能和“美”(美感经验以内的价值)并列在同一个范围里面了。换句话说,是艺术就必定是美的,艺术范围之内不能有所谓“丑”。“艺术丑”这个名词就不能成立。如果我们全部接受克罗齐的美学,势必走到这种困境,因为克罗齐把美看成绝对的价值,不容有程度上的比较。

英国美学家鲍申葵在他的《美学三讲》里把这个困难说得最清楚:

> 情感表现于形象,于是有美。一件事物与美相冲突,或产生一种影响与美的影响恰相反者——这就是我们所谓的丑——它自身不是有表现性的形象,就是没有表现性的形象。如果它是没有表现性的形象,那么,就美感说,它就没有什么意义。如果它是有表现性的形象,那么,它就寓有一种情感,就落到美的范围以内了。

依鲍申葵说,丑的形象须同时似有表现性而实无表现性。它好像是表现一种情感,但是实在没有把它表现出来。它把想象引到一个方向去,同时又把想象的去路打断,好比闪烁很快的光,刚引起视觉活动,马上就强迫它停住,所以引起失望与不快感。有心要露出有表现性的样子，而实在空洞无所表现，于是有丑，所以丑只可以在虚伪的矫揉造作、貌似神非的艺术里发现。自然中不能有这种意义的丑，因为自然不能像人一样，有意地作表现的尝试。

依我们看，鲍申葵虽然明白“丑”的问题难点，他的答案却仍不甚圆满，因为他没有见到似有表现性而实无表现性的东西究竟还不是“表现”或艺术。既不是表现或艺术，它就要落到以讨论表现或艺术为职务的美学范围以外了。这种困难根本是从价值问题来的。如果承认美的价值是绝对的，那么，一个形象或有表现性，或无表现性。有表现性就是美，否则就只是“不美”，“丑”字在美学中便无地位。如果承认美的价值是有比较的，则表现在“恰到好处”这个理想之下可以有种种程度上的等差。愈离“恰到好处”的标准点愈远就愈近于丑。依这一说，“丑”、“美”一样是美感范围以内的价值，它们的不同只是程度的而不是绝对的。我们相信这个解释是美丑问题难关的唯一出路。

第十一章　克罗齐派美学的批评

——传达与价值问题

一

近代美学派别甚多,几乎每个重要的美学家都有独到的见解,自成一派。所以美学研究是一件极难的事,如果依附某一家,就不免走上极偏的路,愈走离真理愈远;如果兼收并包,取诸家学说作综合比较的研究,则彼此意见相差太远,对于同一问题的答案太多,又不免头绪纷繁,无从清理。不过近代许多美学派别中有一个最主要的,就是十九世纪德国唯心哲学所酝酿成的一个派别。这派的开山始祖是康德,他的重要的门徒有席勒、黑格尔、叔本华、尼采诸人。这些人的意见固然仍是彼此分歧,却现出一个共同的基本的倾向。我们通常把这个倾向叫做唯心主义或是形式主义。意大利美学家克罗齐最后起,他可以说是唯心派或形式派美学的集大成者。在现代一般美学家中没有一个人比得上他重要,无论是就影响或是就实际贡献说。我们在本书里大致是采取他的看法,不过我们和他意见不同的地方也甚多。在以上各章中我们已零星错乱地指出我们所不敢掠美的和我们不赞成他的地方。因为这一层有关本书的基本态度，我们不嫌略有重复，再把它单提出来作一个有条理的总结。

我们先把克罗齐所肯定的原则很简赅地介绍出来。

克罗齐的全部美学都是从“艺术即直觉”这个定义推演出来的。直觉是最单纯的，是在知觉和概念之前的知的活动。它的对象只是单纯的未经肯否的意象。如果我们对于这种单纯意象加以肯否，如判断它是某某，直觉便进化为知觉，意象便进化为知识了。

艺术活动只是直觉，艺术作品只是意象。不过这并非说一切意象都可以算是艺术作品。比如做梦，看电影，读冒险小说，或是随时抬头一看自然景物，闭目一思以往经验，我们心中都有许多单纯意象流转承续，但是这些来去飘忽的意象绝非艺术作品。因此，艺术的意象和非艺术的意象应该有一个分别，克罗齐以为这种分别在有无整一性（unity）。非艺术的意象没有经过美感的心灵综合作用（aesthetic spiritual synthesis），所以零落错乱，来去无定，这就是通常所谓“幻想”（fancy）。艺术的意象经过美感的心灵综合作用，把原来纷乱的意象剪裁融会成为有生命的有机体，所以杂多之中有整一，这就是通常所谓“想象”（imagination）。非艺术的意象无形式（formless），艺术的意象有形式（form）。这种形式是心以物为凭借而创造出来的。

使本来错乱无形式的意象变为有整一形式的意象，要有一种原动力，这种原动力就是情感。生糙的情感不表现于具体的意象，非艺术；无所表现的意象也非艺术。艺术就是情感表现于意象。情感与意象相遇，一方面它自己得表现，一方面也赋予生命和形式给意象，于是情趣、意象融化为一体。这种融化就是所谓“心灵综合”。直觉、想象、表现、创造、艺术以及美都是一件事，都是这种心灵综合作用的别名，它们中间并无若何分别。因此，克罗齐把“艺术即直觉”这个定义引申为“艺术即抒情的直觉”。

这种学说的要点在直觉和表现的同一。一般人都把直觉和表现看成两件事，所以说“意在言先”，“意内而言外”，直觉是意，表现是言。依这一说，“表现”是把在内的不具体的情趣和意象表现为在外的具体的文字、声音、颜色、形体等等。克罗齐问道：直觉和表现既一在内，一在外，绝不相同，谁是第三者来造桥沟通它们呢？无文字的诗，无声音的乐，无形色的画，其物如何，我们能想象么？世间没有无意之言，也没有无言之意。意何时发生，言就何时发生。比如你在未动笔之先，已有成竹在胸，你所谓“成竹”，并非一种无形无色的竹（这是不可思议的）。既有形有色，便是已经“表现”了的竹。当你直觉或想象到某形某色的竹时，你同时便已把它表现了。你的意中之竹便是你的画中之竹。画中之竹只是使已表现的意中之竹留痕迹，并非表现意中之竹。这就是说，直觉就是表现。如果用流行语言说，内容（直觉）就是形式（表现）。因此，向来所争的“艺术重内容抑重形式”这个问题根本没有意义。

艺术的活动即美感的活动，美感的活动即直觉的活动。它的要点是：在心中猛然见到一个情趣饱和意象而为它所吸引住。创造如此，欣赏也还是如此，所以创造和欣赏没有重要的分别。凡是艺术作品都有物质的精神的两方面。物质的方面如文学所用的语言文字，图画雕刻所用的形色，音乐所用的音调以及一般有形迹可求的东西。精神的方面就是情趣和意象融化而成的整个境界。物质的方面是死的，得精神贯注，才现出生气，才算是艺术。如果你没有见出精神而只见到形迹（即所谓“作品”），则形迹对于你仍是死的，仍然不是艺术。比如说一首诗，并不像一缸酒，酿成了之后，人人都可以享受。它是有生命的。各个人尽管看得见它的形迹,但是不一定都能领会到它的精神,而且各人所领会到的精神也不必一致。它好比一幅自然风景,对于不同的现象可起不同的情趣和意象。每人所能领略到的境界都是他自己所创造的境界,是他的性格和经验的返照。性格和经验是人人不同的。不但如此,同是一首诗,同是一个人去读,今天所领略到的和明天所领略到的也不会完全相同,因为性格和经验是生生不息的。欣赏一首诗就是再造一首诗,每次所再造的都是一首新鲜的诗。创造和欣赏永远不会是复演,真正的艺术的境界永远是个别的,新鲜的,永远是每个人凭着自己的当时当地的性格和经验所创造出来的。无创造即无艺术。但是创造不是号称“艺术家”的人们的专利品。每个人都能有直觉活动,即每个人都有几分是艺术家。艺术的活动并不限于号称“艺术家”的人们在“创作”时才进行,每个人在日常生活中都多少有审美的活动,这就是艺术的活动。

这是克罗齐美学中的几个重要的肯定。他所否定的比他所肯定的较多。不过明白他所否定的,可以对于他所肯定的了解得更清楚。

(一)艺术不是物理的事实(physical fact)。所谓“物理的事实”就是文字、声音、颜色、形体等等传达的媒介。克罗齐所谓“创造”、“表现”、“艺术”,和一般人所说的意义不同,所以往往引起误会。一般人所谓“创造”包含想象和传达两种活动。“想象”是心中酝酿出一个具体的情境,就是直觉到一种情趣饱和的意象。想象所得的是一种“腹稿”,即苏东坡所说的“成竹在胸”,我们在上文所说的艺术的精神方面。“传达”是选择一种媒介或符号,把心中的意象翻译出来,留一个固定的具体的痕迹,可以传给别人看,或是留给自己后来看,例如把诗写在纸上,把图画在壁上,把音乐谱成曲子,这就是我们在上文所说的艺术的物质方面。一般人都把这第二步看作表现,把传达出来的看作艺术。如果只是一个存在心里的意象,还没有表现出来成为作品,就还不能算是艺术。克罗齐则以为艺术创造在第一步——想象——就已经完成了。艺术的活动完全是心里的活动。心里直觉到一个形象,就是创造,就是表现。这形象本身就是艺术作品。至于传达不过是把已在心里酝酿成的艺术用物理的符号留下痕迹来,犹如把歌曲灌到唱片上去,只是一种"物理的事实",不能算是艺术的活动。

因为有表现然后有美,而表现不是"物理的事实",所以克罗齐连带地否认"自然美"的存在。自然无所谓美不美。你觉得它美,因为它在你的心中现出一个情趣饱和的意象,这就是说,它已经变为艺术。"拿自然比艺术,便觉自然呆板。如果人不叫自然说话,它只是一个哑子。"

(二)艺术不是"功利的活动"(utilitarian act)。功利的活动目的都在寻求快感而避免不快感。艺术固然可以生快感,但此种快感与实用需要满足的快感不同。所以快感之外必另有一种元素可以区别艺术的快感与寻常快感。快感之外既另有一种元素为艺术所特有,则艺术的定义则应着重此另一元素,"艺术是一种快感"的定义便不精当。

(三)艺术不是"道德的活动"(moral act)。道德的活动出于意志。艺术是直觉,不涉意志,所以无关道德。这并非说艺术是不道德的。它既不是"道德的",也不是"不道德的",只是"无关道德的"(non-moral)。一般人都说艺术能陶冶性情,改良风化,激扬民气。克罗齐说:"艺术不能做这些工作,犹如几何学不能做这些工作，但是它的重要并不因此减少。”艺术和道德的标准不同，“美感的人格”(aesthetic personality)和“伦理的人格”也不一致。偏重历史的批评家如圣伯夫等以为只要从作者身世中窥出他的人格，懂透他的心理，便能了解他的艺术。克罗齐颇反对这种“传记的研究”，因为从实用生活所窥见的人格只是“伦理的人格”，而了解艺术的要务则在窥出作者的“美感的人格”，这与“伦理的人格”并无必然的关系，它必须求之于作品本身，不能求之于琐闻轶事。所以克罗齐所著的《但丁》、《莎士比亚》、《歌德》诸书，力避传记研究的方式，专以作品为根据，去把作者的“美感的人格”重新建造出来。

(四) 艺术不是“科学的活动”(scientific act)，因为直觉不带概念思考。艺术的对象是个别的具体的意象，科学的对象是普遍的抽象的公理。因此，批评的态度和艺术的活动不相容。批评不能离判断的思考，既用判断和思考，则直觉便已消灭，单纯意象便变为寻常的名理的知识。所以克罗齐说：“诗人死在批评家里面。”

(五) 艺术不可分类。西方思想素重系统分析。批评家研究艺术，几如自然科学家研究动植矿，分门别类，井井有条。艺术分为文学、音乐、图画、雕刻等等，文学又分为抒情诗、叙事诗、喜剧、悲剧、小说、散文等等。每门每类又各定出规律，作鉴别作品的标准。但是种类尽管分得密，规律尽管定得严，批评家和创作家总难互相就范。创作家出一种新作品，批评家寻不出“类”来收纳它，总是拿规律来排斥它，骂它不合体裁。后来这种新作品逐渐占势力了，批评家只好别立一新类来收纳它，以它为根据，抽绎新规律出来。比如批评家最初骂“悲喜杂剧”，后来没法子想，只得把它另设一类，对于“自由诗”也是如此。克罗齐最反对这种“排鸽窠”式的分类。他以为凡是艺术都各表现一种新鲜的个别的心灵状况，所以每种作品都是新创,都自成一格,自有原则,不能拿同"类"作品的规律来范围它。批评家遇到一种新作品,只应问它本身是否有生命,不应问它合不合某"类"的体裁和规律。

因为上述理由,克罗齐否认诗与散文的分别。一般人以有音律者为诗,无音律者为散文,其实医方脉诀有音律不为诗,《新旧约》、柏拉图对话集之类作品无音律亦不失其为诗。从美学观点看,文学只有"诗与非诗"的分别。凡是纯文学都应该属于诗。

二

克罗齐的美学大纲如上所述。读者一看就可以知道,我们把美感经验解释为"形象的直觉",否认美感只是快感,排斥狭义的"为道德而文艺"的主张,肯定美不在物亦不在心而在表现都是跟着克罗齐走。同时,我们否认艺术的活动可以挤入美感经验的窄狭范围里去,承认艺术与知觉联想仍有相当的关系,反对把"美感的人"和"伦理的人"与"科学的人"分割开来,主张艺术的"独立自主"是有限制的,这都是与克罗齐背道而驰的。近代美学家可以粗略地分为"克罗齐派"与"非克罗齐派"。我们相信克罗齐派在大体上较近于真理,不过我们也很明白他们的缺点。在我们看,克罗齐美学有三个大毛病,第一是他的机械观,第二是他的关于"传达"的解释,第三是他的价值论。现在分别条陈我们的意见。

先说克罗齐美学所根据的机械观。

十九世纪和二十世纪的哲学和科学思潮有一个重要的分别,就是十九世纪的学者都偏重机械观,二十世纪的学者都偏重有机观。机械观是把一切物理现象和生理现象看成由无数极简单的原子所构造成的。持机械观的学者的唯一的武器是分析法,遇着一个混整的东西,把它分析成一些最简单的元素,指出每元素的特性和诸元素的分别,便算尽了学问的能事。例如十九世纪所最流行的心理学都从"构造主义"出发,把心理看成物理的混合物,像拨茧抽丝似的,逐渐分析下去,到最后所得的是单纯的感觉(sensation)和单纯的反射动作(reflex)。一切心理活动都被看成这些单纯的感觉和反射动作所构造成的。这种机械观在现代已为一般学者所摈弃。现代学者所采取的是有机观,着重事物的有机性或完整性,所研究的对象不是单纯的元素,而综合诸元素成为整体的关系。依这种看法,我们不能借分析元素去明白完整的物理和生理现象,犹如不能借分析砖土泥瓦去明白一座房屋。机械观以为求得部分之和便可以知道全体,有机观为要明白全体,必须研究全体所特有的属性,所以机械观所借重的分析法不可靠。例如现代最占势力的心理学是完形派心理学(Gestalt-psychology)。它反对旧心理学的机械观和分析法,否认意识由单纯的感觉所组成,行为由单纯的反射动作所组成。依这一说,单纯的感觉和反射动作都是构造派心理学家所伪造的,实际上并不存在;实际上存在的只是"完形"、"整体",或不可分析的应付整个环境的整个心理机能。

详论机械观与有机观的长短,不是本篇范围以内的事。我们可以概括地说,现代学者多数都承认无论在物理方面或心理方面,有机观都较近于真理。形式派美学的弱点就在信任过去的机械观和分析法。它把整个的人分析为科学的、实用的(伦理的在内)和美感的三大成分,单提"美感的人"出来讨论。它忘记"美感的人"同时也还是"科学的人"和"实用的人"。科学的、实用的和美感的三种活动在理论上虽有分别,在实际人生中并不能分割开来。“美感的人”是抽象的,在实际上并不独立存在。形式派美学把美感经验从整个有机的生命中分割出来,加以谨严的分析,发现就观赏的“我”说,只有单纯的直觉,没有意志和思考;就所观赏的“物”说,只有单纯的形象,没有实质、成因、效用种种意义,照这种分析看,文艺自然与抽象思想和实用生活无关。我们如果承认美感经验可以由整个有机的生命中分割出来加以分析,便须否认美感与抽象思想和实际生活的关系。但是这种分割与“人生为有机体”这个大前提根本相冲突。形式派美学的错误不在它分析所得的结果,而在它用分析法所假定的机械观;不在它对于美感经验以内所肯定的,而在它对于美感经验以外所否定的。它的错误和十九世纪机械观的心理学一样,专分析部分而忘去全体所特有的属性。单纯的直觉和单纯的感觉一样地渺茫,在实际经验中决不能独立自主。

一切现象都有前因后果,美感经验绝不是例外。美感经验只能算是艺术活动中的一部分。形式派美学把“美感经验”和“艺术活动”看成同义,于是拿全副精神注在美感经验本身,既不问它如何可以成立(因),又不问它的影响如何(果)。它否认艺术有关名理的思考和知识,作者在行文运思、修改锤炼时所用的活动是否为艺术的呢?它否认艺术有关联想,想象和了解离开联想如何进行呢?它否认艺术有关意志,大艺术家艰苦卓绝、百折不挠地效忠于艺术,是凭借何种心理活动呢?它否认艺术有关道德和实际生活,大艺术家的平生遭际和他们对于人生的了解和信仰是否能影响他们的作品呢?它否认艺术有关物理的事实,媒介的不同是否能影响到作品?油画和水彩画、石雕和象牙雕是否无分别呢?这些问题都是克罗齐和一般形式派美学家所忽视的。任何艺术和人生绝缘,都不免由缺乏营养而枯死腐朽;任何美学把艺术看成和人生绝缘的,都不免像老鼠钻牛角,没有出路。克罗齐和一般形式派美学家都是以名学家出身。名学家研究艺术,都难免有些隔靴搔痒,亚里士多德是最好的先例。

三

克罗齐要着重艺术是心的活动这层道理,所以把翻译在内的意象为在外的作品(即传达)这件事实看得太轻。在他看,心里直觉到一种形象或是想见一个意象,就算尽了艺术的能事。真正艺术家都是自言自语者,没有心思要旁人也看见他所见到的意象。如果他有意要把这个意象描绘出来作为作品,目的是为自己备忘,或是传达给别人,他便已变为实用人了。克罗齐并不否认传达这件工作也很重要,但是他否认传达本身是创造,或是艺术的活动。

这种见解显然是太偏激一点。第一,每个人都能用直觉,都能在心中想见种种意象,但是每个人不都是艺术家。为什么呢?艺术家除着能"想象"(这是他与一般人相同的)以外,还要能把所"想象"的表现在作品里(这是他所独有的本领)。艺术家决不能没有艺术作品。我胸中尽管可以想象出许多很美的"成竹",但是到我蘸墨挥毫时,我的心里意象不能支配我的筋肉活动,手不从心,无论如何出力,也不能把它画在纸上,我所画出来的和我心里所想象出来的完全是两回事。这就因为我不是画家,没有传达技巧。因为没有传达的技巧,所以我不能把心里所想象出来的外射于作品。从此可知传达对于艺术是一种很重要的活动。

替克罗齐辩护的人们也许说：这番话虽有道理，可是并不能推翻“创造是直觉的在内的，传达是实用的在外的”这个根本的分别。但是克罗齐的学说还有一个更大的毛病，就是他没有顾到艺术家在心里酝酿意象时，常不能离开他所常用的特殊媒介或符号。比如说所想到的意象是一棵竹子，这个意象可写为诗，可写为画，可雕为像，甚至于可表为音乐和跳舞的节奏。从表面看，我们说意象是同一的，因为所用的媒介或符号不同，所以产生出不同的作品。其实不同的作品所表现传达的意象并不能同一，画家想象竹子时，要连着线条、颜色、阴影一起想，诗人想象竹子时，要连着字的声音和意义一起想，音乐家想象竹子时，要连着声调、节奏一起想，其余类推。这就是说，克罗齐所谓直觉或创造，和他所谓传达“物理的事实”，在实际上是不能分开的。由创造到传达，并非是由甲阶段走到一个与甲完全不同的而且不相干的乙阶段。创造一个意象时，对于如何将该意象传达出去，心里已经多少有些眉目了。这个道理在做诗文时更容易见出。做诗文所用的媒介或符号是语言文字。做诗文的人们很少有（也许绝对没有）离开语言文字而运思的。创造与传达所用的媒介物常相依为命。我们只稍留心艺术发达史，就知道这个道理。古希腊的建筑用长石条，以柱为重，古罗马的建筑兼用泥石混合物，以墙及顶为重，中世纪“哥特式”轻墙重窗及顶，须以柱斜支高顶的重量，结果造成三种不同的艺术风格。这三种风格固然与时代背景有关系，但是也有一部分因为媒介的不同。不必远说，我们只看用文言作诗文和用白话作诗文的分别，就可以知道传达所用的媒介往往可以支配未传达以前的“意匠经营”。

由想象常受媒介影响这个事实看，传达虽大体是“物理的事实”而实不全是“物理的事实”。还有一层，创造意象受传达的影响，还不仅在媒介，最重要的还在心理的背景。想出意象来预备传达出去，和想出意象不预备传达出去，心理的背景大不相同。一个受社会影响支配，一个不受社会影响支配。照克罗齐说，艺术家都是自言自语者，没有把自己的意境传达给别人的念头，因为同情、名利等等都是艺术以外的东西。这固然是一部分的真理，但却不是全部真理。艺术家同时也是一种社会的动物，他有意无意之间总不免受社会环境影响。艺术的动机自然须从内心出发，但是外力可以刺激它，鼓励它，也可以钳制它，压抑它。风气的势力之大实非我们意料所及。如果英国伊丽莎白后时代，戏剧不是最流行的娱乐，莎士比亚也许不会写出他的许多杰作，如果拜伦生在十八世纪初叶，他也许和蒲柏做同样的假古典派的诗。每时代的文学风格都与当时社会背景有关，我们只稍研究文学史就可以知道。人是社会的动物，到能看出自我和社会的分别和关联时，总想把自我的活动扩张为社会的活动，使社会与自我同情。同情一心最原始的表现是语言。艺术本来也是语言的一种。没有社会就没有语言，也就没有艺术。有一派心理学家（如包尔温［Baldwin］以为艺术起于“自炫的本能”，固然太过重艺术的社会性，其实也不无真理。艺术家有时虽看轻社会，鄙视它没有能力欣赏较高的艺术，但是心中仍不免悬有一种未来的理想的同情者。钟子期死后，伯牙就不再鼓琴，这真是艺术家的坦白。有些人知道“千秋万岁名，寂寞身后事”，所以把作品“藏之名山，传之其人”。这种同情心的需要并不减低艺术的身份，而且艺术可珍贵的地方也就在此。几千年前或几万里外的一个人的心里的灵光一闪烁，还能在我们心里引起共鸣反应，这种“不朽”是多么伟大！克罗齐派学者把艺术完全看成个人的，否认传达与艺术有密切关系，就没有见出这种伟大。

四

英国心理学派批评家理查兹说过："批评学说所依靠的台柱有两个，一个是价值的讨论，一个是传达的讨论。"关于传达的讨论，克罗齐的学说不甚圆满，已如上所述。现在我们来看他对于价值的讨论结果如何。所谓价值就是好坏美丑的问题。比如看到一件艺术作品，我们可以说，这是丑的或是美的么？我们能够比较两个作品，说这个比那个更美么？如果能够，这美丑的标准是如何定出来的呢？

严格地说，克罗齐的美学中不能有价值问题。因为批评价值时，被评判的对象一定是人人看得见、觉得着的。在艺术方面，这种被批评的对象通常是作品。克罗齐否认传达为艺术的活动，否认传达出来的东西为艺术，他所谓艺术完全是含蓄在心里的意象，那是除自己以外没有旁人能看得见的，所以旁人无法可以评判它的好坏美丑。就这一层说，我们可以见出克罗齐抹煞传达的另一个毛病，就是抹煞传达，势不能不同时抹煞价值。他着重创造和欣赏同一，忘记创造者和欣赏者有一个重要的分别。创造者直觉形象时，所凭借的是自己的切身经验，欣赏者将原形象再造出来时，所凭借的第一是创造者所传达出来的作品。就创造者说，美丑固可在形象本身见出，而就欣赏者说，形象的美丑必须于作品的美丑见出。普通所谓"批评"不仅批评意象本身（内容）的价值，尤其要批评该意象的传达或表现(形式)是否恰到好处。这就是说,批评的对象不仅在意象本身,而尤在意象的传达方式。克罗齐否认作品为艺术,而欣赏者就失去被评判的对象了。

再进一层说,单论未传达出来的形象或意象,它能否有美丑的分别呢?克罗齐也承认艺术的特殊价值是美,犹如善是伦理的特殊价值,真是科学的特殊价值。在他看,“美就是成功的表现,说得更干脆一点,就是表现,因为没有成功的表现并非表现;”丑则为“没有成功的表现”。美是绝对的,没有程度的分别。凡是直觉都是表现,都是艺术,凡是艺术都是美的。大艺术家的直觉和一般人的直觉只在分量上有分别,在性质上并无分别。我们不能说这个艺术作品比那个更美。如果莎士比亚的《李尔王》悲剧是完美的表现,如果他的某一首十四行诗也是完美的表现,那么,我们就不能说那部悲剧比那首诗更美更伟大。这种说法在事实上因不能使人满意,在名理方面也有很多毛病。克罗齐的美学可以用下列方程式总结起来:

直觉 = 表现 = 创造 = 欣赏 = 艺术 = 美

这个等式表面虽承认美的实在,实际上则根本推翻美丑的分别。凡是艺术都必为成功的表现,都必定美,没有成功的表现就不是艺术,那么,丑(没有成功的表现)就须落在艺术范围之外,既是艺术就不能拿“丑”字去形容了。克罗齐如果彻底,就只能承认艺术与非艺术的分别,而在艺术范围之内,不能承认美与丑的分别。这样一来,艺术范围之内,美成为绝对价值,无比较可言了。绝对价值论其实根本否认价值的存在,因为价值是长短高低善恶美丑等等程度上的估计,必定有比较才能见出。我们在第十章里承认

“美”是形容“表现”的,却同时承认“表现”在“恰到好处”这个标准点以下有许多程度上的分别,所以艺术范围之内不但有美丑的分别,而美的本身也有等差。

“表现”有程度上的分别,是一切文艺批评的基本信条。我们说这一部书比那一部书写得好,或是这一个艺术家比那一个艺术家伟大,都默认这个信条。艺术的最高理想自然是情(即情趣或内容)见(即表现)于词(即意象或形式),恰到好处。但是实际上有情溢于词的,也有词富于情的。这两种虽非完善的艺术,究仍不失其为艺术。黑格尔分艺术为三种,物质超于精神(即词富于情)者为象征艺术,古埃及和印度艺术为代表;精神恰好混化于物质(即情见于词)者为古典艺术,古希腊艺术为代表;精神超于物质(即情溢于词)者为浪漫艺术,近代欧洲艺术为代表。如依克罗齐的见解,则只有黑格尔所解释的古典艺术才真是艺术(他固然没有这样说,但这是他的表现说所应有的结论)。他自己也承认古典艺术和浪漫艺术对于意象和情趣各有偏重,同时却肯定一切艺术必同时为古典的与浪漫的,离不开意象也离不开情趣。但这只是理想,实际上艺术有偏于古典的亦有偏于浪漫的,克罗齐却没有在他的美的定义里留位置给这两种艺术。他以为寓言不是艺术,因为在寓言里情趣与意象可分立。但是他如果严格地说话,中世纪的宗教艺术以及但丁的《神曲》都应该不是艺术了。如果依我们的比较价值论,寓言,偏于古典的和偏于浪漫的作品在艺术上仍有位置,虽然都不是理想的。

第十二章　艺术的起源与游戏

一

我们在分析美感经验时，特别着重形象的直觉不带实用目的一层道理。欣赏和创造既都要和实际人生中保持一种“距离”，那么艺术对于人生不是一种奢侈品么？它的起源究应如何解释呢？

第一个要点我们应先明白的就是艺术起源甚早，它并不是文化发达以后的产品。据考古学者的研究，穴居野处的人便已经有艺术。他们在洞壁所画的兽像和他们日用的石器都是人类最古的艺术品。儿童在个体生命史中和野蛮人在种族生命史中是相平行的。在极幼稚的儿童中我们就可看出艺术的表现，例如抟土作像、架枝为屋、扮演成人以及欢喜听故事等等，都常流露很丰富的想象和美感的情趣。有一派学者并且进一步说，不但人类，就是冥顽的鸟兽便已有艺术的表现。艺术就是语言，语言也就是艺术，它们都是表达情思的工具，所以鸟鸣狮吼就是诗歌和音乐的雏形，雀跃猴戏便是跳舞和戏剧的雏形。从这些事实看，我们可以知道研究艺术的起源应该从研究野蛮人、儿童以及动物的活动入手。近百年来学者对于这种研究颇费苦心，他们结论如何呢？

最流行的学说把艺术溯源到游戏。康德便已指出艺术和游戏的类似。诗人席勒在他的《美感教育书简》里把这个学说加以发挥。在他看,艺术和游戏同是不带实用目的的自由活动,而这种活动则为过剩精力的表现。造化的仁慈是无限的,它所赋予的精力不但可以使生物能应付生存竞争的需要,还有余裕使他们可以自由挥霍。就生存竞争的需要说,生物是受必然律支配的;就有过剩精力说,生物是自由的。他说:

> 狮子在无饥饿之迫及、无敌兽可搏战时,它的富裕的精力于是另寻出路,它于是在旷野中狂吼,把强悍的气魄费在无所为而为的活动上面。昆虫在光天化日之中蠕蠕飞跃,只是为着要表现生存的欢乐;鸟雀的和谐的歌声也绝不是饥寒的呼号。这些现象中都显然有自由的表现。所谓自由虽非脱净一切束缚,却是脱净固定的外来的束缚。动物在工作时是迫于实际生活的需要,在游戏时是过剩精力的流露,——是洋溢的生命在驱遣它活动。

孔子所谓“行有余力,则以学文”,本是一句规范生活的格言。席勒的主张颇相近,不过他的话是一种科学的解释。

席勒的精力过剩说经过英国斯宾塞的发挥阐明,影响于是更大。斯宾塞的新贡献在拿生理学来解释过剩精力的由来。高等动物的营养物比较低等动物的丰富,它们无须费全副精力来保存生命,所以有过剩精力。但是高等动物的过剩精力来源还不仅此。它们要用多方的活动应付多方的需要,在某特殊活动进行时,其他活动就须休息,休息就是恢复和增长精力的机会。因此,在高等动物中,精力常是供过于求。这种过剩精力须求发泄,如果它没有机会发泄于收实效的郑重其事的活动,就发泄于无所为而为的模仿的活动。例如儿童没有建筑的需要,可用于建筑的精力无可发泄,才架枝抟土,作造屋的游戏。

德国生物学家谷鲁斯以为游戏实在不能拿席勒、斯宾塞的精力过剩说来解释。如果游戏完全由于过剩精力,则过剩精力发泄到无余时,游戏即应因之停止。但是真正好游戏的人和动物往往玩到精疲力竭时还不肯放手。小猫抓住一个纸团就可以玩个几点钟。终日埋头苦费心思的学生到晚间对于一切事都没有气力去做,可是陪亲友作牌戏,还是精神焕发。从此可知过剩精力纵是游戏的助力,也绝不是它的主因。游戏的花样随性别、年龄而差异,男孩的游戏和女孩的游戏不同;成年人的游戏和幼童的游戏不同,猫的游戏和犬的游戏又不同。过剩精力说也无从解释这些游戏形式的差异。把游戏看作无目的的活动也是一种误解,好游戏者对于所作游戏,都在想象中悬有固定的目的,许多游戏如果不带竞争就没有趣味,便是明证。斯宾塞的游戏模仿说也有毛病。依他说,模仿建筑就要根据在实际生活中所得的建筑的经验,这个意义的模仿虽是常见,但不能用来解释儿童的游戏。儿童的游戏活动都带有几分试验性和创造性,很少根据自己的以往经验。

因此,谷鲁斯另提出一个学说来代替精力过剩说,它通常叫做"练习说"。他以为游戏并非无目的的活动,实在是生命工作的准备。游戏的目的就是把工作所要用的活动预先练习娴熟,所以游戏的形式随动物种类而差异。小猫戏纸团,是练习将来捕鼠;女孩抱木偶,是练习将来做母亲。游戏就是学习,幼稚期是游戏期也是学习期。"动物并非因为幼稚才有游戏,它实在因为要游戏才有幼稚期。”游戏是根据一种普遍的本能而对于某种特殊的技艺预加练习。生命的需要是多方的,应付需要的活动也应该是多方的。如果每种活动都要有特殊本能做基础,则有限的拘板的本能难以应付无限的变动不居的环境。有游戏本能便可省去许多特殊本能,因为许多特殊活动都可以利用游戏在幼稚期学习。游戏虽不像斯宾塞所说的全为模仿,却与模仿相辅而行。模仿也是一种普遍的本能,功用和游戏也相似,都是利用普遍的本能预习特殊的技艺。模仿必有榜样,游戏却有时全凭冲动,猫戏捕鼠,犬戏搏击,都不必有榜样。游戏也有时利用模仿所得的活动,男孩戏营造,女孩戏育婴,就带有几分模仿。谷鲁斯以为欣赏都带有“内模仿”(详见第四章)。欣赏是以游戏的态度暗地模仿所欣赏的事物,如果游戏全为预习,何以在成年后游戏仍不停止呢?游戏是伴着快感的。本能的满足,激烈的活动,以及自觉能驾驭环境所生的自尊心,都是快感的来源。儿童在游戏中得到这许多快感,不肯放弃它们,所以到成年后仍然游戏。谷鲁斯晚年又拿“发散说”(catharsis)来补充“练习说”。本能的活动都带有天然的情感。本能可实现,附带的情感便可自由发泄,否则情感淤积起来,就有碍身心的发展。游戏的功用就在使本能活动可实现,把可以为患的附带的情绪发泄出,因而把它的坏影响加以“净化”。这一点颇值得注意,因为它和亚里士多德的悲剧发散说以及弗洛伊德的升华说都颇相近(参见第十六章)。

谷鲁斯的学说把游戏和模仿都看作本能,是一个大缺点。所谓“本能”是得诸遗传的对于特殊环境的特殊应付方法。例如小鸡初出世就能啄食是由于本能,但是这个本能只能应用于啄食,不能应用于营巢孵卵。游戏和模仿都不像这样固定的本能,都只是普遍的天然的倾向。犬戏搏击，鸟戏歌舞，女孩戏育婴，虽都是游戏，而活动的方式却不相同，把这许多不同的活动通称为“游戏本能”或模仿本能，实在是太含混。不过“练习说”和“游戏本能说”并无必然的关联，后者虽不能成立，前者却不必随之俱倒。

关于游戏问题还有许多其他学说。美国心理学家霍尔(Stanley Hall)说游戏是个体的婴儿时代复演种族的婴儿时代，例如人类祖先巢居，儿童戏爬树，便是“复演”巢居生活。德国心理学家拉萨腊斯(Lazarus)说游戏是逃免厌倦，借活动来振作精神。这一说以游戏为“消遣”，与常识相符，与精力过剩说恰相反。这些学说都各有片面的真理，也都各有难点。本章非专论游戏，所以姑且把它们略去，只取最流行的“精力过剩说”与“练习说”来研究一番，看看艺术是否起源于游戏。

“精力过剩说”我们立刻就可以把它抛开。这并不是因为它错误，是因为它太笼统。一切活动都是精力的表现，不但游戏和艺术是如此，实际生活的工作亦莫不然。要说是没有事干，精力不得开销才去游戏，这在一部分人固然是事实，但也还是一件待解释的事实。世间可用精力的活动极多，何以于工作之外又要游戏和艺术呢？近代生活日渐繁忙，治生不暇者何以仍然不舍艺术呢？米勒(Millet)、高更(Gauguin)诸大画家都是困苦终身的。席勒要赞美造化，赞美人生，以为由精力过剩所得的自由活动是最可宝贵的天赋珍品；其实人生可贵，并不在有过剩精力时才可流露自由活动，而在能超过自然需要的紧迫，于精疲力竭时仍有自由活动的表现。在许多艺术家的奋斗史中我们都可以见出这点真理。

其次，如果“练习说”可以解释游戏，则文艺显然与游戏不同。谁能说音乐、图画等等艺术是要把将来的实际生活上所用得着的本领预习娴熟呢？和游戏最类似的艺术莫过于戏剧，演戏的目的是在预习扮假面孔，将来好欺骗生存竞争场中的对手么？我们已再三说明过，美感经验不带实用目的，如果应用“练习说”来解释艺术，则非但艺术与美感无关，即美感也不能脱离实用目的了。

二

如果艺术上的游戏说不过如此，我们就不用费时间去讨论。但是问题并不如此简单。我们纵然否认艺术就是游戏，艺术起源于游戏仍是一个可能的假设。要断定这个假设能否成立，我们须作较精密的分析，看艺术和游戏接近的地方在哪里，由游戏中可否演出艺术来，假如可能，再看演进的次第如何，艺术超过游戏的地方在哪里。

我们不肯轻于否认艺术和游戏的关联，最大的理由在从研究儿童心理学所得的事实。稍和儿童接触过的人们都知道儿童同时是游戏者又是艺术家，比如他在地上画一个圆圈，在圆圈里涂抹几点几划，然后再画两条直线把它撑起，说那是他爸爸或是他哥哥，这纯是艺术呢？还纯是游戏呢？这并非偶然的关联，我们把儿童游戏的心理详加分析，便可以见出艺术和游戏有许多相类似的地方。

瑞士儿童心理学家皮亚杰（Piaget）曾举过两个实例，颇可引来作讨论的起点。他的孩子有一天在厨房里看见一只死鸭，立刻就跑到会客室里手脚朝天地卧在地板上，告诉人说：“我是死鸭。”有一天他和他的小女孩约瑟林在山上散步，约瑟林埋怨她父亲走得太快，使她走得脚痛。她父亲道歉说："实在对不起，我并不是有意的。"走到半途时，约瑟林忽然止住她父亲说："现在你是约瑟林，我做爸爸，你向我埋怨，埋怨我走得太快。"她爸爸照办了，她扮着他的口调说："实在对不起，我并不是有意的。"

这一类的游戏是极常见的。从这中间我们可以看出游戏的一个特点，就是把意象加以客观化。皮亚杰的孩子心里刚印上一个"死鸭"的意象，要把它从心里外射出来，使它变成一个具体的情境，于是自己就卧在地上扮死鸭；她心里刚印上一个"道歉"的意象，要把它从心里外射出来，使它变成一个具体的情境，于是请她的父亲和她自己换过地位来扮演一次。意象本来是得诸外物界的，是客观的事实所变成的主观的观念。实在世界都要先化成意象世界，才能为知觉的对象。儿童在游戏时把意象仍然还到外物界，看来虽似扮演外物，实在他的样本是自己心里的意象而不是意象所本的外物。意象之先的情境是实在的，意象之后的情境是他根据意象为样本而创造出来的。臆造的情境虽是实在的情境所引起的，却不受它拘束。例如父亲可以变成女儿，女儿可以变成父亲，人可以变鸭，这都是经过几分意匠经营的结果；依皮亚杰说，都经过象征作用，把可闻可睹的具体的情境来象征心里的意象。艺术家的创作和儿童的游戏，繁简虽有不同，而历程却是一样。他也是把意象加以客观化，也是把心境从外物界所摄来的影子做样本，加以若干意匠经营之后，换个新面目反射到外物界去，造成一个具体的形象。

儿童的图画也是如此。他心里有一个人形，要把它表现出来——"表现"就是"客观化"——所以在地上画一个圆圈，加上几个点和几条线。他的样本不是实在的人体，而是自己心里的意象。

儿童所能组成的人形的意象原来就很粗略,所以他的图画并非人形的写真,只是人形的象征。他看人时,只注意到运动的部分,所以耳和躯干往往被忽略去,手和脚常画得一样长,头部常画得比实际的大几倍。儿童在游戏时都用象征,而他们的象征的方法向来是很粗拙。一条竹棍可以拿来当马骑,一个沙桶一会儿是屋,过一会儿是车,再过一会儿又是马。但是在这种粗拙的象征中便寓有许多艺术原理。他所用的象征和象征事物总有几分类似点,所以含有几分模仿作用在内。但是它也是创造的。像艺术家一样,儿童观察事物只注意到它的最新奇的片面,把其余一切都丢开。他既然抓住这新奇的片面之后,便特别加以放大,加以夸张。他看人体时觉得最惹注意的是头目,手足司运动也很有趣,所以就毅然把比较呆板的躯干丢开,把全部笔墨都费在头面手足的描写。所以他的作品是经过选择、放大、臆造种种作用而来的。

把意象加以客观化,就是于现实世界之外另造一种理想世界。凡是游戏都是一种“想当然耳”的勾当,用科学的术语来说,都是一种“佯信”(make-believe)。成人对于荒诞无稽的事多不肯置信,因为他的知识较广。里碍较多,不免处处受现实纠正和约束。儿童不受这种约束,所以他的幻想来去无碍,他的支配环境的办法也比较灵巧。念头一动,随便什么东西都可以任他的游戏的手腕玩弄;你给他一个世界,他立刻可以造出无数世界来还给你。这样的实例在文学家的回忆录中是常常见到的。英国小说家斯蒂文森说:

> 我的堂兄弟和我每晨都吃麦粥。他吃时用糖,说他的国里常被雪盖着;我吃时用牛奶,说我的国里常遭水灾。我们互传消息,说这里还有一个小岛浮在水面,那里还有

一片山谷没有被雪盖起，这里的居民都住在木柴的棚里，那里的居民四季以船为家。

婴儿在游戏时臆造空中楼阁大半都是如此。只要有一点实事实物触动他的思路，他立刻就生出一个意境，立刻就把这个意境渲染得五光十彩。这种幻想有时随生随灭，有时可以维持到几年之久，成为有连续性的故事。德拉库瓦教授举过一个例子：一个小孩从五岁到九岁都是幻想一个故事。乔治·桑也说幼时心里常有故事盘踞着。从这些实例看，儿童的幻想和文学的创作有几分类似。

儿童的幻想一方面根据现实，一方面也是超脱现实的。他拿现实世界所生的意象做材料，另外造出一种或无数种比较合口味的世界来。所以德拉库瓦教授说：

> 儿童的游戏……对于世界是执著也是遁逃；他一方面要征服它，同时也要闪避它；他在这个世界上面架起另一个世界出来，使自己得到自己有能力的幻觉。

游戏和幻想的目的都在拿臆造世界来弥补现实世界的缺陷。卢马(Rouma)在他的《社会学的教育学》里举过这样的一个实例：一个有心病的孩子一直到十一岁都是过孤单的生活，没有伴侣来往。他于是臆造一个角色出来做他的朋友。他常和这位想象的朋友谈话，吃饭时在席上设一虚位让他坐。旁人夺去这座位时，他就要生气。像这样的实例在幼儿园里是常见的。严格地说，儿童的幻想大半是欲望的满足。他心里想起一种意境，就姑信以为真实，把它外射出去，成为一种游戏、故事或图画。依弗洛伊德派心理学者说，文艺也是欲望的满足，它的符号也是象征隐意识中的观念。这种说法固然有些偏激，但确也有片面的真理。就满足欲望一点说，文艺和儿童幻想显然有直接的关联。

我们在上文说过，儿童对于臆造的另一世界所抱的态度是“佯信”。这“佯信”的态度也很值得研究。我们拿成人的眼光来窥测儿童心理，把“臆造的”和“实在的”划得很清楚，把“信”和“不信”两种态度也划得很清楚，以为儿童心中也有这样很清楚的分别，其实这是大谬不然。在儿童心中一切分别都是很蒙混的，我和物都是同此心，同此理；人境和仙境也只有一壁之隔。我们在第三章所讨论的“移情作用”在儿童中最为流行。其实“移情作用”可以说是儿童所特有的看待外物的方法，人越老越难起“移情作用”。到成年后“移情作用”大半只在“侥幸的霎时”中才会发生，刚发生时立即消灭；儿童则时时刻刻都使用移情作用。他看见星说是天眨眼，看见露说是花垂泪，把没有生气的东西都看作和人一样，和他做朋友，和他谈话。他心中想到一个意象把它外射于游戏，只是一瞬间的事，信和疑的问题很少闯到他的眼前。这种由意象直接变为动作的活动，在心理学上通常叫做“念动的活动”（ideomotor activity），常发生于兴致淋漓、心不旁注时，我们在第三章所说的“移情作用”和在第四章所说的“内模仿”都可以说是“念动的活动”。“念动的活动”是专心的结果。一般人往往以为儿童不能专心，其实最专心的莫过于儿童。在他游戏或幻想时，都是把全副精力摆在里面，专心想到游戏的动作，或幻想中的事变，把物和我的分别以及真和伪的分别都忘去了。德拉库瓦教授说得好：

儿童拿扫帚当马骑时，心里除骑马这个动作之外什么也没有想到。骑马这件事和附带的动作与情感把他的意识完全占住了,因而把扫帚变成马。他固然没有看到马,可是也没有看到扫帚。引起他的反应者并不是感官所接触的实物,而是该实物所生的观念;他一举一动,都随着这个观念走。所谓"佯信"就是这种心的活动和物的富裕组合起来的,所以任何事物都可以变成一个玩具,一个性质固定的玩具也可以变成任何事物。这种佯信只要和现实有一点沾挂就行了;这种沾挂点是容易得到的,他只要专注意于本身真实的游戏动作,或是看来像是真实的某一个细节。一个小孩子摆一个碟子在棉花制的小黑奴的手里,摆得恰好叫它不落,向人说:"他真是一个小黑奴,你看他能用手捉东西。"这就是抓住和现实可相沾挂的一点,作佯信的根据。

总之,儿童在游戏时常不自觉是在游戏,他聚精会神到极点时,常把幻想的世界看成实在的世界。他在幻想世界中过活时,仍然持着郑重其事的态度,不肯轻于放过近于荒唐或是不合逻辑的细节。教育家裴斯泰洛齐的孩子在三岁半时有一天戏扮屠户,听到他母亲叫他的小名时,立刻抗议说:"不,你现在应该叫我屠户了。"萨利(J. Sully)在《儿童心理学研究》中举过很多类似的实例。有两位小姊妹正在戏做买卖,她们的母亲走进来向扮店主的姐姐吻了一吻,她的妹妹立刻就啼哭起来说:"妈妈,你向来不和开店的人接吻!"儿童聚戏时大家无形中都有一种了解,就是都相信所戏的玩意是真的。如果有一个儿童插嘴说一句露破绽的话,大家就立刻都觉得扫兴。儿童游戏时常偷偷窃窃地瞒着大人们,不肯让他们看见，也是怕他们嘲笑或批评，在热烈灿烂的幻觉之上泼冷水。

我们费许多篇幅讨论儿童对于幻想和游戏的“佯信”，因为这是游戏和艺术一个最大的类似点。艺术家也和儿童一样，在把热烈灿烂的幻想外射为具体的形象时，对于臆造的世界也不觉其虚幻。

席勒和斯宾塞拿游戏比拟文艺时，都注重无目的的自由活动这个特点，谷鲁斯反对他们，以为游戏都有固定的目的。其实这种争执完全起于词义的含混。席勒和斯宾塞所谓“无目的”，是指“无外在的实用的目的”，就这个意义说，他们的见解并不十分错误。游戏和艺术的目的都不在活动本身以外的结果，而在活动本身所伴着的快感。比如儿童戏耕种或是演员扮演农夫，目的都不是收获而在从这种活动本身中寻乐趣。游戏和艺术的目的不是外在的，是为活动而活动的，所以它们是自由的活动。

人类要求自由的活动，也是一件耐人玩味的事实。人是有生气的。“生气”的定义可以说就是“自由的活动”。不生则已，有生即不能不有动。亚里士多德在《伦理学》里说，人生的最后目的在求幸福，而幸福就是“不受阻挠的活动”。这句话实在是至理名言。人生最苦的事就莫过于不能动，所以疾病、幽囚、死灭是人所最厌畏的。婴儿从坠地之后就处处寻机会活动，年龄愈长，活动也愈激烈，愈变化多端。许多儿童的游戏在成人看来像是精力的浪费，其实在这种毫无实用的活动之中，儿童才见出自我的权能，才能享到生存的快乐。

人生来好动，所以厌恶限制。现实界虽是很宽广，但是它不能任人尽量地自由活动，所以仍是有限制的。人不安于此，于是有种种苦闷和厌倦。鸡能产卵固然是一件幸事，但是它不能产金卵，仍然是美中不足。实然的世界使人苦闷厌倦，人于是丢开它去另求可然的世界。苦闷起于人生对于“有限”的厌倦，幻想就是人生对于“无限”的寻求。“不可能”和“不可知”对于人都有极大的引诱力。小而儿童的游戏和幻想，大而文艺、宗教和哲学，都是由有限求无限，由“可能”、“可知”求“不可能”、“不可知”的冒险。

因为要求“无限”、“不可能”和“不可知”，所以距离较远的事物最能引起儿童的遐想。萨利说：“一片隐约在望的远山在儿童的丰富的幻想之中常塞满着无数奇形怪状的景物。”他引的一位德国学者的话也说得很好：

> 儿童的幻想有一个普遍性，就是相信辽远的天际外，或是树林湖山以及一切眼睛所见到的事物的背后，都另有一个完全新奇的世界。我在儿童时和小朋友们在谷场里戏捉迷藏，总觉得每捆草的后面一定有什么奇怪的东西藏在那里。但是我始终没有起过不虔敬的念头要把那捆草翻过来看看后面到底有什么。

年龄愈长，对于现实的认识愈精确，现实的压迫也就愈沉重。现实压得使人没有可以自由活动的机会，处处都是平凡和呆板，于是苦闷的心情也逐渐增加。人要在这呆板平凡的世界中寻出一点生机来排解这种苦闷，于是要活动，要冒险，要寻出一些出乎常规的偶然的变动。“偶然”、“机会”、“运气”都是“无限”的片面，所以它们常常能引起人的遐想，激发人的生气。这种心理的要求在赌博中最容易见出。赌博全是一种“碰机会”的游戏。有赌博癖者的真正目的都不在赢钱。如果他知道没有输的可能,没有到结局时就知道自己一定胜利,赌博的趣味便已十去八九。赌博所以能引人入胜者就在它的结果不能预定,使赌博者时时希望偶然的幸运恰好落到自己的头上来,所赢的东西价值尽管很小,可是它是“偶然的幸运”的象征,也就是“无限”的象征,所以能引起很大的快慰。

人到愈闲散时,愈觉生活的单调,愈感到苦闷,愈想有偶然的事变来破岑寂,愈想有激烈的刺激来激起生气,所以游戏和文艺的需要在闲散时也愈紧迫,就这个意义说,“精力过剩说”确有几分真理。德拉库瓦教授说:“苦闷是活动和幻想的最强的激动剂。心在苦闷时对于目前的时间和内心的节奏都感到乏趣,它除了这个节奏的单调和这个时间的悠久之外别无所感。因此,它希望从这个沉重而空虚的时间中跳出,去寻求生气蓬勃的瞬息,去寻生活的丰富和圆满。”这种心理是艺术和游戏所共同的。就这一点说,文艺确是一种“苦闷的象征”。

总观上述各节,我们可以看出游戏和艺术有四个最重要的类似点:一、它们都是意象的客观化,都是在现实世界之外另创臆造世界。二、在臆造世界时它们都兼用创造和模仿,一方面要沾挂现实,一方面又要超脱现实。三、它们对于臆造世界的态度都是“佯信”,都把物我的分别暂时忘却。四、它们都是无实用目的的自由活动,而这种自由活动都是要跳脱平凡而求新奇,跳脱“有限”而求“无限”,都是要用活动本身所伴着的快感,来排解呆板现实所生的苦闷。

三

游戏和艺术虽相类似，但是究竟是两回事。世间许多好游戏的儿童后来没有成为艺术家，世间也有许多大艺术家在儿时并不好游戏。音乐家贝多芬和莫扎特都是著例。小说家司各特和诗人雨果在幼时确是以游戏著名的，不过这些实例既有正有反，便不能据为论证。

游戏和艺术的异点究竟在什么地方呢？谷鲁斯、顾约、马夏尔和兰格斐尔德诸人都注重艺术的社会性，以为社会性存在与否，就是艺术和游戏的根本区别。儿童游戏时常怕旁人看见，所以躲在成人的背后。他们只图自己高兴，并没有意思要拿游戏来博得同情和赞赏。纯粹的游戏都是为着本身的快感，没有客观的价值。尽兴极欢，便已达到游戏的目的，不必有美丑的分别。斯蒂文森说："我在幼时常用焦木塞画一对胡须，虽然没有人看见，也觉得很趾高气扬，我现在回想这种心境，仍恍然如在昨日。"儿童在游戏时，愈没有人看见，精神愈专注，幻想愈浓密，兴致也愈畅快淋漓。他抓住一个玩具，可以单独一个人接连玩上几点钟之久，不觉困倦。这种过度的唯我主义的色彩实在起于自我观念的暧昧，他没有把我和物分清楚，自己高兴时以为旁人和鸟兽草木器皿等等也都和自己一样高兴，所以没有把自己的情感传达给旁人以求同情的意思。儿童自然也有时欢喜成群作戏，但是每个人仍只顾到自己。他既然可以和猫狗玩，和玩具玩，自然也就可以和同年的小伴侣玩，但是他并没有想到这些小伴侣是旁观者或是同戏的伙伴，他把他们也不过看作玩具一样,借以实现自己的幻想罢了。他扮店主,他弟弟扮主顾时,他弟弟就只是主顾而不复是他弟弟,如果他弟弟不在时,他也可以拿傀儡做主顾。旁的儿童只是他的臆造世界中的真人物,他并没有心思要他们对自己的游戏本领表示同情和赞赏。他玩得高兴时,他的伴侣头撞痛了在号啕大哭,他心里却若无其事地仍继续玩他的。从此可知游戏的动机中很少有社会的成分。年龄渐长,游戏中容易逐渐杂入社会的成分,但是那就不是纯粹的为游戏而游戏了。

游戏不必有欣赏者,艺术的创造就不能不先有欣赏。游戏只是表现意象,艺术则除"表现"之外还要"传达"。艺术家见到一种意境或是感到一种情趣,一定要使旁人也能见到这种意境,也能感到这种情趣,心里才得安顿,所以他才把它表现出来,传达给旁人。传达欲是同情心的表现。人是社会的动物,到能看出自我和社会的分别和关联时,总想把自我的活动扩张为社会的活动。同情心是为群的也是为我的。它是为群的,因为它要分享旁人的苦乐;它也是为我的,因为它要把自我伸张到和社会一样大。同情心最初的表现是语言。艺术本来也是语言的一种。没有社会就没有语言,没有社会也就没有艺术。顾约说:"艺术的情绪根本是社会的。它的结果是扩张个体的生命,使它沉没到较大的较普遍的生命里去。艺术的最高目的就在产生带有社会性的美感的情绪。"

包尔温以为艺术起于"自炫的冲动"(self-exhibiting impulse),也是注重艺术的社会性,不过把它看得太窄狭一点,因为他只看到同情心的唯我的一面。有些艺术家自然反对这种论调。他们说:"我们是为艺术而艺术,并非借此求名,所以涉世无闻,也不以为悔。"他们有时并且以为社会和艺术是不相容的,要能不求迎合社会心理，才能创造出真正艺术来。这些话都有片面的真理，却不能证明艺术没有社会性。求“名”是一件事，求“知音”、“同情”又另是一件事。真正艺术家尽管不求虚名，却没有不望知音同情者。

因为游戏缺乏社会性，而艺术冲动的要素却恰在社会性，所以游戏不必有作品，而艺术则必有作品。作品的目的就在把所表现的意象和情趣留传给旁人看。罕恩（Yrjo Hirn）在《艺术的起源》里批评席勒、斯宾塞说道：“游戏只要过剩精力已发泄，或是本能已得到暂时的练习，便算是达到目的。艺术的作用却不仅在造作的活动，凡是真正艺术的表现都必有一件东西做了出来，可以流传下去。”换句话说，游戏和艺术虽同是把意象加以客观化，造成另一世界，游戏的臆造世界是“逢场作戏”的，转瞬境迁，即归乌有，而艺术的臆造世界则不随创造的活动同归于尽，创造的活动尽管过去，而创造的成绩则可永垂不朽。儿童在沙滩上堆沙为屋，随堆起，随推倒，既已尽兴，便无留恋；艺术家对于得意的作品，往往用慈母保护婴儿的热爱去珍护它。这个分别是显而易见的。

艺术冲动既含有社会性，所用的材料和方法因之也和游戏不同。游戏对于材料是无所选择的。一个意象不管是粗疏或是精美，一浮到儿童的灵活的脑里，立刻就变成一个臆造世界；一个玩具，无论有生气或无生气，一落到儿童的好玩的手里，立刻就变成活跃的人物。游戏所用的材料只是一种象征，一种符号，它的本身价值如何，儿童常不过问。他想戏骑马时，目前有扫帚就用扫帚，有凳子就用凳子，反正这不过是一种符号，重要的还是骑马这个意象。艺术家对于材料就不能这样随便。无论是形色，是声音或是文字，它一方面须能象征，一方面也须有内在的价值。艺术的意象和情趣也是同样的经过选择淘炼来的。生糙粗率的意象和情趣对于艺术是无意义的,它一定要具有一种美形式。所谓“美形式”就是全体和部分的和谐。艺术作品是一个有机的整体,其中全体和部分都息息相关,各部分的大小和位置也有内在的必然性,所以添一分则嫌多,减一分则嫌少,移动一分则失去和谐。这种特点在游戏中是寻不出来的,游戏没有客观的价值和美丑的分别。我们只要把儿童在游戏时所画的人物和艺术的作品稍加比较,这种分别就立刻现出。儿童画纯是象征,艺术品则于象征之外还须具有形式美。

总观以上各节,我们对于游戏和艺术的关系可以作这样一个结论:艺术和游戏都要在实际生活的紧迫中发生自由活动,都是为着享受幻想世界的情趣和创造幻想世界的快慰,于是把意象加以客观化,成为具体的情境。这就是所谓“表现”。不过纯粹的游戏缺乏社会性,而艺术则有社会性,它的要务不仅在“表现”而尤在“传达”。这个新要素加入,于是把原来游戏的很粗疏的幻想的活动完全变过。原来只是借外物做符号,现在这种符号自身却要有内在的价值;原来只要有表现,现在这种表现还须具有美形式。我们可以说,艺术冲动是由游戏冲动发展出来的,不过艺术的活动却在游戏的活动之上,下过进一步的功夫。游戏杂用金砂,无所取择;艺术则要从砂中炼出纯金来。

第十三章　艺术的创造(一)

——想象与灵感

一

游戏是初步的创造,它和艺术一样,也要应用创造的想象。我们在上章已经说明游戏和艺术的关系,现在可以进一步讨论艺术的创造了。

艺术的创造在未经传达之前,只是一种想象。就字面说,想象(imagination)就是在心眼中见到一种意象(image)。意象是所知觉的事物在心中所印的影子。比如看见一匹马,心中就有一个马的模样,这就是马的意象。马既在心中留下它的模样,它不在眼前时,我仍然可以回想起它的模样如何,这是记忆,也就是想象。不过这种想象只是回想以往由知觉得来的意象,原来的意象如何,回想起的意象也就如何,没有什么新创,所以它通常叫做"再现的想象"。

"再现的想象"只是在记忆中复演旧经验,决不能产生艺术。艺术必须有"创造的想象"。既是"想象",就不能从无中生有,因为它不能离开意象,而意象是由经验得来的。既是"创造的",就不能只是复演旧经验,必须含有新成分。这个新成分是什么呢?它不是想象所用的材料,因为这材料就是从经验得来的意象。因此,它只能是材料组合所取的形式。创造的定义可以说是:“根据已有的意象做材料,把它们加以剪裁综合,成一种新形式。”材料是固有的,形式是新创的;材料是自然,形式才是艺术。举一个浅近的实例来说,比如“风乍起,吹皱一池春水”一句词九个字所指的意象,拆开来说,都很平凡,但是合在一起——综合这个意象所成的形式——却非常新鲜有趣,叫人不能不承认它是创造出来的艺术。一切艺术作品都可作如此观。论各部分材料,它是旧有的,所以人人能了解;论全体形式,它是新创的,所以是艺术。凡是艺术创造都是平常材料的不平常综合,创造的想象就是这种综合作用所必须的心灵活动。

在一般人看,创造的想象是神秘的,只许人惊赞,不许人分析。其实它像一切自然现象一样,也可以用科学方法去研究。近代心理学家研究这个问题,已得很多的成绩,其中尤以法人里波(Ribot)的贡献为最大。

分析起来,创造的想象含有三种成分:(一)理智的,(二)情感的,(三)潜意识的。

就理智的成分说,创造的想象在混整的情境中选择若干意象出来加以新综合,要根据两种心理作用。一为“分想作用”(dissociation),是选择所必需的;一为“联想作用”(association),是综合所必需的。

“分想作用”就是把某意象和与它相关的意象分裂开,把它单独提出。意象都是嵌在整个经验里面而不是独立的。如果没有分想作用,以往的经验便须全部复现于记忆。小孩子读死书,读熟之后往往只能背诵全篇,而不能单提出该篇中某一段或某一句。如果叫他单提出某一句来,他须从头背诵起,一直背诵到该句所在的地方才能记起该句。这种记忆是最笨拙的。他只是囫囵吞枣,食而不化。他虽能背诵全篇,却永远没有应用其中一字一句的可能。如果记忆都像这样,便不能有创造,因为创造是把向来不在一块的元素综合成新形式,记忆如果须全部出现,我们便无法把某元素从全体情境中单独提出。

里波以为分想作用是消极的,是创造的预备,联想作用是积极的,是创造的成就。其实这不尽然。有时分想作用自身便是积极的,便是一种创造。艺术的意象有许多并不是综合的结果,只是在一种混乱的情境中把用得着的成分单提出来,把用不着的成分丢去,有时也能造成很完美的意象,好比在一块顽石中雕出一座像一样。比如“长河落日圆”,“微风燕子斜”,“采菊东篱下,悠然见南山”,“风吹草低见牛羊”一类的意象,全无联想的痕迹,而却不失其为创造。它们都是只凭分想作用,在一个混整的情境中把和情感相协调的成分单提出来,造成一种新意象。单是选择有时就已经是创造。

但是文艺上的意象大多数都起于联想作用。所谓联想作用就是由甲意象而联想到乙意象。我们在第六章已讨论过联想的性质,以及接近联想和类似联想的分别。

这两种联想之中尤以类似联想为重要,许多漫不相关的事物经过诗人的意匠经营,都可以生出关系来。海棠花可以“凝愁”也可以“带醉”,浮云可以是白衣也可以是苍狗。前例是把物看成人,里波称为“拟人”,就是我们在第三章中所说的移情作用;后例把甲物看成乙物,里波称为“变形”。我们在第三章已经说过,“拟人”是美感经验的要素。静物的情感化,宇宙的生命化,以及神话寓言的起源,都是“拟人”的结果。“变形”在文艺中也是常见的。“鬓云欲度香腮雪”,“大弦嘈嘈如急雨,小弦切切如私语”,“大雪纷纷何所似,洒盐空中差可拟,未若柳絮因风起”,都是“变形”类的类似联想。里波分析类似联想,只举“拟人”、“变形”两类。其实“拟人”之外还可以另立“托物”一类。“拟人”把物看成人,“托物”则把人看成物。《列那狐的故事》托动物的奸诡隐射中世纪的封建人物,便是“托物”的著例。在中国文艺中“托物”尤其重要。屈原寄孤愤于香草,庄周托玄想于大鹏,这些前例引起后世许多学者的模仿。大约用这一类修辞格者都被逼于环境,不能直说心事,于是以隐语出之。例如骆宾王《在狱咏蝉》诗说:“露重飞难进,风多响易沉”,是暗射谗人的话,清朝人咏紫牡丹说:“夺朱非正色,异种亦称王”,是暗刺爱新觉罗氏代明朝入主中夏事,都是“托物”以言志。

“拟人”、“托物”、“变形”三种类似联想虽不同,而在实际上常不可分开。“水是眼波横,山是眉峰聚”可以说是“拟人”,也可以说是“变形”,“天寒犹有傲霜枝”可以说是“拟人”,也可以说是“托物”。这三种类似联想在文学上极为重要。它们最普通的用处在“比喻”。上文所举各例在修辞学中都属于“比喻”格。文学上的文字大半都不用本意而用引申义。文字的引申义大半都由“比喻”得来的。例如“流云吐华月”一句中只有“云”、“月”两字用本意,“流”、“吐”、“华”三字都用引申义。依本义说,“流”只能用于水,“吐”只能用于动物,“华”原来是“花”的同义字,引申为“美丽”。再如杜审言的《和晋陵陆丞早春游望》诗中四句:“云霞出海曙,梅柳渡江春,淑气催黄鸟,晴光转绿蘋”之中最见精彩的是“出”、“渡”、“催”、“转”四个动词(即诗话家所谓“诗眼”),而这四个动词都是用引申义。文艺大半是象征的。“象征”就是以甲为乙的符号，也可说是一种引申义，它也是根据类似联想。天平和法律完全是两件事，因为同具公平一个特质，所以天平常象征法律。在陶渊明的诗里松菊象征孤高，在周敦颐的《爱莲说》里，莲花象征清洁；《诗经》首章《关雎》依毛说是象征“挚而有别”，在一般成语中狐象征媚，龙象征灵，日象征阳刚，月象征阴柔，雷霆象征怒，阴霾象征凄惨，蒲柳象征衰弱，葭莩象征亲戚，都是类似联想的结果。象征大半是拿具体的东西代替抽象的性质。美感都起于形象的直觉，所以文艺作品都要呈现具体的意象出来，直接撼动感官。如果它用抽象的概念，便不免犯普泛化的毛病，我们只能把它当作一条真理思索，不能把它当作一个意象观赏。抽象的概念在艺术家的脑里都要先翻译成具体的意象，然后才表现于作品。这种翻译就是象征。文艺是象征的，所以有人说，文艺是在“殊相”中见出“共相”，在“感觉的”之中表现出“理解的”，这就是说，它以具体的意象象征抽象的概念。不过这种说法颇容易惹起误解。在文艺中概念应完全溶解在意象中，使意象虽是象征概念而却不流露概念的痕迹，好比一块糖溶解在水里，虽然点点水之中都有甜味，而却无处可寻出糖来。“寓言”大半都不能算是纯粹的艺术，因为寓言之中概念没有完全溶解于意象，我们一方面见到意象，一方面也还见到概念。

二

创造的想象虽要根据“分想作用”和“联想作用”，但是这些理智的成分决不能完全解释创造。比如“细雨鱼儿出，微风燕子斜”两句诗所写的意象，是在微风细雨的春天许多意象之中选择出来的，在细雨中不仅见到鱼儿出，在微风中也不仅见到燕子斜，诗人选择这两个意象出来时就把其他意象丢开，所以可以说是“分想作用”的结果。但是在许多意象之中，诗人何以单提出这两个意象而忽略其他意象呢？再比如“忽见陌头杨柳色，悔教夫婿觅封侯”两句诗是“触景生情”，因柳色而想到夫婿，可以说是“联想作用”的结果。但是杨柳所能引起的联想是无数的，它可以因经验的邻近而联想到栽柳人，或是柳色最佳的河边，它可以因性质的类似而联想到眉的轻盈，或是衣衫的嫩绿，何以在这个地方独唤起夫婿的记忆呢？“分想作用”和“联想作用”只能解释意象的发生如何可能，却不能解释在许多可能的意象之中何以某意象独被选择。

有选择就有抛弃。选择和抛弃是心理上普遍的现象。园里有许多花草，我在一个时间之内只注意到某几种花草；街上有许多行人，我在一个时间之内只注意某个女子或是某个老翁。选择之中又有选择，看花我或只注意到颜色，看女子我或只注意到面孔。原因是很简单的，我看到的是能引起我的情趣的，我没有看到的是不能引起我的情趣的。联想起来的意象也是如此。一般人以为联想不依逻辑，全是偶然的。其实它不依逻辑是真，说它是偶然，则不符事实。它也有原因，也有必然性，不过使它具必然性的原因不是理智而是情感。去取全凭好恶，好恶就是情感的流露。比如上文“忽见陌头杨柳色”例中的杨柳虽然可以唤起无数意象，但是“夫婿”的意象对于“春日凝装上翠楼”的闺中少妇带有极深的情感，这情感就是使“夫婿”的意象浮上心头的原动力。情感触境界而发生，境界不同，情感也随之变迁，情感迁变，意象也随之更换。同一事物在这个境界里触动这种情感，唤起这种意象，在另一个境界里又触动另一种情感，唤起另一种意象。“昔我往矣，杨柳依依，今我来思，雨雪霏霏”是一种境界，一种情感，一种意象。“无情最是台城柳，依旧烟笼十里堤”又是另一种境界，另一种情感，另一种意象。情感和意象都是生生不息的，时时刻刻都在创造中。

文艺作品都必具完整性。它虽然可以同时连用许多意象，而这许多意象却不能散漫零乱，必须为完整的有机体。创造的想象和寻常幻想的分别就在此。寻常幻想是散漫零乱的。两个意象稍可接触，即相依附，辗转流散，没有底止。如果把这一串幻想写出来，处处都是牛头不对马嘴。创造的想象却须把散漫零乱的意象融成一气。把原来散漫零乱的意象融成整体的就是情感。比如钱起的“曲终人不见，江上数峰青”，秦少游的“可堪孤馆闭春寒，杜鹃声里斜阳暮”，前句都是说人事，后句都是写物景，我们却不觉得这两种不同的意象摆在一块嫌不伦不类，它们反而能互相烘托，就因为它们同是传出一种凄清的情感。两个意象在性质上尽管不相类似，如果在情感上能相协调，便可形成一种完整的有机体。“目送归鸿，手挥五弦”，“鸢飞戾天，鱼跃于渊”，“树摇幽鸟梦，萤入定僧衣”，都是两种不同的意象因情感的调协而形成整体的。

文艺作品都是把一种心情寄托在一个或数个意象里，所以克罗齐以为凡是艺术都是抒情的。意象要恰能传出情感，才是上品。意象可剽窃而情感则不能假托。前人由真情感所发出的美意象，经过后人沿用，便变成俗滥浮靡，就是有意象而无情感的缘故。没有两个完全相同的境界，便没有两个完全相同的情感，传达情感的语言意象也就不能一致。严格地说，这个人所用的语言和意象没有第二个人可以沿用，沿用便是偷懒说谎。所以“拟古”、“用典”、“集句”、“用陈语”在艺术上都是毛病。江淹拟陶渊明《归田园居》诗在拟诗中算是最上品，仍远逊原作，辛稼轩词好用陈语，例如《秋水观》一首长词大半用庄子语，这种作品只能说是文字的游戏，绝不是艺术。“武帝植蜀柳于灵和殿前，常曰：‘此柳风流可爱，似张绪当年’”，几句散文本极富诗意。王渔洋在《秋柳》里引用这个典故造成“灵和殿里昔人稀”的句子，便索然无味。江淹、辛稼轩和王渔洋都本是很大的诗人，尚且不免蹈这些毛病，下此书蠹词匠的堆砌典故，更不足谈了。

创造艺术是一件煞费心血的事，又不能裨益实用生活，许多艺术家都以穷困终身，何以追求艺术者仍络绎不绝呢？这就由于艺术是一种情感的需要。真正艺术家心中都有不得不说的苦楚。如果可以不说而勉强寻话说，那就是无病呻吟。音乐家贝多芬有一个时期以人世为苦，烦闷想自杀，因为胸中蕴藉没有泄尽，所以隐忍不死。司马迁受腐刑后，也常说他所以忍辱不死者是为着完成他的《史记》。饥寒可忍，垢辱可忍，烦恼可忍，一切可摆脱，独有艺术不能摆脱。艺术家的胸襟大半如此。他所以不能放弃艺术者，就因为受情感的驱迫。人有情感自然要发泄，欢喜必形诸笑，悲痛必形诸哭。倘若心中有情感要勉强压住隐起，那就是打断生机的流露。苦乐都是从生机的舒畅得来的。“舒畅”就是快乐，“抑郁”就是痛苦。文艺是表现情感的，就是帮助人得到舒畅而免除抑郁的一种方剂。歌德在23岁时曾钟爱一位已许过人的女子，烦闷无计排解，正谋自杀，忽然听到耶路撒冷为失恋而自杀的消息，他拿自己的遭遇体验那位少年的悲剧，就想象出一部作品出来了。他自己说过：“这个消息对于我仿佛是黑暗中一线光明，我立刻就把《少年维特之烦恼》的纲要想好。”他埋头两个星期，把书写成，于是他的自杀的念头才打消。文艺发泄情感的功用在这个例子中最易见出了。从亚里士多德到弗洛伊德，许多学者都以为文艺对于情感有“净化”(catharsis)的效验,就是说情感不发泄对于心身都有坏影响,一经发泄,这种坏影响便被“净化”不复为祟。歌德写《少年维特之烦恼》的经过便是一个好例。

文艺是一种慰情的工具,所以都带有几分理想化。艺术家不满意于现实世界,才想象出一种理想世界来弥补现实世界的缺陷。这个普遍的事实就是弗洛伊德派学说的根据,不过他们把缺陷和弥补都看成性欲的,未免过于褊狭。依他们看,文艺都是欲望的“升华”(sublimation),把鼓动低等欲望的潜力(叫做“利比多”[libido],大半是属于性欲的)移来鼓动较高尚的情绪。文艺指像梦一样,用处在使欲望得到化装的满足。它可以说是性欲的象征。最早的文艺是神话,它就是原始社会的公共欲望的表现。人类在潜意识中早有弑父娶母的欲望。希腊俄狄浦斯的故事就是这种欲望的象征。许多神话都与“俄狄浦斯情意综”(Oedipus complex)有关系,所以其中主要人物大半都有母无父。姜螈履巨人迹而生后稷,孔子之母祷于尼丘而生孔子,圣马利亚禀神意而生耶稣,都是著例。近代文艺中性欲的色彩尤其浓厚。例如屠格涅夫曾迷恋一个很庸俗的歌女,在小说中于是写出许多恋爱革命家的有理想和热情的女子,就是在文艺中求缺陷的弥补。弗洛伊德的这番话自然也有一番真理,不过缺陷和弥补都不必像他所说的全在性欲方面。

欲望升华说的最大缺点在只能解释文艺的动机,而不能解释文艺的形式美,我们在第二章已经说过,生糙的情感是无济于事的。艺术家之所以为艺术家不仅在有深厚的情感(因为只有深厚的情感不一一定能表现于艺术),而尤在能把情感表现出来。他的创造要根据情感,而在创造的一顷刻中却不能同时在这种情感中过活,一定要把它加以客观化,使它成为一种意象。他自己对于这个情感一定要变成一个站在客位的观赏者,然后才可以得到形式的完美。

三

理智的和情感的两种成分都是意识所能察觉的,但是创造的想象还有意识所不能察觉的成分,这就是通常所谓"灵感"(inspiration)。艺术须赖灵感,这是古今中外的共同信仰。柏拉图在《斐德若篇》对话里说:

> 有一种迷狂症是诗神激动起来的。她凭附一个心灵纯朴的人,鼓动他的狂热,唤起诗的节奏,使他歌咏古英雄的丰功伟业来教导后人。无论是谁,如果没有这种诗人的狂热而去敲诗神的门,他尽管有极高明的艺术手腕,诗神也永远不让他升堂入室。

柏拉图所谓"诗人的狂热"就是灵感。依他说,灵感是神的启示,比艺术手腕还更重要。艺术家在得到灵感时,常不费心血,就可以写出完美的作品。歌德著《少年维特之烦恼》的经过,便是灵感的好例。他自己说听到耶路撒冷自杀的消息,仿佛突然见到一道光在眼前瞥过,立刻就把全书纲要想好。他一口气把它写完,然后把稿子复阅一遍,自己觉得很诧异,因为他丝毫没有费力。他说:"这部小册子好像是一个患睡行症的人在无意识之中写成的。"

灵感之来往往出于作者自己的意料之外,作品已经创造成功了,他才发现自己又创造了一件作品。雕刻家罗丹作《流浪的犹太人》的经过便是如此。他在《回想录》里说:“有一天我整天都在工作,到傍晚时正写完一章书,猛然间发现纸上画了这么一个犹太人,我自己也不知道它是怎样画成的,或是为什么要去画他。可是我的那件作品全体便已具形于此了。”

有时苦心搜索而不能得的,在无意中得到灵感,顿时寻求许久的意象便涌上心头。音乐家柏辽兹(Berlioz)替贝朗瑞(Béranger)的《五月五日》诗谱乐曲,谱到收尾的叠句:“可怜的兵士,我终于要再见法兰西”时,猛然停住,再三思索,终于想不出一段乐调来传达这叠句的情思。过了两年,他游罗马,有一天失足落下河去,遇救没有淹死,爬出水时口里所唱的一段乐调,就是两年之前再三搜索而不能得的。

从这几个实例看,灵感有两个重要的特征。第一,它是突如其来的。我们在表面寻不出预备的痕迹,它往往出于作者自己的意料之外。根据灵感的作品大半都成得极快。第二,它是不由自主的。希望它来时它偏不来,没有期待它来时,它却蓦然出现。作者在得灵感时常超过自己平素的能力。平素他所不能做到的在灵感中他可以轻易地做到。凭借灵感的作品往往比纯恃艺术手腕的作品价值较高。

因为灵感有这两种特征,古时学者大半都把它看作神的启示。在灵感之中仿佛有神凭附作者的躯体,暗中在酝酿他的情思,驱遣他的手腕。作者对于得自灵感的作品只是坐享其成,这种信仰是很普遍的。古希腊人以为各种文艺都有一个女神(muse)主宰。在原始社会中,诗人大半就是预言者,他是代天传旨的。西方诗人做史诗,在开章中往往有一段照例的招邀诗神的话。中国文学家也有“下笔如有神助”之说。相传江淹有一夜梦见郭璞向他说:“吾有笔在卿处多年,可以见还”,他探怀中得一支五色笔,便还给郭璞。他以后做诗,就绝无美句。这也是相信天才由于神鬼的凭借。

但是在科学界中这种神秘和解释已经不能成立了。依近代心理学家说,灵感大半是由于在潜意识中所酝酿成的东西猛然涌现于意识。我们最好择几种类似灵感的潜意识现象来研究一番,然后拿它们来比较灵感,就可以见出灵感究竟是怎么一回事了(“潜意识”和弗洛伊德所说的“隐意识”不同,详拙著《变态心理学》)。

人于意识之外,还有潜意识,潜意识也可以作想象思考的活动,这是近代心理学上已成立的事实。最显著的例子是“自动书写”(automatic writing)。有一种病人在专心做一件事或是和人谈话时,你摆一管笔在他的手里,同时用针刺他的麻木的部分,他意识中虽没有痛感,而手则在描写被针刺的经验。催眠状态也很相类似。受催眠者的言动和在醒时的言动往往不同。在醒时没有膂力,在催眠中他可以举起平时所不能举起的重量。在催眠中他忘记催眠前的经验,在催眠后他又忘记催眠中的经验。“后催眠的暗示”更加奇怪。你吩咐受催眠者在醒后某时某刻做一件事,他醒后虽然记不起你所吩咐的话,到了时刻却不由自主地无意地把你所吩咐的事做得一字不差。从这些事实看,可见一个人可以有两重或多重人格。在意识中他呈现一种人格,在潜意识中他又呈现另一种人格。受催眠者和患睡行症者的潜意识往往可以涌上浮面来,把意识完全遮蔽住,于是有“人格的交替”。詹姆斯举过一个例子:一个人跌下火车之后,把原来的经验都忘记,在一个镇市上做了几个月的小生意。有一天他忽然醒过来,发现身旁事物都不是习见的,才自疑何以走到这么一个地方。旁人告诉他说他在那里做过几个月的小生意,他绝对不肯相信。他在做小生意时,就专靠潜意识的活动。

灵感和这种潜意识的活动是属于一类的，所不同者在“人格的交替”中潜意识完全把意识遮蔽住，在灵感中潜意识所酝酿成的意象涌现于意识中，而意识仍旧存在。至于潜意识的活动是否与意识的活动相同，想象的进行在潜意识中和在意识中是否遵照同一原理，心理学家对于这种问题还没有定见，弗洛伊德派学者的“压抑说”和法国变态心理学者的“分裂说”都各有难点（详见拙著《变态心理学》）。不过有两点我们是可以断定的。第一，潜意识的活动大半仍依联想作用。在潜意识中联想不受意识和理性的节制，活动更较自由，所以潜意识的想象比意识的想象更丰富，在意识中所搜索不得的往往可以在潜意识中酝酿成功。不过因为缺乏理性的节制，潜意识的想象也往往较错乱无章。所以潜意识所酝酿成的须经过意识的润饰，才能成为完美的作品。第二，在潜意识中，情感的支配力较在意识中更大，这也是因为理智驰懈的缘故。潜意识估定价值的标准也全是情感。意识所认为微细的东西如果带有浓厚的情感，在潜意识中可以占极重要的地位。创作受情感的影响大半都在潜意识中。弗洛伊德以为文艺是慰情泄欲的东西，就潜意识说，这话颇近于真理。

灵感既起于潜意识的酝酿，所以虽似突如其来，却不是毫无预备。比如上文所说的歌德写《少年维特之烦恼》的例子中就很容易见出预备的痕迹。他自己钟爱夏绿蒂，久萌念自杀。他自己的经验恰如他存书中所描写的。这本书的情节在他的潜意识中酝酿已许久。耶路撒冷的情节和他自己的经验很相似。这个类似点就成了点燃一大堆火药的导火线。所谓灵感，就是埋伏着的火药遇到导火线而突然爆发。灵感也要有预备，所以想一部书的布局或是作一个数学难题，费过一番心血之后，就可以把它丢开不去再想，姑且去玩几天或是改做旁的事，让所想的东西在潜意识中去酝酿，到了成熟时期，它自会突然涌现。大数学家普恩加来（Poincaré）的数学发明大半是在街头闲逛时于无意中得到的。文艺的创作道理也是一样。许多人不知道发明和创造在潜意识中都早已有预备，便以为它们是“凑巧”，“碰机会”，实在是误解灵感的性质。

在潜意识中酝酿成的意象何以特别在某一时才会涌现于意识呢？这个问题也很值得研究。概括地说，意识作用弛懈时，潜意识中的意象最易涌现。所以艺术家自述经验，往往以为创作时的心境有如梦境。音乐家瓦格纳的《莱茵河的黄金》三部曲的开场调，就是在梦境中作成的。据他的《自传》说，三部曲已完全写成时，开场调仍没有想出。他方乘船过海，昼夜不能安眠，有一天午后，他倦极才得微睡，仿佛觉得自己沉在急流里面，听到流水往复澎湃的声音自成一种乐调。醒后他便根据在梦中所听到的急流的声音谱成三部曲的开场调。每个人大概在梦中都做过很好的文章，或是说过很漂亮的话。英国诗人柯尔律治的《忽必烈汗》就是梦境的作品。他本来嗜鸦片，有一天醉后坐在椅上睡着。临睡前他在一部游记里读到这一句话：“忽必烈汗令在此地建一座宫殿，并且修一个堂皇的花园，于是一道围墙把十里肥沃的土地都圈在里面。”在三刻钟的熟睡中他梦见根据这个典故做成二三百行诗。刚醒时他还记得清楚，于是取纸笔把它赶快写下。写到数十行时，忽然有客来访，把他的思路打断了，客去后则梦中所见已模糊隐约，不能续写。他所写下的五十三行为他的全集中三杰作之一。在中国文学史中我们也常遇到同样的事。刘后村的《沁园春》词序说：“癸卯佛生之翼日，梦中有作。既醒，但易数字。”传说周美成的《瑞鹤仙》词也是梦中作的。他在“梦中作此词,既觉而不知所谓”。这两首词也都是名作。

灵感有时来有时不来,于是艺术家想出种种方法来招邀它。招邀灵感的方法也很可注意。意大利戏剧家阿尔菲耶里(Alfieri)在听音乐时想象力最盛,他的作品大半是在听音乐时想成的。李白在饮酒时创作力最大,杜工部有“李白斗酒诗百篇”之语。美国爱伦·坡(Allen Poe)、英国德·昆西(De Quincey)都借助于鸦片。法国的伏尔泰和巴尔扎克都借助于咖啡。莫泊桑借助于以太,据他自己说,《庇耶和姜恩》一部小说全是受以太的影响写成的。德国诗人席勒在创作时欢喜嗅烂苹果的气味,他的写字台上常摆几只烂苹果。他在创作时又常喜把脚浸在冷水里。卢梭有所思索,则露顶让赤热的太阳晒头脑。弥尔顿作诗欢喜躺在床上。奥地利作曲家莫扎特(Mozart)在制曲之前常做体操。尼采要在散步时思想才容易涌现。中国的李长吉也有“驴背寻诗”的故事,欧阳修在《归田录》里说:“余生平所作文章多在“三上”,乃马上、枕上、厕上也。盖唯此尤可以属思耳。”这些招致灵感的方法目的不同,有些是在提起精神,但是大部分是要造成梦境,使潜意识中的意象容易涌现。音乐、鸦片、酒、强烈的日光以及骑马、登厕都有催眠的功效。

文艺的创造还有一件有趣的事实,就是意象的旁通。这也有时起于潜意识的酝酿。诗人和艺术家寻求灵感,往往不在自己“本行”的范围之内而走到别种艺术范围里去。他在别种艺术范围之中得到一种意象,让它在潜意识中酝酿一番,然后再用自己的特别的艺术把它翻译出来。郭若虚在《图画见闻录》里所记的吴道子一段故事就是最好的例:

唐开元中，将军裴旻居丧，诣吴道子请于东都天宫寺画神鬼数壁，以资冥助。道子答曰："吾画笔久废，若将军有意为吾缠结舞剑一曲，庶因猛励以通幽冥。"旻于是脱去缞服，若常时装束。走马如飞，左旋右转，挥剑入云，高数十丈，若电光下射，旻引手执鞘承之，剑透室而入。观者数千人，无不惊栗。道子于是援毫图笔，飒然风起，为天下之壮观。道子平生绘事，得意无出于此。

这就是把从剑术所得来的意象翻译于图画。我们也可以说吴道子从剑术中得到灵感。剑术的意象和图画在表面上本不相谋，但是实在默相会通。画家可以从剑的飞舞中得到一种特殊的筋肉感觉，把它移来助笔力，可以得到一种特殊的胸襟，把它用来增进图画的神韵和气势。唐朝草书大家张旭尝自道经验说："始吾见公主担夫争路，而得笔法之意，后见公孙氏舞剑器而得其神。"王羲之看鹅掌拨水的姿势，取其意为书法；司马子长遍游名山大川之后，文章的气势日益浩壮，都是由于意象旁通的道理。意象可旁通，所以艺术家如果想得深厚的修养，不宜专在"本行"之内做功夫，应该处处玩索。云飞日耀，风起水涌，花香鸟语，以至于樵叟的行歌，嫠妇的野哭，当其接触感官时，我们常不自觉其在心灵中可生任何影响，但是一遇挥弦走笔，它们都会涌到手腕上来，在无形中驱遣它动作。在作品的表面上虽不必看出这些意象的痕迹，但是一笔一画之中都会潜寓它们的神韵和气魄。这些意象的蕴蓄就是灵感的培养。

第十四章　艺术的创造(二)

——天才与人力

一

创造要有天才,这是大家公认的事实。就字面看,“天才”就是天生的才能,并没有什么费解,但是如果我们要研究天才的成因,那就不是一件易事了。古代学者每逢到不易解释的现象都归原于天。世界是天造的,语言文字是天造的,一切人所不知不能的事物都有天作主宰。“天”字于是成为科学的止境,一旦溯源到天,什么就可以不去追问了。关于天才的信仰大半也是如此。但是近代科学却不甘心到了“天”就止步,因上有因,它要追问到底,“天”的本身也还是一个未知数。于是心理学家和生物学家们对于一般人所认为无可解释的“天才”也偏要去求一个解释。“天才”问题只是较大的遗传与环境的问题中一个枝节。学者因侧重某一个要素而分为两派。

有一派说,天才得诸遗传。天才好比拥有良田大厦的富家子弟坐享祖宗的余荫,他的厚福并非是他自己的劳力的酬报。遗传的媒介是生殖细胞。每个生殖细胞之中含有四十几个染色素,而每个染色素又代表无数遗传的特质。父母两系的生殖细胞如此配合则生下愚，如彼配合则生上智，也犹如它们如此配合则生高鼻子，如彼配合则生低鼻子一样。每个人从投胎时贤愚便已命定。祖宗有聪明种，子弟自然聪明；祖宗有愚笨种，子弟自然愚笨，正如种瓜得瓜，种豆得豆一样。研究天才的心理学专家最欢喜替伟大人物理家谱，说某大音乐家有几代祖宗都精通音乐，某文学家有几代祖宗都有文学天才。他们以为这都是天才起于遗传的证据。

天才自然与遗传有关，但是绝非遗传所单能解释。遗传学自身还是一种人自为说的科学。“习得的性质”究竟能否遗传，不类似祖宗的新种究竟如何产生，物种究竟如何起源，如何进化，种种问题都还没有明确的解决。我们拿自身尚是问题的遗传来解释天才，结果亦不过仍是一种问题而已。天才都必超越已有标准。如果天才全赖遗传，则子孙至多只能像祖宗。只能像祖宗，就是只能达到已有标准，不能叫做天才。比如曹操父子都擅长诗文，似乎可以证明遗传说，但是他的祖宗和后裔都寂然无闻，他的天才从什么地方遗传来，以后又遗传到什么地方去了呢？曹丕和曹植在文学上成就都很大，这是由于先天的遗传好，还是由于后天的教养好呢？德国生物学家魏意斯曼（Weismann）说过：“假如沙摩岛上生了一个孩子，天才像莫扎特一般高，他能够有什么成就呢？至多只能听到从三四个到七个单音的音阶，他自己至多只能创造比这简单音阶稍复杂的乐调，但是他决不能创造交响曲，正犹如希腊科学家阿基米德不能发明电气机械一样。”发明和创造都不免有所因袭。第一个拾树叶遮蔽身体的人，第一个制布帛为衣裳的人，以及第一个发明电气的人都要有若干天才。但是同样天才在原始时代只能拾树叶遮蔽身体，在科学进步时代才能发明电气。造飞车的墨子，造候风地动仪的张衡倘若生在今日，造就岂不更加伟大？从此可知“社会的遗产”对于天才的影响也很大了。

达尔文派学者多侧重环境，所谓“社会的遗产”便是环境中一个要素。侧重环境便是侧重教养，侧重教养便是侧重吸收社会的遗产。但是环境的意义却比社会的遗产较广。天时、地利、人事，无一不属于环境。环境对于天才不仅供给滋养品，尤重在供给刺激剂。时代愈有剧烈的变动，则刺激愈大，天才也愈易产生。希腊的伯里克理斯时代，意大利的文艺复兴时代，英国的伊丽莎白后时代，法国的路易十四时代，中国的汉唐两朝都是轰轰烈烈的时代，所以能产生伟大的文艺作者。因此一般人常说，伟大的人物都是时代的骄子，文艺都是时代和环境所反射的缩影。托尔斯泰说过：“所谓伟大人物不过是贴在历史上的签子，他们的姓名只是历史事件的款识。”

环境的影响自然也不可否认，但是单是环境也决不能解释天才。同是一个时代的作者成就往往大相悬殊。随着时代走的大半都不是天才，天才大半都走在时代前面。古今许多伟大作家对于他们的时代和环境往往持反抗的态度。社会是守旧的，对于天才的新创也往往加以仇视。天才不但要创造新作品，还要创造能欣赏这种新作品的群众。新群众的产生往往是在新作品的产生之后的一代中。浪漫派和象征派的诗，后期印象派的画，以及中国白话文学，在初出世时都被人唾骂，到后来才有人能欣赏，便是明证。

就史实说，伟大的时代不一定能产生伟大的文艺。美国的独立和法国的大革命在近代都是极重大的事件，而当时文艺却卑卑不足高论。反之，伟大的文艺也不一定有伟大的时代做背景。歌德和席勒时代的德国还很混沌纷乱，没有统一，在当时欧洲先进国家看，还是一个初脱野蛮社会的民族。十六世纪的意大利除了在艺术上的成就，在政治方面也无丰功伟绩可言。从此可知文艺与时代并无必然关系。现在一般人颇惊讶俄国和中国在近二十年之内，经过许多的变动，还没有伟大的文艺产生，又有人在期望激烈变动之后必有伟大文艺为其当然的结果。这都是过信时代对于文艺的影响。

法国学者泰纳（Taine）在他的《英国文学史》中标出种族、时代、环境三大要素来解释一切文艺作品。他的主张流衍为近代法国文坛上所谓“科学的批评”。这派学者以为我们如果能明白作者的种族、时代和环境，便已明白了他的作品。所以他们特别注重传记的研究。这种见解可谓同时兼顾到遗传（即种族）和环境（包括时代）两种影响，恰能调和上述两说的偏见。但是他们忘记猴公、猴母和看猴戏的群众之外，还有一个演戏的猴子。遗传和环境的影响我们并不否认，但是作者的个性也不可一概抹煞。曹丕和曹植，苏轼和苏辙，就种族、时代和环境三个要素而言，都大致相同，但他们两兄弟的作品却悬殊很远。这种差异就是个性的表现。

个性也是一个要素，所以研究一个作者时，我们不但要知道他的祖宗如何，他的时代和环境如何，尤其重要的是了解他自己的个性。近代天才心理学专家也颇见到这点，但是他们从个性观点出发所得的结论是很奇怪的。依法国学者莫罗（Moreau de Tours）说：“天才是一种精神病。”意大利精神病学者郎白洛莎（Lornbroso）则更进一步说：“天才只是一种叫做癫痫（epilepsie）的精神病。”弗洛伊德派心理学者以为文艺是被压抑欲望的升华，虽不说文艺活动就是精神病，却承认文艺活动与精神病的来源成因相同。

如果天才确实是一种精神病，则陶渊明、李太白、吴道子、莎士比亚和米开朗基罗一类人物都是疯人，而世界上许多伟大事业都成于疯人之手了。天才固然往往同时患精神病,但是世间也有不患精神病的天才,至于不是天才的精神病人更不可胜数。少数天才患精神病,其中因果关系也还是问题;究竟是天才由于精神病,还是精神病由于天才的过度活动呢?运动家往往患心脏病,我们不能拿这种事实来证明运动家就是患心脏病者,这种道理是很显然的。法国学者耶勒(Janet)曾经说过,精神病大半起于心力的疲乏,而天才则见于心力的饱满。精神病人大半缺乏综合力和意志力,而综合力和意志力恰为天才的要素。从此可知文艺作者的个性不能完全从精神病学的观点来研究了。

天才为精神病说既不圆满,然则天才所表现的特殊个性究应如何解释呢?本来“个性”这个东西,如果仔细分析起来,是很不易捉摸的。除了得于遗传与环境两者之外,个性还剩下什么呢?这个问题曾经引起许多学者的争辩。持“命定说”者(大半是唯物派学者)以为每个人的生命都是遗传与环境“命定”或支配的,除了遗传和环境两种影响的总和以外,便别无所谓个性,所以人全是被造成的,贤者不必自矜,愚者也不必自咎。持“自由说”者(大半是唯心派学者)则谓人有自由意志,自由意志可以战胜遗传与环境,人对于自己的行为以及自己的造就,须担负责任,不能把它们委诸盲目的造化。这两说牵涉到哲学,非本文所能详论。我们承认遗传与环境的影响非常重要,但是同时也相信在固定的遗传和环境之下,个人也还有努力的余地。“时势造英雄,英雄亦造时势。”遗传与环境对于人只能算是一种机会或是一笔本钱,至于人能否利用这种机会,能否拿这笔本钱做出生意来,则所谓“神而明之,存乎其人”了。

天才所得于遗传与环境者也是如此。天才大半享有较优厚的遗传和环境的影响，这是不可否认的事实；但是这句话不一定可以倒过来说：较优厚的遗传和环境的影响一定能够酝酿出天才。遗传和环境相同而成就大小往往悬殊甚远，这就全靠个人的努力与不努力了。在我们看，这种个人的努力就是遗传与环境以外组成个性的一个要素。人一半是外力造成的，一半也是自己造成的。

一般人对于天才往往有很大的误解。他们以为有天才固然用不着人力，没有天才也用不着人力；因为有天才的人力是赘疣，无天才的人力是虚费。这好像说，吴道子生下来就会作画，许多生来本不会作画而努力学作画的人都是劳而无补。这种见解的错误，任何大艺术家的行迹都可以拿来证明。牛顿在科学界总算得一个天才，他常常说："天才只是长久的耐苦。"法国生物学家布丰也说过类似的话。文学界大家所公认为近代最大的天才作家莫过于莎士比亚和歌德。人人都知道歌德是一个博学者。至于莎士比亚也不是像一般人所想象的那样毫无凭借。他在创造之前曾费过半生的精力去改作前人的剧本。在他的著作中我们可以找出许多凭据来，证明他的学识非常丰富，所以医生们都猜想他当过医生律师们都猜想他学过法律。中国诗人中最不像用过功夫的莫如陶渊明和李太白。陶渊明是在性情上做过修养功夫的，至于学问方面他也有"好读书"的自供。李太白集中极多拟古的作品，他极佩服谢玄晖，杜工部说他"往往似阴铿"。杜工部自道经验的话尤其值得玩味。他说："读书破万卷，下笔如有神。"要达到"下笔如有神"的境界，大半都要先下"读书破万卷"的功夫。

二

天才都要有人力来完成，在文艺方面尤其是如此。概括地说，文艺所不能不借助于人力者有三大端。

(一)蓄积关于媒介的知识。各种艺术都有它的特殊的学问,其中最基本的是关于媒介的知识。媒介就是表现和传达的工具。例如图画的媒介是形色,音乐的媒介是声音,文学的媒介是语言文字。媒介和艺术的关系非常密切,一种媒介往往只适宜于一种风格,媒介与风格不相称时则难引起美感。比如同是一座塔,用象牙去雕和用花岗石去雕,尽管模样相同,而风格却不能一致。用象牙雕的宜于精致,用花岗石雕的宜于雄伟。同是一种人情,用诗写和用词写所生的印象不同;同是用诗写,用古体和用律体所生的印象不同;同是用古体写,用五言和用七言所生的印象又不同。艺术上风格的变迁,媒介往往是一个主因。比如说画,欧洲画风最鲜明的分水线是在十五世纪。在十五世纪以前,油画法未流行,画家大半用壁画法(fresco)。壁画法须先在壁上敷一层湿垩,趁其将干未干时涂上颜色,画成之后再在面上敷一层油漆,以防风雨的剥蚀。预备了一壁湿垩,即须随时画成,不能迁延时日。所以壁画法下笔须快,涂色之后即不易修改。下笔既要快而又不易修改,所以意大利"原始派"画家大半都从大处落墨,从线条稳重、颜色鲜明、姿态雄杰上见功夫。到十五世纪以后,油画逐渐盛行,远近阴影的研究逐渐精确,于是画家渐弃粗枝大叶的涂抹,而着意于精细微妙的渲染。从前画家只留下固定的轮廓,此后画家却要捉住飘忽去来的阴影和色调;从前画家在意境上下功夫,此后画家则日趋于写实主义。有人说这是欧洲艺术的进步,有人说这是欧洲艺术的退步,无论如何,这种变迁是很能证明媒介对于风格的影响。

入手学一门艺术,就必先认识它的特殊媒介。认识媒介并非一件易事。再比如说图画,媒介的认识要包括透视学、解剖学、颜料制造法和配合法种种专门知识在内。有时很大的艺术家因为对于媒介没有十分研究清楚，遂至于误事。雷奥纳多·达·芬奇便是一个好例。他的《最后的晚餐》本来是文艺复兴后的一大杰作，但是因为它是用一种不耐潮湿的油画颜料，涂在一个易受潮湿的墙壁上，不过多时就销蚀去了。雷奥纳多时代是壁画法和油画法代替的时期，他想用油画法于壁画，而对于油画的性质并没有彻底认识，以致像《最后的晚餐》那样大的杰作不能以真面目传于后世（现在所传的都是临摹本或修改本），总算是美中不足了。

各门艺术都有如此等类的关于媒介的专门知识，最显著的是文学方面。文学的媒介是语言文字。要明白一国的语言文字，第一要知道它的音（音韵学），第二要知道它的义（训诂学），第三要知道它的音的组合原则（音律学），第四要知道它的意的组合原则（文法学），第五要知道它的音和义的组合对于读者或听者所生的影响（修辞学及美学）。这些都是专门学问。在中国和欧洲几个先进国中，这些学问都各已有几千年的历史。这几千年中学者对于它们已经费过许多心血，积蓄了许多有价值的经验。这些经验不是任何天才可以赤手空拳，毫无凭借，在毕生之内所能积蓄起来的。所以文学家不能不走捷径，先将前人关于语言文字研究所得的结果加以一番研究，用不着自己去在平地造山岳。只是这一层就已经够费心血了。

文学不是可以不学而能的。一般过信天才者往往说：文学是情感的自然流露，比如《国风》及一般民歌的作者何尝研究声音、训诂等等学问？但是它们终不失其为天地间至文。这种话本来极有道理，但是如果以古人之已然，责后人之必然，则实在是一大错误。从历史看，文艺都是由不自觉转到自觉，由“自然流露”转到“有意刻画”。各民族文学进化史中都有民歌时期，也都有仿民歌时期。在民歌时期（如中国国风乐府时期）中，作者是全民众，一人倡之，无数人和之，众口流传，互相增改，他们无意于为文而自中法度。在仿民歌时期（如中国晋唐时期），作者变为特殊阶级的分子，他们在自然流露的作品中见出法度来，便沿用这种法度自作新诗。这种变迁在语言自身就可以见出。语言在原始时期虽没有文法学而却有文法。原始人民虽不必学文法而后说话，但是自从后人注意到这种文法把它归纳为条例之后，学语言者便不能不注意它。法度原来是自然习惯造成的，在开端者本出于自然，在后起者却不能不学习。语言如此，艺术也是如此。“艺术”一词在西文中原含有“人为”的意义。社会愈进化，艺术的人为的成分也就愈多；人为的成分愈多，人力的需要也就愈大，这是自然的倾向。

（二）模仿传达的技巧。我们在第十一章已说过，创造之中都寓有欣赏，但是创造却不仅是欣赏。欣赏和创造都要直觉到一种形象；欣赏只要直觉到形象就可以止步，创造却须再进一步，把这个形象外射成为具体的作品，传达给旁人看。克罗齐以为见到一种意象就已经是“表现”，显然没有顾到创造所以超过欣赏的地方。见到一种意境是一回事，把这种意境传达出来却又另是一件事。苏东坡论画竹，常谓须先有成竹在胸，然后铺纸拈毫，一挥而就。一般人都可以有“成竹在胸”，但是只有画家才能把在胸的成竹画在纸上。“成竹在胸”是直觉，是欣赏，是创造的初步。画在纸上才是创造的完成。画出之后，在我胸中的成竹才不仅我能见到，旁人也可以因我的画而见到。如果“成竹在胸”已是“表现”，则画出成竹便是“传达”。

我心里想到一棵竹，枝叶茎干，件件都了然于心，何以我不能把它画出来呢？因为我不能动手，所谓“不能动手”就是不能任竹的意象支配筋肉的活动，使笔顺着适当的筋肉活动，恰画出胸中成竹来。穷到究竟，艺术的创造都不过让所欣赏的意象支配筋肉的活动，使筋肉所发动作，恰能把意象画在纸上、谱在乐调里或是刻在石上。这种筋肉活动像走路泅水一样，都从习惯得来，不是天生的。习惯的养成都需要人力。我想到一棵竹虽然不能画一棵竹，但是想到一个“竹”字却能信手写一个“竹”字。实在一棵竹和一个“竹”字在心中都不过是一种意象，“竹”字意象能支配我的手腕筋肉作写“竹”字的活动，而竹本身的意象却不能支配我的手腕作画竹的活动，就由于我练习过写字，没有练习过作画，我的手腕筋肉只有写“竹”字的习惯而没有画竹的习惯。我如果勉强提笔画一棵竹，我所画出来的和我原来所想象的全不符合。我本来想画一条直线，而所画出来的却是一条七弯八扭的曲线；我本来想在线上表现一种骨力，而所画出来的却是一堆毫无生气的墨迹。画家能做我所不能做的事，就因为他的筋肉已养成一种意到笔随的习惯，这种筋肉习惯就是画艺中的特殊技巧。

各种艺术都有它的特殊的筋肉技巧。例如写字、雕刻、图画、弹琴，都要有手腕上的技巧；唱歌、演戏、说话、吹箫，都要有喉舌上的技巧，跳舞要有全身筋肉的技巧（严格地说，每种艺术都要用全身筋肉，因为每部分筋肉都与全体筋肉系统相连贯）。要想学一门艺术，就要学习它的特殊的筋肉技巧。天才也逃不脱这一关。所谓“学习”不过包含两种活动，一种是尝试，一种是模仿。这两种活动是分不开的。我们只要看小儿学走，或是成人学游泳，就可以知道尝试也要根据模仿。艺术的成就本来在创造，而创造却须从模仿入手。生命是连续的，创造并不是从无中生有，只是旧经验的新综合。所谓“旧经验”涵义甚广，上文所说的关于媒介的知识是一种，现在所说的筋肉技巧也是一种。

创造都基于模仿，而模仿的目的大半是养成筋肉的技巧，我们可以举写字为例。小儿学写字，最初是描红，其次是写印本，再其次是临碑帖。这些方法的目的都在以旁人的书迹为模型，逐渐养成手腕筋肉的习惯。字有骨力，有姿态，骨力和姿态都是筋肉运动的结果。筋肉作某一种活动则得柳公权的劲拔，作另一种活动则得赵孟頫的秀媚。王羲之观鹅掌拨水，张旭观公孙大娘舞剑，也是模仿一种特殊的筋肉活动。学写字的最易得益的方法是站在书家身旁，看他如何提笔，如何运腕，如何贯注全身筋力。因为他的筋肉习惯已经养成了，我在实地观察他的筋肉如何动作，就可以讨一点诀窍来，免得自己去暗中摸索。推广一点说，一切艺术上的模仿都可作如是观。

再比如作诗文，似乎不用什么筋肉的技巧，其实也是一理。诗文都要有情感和思想。情感都见于筋肉和其他器官的变化，喜时和怒时的颜面筋肉和循环呼吸等等各不相同，这是心理学家所公认的事实。思想离不开语言，而语言则离不开喉舌的动作，想到“竹”字时，口舌间筋肉都不免有意或无意地作说出“竹”字的动作。这是行为派心理学的创说，现在也已得多数心理学家的赞同了。诗人和文人常欢喜说“思路”。所谓“思路”并无若何玄妙，也不过是筋肉活动所走的特殊方向而已。这种筋肉活动是否可以模仿呢？中国人论诗文的模仿，向来着重“气”字。苏子由说：“辙生好为文，思之至深，以为文者气之所形。然文不可以学而能，气可以养而致。”这“气”究竟是怎么一回事呢？我们最好择几段论“气”的文章来加以分析。

刘海峰《论文偶记》说：

凡行文多寡短长抑扬高下，无一定之律而有一定之妙，可以意会而不可以言传。学者求神气而得之于音节，求音节而得之于字句；则思过半矣。其要在读古人文字时，便设以此身代古人说话，一吞一吐，皆由彼而不由我。烂熟后我之神气即古人之神气，古人之音节都在我喉咙间。合我之喉咙者便是与古人神气音节相似处，久之自然铿锵发金石。

曾国藩在《家训》里也说：

凡作诗最宜讲究音调。须熟读古人佳篇，先之以高声朗诵，以昌其气；继之以密咏恬吟，以玩其味。二者并进，使古人之声调拂拂然若与我喉舌相习，则下笔时必有句调奔赴腕下，诗成自读之，亦自觉琅琅可诵，引出一种兴会来。

这都是经验之谈。从这两段话看，可知“气”与声调有关，而声调又与喉舌运动有关。韩昌黎说：“气盛则言之短长与声之高下皆宜。”声本于气，肝以想学古人之气，不得不求之于声。求之于声，即不能不朗诵古人作品。桐城派文人教人学文的方法大半从朗诵入手。姚姬传与陈硕士书说：“大抵学古文者必要放声疾读，又缓读，只久之自悟。若但能默看，即终身作外行也。”朗诵既久，则古人之声可以在我的喉舌筋肉上留下痕迹，“拂拂然若与我喉舌相习”,到我自己作诗文时,喉舌筋肉也自然顺着这个痕迹活动,所谓“必有句调奔赴腕下”。从此可知文人所谓“气”也还只是一种筋肉的技巧。

古今大艺术家在少年时所下的工夫大半都在模仿这种筋肉上的技巧。画家、雕刻家和音乐家都要把手腕练得娴熟,歌者、演戏者和演说者,都要先把喉舌练得娴熟,作诗文者都要先把气势声调练得娴熟。在练习时他们往往利用前人的经验,前人的经验要从他们的作品中揣摩出来。这种练习和揣摩正如小儿学走,打网球者学姿势,跳舞者学步法一样,并无若何玄妙,也并无若何荒唐。

(三)作品的锻炼。天才的完成须有人力,在作品的锻炼中尤易见出。文学家和艺术家所发表给旁人看的作品都是最后的改定本。在这种成熟的作品中我们往往只见到收获,而不能见到收获所经过的艰难困苦。成熟的作品大半是水到渠成,不露雕凿痕迹。所以一般人对于文艺的创造遂有种种误解。这个人说,文艺是情感的自然流露,不是人力所可强求的;那个人说,创造全凭想象,用不着理解和意志。他们援引“倚马万言”、“斗酒百篇”一类的故事来烘托天才的奇迹。文艺作者自己也往往有矜才好誉的癖性,明明是呕心血所得来的作品,他们却告诉人说是信手拈来、不假思索的。其实他们心里暗地知道世间并没有“倚马万言”、“斗酒百篇”那样容易的事。我们只要到伦敦博物院和巴黎国家图书馆去看看名著原稿的涂抹的痕迹,或是翻翻第一流作家自道经验的记载,就可以知道许多关于天才的传说都是无稽之谈了。

据里波及一般心理学家的研究,文艺的创造可分为两种,一种是反省的,一种是直觉的。凡是作品都必有一个中心观念,不过中心观念如何发生,则随人而异。反省类作者在下手时心中就悬有一个中心观念（或主旨），然后抱着这中心观念去四方八面地思索，逐渐发展，以至于作品的完成。直觉类作者则入手并无确定明了的观念，他先只作普遍的修养，让潜意识中酝酿一种观念，到时机成熟时便猛然爆发，他便趁这一股灵感，构成他的作品。我们一般人先定题目后做文章就是反省的创造，偶然兴到即作一诗一文，就是直觉的创造。两种创造程序可列为下表：

（甲）反省的创造
- 第一步：中心观念的生发（有意识的思索）
- 第二步：创造（作品的完成）
- 第三步：修改

（乙）直觉的创造
- 第一步：普遍的修养（潜意识的酝酿）
- 第二步：中心观念的涌现（灵感）
- 第三步：中心观念的发展及作品的完成

这两种创造在第二步中都是一线灵光的突现，第一步大半都经过长期的准备，第三步需时的长短则随人而异，所谓锻炼的功夫就在这第三步中见出。从表面看，直觉的创造需人力较少，但是它一定要有普遍的修养。而且里波的区分是抽象的，在实际上凡是创造都不能无直觉，也都不能无反省，所差别的不过是程度的深浅罢了。歌德在著《少年维特之烦恼》时偏用直觉，所以两星期就可以写成；在著《浮士德》时偏用反省，所以要费六十年的心血。他自述著《浮士德》的经验说："本来只可以从自然流露得来者，我须以意志力得之，此其所以为难。"（注：这种分别就是周作人先生所说的"赋得"与"偶成"的分别。"偶成"全凭一时兴会，往往是长期修养后的收获。"赋得"是有意为文，苦心刻画，许多大艺术家也往往走这条路，也不可一概轻视。据废名先生谈：他的散文小说都是惨淡经营的结果，他的诗则偶然兴到，一挥而就。这也是"反省"和

“直觉”两种作法的好例。）

本来“自然流露”一句话是很容易引起误解的。我们在第二章已经说过，文艺固然不能无情感，但是生糙的情感却无济于事，作者在表现情感于文艺时，不能同时仍在那种情感中过活，一定要从主位的经验者退到客位的观赏者，把自己的情感悬在心眼前当作一幅图画去看。一言以蔽之，直觉之后都须有反省。意象是生生不息的，直觉到一种意象并非难事，所难者在丢开许多平凡的意象而抉择一个最精妙的意象。最精妙的意象不一定是最初来到的。一般平凡作家大半苟且偷安，得到一个意象便欣然自足，不肯作进一层的思索。真正艺术家却要鞭辟入里，要投到深渊里去披泥探珠，所以他们所得到的意象精妙深刻，不落俗套。他们使用媒介来传达意象也是一样谨慎。每一种话都有几种说法，但是只有一种说法是精确的。一般人得其近似便已心满意足，艺术家却不惜苦心思索，寻得一个字稍嫌未安，便丢开再寻，再寻得一个字仍有未妥，则又丢开再寻，一直寻到最精确的字才肯放手。造句布局也是如此。这种功夫就是从前诗人所谓“锻炼”。依皮日休说，“百炼成字，千练成句”，锻炼之难可想而见了。

艺术风格有难有易。简易是艺术最后的成就，古今中外最大的艺术作品都是简单而深刻。但是要达到简易，必先从难处入手。入手便简易，最易流于肤浅俗滥。姜白石论诗说：“人所易言，我寡言之；人所难言，我易言之。”寡言人所易言者便是从难处入手，易言人所难言者便是归到简易。比如在诗的方面，陶渊明、苏东坡和袁子才的作品可以都说是简易，但是品格彼此各有悬殊。陶渊明专在性情上做根本功夫，他的诗正如姜白石所说“文以文而工，不以文而妙”，自是圣品；苏东坡是从难处做到平易，所以虽平易而不俗滥,袁子才入手就是平易,便流入下乘了。

从难处入手,便是从锻炼入手。锻炼有两个目的,一是避免不精确,二是避免平凡俗滥。它不容有丝毫苟且,所以是“艺术上的良心”的表现。这种功夫常须有绝大的意志和忍耐性才可以做到。李长吉的母亲常骂李长吉说:“是儿必呕出心乃已!”福楼拜在通信中常自道著《包法利夫人》的艰辛说:

> 我不知道今天何以生气,许是为了我的小说。这部书总是做不出,我觉得比移山还更困倦。有时我真想哭一场。著书须有超人的意志,而我却只是一个人。

> 我今天弄得头昏脑晕,灰心丧气。我作了四个钟头,却没有作出一句来。今天整天就没有写成一行,虽然是涂去了一百行。这种工作真难!艺术!艺术!你究竟是什么恶魔,要咀嚼我们的心血呢?为着什么呢?

文学家和艺术家的传记中类似的话举不胜举,只是这一两条就可证明作品的锻炼须费极大的精力而不是可以纯任天才了。锻炼的功夫大半见于修改。欧阳修每作一文,即糊在墙壁上,改而又改,到改定时常不存原文一字。朱晦庵尝见过他的《醉翁亭记》原稿,发端凡三四行,复悉涂去,而易以“环滁皆山也”五字。洪景卢《容斋续笔》里有一条说:

> 王荆公绝句“春风又绿江南岸”,原稿“绿”作“到”,圈去,注曰“不好”,改“过”字,复圈去,改为“入”,旋改

“满”,凡如是十许字,始定为“绿”。

像这样的修改是最值得研究的。西方图书馆及博物院中常存有许多名著的原稿,从中我们可以见出作者自己修改的真迹。只有莎士比亚有“向来不涂抹一行”的传说,不过他的原稿已散失,无从证明。拿他的著作集第一次刻本和后来的刻本比较看,修改的痕迹也很显然。其余作者没有不改而又改的。

严格地说,诗文都只有作者自己能修改,因为旁人所感到的兴会不同,所见到的意象不同,所想到的语言自亦不同,拿这个人的意思杂入那个人的作品里,总不免有不相贯注的毛病。杜工部有“文章千古事,得失寸心知”之句,欧阳修也说:“疵病不必待人指摘,多作自能见之。”文艺作家都必须同时是自己的严厉的批评者。不过批评他人易,批评自己难。作家大半有把自己看得太高的癖性,在创作时又往往兴高采烈,本来是极平常的一个作品,在作者自己看来,却是一个了不得的成就。所以作品成后请他人评改一番,往往最易得益。韩退之替贾岛定“僧推月下门”为“僧敲月下门”,郑谷改齐己《早梅》诗“前村风雪里,昨夜数枝开”中的“数”字为“一”字,李泰伯改范仲淹《严先生祠堂记》“云山苍苍,江水泱泱,先生之德,山高水长”中的“德”字为“风”字,都比原作胜百倍。

以上三端——媒介知识的储蓄,传达技巧的学习,以及作品的锻炼——是天才借助于人力者最重要的功夫。但是我们不要忘记,这三步功夫只是创造的基础。没有做到这三层功夫,和只做到这三层功夫就截止,都不足以言文艺的创造。艺术家一方面要有匠人的手腕,一方面又要有诗人的心灵,二者缺一,都不能达到尽善尽美的境界。

第十五章　刚性美与柔性美

一

凡美都是"抒情的表现"，都起于"形象的直觉"，并不在事物本身。所以就理论说，艺术是不可分类的。可分类的只是事物，而直觉是心理的活动，是最单纯而不可再区分的现象。克罗齐竭力反对历来学者把艺术分为抒情的、叙事的、表演的、造形的、悲剧的、喜剧的等等，就是因为这个道理。但就事实说，事物的形态不同，它们所引起的美感的反应也往往不一致。为方便起见，我们可把这些不一致的美感的反应加以分类，说某类作品是悲剧的，某类作品是喜剧的，某类作品是叙事的，某类作品是抒情的。本文所说的两种美也就是根据这种办法而分别出来的。

自然界事事物物都可以说是理式的象征，共相的殊相，像柏拉图所比拟的，都是背后堤上的行人射在面前墙壁上的幻影。科学家、哲学家和艺术家都想揭开自然之秘，在殊相中见出共相。但是他们出发点不同，目的不同，因而在同一殊相中所见得的共相也不一致。

比如走进一个园子里，你抬头看见一只老鹰站在一株苍劲的古松上，向你瞪着雄赳赳的眼，回头又看见池边旖旎的柳枝上有一只娇滴滴的黄莺,在那儿临风弄舌,这些不同的物体在你心中所引起的情感如何呢?依科学家看,“松”和“柳”同具“树”的共相,“鹰”和“莺”同具“鸟”的共相;然而在情感方面,老鹰却和古松同调,娇莺却和嫩柳同调。借用名学的术语在艺术上来说,鹰和松同具一种美的共相,莺和柳又同具另一种美的共相。它们所象征的性格不相同,所引起的情调也不相同。倘若莺飞上古松的枝上,或是鹰栖在嫩柳的枝上,你立刻就会发生不调和的感觉;虽然为变化出奇起见,这种不伦不类的配合有时也为艺术家所许可。

自然界本有两种美,老鹰古松是一种,娇莺嫩柳又是一种。倘若你细心体会,凡是配用“美”字形容的事物,不属于老鹰古松的一类,就属于娇莺嫩柳的一类;否则就是两类的混合。从前人有两句六言诗说:“骏马秋风冀北,杏花春雨江南。”这两句诗每句都只举出三个殊相,然而它们可以象征一切美。你遇到任何美的事物,都可以拿它们做标准来分类。比如说峻崖,悬瀑,狂风,暴雨,沉寂的夜或是无垠的沙漠,垓下哀歌的项羽或是横槊赋诗的曹操,你可以说这都是“骏马秋风冀北”式的美;比如说清风,皓月,暗香,疏影,青螺似的山光,媚眼似的湖水,葬花的林黛玉或是“侧帽饮水”的纳兰成德,你可以说这都是“杏花春雨江南”式的美。这两种美有时也可以混合调和。老鹰有栖嫩柳的时候,娇莺有栖古松的时候,犹如男子中之有杨六郎,女子中之有木兰和秦良玉,西子湖滨之有两高峰,西伯利亚荒原之有明媚的贝加尔。比如说菊花,在“天寒犹有傲霜枝”之中它有“骏马秋风冀北”式的美,在“帘卷西风,人比黄花瘦”之中它有“杏花春雨江南”式的美。李白在写《蜀道难》和《将进酒》时,陶渊明在写“纵浪大化中,不喜亦不惧”时,属于前一类;李在写《闺怨》、《长相思》和《清平调》时,陶在写《游斜川》和

《闲情赋》时属于后一类。

这两种美的共相是什么呢？定义正名向来是难事，但是形容词是容易找的。我说“骏马秋风冀北”时，你会想到“雄浑”、“劲健”；我说“杏花春雨江南”时，你会想到“秀丽”、“典雅”；前者是“气概”，后者是“神韵”；前者是刚性美，后者是柔性美。

二

刚性美是动的，柔性美是静的。动如醉，静如梦。尼采在《悲剧的起源》里说艺术有两种，一种是醉的产品，音乐和跳舞是最显著的例；一种是梦的产品，一切造形艺术如图画、雕刻等都是。他拿日神阿波罗和酒神狄俄尼索斯来象征这两种艺术。你看阿波罗的光辉那样热烈闪耀么？其实他的面孔比瞌睡汉的还更恬静，世界一切色相得他的光才呈现，所以都可说是从他脑里梦出来的。诗人、画家和雕刻家的任务也和阿波罗一样，全是在造色相，换句话说，全是在做梦。狄俄尼索斯的精神则完全相反，他要喷出心中积蓄得很深厚的苦闷，要图刹那间尽量的欢乐，在青葱茂密的葡萄丛里，看蝶在翩翩地飞，蜂在嗡嗡地舞，他也不由自主地没入生命的狂澜里，放着嗓子高歌，提着足尖狂舞。他虽然没有造出阿波罗所造的那些光怪陆离的图画，可是他的歌迸出内心的情感，他的舞和大自然的脉搏共起伏，也是发泄，也是表现，总而言之，也是人生一种不可少的艺术。在尼采看，这两种相反的美熔化于一炉，从深心迸出的苦闷借鲜明的意象而呈现，于是才有希腊的悲剧（详见第十七章）。

尼采所谓狄俄尼索斯的艺术是刚性的，阿波罗的艺术是柔性的。不过在同一艺术之中，作品也有刚柔之别。比如说音乐，贝多芬的第三交响曲和第五交响曲固然像狂风暴雨，极沉雄悲壮之致。而月光曲和第六交响曲则温柔委婉，如怨如诉，与其谓为“醉”，不如谓为“梦”了。

三

艺术是自然和人生的返照。创作家往往因性格的偏向而作品也因而畸刚或畸柔。米开朗基罗在性格上和艺术上都是刚性美的极端的代表。你看他的《摩西》！有比他的目光更烈的火焰么？有比他的须髯更硬的钢丝么？你看他的《大卫》！他那副脑里怕藏着比亚力山大的更惊心动魄的雄图罢？他那只庞大的右臂迟一会儿怕要拔起喜马拉雅峰去撞碎哪一个星球罢？亚当是上帝首创的人，可是要结识世界第一个理想的伟男子，你须得到罗马西斯廷教堂的顶壁上去物色。这一幅大气磅礴的《创世记》中没有一个面孔不露着超人的意志，没有一条筋肉不鼓出海格立斯的气力。但是柔性美在这里是很难寻出的。除德尔斐仙（Delphic Sibyl）以外，简直没有一个人像女子。这里的夏娃和圣母都是英气逼人的。

雷奥纳多·达·芬奇恰好替米开朗基罗做一个反称。假如《亚当》和《大卫》是男性美的象征，女性美的象征从《米罗爱神》以后，就不得不推《蒙娜丽莎》了。那庄重中寓着妩媚的眼，那轻盈而神秘的笑，那丰润灵活的手，艺术家已经摸索追求了不知几许年代，到达·芬奇才带着血肉表现出来，这是多么大的一个成功！达·芬奇的天才是多方面的。他的世界中固然也有些魁梧奇伟的男子（例如《自画像》），可是他的特长则在能摄取女性中最令人留恋的表现出来。藏在日内瓦的那幅《授洗者圣约翰》活像女子化身,固不用说,连藏在卢浮宫的那幅《酒神》也只是一位带醉的“蒙娜丽莎”。再看《最后的晚餐》中的耶稣,他披着发,低着眉,在慈祥的面孔中现出悲哀和恻隐,而同时又毫没有失望的神采,除着抚慰病儿的慈母以外,你在哪里能寻出他的“模特儿”呢?

四

中国古代哲人观察宇宙,似乎都从艺术家的观点出发,所以他们在万殊中所见得的共相为“阴”与“阳”。《易经》和后来纬学家把万事万物都归原到两仪四象,其所用标准,就是我们把老鹰配古松、娇莺配嫩柳所用的标准。这种观念在一般人脑里印得很深,所以历来艺术家对于刚柔两种美分得很严。在诗的方面有李杜与韦孟之别,在词的方面有苏辛与温李之别,在书法方面有颜柳与褚赵之别,在画的方面有北派与南派之别,在拳术有太极与少林之别。清朝阳湖派和桐城派对于文章的争执也就起于刚柔的嗜好不同。姚姬传的《复鲁絜非书》是讨论文章上刚柔之别的,他说:

> 自诸子而降,其为文无有弗偏者。其得于阳与刚之美者,则其文如霆,如电,如长风之出谷,如崇山峻崖,如决大川,如奔骐骥;其光也如杲日,如火,如金镠铁;其于人也如凭高视远,如君而朝万众,如鼓万勇士而战之。其得于阴与柔之美者,则其为文如升初日,如清风,如云,如霞,如烟,如幽林曲涧,如沦,如漾,如珠玉之辉,如鸿鹄之鸣而入寥廓;其于人也漻乎其如叹,邈乎其如有思,暖乎

其如喜，愀乎其如悲。观其文，讽其音，则为文者之性情形状，举以殊焉。

姚姬传所拿来形容阳刚之美的，如雷电、长风、崇山、峻崖、大川等等，在西方文艺批评中素称为sublime；他所拿来形容阴柔之美的如云霞、清风、幽林、曲涧等等，在西方文艺中素称为grace。grace可译为“清秀”或“幽美”。sublime是最上品的刚性美，它在中文中没有恰当的译名，“雄浑”、“劲健”、“伟大”、“崇高”、“庄严”诸词都只能得其片面的意义，本文姑且称之为“雄伟”（理由见下文）。西方学者常讨论“雄伟”和“秀美”的分别，对于“雄伟”的研究尤其努力。

五

sublime一词起源于希腊修辞学者郎吉弩斯（Longinus）。他曾著一书《论雄伟体》。不过他专指诗文的高华的风格，后人言“雄伟”则意义较为广泛。近代关于“雄伟”的学说大半发源于康德。康德早年曾作一文《论秀美与雄伟的感觉》，以为“秀美”使人欣喜，“雄伟”使人感动；对“秀美”者多欢笑，对“雄伟”者多严肃。花坞、日景、女子、拉丁民族都以“秀美”胜，高山、暴风雨、夜景、男子、条顿民族都以“雄伟”胜。在这篇论文里康德只列举事实，到后来写《审美判断的批评》时他才讨论学理。在这部书里他仍然把“雄伟”和“秀美”对举，关于“雄伟”的文字占了全书二分之一。他以为“雄伟”的特征为“绝对大”。一切东西和它相比都显得渺小的就是“雄伟”。“雄伟”有两种，一种是“数量的”，其大在体积，例如高山；一种是“精力的”，其大在精神气魄，在不受外物的阻挠，在能胜过一切障碍，例如狂风暴雨[我们的译名中“伟”字可以括尽康德的“数量的”(sublime)的意义，“雄”字可以括尽“精力的”(sublime)的意义]。我们对着“雄伟”事物时，心里都觉到一种“霎时的抗拒”，仿佛自己不能抵挡这么浩大的力量。这是“雄伟”所以异于“秀美”的，“秀美”所生的情感始终是愉快，“雄伟”所生的情感却微含几分不愉快的成分。但是这种“霎时的抗拒”究竟是霎时的，它唤起内心的自觉，使我们隐约想到外物的力量和体积尽管巨大无比，却不能压服我们的内心的自由；因此，外物的“雄伟”适足激起自己焕发振作。

六

康德之说如此，后来有许多学者把它加以阐明修改，其中以英人布拉德雷在《牛津诗歌演讲集》所提出来的最为明晰精当，我们现在把它撮要介绍在这里。上文关于康德的话稍嫌粗略，布拉德雷的学说可以当作一个注脚用。

何种事物才能使人觉得“雄伟”呢？诗人柯尔律治有一次观瀑布，想找一个最合式的字样来形容它，推敲了许久，觉得只有“雄伟”两个字最恰当，他听到后来的一位游客惊赞道：“这真是雄伟！”心里非常高兴。但是他的同游的一位太太接着说道：“真的，在我生平所见过的东西之中这是最乖巧(pretty)的了。”“乖巧”用在这里，何以使我们觉得太煞风景呢？因为只有很小的东西才可以说“乖巧”，而“雄伟”恰是与“乖巧”相反的，“雄伟”的东西大半具有巨大的体积。比如嶙峋峻峭的悬崖，一望无边的大海，包罗万宿的天空，耸入云霄的高塔，才能产生“雄伟”的印象；在动物中只有狂啸生风的虎，回旋天空的鹰和逍遥大海的长鲸；在植物中只有十寻苍松和千年翠柏，才能用上这个形容词。一只猫或是一只金丝雀，一棵柳或是一朵海棠只能说“秀美”；如果说它“雄伟”，就未免像上例那位太太说瀑布“乖巧”了。

没有巨大体积的东西是否绝对不能为“雄伟”呢？“雄伟”不唯在体积方面可以见出，在精神方面也可以见出，有时体积愈弱小，愈足衬出精神魄力的伟大。屠格涅夫在散文诗中所写的麻雀是一个最好的例：

我正打猎归来，沿着园中的大路向前走，我的狗在前面跑。

猛然间它的脚步慢了起来，屏声息气地偷偷地向前走，好像它嗅到前面有猎物似的。我沿路探望，看见地上躺着一只还未出窠的小麻雀，喙上有一条黄色的边缘，顶上的毛还是很嫩的，它是从窠里落下来的，那时正在刮大风，把路旁的树吹得发抖。它躺在地上不动，只是鼓着两只羽毛未丰的翅膀作半飞的姿势，却没法飞得起。

我的狗慢慢地向它走去，突然间好像弹丸似的从树上落下来一只黑颈项的老麻雀，紧紧地落在狗的口边，浑身都蓬乱得不成个样子，它还是一边哀鸣，一边向狗的张着的大口和大齿飞撞了一回又一回。

它要援救它的雏鸟，所以把自己的身子来搪塞灾祸。它的渺小的身躯在惊怖震颤，微细的喉咙渐叫渐哑；它终于倒毙了。它牺牲了它的性命。

在它的心眼中狗是多么巨大的一个怪物！但是它却不能留在安全的枝上，一种比它的更强的力量把它拖下来了。

我的狗站着不动，后来垂尾丧气地踱回来。它显然也认识到这种力量。我唤它来到身边；我向前走过时，一阵虔敬的心情涌上我的心头。

是的，请莫要笑，我在看到那只义勇的小鸟和它的热爱的迸发时，心里所感觉到的确实是虔敬。

爱比死，我当时默想到，比死所带的恐怖还更强有力。因为有爱，只因为有爱，生命才能支持住，才能进行。

屠格涅夫所描写的这只麻雀可以说是 sublime 了。使它“雄伟”的究竟是什么东西呢？这自然不是它的体积而是它的爱和勇。爱和勇虽能使人敬重，却不常使人觉得“雄伟”，何以在这里特别使人觉得“雄伟”呢？这就与麻雀的体积有关。假使从犬口中营救雏鸟的是一只巨鹰，它的爱和勇就不免难够上“雄伟”的程度了。以麻雀那样微小脆弱的鸟，而能显出那样伟大的爱和勇，它的精神和它的体积相比较，更显出它的伟大，所以它使人产生“雄伟”的印象。

照这样看，“雄伟”之所以为“雄伟”，不仅在体积而尤在精神。高山大河的“雄伟”在体积，屠格涅夫的麻雀的“雄伟”在精神，前者是康德所说的“数量的雄伟”，后者是康德所说的“精力的雄伟”。康德讨论“雄伟”，举例大半取自然界事物，后人颇疑其主张自然之外无“雄伟”，以为他没有注意到道德和艺术的“雄伟”，其实这大半可以包在“精力的雄伟”里面。康德在《实践理性批判》里本来说过："世间有两件东西，你愈默想它们，愈体验它们，它们愈使你惊羡敬仰：一个是在我们上面的繁星灿然的天空，一个是在我们心里面的道德律。"这就是显然承认后人所谓"道德的雄伟"了。有时一件事物可以同时见出上面所说的两种"雄伟"。《创世记》开章的"上帝说要有光，世上就有了光"这句话就是好例。从黑暗混沌之中猛然现出光来，而这个光又是普照全世界的，这是"数量的雄伟"。这么一件大事单靠上帝说一句话就做成了，这是何等气魄！这是"精力的雄伟"。

康德所下的"雄伟"的定义是"绝对大"，从有限中见出无限才是"雄伟"。后人多附和此说，于是"不可测量"成为"雄伟"的一个特质。法人巴希（V. Basch）在《康德美学论》里辩驳此说。布拉德雷也颇不以为然。"时间"和"空间"两个观念可以说是"不可测量的"，"有限"的东西都不能说是"不可测量"。比如一座高山或是一只巨鹰可以给人以"雄伟"的印象，却不是"不可测量"的，据布拉德雷的意见，"雄伟"所具的"大"与其说是"不可测量的"（immeasurable），毋宁说是"未经测量的"（unmeasured）。我们在觉得一件事物"雄伟"时，心中只是惊赞其伟大，并不曾有意要测量它究竟伟大到何种程度，并不曾拿它和一个标准来比较，而明确地断定它比任何物都较大，像康德所说的。我们只觉得它极伟大，非常伟大。这所谓"极"和"非常"常仅为美感经验中霎时的幻觉。这种幻觉是感觉"雄伟"所必有的，没有这种幻觉就不能发生"雄伟"的印象。比如在惊赞泰山"雄伟"时，猛然想到峨眉山还更比它高大，在惊赞一只老鹰"雄伟"时，猛然想到一只比它小的鹞子就可以打杀它，"雄伟"的印象便无形消失了。所以"不加比较""未经测量"是感觉"雄伟"的一个必要的条件。本来在一切美感经验中，"意象"

都要“绝缘”，都要“孤立”，不仅“雄伟”的意象是如此。

七

在觉到一件事物“雄伟”时，我们的心里起何种变化呢？我们说娇莺嫩柳秀美，说老鹰古松雄伟，就主观方面说，我们自己的心境有什么不同呢？感觉“秀美”时心境是单纯的，始终一致的。感觉“雄伟”时心境是复杂的，有变化的。秀美的事物立刻叫我们觉得愉快，它的形态恰合我们感官脾胃，它好比一位亲热的朋友，每逢见面，他就眉开眼笑地赶上来，我们也就眉开眼笑地迎上去，彼此毫不迟疑地、毫无畏忌地握手道情款。我们对于秀美事物的情感始终是欢喜的，肯定的，积极的，其中不经丝毫波折。雄伟事物则不然。它仿佛挟巨大的力量倾山倒海地来临，我们常于有意无意之中觉得自己渺小，觉得它不可了解，不可抵挡，不敢贸然尽量地接收它，于是对它不免带着几分退让回避的态度。但是这种否定的消极的态度只是一瞬间的。我们还没有明白察觉到自己的迟疑时，就已经发现它可景仰，可敬佩。我们对它那样浩大的气魄，因为没经常见过，只是望着发呆。在发呆之中，我们不觉忘却自我，聚精会神地审视它，接受它，吸收它，模仿它，于是猛然间自己也振作奋发起来，腰杆比平常伸得直些，头比平常昂得高些，精神也比平常更严肃，更激昂。受移情作用的影响，我们不知不觉地泯化我和物的界限，物的“雄伟”印入我的心中便变成我的“雄伟”了。在这时候，我也不觉得还是在欣赏物的“雄伟”，还是在自矜我的“雄伟”，这种紧张激昂而却严肃的情感是极愉快的。总之，在对着“雄伟”事物时，我们第一步是惊，第二步是喜；第一步因物的伟大而有意无意地见出自己的渺小；第二步因物的伟大而有意无意的幻觉到自己的伟大。第一步心情就是康德所说的“霎时的抗拒”，它带着几分痛感，第二步心情本已欣喜，加以得着霎时痛感的搏击反映，于是更显得浓厚。这个道理我们在看高山大海时都可以体验得到。山的巍峨，海的浩荡，在第一眼看时，都要给我们若干震惊。但是不需臾间，我们的心灵便完全为山海的印象占领住，于是仿佛自己也有一种巍峨浩荡的气概了。

第二种心情是一切美感经验所同具的，第一种心情是感到“雄伟”时所特有的。始终不带几分震惊，不带几分自己渺小的意识，便不能感到“雄伟”。英人博克(Burke)所以说“雄伟”之中都含有“可恐怖的”(terrible)一个成分。但是“恐怖”的字样用在这里未免稍嫌过火。“恐怖”所引起的反应态度通常是逃避，“雄伟”对于观者的心魂却有极大的摄引力。“恐怖”是一种实际人生的情感，而“雄伟”的感觉像一切其他美感经验一样，却离开实用的索绊而聚精会神地陶醉于目前意象。“雄伟”的感觉之中含有类似“恐怖”的成分而却未至于“恐怖”。我们只能说“雄伟”大半是突如其来的，含有几分不可了解性的。心灵骤然和它接触，在仓皇之中，不免穷于应付。但是这只是霎时的，不是明白地现于意识的。这种突然性就是“霎时的抗拒”的主因。失去“突然性”则本来“雄伟”的事物往往失其为“雄伟”。同是一座高山，第一次望见时觉得它“雄伟”，以后愈熟识就不免愈觉其平常。杜甫在“造化钟神秀，阴阳割昏晓”中，所见到的是山的“雄伟”，李白在“相看两不厌，唯有敬亭山”中，苏东坡在“青山有约常当户”中，却只是见到山的和蔼可亲了。同是一件事物也可以常常使人觉到“雄伟”，这是由于观者别具慧眼，常常发现它的新奇，并不足证明“雄伟”的感觉不必带有“突然性”。

所谓“突然性”是出乎意料之外的，是寻常知觉不能完全抓得住的。知觉不能完全抓得住它，便不免嫌它不合常轨，嫌它还有缺陷。“雄伟”的东西往往使人觉得它有些鲁莽粗糙，就是因为这个道理。米开朗基罗的作品中往往留有一片不加雕琢的顽石，这种粗枝大叶的做法最易产生“雄伟”的印象，也最易使人嫌它不“完美”，不“精致”。所以康德派美学往往拿“雄伟”和“美”对举，不把“雄伟”当作一种美。黑格尔则以为形式不称精神，精神不就范于形式而泛滥横流，才有“雄伟”。其实美有难易，“雄伟”是美之难者，因为它不像平易的美只容纳一些性质相同的单调的成分。它不唯容纳美，还要驯服丑，它要把美的和丑的同纳在一个炉子里面去锤炼。

八

和“雄伟”相对的为“秀美”，历来学者多偏重“雄伟”，很少把“秀美”单提出来讨论的，因为“秀美”的问题没有“雄伟”的问题那么复杂。把它单提出来讨论的有斯宾塞(H. Spencer)。在他看，“秀美”的印象起源于筋肉运动时筋力的节省。运动愈显出轻巧不费力的样子，愈使人觉得“秀美”。动物中最“秀美的”如羚羊、猎犬和赛跑的马等等，运动器官都特别发达；最不“秀美”的如龟、象、海马等等，运动器官都特别迟钝。从此可知“秀美”和运动有关了。斯宾塞自述发现秀美和运动的关系之经过说：

有天晚上我去看一个舞女奏技，她的动作大半很牵强过分，我暗地骂她鄙陋，如果观众不是一般以随人拍掌叫好为时髦的懦者，她那种技艺是一定受人嗤鄙的。但她偶然也现出一点秀美的动作，都是比较不大费力做出来的，我注意到这点，同时想起许多互证的事实，因而下了这样一个结论：在要换一个姿势或是要做一个动作时，费的力量愈少，就愈现得秀美。换句话说，动作以节省精力者为秀美，动物形状以便于得到筋力节省者为秀美，姿态以无须费力维持者为秀美，至于非生物的秀美则因其和这种形态有类似的地方。

这个道理很容易拿例证来说明，兵士在稍息时比在立正时秀美，因为在立正时他现出有意做作的样子，而稍息时则手足放在自然的位置，无须费力。我们取站的姿势时常把体重放在一只腿上，这只腿总是竖得笔直的，其余一只腿则很安闲地弯着，这是由于节省筋力的缘故；头稍偏向某一方，也是因为这个道理。雕刻家常模仿这种姿势，就因为它特别秀美。初学滑冰或骑脚踏车的东歪西倒，胖汉跑路时肢体不灵活，跛子走路时两足上下参差，口吃者说话时用尽气力说不出一个字来，乡下人在绅士面前讲礼，处处都露出尴尬的样子，这都是最不秀美的举动。我们何以觉得它们最不秀美呢？就因为旁人看得出卖气力的痕迹。会做一件事的人（无论是跳舞、说话、走路或是行礼）往往驾轻就熟，行若无事，旁人看不见他费力，所以觉得他“秀美”。

拿筋力节省的原则来解释非生物的“秀美”似比较难些，其实也并不难。非生物的形态和生物往往有许多类似点。因有类似点，我们往往把非生物当作生物看待，以为它也有知觉和情感。原始式的知觉都不免带有“拟人作用”。看见一棵树或是一座山，我们常常把它看作一个人，以人的经验来了解物的姿态。因此“秀美”虽本来是能运动的生物所表现的一种特质，就被人引申用来形容非生物了。比如橡树看来不如柳树“秀美”，是什么缘故呢？橡树的枝是平直伸出的，和树干几成垂直线，我们看到它时，便隐约想到维持平直的姿势，好比人平举两手一样，是多么费力的事，所以我们说它不“秀美”。反之，柳树枝条是向下垂着的，我们看到它时，便隐约想到它像人的胳膊在安闲无事时的姿势，用不着费大力，所以我们觉得它“秀美”。再比如波纹似的曲线是一般人所公认为最美的线，依斯宾塞说，它所以最美者就由于曲线运动是最省力的运动。直线运动在将转弯时须抛弃原有的动力（momentum）而另起一种新动力，转弯愈多，费力愈大。曲线运动则可以利用转弯以前的动力，所以用力较少。我们觉得曲线运动最秀美，因为它最省力；我们觉得一切曲线都美，因为由它联想到曲线运动。

斯宾塞以为这种现象起于同情作用。他说：“赖有同情作用，我们看旁人临险，自己也战栗起来；看见旁人挣扎或跌落时，自己的肢体也动作起来；我们并且仿佛分享他们所经验到的筋肉感觉。他们的动作如果鲁莽笨拙，我们也微微觉到自己发笨拙动作时所应有的不快感；他们的动作如果轻巧娴熟，我们也尝到轻巧动作所应有的快感。”照这段话看，斯宾塞的“同情作用”（sympathy）就是我们在第三章所讨论的“移情作用”（empathy）了。那时候学者本来还没有采用“移情作用”这个名词。近来兰格斐尔德在他的《美感的态度》一书中采用斯宾塞的学说，就把“秀美”当作移情作用的一个实例，我们在上文讨论“雄伟”时已经说过感觉“雄伟”时常起移情作用，现在我们知道感觉“秀美”时也是如此，可见得移情作用在美感经验中是一个最广泛的现象,而“雄伟”和“秀美”的感觉在根本上也并无二致了。

九

斯宾塞的筋力节省说虽含有一部分真理,但是并不能尽“秀美”的意蕴。我们看到“秀美”事物时所感觉到的与其说是筋力的节省,不如说是欢爱的表现。“秀美”事物仿佛向我们微笑,这种微笑是表现它自己的欢喜,也是表示它对于我们的亲爱。“秀美”是女子所特有的优点,大半含有几分女性的引诱。德国哲学家谢林(Schelling)说过:“艺术和自然一样,意境全在秀美。它不但与事物以形象,使它们各具个性,还要进一步作画龙点睛的功夫,使它们显出‘秀美’。‘秀美’事物可爱,就因为艺术先使它们现出向人表示爱情的样子。”爱和欢喜是相连的。“秀美”事物表示爱,所以都带几分喜气。英国文艺批评学者罗斯金说过:“你如果想一位姑娘显得秀美,须先使她快活。”

“秀美”表现欢爱的道理,法国美学家顾约在他的《现代美学问题》里说得最透辟:

> “秀美”不是像斯宾塞所说的,只是力量的节省;最要紧的是它表现一种意志。在生物中“秀美”的动作总是伴着两种相邻的情感,一是欢喜,一是亲爱。欢喜是由于觉到生活美满,和环境恰相谐和;既与环境谐和,就已有同情的倾向。“秀美”表现两种心境:一种是自己的满意,一种是要旁人也满意。“秀美”都伴着筋肉的松懈,动物只

有在安息时，在生活圆满平静时筋肉才会松懈，到了悲哀愤怒和斗争的时候，肢体立刻僵硬起来了。比如有一条狗在玩耍，你在树林里做一点声响，便可以看见它立刻变换姿势，把颈子伸直，耳尾和躯干也立刻耸竖起不动。反之，亲爱往往表现于波纹似的轻巧的动作，全无鲁莽暴躁或棱角的痕迹。这种动作是同情的流露，所以能引起观者的同情。此外如微微弯曲的体姿，尤其是颈项稍向下低着，胳膊随意垂着的时候，除同情之外，还表现一种凄恻忧愁的神情，似乎求人怜惜的样子；观者看到这种姿态就不免起怜惜的心情。垂柳惹人怜惜，就因为这个道理。最后，"秀美"都带有自舍（abandon）的样子，人不是在爱的时候不会完全自舍，所以我们赞同谢林的秀美表现爱情说；因其表现爱情，所以"秀美"最易动人；它向人表示爱，所以人也爱它。年轻的姑娘在没有尝爱的滋味时，就还没有比'美'（beauté）更美的绝顶的"秀美"（grâce）。她像小孩子一样，可以具有欢喜时的"秀美"，却还没有柔情所流露的"秀美"。

总观上述各节，关于"秀美"的学说有两种，一派人说它是由于筋力的节省，一派人说它由于欢爱的表现，这两说是否互相冲突呢？法国哲学家柏格森也曾经注意这个问题。他兼采这两个学说。我们看见省力的运动，自己也仿佛觉到它所伴着的筋肉感觉，这是"物理的同情"（sympathie physique）。这种"物理的同情"随即引起"精神的同情"（sympathie morale）。我们不但觉得秀美的事物表现轻巧的运动，并且还觉得它是向我们运动，来亲近我们，我们所以觉得它和蔼可亲。柏格森不否认秀美中有“物理的同情”，但是以为“精神的同情”为它的最要紧的元素。我们觉得柏格森的说法比较圆满。“秀美”本来是女性的。我们描写女性美时通常用“幽闲”、“轻盈”、“温柔”、“娇弱”等等字样，这些特征可以说是“不露费力痕迹的”（斯宾塞说），也可以说是“引起同情的”（顾约说）。因为它现出不费气力的样子，所以我们觉得它弱，觉得它不抗拒我们而亲近我们，因此向它表示怜爱，这就是柏格森所谓“物理的同情引起精神的同情”。

第十六章　悲剧的喜感

一

莎士比亚曾经说过，世界只是一座舞台，生命只是一个可怜的演员。从另一意义说，这种比拟是不甚精确的。若是坠楼的是你自己的绿珠，无辜受祸的是你自己的苔丝狄蒙娜，你要哭泣，你要心寒胆裂。但是在看表演他们的悲剧时，你纵然也偶尔洒一洒同情之泪，你的眉宇却很飞舞，你的心腔却很伸张。欧里庇得斯和莎士比亚诸大悲剧家都把生的苦恼和死的幻灭通过放大镜，而后再用极浓的色彩把它们描绘出来。我们站在他们所描写的图画之前，虽然更觉悟到“生命只是一段蠢人演述的故事，满口的叫嚣和愤慨，没有一点儿意义”，可是并不因此而悲观绝望。血和泪往往能给我们比欢笑更甜美的滋味。这种悲剧的喜感自何而来呢？

这个问题的历史同美学思想史一样久远，许多诗人、哲学家和科学家都在这上面费过心思，到现在还没有定论。我们姑且把历来重要的学说加以介绍和批评，然后再提出一个比较满意的答案来。

最初想到这个问题的是柏拉图。他以凌迈千古的大诗人而大声疾呼，逐诗人于理想国之境外。悲剧家尤其是他所嫉视的。在他看，怜悯和悲愁都是人性中的卑劣癖，应该受理智压住。悲剧家却逢迎人性中这个弱点，拿灾祸罪孽的幻象来激动它，滋养它，实在不道德。所以他们应该受政府限制。

柏拉图的学说在后来影响甚深，幸灾乐祸说可以说从他起来的。据这一说，悲剧的喜感是幸灾乐祸的表示。自己站在干岸上，所以看到旁人手慌脚乱地救翻船，心里觉得愉快。卢梭曾写过一封万言书劝阻达朗贝尔在日内瓦开剧场，用意就是如此。近来法国批评家法格（M. Faguet）把它更加以扩充。在他看，悲剧和喜剧都是一样，都是描写旁人的灾祸。这些灾祸如果是可笑的，就叫做喜剧；如果是可怕的，就叫做悲剧。悲剧和喜剧所生的愉快程度虽有深浅，而为幸灾乐祸则一。他在《古今戏剧》里面说："人是一群猛兽，我知道很清楚，因为我自己就是其中之一。"他又假设这样一段对话：

"我看过《斐德尔》（*Phédre*），真悲惨，我看得哭起来了。"

"戏的情节怎样？"

"其中有一个女子失恋自杀，还有一个男子因为妒忌，把亲生的儿子弄死了。"

"你去看这种戏吗？不是好人！"

"但是我流过眼泪的。"

"虽然流眼泪，心里却觉得一种喜感。"

"这话倒对。"

"这种喜感把哭时一点好意都打消了。你原来是要在旁人的灾祸中求喜感，总算你达到了目的。骨子里就是这么一回事，你是一个凶恶的人。泰纳要说你还没有脱净猴子的根性哩。你知道，他以为人的祖先是两种猴子，一种凶恶，一种狡猾，人还没有完全变形。爱看喜剧的是狡猾的猴子，爱看悲剧的是凶恶的猴子。”

站在法格这面照妖镜面前，我们都不免有几分自惭形秽。平心而论，人这种动物确实是魔性多于神性的。罗马的人兽斗，西班牙的牛斗，中世纪凌辱异教徒的酷刑，以及历史上许多其他残暴的行为，都可以证明幸灾乐祸的心理。在人世较大的剧场中，也是很普遍的。近代“人道主义”的文化已经把这野蛮根性洗净了么？报纸上每遇离婚、暗杀、失火、地震、打仗一类的天灾人祸，观者都仿佛有一种喝热血似的狂热，以先睹为快。这种动机是不难推测的。但丁描写的地狱，比天堂生动活泼多了。残酷成性的何止于人？上帝不惮琼楼玉宇的高寒，怕也是像诗人丁尼生在《食藕者歌》里面所说的，因为俯看下界阴霾毒焰中的众生，是一个赏心乐事吧？

但是人性繁复，如果我们把性恶看成悲剧喜感的唯一原因，就不免把问题看得太简单了。这个世界里还缺乏灾祸罪孽么？如果你要幸灾乐祸，看实在的应该比看想象的更痛快，又何必花钱进剧场呢？何况好事多磨，也是古今中外所同声惋惜的。读《刺客传》到图穷匕首见，秦王绕柱而走时，我们固然觉得兴致淋漓，不忍释手，可是同时也觉得荆轲失败，是终古一大恨事。读热烈悲壮的故事，我们常于不知不觉中替它们臆造一个圆满收场。有江淹的《恨赋》就有尤侗的《反恨赋》，有《红楼梦》就有使宝黛终成眷属的《续红楼梦》。十八世纪英国剧场演莎士比亚的《李尔王》，都把它的悲惨结局完全改过，让 Cordelia 嫁了 Edgar，带兵回来替李尔王报了仇。这种翻悲剧为喜剧的玩艺，中外都很流行。我们尽管说它不是艺术，却不能不承认它有一般人的心理要求做后盾。从此可知幸灾乐祸说不圆满了。

英国十八世纪学者博克所提出来的悲剧说很可以做幸灾乐祸说的一个有趣的对比。法格拿悲剧的喜感来证明性恶，博克却拿它来证明性善。法格比拟人猿，博克也借重于生物学的论证。在他看，社会之所以能成立，全赖同情心的维系。人在何种境遇最需要同情心的温慰呢？不消说得，是在悲愁苦恼的时候。如果旁观者见着悲愁苦恼便生痛感，同情心便不易发生。悲剧的喜感就是同情心的表现。我们同情于不幸者，所以不幸的事能使我们愉快。境界愈悲惨，同情心的需要也愈大，因此它所引起的喜感也愈强烈。实际人生的悲剧，据博克说，比舞场上所表现的更能引人同情，所以引起的愉快也愈大。他曾经用过这样一个比喻：

> 倘若你择定一个日子，去表演一部最庄严最动人的悲剧，选聘最有本领的名演员，用尽心力去饰台布景，使诗歌、图画、音乐三种艺术熔冶于一炉，正当观众齐集，人心悬悬待开幕时，你如果猛然宣告有一位居高位的国事犯要在邻场就死刑，则立刻之间剧场必为之一空。这时候你就会知道模仿艺术的力量比较薄弱，而承认同情心的胜利了。

这种学说带着很浓厚的十八世纪英国功利主义的色彩，言之成理，析之无稽。博克忘记人世间确实有痛感这么一回事，而痛感实在起于灾祸罪孽。身经其境，固然叫苦，袖手旁观，也不免哀矜。亲眼看邻人刀刺火焚，决不像看但丁《神曲·地狱》章那样兴致淋漓。实际的悲剧和经过艺术点染过的悲剧究竟不同，历来谈悲剧者很少人注意它的不同点究竟何在，法格和博克都犯了这个毛病。博克的弃剧场而就刑场的假设，拿来说政治趣味浓于艺术趣味的英国人，也许近于事实；若是说人性本来如此，就不免以偏概全，所据不足了。如果依他的见解，我们同情于哈姆雷特，所以欢喜看他惨死，同情于罗密欧与朱丽叶，才高兴知道他们的姻缘不成就，这种推理也显然是怪诞。总之，人性是善的，也是恶的。只见到恶的方面便说看悲剧是幸灾乐祸，只看到善的方面便说看悲剧是由于同情心。这对于人生的真面目和悲剧的真面目都是没有看得清楚。

二

法格和博克都拿整个人性来说。还有一派学者丢开性善性恶的争辩，而专研究观剧时一瞬间的心理变化。法国十七世纪学者博斯（Dubos）在他的《诗画评论》中首开端倪。他以为悲剧的功用只是在满足强烈刺激的需要。人心原来好动，一遇闲散，便苦厌倦无聊。因此，消遣是人生中一大需要。消遣有两种方法：一种是观照冥想，一种是感受外来印象的刺激。观照冥想的乐趣只有少数幸运者能享受，一般人都沉溺于感官刺激。刺激愈强烈，喜感也愈浓厚。最强烈的刺激莫如悲哀苦恼，悲剧之能动人，即由于此。悲剧好比强烈的饮料，是帮助排遣烦闷的。

哥伦布大学教授汤姆斯（C. Thomas）曾作一文，立意与此颇相近。他说："有一种喜感，只要一出力，只要一运用官能，便可觉到。要寻求这种由发泄心力而来的喜感，我们不一定要去寻通常所谓赏心乐事,最好是去寻苦痛悲惨和危险。这些东西才能给人以强烈的震撼,才能引起与生命同义的情感的兴奋。”悲剧常以死为题材,“因为在我们远祖看,死是最大的灾祸,是最可恐怖的事件,所以也是激动想象的最强烈的磁石”。

这种学说含有若干真理,以看戏为解闷之助者都该承认。但是它的最大弱点在没有分清实在和想象。实在的灾祸苦恼往往使人不快,想象的灾祸苦恼才有时引起喜感。如果亲眼看见一位白发衰翁见弃于子女,深夜里冒着雷电风雨在荒野中挨命,你会像看表演《李尔王》时那样兴高采烈、拍掌叫好么?

法国十七世纪学者芳丹纳尔(Fontenelle)的学说可以拿来做这个难点的答辩,他说:

> 喜和痛虽是两种不同的情感,而原因却无大异。如搔皮肤,太激烈则生痛感,稍轻缓则可生喜感。从此可知本来虽是痛感,只要把它变弱些,就变成一种轻松愉快的微痒了。人心本来好动,使它动的就是悲哀苦恼也无妨,只要有一件东西把它们的力量减轻一点就行了。在剧场中凡所表现的虽跃跃如实境而究竟不是实境。观者尽管耳迷目眩,理智尽管为感觉和想象所蒙蔽,心里总还脱离不了“这是虚幻”一个想头。这个想头尽管很薄弱,尽管受蒙蔽,其力量还能减杀观者看见无辜受祸所生的痛感,把它一直减轻到变为喜感的程度。观者一方面见到自己所爱好的主角不幸受祸,替他流泪,而同时返想到这幸亏还仅是空中楼阁,心里又觉到快慰。

这个学说很值得注意，因为它从艺术观点立论，把实际的悲剧和想象的悲剧分开来说，是个创见。它颇近于下文所说的“心理距离说”，不过它着重“这是虚幻”的意识，还是没有明白美感经验。观者在兴高采烈时决不会回想到“这是虚幻”。英国哲学家休谟在他的《悲剧论》里也不满意芳丹纳尔的学说，但是根据另一理由。罗马著名演说家西塞罗(Cicero)弹劾维尔斯屠杀西西里人那一篇诉词，把当时屠杀的惨状描写尽致，法官和观众听了都非常高兴。他所描写的尽是事实，所以听者所得的喜感不能推原于芳丹纳尔所谓“这是虚幻”的想头。据休谟的分析，当时听者的心理变化有两种成分，一种是痛感，起于残酷的印象；一种是喜感，起于雄辩(eloquence)。这两种成分之中，喜感较占优势，不但压住痛感，而且能借用痛感的力量来扩张自己的情绪之流。痛感如何能扩大喜感呢？心好比琴弦，已在震颤之际，稍加弹动，便成宏响。有悲惨印象而无艺术，痛感固终为痛感；有艺术而无悲惨印象，则喜感虽存在而不强烈。悲惨印象感动心弦之后，心才愈加敏捷，受艺术的浸润力也愈加强大。比如说，原来痛感只有四成，而喜感却有六成，弱不敌强，四成痛感于是把所有的力量转借给喜感，而喜感便扩充为十成了。悲剧和西塞罗的雄辩同理，所不同者悲剧更能引人入胜，因为它是一种模仿。而模仿本身就是喜感之源，像亚里士多德在《诗学》中所说过的。

休谟所谓“雄辩”是指词藻的富丽和音调的和谐。他虽然反驳芳丹纳尔，而以艺术的眼光讨论悲剧，则与芳丹纳尔同为杰出。他所着眼的悲剧大半是诗剧，他的弊病在侧重悲剧的装饰方面，而装饰究竟不是悲剧的命脉所在。图画描写悲惨情境，不必借助于词藻音调，固不消说，近代作者以散文写悲剧也是常事。从此可知悲剧于词藻音调之外，还别有令人惊心动魄的特质了。

三

英、法两国学者研究悲剧喜感问题，都专从人类本性和心理变化两点出发，没有牵涉到较广泛的哲学问题。从哲学出发去研究悲剧，要推德国学者为最起劲。法格、杜博斯、博克诸人的学说已经很光怪陆离，黑格尔、叔本华、尼采诸人的奇思幻想更令人耳昏目眩了。读他们的作品，我们很难分别哪里是诗，哪里是哲学。他们的思想只有他们自己的语言能表达。用另一种语言来申述他们的意思，已近于鹦哥学语，若是再拿寻常理智来分析评判，那更未免剪云为裳，以迹象绳玄渺了。但是我们谈到悲剧问题，如果把他们的学说完全丢开，也未免有失虔敬。这里只得明知故犯，将不可申述的申述一遍，将不可批评的批评一遍，读者须知道这只是古人的糟粕。

诗人席勒要辩护艺术的特质在美不在善，所以拿悲剧的喜感来说明美并不背于善。在他看，宇宙全体以人类幸福为指归。一切事变，与这个目标相谐和的生喜感，与它相冲突的生痛感。但是冲突在宇宙中也很必要。无论什么东西，难能才见可贵。有冲突然后有奋斗，有奋斗然后有道德意识，有道德意识然后有快慰。奋斗愈剧烈，道德意识愈鲜明，快慰也愈深切。因此，最大的喜感是从和最难的逆境相奋斗而得来的，其中实含有痛感的成分。悲剧能引起最大的喜感，就因为它描写冲突和奋斗，就因为它能表现最高的道德意识。有许多情境，就局部看，尽管是悲惨，而就宇宙全体看，却有理性，却是一种和谐。悲剧的结局往往为生命的牺牲。

"生命的牺牲本是一种矛盾,因为有生命然后有善;但是为着道德,生命的牺牲是正当的,因为生命的伟大不在它的本身,而在它是履行道德的必由之路。如果生命的牺牲成了履行道德的必由之路,我们就应该放弃生命。"

席勒的理想主义到了黑格尔的手里又得着一个更宽泛的哲学基础。黑格尔是一位极端的泛理主义者。他眼中的宇宙浑身都是理性。不过要看出宇宙的理性,我们应该着眼全体。貌似相反者往往实在是同一;在局部看来是冲突者在全体看来往往是和谐。悲剧是一个好例。一般人见着为善不获报,为恶不见惩,便以为这是冤屈,于理不可解说,只能归咎于渺茫不可知的命运。其实宇宙中无所谓命运,祸福都是由人自招的。然则一般悲剧的主角都无辜受祸,这应该怎样解释呢?黑格尔的答案是他的著名的冲突说。凡是悲剧都生于两种理想的冲突,例如做忠臣的往往不能同时做孝子,做孝子的往往不能同时做忠臣。理想而至冲突,就是理想本身的一个缺点;因为有缺点,所以不能在完美的宇宙中实现,它的牺牲实在是孽由自作。换句话说,悲剧主角大半象征一种有冲突的片面的理想,他陷于灾祸时,在表面看虽似命运造的冤屈,而就宇宙全体说,实在是"永恒公理"(eternal justice)的表现。我们看悲剧时见出这"永恒公理",见出完满宇宙中不容有冲突的理想存在,所以觉到喜感。换句话说,悲剧的喜感就是"永恒公理"胜利的庆贺。

黑格尔最推尊索福克勒斯的《安提戈涅》(*Antigoné*),以为它最能显出悲剧的特征。这部悲剧的情节就是以理想的冲突为中心。波吕涅刻斯是忒拜国的王子,父死之后,借重敌兵来争王位,战败被杀。新王克瑞翁悬令禁止人收葬他的尸首,违者处死刑。他的妹妹安提戈涅毅然不顾一切，把他收葬了。她本来和克瑞翁的儿子订过婚，她被处绞刑之后，克瑞翁的儿子也痛悼自杀。依黑格尔说，悲剧生于理想的冲突，这就是最好的实例。克瑞翁所代表的理想是国法，安提戈涅所代表的理想是友爱。这两个理想，就本身说，都很正当；但是就宇宙全体说，它们都失之太偏，不能调和。安提戈涅丧身，克瑞翁丧子，都可证明太偏的理想就是自己的致命伤，而"永恒公理"终归胜利。这种胜利的察觉就是喜感的来源。

席勒和黑格尔的毛病都在太看重理性。如果爱悲剧者每人都是像席勒和黑格尔这样的哲学家，他们的话也许有几分真理。但是一般人谁拿凭视宇宙的眼光去看悲剧？谁能时时记起"永恒公理"？任凭黑格尔如何洗清，人世间总不免有冤屈不平存在。《李尔王》中的考狄利娅，《奥赛罗》中的苔丝狄蒙娜，《国民公敌》中的医生有什么罪过可指摘呢？两个理想冲突说不但不能用到近代悲剧上去，就是应用到黑格尔所最推许的《安提戈涅》上面去也说不通。他的学说初出世时，爱克曼曾拿来和诗人歌德谈论，歌德付之一笑。他说："克瑞翁禁止收葬波吕涅刻斯，让尸臭染污空气，又让鸷鸟衔尸肉污神坛，这种行为对人对神就是大不敬，不能算维护国法，实在是叛国违法。"照这样说，克瑞翁并没有代表什么理想，《安提戈涅》一剧也不能说是表现两个理想的冲突了。

如果我们由黑格尔转到叔本华（Schopenhauer），华严世界一变而为阴森地狱了。叔本华以为生命只是无底止的竞争，尝遍灾祸罪孽，到终局仍不免一死。明知在这无涯孽海里探险是无所归宿的，人们何以不放弃这种无意义的企图呢？人生来就披上一个枷，钳制他不得自由。这个枷就是他自己的"生存欲"。创世主是一个最酷的刑吏，他不仅向众生施行种种酷刑，而且想出妙计来，叫受刑者不愿丢开笞挞之苦。生不过是死的准备,而死却胜于生,因为死之后一切忧患苦恼就沉没到遗忘之国去了。“如果你敲墓门问陈死人愿否再生,他一定向你摇首。”

人的原始罪孽在投生。既投生之后还有方法从罪孽中逃脱出来么?这是极难的事,除非你抱有极大的智慧和超人的意志,如释迦牟尼,看透人生虚幻,毅然摆脱“生存欲”,直接达到“涅槃”。人生最上法门就在“退让”(resignation)。所谓“退让”就是知其不可为而不为。悲剧是最上的艺术,就因为它能教人“退让”,能把人生最黑暗的方面投到焦点上,使人看到一切都是空虚而废然思返。悲剧主角也像我们自己一样,卖尽气力和命运搏斗;但是我们不如他,他知道势不均力不敌,就缴械投降,不再受“生存欲”的钳制。他的“退让”就是他的胜利。我们本来也以受“生存欲”的钳制为苦,无如自己无力解脱;但是看到旁人能解脱,好比听说战胜过自己的敌人已被旁人打杀一样,也是一件快事。不仅如此,在看悲剧的一顷刻中,我们的心魂全让庄严的意象钩摄住,如火如荼的“生存欲”因之暂时失其作用。这种剧战后片时的稍息,也是喜感的来源。

在许多人看,人世全是孽海,艺术全是苦闷者的呼号,叔本华的厌世主义比较黑格尔的泛理主义似稍近于真理。麦克白临死时叫道:

> 熄灭罢,熄灭罢,短促的烛火!

巴米尔临死时叱穆罕默德说:

你应该胜利，世界原来是为强暴者而创造的！

我们听到这种垂死的呼声或是看到维尼(De Vigny)的狼闭着眼睛倒下地任猎户宰割时，都不能不承认叔本华的话言之有理。但是如果我们再走远一步，便知道概括立论是很危险的，叔本华也不是例外。希腊三大悲剧家的作品中未曾表示“退让”的态度，叔本华自己也承认过。近代悲剧虽较悲观而却不能谓为厌世。姑且拿莎士比亚的作品来说，麦克白死时没有怨天么？奥赛罗自杀时没有尤人么？怨天尤人都是表示不甘心。他们虽然抛开生命而却没有抛开“生命欲”，绝不是叔本华所谓“退让”。

尼采(Nietzsche)著《悲剧的起源》，用意就在纠正叔本华的错误。黑格尔从道德观点去看世界，以为世界处处呈现理性。叔本华把这种泛理主义推翻而代以盲目的“生存欲”，看出人生处处是苦，于是“世界何须存在”遂成为问题。尼采说，生命只是罪孽苦恼，实在像叔本华所说的；你如果从道德观点着眼，你决寻不出理由来辩护世界何以应存在。世界的存在只能从艺术观点去解释。这花花世界虽然充满着灾祸罪孽，但是如果你从窄狭的现实圈套里跳出来看看，它却是多么光怪陆离的一幅图画！创世主丢开丹青粉垩之后，自己谛视这幅伟大的创作，心里多么快慰！你如果觉得这世界不是好居住的，你就把它看成好玩赏的也很好，何必太拘泥呢？

希腊人知道这个秘诀。他们不但能把世界看作一个意象去赏玩，自己还去创造意象，与造物争巧；所以他们虽然也知道人生苦恼，而却没有流于悲观。他们的救世主是阿波罗(日神)。在他的恬静幽美、光彩四射的额纹中，希腊人看出形形色色的奇梦，于是依影图形，创成他们的伟大的造形艺术和荷马史诗。

阿波罗之外，希腊人又崇拜狄俄尼索斯（酒神）。所以他们不仅能酣梦，而又能沉醉。当熏风四煽的艳阳天，羊在草场中跳跃，鸟在绿条上和歌，他们受着狄俄尼索斯的启示，不由自主地跳入波涛澎湃的生命之流中，遗忘小我，杂入行乐人群中高歌狂舞，跳舞和音乐即起源于此。

在尼采看，阿波罗的艺术（史诗、雕刻、图画等）和狄俄尼索斯的艺术（跳舞和音乐）相结合，然后才有悲剧的产生。悲剧一方面是动的，像音乐一样，是苦闷从心坎迸出的呼号；一方面是静的，像雕刻、图画一样，是一个热烈灿烂的意象。悲剧的雏形是狄俄尼索斯神坛前祭奠者的合唱（chorus）。音乐所象征的苦闷借阿波罗的意匠经营，成为具体的形象，结果乃有悲剧。悲剧中的主角如狄俄尼索斯、普罗米修斯等等都是狄俄尼索斯神的变形。

知道悲剧的起源如此，观者所得的喜感便不难解释了。他在庄严灿烂的意象之中，窥见惊心动魄的美，霎时间脱开现实的压迫，忘却人生一切苦恼，自然是眉开眼笑，喜不可言了。悲剧的主角只是生命的狂澜中一点一滴，他牺牲了性命也不过一点一滴的水归原到无涯的大海。在个体生命的无常中显出永恒生命的不朽，这是悲剧的最大的使命，也就是悲剧使人快意的原因之一。叔本华以为悲剧的结局是"退让"，只是看见一点一滴的堕落，而没有望见大海的金波荡漾。

尼采著书，有如醉汉呓语，心头无量奇思幻想，不分伦次地乱迸出来，我们只觉得他的话有些可疑，可是他的破绽究竟在哪里呢？他根本就没有给一条可捉摸的线索让你抓住。我们只能以幻想来遇他的幻想，若拿名学来分析，却有些困难。听哲学家讨论特殊问题，最容易走入迷路。他们关于悲剧的结论大半是从他们的全部哲学演绎出来的，不是从研究作品归纳出来的，所以像游丝悬在虚空里。他们的话固然不是全盘错误，他们的慧眼固然有时窥透常人所不能窥透的地方，但是他们的弊病在偏：以一点心得当作全部真理。幸好这个世界里哲学家占极少数，不懂得黑格尔、叔本华和尼采的愚夫愚妇们也还能欣赏莎士比亚或是易卜生。我们姑且把“永恒公理”、“生命欲”和“狄俄尼索斯”等等音调铿锵的字还给哲学家们去咀嚼罢。

四

转身向近代心理学，看它能给我们一线微光么？弗洛伊德的门徒无孔不入，悲剧这块田地自然也没有被放弃。法格的“凶恶的猴子”到他们的手里更丑恶不堪了。他们说，文明只在表皮，里皮还是野蛮。人心深处全充满着原始欲望，尤其强烈的是性欲。在文明社会里面，原始欲望与道德法律不相容，于是被压抑到隐意识里去，形成所谓“情意综”(complexes)。这种“情意综”受意识作用的检察，想发泄而不得发泄，往往酿成迷狂症及其他神经病。要医治神经病，须设法使郁积在隐意识里的“情意综”得正当发泄，就是用弗洛伊德所谓“发散治疗”(cathartic cure)。有时被压抑的欲望也不一定酿成神经病，它们可以化装偷入意识阈而求满足。梦、幻想、神话之类都是原始欲望的化装。悲剧也是如此。弗洛伊德最欢喜谈“俄狄浦斯情意综”(Oedipus complex)。这个名词就出于索福克勒斯的一部悲部。他以为弑父娶母是一个极强烈的原始欲望，它在《俄狄浦斯》这部悲剧中赤裸裸地流露出来而得满足了。

我们每个人都有“俄狄浦斯情意综”，看这部悲剧时无心地把自己摆在主角的地位，被压抑的欲望于是得间接的满足，所以发生喜感。

这种风靡一世的学说能使我们满意么？要接受弗洛伊德的结论，须先接受他的“隐意识”这个大前提。这个前提在心理学本身的领域中还没有站得稳，我们最好不要过于趋时，把它应用来解释文艺。

弗洛伊德的“发散治疗”这个名词使我们联想到亚里士多德在《诗学》中所说的 catharsis。这个词是两千年来学者聚讼的焦点，与悲剧喜感的问题关系尤其密切，因为它和近代心理学有渊源，所以我们不顾历史的次第，把它延迟到现在才讨论。

《诗学》第六章悲剧定义中有一句话，说悲剧“借引起哀怜和恐怖的情节，完成这些情绪的 catharsis”。以前学者大半都把 catharsis 这个字释作“净化”，以为悲剧可以净化哀怜和恐怖两种情绪中不洁的成分，所以有道德上的效用。十九世纪德国学者贝内斯(Bernays)才考定 catharsis 是医学上的一个术语，意为“发散”，这个解释现在已得一般学者的公认。“发散”是一种治疗法。例如体肤有脓汁淤积成肿毒时，可以用药“发散”去。希腊人常患一种宗教狂，情感过度兴奋，以致心神不宁。他们医治这种病的方法是使病人听一种狂热的音乐。音乐把作祟的情绪“发散”了，病自然痊愈。因此亚里士多德在《政治学》中提到音乐的 catharsis。音乐能“发散”宗教狂，就因它能发泄淤积的强烈的情绪。《诗学》中所用的 catharsis 意义当然也和《政治学》中所用的相同。人生来就有哀怜和恐怖两种情绪，如果不发泄，也可以淤积起来，酿成苦闷。悲剧给这两种情感以发泄的机会，所以能引起喜感。

观此可知亚里士多德的学说近于弗洛伊德的学说，不过比弗洛伊德说较为精当。他单提“哀怜”（pity）、“恐怖”（terror）两种情绪，或只是随意举例说明，不一定说悲剧所能“发散”的情绪只限于这两种。他在《伦理学》中说过：“活动不被阻挠者（unimpeded activity）就是快乐。”这个定义也可以拿来和悲剧的效用相印证。活动是生命的特征，情感是活动的一种。人须生存，便须活动，便须发泄情感。“发泄”是自然界一个普遍的需要，是生命的别名。喜必露于笑，悲必露于哭。这种普遍的需要不满足，痛苦就跟着来。普通语言中“忧郁”、“苦闷”连着说，“舒畅”则和“快乐”同义，可见得“忧”由于“郁”，“苦”由于“闷”，“舒畅”而后“快乐”，是一般人所公认的。叔本华以为生命充满着苦恼，尼采以为悲剧发源于音乐，是苦闷从心坎迸出的呼号，这话都很真确，只是他们的结论未免怪诞。他们不曾觉到隐忧沉痛之际，放声一哭，心头就轻松愉快么？苦闷的呼号接着就是发泄后所应有的快慰。悲剧能生喜感，就是因为它能使人在想象的情境中发泄情感。这就是亚里士多德所谓悲剧的catharsis。

照这样说，实际的悲剧和艺术的悲剧不是没有分别么？弗洛伊德派学者除了用“化装”一个观念之外，似乎把实际上的情绪与艺术上的情绪看作一回事。亚里士多德却把这个分别看得很清楚，所以他的悲剧定义中又有“饰以辞藻”的话。用近代语来说，悲剧单引起“哀怜”、“恐怖”等情绪还不够，还要“出以艺术的手腕”。所以悲剧的喜感不单起于情绪的发泄，尤其重要的是起于艺术的欣赏。

五

悲剧是一种艺术作品，观悲剧是一种美感经验。我们在首二章中已详细说过，美感经验起于形象的直觉，在观赏的一刹那中，我们忘却实际的利害，专站在客观地位，把世界和人生当作一幅热烈灿烂的图画去看。同是灾祸，在实际人生中只能引起我们的哀怜和恐怖，我们不能把这种哀怜和恐怖化为喜感；在悲剧中它也引起哀怜和恐怖，但是艺术的欣赏把哀怜和恐怖所带的痛感的成分消净，所余的只是美感。穷到究竟，“悲剧何以发生喜感”的问题就是“艺术的欣赏何以能消净哀怜和恐怖所带的痛感”的问题。

这个问题的答案以第二章所说的“心理的距离说”为最圆满。在实际人生中遇见灾祸，如行船遇海雾，心里只叹赏它的景致美妙。换句话说，在悲剧中我们在目前情境和实际人生之中留出一种适当的“距离”来。这种“距离”不可太远，太远则不能取实际经验来印证，无从了解；也不可太近，太近则太关切身利害，结果不免使实用的动机压倒美感。在成功的悲剧中“距离”不太远，因为它所表现的是合于情理的事实；也不太近，因为悲剧的语言是经过艺术陶铸出来的，它的人物和情节是想象的，不寻常的，于近情理之中却含有若干不近情理的成分，不致使观者误认戏剧为实际人生。凡是真正的悲剧都绝对不是写实的；凡是善于观剧的人也决不让寻常实用的情绪来混乱美感。这个道理最好拿布洛所举的《奥赛罗》的例子来说明。莎士比亚这部名著描写一个名将因信谗言疑心妻子不忠实。如果本来也疑心妻子的人去看这部戏，他应该比较一般人能了解奥赛罗的妒忌心理；但是因为悲剧情节太和自己的经验相像了，他不免回味自己的苦痛，而不能把心放在戏上。因此，他虽然因观剧而发生热烈的情感，而却不是愉快的美感。这就是因为他把“距离”摆得太近的缘故。如果信弗洛伊德派学者的话，看悲剧也是带假面具去满足被压抑的欲望，那就是没有“距离”，所生的情感便不是美感了。亚里士多德的“发散说”如果没有“饰以辞藻”一句话去纠正，也就是犯同样的毛病了（详见第二章）。

总而言之，情感在悲剧中“发散”和在实际生活中发泄是不同的。悲剧所表现的世界在观赏者的心中是一个孤立的世界，和实际利害相绝缘。观赏者在聚精会神观赏剧中情节时，不知不觉地随流旋转；他在过一种极浓厚的生活，他在尽量活动，尽量发散情绪；但是这种生活，这种活动，这种情绪都和他日常所经验的完全是两回事。它们带着活动和发散所常伴着的愉快，而却不带实际生活的忧虑和苦恼。这是悲剧的喜感的特质。

观此可知“悲剧何以发生喜感”和“自然丑何以能化为艺术美”（参看第十章）是一个道理。悲惨的情境和自然丑都只是生糙的材料，须经艺术加以陶铸，给以新生命，然后才能引起真正的美感。因此，悲剧的喜感和一切美感一样，都是起于形象的直觉（参看第一章）。从前讨论这个问题的学者如杜博斯注重“这是虚幻”的意识，休谟注重“雄辩”的影响，叔本华注重“生存欲”的消失，尼采注重阿波罗的意象和狄俄尼索斯的热情相结合，本来都已隐约窥见悲剧喜感问题的正当答案。他们都没有把它握住，或是因为分析不彻底（如杜博斯和休谟），或是因为误于哲学成见（像叔本华和尼采）。［参看作者用英文写的《悲剧心理学》（K. T. Chu：*The Psychology of Tragedy*，1932，Strassburg.）］

第十七章　笑与喜剧

一

柏拉图在《会饮篇》里说过苏格拉底的一件轶事。有一晚，苏格拉底和雅典少年讨论恋爱问题，痛饮通宵。到天明时坐客都昏昏欲睡，只有苏格拉底一个人还是清醒的，仍然向坐客滔滔清辩。一位新加入的饮客也喝醉了，他仿佛听见苏格拉底“逼得其余两个人承认喜剧和悲剧在精神上是相同的，长于悲剧者也一定能做喜剧。他们不得不承认，因为他们都喝醉了，没有十分听懂他的理由”。这是一件可惜的事。假如他们少喝几杯，把苏格拉底所说的悲剧和喜剧相同的理由记下来传给我们，也许我们在讨论悲剧之后，可以少费些精神来讨论喜剧。

悲剧和喜剧的心理有一点相同，是我们立刻就可以看出来的。它们都是一样难捉摸，一样可以容纳许多互相矛盾的意见。从柏拉图以来两千余年中学者对于“悲剧的喜感”这个问题固然仍是莫衷一是，对于喜剧的官司也还没有打得了结。

问题本来似乎很简单的。喜剧何以能引起快感呢？我们听到某一种话，看到某一种人物，或是处在某一种情境，何以发笑呢？何以觉得畅快呢？这种快感是否尽是美感呢？我们先把重要的学说介绍出来，加以讨论，然后再参较事实，寻出一个试用的结论来。

我们在上章已经谈过，有一派学者以为悲剧的喜感是幸灾乐祸的表示，最早而且最流行的喜剧学说也是着重幸灾乐祸的心理。柏拉图在《斐利布斯篇》对话里说：

> "悲剧的观念常在泪中带笑，你记得么？"
>
> "我自然记得。"
>
> "就是看喜剧时心里也是悲喜交集，你觉得不？"

他分析这种情感，以为它起于妒忌，于是接着说：

> "我们刚才说过：不美而自以为美，不智而自以为智，不富而自以为富，都是虚伪的观念。这三种虚伪观念弱则可笑，强则可憎。假如我们的朋友存着这些虚伪观念而对于他人却无损害，他们不只是可笑么？"
>
> "自然可笑。"
>
> "他们的这种蒙昧算不算是一种灾祸呢？"
>
> "是的。"
>
> "我们笑他们时，是畅快还是苦痛呢？"
>
> "显然觉得畅快。"
>
> "见到朋友的灾祸而觉得畅快，这不是由于妒忌么？"
>
> "是的。"
>
> "照这样看，我们笑朋友的愚蠢时，快感是和妒忌相联的。我们已承认妒忌在心理上是一种痛感，然则拿朋友的愚蠢作笑柄时，我们一方面有妒忌所伴的痛感，一方面

又有笑所伴的快感了。”

柏拉图这一段话是喜剧心理学的发轫点，它一方面拿妒忌作笑的动机，为后来霍布斯的“鄙夷说”所自出；一方面又指出悲剧和喜剧的关联，说明喜剧同时具有快感和痛感，这个主张在近代也有附和者。

二

亚里士多德的《诗学》中论喜剧的一部分已经散失。就所存的残编断简看，他的主张也很近于“鄙夷说”。他说：“喜剧所模仿的性格较我们自己稍低下，但所谓低下，并非全指凶恶。可笑性只是一种丑。”照这样说，笑的对象和憎的对象有分别。凶恶可以令人憎，无伤大节的拙劣才可令人笑。我们对于所笑的人物常不觉其可憎，许多著名的喜剧角色有时甚至是很可爱的。亚里士多德以喜剧为艺术取丑为材料的实例，也是很可注意的一点。

“鄙夷说”的重要的提倡者要推英国哲学家霍布斯。他在《人类本性》(*Human Nature*)里说：

> 有一种情感还没有名称，它的表征就是我们所称为“笑”的面容变化。它通常是快感，至于它是怎样的快感，以及笑时心中所想的是什么，何以觉得高兴，向来还没有人说过。如果说它起于“巧慧”或“诙谐”，这不免与事实不符，人们遇到不尴尬的失仪的事，虽然其中没有什么“巧慧”或“诙谐”，仍然是发笑。大家看惯的事物，就变成

平淡无奇,也不足令人发笑。凡是令人发笑的必定是新奇的,不期然而然的。人有时笑自己的行动,虽然它并不十分奇特。人也有时笑自己所发的“诙谐”,尤其是受人称赞的人。就这些实例说,笑的情感显然是由于发笑者突然想起自己的能干。人有时笑旁人的弱点,因为相形之下,自己的能干愈易显出。人听到“诙谐”也发笑,这中间的“巧慧”就在使自己的心里见出旁人的荒谬。这里笑的情感也是由于突然想起自己的优胜。若不然,借旁人的弱点或荒谬来抬高自己的身价,究竟是怎么一回事呢?如果我们自己或是休戚相关的朋友成为笑柄,我们决不发笑。所以我们可以断定说:笑的情感只是在见到旁人的弱点或是自己过去的弱点时,突然念到自己某优点所引起的“突然的荣耀”感觉(sudden glory)。人们偶然想起自己过去的蠢事也常发笑,只要他们现在不觉到羞耻。人们都不欢喜受人嘲笑,因为受嘲笑就是受轻视。

霍布斯的“突然荣耀”说在近代颇多附和者。英国的倍恩(A. Bain)和萨利(Sully)、德国的谷鲁斯(K. Groos)、法国的拉穆来(Lamennais)和美国的莎笛斯(Boris Sidis)诸人都接受他的要旨而略加更改。笑有时的确是表示鄙夷的。在奸险的人,笑往往是恶意的遮面具,所以有“笑面虎”和“笑里藏刀”之说。不过“突然荣耀”说并不可以解释一切事实。儿童的笑是天真的流露,同情的笑是亲善的表示,在风和日暖时对着花香鸟语的微笑是生存欢乐的表现,都决不能说是由于感到“突然的荣耀”。“鄙笑”(scorn)只是笑的一种,霍布斯的错误在把一切笑都当作鄙笑。

三

柏格森(H. Bergson)的笑的学说在近代也很重要,很可以拿来和霍布斯说相较。霍布斯以为笑起于两种发现,一是发现旁人的欠缺,一是发现自己的优胜。柏格森也注重发现旁人的欠缺一点,但是他拿纠正这种欠缺的念头来代替自豪的心思,所以笑虽起于发现旁人的欠缺而却不必含有恶意。依他看,笑有三大特点。第一,笑的对象限于人事。只有人才可笑,自然景物有美有丑,有可爱,有可恶,却没有可笑者。见动物或用器而发笑者大半因为它们而联想到人的拙劣。第二,笑是不关痛痒的,和强烈的情绪绝不相容。在见人言动拙劣而起哀怜或憎恶时,我们决不会发笑。既然笑,心中便没有深厚的情感。笑的趣味完全是理智的。第三,笑须有回声,须有附和者。单独一个人很不容易发笑,笑要有同情的社会来推波助澜。这种社会是有限制的。某种社会中的人对于某种笑话才会发笑。同是一个笑话换一个社会就不易引人发笑,所以喜剧最难翻译。

柏格森从这三个特点去寻笑和喜剧的来源,以为它在"生气的机械化",在"把有生气的和机械的嵌合在一块"。比如说,一个行路人猛然跌倒,是一件可笑的事。假如他出于本意地坐在地上休息,就没有什么可笑。这就因为他是遇到障碍物而不能随机应变,仍然很机械地用原来的步法走。他跌倒是表示他"心不在焉",表示他笨拙,表示他像一件无生气的机械。凡是惹人发笑的人物和情境都可作如是观。比如丑角模仿旁人的动作姿势,越逼真越惹人发笑,是什么缘故呢?有生气的东西是瞬息万变的,没有两个人的面孔完全相同,一个人的动作姿势也不会前后完全一样。一个人可以把旁人的动作姿势模仿出来,那就显出那种动作姿势像机械的活动,缺乏生气应有的灵变了。凡是机械的动作都缺少弹性,都是把某一种活动复演到无穷止,环境尽管千变万化,而它的应付的方法却依然如故。无论是个人的行动或是社会的风俗制度,一到了变成呆板不合时宜的时候都可以成为笑柄。从前有一只船刚抵法国海岸就沉没了,法国关吏去救乘客的命,慌忙间第一句话就是:“你们有什么东西要报关么?”一位退伍的老兵改充堂倌,旁人戏向他喊“立正”时,他就慌忙把两手垂下,让所捧的杯盘落地打碎。这两个例子都是以有生命之物而呈现无生气的机械动作,所以惹人发笑。许多引人发笑的情境虽然在表面看来不能纳入这个公式里,但是仔细分析起来,都可以看成生气的机械化。喜剧家的本事就在拿这种情境和人物来引人发笑。莫里哀所描写的医生、律师、守财奴以及扮绅士气的暴发户种种喜剧角色,都是带有几分木偶气的人。

生气的机械化何以可笑呢?要明白这个问题,我们就要谈到笑的功用了。生命就是变化。要使生命美满,我们的心灵一要紧张,二要有弹性,才能随机应变。假如缺乏这两种生命的要素,纵使幸而可免生存竞争的淘汰,对于日常生活的粗浅的需要能够应付得大致不差,也终不免露笨拙丑陋的言动。这种笨拙丑陋的言动就是喜剧。它虽不是生命的危机,却是生命的美中不足。社会想生命尽善尽美,想每个分子都紧张而有弹性,不至于机械化,所以遇到笨拙丑陋的言动就以笑报之。笑是一种警告,也是一种惩罚。发笑者对于笑者仿佛是做一个姿势,使他觉悟自己的笨拙丑陋,立刻加以改正。笑既有这样的一个实用目的,所以柏格森以为笑的情感不纯是美感，喜剧也不能归到纯粹的艺术里面。但笑虽不纯是美感，它既是社会要求生命尽善尽美的表示，也就含有若干美感在内：

笑既是追求普遍完美这个实用目的（无意识的，有时并且是不道德的），所以不是生于纯粹的美感。但是它却也有几分美感，因为社会和个人在能超脱生存的急需时，把自己当作艺术品看，然后才有喜剧。总而言之，损害个人或社会生命的动作和习性，有自然结果去惩罚它。如果我们画一个圆圈把这些动作和习性包括起来，则在这个骚动和冲突的领域之外还另有一个中立圈，其中人与人相见，在身体心灵性格各方面仍不免流露丑拙。这虽无伤大体，但是社会为使每个人都具有最高限度的弹性和处群的能力起见，却也不能容留它。这种丑拙就是喜剧，笑就是对它们的惩罚。

柏格森的学说自然含有片面的真理。拘守陈规的小吏，卖弄文字的书蠹，以及戏台上傀儡似的丑角，都可以拿来说明“生命的机械化”这条原理。不过柏格森的错误和其他哲学家的错误一样，在想把繁复的事例勉强纳到一个简单的公式里去。他要拿笑来证明他的“生命就是变化”这个哲学前提。合这前提的他极力铺张，不合这前提的他一概抹煞。像霍布斯一样，他也没有顾到婴儿的笑。他没有顾到人像傀儡像机械固然是笑柄，像牛像驴时虽不能说是生气的机械化，也还是可令人发笑。他没有顾到人像机械固然可笑，机械像人也可以令人展颐，近代影戏中就常用这种玩艺。

柏格森的学说还有一个最大的缺点，就是只解释笑的起源和功用，而没有解释笑时何以发生快感。他把笑完全看作理智的产品，对于它的情感一方面则完全忽略了。

四

柏格森把笑完全看作理智的产品，就这一点说，他的学说和德国哲学界所流行的“乖讹说”（incongruity）或“失望说”（nullified expectation）颇相类似。依这个学说，可笑的事物大半是不伦不类的配合；我们根据寻常事理所起的期望如此，而结果却不如此，笑便是期望消失的表现。一个人听见衣橱里有声响，以为是老鼠，把它打开来看，才知道藏在里面的是他的婶母，他于是不由自主地发笑。这就是“失望说”的最好实例。婶母在橱里是一种不伦不类的“乖讹”，他原来没有“期望”她在那里，她在那里是出乎意料之外，所以令他发笑。

这个学说的来源极早，亚里士多德在《修辞学》里便已提及，近代附和者极多，不过最重要者是康德。他在《审美判断的批评》里说：“一种紧张的期望突然归于消失，于是发生笑的情感。”不过期望的消失本身并不能直接引起快感，快感是体力恢复平衡的结果。他曾经举过这样的一个实例：“假如有人谈这么一个故事：一个印度人在苏拉镇上的英国人家看见一瓶啤酒打开时蒸发成泡沫流出，不禁连声惊讶。英国人问：‘有什么奇怪的事？’印度人答道：‘它流出来我倒不觉奇怪，我所惊讶的是原先你怎样把它装进瓶里去？’我们听到这个故事就发笑，并且觉得很大的快感。这并不是因为我们想到自己比这位无知的印度人聪明，也并不是因为理智能够发现其他愉快的理由。它是由于我们的期望涨到极点时突然消失于无形了。”

康德没有详细说明他的道理，后来叔本华才把它加以引申。依他说，笑起于期望的消失，而期望的消失则起于“感觉”和感觉所依附的“概念”有乖讹。他举过这样一个实例：巴黎某戏院的观众，有一晚要求奏《马赛曲》，经理不允许，大家就扰闹起来。一位警察站上台去维持秩序，说照例凡是没有登在戏的节目里面的东西都不能演奏。听众之中有一个喊着问：“警察先生，你自己呢？你登在戏的节目里面么？”全场听到这句话都哄然大笑。叔本华以为一切笑话都可以作如是观。“登在节目里的才能演奏”是一个“概念”(conception)，即通常所谓大前提。“警察的解释不在节目里”是一种感觉(perception)，即通常所谓小前提。我们原来没有期望把这个感觉纳在上述的概念中去想，把它们混在一起是出于意料之外，所以引起我们发笑。依叔本华看，一切笑话都可以化成第一格的三段论法，其中大前提是不周延的，小前提是出于意料之外，仅含貌似真理的。

近代心理学家中赞成“乖讹说”者颇多，并且替它寻出实验的证据。我们都知道，呵痒最易使人发笑，尤其是被呵者为儿童。但是呵者一定是旁人。自己呵自己决不会发笑，如果呵者预先警告被呵者，说要呵他的某部体肤，然后再去呵它，他也不会发笑。但是说要呵他，作起势来忽然又停手不呵，他也会发笑。法国心理学家杜蒙(Iéom Dumont)根据这种事实证明笑是起于失望和惊讶。美国心理学家马丁女士(L. J. Martin)曾经采用若干可笑的事物试验过60人，同时把许多关于笑的学说解释给他们听，叫他们内省自己发笑时的经验，看哪一家学说最能解释笑的事实。大多数受验者都以为叔本华说为最圆满。笑既起于惊讶，则某种笑话既被人听惯变成熟烂陈腐之后，照理即不能再引人发笑。美国心理学家浩林司瓦兹（H. L. Hoelingsworth）在这方面曾经做过一番研究，据他的结论，可笑的事物都必有令人惊讶的成分。

这个许多哲学家和科学家所公认的学说可以完全解释笑和喜剧么？笑固有时起于意料之外的“乖讹”，但是出于意料之外的“乖讹”不尽能引人发笑。倍恩说过，残废人负重载，苍蝇陷油漆，五月飞雪，父不慈，子不孝，以及一切欺诈暴戾的行为都可以说是出于意料之外的“乖讹”，何以我们觉得它们可笑呢？这是“乖讹说”的第一难点。有时在意料之中的事情也可以引人发笑。萨利说过，假如我们预先做好一个圈套，引傻子“上当”来开玩笑，他怎样“入彀”，怎样“落阱”，都是我们预料所及的，我们却仍发笑。《红楼梦》中“王熙凤毒设相思局”一段故事就是一个好例。这是“乖讹说”的第二难点。但是它的最大难点还不在此。笑是突如其来、不假思索的。每个人不都是哲学家，我们就难说每个人在发笑时都存在康德所说的“预期”，或是叔本华所说的把“感觉”纳入“概念”里去思索。康德和叔本华的笑的心理学浑身都是理智主义，我们现在知道了，理智在心理上的威权并没有他们所想的那样浩大。所以我们对于这种完全根据理智的“乖讹说”，至多也只能承认它含有一部分真理，不能全盘接受它。

五

英国心理学家斯宾塞也是相信“乖讹说”者，但是不从理智的观点出发。从来学者都没有注意到笑的生理变化和心理变化的关系，斯宾塞才是研究这种关系的第一个人。我们讨论“艺术与游戏”时曾经提及他的精力过剩说。他的笑的学说还是根据精力过剩的原则。精力过剩时须求发泄于筋肉动作，而发泄的途径往往向抵抗力最小的一方面。我们的筋肉哪一部分抵抗力最小，最容易感受情感的变化呢？第一是语言器官。口部筋肉最细小，所以最便运动，情感微有变化，口部筋肉立刻就把它表现出来。其次是呼吸器官。情感兴奋时需要养化血液较多，所以呼吸比较急促。这两处筋肉都是所谓“抵抗力最小”的地方，所以过剩精力先从这两处发泄。发泄时于是有笑的容貌和声音。

但是我们何以恰在发笑时有过剩精力呢？斯宾塞以为这是由于“下降的乖讹”（descending incongruity）。什么叫做“下降的乖讹”呢？我们最好举一个实例来说明。比如在玩马戏时，一位跳绳人一步跳过四匹马背，后面一位丑角也郑重其事地作势跟他跳，但猛然出于意料地停止，在马身上扫去一点灰。这种微细的动作和原来的准备姿势太不伦不类，是一种“虎头蛇尾”的“下降的乖讹”。他原来作势跳马时，我们正聚精会神地期待一个重大事件，正准备大量的精力来看他显惊人的本领，结果他只在马身上扫去一点灰，我们原来所准备的精力便无所用而成过剩。这过剩的精力向抵抗力最小的颜面和呼吸器官发泄为筋肉动作，于是才有笑。有时事变超过期待，所准备的精力不敷应用。这是“上升的乖讹”，结果不是笑而是惊奇（wonder）。

斯宾塞的“下降的乖讹”说在近代影响颇大。立普斯和弗洛伊德两人的学说都是从它发挥出来的。现在先讲立普斯说。

斯宾塞从生理学观点立论，他所要解释的是笑何以发生；立普斯从心理学观点立论，他所要解释的是笑所伴着的情感。他的要旨在把康德的期望消失说和斯宾塞的精力过剩说合并起来。在他看，可笑的情境都生于“大”、“小”的悬殊。注意力正集中于“大”时，猛然跳出“小”来，它于是移注于“小”。这时的情感就是喜剧的情感，它却不纯是快感。专就质言，期“大”而得“小”的失望原来带有几分痛感。但是就量说，准备的心力多而花费的心力少，心中却有一种“绰有余裕”的快感。喜剧的情境都是“大”和“小”的对比，“大”者一定在先，“小”者一定在后，“小”独立不见其可笑，和“大”相形才见绌。喜剧的情境不可无“大”，但是可笑者不在“大”而在“小”。比如大人戴小儿帽，和小儿戴大人帽，同为可笑，而可笑的理由却不同。在看大人戴小儿帽时，我们先注意到人，预期这样大人所戴的帽子一定和他的身材相称，他的头上偏有一顶不伦不类的小儿的帽子在那里耸起。人的“大”把帽的“小”映得格外分明，所以可笑者是帽不是人。在看小儿戴大人帽时，我们先注意到帽，预期这样一顶大帽下面一定有一个身材相配的人，但是他偏在小孩的头上。帽的“大”把人的“小”映得格外分明，所以可笑者是人不是帽。

我们对于这个“言之成理”的学说应该如何看待呢？这要分两层说。第一层，专就笑的生理学来说，暂时还没有圆满的解释，斯宾塞说是比较近于情理的。不过批评“游戏起于精力过剩”说的理由，也可以应用来批评“笑起于精力过剩”说。如果笑由于精力发泄，精力既已发泄之后即不能有笑，而好笑者遇到可笑的事往往愈笑愈起劲，这显然难用精力过剩说来解释。第二层，专就笑的心理学而言，“下降的乖讹说”除了一般“乖讹说”所有难点之外还另有它的特殊的难点。可笑的“乖讹”不尽是下降的。伊斯特曼（Eastman）说过，上面作跳马势的丑角猛然停住替马扫去一点灰固然可笑，但是在扫灰之后他如果出于意料地又跳过马背，也还是可笑，这一次的乖讹却不是下降的。萨利在他的《论笑》里攻击立普斯说的理由也颇充足。在发笑时我们所注意到的是整个的情境，并没有功夫去分析它的部分的大小先后。笑是突如其来的，我们并不曾拿“大”的观念来比较“小”的观念。比如立普斯所引的实例，大人戴小儿帽和小儿戴大人帽，可笑者本都只是一个整个的乖讹的情境，立普斯强立分别，以为前例可笑者是帽而后例可笑者是人，实在不明白知觉的特质。萨利说这番话时，完形派心理学还没有出世，现在完形派心理学已明白告诉我们，知觉是先统观整体而后以整体定部分的，立普斯说更难成立了。

六

康德的期望消失说和斯宾塞的精力过剩说，就心境由紧张而弛缓一个意义说，和“自由说”（liberty theory）有关联。法国的彭约恩（Penjon）、英国的倍恩、美国的杜威和克来恩（Kline），都是主张“自由说”的代表。倍恩说：“笑是严肃的反动。我们常觉得现实界事物的尊严堂皇的样子是一种紧张的约束；如果突然间脱去这种约束，立刻就觉得喜溢眉宇，好比小学生在放学时的情形一样。”最难堪的约束就是心里本不想如此而面上却要扮得如此。如果心里觉得怎样，面上就表现怎样，那就是没有约束了。比如在做礼拜时，大家都很严肃虔敬地祈祷，猛然有一个人睡着打呼鼾，如果你真虔敬，自然厌恶他亵渎神圣，否则你会觉得他的呼鼾仿佛像沉闷天气中的偶然起来的凉风，给你一种轻松的感觉，使你从心里笑出来。礼节愈严重时，愈使人觉得些小的失仪为可笑。戎装盛服的军警，拘谨矜持的文吏，假扮面孔的伪善者，以及一切名存实去的礼俗制度和信仰都是极好的笑柄。这都由于我们以不是自然流露的严肃为苦事，一遇到机会就要把它摆脱。

推广一点说，现实世界和实际生活都是人生一种约束。笑也有时起于解脱这较广义的约束。现实世界是有条理法则的，所以乖舛错误常能引起我们发笑。现实世界好比一池静水，可笑的事好比偶然吹起的微波，笑就是对于这种微波的欣赏。文化和自然常处在对敌的地位。文化愈进步，生活愈繁复，约束也愈紧张，自然也就愈不容易呈现。现代人个个都不免带有几分假面孔，把自然倾向压下去，来受礼俗制度以及种种实际需要的支配。维持这种紧张状况须费大量心力，所以是一件苦事。在嬉笑戏谑时，我们暂时把面具揭开，来享受一霎时的自由人的欢乐，所以彭约恩说："笑是自由的爆发，是自然摆脱文化的庆贺。"

这个"自由说"和弗洛伊德派的学说颇相近，后当详论。笑有时是起于自由的恢复，兵士在剧战和久围之后最喜笑谑，就是一个明证。但是"自由说"也有时不能适用。严肃者处处严肃，并不因其常紧张而在笑中寻解脱；好笑者处处好笑，也不因其少紧张而无须发笑。我们终日劳作，晚间坐下休息，也是由紧张而弛缓。这时候如果有亲朋助兴，笑谑固然容易起来，如果单独一个人，就决不会发一阵狂笑来庆贺自由的恢复了。像柏格森所说的，笑不能离去社会的成分，由紧张而弛懈的变动虽是笑的助力，却不必是它的主因。

七

"精力过剩说"和"自由说"都隐含笑为游戏的意思。笑是不是一种游戏呢？英国萨利、法国杜嘉(Dugas)和美国莎笛斯都是主张笑为游戏说者。萨利说："我们在发笑时和在游戏时的心绪是根本相同的。"他分析许多可笑的情境，以为它们都有游戏的成分在内。"姑先就对于新奇怪诞的事发笑来说，这不全是由于游戏的冲动么？我们笑新奇怪诞，就由于暂时故意不把事认真，不顾到事物的实际上的、理论上的乃至于美感方面的性质和意象，专拿它们当玩具玩，以图赏心娱目。再譬如一位新来客破坏了一条规则，我们向他发笑，这也就是宣布这种错误并无妨碍，规则的破坏也可以作一个笑柄来取乐。"莎笛斯说："可笑的事物都是属于玩具之类。小孩子们在拿玩具游戏时要跳着笑，这是常见的。成人也欢喜拿玩具来取笑作乐。不过他们的玩具是经过化装的，比较更为复杂罢了。……玩具的性质随国别、年龄、环境而变迁，不过变来变去，都脱不去玩具的本色。我们借游戏取笑。游戏本能就是笑的原动力。"

同是从一个观点出发而所达到的结论往往相反，这是学问上一件很有趣的现象。譬如谷鲁斯和伊斯特曼也都是持"游戏说"者，但是一个把笑看作恶意的，一个把笑看作善意的。在谷鲁斯看，笑是争斗本能见于游戏，后来又加上乖讹的观念来助长势力。所以他的学说是"鄙夷说"、"乖讹说"和"游戏说"所混合成的。伊斯特曼则取麦独孤的本能定义做标准来分析诙谐(humour)，以为诙谐就是一种本能，我们有诙谐本能，所以能拿游戏态度来看事物。连失意的事也可以变成快感的来源，只要我们能拿"一笑置之"的态度来看它。他说过这样一段很有意味的话：

穆罕默德自夸能用虔信祈祷使山移到面前来。一大群徒弟围着来看他显这种本领，他尽管祈祷，山仍是岿然不动，他于是说："好，山不来就穆罕默德，穆罕默德就去就山罢。"他们也是同样的竭精殚思来求世事恰如人意，到世事不尽如人意时，我们说："好，我就在失意事中寻乐趣罢！"这就是诙谐。诙谐就像穆罕默德走去就山。它的生存是对于命运开玩笑。

这种诙谐本能和合群本能是互相携手的。笑就是亲善的表示。"语言之外，笑是把社会联络在一起的最重要的媒介。它似乎是人类合群本能中一个要素，表示人不是甘于寂静躺在同类的身旁咀嚼的动物，表示合群是他的天然的活动，也是他的极大的快乐。微笑是普遍的欢迎符号，大笑是向碰到的朋友致敬礼，都是一种很确定的亲善的表示。笑就是说：'对，不错'，'好！''我和你同情'，'我看见你真高兴！'一声微笑是使两个人相接近的媒介，不笑就是明白的告别。"

伊斯特曼的这个学说不但和霍布斯的"鄙夷说"适相反，就是和柏格森的"笑为社会的惩罚说"也不相容。他的"笑为快乐的表现说"是和常识相符合的。达尔文研究笑的颜面表现，结论也是如此。它可以补救霍布斯和柏格森两说的欠缺。不过他把"鄙笑"置之不论，也是一个弱点。至于他和杜嘉、萨利诸人所共同主张的"游戏说"，也可以包涵"自由说"而却可以免去"自由说"的弱点，在近代各家学说之中可以说是最合理的。我们承认笑是一种游戏，不仅使游戏和艺术的关联更加显著，而且把笑的实用目的丢开，使嬉笑和诙谐的情感成为一种真正的美感。柏格森不承认笑为纯粹的美感，就因为他以为笑有改正丑拙言动一个实用目的，没有顾到笑的游戏性。

笑虽是一种游戏，却不完全和游戏是一件事，如萨利所说的。笑是不由人意的，突如其来的，被动的；游戏大半是有意的，主动的，可随时进行随时停止的。笑是人类所特有的（虽然少数学者说最高等动物也有能表现近于笑的面孔者，这究竟是例外）。游戏则为人和一般动物所公有的。我们可以说，笑是一种进化程度较高的游戏。真正的笑都是突如其来、不假思索的，所以也是形象直觉的结果。

八

现代关于笑和诙谐的学说除柏格森说之外，自然以弗洛伊德的"心力节省说"为最重要。我们故意把它留到现在才讲，因为它是"精力过剩说"、"自由说"、"游戏说"以及"鄙夷说"的合并，要先明白这几个学说，才能明白它的意义和价值。弗洛伊德在他的《诙谐和隐意识的关系》一书中没有讨论全部喜剧的心理学，他所讨论的只是其中一部分，就是关于诙谐的，尤其是以文字取巧的诙谐。

他分诙谐为两种，一是"无伤的诙谐"（harmless wit），一是"倾向的诙谐"（tendency wit）。所谓无伤的诙谐就是"不虐之谑"，专在字面取巧。它尽管含有很深的意义，我们所得的快感却只在它的技巧方面。它的技巧有多种，大体略似"梦的工作"，有时是"凝聚"，把几个不同的意义聚在一起，有时是"代替"，言在此而意在彼。这些技巧都根据"节省"一个原则，一个字可以用来包涵几个意义。海涅曾经说过这样的一个故事："我坐在富翁劳特齐尔德的身旁，他待我像一个平辈一样，很 famillionaire。" famillionaire 这个字是两个字合并起来的，前半是 familiar，意谓"彼此很熟，很亲热，用不着客气”，后半是 millionaire，意谓“百万富豪”。他的意思是说：“他待我像一个老朋友，可是富豪的气派也还在那里。”这两层意思在通常要用两句话说，现在用一个字就把它说得了无余蕴。我们初听 famillionaire 这个奇怪字时，预期它有一种新奇的意义，可是了解之后，它的意义却是我们所习见习闻的。这可以说是双料的心力的节省。我们的快感就是由这种节省得来的。弗洛伊德又说我们嗜好这种诙谐时，是“退向”到婴儿游戏时的心境。所以专就“无伤的诙谐”而言，弗洛伊德的学说是从“精力过剩说”和“游戏说”脱胎出来的。

在“倾向的诙谐”中，弗洛伊德才把他的隐意识说渗进去。“倾向的诙谐”像梦一样，是隐意识中的欲望浮到意识中求满足。倾向分两种，一种是“性欲的倾向”（sexual tendency），一种是“仇意的倾向”（hostile tendency）。满足性欲倾向的诙谐大半是淫猥的，针对异性而发，用意在挑拨性欲。一个女伶向一个求婚的富豪说她的心已许给别人了，富豪回答说：“马丹，我的希望并没有那样高！”那是淫猥诙谐的好例。满足仇意倾向的诙谐大半以压倒旁人来取乐。我们嘲笑仇人时惹起旁观者发笑，他的失败就是我们的快感的来源。有一位牧师问美国释奴运动家菲利普斯（Phillips）说：“先生要救济黑奴，何不到南美洲去呢？”他回答说：“先生不是以救济灵魂为职业么？何以不到地狱中去呢？”这都是含有仇意的诙谐。这里弗洛伊德的意见似乎很近于霍布斯说。性欲倾向和仇意倾向都是和礼俗制度相冲突的，在平时很难直接出现，一出现就要被意识的“检察作用”压抑下去。这种压抑的支持须耗费不少的心力。在诙谐中我们采用一种取巧的办法，将性欲倾向和仇意倾向的言语或动作，以游戏态度出之，使倾向可发泄而同时又不至失礼违法，受社会的裁制。

倾向诙谐的快感是多方面的。（一）像上述无伤的诙谐一样，它可以借文字技巧引起“游戏快感”。（二）倾向的满足也是快感的来源。（三）倾向诙谐对于心力是两重节省，第一重是像无伤的诙谐从技巧方面所得的节省，第二重是移除压抑所费心力的节省。这第二重节省所生的快感，弗洛伊德称为“移除快感”（removal pleasure）。压抑既移除，被节省的心力于是自由发泄，见诸颜面而为笑。在诙谐时说者自己大半不笑，笑的大半是听者，因为说者和听者的心力发泄的速度不同。说者的心力发泄，好比钟的弹簧逐渐开展出来，只能丁当丁当的慢响；听者的心力发泄，好比炮机被触，来势甚促，轰然一声地就爆发出来了。从这一段解释看，弗洛伊德的话大半是前人所已说过的。他的新贡献只在“节省心力”和“移除压抑”两层道理来解释过剩精力所由来。

我们现在就来分析“节省心力”和“移除压抑”两个观念。就大旨言，“移除压抑”就是“自由说”所说的由紧张而弛缓，所不同者只是这种紧张在弗洛伊德说中起于意识和隐意识的相持，这是弗洛伊德对于“自由说”所加入的新成分。这一说法能否成立，以弗洛伊德的隐意识说全部能否成立为转移。这个问题过大，不是本编所能解决。至于“节省心力”这个观念颇有毛病。第一，“节省”不尽能引起快感。这一层道理莎笛斯已经详细说过。凡是科学上的定律都是“心理上的缩写”，用字有限而包涵事例无穷，可以说是一种最经济的表现法。但是它显然不是一种诙谐。“凡物下坠”、“生物进化”种种原则都不能令人发笑。弗洛伊德并没有替诙谐时的“节省”寻出一个特点来。莎笛斯说：“在美感的活动中，经济学原理是完全不能适用的。这里的原则是‘余力’，不是‘节省’。游戏的唯一目的都在表现余力。”第二，在诙谐技巧中心力实在并没有节省。比如上述 famillionaire 例子，就有些像一个难字谜，很要费一番心力才能寻出它的意义。假如直截了当地说：“他待我像一个老朋友，不过还不免带有富豪气”，我们一听就懂得，心力节省得更多了。所以“节省”是很难成立的。

弗洛伊德的门徒扩充他的学说者颇多，最重要的是英国谷利格（Greig）。在他看，爱的冲动被阻碍，心里于是起移除这种阻碍的精力；这种精力供过于求，于是乃发泄而为笑。这种学说仍然是弗洛伊德说和斯宾塞说的合并。我们对于这两说已经详论，所以不必再详论谷利格说。

九

此外关于笑和喜剧的言论还很多。谷利格曾编过关于这个问题的书籍目录，总共有三百几十种之多。而 1923 年以后所出的书尚不在其列。这许多分歧的意见绝非本文所能详论，不过我们总算把重要的学说讨论得很详细了。在这些纷纷众说之中，究竟哪一说最为圆满呢？哪一说是，哪一说非呢？它们都是，它们也都不是。它们都是，因为它们都含有几分真理，都各能解释一部分的事实。它们都不是，因为它们都想把片面的真理当作全部的真理，都想把笑和喜剧复杂的事例纳在一个很简短的公式里面。萨利说过：“关于喜笑的各种学说个个都不能推行无碍，就因为在‘复杂原因’特别鲜明的领域中，它们偏要寻出一个唯一无二的原因来。”这是一句至为精确的话。笑的种类不同，笑的情境不同，发笑者和被笑者的性质不同，笑的原因也自然不一致。这个道理我们只要把诸家学说摆在一起来参观互较,就可以见出。

第一件很刺眼的事实就是:诸家学说往往是互相冲突的。霍布斯的“鄙夷说”和康德的“乖讹说”出世最早,影响也最大。它们一从情感出发,一从理智出发。后来学者如提倡“自由说”、“游戏说”、“隐意识说”以及“欢乐表现说”者都是从情感着眼;如叔本华、立普斯以及柏格森都是从理智着眼。柏格森并且说喜剧完全是理智的,和情感绝不相容。这是出发点的冲突。再就诸家互相比较来看,霍布斯把笑完全看作恶意的,伊斯特曼把笑完全看作善意的;柏格森说笑有实用目的,萨利说笑是一种游戏;多数学者以为笑是喜感,柏拉图和后来几位德国学者则以为笑之中杂有痛感;柏格森以为可笑的事物是生气的机械化,笑是社会对于个人的纠正,持“自由说”者则以为可笑的事物是板滞现实中所露的变化,笑是个人对于社会习俗的反抗;弗洛伊德以为笑由于心力的节省,莎笛斯以为心力本来有余裕才发泄于笑。这都是完全相反的。这种矛盾如果不能证明这些学说都是错误,至少也可以证明它们都不是全部真理,都各有缺点。

但是在这些互相冲突的学说中我们也可以见出关联来。康德的“乖讹说”流衍为“自由说”和“游戏说”,谷鲁斯拿“游戏说”来沟通“鄙夷说”和“乖讹说”,“自由说”和“精力过剩说”来沟通“鄙夷说”和“乖讹说”,“自由说”和“精力过剩说”又流衍为弗洛伊德的“移除压抑说”。柏格森的学说,就其注重惩罚丑拙一点而言,半近于霍布斯说;就其偏重理智一点而言,又半近于“乖讹说”。没有一个学说可以说是完全独立的,也没有一个学说可以说是和另一个学说是完全相反的。这种关联至少可以证明诸家学说并非不能互相调和补充。

总而言之,笑的原因甚多。像呵痒所引起的笑几乎纯粹是生理的。小儿的嬉笑由于欢乐,见朋友时的笑由于表示亲善。我们有时鄙笑仇人的丑拙的言动,有时对于自己的失败以"一笑置之",表示自己比命运强悍,拿生命作玩具来戏弄。在大多数情境中笑都是一种游戏的活动,功用在使心境的紧张变为弛懈。笑有时是偏于情感的,仇意的诙谐和淫猥的诙谐都是要满足自然倾向。有时它偏于理智,情境的乖讹和文字的巧合都属于理智类的喜剧。笑是一种社会的活动,讽刺讥嘲的用意大半都是以游戏的口吻进行改正的警告。喜剧家大半在无意识中都明白这些笑的来源,把它们利用在舞台上面,所以懂得日常生活中的笑,对于艺术上的喜剧也就能明白大要了。

笑的来源既不同,所生的快感也就不一致。笑的情感是否为美感呢?喜剧是否属于纯粹艺术呢?这是一个极难的问题。如果肯定地回答,则我们分析美感经验所得的不带实用目的而观赏形象的一个原则不尽能适用。如果否定地回答,则莎士比亚和莫里哀的许多作品都须被摈于艺术之外。我们已经说过,柏格森以为笑是社会对于丑拙言动的警告,含有实用目的,不能算是纯粹的美感,但是社会所以要对于丑拙言动加以惩责,便是要求生活的美感,便是一种美感的表现。英人伽瑞特(Carritt)也以为笑是美感的表现,是对于丑的不满。他说:

> 历来诸家解释可笑的特性,都以为它和美是相关联的,也是相冲突的,都以为它是一种丑陋或缺陷。至于缺陷事物之所以令人发笑者,则他们都以为我们觉得自己优胜,或是觉得自己能与这种缺陷事物相安。但是由此点更

> 进一步，到厘定所说的缺陷、乖讹和优胜究竟是什么时，诸家的学说彼此分歧，莫衷一是。有人说缺陷在理智方面，有人说缺陷在身体方面，又有人说缺陷在道德方面。在我看，它只是一种美感方面的缺陷。依据克罗齐的见解，凡是美感的缺陷都是由于表现不成功。感觉到美感的失败而对于丑陋起嫌恶时，唯一的救济的方法就是把它表现出来。所以如果可笑的事物确是美感的，那一定是由于它能表现我们对于丑陋的嫌恶。……凡是我们想看成有表现性而实无表现性的东西都是丑陋，我们意识到它的欠缺而把这种意识表现出来就是喜剧。

这段话暗合我们在第十章所说的丑的定义，以及本章所引的亚里士多德的“可笑性是一种丑”的原则，它和柏格森的学说也很相近。一言以蔽之，笑虽非一种纯粹的美感，而它的存在却须先假定美感的存在。把生命当作艺术看，言动的丑陋也引起我们的嫌恶和讪笑。就这个意义说，喜剧的情感自然可以说是一种美感了。不过这种讪笑虽有纠正丑陋的效用，而却不必预存一种有意识的目的。笑都是突如其来的，不假思索的，所以见到可笑的事物而发笑，自然可以说是直觉形象的结果。

附录一

近代实验美学

第一章　颜色美

拿科学方法来作美学的实验从德国心理学家斐西洛(Fechner 1801—1887)起,所以实验美学的历史还不到一百年。这样短的时间中当然难有很大的收获,不过就已得的结果说,它对于理论方面有时也颇有帮助。理论上许多难题将来也许可以在实验方面寻得解决,所以实验美学特别值得注意。我们在以下三章中约述近代美学对于色、形、声的实验。

实验美学在理论上有许多困难,这是我们不容讳言的。第一,美的欣赏是一种完整的经验,而科学方法要知道某特殊现象恰起于某特殊原因,却不得不把这种完整的经验打破,去仔细分析它的成分。譬如一幅画所表现的是一个完整的境界,它所以美也就是美在这完整的境界,其中各部分都因全体而得意义。实验美学格于科学方法,不能很笼统地拿全幅画来做对象,须把它分析为若干颜色,若干形体,若干光影,然后再问它们对于观者所生的心理影响如何。但是独立的颜色、形体和光影是一回事,在图画中颜色、形体和光影又是一回事。全体和部分相匀称、调和才能引起美感,把全体拆碎而只研究部分,则美已无形消失。总之,艺术作品的各部分之和并不能等于全体，而实验美学却须于部分之和求全体，所以结果有时靠不住。把全幅画拆碎而单论某形某色以寻美之所在，也犹如把整个的人剖开而单论手足脏腑以求生命之所在，同是一样荒谬。因此，文学家和艺术家们听到心理学家们把文艺作品拿到实验室里去分析，往往嗤笑他们愚昧。在他们看，文艺作品都带有几分飘忽的神秘性，不是科学所能捉摸到的。拿科学来讨论文艺，好比拿灯光来寻阴影。

第二，个个人不一定都知道什么叫做“美”，但是个个人都知道什么叫做“愉快”。拿一幅画给一个小孩子或是一个乡下人看，问他的意见如何，他说“很好看”。他所谓“很好看”就是指“美”么？如果追问他一句“它为什么好看？”他说：“我欢喜看它，看了它我就觉得愉快。”通常人所谓“美”大半都是指“愉快”，他看得很惬意，所以就说是“美”。心理学家的毛病也往往就在不分“美”与“愉快”，所以在实验时不问：“你觉得它美么？”只问：“你欢喜它么？看见它觉得愉快么？”本来一般人不明白“美”和“愉快”的分别，你就是问到美不美，他心里也还是只想到愉快不愉快，所以心理学家就是换个字样来问，也并无济于事。美感虽是快感，而快感却不一定是美感。实验心理学只能研究某种颜色、某种形体或是某种声音最能引起快感，却不能因而就断定它就是美。如果他这样断定，他就不免堕入“享乐派美学”的谬误了。

我们研究近代美学实验时，心里应时常记起这两个要点。在我们看，近代许多实验都忽视了这两个要点，所以它们的结果对于普遍心理学虽颇重要，而对于文艺心理学则只能供给一点聊助参考的材料。

我们先讲颜色。在图画、服装、器皿和自然景物之中，颜色都是很重要的成分。近代画家对于颜色和线形的重要争论极烈。佛罗伦萨派颇重线形的布置,以为图画的要务在制图;威尼斯派和印象派都偏重颜色的配合,以为图画的要务在着色。颜色所生的影响随人而异,甲欢喜红色,乙欢喜绿色,各有各的偏好。这种偏好是怎样起来的呢? 颜色心理学所要研究的就是这个问题。概括地说,颜色的偏好一半起于生理作用,一半起于心理作用。

生理的组织不同,颜色所生的影响也就随之而异。同是一个颜色,合于某个人、某民族或是在某年龄的生理组织,不必合于另一个人、另一民族或是另一年龄的生理组织,所以甲欢喜它而乙嫌恶它。从前心理学家大半以为颜色的偏好全起于心理的联想作用。例如红是火的颜色,所以看到红色可以使人觉得温暖,青是田园草木的颜色,所以看到青色可以使人觉得平静。这种联想作用我们在下文还要详论,它自然可以解释一部分的事实,但是有些颜色的偏好却与联想无关。初出世的婴儿没有多少联想,可是他对于颜色也有偏好。据拉塔(Latta)教授的实验,有一个生来盲目者后来经医生施用手术,把障膜割去,第一次张眼看世界,见到红色就浑身愉快,见到黄色就发晕。这绝不是联想作用可以解释的。动物对于颜色也有偏好,阿米巴避红光不避绿光,就是一个好例。有一位科学家曾经用同数蚯蚓摆在中有一孔相通的两个盒子里,一个盒子含红光,一个盒子含绿光。他每点钟开盒检点一次,发现绿光盒的蚯蚓逐渐爬到红光盒里去。他又用同样方法证明蚯蚓欢喜青色甚于欢喜绿色。这样低等的动物在生理方面都有适应颜色的生理组织,在人类自不用说了。

据一般实验的结果,儿童大半欢喜极鲜明的颜色,红、黄两色是一般儿童的偏好。实验时大半用两种颜色纸或木块摆在儿童面前，看他伸手抓某种颜色，就把它记录下来。实验的次数愈多，结果自然也愈可靠。每两种颜色至少须实验两次，第二次须把左右的位置互换，因为在右手方的颜色比左手方的被抓的机会较大。瓦伦汀（Valentine）教授曾经用下列方法试验一个三月半的孩子。他把孩子摆在褥子上，自己用两手执两个着色的羊毛球站在他面前一英尺半路的地方让他看。他看到孩子的眼球向某颜色移转，就告诉助手把该颜色记下。他的眼球转去时，他又叫助手记录下来，把每转动的时间也记着。每一对颜色都给他看两次，每次的左右的次序不同，都以两分钟为限。隔一天他又另换一对颜色试试。总共他用了九种颜色，作了72次试验，所以每种颜色都和其他八种颜色相对比较过。他把孩子看每种颜色的各次的时间总数相加起来，和他看其余八种颜色各项的时间总数相较，得到下列的百分比：黄，百分之八十；白，百分之七十四；淡红，百分之七十二；红，百分之四十五；棕，百分之三十七；黑，百分之三十五；蓝，百分之二十九；青，百分之二十八；紫，百分之九。最鲜明的（就是含白的成分最多的）颜色都列在前面。

年龄渐大，颜色的偏好也渐改变。比利时心理学者在安特卫普城各学校实验儿童的色觉，发现四岁至九岁的儿童最爱红色，九岁以上的儿童最爱绿色。文齐（Winch）在伦敦试验过二千学童（从七岁至十五岁），叫他们顺自己的嗜好把黑、白、红、青、黄、绿六种颜色列出次第来，发现男生的平均次第为绿、红、青、黄、白、黑，女生的平均次第为绿、红、白、青、黄、黑。再就年龄的差异说，最幼的多爱红色，较长的多爱绿色，和比利时的结果相符合。在婴儿时期中颜色的偏好可以说全由生理作用；年龄渐长，联想作用便逐渐渗入。据实验的结果，乡间儿童比城里儿童较爱青色，这有一部分由于青色和草木的联想。女孩比男孩较爱白色，也由于白色和清洁的联想。

愈近成年期，颜色的偏好就愈受联想作用的影响，所以对于成人的颜色试验颇非易事。据实验的结果，美国大学生偏好白、红、黄三色；英国男子爱好颜色的次第为青、绿、红、白、黄、黑，女子的次第为绿、青、白、红、黄、黑。这两种结果显然互相冲突。这或因为种族和区域的差异。南欧和热带的人所好的颜色较鲜明，北欧和寒带的人所好的颜色较暗淡。这种分别只要拿意大利画和荷兰画相较，或是拿热带人的衣服和寒带人的衣服相较，便易见出。

各民族感觉颜色的能力往往随文化程度而变迁。希腊荷马史诗中有“黄”字和“红”字，有意义较暧昧的“青”字，没有“蓝”字和“棕”字。在中国古书中，依我所记得的，“蓝”字最早见于《荀子》（“青出于蓝”）。其他各国古书中“蓝”字也少见。据近代学者的调查，许多蒙昧民族（例如 Madras 的 Urali 和 Sholagas 两民族及 Murray 岛人）的语言中都只有“红”字和“黄”字，没有“蓝”字，“青”字也很少见。因此有人以为“蓝”的色觉起来最迟。婴儿在九岁以下都不好蓝色，也许与种族史有关。至于迟起的原因有人以为是生理的。较原始的民族的眼膜“黄点”的色斑较强，蓝色光和青色光到眼膜时就被它吸收了。有人以为它是心理的。原始的民族不注意青、蓝二色，所以没有替它们起名字。

颜色的偏好不仅因种族和年龄而异，就是在同一种族、同一年龄的人也有差别。以前各种实验大半都是窥测大多数人的普遍倾向，首先顾到色觉的个别的差异者要推布洛（他的“心理的距离”说已详第二章）。他的实验结果是对于美学颇有贡献的，不像从前的试验把“美”和“愉快”混为一谈，在一切颜色实验中它最为重要。

他的方法和从前所用的也微有不同。从前人大半取两种或数种颜色叫受验者看，问他偏好哪一种。布洛每次只取一种颜色给受验者看，问他欢喜不欢喜，并且要他说出缘故来。他先后试验过四十三个成年人，每人都看过三十种颜色。结果他发现人在色觉方面可分为四类。

一、客观类（objective type）：这一类人看颜色只注意到它是否鲜明，是否饱和，是否纯粹。他的态度是理智的，批评的，不杂有丝毫情感的成分。他看到一种颜色，立刻就去分析它，看它的成分如何，有没有旁的颜色夹杂在内。他对于颜色的欣赏力最薄弱，对于许多颜色都不表好恶，听到旁人说某种颜色美，某种颜色丑，他只觉得茫然。他心中也有所谓“好颜色”，但是大半只指纯粹、饱和的颜色。他好像严守义法的批评家，拿预定的标准来批评颜色的好坏。

二、生理类（physiological type）：这一类人看颜色，偏重它的生理的影响。他说：“我欢喜这种颜色，因为它很温和，看起来眼睛很爽快；我不欢喜那种颜色，因为它刺激太烈，令人头昏目眩。”这类人的偏好大半都很明显，欢喜强烈刺激者偏好红色，欢喜和平刺激者偏好青色。颜色对于他们都有温度，有些是“热”的，有些是“冷”的。有一个受验者看到浅蓝色时甚至于打寒颤。有时他们又觉得颜色有重量。深暗的颜色都很沉重，令他们倦闷，浅淡的颜色都很轻便，令他们欣喜。这类人极多。他们的欣赏颜色的能力虽较客观类稍强，但是他们的注意力集中于颜色的生理影响，对于美感的欣赏还是缺乏。

三、联想类（associative type）：这类人看颜色，往往立刻就想到和它有关联的事物，例如见蓝色联想到天空，见红色联想到火，见青色联想到草木。这种联想大半是很普遍的，红色的联想大半是火，蓝色的联想大半是天空。但是它有时也是个别的，例如有一位受验者见到黄青色就联想到金鸡纳霜。联想可以把以往附丽在某事物的情感移到和它发生联想的颜色上面去。所以颜色对于这类人所引起的情感往往很强烈。“记得绿罗裙，处处怜芳草”就是一个好例。从生理的观点看来是不常引起快感的颜色可以因情感的联想而引起快感。例如正蓝色向来比深暗的黄青色较悦目，但是据瓦伦汀的实验，有一个女子却取深暗的黄青色而不取正蓝色，因为深暗的黄青色使她联想到她所最爱的秋天景色。属于这类者女子居多。我们在第六章已讨论过联想和美感的关系，曾否认联想所引起的情感为美感。依布洛说，联想有种类的不同，其在美感上的价值自亦不能一致。譬如同是青色，甲见到它联想到草木，乙见到它联想到药水，甲和乙的情感在美感上的价值自不能相提并论；甲的联想带有几分客观性，多数看见青色都联想到草木；乙的联想却完全是主观的，偶然的。论理，甲比乙对于青色的反应较近于美感经验。联想愈客观愈近于美感。但是只是“客观”一个条件也不能组成美感。如果甲的情感真是美感，他的生于联想内容（草木）的情感须能和生于颜色（青色）的情感相融化，使颜色恰能表现联想内容的神髓。布洛分联想为“融化的”（fused）和“不融化的”（non-fused）两种。不曾和联想内容相融化的颜色所联想起的情感就不是美感。

四、性格类（character type）：在这类人看，每种颜色都像人一样，都各有特殊的性格。有些颜色是和善的，有些颜色是勇敢的，有些颜色是狡猾的，有些颜色是神秘的。他们和以上三类都不相同。他们对于颜色能发生情感的共鸣，不像“客观类”全用冷静的分析。他们觉得颜色自身能表现情感，不像“生理类”只觉得颜色能引起人的情感。譬如他们和“生理类”都说“黄色是一种畅快的颜色”，而意义却不同；他们觉得黄色自己畅快，而“生理类”则只觉得它能使人畅快。他们对于同样颜色的性格，往往彼此所见略同。颜色的性格对于他们常有很深的客观性，不像“联想类”全凭主观，飘忽无定，这个人见到青色联想到草木，那个人见到青色联想到药水。在他们看，颜色的性格大半是固定的。红色大半是活跃的，豪爽的，富于同情心的。蓝色大半是冷静的，深沉的，不轻于让旁人知道自己的。黄色是畅快的，轻浮的。青色是古板的，闲逸的，带有几分“中产阶级的气派”。两种颜色相配合时，所生的性格往往恰能调剂两种本色的性格。例如橙色是红、黄两色配合而成的，它一方面失去若干黄色所固有的轻便，一方面也失去若干红色所固有的豪爽。颜色都有性格，所以在文艺上和宗教上常有象征的功用。中国从前每朝代都有“色尚某”的规定，就是用颜色来象征一种性格。

颜色何以使人觉得它有性格呢？我们看见红色，何以觉得它活跃豪爽，富于同情心呢？各派学者对于这个问题有种种的解答。有人说它由于颜色和事物所发生的联想。这种解释显然不甚圆满，因为联想随人而异，而颜色的性格则许多人所觉得的都相同。属于“联想类”者常自己觉得某种颜色和某种事物可发生联想，属于“性格类”者并不觉得有这种联想存在。立普斯派学者用“视觉的移情作用”来解释。我们在第三章已见过，“移情作用”以类似联想为基础。象征派文学家常觉得每个字音都有颜色，便是类似联想的好例。例如 u 的声音常令人联想到深蓝的颜色。声音由听觉得来，颜色由视觉得来，两种经验的内容绝不相同。但是见蓝色和听u音时,两种经验在形式上却有几分类似;它们对于自我所生的影响都是很平静的,严肃的,深长的,所以它们能发生联想。见到红色感到豪爽的性格也由于这种形式上的类似,红色和豪爽人所引起的情感是相同的。见到红色,唤起我的豪爽的情思,我于是本移情作用把豪爽看成颜色的性格。

布洛承认颜色的性格起于移情作用,而却否认它起于类似联想。依他说,在见颜色具有性格时,我们先把物对于我所生的生理的影响移还到物的本身上去,然后再把物理的性质如(温暖、沉重、力量等等)译为心理的性格(如和蔼、豪爽、狡猾等等)。比如大红色本有很强烈的刺激性,受验的如果只觉得这种强烈的刺激因而发生快感或不快感,他就只属于“生理类”。“性格类”由“生理类”再进一步。他把物我的界限忘去,把本来在我的印象混为物的本质,使强烈的刺激经“外射作用”移到颜色本身上去,于是本来在我的强烈刺激感觉遂变为在颜色的力量。这所谓“力量”还只是一种物理的性质。属“性格类”者又把这种物理的性质译为心理的性格,于是有“活跃”、“豪爽”等等感觉。同理,红色本来是“暖”色,“暖”是在我的感觉,我把它移到色的本身上去,于是红色便变为“暖”的东西,次又把这物理的“暖”译为心理的性格,于是红色便“富于同情心”了。照这样看,属“性格类”者感觉颜色时恰能做到我们在第三章所说的“物我的同一”。他以整个的心灵去观照颜色,而却不自觉是在观照颜色,以至于我的情绪和色的姿态融合一气,这是真正的美感经验。所以布洛以为在上述四类人之中,“性格类”最能以美感的态度欣赏颜色。

以上都是个别颜色的研究。艺术作品单用一种颜色的很少。用颜色最多的艺术是图画,图画大半都是把许多颜色配合在一块。

配合的次第和美感的关系亦极密切。颜色的配合有一条极重要的原理，就是布洛所说的“重量原理”(Weight-principle)，依这个原理，较深的颜色应该摆在较浅的颜色之下，如果把浅色放在深色之下，我们就觉得上部太沉重，下部基础太轻浮，好像站不稳似的。比如把一丈高的墙壁从中腰平分，用深红和浅红两种色纸来糊它，我们总欢喜把深红糊在浅红之下；如果深红糊在浅红之上，我们就嫌轻重倒置，觉得不爽快。这个重量原理是画家和装饰家所必须注意的。

布洛常用各种颜色的形状来试验颜色的重量原理，比如有两个面积角度都相等的三角形叫做甲和乙（如下图），它们都从中腰平分，然后着两种深浅不同的颜色，使在甲形占上半的浅色在乙形占下半，在甲形下半的深色在乙形占上半。布洛使受验者比较甲乙两形，问他喜欢哪一个，并且叫他说出理由来。他试验过五十人，发现多数人都欢喜甲形而不欢喜乙形。他们大半说甲形比较稳定，乙形上半太沉重，下半太轻浮，令人生首尾倒置的感觉。

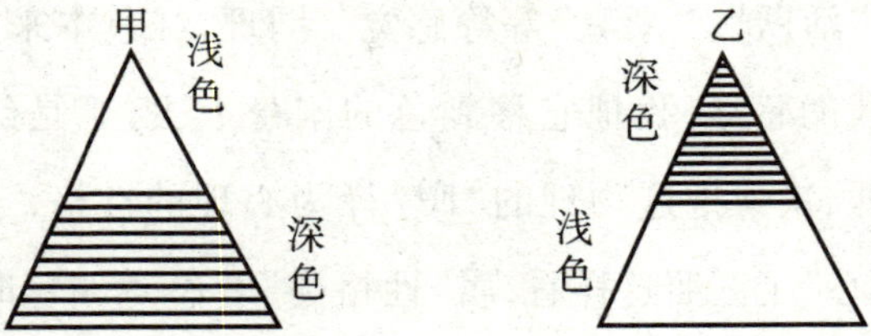

事实是如此，它的理由何在呢？颜色何以使人生重量感觉呢？浅色在深色之下何以看起来不稳定呢？多数受验者对于这种问题都茫然不能作答。有一部分人说它起于联想作用。我们在自然界中常见深色在下，浅色在上，海的颜色通常较深于天的颜色，山脚的颜色通常较深于山顶的颜色。我们对于上浅下深习以为常，猛然间看见习惯的次第颠倒过来,便不免感觉不快。颜色的重量原理即起于此。布洛举出两条理由,证明这种联想说不能成立。第一,在自然界中浅色并不常在深色之上。例如一片金黄色的麦浪和一座葱翠的丛林相邻接,从这一方看,深色固然在浅色之下,可是从反对的方面看,深色却在浅色之上。浅色的墙壁上面盖着深色的屋顶也是很寻常的。第二,从实验的结果看,重量原理和联想原理也常相冲突。例如一个圆形上半着蓝色,下半着青色,常使受验者联想到蔚蓝的天空笼盖着青绿的山水,可是在发生这种联想时他就不觉得颜色有重量,就不觉得它上重下轻。有时同一受验者对于同样的颜色配合可以发生两种不同的反应。他说:如果把它看作一个小坡,我觉得甲形和乙形没有什么分别,可是如果不起联想,只把它当作一种形体看,我却喜欢甲形",从此可知重量原理和联想原理是不相容的。依布洛的意见,重量原理完全起于数量的比较,与联想作用并无关系。在深红中红的颜料比在浅红中的较多,深红比浅红更红。这种"较多"、"更红"的感觉就是引起重量感觉的。我们无意中拿"重轻"来翻译"多寡"。

不但深浅两种颜色配合在一块可以见出颜色的重量,就是个别的颜色单独看起来也有轻重的分别。黄色和青色比蓝色和紫色较浅,所以单看起来黄色和青色是轻的,蓝色和紫色是重的,颜色的性格也有时起于重量感觉。金黄色是很轻的,所以看起来像是很灵活快乐;深蓝色是很重的,所以看起来很严肃沉闷。

颜色的配合不仅要顾到上下左右的位置,还要顾到色调的种类。据法国效佛洛尔(Chevreul)的研究,凡是颜色在独立时看起来是一样,在和其他颜色相配合时又另是一样。换句话说,两种颜色相配合时,它们本来的色调都要经过若干变化。例如红色摆在黄色旁边时，红色便微带紫色，黄色便微带青色。所以有些颜色宜于相配合，有些颜色不宜于相配合。什么颜色才宜于相配合呢？据一般科学家的研究，最宜于配合的是互为补色的两种颜色，补色(complementary colour)就是两种色光相合即成白色的颜色。红色和青色、蓝色和黄色都是补色。所以绘画着色时，红色和青色宜于摆在一块，红色和黄色不宜于摆在一块。画家往往于青色山水的背景上面加上穿红衫的妇女，就是要使全画的色调带有生气。冬天花瓶里插冬青叶果，叶是青色，果为红色，彼此相得益彰，所以非常雅观。如果只有青叶，或是只有红果，印象便比较呆板。这就是补色相调和的道理。

补色何以能互相调和呢？我们何以欢喜看互为补色的颜色摆在一块呢？据格兰特·亚伦(Grant Allen)的解释，补色的调和起于生理作用。如果我们注视红色物过久至于疲倦时移视白色花板，则在板上仍能见出原物的"余像"，不过它的颜色由红而变为青。反之，如果我们注视青色物过久至于疲倦时移视白色天花板，则在板上，亦仍能见出原物的"余像"，不过它的颜色由青而变为红。这件事实就可以解释补色相调剂的道理。注视红色物过久时，网膜上感受红色的神经就是疲倦，但是周围感受青色的神经仍未使用，仍甚灵活，所以移视天花板时，感受红色的神经因疲倦而休息，而感受青色(红色的补色)的神经则继之活动，所以原物的"余像"为青色。换句话说，青色可以救济感受红色神经的疲倦，红色也可以救济感受青色神经的疲倦。因此，任何两种补色摆在一块时，视神经可以受最大量的刺激而生极小量的疲倦，所以补色的配合容易引起快感。

第二章 形体美

一、严格地说,凡是美的事物都必具有一种形体。图画、雕刻、人物、风景,固不用说,就是音乐的节奏也可以说是形体的变象,所不同者形体是空间上的配合,节奏是时间上的配合而已。形体的单位为线。线虽单纯,也可以分别美丑,在艺术上的位置极为重要。建筑风格的变化就是以线为中心。希腊式建筑多用直线,罗马式建筑多用弧线,"哥特式"建筑多用相交成尖角的斜线,这是最显著的例。同是一样线形,粗细、长短、曲直不同,所生的情感也就因之而异。据画家霍加斯(Hogarth)的意见,线中最美的是有波纹的曲线。近代实验虽没有完全证实这个说法,曲线比较能引起快感,是大多数人所公认的。

同是单纯的线,何以有些能引起快感,有些不能引起快感呢?最普通的解释是筋肉感觉说。依这一说,眼球在看曲线时比较看直线不费力,所以曲线的筋肉感觉比较直线的筋肉感觉为舒畅。如果这一说可靠,则形体美的欣赏完全是感官的快感。但是斯屈拉东(Stratton)和瓦伦汀(Valentine)都反对这一说。他们举了三个反证。第一,我们寻常对于眼球运动并不能意识到。比如深夜里有一微光射在墙壁上,光虽然是固定的,我们看来却常觉它移动,这就是由于我们把自己没有意识的眼球运动误认为光的运动。如果我们对于眼球筋肉的一动一静都能意识到,就不会发生这种错觉。第二,我们把眼睛闭起,随意转动眼球,无论转得如何轻便,我们也决不能得到欣赏美线形的快感。这也可以证明筋肉感觉和美感是两件事。第三,斯屈拉东曾用照相机摄取眼球在看曲线的运动路径，发现它并不循曲线运动的轨道（如第 1 图），而是跳来跳去，忽断忽续，忽曲忽直，结果有如第 2 图。第 1 图是所看的曲线，它是很秀美的；第 2 图是看这条曲线时眼球运动所形成的线形，它是很零乱的。如果所看的曲线如第 3 图，则眼球运动所成的线形如第 4 图。第 3 图曲线颇陋劣，与第 1 图曲线相差颇远，但是第 4 图的线形和第 2 图的线形却没有多大分别。这些事实都足证明筋肉感觉说不能解释从美线形所得的快感。纵或筋肉感觉是这种快感的一种助力，却不能成为主因。

（1）

（2）

（3）

（4）

然则单纯的线形所引起的快感和不快感究应如何解释呢？它的原因是很复杂的。

第一，它是节省注意的结果。有规律的线比杂乱无章的线容易了解，所耗费的注意力较少，所以比较能引起快感。有规律的线是首尾一致的。看到它的首部如此，我们便预期它的尾部也是如此；后来看到它的尾部果然如此，恰中了我们的预期，注意力不需改变方向，所以不知不觉地感到快感。丑陋的线没有规律，我们看到某一部分时，不能预期其他部分应该如何，各部分无意义地凑合在一起，彼此并没有必然的关联，我们预期如此，而结果却如彼。注意力常须改变方向，所以不免失望。这个道理可以拿第 5、第 6

两图来说明。

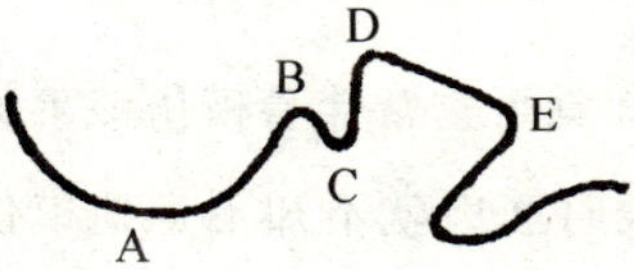

(5)

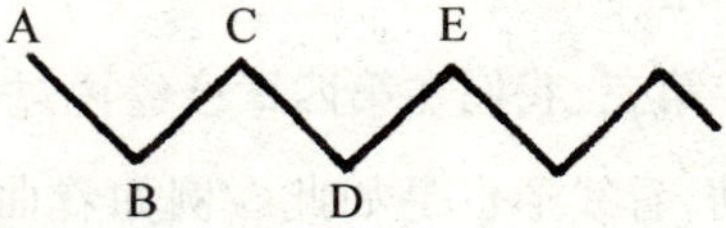

(6)

第5图是不能引起快感的,它起首是弧线,是有规律的。我们看到A部时自然预期它以后还是照这个规律进行,可是它到B、C、D、E各部屡改方向,与预期恰相反,所以引起不快的感觉。不过规律和变化并不是相仿的。浪费心力固然容易引起厌倦,心力无所活动仍是不免厌倦。所以规律之中寓变化,变化之中有规律,是艺术上一条基本原理。比如第6图就是在制图案时所常用的线形。它从A起到B止,是守直线的规律的,由B点它忽然离开这个规律,转走另一方向,这是和预期相反,不免惹起若干惊异。不过它到了C点随即取A—B的方向和长度走到D,心力也因之由活动而恢复平衡。这样寓变化于规律时,变化的结果不是失望,不是挫折注意力,而是打消单调,提醒注意力。

第二,线形所生的快感有时由于暗示的影响,我们欢喜秀美的线纹而不欢喜拙劣的线纹,因为秀美的线纹所表现的是自然灵活的运动,拙劣的线纹所表现的是不受意志支配而遭挫折的运动。比如乘脚踏车或划船,在初学时都不免转动不尽如人意,本来可以走直路,因为手脚不灵活,往往不免东歪西倒;但是练习既久,手腕娴熟之后,便可驾轻就熟、纵横如意了。生活中一切活动都可以作如是观。有时环境如炼钢,可以在指头回绕;有时能力不可应付环境,一举一动都不免流露丑拙。我们看到秀美的线觉得快意,就因为它提醒我们的驾轻就熟、纵横自如的感觉;看到拙劣的线觉得不快,就因为它提醒我们的东歪西倒、一无是处的感觉。这都由于潜意识的暗示作用。

第三，我们在第四章已经说过，知觉事物常伴着模仿该事物的运动，看线形也是如此。例如看曲线时筋肉就不知不觉地模仿曲线运动，看直线时筋肉就不知不觉地模仿直线运动。筋肉运动有难易，所生的情感即随此为转移；易则生快感，难则生不快感。例如第7图A和B同是斜线，而多数人却觉得A比B较易生快感；C和D同是曲线，而多数人也觉得C比D较易生快感。这就因为它们有顺反的分别，筋肉因为习惯的关系，描画A和C比描画B和D较顺便。

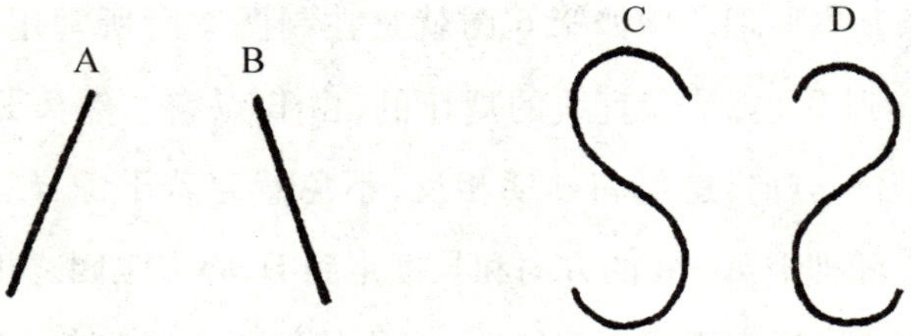

（7）

不过据马丁（J. Martin）的实验，模仿动作对于线形所生的情感究竟能影响到如何程度，还是一个疑问。她曾叫一百个学生画侧面人形，结果有88个学生都把面孔画得向左。原始民族的画像也大半是面孔朝左。我们就可以根据这些事实断定朝左的画易起快感么？她又常拿作幻灯影片的侧面像叫50个学生看，先使它们向左，后又把它翻转过来向右，问他们最欢喜哪一种，结果有25人欢喜朝左的，15人欢喜朝右的，余十人不觉到分别。她检查过53册名画集，发现朝左的像和朝右的像在数目上相差并不甚远。照这样看，模仿动作虽有影响也很微细，它可以作助力，不可以做主因。

第四，我们虽不赞成旧心理学家以联想作用解释一切美感经验，但是却不否认联想可以影响美感。在看线形时，联想作用常是一个要素。据塞格尔(J. Segal)的实验，同是一个线形让同一个人去看，所生的联想不同，所生的情感也就随之而异。例如第7图斜直线A或B，在把它看作画歪了的垂直线时，受验者觉到不快感；在把它看作向上斜飞的箭头时，他就觉到快感。这里显然可以见出联想的影响了。

第五，立普斯所说的"移情作用"(详第三章)对于线形所生的情感影响也颇大。我们往往把意想的活动移到线形身上去，好像线形自己在活动一样，于是线形可以具有人的姿态和性格。例如直线挺拔端正如伟丈夫，曲线柔媚窈窕如美女。中国讲究书法者在一点一划之中都要见出姿韵和魄力，也是移情作用的结果。我们见到柳公权的字，心中就浮起一种劲拔的意象，见到赵孟頫的字，心中就浮起一种秀媚的意象。这个意象本在我的心里，我却把它移到笔画本身上去。移情作用是美感经验的要素，凡是线形可以引起移情作用，大半都可以引起几分美感。

二、以上都是说简单的线形。一条简单的线所引起的情感，其原因已如此复杂，联合数线而围成一空间，其美感的因数自然更难分析了。美的形体无论如何复杂，大概都含有一个基本原则，就是平衡(balance)或匀称(symmetry)，这在自然中已可见出。比如说人体，手足耳目就是左右相对称的，鼻和口都只有一个，所以居中不偏。原始时代所用的器皿和布帛的图案往往把人物的本来面目勉强改变过，使它们合于平衡原则。我们看下列第8图几个拟物形的图案就知道：

此外如希腊瓶以及中国彝鼎都是最能表现平衡原则的。在雕

（8） 原始陶器的图案

刻、图画、建筑和装饰的艺术中，平衡原则都非常重要。

我们何以欢喜平衡、匀称的图形呢？有一派学者以为它像简单的线形一样，也应该拿筋肉感觉来解释。我们看匀称的形体时，两眼筋肉的运动也是匀称的，没有某一方特别多费力，所以我们觉得愉快。这一说也被斯屈拉东辩驳过。据他用快镜摄影的结果，眼睛看匀称形体时所走的路径并不是匀称的。例如，下列第 9 图是眼睛看第 10 图瓶形时运动的路径，在第 9 图中看不出第 10 图的平衡原则，是很显然的。

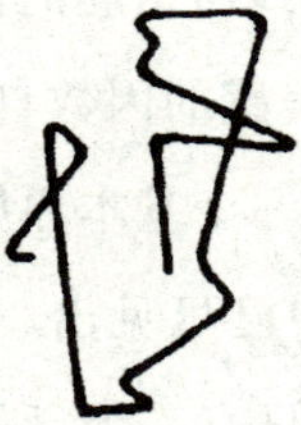

（9）

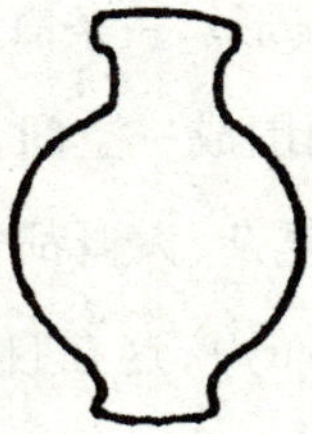

（10）

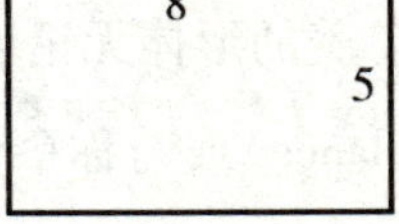

（11）

有一派学者以为我们欢喜匀称，由于在潜意识中见出它的数理的关系。这个学说发源于希腊数学家毕达哥拉斯，在美学思想上影响颇大。实验美学发源于斐西洛，斐西洛的实验就是从研究

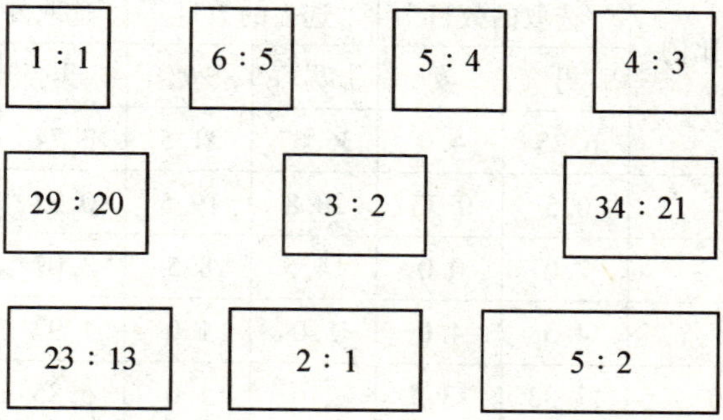

（12）斐西洛的方形试验(原形五分之一)

形体的数量关系入手。在各种形体中我们所最欢喜的是长方形，所以窗、门、书籍等等都是长方形。长方形的两边的长短也各个不同，究竟长边和短边成什么比才能引起美感呢？从达·芬奇起，历来画家都以为在最美的长方形中，短边和长边的比例须与长边和长短两边之和的比例相等，这就是说，短边和长边须成1∶1.618或5∶8(如第11图)。他们把这种比例叫做“黄金分割”(golden section)。斐西洛用白纸板剪成十个面积相同(64平方厘米)而两边长短有变化的方形(如第12图)，把它们摆在黑板上面，次序是随意定的。每试验一次，次序即更换一次，使形体和部位的影响消去。他叫受验者在它们之中选择一个最美的和一个最丑的出来。每一次选择算一分。如果受验者同时选择两个形状，则每个形状得半分，同时选择三个形状，则每个形状得三分之一分，余类推。他费了许多年的精力，总共试验男子228人，女子119人，结果如下表：

长短两边比例	选取的数目		选去的数目		选取的百分比	
	男	女	男	女	男	女
1∶1	6.25	4.0	36.67	31.5	2.74	3.36
6∶5	0.5	0.33	28.8	19.5	0.22	0.27
5∶4	7.0	0.0	14.5	8.5	3.07	0.0
4∶3	4.5	4.0	5.0	1.0	1.97	3.36
29∶20	13.33	13.5	2.0	1.0	5.85	11.35
3∶2	50.91	20.5	1.0	0.0	22.33	17.22
34∶21*	78.66	42.65	0.0	0.0	34.50	35.83
23∶13	49.33	20.21	1.0	1.0	21.64	16.99
2∶1	14.25	11.83	3.83	2.25	6.25	9.94
5∶2	3.25	2.0	57.21	30.25	1.43	1.68
总　数	228.00	119.00	150.00	95.00	100.00	100.00

从这个结果看，多数人欢喜长短两边成34:21比例的长方形（表中用＊符号标出的），这恰是“黄金分割”的比例。斐西洛以后，韦特默（Witmer）、安基耶（Angier）、拉罗（Lalo）诸人依法实验，所得的结果大致相同。

多数人何以特别欢喜“黄金分割”呢？有一派学者说，我们欢喜两边含“黄金分割”的长方形，并非欢喜这形体本身而是欢喜它所含的数学的比例。我们在潜意识中把它的长短两边相加起来，和长边比较，见出长短两边之和与长边的比例，与长边与短边的比例适相等。这种条理、秩序的发现就是快感的来源。他们以为听音乐所得的快感也是如此。我们在潜意识中比较音波的震动数，发现它们的数量的比例，所以觉得高兴。这种学说显然是很牵强的。同是一个比例在形体中为美而在音乐中却不一定为美。比如有两个音，一个震动数为128次，一个震动数为207次。这个比例很近于“黄金分割”,而它们在一块却不和谐。这件简单的事实即足推翻数理说了。

依我们看,“黄金分割”是最美的形体,因为它能表现“寓变化于整齐”这个基本原则。太整齐的形体往往流于呆板单调,变化太多的形体又往往流于散漫杂乱。整齐所以见纪律,变化所以激起新奇的兴趣,二者须能互相调和。“黄金分割”一方面是整齐的,因为两对边是相等的;一方面它又有变化,因为相邻两边有长短的分别。长边比短边较长的形体很多,而“黄金分割”的长边却恰长到好处,无太过不及的毛病,所以最能引起美感。它是有纪律的,所以注意力不浪费;同时它又有变化,所以兴趣不致停滞。

三、代替的平衡。平衡的形体易引起美感,已如上述;但是有时不平衡的形体也很美观。在第一流的图画、雕刻之中,真正左右平衡、不偏不倚的居极少数。不但如此,真正左右平衡、不偏不倚的作品往往呆板无生气。然则平衡原则不是不可靠么?依美国文艺心理学家帕弗尔(Puffer)的研究,凡是貌似不平衡的第一流作品其实都藏有平衡原则在里面。她把这种隐含的平衡叫做“代替的平衡”(substituted symmetry)。“代替的平衡”在图画上极为重要,现在我们来详加解释。

我们先说帕弗尔的实验。她用一块蒙着黑布的长方形木板摆在受验者的面前。板的左边钉上一个长8厘米、宽1厘米的固定的白纸板。右边另有一个长16厘米、宽1厘米的可移动的白纸板。受验者须将可移动的白纸板摆得和固定的纸板相平行。远近由他自己定夺,但是要使两个纸板所成的形体最美观。以后她又把长纸板改为固定的,使受验者依同法把短纸板摆在最美观的位置。她试验过许多人,发现他们大半把长纸板摆得离中央较近,短纸板摆得离中央较远,有如第13图——这种摆法便含有代替的平衡。好比一条长板,中心安在一个石凳上面,左右恰相平衡,如果它一头坐着一个小孩,另一头坐着一个大汉子,大汉子须坐在离中心较近的位置,小孩须坐在离中心较远的位置,木板才能保持原有的平衡。因此,帕弗尔把长板叫做重线,短板叫做轻线。就表面说,长线和短线离中心的距离不等,不能算是平衡,但是根据机械的平衡原则,轻物本来比重物离中心须较远才能保持平衡,所以长线比短线摆得离中心较近,实在还是遵守平衡原则的。

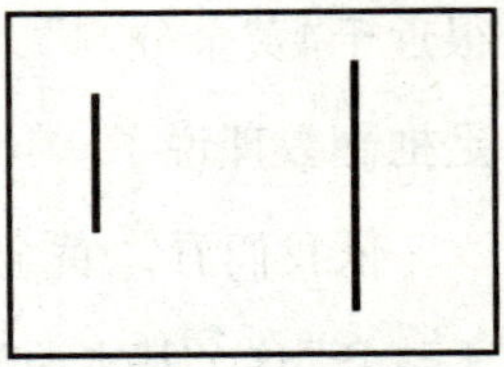
(13)

如果不用纸板,一边用简单的画片,一边用面积相等的白纸,则大多数人把画片摆得比白纸离中心较近;如果两边都用画片,只是画中情景有简繁的分别,则大多数人也把较繁的画片摆得比较简的画片离中心较近。这都由于简单的东西较轻,繁复的东西较重。轻的东西须离中心较远,重的东西须离中心较近。这就是"代替的平衡"的原则。

但是这个轻重标准是如何规定的呢?我们何以把长线叫做重,短线叫做轻,繁复的画叫做重,简单的画叫做轻呢?我们何以看到这种轻重远近相称的布置就觉得愉快呢?帕弗尔的解释以谷鲁斯的"内模仿说"为根据。依她看,美感的愉快都起于"同情的模仿"。我们看形体,常不知不觉地依本能的冲动去描摹它的轮廓,冲动起于动作神经,传布于筋肉,筋肉系统和神经系统都是左右对称的。平衡的形体所唤起的左右两边的冲动也是相称的,神经和筋肉的活动都依天然的节奏,所以最能引起愉快,几何的平衡之心理的解释如此。

冲动的平衡就是左右筋肉动作的平衡，也就是注意力的平衡。要达到注意力的平衡，形体的左右两方大小远近都相等，固然是一个办法，但是大而近，小而远，也是一个办法。较大的东西、较繁的东西或是较有趣味的东西（总而言之，较“重”的东西），比较小的东西、较简的东西或是较乏味的东西（总而言之，较“轻”的东西）都较易引起注意力。如果较轻的东西和较重的东西距离中心都相等，则注意力全在较重的东西上面，结果就是心理上的不平衡了。如果要使轻的东西所引起的注意力和较重的东西所引起的注意力恰相平衡，则较轻的东西一定须摆在离中心较远的地位，因为距离中心愈远，所需的注意力也愈大。总而言之，近而重的东西所引起的注意力是自然的，远而轻的东西所引起的注意力是勉强的，这两种注意力质不同而量则相等，所以彼此能相平衡。再拿前面近的画片和远的白纸为例，眼睛看近的画片，自然能产生注意力，因为它本身有趣味；白纸平滑单调，不能引起自然的注意，所以须摆远一点：距离既隔得较远，眼睛看它时眼球的筋肉必须经过一番转动，所以它所唤起的注意力能够与画片所引起的注意力相平衡。

代替的平衡在图画中极为重要。帕弗尔曾经研究过一千幅名画，发现每幅画后面都含有代替平衡的原则。各种图画之中大概都有五个要素。一为体积（mass），指画中人物所集中的地方，即着墨最多的一部分。二为情趣（interest），即观者注意力所最易集中的地方，例如人物的动作。三为注意的方向（direction of attention），指画中人物注意所指的方向，大半表现于视线。四为线的方向（direction of line），画中线纹大半是倾斜的，它向某一方倾斜，线的方向就集中在那一方。五为远景（vista），指距离较远的背景。如果在画的中央定一条想象的垂直平分线，则这五种要素常平均分布左右两方,使所引起的注意力左右平衡。例如人事画中体积偏左者则注意的方向往往偏右,风景画中体积偏左者则远景往往偏右,以求左右两方无畸轻畸重的毛病,这就是用代替的平衡。

第三章　声音美

一、英国文艺批评学者佩特(W. Pater)说过,一切艺术到精微境界都求逼近音乐;因为艺术须能泯灭实质与形式的分别,而达到这种天衣无缝的境界的只有音乐。这个道理是一般美学家所公认的。叔本华把音乐认为最高的艺术,因为其他艺术只能表现意象世界,而音乐则为意志的外射。图画所不能描绘的,语言所不能传达的,音乐往往能曲尽其蕴。它的节奏的起伏,音调的宏纤,往往恰合人心的精微的变化。个人的性格、民族的特征以及时代的精神都可以从音乐中窥出。中国古时掌政教的人往往于音乐歌谣中观民风国俗,就是这个道理。音乐不但最能表现心灵,它也最能感动心灵。其他艺术感动人心常不免先假道于理智,有了解然后有欣赏,音乐固然也含有理智的成分,但是到极精微的境界,它能直接引起心弦的共鸣。能受音乐感动的人不必明白音乐的技巧。音乐所表现的往往是超乎理智所能分析的。在诸艺术之中,音乐大概是最原始的,不但蒙昧民族已能欣赏音乐,即飞禽走兽也有音乐的嗜好。瓠巴鼓瑟,游鱼出听,这并不是不近情理的传说。

但是音乐也是最难的艺术。它的感动人心的力量大多数人都能体验到;可是如果问它何以有这么大的力量,精确的答案却不易寻出。一曲乐调奏完时,满场人都表示满意,可是满意的理由彼此却不一致。这个人说它唤起许多良辰美景的联想,那个人说它引起柔和悱恻的情感，另一个人则夸奖它的抑扬开合布置得很周密，很完美。各人所见到的美不同，于是音乐的美究竟何在，遂成为美学上的最大疑问。历来美学家对于音乐有两种不同的意见：表现派说，音乐之所以美者在能表现情感和思想。形式派说，音乐之所以美者在它的本身形式之完备，情感和思想是偶然的，不必要的。要了解音乐，第一关就要了解这个争执的意义。我们姑且慢些讲道理，先来研究近代实验美学对于音乐所研究得来的证据。

二、近代实验美学所最注意的就是音乐，所以对于音乐研究的成绩之丰富远过于其他艺术。关于音乐的实验材料可区分为四大类：（一）关于听音乐者的反应的分别，（二）关于音乐与想象的关系，（三）关于音乐与情感的关系，（四）关于音乐与生理的关系。

关于听音乐者的类别，英国剑桥大学教授马尧斯（C. S. Myers）的工作最值得注意。在前章讨论颜色美时，我们见过布洛的实验，知道在颜色方面，审美者有四类的分别。据马尧斯的实验，听音乐者也可以分为同样的四类。他选出六种名曲的留声机片在受验者的背后开放。每张片子都须听过两次。受验者于听完第一次之后把音乐所引起的感想说出。第二次开放时留声机上附加一种机器，如果受验者觉得某一段没有听清须再听时，可以把该段重新开放一次。这次他须用速记法把心中感想仔细记下。从十五个受验者内省所得的报告中，马尧斯分析出下列四类：（一）主观类，即布洛所说的生理类。这一类人专注重音乐对于感觉情绪和意志的影响。他们在报告里说："通篇都是一种很平静的感觉，好像游水似的，我仿佛想倒卧下来，顺着水流去。""仿佛是临死时的情境，我觉得生命向外流出。""感到非常愉快，身体内部随音乐扩张起来了，因此很兴奋，呼吸忽然也停住了。"（二）联想类，这一类人专注意到音乐所引起的联想。音乐的美丑以联想起来的事物愉快与否为断。他们在报告里说:“我仿佛坐在皇后的大厅里。一位穿红衣的女子在拉提琴,另外一位女子在对着琴谱唱歌。那位拉琴者面容很凄惨,她生平一定有什么失意的事。”“开场时满台都是人,显出一种很辉煌喧扰的样子。他们都穿着戏装。后来一位歌者从室内走到台右,说了一段很生动的恋爱故事。”(三)客观类,这一类人专拿一种客观的标准来批评音乐本身的技巧。他们在报告里说:“我觉得第二号角的声音太洪亮。到第三节有四弦琴时它又嫌不够清朗。”“在贝多芬的作品中我们应该注意他的极大的反称,尤其是有动性的反称。他的‘上升调’是我最爱听的。”“这位提琴手用颤声总是太过火。”(四)性格类,这一类人把音乐加以拟人化,乐调都各有各的性格,有些是快乐的,有些是悲惨的,有些是神秘的。他们在报告里说:“它本想显出高兴的样子,但是终于很悲惨。”“有些部分带着悔悼的声调。”“它好像在惹我笑。”

这四类人的美感的程度,依马尧斯看,以性格类为最高,次为客观类及联想类,主观类最低。音乐专家大半属于客观类,这是由于训练的影响,他们平时注意偏向技艺方面,于是把情感和联想都压抑下去了。他们的态度是批评的而不是欣赏的。一般人能听音乐大半只注意它所引起的联想。注意力集中于联想事物时就不免忽略音乐本身,所以联想所生的快感往往不一定是美感。但是联想有偶然的,有与音乐性质有密切关系的。如果联想起的情境与音乐能化成一气,欣合无间,它就能增大音乐所引起的美感了。主观类的毛病,在只注意到自己所受的音乐影响,而致忽略音乐本身的形式。这种态度不是欣赏的,因为他没有在艺术和实际人生中维持一种适当的距离。性格类的审美程度比其他三类都较高,因为他们一方面没有联想类和主观类忽略音乐本身的毛病,同时又不像客观类因过重音乐形式而不能发生情感的共鸣。只有性格类才能达到美感经验中物我同一的境界。

美国美学家浮龙·李(Vernon Lee)曾举行过类似的实验,不过她的目的和方法都比较简单,她先假定听音乐的经验不外两种,一种是只顾到音乐本身,一种是顾到音乐所连带的意义。她请受验者自省属于哪一类,她以为我们只要知道听者的心理变化如何,便可以研究音乐的性质。因此她向受验者问道:"音乐使你感到趣味时,你觉得它本身以外另有一种意义呢?还是觉得音乐只是音乐,别无所有呢?"据她的报告,肯定的答案和否定的答案各居半数。肯定音乐别有意义的人们所谓"意义"大半是很模糊隐约的,只有少数人在音乐背面见出整幅的情景或是整篇的故事。否定音乐别有意义的人们大半只留意形式的配合如起承转合、抑扬顿挫等等。欣赏力较大的人们大半都否定音乐于本身以外别有意义。这是一件最可注意的事实。

三、多数人虽然对于音乐为门外汉,不能得到音乐所应给的特殊美感,却真能嗜好音乐。他们所玩味不舍的并不是音乐本身而是音乐所引起的幻想。他们常常把音乐的节奏翻译成很生动的情节或是很鲜明的图画。诗人尤其易犯这种毛病。意大利戏剧家阿尔菲耶里(Alfieri)尝说他的作品大半是在听音乐之后结构成的。歌德听门德尔松(Mendelssohn)弹奏一曲巴赫(Bach)作品之后,惊赞道:"这真是堂皇典丽!我仿佛见到一队衣裳齐楚的豪贵人踏大步下一个巨大的台阶。"海涅(Heine)在《翡冷翠的几夜》一篇散文里描写他在意大利听音乐的经验,尤其是一幅光怪陆离的图画。李东川的《琴歌》、《听董大弹胡笳》、《听安乐善吹觱篥》几首七古都是中国描写音乐的名作。其中警句如“月照城头乌半飞”、“长风吹林雨堕瓦”、“黄云萧条白日暗”等等都只是描写音乐所唤起的联想。白香山的《琵琶行》中“大珠小珠落玉盘”、“铁骑突出刀枪鸣”诸句也是如此。

这一类的人大半以为玩味音乐所引起的意象就是欣赏音乐。法国小说家司汤达(Stendhal)甚至于说:“一切叫我注意到它本身的音乐在我看都是下乘。”从上面马尧斯和浮龙·李的实验看,我们可以知道这句话恰和事实相反。法国心理学家里波(Ribot)的实验尤足证明玩味意象和欣赏音乐是两回事。他问过许多人在听音乐时或是回忆某乐调时心中是否现出关于视觉的意象。他把表感情的音乐特别除开。结果他发现听音乐的人可分两类。一类是有音乐修养的,音乐对于他们很少能引起意象。他们说:“我绝对意想不到什么视觉的印象;我浑身被音乐的快感占着;我完全在听觉世界里过活。我根据自己的音乐知识去分析各部分的呼应,但也不过于仔细推敲。我只留心乐调的生展。”一类是没有音乐修养而欣赏力平凡的。他们在听音乐时常发生很鲜明的视觉的意象,因为玩味意象,他们的注意于是不能集中于音乐。里波以为想象本有两种,一种是“造形的”(plastique),一种是“流散的”(diffluente)。“造形的想象”以知觉为中心,宜于图画,因为它能产生极明确的意象;“流散的想象”以情感为中心,宜于音乐,因为它所产生的意象虽极模糊而却常深邃微妙。古典派、“帕尔纳斯派”(Parnasse)和写实派重客观的艺术家大半富于“造形的想象”,浪漫派、象征派和印象派重主观的艺术家大半富于“流散的想象”。这两种想象常格格不入。想象属于造形类者欢喜把迷茫隐约的东西变成固定清晰的,所以在听音乐时常把耳所闻者译为目所能见的图画。

音乐家在作乐制谱时心理过程恰与此相反。人事和物态本来是很固定明晰的,印入音乐家心里之后,便酝酿成一种不易描绘的情调,这种情调译为音乐的语言,便成乐谱。

四、音乐与幻想的关系是很值得研究的。同是一曲乐调,甲听之起一种幻想,乙听之又另起一种幻想。然则音乐和它所引起的意象之中是否毫无关联呢?据英人盖尔尼(Gurney)的研究,凡一种乐调唤起某事物的意象时,它的节奏大半和事物的动作有直接类似点。描写类音乐大半如此。瓦格纳取鸟语入乐曲,肖邦取急雨堕瓦声入乐曲,都是著例。有时音乐虽不直接模仿事物的音调,却可从节奏起伏上暗示事物的性质和动作。例如飘荡幽婉的舞曲常暗示仙女,沉重低缓的舞曲常暗示巨人。普赛尔(Purcell)用下降调暗示特洛伊城(Troy)的衰落,也是以节奏象征动作。乐曲的命名也是唤起联想的一个主因。例如以溪流、瀑布、铃声、驰马、荡舟为名的音乐自然容易唤起这些事物的意象。以晚景、月夜、晴景为名的音乐自然容易唤起这些时候所常有的情调。

如果一曲乐调不是完全模仿外物声音的,又没有固定的名称暗示联想的方向,则听者所生的意象必人人不同。美国梵斯华兹(Farnsworth)和贝蒙(Bemont)两教授常叫一班学图画的学生听两曲性质不同的乐调,每次都随时把音乐所引起的意象画在纸上。乐调和作者的名称都不让学生们知道。拿这些图画来比较,各人所起的意象彼此很少类似点。但是有一点是很值得注意的,在听同一乐调时所作的图画其中情景虽各各不同,而情调和空气则很相近。乐调凄惨时各图画的空气都很黯淡,乐调喜悦时各图画的情调都很生动。从这个事实看,我们可以见出音乐虽不能唤起一种固定意象,却可以引起一种固定的情调。同样的乐调常发生同样的情调,不过各人由这情调所生的意象则随性格和经验而异。据弗洛伊德派心理学者说,幻想都是意识欲望的涌现,所以幻想中的意象都象征情欲中一种倾向。照这样说,音乐激动意识时,被压抑的欲望化装涌现,于是才有意象。化装尽管不同,而化装所掩盖的欲望,则为原始的,普遍的。

五、与音乐所引起意象这件事实密切相关的还有一个很奇怪的现象,就是“着色的听觉”(colour-hearing)。有一部分人每逢听到一种音调常立刻联想起一种颜色,同是一个音调而各听者所联想起的色觉往往不一致。据奥特曼(Ortman)的实验,有些人听高音生白色的感觉,中音生灰色的感觉,低音生黑色的感觉。有些人从低音到高音顺次生黑、棕、紫、红、橙、黄、白诸色觉。据德拉库瓦(Delacroix)教授的报告,他曾见过一位瑞士学生每逢听提琴的声音,都仿佛见到一条波动的黑色蓝边的长带,嗅玫瑰花的香气时也起同样的幻觉。他所喜欢的东西都带着蓝色。例如他第一次看见《米罗爱神》的雕像,和听柴可夫斯基的悲歌时,他眼里都看到蓝色。此外,他又遇见一个受验者听到瓦格纳的《歌师曲》的引子时发生黑色、红色和金黄色的幻觉。据说瓦格纳《歌师曲》的引子是在莱茵河上观日落之后得到灵感而谱成的,可见听者所起的金黄色的幻觉并非偶然了。这种“着色的听觉”现象的原因何在,学者还没有定论。有一派人以为它是生理的,他们说,听觉神经和视觉神经混合才呈这种现象,不过这还是揣摩之词。法国象征派诗人尝根据这种现象发挥为“感通说”(correspondance)。依他们看,自然界中声色形象虽似各不相谋,其实是遥相呼应的,由视觉得来的印象往往可以和听觉得来的印象相感通,所以某一种颜色可以象征某一种形象或是某一种音调。兰波(A. Rimbaud)尝做一首十四行诗拿颜色来形容A、E、I、O、U五个母音，就是象征派的一种信条。

六、近代实验美学对于研究音乐与情绪的关系所得的成绩，比音乐和想象的研究尤其丰富。音乐对于情绪的影响是古今中外诗人们所常歌咏的。不但在人类，连动物也有音乐的嗜好。瓠巴鼓瑟，游鱼出听，这种传说在一般人看来或近于荒唐，但是据美国音乐心理学者休恩(Schoen)所援引的实例，它却有很多的实验证据。他们在动物园里奏提琴，同时观察各动物的反应，曾记载下来这样的结果：蝎舞动，随音调的扬抑而异其兴奋程度；蟒蛇昂首静听，随音乐的节奏左右摇摆；熊兀立静听；狼则恐惧号啼；象常喘气表示愤怒；牛则增加乳量；猴子点头作势。从这些实例看，我们可以知道音乐的感动力是极原始极普遍的。达尔文以为音乐的起源在异性的引诱，所以在动物中以雄的声音为最洪亮最和谐，弗洛伊德派学说颇近于此。

音乐所引起的情绪随乐调而异，每个乐调都各表现一种特殊的情绪。这种事实古希腊人即已注意到。他们分析当时所流行的七种乐调，以为E调安定，D调热烈，C调和蔼，B调哀怨，A调发扬，G调浮躁，F调淫荡。亚里士多德最推重C调，因为它最宜于陶冶青年。英人鲍威尔(E. Power)曾作同样的研究，以为近代音乐所用的各种乐调在情绪上所生的影响如下：

C大调	纯粹坚决的情调，纯洁，果断，沉毅，宗教热。
G大调	真挚的信仰，平静的爱情，田园风味，带有若干谐趣，为少年所最爱听。
G小调	有时忧愁，有时欣喜。

A大调	自信，希望，和悦，最能表现真挚的情感。
A小调	女子的柔情，北欧民族的伤感和虔敬心。
B大调	用时甚少，极嘹亮，表现勇敢、豪爽、骄傲。
B小调	调甚悲哀，表现恬静的期望。
升F大调	极嘹亮，柔和，丰富。
升F小调	阴沉，神秘，热情。
降A大调	梦境的情感。
F大调	和悦，微带悔悼，宜于表现宗教的情感。
F小调	悲愁。

两音合奏时，其和谐程度视音阶距离的远近为准。通常以八阶（C'—C"）为最和谐，二阶（C'—D'）为最嘈杂。每个音阶也各表现一种特别的性格与情感。据休恩所引意大利学者的报告，音阶和它的影响如下：

短二阶	悲伤，痛悼，退让，焦躁，疑虑。
长二阶	较短二阶稍愉快，仍带严肃气。
短三阶	悲伤，愁苦，骚动，有人以为它表示平静、满意及宗教热。
长三阶	欣喜，颜色，勇敢，果决，自信，发扬。
四阶	满足，欣喜，颜色，力量，发扬，间带伤感。
五阶	反应甚多，通常为平静、欣喜，间带伤感。
六阶	和悦，力量，勇敢，胜利。
短六阶	通常是静穆。
长六阶	常表示满意、柔情、希望，间带伤感。

七阶　　骚动，不满意，惊讶，幻觉。

短七阶　不和谐，疑虑。

长七阶　不和谐，疑虑，间或表示希望、信仰。

八阶　　完美，成就，间或表现招邀、焦躁或哀悼。

从这个表看，音阶虽各有特殊的影响，而却没有定准。二阶、七阶本来是两种嘈杂的音阶（dissonances），所以影响很明白，其余如五阶、四阶、长三阶等所生的影响并不确定。音乐的影响应从整个乐调研究。如果单研究独立的音阶，则所得结论不能适用于全体乐调。独立的音阶是不能成为乐调的，和其他音阶并用时，则受其他音阶的影响，不能保存其在独立时的特性。所以上面所述的结果在科学上价值甚小。

七、在听音乐时各人所注意的要素往往不同，有人偏重节奏，有人偏重布局，有人偏重音色，有人偏重其他要素。音乐家作曲对于这些要素也往往有所偏好。美国心理学家华希邦（M. F. Washburn）和狄金森（G. L. Dickinson）尝把音乐快感的来源分为节奏（rhythm）、旋律（melody）、布局（design）、谐声（harmony）及音色（tone-colour）五种。她们用 182 种名曲测验许多学音乐的学生。发现这五种要素之中以旋律为最重要，依次而降为节奏、谐声、布局、音色。旋律在一般音乐家中都占第一位，只是在亨德尔（Handel）、勃拉姆斯（Brahms）、德彪西（Debussy）诸人作品中才占第二位。节奏在勃拉姆斯的作品中占第一位；在海顿（Haydn）、贝多芬、舒曼、肖邦、门德尔松诸人作品中占第二位；在巴赫、莫扎特、瓦格纳、李斯特、德彪西诸人作品中占第三位。布局没有音乐家把它摆在第一位的，它在巴赫和莫扎特的作品中占第二位，在亨德尔、海顿、贝多芬诸人作品中占第三位。谐声只在德彪西的作品中占第一位，在瓦格纳的作品中占第二位，在舒曼、肖邦、门德尔松、李斯特、勃拉姆斯诸人作品中占第三位。音色只在亨德尔的作品中占第一位，其余音乐家都把它放在第三、四位以下。从这个实验中她们又另外推出两个结论：一是含快感来源（即指以上五种）愈多的音乐，所引起的快感也愈大；二是最兴奋和最平和的音乐发生最大快感，中平的音乐影响最小。

八、关于音乐与情绪的实验要推美国宾汉（W. V. Bingham）、休恩（M. Schoen）诸人所做的规模为最大。他们用 290 种名曲留声机片，在三年之中（1920 年至 1923 年）先后测验过两万人。他们得到下列几条重要的结论：

（一）每曲乐调都要引起听者情绪的变迁。

（二）同一乐调在不同时间给许多教育环境不同的人们听，所引起的情绪变迁往往很近似。

（三）情绪变迁的大小与欣赏力的强弱成比例。

（四）乐调的生熟往往能影响欣赏程度的深浅。但是欣赏力愈强者愈不易受生熟差别的影响，欣赏力愈弱者愈苦陌生的新音乐不易欣赏。

（五）听音乐者可分三类：欣赏力弱者欣赏时甚少，欣赏的强度也甚小；欣赏力平庸者欣赏时甚多，欣赏的强度却甚小；欣赏力强者欣赏时甚少（因为慎于批评），但是欣赏的强度却很大（因为了解技艺）。

（六）情绪的种类与欣赏的强度无直接关系，唯由和悦而严肃时比由严肃而和悦时所生的快感较小。

（七）对于乐调价值的评判与欣赏的强度成比例。

（八）音乐只能引起抽象的普遍的情调，如平息、欣喜、凄恻、虔敬、希冀、眷念等等；不能引起具体的特殊的情绪如愤怒、畏惧、妒忌等等。

九、音乐所以能影响情绪者大半由于生理作用。

关于声音的生理基础，学说颇多，以德国心理学家海尔门霍兹（Helmholtz）的为最圆满。我们知道，听觉器官分外耳、中耳、内耳三部分。音波来时，外耳任收集，中耳任传达，内耳任接收。这三部分器官尤以内耳为最重要。内耳又分三部分，外部为三个半规状管，借中耳的骨状体与鼓膜相连；中部为前庭，内部为螺状体。螺状体之中盛满液体，其中有一条带状基膜。听觉神经即散布在这条基膜上，音波入耳孔时先引起基膜的震动，这个震动传到螺状体，引起其中液体的震动，听觉神经受这震动的刺激，传到脑的听神经中枢，于是有音乐的感觉。所以真正的听觉器官只是内耳的螺状体。近代心理学家尝把动物的螺状体设法移去，结果该动物即失其听觉作用，可为明证。但是音的高低是怎样感觉到的呢？依海尔门霍兹说，螺状体的基膜好像钢琴，钢琴上弦子排列由左而右，愈左愈长，愈右愈短，所以它们发的音愈左愈低，愈右愈高。每条弦子都只能发一种音。螺状体的基膜是夹在两条软骨中间的，下部甚窄，愈近螺顶愈阔，基膜上面横列着无数细胞纤维，纤维的两端都嵌在夹着基膜的软骨里，所以愈在基膜窄部愈紧张，愈在基膜阔部愈松弛，每条神经纤维即相当于一条琴弦，只能吸收一种音波。长而松的纤维吸收低音，短而紧的纤维吸收高音。换句话说，每条神经纤维就是一个共鸣器。根据物理学的原理，每一个共鸣器只能和一种音共鸣。听神经纤维也是如此。某纤维只能和每秒震动三百次的音波共鸣，某纤维只能和每秒震动六百次的音波共鸣，都不能稍有改变。如果有“纯音”的可能，在它入耳时，就只有一条听神经纤维行使其机能，在无数复音入耳时，好比几个琴弦同时被弹一样，就有无数听神经纤维行使其机能。人的螺状体基膜上共含两万四千条听神经纤维，所以在理论上有听两万四千种音的可能。

近代科学家有人拿狗来试验，发现狗的基膜下部毁坏时即不能听高音，上部毁坏时即不能听低音。又有人拿几尼亚猪来实验，给一种震动数固定的单调音接连让它听数星期，以后它就不能听该音调。它死后，我们如果检验它的基膜，就可以发现担任听该音调的纤维已腐烂，这就由于该纤维行使机能过久，缺乏休息和营养，所以失其作用。如果实验用的音很高，则腐烂的纤维常在基膜下部；如果实验用的音很低，则腐烂的纤维常在基膜上部。这种实验是海尔门霍兹的学说一个有力的证据。

但是音乐实验不仅能影响听神经，还可以影响周身的筋肉和血脉的运动。近代实验美学家应用种种仪器测验音乐对于血液循环及脉搏起伏的影响也颇可资参考。据斐芮（Feary）、斯库普秋（Scripture）诸人的研究，声音都可以使筋肉增加能力，迅速的和愉快的音乐尤其可以消除筋肉的疲劳。孟慈（Mentz）发现凡在音调完全和谐时，音的强度猛然更换时以及一曲乐调将终结时，血脉和呼吸都变慢；在听者注意分析乐调时，血脉和呼吸都变快。比纳（Binet）和库地耶（Courtier）的结论与此稍不同。他们都说一切音的刺激都可以增加血脉和呼吸的速度，不过在听不调和的音阶、大音阶以及音阶迅速更换时，血脉和呼吸的速度变得更快。据福斯特（Foster）和干伯尔（Gamble）的研究，听音乐时的呼吸和平常工作时的呼吸速度并无分别，不过平时呼吸有规律，听音乐时呼吸大半没有规律。斐拉芮(Ferrari)拿疯人和健全人来比较,发现只有疯人在听音乐时血脉的起落才直接受音乐的影响,他以为这是由于疯人的心脏失去控制作用。据海依德(Ha M. Hyde)的报告,悲伤的音乐可以使血脉速度变缓,愉快的音乐可以使血脉速度变快,生理的变迁和心理的变迁是相平行的。她以为愉快的音乐对于病有治疗的功效。康宁(L. Corning)也说患神经病的人在听音乐之后病势可略减轻。古希腊常用音乐来治疗病症,亚里士多德曾说音乐有"发散"(catharsis)的功效。音乐何以能治病,科学家尚无满意的解释,但是它的功效大半是生理的,则已为一般人所公认。

十、近代实验美学对于音乐所得的结果大致如此。在理论方面,我们前已提及,近代美学家对于音乐有表现派和形式派的分别。表现派以为音乐是情感的流露,音乐家和诗人一样,心中都有一种深厚的感情要表现出来,不过他们所用的工具不同,诗人表情用文字,音乐家表情用乐调。音乐的好坏以其所表现的感情深浅为准。这种学说在中国从来没有人置疑过。《乐记》中有一段话把这个道理说得最透辟:"乐者音之所由生也,其本在人心之感于物也。是故其哀心感者其声噍以杀,其乐心感者其声啴以缓,其喜心感者其声发以散,其怒心感者其声粗以厉,其敬心感者其声直以廉,其爱心感者其声和以柔,六者非性也,感于物而后动。"在西方思想史中这种学说在近代才盛行。叔本华是一个先导。他的音乐定义是"意志的客观化"(the objectification of will),其他艺术表现心灵都须借助于意象,只有音乐才能不假意象的帮助而直接表现意志。德国大音乐家瓦格纳根据叔本华的哲学,倡音乐表情之说,以为凡可以音乐表现者同时也可以文字表现,于是开近代"乐剧"(music drama)的先河。这种音乐表情说与当时浪漫主义的文学主张相吻合，都是注重情感，薄视古典派的明晰的形式。浪漫时期的音乐大半迷离隐约，没有明确的轮廓，就是受表现说的影响。

赞成表现说者大半以为音乐与语言同源。语言的音调往往随情感变化而起伏，所以同是一句话在怒时说出和在喜时说出的语调不同。语言背后本已有一种潜在的音乐，正式的音乐不过就语言所已有的音乐加以铺张润色。持此说最力者在法有格列屈（Gretry），在英有斯宾塞（Spencer）。斯宾塞尝说，音乐是一种“光彩化的语言”（glorified language）。他以为情感可影响筋肉的变化，而筋肉的变化，则可以影响音调的宏纤、高低、长短。照这样看，乐器所弹奏的音乐是由歌唱演化出来的。

就常识说，音乐表现情感说似无可置疑，但在近代极受形式派的攻击。形式派首领是德国汉斯力克（Hanslick）。他曾著一书，叫做《音乐的美》，用意在反驳瓦格纳的音乐表情说。在他看，音乐就是拿许多高低长短不同的音砌成一种很美的形式。在其他艺术之中形式之后都有意义，在音乐之中则形式之后绝对没有什么意义。音乐的美完全是一种形式的美。听音乐的人须能把全曲乐调悬在心眼面前，仔细玩味它的各部分抑扬开合的关系，但是音乐的美却不在它能引起情感。“严格地说，凡美都无所为，因为它除形式之外即别无所有。形式尽管可以有用场，可是就其为形式而言，自身以外实别无目的。如果审美能引起快感，这是影响，和美的本身不是一件事。我示人以美时，目的尽管在引起他的快感，但是这个目的与美的本身却不相干。美纵然不能引起任何情感，纵使没有人去看它，它却仍不失其为美。换句话说，美虽是为给观者以愉快而存在的，至其可否存在却不依赖它能否给人以愉快。”这是艺术上形式主义的一段最明显的供词。

英人盖尔尼(Gurney)也反对音乐表现情感说。他以为音乐的美不在情感,就如美人的美不在她的忧喜。他引了许多大音乐家的话来证明“表现说”的无稽:

> 贝多芬埋怨人对于他的作品曲为解说,曾经说许多很酷毒的话。但是要寻关于这个问题的连贯的主张,自然要去看门德尔松和舒曼一般文人派音乐家的著作。门德尔松说:“如果你问我在制某乐谱时心里所想的是什么,我只能说,那恰是该谱制成时的形样。……”从此可知音乐本身以外的观念和情感都非必要了,——至少在门德尔松是如此。舒曼对于在音乐中寻文字的意义之意见,可从下面的话看出:“批评家们老是想知道音乐家自己所无法用文字说出的东西,他们对于所谈的东西往往连十分之一也没有懂得。天!将来有一天人们不再问我们在神圣的作品之后隐寓什么意义?把第五阶辨别出来罢,别再来扰我们的安宁!”“贝多芬谱田园交响曲所冒的危险,他自己知道的。画家们因此把贝多芬画在一条小河旁边坐着,捧着头听潺潺的流水,这是多么荒谬!”“人们总以为音乐家在制谱时,先准备好纸笔,打定主意来作描写的工作,来表现这样,表现那样,这实在是大错。不幸得很,这恰巧是柏辽兹所做的勾当,而且有许多人因为他专做这种勾当而去捧他!”

这番话不但是攻击表现说,对于音乐起于语言一说也可以说是一个打击。音乐起于语言说本来很难成立。据德国华拉歇克(Wallaschek)的研究,野蛮民族所唱的歌调毫无意义,他们却欢喜唱它，欢喜听它，都只是因为音调和谐。儿歌也是如此。格罗塞(E. Grosse)在《艺术源始》里也说："原始的抒情诗最重的成分就是音乐，至于意义还在其次。"从此可知语言和音乐是两件事，语言有意义，了解语言就是了解它的意义；音乐无意义，要欣赏它，只要能觉得它的音调和谐就够了。不但如此，乐调的高低是有定准的，语调的高低是无定准的；音乐所用的音是有限的，断续的，语言所用的音是无限的，连贯的。这个道理，斯徒夫(Stumpf)早已说过，也是证明音乐和语言并没有直接的关系。音乐既不是一种语言，就不能算是一种表现情感的艺术了。

表现派和形式派的争执大要如此。他们都似持之有故，言之成理，我们究竟何去何从呢？从上述各实验看，我们很难偏袒某一派。从表现派说，每个乐调和每个音阶既都各有特殊的情感，而同一乐调在许多听者所生的情感既又相近似，则音乐表现情感之说有证。说到究竟，凡是关于音乐与情感的测验大半都以表现说为出发点。反之，从形式派说，如果音乐表现固定的情感和意义，则听者所生的意象不应人各一样，毫不相谋，而发生联想也就是了解音乐所表现的意义，也就是欣赏音乐；但是据实验结果看，同一乐调可以引起许多不同的幻想，联想类听者和主观类听者对于音乐的欣赏力又极薄弱。这些事实都与表现说不甚符合。然则形式派与表现派的争执，究应如何解决呢？

我们在第一章分析美感经验时已详细说过，一切艺术都是抒情的表现，都是实质和形式婚媾后所产的宁馨儿，有实质而无形式则粗疏，有形式而无实质则空洞，音乐自然也不能跳开这个公例，离开情感，单靠形式而存在。专在形式上下功夫而不能表现任何情感的音乐，究非上品。大音乐家如贝多芬、瓦格纳、巴赫诸人的作品都有很深厚的情思在后面，这是多数人所公认的。绝对否认音乐为表现的艺术，这实在是形式派的误解。不过表现派以为音乐所表现的是固定的具体的情思，说贝多芬的《第九交响曲》用意在证明神的存在，说他的《田园交响曲》是描写某处的田园的风味，这也是没有明白音乐的真使命。德拉库瓦教授说得好："音乐把情感加以音乐化。"音乐确实是表现情感的，但是像其他艺术一样，它所表现的并非生糙的情感。生糙的情感通过音乐之后，好比泥水通过渗沥器，渣滓脱尽，仅余精粹。音乐仅摄取诸个别情感的共相，它所表现的只是情感的原型，好比名理范围里的由普遍化及抽象化得来的概念。概念隐括诸个别事物的意义，却不带诸个别事物的殊相。音乐所表现的也是如此。譬如一曲音节响亮、节奏飞舞的音乐所表现的只是一种欣喜焕发的情调，有人听见发生行婚礼时的情感，有人听见发生奏凯旋时的情感，有人听见觉得它是表现春天的景象，有人听见觉得它是描写少年英雄的豪情胜概。这些都是特殊的固定的具体的情思，却同具欣喜焕发的情调。音乐只能表现这种普遍的抽象的情调，却不能表现特殊的具体的情思。由普遍的抽象的情调而引起特殊的具体的情思，这是由全体到部分的联想。一般人因为听某种乐调起某种特殊的情感或意象，便以为该种乐调就是表现该种特殊的情感或意象，这是陷于以偏概全的误谬，犹如看到一幅青色的图案画联想到某一棵松树，便说该图案表现那一棵松树，同是一样无稽。梵斯华兹和贝蒙叫一班学音乐的学生在听音乐时随时将所生的意象画下，结果各画所表现的不同而情调则一致。宾汉和休恩诸人发现音乐只能表现平息、凄恻、欣喜、虔诚、眷念一类的普遍的情调，而不能表现愤怒、畏惧、妒忌一类的特殊的情绪。这些实验都足证明我们的见解。

附录二

朱自清序

八年前我有幸读孟实先生《无言之美》初稿,爱它说理的透彻。那篇讲稿后来印在《民铎》里,好些朋友都说好。现在想不到又有幸读这部《文艺心理学》的原稿,真是缘分。这八年中孟实先生是更广更深了,此稿便是最好的见证;我读完了,自然也感到更大的欣悦。

美学大约还得算是年轻的学问,给一般读者说法的书几乎没有;这可窘住了中国翻译介绍的人。据我所知,我们现在的几部关于艺术或美学的书。大抵以日文书为底本;往往薄得可怜,用语行文又太将就原作,像是西洋人说中国话,总不能够让我们十二分听进去。再则这类书里,只有哲学的话头,很少心理的解释,不用说生理的。像"高头讲章"一般,美学差不多变成丑学了。奇怪的是"美育代宗教说"提倡在十来年前,到如今才有这部头头是道,醰醰有味的谈美的书。

"美育代宗教说"只是一回讲演;多少年来虽然不时有人提起,但专心致志去提倡的人并没有。本来这时代宗教是在"打倒"之列了,"代替"也许说不上了;不过"美育"总还有它存在的理由。江绍原先生和周岂明先生先后提倡过"生活之艺术";孟实先生也主张"人生的艺术化"。他在《谈美》的末章专论此事:他说,"过一世生活好比做一篇文章";又说,"艺术的创造之中都必寓有欣赏,生活也是如此”;又说,“生活上的艺术家也不但能认真,而且能摆脱。在认真时见出他的严肃,在摆脱时见出他的豁达”;又说,“不但善与美是一体,真与美也无隔阂”。——关于这句抽象的结论,他有透彻的说明,不仅仅搬弄文字。这种艺术的态度便是“美育”的目标所在。

话是说远了,简截不绕弯地说罢。你总该不只一回念过诗,看过书画,听过音乐,看过戏(西洋的也好,中国的也好);至少你总该不只一回见过“真山真水”,至少你也该见过乡村郊野。你若真不留一点意,也就罢了;若你觉得“美”而在领略之余还要好奇地念着“这是怎么回事”,我介绍你这部书。人人都应有念诗看书画等等权力与能力,这便是“美育”;事实上不能如此,那当别论。美学是“美育”的“百尺竿头更进一步”,或者说是拆穿“美”的后台的。有人想,这种寻根究底的追求已入理知境界,不独不能增进“美”的欣赏,怕还要打消情意的力量,使人索然兴尽。所谓“七宝楼台,拆碎不成片段”,正可用作此解。但这里是一个争论;世间另有人觉得明白了欣赏和创造的过程可以得着更准确的力量,因为也明白了走向“美”的分歧的路。至于知识的受用,还有它独立的价值,自然不消说的。何况这部《文艺心理学》写来自具一种“美”,不是“高头讲章”,不是教科书,不是咬文嚼字或繁征博引的推理与考据;它步步引你入胜,断不会教你索然释手。

这是一部介绍西洋近代美学的书。作者虽时下断语,大概是比较各家学说的同异短长,加以折中或引申。他不想在这里建立自己的系统,只简截了当地分析重要的纲领,公公道道地指出一些比较平坦的大路。这正是眼前需要的基础工作。我们可以用它作一面镜子,来照自己的面孔,也许会发现新的光彩。书中虽以西方文艺为论据,但作者并未忘记中国;他不断地指点出来,关于中国文艺的新见解是可能的。所以此书不是专写给念过西洋诗，看过西洋画的人读的。他这书虽然并不忽略重要的哲人的学说，可是以“美感经验”开宗明义，逐步解释种种关联的心理的，以及相伴的生理的作用，自是科学的态度。在这个领域内介绍这个态度的，中国似乎还无先例；一般读者将乐于知道直到他们自己的时代止的对于美的事物的看法。孟实先生的选择是煞费苦心的；他并不将一大堆人名与书名向你头顶上直压下来，教你望而却步或者皱着眉毛走上去，直到掉到梦里而后已。他只举出一些继往开来的学说，为一般读者所必须知道的。所以你念下去时，熟人渐多，作者这样腾出地位给每一家学说足够的说明和例证，你这样也便于捉摸，记忆。

但是这部书并不是材料书，孟实先生是有主张的。他以他所主张的为取舍衡量的标准；折中和引申都从这里发脚。有他自己在里面，便与教科书或类书不同。他可是并不褊狭，相反的理论在书中有同样充分的地位；这样的比较其实更可阐明他所主张的学说——这便是“形象的直觉”。孟实先生说：“凡美感经验都是形象的直觉。……形象属于物，……直觉属于我，……在美感经验中，我所以接物者是直觉而不是寻常的知觉和抽象的思考；物所以对我者是形象而不是实质成因和效用。”（第一章）他在这第一章里说明美感的态度与实用的及科学的态度怎样不同，美感与快感怎样不同，美感的态度又与批评的态度怎样不同。末了他说明美感经验与历史的知识的关系；他说作者的史迹就了解说非常重要，而了解与欣赏虽是两件事，却不可缺一。这种持平之论，真是片言居要，足以解释许多对于考据家与心解家的争执。

全书文字像行云流水，自在极了。他像谈话似的，一层层领着你走进高深和复杂里去。他这里给你来一个比喻，那里给你来一段故事，有时正经，有时诙谐；你不知不觉地跟着他走，不知不觉地“到了家”。他的句子，译名，译文都痛痛快快的，不扭捏一下子，也不尽绕弯儿。这种“能近取譬”、“深入显出”的本领是孟实先生的特长。可是轻易不能做到这地步；他在《谈美》中说写此书时“要先看几十部书才敢下笔写一章”，这是谨严切实的功夫。他却不露一些费力的痕迹，那是功夫到了家。他让你念这部书只觉得他是你自己的朋友，不是长面孔的教师，宽袍大袖的学者，也不是海角天涯的外国人。书里有不少的中国例子，其中有不少有趣的新颖的解释：譬如“文气”、“生气”、“即景生情，因情生景”，岂不都已成了烂熟的套语？但孟实先生说文气是“一种筋肉的技巧”（第八章），生气就是“自由的活动”（第六章），“即景生情，因情生景”的“生”就是“创造”（第三章）。最有意思的以“意象的旁通”说明吴道子画壁何以得力于斐旻的舞剑，以“模仿一种特殊的筋肉活动”说明王羲之观鹅掌拨水，张旭观公孙大娘舞剑而悟书法（第十三章），又据弗莱因斐尔斯的学说，论王静安先生《人间词话》中所谓“有我之境”实是无我之境，所谓“无我之境”倒是有我之境（第三章）。（作者注：这一段已移到《诗论》里去了。）这些都是入情入理的解释，非一味立异可比。更重要的是从近代艺术反写实主义的立场为中国艺术辩护（第二章），他是在这里指出一个大问题；近年来国内也渐渐有人论及，此书可助他们张目。东汉时蔡邕得着王充《论衡》，资为谈助；《论衡》自有它的价值，决不仅是谈助。此书性质与《论衡》迥不相类，而兼具两美；你想得知识固可读它，你想得一些情趣或谈资也可读它；如入宝山，你决不会空手回去的。

一九三二年四月伦敦

附录三

简要参考书目

一、目 录

Croce：*Aesthetic* 及 Lalo：*Esthètique* 均附有详细目录。关于各专题的最近的发展可参看美国每年出版的《心理学引得》(*Psychological Index*)所引的论文和专著。

二、重要原著

(1) Kant：*Critique of Judgment*(Meredith 的英译本。参看 V. Basch：*Etude sur l'esthètique de Kant*)。

(2) Schopenhauer：*The World as Will and as Idea*, Book Ⅲ.

(3) Schiller：*Letters on Aesthetic Education*(参看 V. Basch：*La Poétique de Schiller*)。

(4) Hegel：*Philosophy of Fine Art*(Osmanton 的英译本，初学者可缓读。参看 Stace：*Philosophy of Hegel*)。

(5) Tolstoi：*What is Art.*

(6) Croce：(a) *Aesthetic*，(b) *Essence of Aesthetic*(Ainslie 的英译本，参看 Wildon Carr：*Philosophy of Croce*)。

(7) Carritt：*Philosophies of Beauty*(美学名著集，最便初学)。

三、入门书籍

（1）Langfeld：*Aesthetic Attitude.*

（2）Reid：*A Study in Aesthetics.*

（3）Vernon Lee：*The Beautiful.*

（4）Münsterberg：*Principles of Art Education.*

（5）Puffer：*Psychology of Beauty.*

（6）Santayana：*The Sense of Beauty.*

（7）Clarritt：*The Theory of Beauty.*

（8）Delacroix：*Psychologie de l'art.*

四、专题要籍

（1）Edward Bullough："Psychical Distance"，*British Journal of Psychology*，1912（《距离说》）。

（2）Vernon Lee and Thomson：*Beauty & Ugliness*（此书载有Lipps的《移情说》的节译）。

（3）K. Groos：（a）*The Play of Animals*，（b）*The Play of Men*（内模仿说，《游戏与艺术》）。

（4）Clive Bell：*Art*（《最雄辩的形式主义宣言》）。

（5）Richards：*Principles of Literary Criticism*（《传达问题与价值问题》）。

（6）Spencer：*Principles of Psychology*，Ⅱ（《游戏与艺术》）。

（7）Grosse：*Origin of Art*（《艺术起源》）。

（8）Ribot：*Essai sur l'invention Créatrice*（有英译本，《创造的想象》）。

（9）Paulham：*Psychologie de l'invention*（《创造的想象》）。

（10）Prescott：*Poetic Mind*（《创造的想象》）。

（11）Downey：*Creative Imagination*（《创造的想象》）。

（12）Dixon：*Tragedy*（《悲剧 》）。

（13）K. T. Chu：*The Psychology of Tragedy*（附有《悲剧心理学》详细书目）。

（14）Bergson：*Le Rire*（有英译奉，《论喜剧》）。

（15）Greig：*The Psychology of Laughter and Comedy*（附有《喜剧心理学》详细书目）。

（16）Bradley："The Sense of Sublime"，Oxford Lectures on Poetry（《论雄伟》）。

（17）Spencer：*Essays*（《论秀美》）。

（18）Bergson：*Essai sur données immediates de la Conscience*（《论美感经验及秀美》）。

（19）Guyau：*l' Art au point de Vue Sociologique*（《艺术与社会关系》）。

（20）Bosenquet：*History of Aesthetics*（《美学史 》）。